JN060346

司法試験　予備試験

2025年版

完全整理

択一六法

司法試験&予備試験対策シリーズ

Commercial Law

はしがき

★令和６年の短答式試験＜商法＞の分析

今年の商法も、例年どおり、会社法を中心に全15問出題されました。具体的には、会社法から11問、商法総則・商行為法から３問、手形・小切手法から１問出題されました。例年、手形・小切手法から２問出題されるのが通例でしたが、昨年（令和５年）からは１問のみの出題にとどまっています。手形・小切手が取引の現場で実際に使われる場面は減っているため、来年以降も手形・小切手法から出題される問題数は１問にとどまる可能性が高いと推測されます。その一方で、今年初めて商法総則・商行為法から３問出題されました。来年以降も商法総則・商行為法から３問出題される可能性を考慮すると、短答式試験における商法総則・商行為法の重要性がより増したものといえます。そのため、まずは過去問マーク（同共予書）が付されている箇所を押さえておき、余裕があれば手を広げるといったスタンスでの学習が効率的です。

なお、今年も条文・判例の知識・理解を問う問題を中心に出題されており、この点は例年と同様の傾向といえます。また、全体の平均点については、令和元年から順に、「14.2点」（令和元年）→「12.8点」（令和２年）→「16.0点」（令和３年）→「10.9点」（令和４年）→「14.3点」（令和５年）→「14.3点」（令和６年）と推移しています。これらのデータから、今年の商法科目の難易度は、令和元年からの直近６年間の中で、昨年と同じ程度に易しかったものと思われます。

商法科目で高得点をマークするためには、まず会社法の基本的な条文・判例知識の習得を目指し、余裕があれば、持分会社や計算等の細かい条文知識や、商法総則・商行為法、手形法・小切手法の体系的知識の習得を試みると良いでしょう。

★令和６年の短答式試験の結果を踏まえて

今年の予備試験短答式試験では、採点対象者12,469人中、合格者（270点満点で各科目の合計得点が165点以上）は2,747人となっており、昨年の短答式試験合格者数2,685人を62人上回りました。

まず、「合格点」についてですが、過去の直近５年間（令和元年～令和５年）の合格点は「156点～168点以上」という幅のある推移となっており、特に昨年（令和５年）の合格点は、令和元年以降最も高い「168点以上」となっていました。このような近年の状況において、今年の合格点は「165点以上」と高い水準を維持する形となりましたが、来年の合格点については、引き続き「156点～168点以上」の間で推移するものと予測されます。

また、「合格率」（採点対象者に占める合格者数の割合）についてですが、昨年（令和５年）の合格率は、予備試験が実施されるようになった平成23年から見て最も低い約20.26％でしたが、今年は約22.03％となり、約1.8％上昇しました。このように、予備試験短答式試験の合格率は、おおよそ20％台にあるといえますが、司法試験短答式試験の今年の合格率が約78.96％（採点対象者数：合格者数＝3,746：2,958）であることと比べると、予備試験短答式試験は明らかに「落とすための試験」という意味合いが強い試験だといえます。

そして、受験者数・採点対象者数は、令和２年を除き、平成27年から微増傾向にあり、昨年（令和５年）の受験者数は、予備試験史上最も多い13,372人を記録していましたが、今年の受験者数は12,569人となり、一転して減少することとなりました。採点対象者数についても、昨年（令和５年）は13,255人と予備試験史上最も多い数字でしたが、今年は12,469人となり、増加傾向に歯止めがかかった形です。

受験率については、直近２年連続で80％台を維持していましたが、今年は「79.7％」となり、わずかに80％を割り込みました。もっとも、来年以降も同様の「受験率」が維持されるものと考えられ、合格者数も2,500～2,800人前後となることが予想されます。

予備試験短答式試験では、法律基本科目だけでなく、一般教養科目も出題されます。点数が安定し難い一般教養科目での落ち込みをカバーするため、法律基本科目については苦手科目を作らないよう、安定的な点数を確保する対策が必要となります。

このような現状の中、短答式試験を乗り切り、総合評価において高得点をマークするためには、いかに短答式試験対策を効率よく行うかが鍵となります。そのため、要領よく知識を整理し、記憶の定着を図ることが至上命題となります。

★必要十分な知識・判例を掲載

商法の短答式試験は、大きく分けて、会社法、商法総則・商行為法、手形・小切手法の３つのテーマから出題されています。会社法分野では主に条文知識を問う出題が多く、条文の理解・記憶が何よりも重要です。しかし、会社法に規定された条文数は膨大であるうえ、読み替え規定や準用規定が多数あり、これを理解・記憶することは容易ではありません。

そこで、本書は、会社法の条文中で重要な部分を青字で表示しています。会社法では、かっこ書が多用されていて読みにくい条文が多くありますが、青字部分だけを読むことで、内容を把握することができるようにしています。また、読み替え規定・準用規定のうち重要な条文については、読み替え後の条文を併記し、条文の意味を理解しやすいように工夫しています。

以上に加えて、会社法の短答式試験では重要判例も問われます。そこで、短答式試験合格に必要な情報として、百選掲載判例・重判掲載判例から重要なものをセレクトし、集約しました。

商法総則・商行為法分野、及び手形・小切手法分野は出題数が相対的に少ないとはいえ、確実に出題される分野です。効率よく要点をつかんだ学習が必須です。これらの分野についても、最近の出題状況を踏まえて、必要十分な情報を掲載していますので、本書に掲載された内容についてはマスターして頂きたいところです。

★司法試験短答式試験、予備試験短答式試験の過去問情報を網羅

本書では、司法試験・予備試験の短答式試験において、共通問題で問われた知識に共マーク、予備試験単独で問われた知識に予マーク、司法試験単独で問われた知識に司マークを付しています。また、司法書士試験についても効率的な試験対策を行えるよう、過去16年分（平成21年～令和6年）の司法書士試験で問われた知識に書マークを付しています。複数のマークが付されている箇所は、各短答式試験で繰り返し問われている知識であるため、より重要性が高いといえます。

★最新法改正対応

本書では、常に法改正の動向に注目しています。最新の情報をいち早く皆様に提供するために、令和6年8月末日までに公布された法改正を盛り込みました。

令和元年12月11日、令和元年改正会社法（令和元年法律第70号）が公布されました。株主総会資料の電子提供制度（325の2～325の7）等の施行日が「公布の日から起算して3年6月を超えない範囲内において政令で定める日」とされていましたが、この改正部分も令和5年の司法試験及び予備試験からその出題範囲に含まれています。本書は、この株主総会資料の電子提供制度（325の2～325の7）等も含め、令和元年改正会社法に全面的に対応した上で、分かりやすく解説しています。

★最新判例インターネットフォロー

短答式試験合格のためには、最新判例を常に意識しておくことが必要です。そこで、ＬＥＣでは、最新判例の情報を確実に収集できるように、本書をご購入の皆様に、インターネットで随時、最新判例情報をご提供させていただきます。

アクセス方法の詳細につきましては、「最新判例インターネットフォロー」の頁をご覧ください。

2024年9月吉日

株式会社東京リーガルマインド
ＬＥＣ総合研究所　司法試験部

司法試験・予備試験受験生の皆様へ

ＬＥＣ司法試験対策　総合統括プロデューサー
反町　雄彦　ＬＥＣ専任講師・弁護士

◆競争激化の短答式試験

短答式試験は、予備試験においては論文式試験を受験するための第一関門として、また、司法試験においては論文式試験を採点してもらう前提条件として、重要な意味を有しています。いずれの試験においても、合格を確実に勝ち取るためには、短答式試験で高得点をマークすることが重要です。

◆短答式試験対策のポイント

司法試験における短答式試験は、試験最終日に実施されます。論文式試験により心身ともに疲労している中、短答式試験で高得点をマークするには、出題可能性の高い分野、自身が弱点としている分野の知識を、短時間で総復習できる教材の利用が不可欠です。

また、予備試験における短答式試験は、一般教養科目と法律基本科目（憲法・民法・刑法・商法・民事訴訟法・刑事訴訟法・行政法）から出題されます。広範囲にわたって正確な知識が要求されるため、効率的な学習が不可欠となります。

本書は、短時間で効率的に知識を整理・確認することができる最良の教材として、多くの受験生から好評を得ています。

◆短答式試験の知識は論文式試験の前提

司法試験・予備試験の短答式試験では、判例・条文の知識を問う問題を中心に、幅広い論点から出題がされています。論文式試験においても問われうる重要論点も多数含まれています。そのため、短答式試験の対策が論文式試験の対策にもなるといえます。

また、司法試験の憲法・民法・刑法以外の科目においても、論文式試験において正確な条文・判例知識が問われます。短答式試験過去問を踏まえて解説した本書を活用し、重要論点をしっかり学んでおけば、正確な知識を効率良く答案に表現することができるようになるため、解答時間の短縮につながることは間違いありません。

司法試験合格が最終目標である以上、予備試験受験生も、司法試験の短答式試験・論文式試験の対策をしていくことが重要です。短答式試験対策と同時に、重要論点を学習し、司法試験を見据えた学習をしていくことが肝要でしょう。

◆苦手科目の克服が肝

司法試験短答式試験では、短答式試験合格点（令和６年においては憲法・民法・刑法の合計得点が93点以上）を確保していても、１科目でも基準点（各科目の満点の40％点）を下回る科目があれば不合格となります。本年では、憲法で317人、民法で192人、刑法で122人もの受験生が基準点に達しませんでした。本年の結果を踏まえると、基準点未満で不合格となるリスクは到底見過ごすことができません。

試験本番が近づくにつれ、特定科目に集中して勉強時間を確保することが難しくなります。苦手科目は年内に学習し、苦手意識を克服、あわよくば得意科目にしておくことが必要です。

◆本書の特長と活用方法

完全整理択一六法は、一通り法律を勉強し終わった方を対象とした教材です。本書は、司法試験・予備試験の短答式試験における出題可能性の高い知識を、逐条形式で網羅的に整理しています。最新判例を紹介する際にも、できる限りコンパクトにして掲載しています。知識整理のためには、核心部分を押さえることが重要だからです。

本書の活用方法としては、短答式試験の過去問を解いた上で、間違えてしまった問題について確認し、解答に必要な知識及び関連知識を押さえていくという方法が効果的です。また、弱点となっている箇所に印をつけておき、繰り返し見直すようにすると、復習が効率よく進み、知識の定着を図ることができます。

このように、受験生の皆様が手を加えて、自分なりの「完択」を作り上げていくことで、更なるメリハリ付けが可能となります。ぜひ、有効に活用してください。

司法試験・予備試験は困難な試験です。しかし、継続を旨とし、粘り強く学習を続ければ、必ず突破することができる試験です。

皆様が本書を100％活用して、試験合格を勝ち取られますよう、心よりお祈り申し上げます。

CONTENTS

小切手法

◆図表一覧

CONTENTS

◆論点一覧表

【司法試験】

年度	論点名	備考	該当頁
H18	事業譲渡（「事業の重要な一部の譲渡」、467 I②）	最大判昭 40.9.22・会社百選 82 事件 →事業の「重要な」一部の譲渡に当たるかについても論ずる必要がある（出題趣旨参照）	401
	特別利害関係人の議決権行使による著しく不当な決議（831 I③）		613
	株主総会の特別決議を欠く事業譲渡の効力	最判昭 61.9.11・会社百選 5 事件	401
	任務懈怠責任（423 I）と経営判断原則		352
H19	新株発行無効の訴え（828 I②）	無効原因については規定されておらず、どのような瑕疵を基に、新株発行無効の訴えが認められるかが問題となる（出題趣旨参照）。	601 602
	「特に有利な金額」（199 III）の意義	最判昭 46.7.16・会社百選 22 事件	157
	取締役会決議の瑕疵（一部の取締役に対する招集通知を欠いた場合）		305
	「著しく不公正な方法」（210②）の該当性	最判平 6.7.14・会社百選 100 事件	170
	不公正な払込金額で株式を引き受けた者の責任（212 I）		172
	任務懈怠責任（423 I）と経営判断原則		352
H20	「多額の借財」（362 IV②）の意義		300
	取締役会決議を欠く取締役の対外的行為の効力	最判昭 40.9.22・会社百選 61 事件	282
	利益相反取引（間接取引、356 I③）該当性		288
	会社の承認を欠く利益相反取引の効力（356 I②③、365 I）		289

年度	論点名	備考	該当頁
H24	決議要件（341）を満たす取締役候補者が定款所定の取締役の員数を超えて存在する場合において選任され得る取締役の員数及びその決定方法	現場思考	―
	違法行為差止請求（360、385）	特に「法令に違反する行為」という要件を検討するほか、実務的な観点からは、仮処分（385 Ⅱ参照）にも言及することが望ましい（出題趣旨参照）。 なお、監査役の権限を論ずるに際しては、監査役会において、常勤監査役が「本件貸付けについては問題視しないことを監査役会の方針とする」旨を提案し、他の非常勤監査役がこれに賛成していることから、監査役の独任制との関係（390 Ⅱただし書）について触れることが求められる（出題趣旨参照）。	292 317 322
	利益相反取引（直接取引、356 Ⅰ②）該当性		287
	利益相反取引（356 Ⅰ②）に係る取締役の任務懈怠の推定（423 Ⅲ）	なお、自己のための直接取引をした取締役は無過失責任を負う（428 Ⅰ）。	288
	株主・監査役による責任追及の方法	現場思考 株主による責任追及としては会社に対する提訴請求及び株主代表訴訟（847）について、監査役による責任追及としてはその提訴権限（386 Ⅰ）について、それぞれ条文を摘示しつつ論述することが求められる（出題趣旨参照）。	―
	議案を否決する株主総会決議の取消しの訴えの適法性	最判平 28.3.4・会社百選 35 事件	611
	株主総会決議取消しの訴えの原告適格（831 Ⅰ柱書後段）		614
	監査役の意見陳述の機会（345 Ⅳ、同Ⅰ）が奪われたことが株主総会決議の取消事由に当たるか		612
	株主総会決議取消しの訴えにおいて他の株主に関する手続上の瑕疵を主張することができるか	最判昭 42.9.28・会社百選 33 事件	614

年度	論点名	備考	該当頁
H24	株主総会の招集に係る取締役会決議の瑕疵の存否	現場思考	——
	取締役が監査役に選任されることの適否	最判平元.9.19	267
H25	株式譲渡のみなし承認（145）	現場思考 本来の制度の目的とは異なる目的でみなし承認の制度を利用した点がみなし承認の効力に影響を与え得るか否かについて、株式譲渡自由の原則、株式の譲渡制限とみなし承認の制度趣旨、既存株主と譲受人のいずれの利益を保護すべきか等に触れながら検討することが求められている（出題趣旨参照）。	112
	名義書換未了の株式譲受人	最判昭30.10.20	102
	株主総会の目的事項（298 Ⅰ②）以外の決議の効力（309 Ⅴ）	株主総会の決議方法の法令違反という831条1項1号の決議取消事由に該当することを指摘する必要がある（出題趣旨参照）。	237
	株式の共有者による権利行使（106）	最判平9.1.28・会社百選10事件	73
	特別利害関係人の議決権行使による著しく不当な決議（831 Ⅰ③）		613
	裁量棄却（831 Ⅱ）		617
	株主総会決議の取消判決の遡及効と取締役の報酬の不当利得返還請求	現場思考	——
	新株発行の差止請求（210）	「著しく不公正な方法」（210②）の該当性や「株主が不利益を受けるおそれ」（同柱書）の該当性が問題となる（出題趣旨参照）。	170
	新株発行無効の訴え（828 Ⅰ②）	最判平6.7.14・会社百選100事件	602
H26	新株発行不存在確認の訴え（829①）の可否	法文上、どのような場合に募集株式の発行が「不存在」であるかが明らかでなく、不存在の意義を解釈により明らかにする必要がある（出題趣旨参照）。	606
	新株発行不存在確認の訴えを認容する判決が確定した場合の法律関係	現場思考	——

年度	論点名	備考	該当頁
H26	適法な選任手続を経ずに代表取締役の就任登記がされた者による行為の効力	①表見代表取締役（354）の類推適用、②不実の登記の効力（908 Ⅱ）について検討することが求められる（出題趣旨参照）。	284 362
	「多額の借財」（362 Ⅳ②）の意義	最判平 6.1.20・会社百選 60 事件	300
	取締役会決議を欠く取締役の対外的行為の効力	最判昭 40.9.22・会社百選 61 事件	282
	代表者の権限濫用行為		282
	事実上の取締役に対する任務懈怠責任（423 Ⅰ）の類推適用の可否		362
	株主代表訴訟の「責任」（847 Ⅰ）の範囲	最判平 21.3.10・会社百選 64 事件	627
	取締役の監視義務（362 Ⅱ②）	なお、本問において、監視義務違反を問われているDは、既に取締役の退任登記を備えているが、なお取締役としての権利義務を有する地位にあること（346 Ⅰ）を指摘しておく必要がある（出題趣旨参照）。	299
H27	競業避止義務（356 Ⅰ①）		286
	従業員の引き抜きの忠実義務（355）違反該当性	東京高判平元.10.26・会社百選 A20 事件	285
	事業譲渡（「事業の重要な一部の譲渡」、467 Ⅰ②）か「重要な財産の処分」（362 Ⅳ①）か	本問の取引（事業の一部を２つの資産売買に分けて売却した取引）の形式を重視すれば、２つの「重要な財産の処分」（362 Ⅳ①）がされたものと評価することとなる（出題趣旨参照）。 →最判平 6.1.20・会社百選 60 事件 諸般の経緯・事情を重視すれば、実質的に全体として事業譲渡がされたものと評価することとなる（出題趣旨参照）。 →最大判昭 40.9.22・会社百選 82 事件 →事業の「重要な」一部の譲渡に当たるかについても論ずる必要がある（出題趣旨参照） →株主総会の特別決議を欠く事業譲渡の効力（最判昭 61.9.11・会社百選 5事件）についても論ずる必要がある（出題趣旨参照）	401

年度	論点名	備考	該当頁
H29	株式の併合の理由の説明義務（180 Ⅳ）	説明の内容に照らし、その説明が株主総会の決議の方法の法令違反（831 Ⅰ①）に当たるか否かが問題となる（出題趣旨参照）。	140
	株式の譲渡の対抗要件に関する130条1項が株式の相続にも適用されるか	なお、前提として、株主総会の決議の取消しの訴えを提起する者は他の株主に関する瑕疵を取消事由として主張することができるとした判例（最判昭42.9.28・会社百選33事件）に言及することが求められる（採点実感参照）。	102 614
	特別利害関係人の議決権行使による著しく不当な決議（831 Ⅰ③）		613
	締め出し目的で行われた株式の併合が株主平等原則（109 Ⅰ）に違反するか	現場思考	——
	株式の併合と端数株式の処理の手続（235、234 Ⅱ～Ⅴ）		183
	反対株主の株式買取請求（182の4）	株式の譲渡の対抗要件に関する130条1項が株式の相続にも適用されるかどうかについての検討と整合的な論述が求められる（出題趣旨参照）。	142
H30	会計帳簿閲覧請求の拒絶事由該当性（433 Ⅱ①③）		372 373
	利益供与（120）		90
	議長の議事整理権（315）の濫用		245
	議案を否決する株主総会決議の取消しの訴えの適法性	最判平28.3.4・会社百選35事件	611
	利益供与（120）に関与した者に対する責任追及等の訴え	現場思考	——
	相続人に対する売渡請求（174）の可否	174条の趣旨は、株式会社が、定款にその旨の定めを設けることにより、相続その他の一般承継により当該株式会社の譲渡制限株式を取得した者に対し、当該譲渡制限株式を当該株式会社に売り渡すことを請求することができることとし、当該株式会社にとって必ずしも好ましくない者が当該株式会社の株主となることを防ぐことができるようにすることにある（出題趣旨参照）。	132

CONTENTS

年度	論点名	備考	該当頁
R元	少数株主による株主総会の招集手続（297以下）と議題提案権（303）・議案要領通知請求権（305）の行使手続についての比較・検討		225
	新株予約権無償割当ての差止めの請求（247類推適用）	ブルドックソース事件（最決平19.8.7・会社百選98事件） ニッポン放送事件（東京高決平17.3.23・会社百選97事件）	195 196
	取締役の業務執行権限に属する事項を定款で株主総会の決議事項とすることができるか（295Ⅱ参照）		221 299
	株主総会の決議の遵守義務（355）と任務懈怠責任（423Ⅰ）の関係	現場思考	——
R2	有利発行を行う場合における株主総会招集通知の記載事項	有利発行を行う場合、株主総会の招集通知に募集株式を引き受ける者の募集に係る議案の概要を記載しなければならず（299Ⅳ・298Ⅰ、規則63⑦ホ）、これを欠くことは、株主総会の招集の手続の法令違反という取消事由（831Ⅰ①）に該当する（出題趣旨参照）。	224
	全員出席総会による瑕疵の治癒	最判昭60.12.20・会社百選27事件	223 227
	有利発行を行う場合における取締役の説明義務（199Ⅲ）	これを欠くことは、株主総会の決議の方法の法令違反という取消事由（831Ⅰ①）に該当する（出題趣旨参照）。	156
	非公開会社における募集株式の発行に係る募集事項を決定する株主総会決議に取消事由がある場合、本件株式発行に無効原因が認められるか	現場思考 なお、「非公開会社については、その性質上、会社の支配権に関わる持株比率の維持に係る既存株主の利益〔支配的利益〕の保護を重視し、その意思に反する株式の発行は株式発行無効の訴えにより救済するというのが会社法の趣旨と解されるのであり、非公開会社において、株主総会の特別決議を経ないまま株主割当て以外の方法による募集株式の発行がされた場合、その発行手続には重大な法令違反があり、この瑕疵は上記株式発行の無効原因になる」とする判例（最判平24.4.24・会社百選26事件）参照	——

年度	論点名	備考	該当頁
R3	代表取締役がその内部的制限に反して議決権を行使することなどが、株主総会決議の方法の法令違反（831 Ⅰ①）に当たるか	代表取締役の権限（349 Ⅳ）を内部的に制限する旨の内規は、善意の第三者に対抗することができない（同Ⅴ）ことを指摘した上で、本問の事実関係を踏まえて、第三者である甲社の主観面を検討して結論を導くことが求められる（出題趣旨参照）。	282
R4	339 条 2 項の類推適用（又は適用）の可否	現場思考 339 条 2 項の趣旨を踏まえつつ、類推適用の基礎は何であるか、何をもって実質的な解任であると評価するかを意識した検討をする必要がある（出題趣旨参照）。	——
	解任の「正当な理由」（339 Ⅱ）の有無	最判昭 57.1.21・百選 42 事件	270
	「損害」（339 Ⅱ）の具体的な内容	現場思考	——
	デュー・ディリジェンスを行うことなく高値で事業を譲り受けたことに関する任務懈怠責任（423 Ⅰ）	現場思考	——
	「損害」（423 Ⅰ）の具体的な内容	現場思考	——
	22 条 1 項の類推適用の可否（譲渡会社の商号の一部が含まれている商標を使用した場合における譲受会社の責任）		17
R5	いわゆる一人会社において、その唯一の株主が代表取締役として行った行為についての任務懈怠責任（423 Ⅰ、429 Ⅰ）の有無	現場思考 一人会社においては会社の利益と株主の利益が一致することを指摘し、善管注意義務（忠実義務）の内容を株主の経済的利益を最大化するという観点から考えるという立場に立脚した上で、小問 1 では任務懈怠を否定しつつ、小問 2 では会社債権者の利益を保護する必要性があるなどと指摘し、その点も善管注意義務（忠実義務）の内容になるという考え方の下、任務懈怠を肯定する答案は、高く評価された（採点実感参照）。	351 361
	免除（424）に関する黙示の意思表示の有無	現場思考	——

年度	論点名	備考	該当頁
R5	株式の共有者による権利行使（106）	原告適格について、最判平 2.12.4・百選9事件参照 本案の請求について、最判平 27.2.19・百選 11 事件参照	73
	株主総会決議の取消しの訴えにおける訴えの利益の有無（いわゆる瑕疵の連鎖の有無）	前提となる判例として、最判昭 45.4.2・百選 36 事件参照 小問1（瑕疵の連鎖がある場合：訴えの利益肯定）については、最判令 2.9.3・百選 A14 事件参照 小問2（瑕疵の連鎖がない場合：訴えの利益否定）については、346 条1項（権利義務取締役）・351 条1項（権利義務代表取締役）が適用されることを指摘する必要がある（出題趣旨・採点実感参照）。	276 282 616

【予備試験】

年度	論点名	備考	該当頁
H23	取締役会決議の瑕疵（一部の取締役に対する招集通知を欠いた場合）	最判昭 44.12.2・会社百選 62 事件	305
	「特別の利害関係を有する取締役」（369 Ⅱ）の該当性		304
	株式譲渡のみなし承認（145）		112
	名義書換（130）の不当拒絶	最判昭 41.7.28・会社百選 13 事件	102
	譲渡制限株式の二重譲渡		102
H24	利益相反取引（直接取引、356 Ⅰ②）該当性		287
	会社の承認を欠く利益相反取引の効力（356 Ⅰ②③、365 Ⅰ）		289
	「重要な財産」（362 Ⅳ①）の譲受けに該当するか		300
	取締役会決議を欠く取締役の対外的行為の効力	最判昭 40.9.22・会社百選 61 事件	282
	買主による目的物の検査及び通知（商 526）		729

年度	論点名	備考	該当頁
H26	株主総会の特別決議を欠く募集株式の有利発行の効力（828 Ⅰ②）	最判昭 46.7.16・会社百選 22 事件	602
H27	役員等の対第三者責任（429 Ⅰ）の本質	最大判昭 44.11.26・会社百選 66 事件	362
	「第三者」（429 Ⅰ）に株主が含まれるか		363
	譲受会社が商号を続用しない場合における22条1項類推適用の可否	最判平 16.2.20・商法百選 18 事件	17
	損害賠償債務が「譲渡会社の事業によって生じた債務」（22 Ⅰ）に該当するか		17
H28	機関方式（代行方式）による手形行為		776
	偽造手形の本人（被偽造者）の責任	最判昭 43.12.24・手形百選 13 事件	776
	株式の共有者による権利行使（106）	最判平 27.2.19・会社百選 11 事件	73
	吸収合併の差止請求（784の2）		557
	吸収合併の無効の訴え（828 Ⅰ⑦）		603 612
H29	現物出資（28①）の手続	取締役会決議による募集事項の決定、検査役の選任の要否（207 Ⅸ⑤参照）等	167 168
	出資の履行における会社側からの相殺の可否（208 Ⅲ）		168
	仮装払込みに係る引受人・取締役の責任（213の2・213の3）		173 174
	出資の履行の仮装と株式発行の効力		169
	仮装払込みに係る株式の譲受人による議決権行使の可否（209 Ⅲ）		169

年度	論点名	備考	該当頁
R5	代理人を株主に限る旨の定款の適用範囲	代理人として来場した法人株主の従業員の出席を拒むことが決議取消事由となるかを問うものである（出題趣旨参照）。 最判昭51.12.24・百選34事件	241
	新株発行の公示（募集事項の通知・公告）をすることなく取締役会限りで行われた新株発行に無効事由があるか	判例（最判平9.1.28・百選24事件）の趣旨を踏まえ、株主総会の特別決議を経ずに有利発行が行われていること（199Ⅱ Ⅲ、201Ⅰ、309Ⅱ⑤）や、既存株主の持株比率に重大な影響を及ぼす不公正発行（210②）が行われていること（いずれも差止事由に当たる）といった事実関係に即して、新株発行の無効事由の有無を検討することが求められる（出題趣旨参照）。	170 601

《略記表》

会⇒会社法
令⇒会社法施行令
規⇒会社法施行規則
計規⇒会社計算規則
商⇒商法
商登⇒商業登記法
手⇒手形法
小⇒小切手法
民⇒民法
民訴⇒民事訴訟法
非訟⇒非訟事件手続法
民執⇒民事執行法
民保⇒民事保全法
破産⇒破産法
民再⇒民事再生法
会更⇒会社更生法
金商⇒金融商品取引法
刑⇒刑法

本書の効果的利用法

●株式　　総則［第106条］

《注　釈》

一　判例

1　権利行使の可否

(1)　共有株式の権利行使者は、共有株主が持分の価格に従いその過半数で決める。これを定めない場合には、株主として権利行使できない（最判平9.1.28・百選10事件）。

(2)　共同相続人が準共有者としての地位に基づいて株主総会の決議不存在確認の訴え（830 I）を提起する場合も、権利行使者を定め会社に通知していないときは、特段の事情のない限り、原告適格を有しない（結論として、①発行済株式の全部が準共有の状態にあること、②株主総会が開催されたとして共同相続人のうちの1人が取締役として選任登記がなされていることを考慮して、「特段の事情」を認めた）（最判平2.12.4・百選9事件）。

(3)　106条本文が共有に属する株式についての権利の行使の方法に関する「特別の定め」（民264ただし書）に当たるところ、106条ただし書の同意により「特別の定め」である106条本文の適用が排除される結果、一般法である民法の共有に関する規定が適用されることになると解されるから、「共有に属する株式について会社法106条本文の規定に基づく指定及び通知を欠いたまま当該株式についての権利が行使された場合において、当該権利の行使が民法の共有に関する規定に従ったものでないときは、株式会社が同条ただし書の同意をしても、当該権利の行使は、適法となるものではな」く、「共有に属する株式についての議決権の行使は、当該議決権の行使をもって直ちに株式を処分し、又は株式の内容を変更することになるなど特段の事情のない限り、株式の管理に関する行為として、民法252条本文により、各共有者の持分の価格に従い、その過半数で決せられる」（最判平27.2.19・百選11事件）。

2　被選定者の権限

権利行使者を1人に決めて、会社に通知したときは、たとえ共有者間で議決権行使について逐一合意を要するという取り決めがあっても、被選定者は自己の判断で有効に議決権を行使できる（最判昭53.4.14）。

二　遺産分割未了の共有株式と株主総会決議の定足数要件

遺産分割未了のまま相続人の共有状態にある株式について、権利行使者の指定・通知がない場合には、会社の同意がない限り
きない（106）。

この場合、遺産分割未了の共有株式が株主総会
問題となり、以下の2つの考え方がある。

①　定足数には含まれないとする考え方

∵「権利を行使することができない」（106
割未了の共有株式は「議決権を行使する

株式会社

試験に必要な判例は、内容を端的に示した上で、検索の便のため、年月日・百選番号まで明示

判例には〈判マーク、通説には〈通マークを明示し、短答式試験の過去問で問われた項目に下記のマークを明示

司法試験　⇒〈司

予備試験　⇒〈予

司法試験・予備試験共通問題　⇒〈共

司法書士試験　⇒〈書

株主総会及び種類株主総会等［第311条］　●機関

第311条　（書面による議決権の行使）

I　書面による議決権の行使は、議決権行使書面に必要な事項を記載し、法務省令で定める時までに当該記載をした議決権行使書面を株式会社に提出して行う。

II　前項の規定により書面によって行使した議決権の数は、出席した株主の議決権の数に算入する。

III　株式会社は、株主総会の日から3箇月間、第1項の規定により提出された議決権行使書面をその本店に備え置かなければならない。

IV　株主は、株式会社の営業時間内は、いつでも、第1項の規定により提出された議決権行使書面の閲覧又は謄写の請求をすることができる。この場合においては、当該請求の理由を明らかにしてしなければならない。

V　株式会社は、前項の請求があったときは、次のいずれかに該当する場合を除き、これを拒むことができない。

①　当該請求を行う株主（以下この項において「請求者」という。）がその権利の確保又は行使に関する調査以外の目的で請求を行ったとき。

②　請求者が当該株式会社の業務の遂行を妨げ、又は株主の共同の利益を害する目的で請求を行ったとき。

③　請求者が第1項の規定により提出された議決権行使書面の閲覧又は謄写によって知り得た事実を利益を得て第三者に通報するため請求を行ったとき。

④　請求者が、過去2年以内において、第1項の規定により提出された議決権行使書面の閲覧又は謄写によって知り得た事実を利益を得て第三者に通報したことがあるものであるとき。

【令元改正】議決権行使書面（電磁的方法により提供された場合（312 V VI参照）も含む）には、法令上の要求ではないものの株主の住所が記載されているのが一般的であり、株主名簿の閲覧謄写請求が拒絶された場合に、株主の住所等の情報を取得する目的で、議決権行使書面の閲覧謄写請求が利用されているとの指摘や、株式会社の業務遂行を妨げる目的など、正当な目的以外の目的で議決権行使書面の閲覧謄写請求権が行使されているとの指摘がなされていた。そこで、プライバシーを保護し、濫用的な議決権行使書面の閲覧謄写請求権の行使を防止するために、議決権行使書面の閲覧謄写請求を行う場合には、当該請求の理由を明らかにしなければならない（311 IV後段）とともに、一定の拒絶事由（同V）が新たに設けられ、株主名簿の閲覧謄写請求に関する規律と同様の取扱いがなされることとなった。なお、代理権を証明する書面（委任状）の閲覧謄写請求についても同様の改正がなされている（310 VII VIII）。

【趣旨】4項の趣旨は、賛否の票数を株主が調査できるようにし、また、決議取消の訴え（831）を提起できるようにする点にある。

《注　釈》

◆　書面による議決権の行使の制度

1　株主総会の開催の要不要

書面決議制度（319 I参照　⇒p.247）とは異なり、書面による議決権の行使ができることを定めた場合でも、株主総会の開催は必要である。

242

株式会社

令和元年会社法改正部分を下線で強調

2019年（令和元年）会社法改正の要点を明示

当該項目と関連する部分や詳細な記述がなされている部分を　⇒p.で表示し、直ちに当該部分を参照することが可能

随所に図表を設け、ビジュアル的にわかりやすく情報を整理

論文式試験の過去問で問われた項目に下記のマークを明示
司法試験　⇒ 司R5
予備試験　⇒ 予R5
(数字は出題された年度を表しています。)

煩雑な検索を要する**条文番号**については、一目でわかるよう、**内容を説示**(重要部分のみ)

2025年予備試験での出題が予想される項目をマークで明示

わかりにくい読替え規定については、**読替え後の条文内容を明示**

重要条文については端的に趣旨を明示

おさえておきたい関連条文を明示

●訴訟　　会社の組織に関する訴え［第831条］

<株主総会決議の取消事由（831 Ⅰ①②に関するもの）>

	招集手続	決議方法	決議内容
法令違反	①　招集通知漏れ ②　招集通知等の記載不備 ③　招集通知期間の不足 ④　有効な取締役会決議を経ずに代表取締役が株主総会を招集した場合	（審議に関する瑕疵） ①　説明義務違反 ②　株主の代理人（非株主）の出席拒絶 ③　出席株主の一部の入場拒絶・株主の動議の無視 ④　監査役による意見陳述権行使の不当拒絶 （議決に関する瑕疵） ⑤　定足数不足 ⑥　会社が利益供与した株主による議決権の行使 ⑦　権利行使者の指定・通知を欠く準共有株式の権利行使 ⑧　取締役会設置会社における招集通知記載事項以外の決議 ⑨　議案提出権・議案要領通知請求権の無視	無効事由（830 Ⅱ）
定款違反	定款に規定する招集手続に対する違反	代理人の資格を株主に限る旨の定款の定めに反して非株主である代理人が株主総会に出席した場合	定款で定める取締役等の役員の員数を超えた選任決議
著しく不公正	取締役会非設置会社において招集権者が総会の議題を一部の株主にのみ隠して教えない場合	株主が出席困難な時刻・場所に株主総会を開催する場合	

3　特別利害関係人の議決権行使による著しく不当な決議（③）

　特別利害関係人とは、問題となる議案の成立により他の株主と共通しない特殊な利益を獲得し、若しくは不利益を免れる株主をいう。

　ex.1　取締役の報酬等を決定する決議（361）における株主兼取締役

　ex.2　Ａ社とＢ社（Ａ社の株主）が合併する場合のＡ社での合併承認決議（783）におけるＢ社

　株主総会における特別利害関係人は、取締役会における特別利害関係人（369 Ⅱ　⇒p.304）が議決権を行使できないの……上で議決権を行使すること自体は妨げられない。

　∵　議決権を含む株主の権利は、基本的に株主……であるので、利害関係があるからといって直……けにはいかない

　もっとも、これにより著しく不当な決議がなさ……他の株主の利益を保護するため、取消事由にな……

●株式　　株式会社による自己の株式の取得［第160条～第162条］

第２目　特定の株主からの取得

第１６０条　（特定の株主からの取得）

Ⅰ　株式会社は、第１５６条第１項各号<自己株式の取得に関する事項の決定>に掲げる事項の決定に併せて、同項の株主総会の決議によって、第１５８条第１項<自己株式取得に際しての株主に対する通知>の規定による通知を特定の株主に対して行う旨を定めることができる。

Ⅱ　株式会社は、前項の規定による決定をしようとするときは、法務省令で定める時までに、株主（種類株式発行会社にあっては、取得する株式の種類の種類株主）に対し、次項の規定による請求をすることができる旨を通知しなければならない。

Ⅲ　前項の株主は、第１項の特定の株主に自己をも加えたものを同項の株主総会の議案とすることを、法務省令で定める時までに、請求することができる。

Ⅳ　第１項の特定の株主は、第１５６条第１項<自己株式の取得に関する事項の決定>の株主総会において議決権を行使することができない。ただし、第１項の特定の株主以外の株主の全部が当該株主総会において議決権を行使することができない場合は、この限りでない。

Ⅴ　第１項の特定の株主を定めた場合における第１５８条第１項<自己株式取得に際しての株主に対する通知>の規定の適用については、同項中「株主（種類株式発行会社にあっては、取得する株式の種類の種類株主）」とあるのは、「第１６０条第１項の特定の株主」とする。

【５項読替え】

　自己株式取得に際して特定の株主に対してのみ通知をすることを定めた場合、株式会社は、第160条１項<特定の株主からの自己株式の取得>の特定の株主に対して、前条第１項各号<取得価格等の決定>に掲げる事項を通知しなければならない。

【趣旨】特定の株主から株式を取得する場合、他の株主との公平を図ることにある。

【関連条文】309 Ⅱ②［株主総会の特別決議］、規28、29

第１６１条　（市場価格のある株式の取得の特則）

　前条第２項及び第３項の規定は、取得する株式が市場価格のある株式である場合において、当該株式１株を取得するのと引換えに交付する金銭等の額が当該株式１株の市場価格として法務省令で定める方法により算定されるものを超えないときは、適用しない。

【趣旨】他の株主が、会社が取得する価格以上の額で市場売却できる場合は、株主間の公平を害するおそれが少ないことから、一定の手続規制を適用しないものとした。

【関連条文】規30

第１６２条　（相続人等からの取得の特則）

　第１６０条第２項<売主追加請求ができる旨の他の株主への通知>及び第３項<売主追加請求権>の規定は、株式会社が株主の相続人その他の一般承継人からその相続

●最新判例インターネットフォロー●

本書の発刊後にも、短答式試験で出題されるような重要な判例が出されることがあります。

そこで、完全整理択一六法を購入し、アンケートにお答えいただいた方に、ウェブ上で最新判例情報を随時提供させていただきます。

・ユーザー名は〈WINSHIHOU〉、
　パスワードは〈kantaku〉となります。

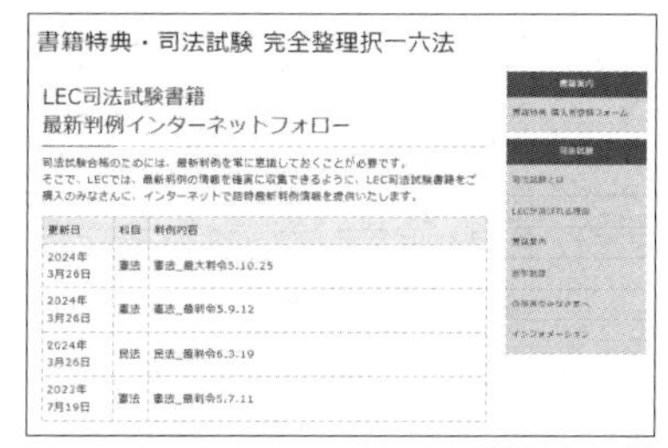

※画面イメージ

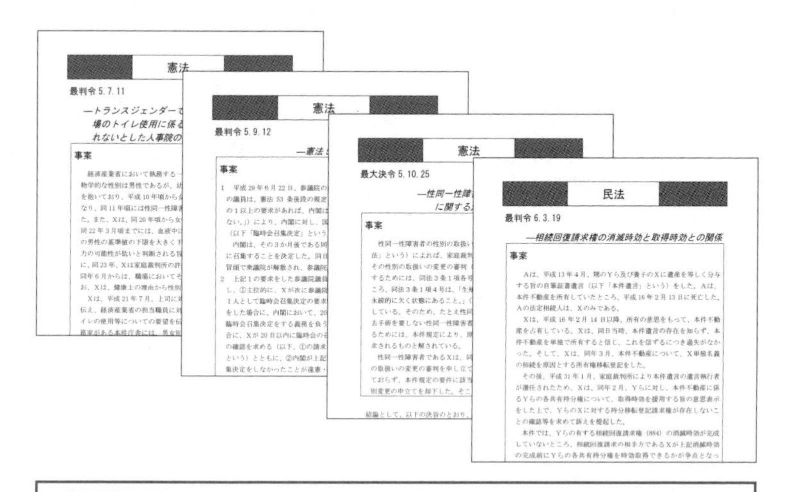

アクセス方法

ＬＥＣ司法試験サイトにアクセス
（https://www.lec-jp.com/shihou/）

↓

ページ最下部の「書籍特典 購入者登録フォーム」へアクセス
（https://www.lec-jp.com/shihou/book/member/）

↓

「完全整理択一六法 書籍特典応募フォーム」にアクセスし、
上記ユーザー名・パスワードを入力

↓

アンケートページにてアンケートに回答

↓

登録いただいたメールアドレスに最新判例情報ページへの
案内メールを送付いたします

会社法

第１編　総則

・第１章・【通則】

第１条　（趣旨）

会社の設立、組織、運営及び管理については、他の法律に特別の定めがある場合を除くほか、この法律の定めるところによる。

第２条　（定義）

この法律において、次の各号に掲げる用語の意義は、当該各号に定めるところによる。

①　会社　株式会社、合名会社、合資会社又は合同会社をいう。

②　外国会社　外国の法令に準拠して設立された法人その他の外国の団体であって、会社と同種のもの又は会社に類似するものをいう。

③　子会社　会社がその総株主の議決権の過半数を有する株式会社その他の当該会社がその経営を支配している法人として法務省令で定めるものをいう。

③の２　子会社等　次のいずれかに該当する者をいう。

イ　子会社

ロ　会社以外の者がその経営を支配している法人として法務省令で定めるもの

④　親会社　株式会社を子会社とする会社その他の当該株式会社の経営を支配している法人として法務省令で定めるものをいう。

④の２　親会社等　次のいずれかに該当する者をいう。

イ　親会社

ロ　株式会社の経営を支配している者（法人であるものを除く。）として法務省令で定めるもの

⑤　公開会社　その発行する全部又は一部の株式の内容として譲渡による当該株式の取得について株式会社の承認を要する旨の定款の定めを設けていない株式会社をいう〈書〉。

⑥　大会社　次に掲げる要件のいずれかに該当する株式会社をいう。

イ　最終事業年度に係る貸借対照表（第４３９条前段に規定する場合にあっては、同条の規定により定時株主総会に報告された貸借対照表をいい、株式会社の成立後最初の定時株主総会までの間においては、第４３５条第１項の貸借対照表をいう。ロにおいて同じ。）に資本金として計上した額が５億円以上であること〈書〉。

ロ　最終事業年度に係る貸借対照表の負債の部に計上した額の合計額が２００億円以上であること。

⑦　取締役会設置会社　取締役会を置く株式会社又はこの法律の規定により取締役会を置かなければならない株式会社をいう。

⑧　会計参与設置会社　会計参与を置く株式会社をいう。

⑨　監査役設置会社　監査役を置く株式会社（その監査役の監査の範囲を会計に関するものに限定する旨の定款の定めがあるものを除く。）又はこの法律の規定により監査役を置かなければならない株式会社をいう〈共書。

⑩　監査役会設置会社　監査役会を置く株式会社又はこの法律の規定により監査役会を置かなければならない株式会社をいう。

⑪　会計監査人設置会社　会計監査人を置く株式会社又はこの法律の規定により会計監査人を置かなければならない株式会社をいう。

⑪の２　監査等委員会設置会社　監査等委員会を置く株式会社をいう。

⑫　指名委員会等設置会社　指名委員会、監査委員会及び報酬委員会（以下「指名委員会等」という。）を置く株式会社をいう。

⑬　種類株式発行会社　剰余金の配当その他の第１０８条第１項各号＜異なる種類の株式＞に掲げる事項について内容の異なる２以上の種類の株式を発行する株式会社をいう。

⑭　種類株主総会　種類株主（種類株式発行会社におけるある種類の株式の株主をいう。以下同じ。）の総会をいう。

⑮　社外取締役　株式会社の取締役であって、次に掲げる要件のいずれにも該当するものをいう〈同。

イ　当該株式会社又はその子会社の業務執行取締役（株式会社の第３６３条第１項各号に掲げる取締役及び当該株式会社の業務を執行したその他の取締役をいう。以下同じ。）若しくは執行役又は支配人その他の使用人（以下「業務執行取締役等」という。）でなく、かつ、その就任の前１０年間当該株式会社又はその子会社の業務執行取締役等であったことがないこと。

ロ　その就任の前１０年内のいずれかの時において当該株式会社又はその子会社の取締役、会計参与（会計参与が法人であるときは、その職務を行うべき社員）又は監査役であったことがある者（業務執行取締役等であったことがあるものを除く。）にあっては、当該取締役、会計参与又は監査役への就任の前１０年間当該株式会社又はその子会社の業務執行取締役等であったことがないこと。

ハ　当該株式会社の親会社等（自然人であるものに限る。）又は親会社等の取締役若しくは執行役若しくは支配人その他の使用人でないこと。

ニ　当該株式会社の親会社等の子会社等（当該株式会社及びその子会社を除く。）の業務執行取締役等でないこと。

ホ　当該株式会社の取締役若しくは執行役若しくは支配人その他の重要な使用人又は親会社等（自然人であるものに限る。）の配偶者又は２親等内の親族でないこと。

⑯　社外監査役　株式会社の監査役であって、次に掲げる要件のいずれにも該当するものをいう。

イ　その就任の前１０年間当該株式会社又はその子会社の取締役、会計参与（会計参与が法人であるときは、その職務を行うべき社員。ロにおいて同じ。）若しくは執行役又は支配人その他の使用人であったことがないこと。

ロ　その就任の前１０年内のいずれかの時において当該株式会社又はその子会社

の監査役であったことがある者にあっては、当該監査役への就任の前１０年間当該株式会社又はその子会社の取締役、会計参与若しくは執行役又は支配人その他の使用人であったことがないこと。

ハ　当該株式会社の親会社等（自然人であるものに限る。）又は親会社等の取締役、監査役若しくは執行役若しくは支配人その他の使用人でないこと。

ニ　当該株式会社の親会社等の子会社等（当該株式会社及びその子会社を除く。）の業務執行取締役等でないこと。

ホ　当該株式会社の取締役若しくは支配人その他の重要な使用人又は親会社等（自然人であるものに限る。）の配偶者又は２親等内の親族でないこと。

⑰　譲渡制限株式　株式会社がその発行する全部又は一部の株式の内容として譲渡による当該株式の取得について当該株式会社の承認を要する旨の定めを設けている場合における当該株式をいう。

⑱　取得請求権付株式　株式会社がその発行する全部又は一部の株式の内容として株主が当該株式会社に対して当該株式の取得を請求することができる旨の定めを設けている場合における当該株式をいう。

⑲　取得条項付株式　株式会社がその発行する全部又は一部の株式の内容として当該株式会社が一定の事由が生じたことを条件として当該株式を取得することができる旨の定めを設けている場合における当該株式をいう。

⑳　単元株式数　株式会社がその発行する株式について、一定の数の株式をもって株主が株主総会又は種類株主総会において１個の議決権を行使することができる１単元の株式とする旨の定款の定めを設けている場合における当該一定の数をいう。

㉑　新株予約権　株式会社に対して行使することにより当該株式会社の株式の交付を受けることができる権利をいう。

㉒　新株予約権付社債　新株予約権を付した社債をいう。

㉓　社債　この法律の規定により会社が行う割当てにより発生する当該会社を債務者とする金銭債権であって、第６７６条各号＜募集社債に関する事項の決定＞に掲げる事項についての定めに従い償還されるものをいう。

㉔　最終事業年度　各事業年度に係る第４３５条第２項＜計算書類等の作成＞に規定する計算書類につき第４３８条第２項＜計算書類についての定時株主総会の承認＞の承認（第４３９条前段＜計算書類等の承認における会計監査人設置会社の特則＞に規定する場合にあっては、第４３６条第３項＜計算書類等の取締役会の承認＞の承認）を受けた場合における当該各事業年度のうち最も遅いものをいう。

㉕　配当財産　株式会社が剰余金の配当をする場合における配当する財産をいう。

㉖　組織変更　次のイ又はロに掲げる会社がその組織を変更することにより当該イ又はロに定める会社となることをいう。

イ　株式会社　合名会社、合資会社又は合同会社

ロ　合名会社、合資会社又は合同会社　株式会社

㉗　吸収合併　会社が他の会社とする合併であって、合併により消滅する会社の権利義務の全部を合併後存続する会社に承継させるものをいう〈共書〉。

㉘　新設合併　２以上の会社がする合併であって、合併により消滅する会社の権利義務の全部を合併により設立する会社に承継させるものをいう〈書〉。

㉙　吸収分割　株式会社又は合同会社がその事業に関して有する権利義務の全部又は一部を分割後他の会社に承継させることをいう。

㉚　新設分割　1又は2以上の株式会社又は合同会社がその事業に関して有する権利義務の全部又は一部を分割により設立する会社に承継させることをいう〈書〉。

㉛　株式交換　株式会社がその発行済株式（株式会社が発行している株式をいう。以下同じ。）の全部を他の株式会社又は合同会社に取得させることをいう。

㉜　株式移転　1又は2以上の株式会社がその発行済株式の全部を新たに設立する株式会社に取得させることをいう〈書〉。

㉜の2　株式交付　株式会社が他の株式会社をその子会社（法務省令で定めるものに限る。第774条の3第2項において同じ。）とするために当該他の株式会社の株式を譲り受け、当該株式の譲渡人に対して当該株式の対価として当該株式会社の株式を交付することをいう。

㉝　公告方法　会社（外国会社を含む。）が公告（この法律又は他の法律の規定により官報に掲載する方法によりしなければならないものとされているものを除く。）をする方法をいう。

㉞　電子公告　公告方法のうち、電磁的方法（電子情報処理組織を使用する方法その他の情報通信の技術を利用する方法であって法務省令で定めるものをいう。以下同じ。）により不特定多数の者が公告すべき内容である情報の提供を受けることができる状態に置く措置であって法務省令で定めるものをとる方法をいう。

【令元改正】新たに「株式交付」（2㉜の2）の定義規定が設けられた。　⇒ p.538

第3条　（法人格）

会社は、法人とする。

[趣旨]国民経済の発達には、個人の責任制限や取引の迅速な処理等が要請されるため、会社を自然人と同様に権利義務の帰属主体と扱い、その独立性を認めた。

《注　釈》

一　営利性

団体が対外的な営利活動により利益を得、その得た利益を構成員に分配することをいう（株式会社につき、105 Ⅰ①②Ⅱ参照）。

二　社団性

1　意義

社団とは、「人の集合体」の意味であり、財団（財産の集合体）に対する概念である。

会社法は、会社が社団であるという規定（旧商52）を削除したが、会社はなお社団である。

2　一人会社〈司〉

(1)　意義

社員が1人である会社をいう。

⑵　社員が１人である一人会社を設立し、又は社員が１人となっても会社を存続させることが認められる（ただし、合資会社は不可。576 Ⅲ）。
∵　潜在的社団性（471、641 ④参照）

⑶　関連判例

ⓐ　招集手続がなくても、１人である株主が出席すれば、株主総会は成立する（最判昭 46.6.24）。

ⓑ　利益相反取引・譲渡制限ある株式の譲渡に会社の承認は不要である（最判昭 45.8.20（⇒ p.288）、最判平 5.3.30・百選〔第２版〕18 事件（⇒ p.108））。

三　法人性

１　意義

法人とは、自然人以外で権利義務の帰属主体であるものをいう。

会社はすべて法人であり（３）、会社とその構成員とは別個の法主体である。

２　権利能力の制限

⑴　性質・法令による制限

⑵　目的による制限

ⓐ　判例（大判明 36.1.29）

→目的遂行に直接又は間接に必要な行為を含み、目的遂行に必要か否かは定款の記載自体から観察して客観的抽象的に判断する（最判昭 27.2.15・百選１事件、最大判昭 45.6.24・百選２事件）

ⓑ　平成 18 年の民法改正により、民法 34 条は株式会社を含むすべての法人につき直接適用されるものと考えられる。

四　法人格否認の法理 司H20

１　意義

法人たる会社の形式的独立性を貫くと正義・衡平に反する結果となる場合に、特定の事案に限って会社の独立性を否定し、会社とその社員を同一視する法理をいう。

２　法人格否認の法理を肯定するのが判例・通説である。もっとも、法人格否認が認められても、手続法上、判決の既判力（民訴 114、115）・執行力を訴外会社に拡張することはできない（最判昭 53.9.14）。しかし、第三者異議の訴え（民執 38）の、原告の法人格が執行債務者に対する強制執行を回避するために濫用されている場合には、原告は、執行債務者と別個の法人格であることを主張して強制執行の不許を求めることは許されない（最判平 17.7.15・百選〔第３版〕４事件）。

３　法人格否認の法理の類型

⑴　形骸化事例

ⓐ　意義

法人とはいうものの、実質は社員の個人企業や親会社の一営業部門にすぎないような場合をいう。

(b) 判断要素（判例）

① 業務活動混同の反復・継続

② 会社と社員の義務・財産の全般的・継続的混同

③ 明確な帳簿記載・会計区分の欠如

④ 株主総会・取締役会の不開催等、強行法的組織規定の無視

(2) 濫用事例

(a) 意義

会社の背後にあって支配する者が、違法又は不当な目的のために会社の法人格を利用する場合をいう。

(b) 要件

① 支配の要件

② 目的の要件

(c) 関連判例

(a) 実質的には個人企業であり、税金対策上会社形態にしたにすぎない場合（最判昭 44.2.27・百選３事件）

(b) 強制執行免脱・財産隠匿を目的として、旧会社と同一商号の新会社を設立して新会社に財産を移転して事業を継続した場合（最判昭 48.10.26）

4 法人格否認の効果

会社の独立性が否定され、会社と背後の者（株主・社員）が同一視されることとなり、債権者は会社・背後者いずれに対しても請求することができる。

5 詐害行為取消権との関係

法人格否認の法理は、詐害行為取消権とはその要件及び効果を異にする。よって、濫用的会社分割が行われた場合に、詐害行為取消権による債権者保護が可能な場合でも、別に法人格否認の法理の要件をみたせば、分割会社の債権者が法人格否認の法理により直接、新設会社に請求することも可能である（福岡地判平 23.2.17・平 23 重判５事件）。

第４条 （住所）

会社の住所は、その本店の所在地にあるものとする。

第５条 （商行為）

会社（外国会社を含む。次条第１項、第８条及び第９条において同じ。）がその事業としてする行為及びその事業のためにする行為は、商行為とする。

《注 釈》

一 商行為規定の会社に対する適用

本条は、商行為に関する商法典の規定の適用を図るものである。

二 商法総則規定の会社に対する適用

商法総則規定については、会社に適用されるべきものを会社法典の中に規定し、商法第１編第４章から第７章までの規定は、会社に適用されない旨商法上

規定されている（商11 Ⅰかっこ書）。

三　判例

商法503条2項及び会社法5条により、「会社の行為は商行為と推定され、これを争う者において当該行為が当該会社の事業のためにするものでないこと、すなわち当該会社の事業と無関係であることの主張立証責任を負う」（最判平20.2.22・商法百選29事件）。

・第2章・【会社の商号】

《概　説》

◆　会社の商号

1　商号の意義

商号とは、商人がその営業上自己を表す名称をいう。

2　商号選定自由の原則と制限

(1)　原則

商人は、自己の営業の実態にかかわらず、自由に商号を選定することができる（商11 Ⅰ）。

(2)　制限

(a)　会社の商号に関する制限　⇒§6、§7

(b)　不正の目的による商号使用の禁止　⇒§8

第6条　（商号）

Ⅰ　会社は、その名称を商号とする。

Ⅱ　会社は、株式会社、合名会社、合資会社又は合同会社の種類に従い、それぞれその商号中に株式会社、合名会社、合資会社又は合同会社という文字を用いなければならない。

Ⅲ　会社は、その商号中に、他の種類の会社であると誤認されるおそれのある文字を用いてはならない。

【趣旨】会社はその種類により、社員の責任・機関構造等を異にするため、どの種類の会社なのかを明らかにすることにより、一般公衆の信頼を保護する点にある。

【関連条文】商11［商号の選定］、会978①［商号の不正使用等への罰則］

第7条　（会社と誤認させる名称等の使用の禁止）

会社でない者は、その名称又は商号中に、会社であると誤認されるおそれのある文字を用いてはならない〈同〉。

【趣旨】個人企業が会社企業のような外観をなすことを防止し、一般公衆の信頼を保護することにある。

【関連条文】978②［商号の不正使用等への罰則］

第8条

Ⅰ　何人も、不正の目的をもって、他の会社であると誤認されるおそれのある名称又は商号を使用してはならない。

Ⅱ　前項の規定に違反する名称又は商号の使用によって営業上の利益を侵害され、又は侵害されるおそれがある会社は、その営業上の利益を侵害する者又は侵害するおそれがある者に対し、その侵害の停止又は予防を請求することができる。

[趣旨] 商号が商人の信用の対象となる機能を有するため、他の会社による冒用を禁止して、商号権の保護を図る。

【関連条文】 商12［他の商人と誤認させる名称等の使用の禁止］、会978③［商号の不正使用等への罰則］

第9条　（自己の商号の使用を他人に許諾した会社の責任）

自己の商号を使用して事業又は営業を行うことを他人に許諾した会社は、当該会社が当該事業を行うものと誤認して当該他人と取引をした者に対し、当該他人と連帯して、当該取引によって生じた債務を弁済する責任を負う。

[趣旨] 商号使用を許諾した、虚偽の外観作出に帰責性ある会社の犠牲の下に、かかる外観を信頼した第三者を保護する（禁反言又は外観法理の現れ）。

《注　釈》

一　名板貸人の責任の要件

1　名義借受人が名板貸人の商号を使用すること（外観の存在）

特段の事情のない限り、名板貸人と名義借受人の事業又は営業が同種であることを要する（最判昭43.6.13・商法百選13事件）。

2　名板貸人が商号使用を「許諾」すること（帰責事由）

(1)　黙示に許諾したとみられる場合でもよい。

(2)　手形行為の許諾は含まない（最判昭42.6.6・手形百選12事件）。

cf.　事業について許諾があれば、手形行為にのみ商号を使用しても、本条の責任を負う（最判昭42.2.9）

3　第三者の「誤認」（相手方の信頼）

善意・無重過失であること（最判昭41.1.27・商法百選12事件）。

二　類推適用

スーパーマーケットYとペットショップZの間にYの営業方針に従わせる契約があり、Yの屋上において、Zが単に「ペットショップ」とだけ表示しYの商標のみを大きくかかげて営業していた事案において、一般客が営業主体をYと誤認してもやむ得ない外観があり、かつ、その外観をYが上記契約により自ら作出し、又はその作出に関与していたとして類推適用を認めた判例がある（最判平7.11.30・商法百選14事件）。

三　名板貸人の責任の範囲

名板貸人は、前記の要件をみたす取引により生じた債務について、商号を借りた者と連帯して弁済の責任を負う。

→不法行為に基づく損害賠償債務（民709）については、取引行為に関連するもの（取引的不法行為）に限り、名板貸人は責任を負うものと解される（最判昭52.12.23、最判昭58.1.25）

【関連条文】商14［自己の商号の使用を他人に許諾した商人の責任］、民436以下［連帯債務］

・第3章・【会社の使用人等】

■第1節　会社の使用人

> **第10条　（支配人）**
>
> 会社（外国会社を含む。以下この編において同じ。）は、支配人を選任し、その本店又は支店において、その事業を行わせることができる。

【趣旨】会社がその事業活動の拡大・補充を図れるように、当該会社の事業に関する包括的代理権を有する支配人の選任を認めた。

【関連条文】商20［支配人］

《注　釈》

一　支配人の意義〈共

「支配人」とは、その事業に関する一切の裁判上又は裁判外の行為をする権限を有する会社の使用人をいう（実質説）。

二　会社との関係

支配人は、会社と雇用関係に立つ。

三　支配人の選任・終任

1　支配人の選任

会社が選任する（10）。株式会社では、取締役の過半数（取締役会設置会社の場合は取締役会決議）によるものとされており、各取締役に委任することができない（348 Ⅲ、362 Ⅳ③）。持分会社では、社員の過半数により決定する。ただし、定款で別段の定めをすることができる（591 Ⅱ）。

2　支配人の終任〈共

支配人は、代理権の消滅（民111、651～655）、雇用関係の終了（民626～628、631）又は会社の解散（471）により終任する。事業譲渡（467 Ⅰ①②）の場合には争いがある。

3　登記（918）

会社が、支配人を選任し、又はその代理権が消滅したときは、その本店の所在地において、その登記をしなければならない。

＜代表取締役と支配人の比較＞

	代表取締役		株式会社における支配人
	指名委員会等設置会社以外の取締役会設置会社	取締役会を置かない会社	
意義	会社の業務執行を行い、対外的に会社を代表する必要的常置機関（363Ⅰ①、349Ⅳ）	会社が定款等で特別に定めた場合に、対外的に会社を代表する機関（349ⅢⅣ）	会社に代わってその事業に関する一切の裁判上又は裁判外の行為をなす包括的代理権を有する商業使用人（11Ⅰ）
法的地位	会社の機関		会社の使用人
選定（選任）方法	取締役会決議によって取締役の中から選定される（362Ⅱ③Ⅲ）	定款、定款の定めに基づく取締役の互選又は株主総会の決議によって、取締役の中から代表取締役を定めることができる（349Ⅲ）	取締役・取締役会の専決事項（348Ⅲ①、362Ⅳ③）
企業主体との法律関係	委任関係（330）		雇用関係
権限の性質	代表権 →代表取締役の行為は会社の行為そのものとして、当然会社に帰属する		代理関係 →代理の一般原則に従って、支配人の行為の効果が営業主に帰属する
権限の範囲	会社の業務に関する一切の裁判上又は裁判外の行為に及ぶ（349Ⅳ）		特定の事業に関する一切の裁判上又は裁判外の行為に及ぶ（11Ⅰ）
競業避止義務の範囲	自己又は第三者のために会社の事業の部類に属する取引をすることの禁止（356Ⅰ①、365Ⅰ）		自ら営業を行うことの禁止、自己又は第三者のために会社の事業の部類に属する取引をすることの禁止、他の会社・商人の使用人となることの禁止、他の会社の取締役・執行役・業務執行社員となることの禁止（12Ⅰ）

第１１条　（支配人の代理権）

Ⅰ　支配人は、会社に代わってその事業に関する一切の裁判上又は裁判外の行為をする権限を有する。

Ⅱ　支配人は、他の使用人を選任し、又は解任することができる〈共〉。

Ⅲ　支配人の代理権に加えた制限は、善意の第三者に対抗することができない。

［趣旨］支配人の包括的代理権（Ⅰ）に加えた制限は善意の第三者に対抗することができない（Ⅲ）とすることで、集団的・大量的かつ反復的・継続的になされる企業活動の円滑・迅速・確実を図りつつ、相手方の取引の安全を図る。

【関連条文】商 21［支配人の代理権］

《注　釈》

・支配人が自己の利益を得る目的で会社の事業に関する行為をした場合、かかる行為は代理権の濫用に当たる。そして、代理権の濫用があった場合には、民法107条により、相手方が代理人の意図を知り又は知ることができた場合に限り、本人はその行為につき無権代理人の責任を負わない。

第１２条　（支配人の競業の禁止）

Ⅰ　支配人は、会社の許可を受けなければ、次に掲げる行為をしてはならない。

①　自ら営業を行うこと。

②　自己又は第三者のために会社の事業の部類に属する取引をすること。

③　他の会社又は商人（会社を除く。第２４条において同じ。）の使用人となること〈共〉。

④　他の会社の取締役、執行役又は業務を執行する社員となること。

Ⅱ　支配人が前項の規定に違反して同項第２号に掲げる行為をしたときは、当該行為によって支配人又は第三者が得た利益の額は、会社に生じた損害の額と推定する。

［趣旨］支配人に営業禁止義務・競業避止義務を課すことで、支配人がその地位を利用して自己又は第三者の利益を図ることを防止し、もって会社の損害を防止する。　⇒図表＜競業避止義務の比較＞参照（p.287）

《注　釈》

一　支配人の義務

支配人は、営業禁止義務（精力分散防止義務、12 Ⅰ①③④）、競業避止義務（12 Ⅰ②）等の義務を負う。

二　違反の効果

営業主は支配人に対して、損害賠償を請求できる（競業避止義務の場合の損害額の推定、12 Ⅱ）他、正当な解任事由となる。

【関連条文】商 23［支配人の競業の禁止］

第１３条　（表見支配人）

会社の本店又は支店の事業の主任者であることを示す名称を付した使用人は、当該本店又は支店の事業に関し、一切の裁判外の行為をする権限を有するものとみなす。ただし、相手方が悪意であったときは、この限りでない。

［趣旨］支配人でない者に、会社の本店又は支店の事業の主任者であるかのような名称を付した会社の犠牲の下に、かかる虚偽の外観を信頼した第三者の取引の安全を図る（外観法理）。

《注　釈》

一　要件

1　外観の存在（「本店又は支店の事業の主任者であることを示す名称」）

ex.　支配人、営業部長、支店長等

本店・支店は、営業所の実質を備えることを要する（最判昭37.5.1・商法百選23事件）〈予〉。

2　会社の帰責性（会社が名称使用を許諾しているか、又は名称使用を知りながら黙認していること）

3　相手方の信頼

相手方が悪意・重過失の場合は保護されない。

表見支配人の相手方たる「第三者」は、直接の相手方に限られる（最判昭59.3.29・商法百選24事件）。

二　効果

表見支配人の要件をみたした場合、その者は裁判外の行為については支配人と同一の権限を有するものとみなされる。

【関連条文】商24［表見支配人］

第１４条　（ある種類又は特定の事項の委任を受けた使用人）

Ⅰ　事業に関するある種類又は特定の事項の委任を受けた使用人は、当該事項に関する一切の裁判外の行為をする権限を有する。

Ⅱ　前項に規定する使用人の代理権に加えた制限は、善意の第三者に対抗することができない。

［趣旨］会社から、事業に関するある種類又は特定の事項の委任を受けた使用人の代理権（裁判上の権限を除く）を包括的・不可制限的なものとすることで、取引の安全を図る。

《注　釈》

一　具体例

販売・仕入れ等を委任された部長・課長等がこれに当たる。

二　判例

14条1項による代理権を主張する者は、「使用人が委任を受けた事項につき」代理権を授与されたことまでを主張・立証することを要しない（最判平2.2.22・商法百選26事件）。

【関連条文】 商25［ある種類又は特定の事項の委任を受けた使用人］

第15条　（物品の販売等を目的とする店舗の使用人）

物品の販売等（販売、賃貸その他これらに類する行為をいう。以下この条において同じ。）を目的とする店舗の使用人は、その店舗に在る物品の販売等をする権限を有するものとみなす。ただし、相手方が悪意であったときは、この限りでない。

【趣旨】 物品の販売等を目的とする店舗の使用人には、その店舗にある物品についての販売等の権限があるものと顧客が考えるのが通常であることから、会社が販売等の権限を与えているか否かに関わりなく、販売等の権限があるものとすることで、取引の安全を図る。

【関連条文】 商26［物品の販売等を目的とする店舗の使用人］

第2節　会社の代理商

第16条　（通知義務）

代理商（会社のためにその平常の事業の部類に属する取引の代理又は媒介をする者で、その会社の使用人でないものをいう。以下この節において同じ。）は、取引の代理又は媒介をしたときは、遅滞なく、会社に対して、その旨の通知を発しなければならない。

【趣旨】 代理商に、民法上の受任者より厳格な通知義務を課すことで商取引の迅速性を図る。本条は、民法645条の特則である。

《注　釈》

一　使用人との違い

独立の商人である点で異なる。この点、商業使用人は、会社に従属する地位にある。

二　仲立人・問屋との違い

特定の商人のためにその営業を補助する点で異なる。

【関連条文】 商27［通知義務］

第17条　（代理商の競業の禁止）

Ⅰ　代理商は、会社の許可を受けなければ、次に掲げる行為をしてはならない。

①　自己又は第三者のために会社の事業の部類に属する取引をすること。

②　会社の事業と同種の事業を行う他の会社の取締役、執行役又は業務を執行する社員となること。

Ⅱ　代理商が前項の規定に違反して同項第1号に掲げる行為をしたときは、当該行為によって代理商又は第三者が得た利益の額は、会社に生じた損害の額と推定する。

[趣旨] 代理商が会社の事業に関して知り得た知識を利用し、会社の犠牲において、自己又は第三者の利益を図ることを防止することにある。　⇒図表＜競業避止義務の比較＞参照（p.287）

《注　釈》

◆　特徴

本条に規定されている代理商の競業避止義務には、支配人のような営業禁止義務（12 Ⅰ①③④）はなく、会社と代理商との利益相反取引行為規制に限定されている。

これは、代理商は独立の商人であるため、支配人の場合と比べて、その義務の範囲が狭くなっていることを意味する。

【関連条文】 商28［代理商の競業の禁止］

第１８条　（通知を受ける権限）

物品の販売又はその媒介の委託を受けた代理商は、商法（明治３２年法律第４８号）第５２６条第２項＜買主による目的物の検査及び通知＞の通知その他の売買に関する通知を受ける権限を有する。

[趣旨] 媒介代理商については代理権が与えられていないことから、相手方は、代理商に通知したとしても本人に通知したことにはならないはずであるが、本条により、受働代理権を擬制し取引の円滑化を図っている。

【関連条文】 商29［通知を受ける権限］

第１９条　（契約の解除）

Ⅰ　会社及び代理商は、契約の期間を定めなかったときは、２箇月前までに予告し、その契約を解除することができる。

Ⅱ　前項の規定にかかわらず、やむを得ない事由があるときは、会社及び代理商は、いつでもその契約を解除することができる。

[趣旨] 代理商契約の継続的性格に鑑み、民法と異なり、契約の解除に一定の制限を課すことにある。

【関連条文】 商30［契約の解除］、民651［委任の解除］

第２０条　（代理商の留置権）

代理商は、取引の代理又は媒介をしたことによって生じた債権の弁済期が到来しているときは、その弁済を受けるまでは、会社のために当該代理商が占有する物又は有価証券を留置することができる。ただし、当事者が別段の意思表示をしたときは、この限りでない。

[趣旨] 企業における信用取引の円滑安全を図ること、及び、代理商の代理・媒介行為が頻繁に行われ、本人との委託関係も密接かつ継続的であることから、代理商の保護を図ることにある。

《注　釈》

◆　商人間の留置権（商521）との違い

留置物の占有取得の原因が本人との間の商行為による必要がないこと、及び、留置物が本人の所有物でなくてもよい点で、商人間留置権（商521）より広い。

【関連条文】商31［代理商の留置権］、521［商人間の留置権］、民295［留置権の内容］

・第４章・【事業の譲渡をした場合の競業の禁止等】

第２１条　（譲渡会社の競業の禁止） 予

Ⅰ　事業を譲渡した会社（以下この章において「譲渡会社」という。）は、当事者の別段の意思表示がない限り、同一の市町村（東京都の特別区の存する区域及び地方自治法（昭和２２年法律第６７号）第２５２条の１９第１項の指定都市にあっては、区。以下この項において同じ。）の区域内及びこれに隣接する市町村の区域内においては、その事業を譲渡した日から２０年間は、同一の事業を行ってはならない。

Ⅱ　譲渡会社が同一の事業を行わない旨の特約をした場合には、その特約は、その事業を譲渡した日から３０年の期間内に限り、その効力を有する。

Ⅲ　前２項の規定にかかわらず、譲渡会社は、不正の競争の目的をもって同一の事業を行ってはならない。

【趣旨】譲受会社がその事業から収益をあげることを、譲渡会社が妨げるべきではないことから、譲渡会社に競業避止義務を負わせつつ、その範囲を制限することで、事業譲渡の実効性と譲渡会社の事業の自由との調整を図ることにある。 ⇒図表＜競業避止義務の比較＞参照（p.287）

《注　釈》

◆　事業の譲渡の意義

①一定の事業目的のため組織化され、有機的一体として機能する財産の全部又は重要な一部を譲渡し、②これによって、譲渡会社がその財産によって営んでいた事業的活動の全部又は重要な一部を譲受人に受け継がせ、③譲渡会社がその譲渡の限度に応じ法律上当然に21条に定める競業避止義務を負う結果を伴うものをいう（最大判昭40.9.22・百選82事件）。 ⇒ p.401

【関連条文】商16［営業譲渡人の競業の禁止］

第２２条　（譲渡会社の商号を使用した譲受会社の責任等）

Ⅰ　事業を譲り受けた会社（以下この章において「譲受会社」という。）が譲渡会社の商号を引き続き使用する場合には、その譲受会社も、譲渡会社の事業によって生じた債務を弁済する責任を負う。

Ⅱ　前項の規定は、事業を譲り受けた後、遅滞なく、譲受会社がその本店の所在地において譲渡会社の債務を弁済する責任を負わない旨を登記した場合には、適用しない。事業を譲り受けた後、遅滞なく、譲受会社及び譲渡会社から第三者に対しその旨の通知をした場合において、その通知を受けた第三者についても、同様とする。

Ⅲ　譲受会社が第１項の規定により譲渡会社の債務を弁済する責任を負う場合には、譲渡会社の責任は、事業を譲渡した日後２年以内に請求又は請求の予告をしない債権者に対しては、その期間を経過した時に消滅する。

Ⅳ　第１項に規定する場合において、譲渡会社の事業によって生じた債権について、譲受会社にした弁済は、弁済者が善意でかつ重大な過失がないときは、その効力を有する。

[趣旨]商号の続用により主体の誤認・混同の生じるおそれがあることから、譲渡会社の事業によって生じた債務につき譲受会社に弁済責任を負わせ、また、譲渡会社の事業によって生じた債権につき善意でなした譲受会社に対する弁済を有効とすることで、譲渡会社の債権者及び債務者の保護を図ることにある。

《注　釈》

一「商号」を続用する場合

譲受会社が、譲渡会社の商号に「新」を付加して使用する場合、商号の続用はない（最判昭38.3.1・商法百選17事件）。

二「事業によって生じた債務」〈予H27

事業活動に関連して発生したすべての債務を含む。したがって、取引上の債務のみならず、その不履行によって生じた損害賠償債務や事業上の不法行為に基づく損害賠償債務も含む（最判昭29.10.7）。

三　類推適用〈司R4　予H27

本条の趣旨は、譲受会社が譲渡会社の事業を債務も含めて全て承継したと信頼した譲渡会社の債権者及び債務者を保護する点にある。したがって、以下の場合も、本条の類推適用があり得る。

① 事業を現物出資した場合（最判昭47.3.2・総則商行為百選〔第５版〕22事件）
② 事業を会社分割により承継させた場合（最判平20.6.10・百選A40事件）
③ 譲受会社が、譲渡会社の商号と社会通念上同一のものを使用する場合（最判昭38.3.1・商法百選17事件）
④ 譲受会社が、商号以外の事業上の名称を続用した場合（最判平16.2.20・商法百選18事件）

【関連条文】商17［譲渡人の商号を使用した譲受人の責任等］、民478［受領権者としての外観を有する者に対する弁済］

第２３条　（譲受会社による債務の引受け）

Ⅰ　譲受会社が譲渡会社の商号を引き続き使用しない場合においても、譲渡会社の事業によって生じた債務を引き受ける旨の広告をしたときは、譲渡会社の債権者は、その譲受会社に対して弁済の請求をすることができる。

Ⅱ　譲受会社が前項の規定により譲渡会社の債務を弁済する責任を負う場合には、譲渡会社の責任は、同項の広告があった日後２年以内に請求又は請求の予告をしない債権者に対しては、その期間を経過した時に消滅する。

[趣旨] 商号の続用がない場合でも、譲渡会社の事業上の債務を引き受ける旨を譲受会社が広告したときに、譲受会社にその債務の弁済責任を負わせることで、譲渡会社の債権者の保護を図ることにある（外観法理又は禁反言）。

【関連条文】 商18［譲受人による債務の引受け］

第２３条の２　（詐害事業譲渡に係る譲受会社に対する債務の履行の請求）

Ⅰ　譲渡会社が譲受会社に承継されない債務の債権者（以下この条において「残存債権者」という。）を害することを知って事業を譲渡した場合には、残存債権者は、その譲受会社に対して、承継した財産の価額を限度として、当該債務の履行を請求することができる。ただし、その譲受会社が事業の譲渡の効力が生じた時において残存債権者を害することを知らなかったときは、この限りでない予。

Ⅱ　譲受会社が前項の規定により同項の債務を履行する責任を負う場合には、当該責任は、譲渡会社が残存債権者を害することを知って事業を譲渡したことを知った時から２年以内に請求又は請求の予告をしない残存債権者に対しては、その期間を経過した時に消滅する。事業の譲渡の効力が生じた日から１０年を経過したときも、同様とする。

Ⅲ　譲渡会社について破産手続開始の決定、再生手続開始の決定又は更生手続開始の決定があったときは、残存債権者は、譲受会社に対して第１項の規定による請求をする権利を行使することができない。

【関連条文】 759Ⅳ［詐害的な吸収分割における債権者の保護］、764Ⅳ［詐害的な新設分割における債権者の保護］

第２４条　（商人との間での事業の譲渡又は譲受け） 共書

Ⅰ　会社が商人に対してその事業を譲渡した場合には、当該会社を商法第１６条第１項＜営業譲渡人の競業の禁止＞に規定する譲渡人とみなして、同法第１７条＜譲渡人の商号を使用した譲受人の責任等＞から第１８条の２＜詐害営業譲渡に係る譲受人に対する債務の履行の請求＞までの規定を適用する。この場合において、同条第３項中「又は再生手続開始の決定」とあるのは、「、再生手続開始の決定又は更生手続開始の決定」とする。

Ⅱ　会社が商人の営業を譲り受けた場合には、当該商人を譲渡会社とみなして、前３条の規定を適用する。この場合において、前条第３項中「、再生手続開始の決定又は更生手続開始の決定」とあるのは、「又は再生手続開始の決定」とする。

【1項読替え】

会社が商人に対してその事業を譲渡した場合には、当該会社を商法第16条第1項に規定する譲渡人とみなして、同法第17条から第18条の2までの規定を準用する。この場合において、譲渡人について破産手続開始の決定、再生手続開始の決定又は更生手続開始の決定があったときは、残存債権者は、譲受人に対して商法第18条の2第1項の規定による請求をする権利を行使することができない。

【2項読替え】

会社が商人の営業を譲り受けた場合には、当該商人を譲渡会社とみなして、前3条を適用する。この場合において、譲渡会社について破産手続開始の決定又は再生手続開始の決定があったときは、残存債権者は、譲受会社に対して第23条の2第1項の規定による請求をする権利を行使することができない。

第2編　株式会社

《概　説》

◆　株式会社総論

1　株式

(1)　意義

株式とは、均一的な細分化された割合的単位の形をとった株式会社の社員たる地位をいう。

→社員の地位から個性を喪失させ、多数の者が容易に会社に参加しうるようにするため

(2)　社員たる地位（社員権論）

自益権及び共益権を包含した社員権という概念を認める考え方を社員権論という。

最高裁も、社員権に自益権（⇒ p.69）と共益権（⇒ p.70）が包含されることを認めている（最大判昭 45.7.15・百選〔第３版〕13 事件）。

(3)　持分単一主義・持分複数主義と持分均一主義・持分不均一主義

株式会社においては、株主の地位は均一的な割合的単位の形をとり（持分均一主義）、株主は希望により複数の株主たる地位を保有できる（持分複数主義）。これに対して、合名会社、合資会社では、各社員の有する社員の地位は常に１個であり（持分単一主義）、その大きさが各社員の出資の価額に応じて異なる（持分不均一主義）。

2　間接有限責任

(1)　株主間接有限責任の原則

株主は、会社債権者に対しては責任を負担せず、会社に対して出資義務を負うにとどまる（間接責任）。しかもその責任は、各株主の有する株式の引受価額を限度とする（株主有限責任、104）。

(2)　趣旨

上場会社等、大規模な会社では、株主の責任を有限とすることにより会社への参加を容易にし、多数の資本を結合することによって大規模経営を可能にすることにある。

閉鎖会社では、企業活動の促進の必要があること、会社債権者の方が株主よりリスク負担能力が勝るということ等が挙げられる。

(3)　株式引受人の出資義務

株主の義務は会社への有限の出資義務であるが、会社法上は全額払込制が採用されており、設立時発行株式については会社成立前に、募集株式の発行等の場合は募集株式の発行等の効力発生前に、出資義務を履行しなければならない（34 Ⅰ、63 Ⅰ、208 Ⅰ）。

よって、株主の出資義務は形式的には株式引受人の出資義務であり、株主になった後は、原則として何ら責任を負わない。

3　会社債権者保護規制　⇒ p.453

(1)　総論

株式会社では、株主有限責任（104）の結果、会社債権者に対する責任財産は会社財産だけである。そこで、法は、会社債権者を保護するために様々な規制を施している。

(2)　各規制

(a)　計算書類の備置き（442）〈司

(b)　剰余金配当規制（453以下）〈司

(c)　各種財源規制（166 Ⅰ、170 Ⅴ、461）〈司

4　資本金

(1)　意義

資本金とは、会社債権者を保護するために、会社財産を確保するための基準となる計算上の一定の数額をいう。

(2)　趣旨

株式会社においては株主は間接有限責任（104）を負うにすぎないから、会社財産のみが会社の財産的基礎となり、会社債権者の担保となる。そこで、法は、会社債権者保護のため資本制度を設け、会社財産の確保を図った。

(3)　資本金と会社財産の関係

両者の関係は切断されている。会社の事業活動によって生じた損益については、その他利益剰余金（計規76 Ⅴ②）の増減として処理され（計規29 Ⅰ②、Ⅱ③）、資本金が株式会社の業績と連動して増減することはない〈予。

もっとも、会社財産が剰余金の配当等により流出する場合には、資本金が分配可能額の基礎となりその流出を制限する機能をもつ（446①ニ参照）。

(4)　資本に関する原則

(a)　はじめに

資本制度は株主が間接有限責任を負うにすぎない株式会社において、会社財産を確保するために定められたものである。このような資本制度の趣旨から、①資本充実・維持の原則、②資本不変の原則という２つの原則が当然に導かれる。さらに、設立ないし増資の健全化を図るという見地から、③資本確定の原則が問題となる。

(b)　資本充実・維持の原則

ア　意義

資本金は会社財産を確保するための基準である一定の金額であるから、その額が名目的に定まるだけでなく、資本金の額に相当する財産が現実に会社に拠出され（資本充実）、かつ保有されなければならない（資本維持）という原則である。

イ　資本充実の原則の現れ

①　発行価額の全額払込み又は現物出資全部の給付の要求（34Ⅰ本文、63Ⅰ、208ⅠⅡ、281ⅠⅡ）

②　現物出資等の厳格な調査（33、207、284）

③　発起人・取締役・執行役の現物出資の目的物価額が不足する場合の支払義務（52Ⅰ、213Ⅰ、286Ⅰ）

④　現物出資・財産引受の目的物の価額を証明・鑑定評価した者の不足額を支払う義務（不足額支払義務、52Ⅲ、213Ⅲ、286Ⅲ）

⑤　出資の履行を仮装した場合の責任（52の2ⅠⅡ、102の2Ⅰ、103Ⅱ）

⑥　募集設立の場合の払込取扱機関の払込金保管証明に伴う責任（64Ⅱ）

⑦　株主の側からする払込金相殺の主張の禁止（208Ⅲ）

なお、明文の規定はないが、この原則の現れとして、労務や信用の出資の禁止及び払込義務の免除の禁止が挙げられる。

＊　以上の①～⑦について、これらは資本充実の原則とは無関係であるとする考え方もある。

ウ　資本維持の原則の現れ

①　剰余金の配当・自己株式の取得等において資本金の額を基準とした財源規制があること（446①、461Ⅰ、166Ⅰ、170Ⅴ、464、465）

②　分配可能額を超えて取締役等が剰余金の配当等を行った場合の責任（462Ⅰ、463）

③　準備金の積立て（445Ⅳ、計規22）と分配可能額（461Ⅱ）

なお、明文の規定はないが、この原則の現れとして、払込金の払戻禁止が挙げられる。

(c)　資本不変の原則

いったん確定された資本金の額は、任意に減少することはできないという原則である。

会社財産の維持を図るための標準となる資本金自体の減少が自由に許されるならば、それに伴って会社財産も減少することになるから、資本維持の原則は無意味に帰してしまう。そのため、いったん定められた資本金は、自由にその減少を許さないという資本不変の原則が要求される。

ただ、実際上の必要性から厳格な手続の下に資本金の額の減少も認められている（447、449）。

(d)　資本確定の原則

設立ないし増資の健全化を図るため、設立又は資本金の増加には、定款所定の資本金の額又は増加資本金額に当たる株式全部の引受けがなされなければならないという原則をいう。しかし、会社法は、資本金の額を定款の絶対的記載（記録）事項とはしていない（27参照）。

<資本金・株式・会社財産の関係>

資本金と会社財産の関係	両者の関係は切断されている ただ、会社財産が剰余金の配当等により流出する場合には、資本金の額が分配可能額の基礎となりその流出を制限する機能をもつ
資本金と株式の関係〈司	両者の関係は切断されている 出資を伴って株式を発行する場合には、原則として、株式の数と資本金の額はともに増加するが、合併等に伴って消滅会社等の株主に株式を交付する場合には、必ずしも資本金の額は増加しない また、資本金の減少・増加によって株式数は増減しないし、自己株式の処分や、株式の消却・併合・分割・無償割当てによっても資本金の額は増減しない〈予
株式と会社財産の関係	両者の関係は切断されている 出資を伴って株式を発行する場合には、会社財産は増加するが、それ以外は、会社財産は随時変動する。株式の消却・併合・分割・無償割当てにより株式数が増減しても会社財産は増減しない

・第１章・【設立】

■第１節　総則

《概　説》

一　発起人

1　発起人とは、定款に発起人として署名した者をいう（26）（形式説）。

2　制限行為能力者や法人（営利・非営利を問わない。）も発起人になることができる〈司書。

3　発起人の員数は１名でもよい〈予。

二　発起人組合

発起人が複数存在する場合、設立手続に入る前に会社の設立を目的とする組合契約が締結される（発起人組合、民667以下）。

この点、会社の成立前に、発起人組合の組合員の過半数が会社名義で事業行為を行った場合、その法律上の効果は、組合員全員について生じる（成立後の会社には生じない）。なぜなら、業務執行組合員の定めがない限り、対外的には組合員の過半数において組合を代理する権限を有するからである（最判昭35.12.9・百選Ａ１事件）。

三　設立中の会社

1　意義

設立登記前の設立途中の社団を、設立中の会社という（権利能力なき社団）。

2　発起人が会社設立のために取得し負担した権利義務は、形式的には発起人に帰属するが、実質的には「設立中の会社」に帰属しているので、会社が成立すればそれらの権利義務は当然に会社に帰属する。この考えは、「設立中の会社」が団体として存在することを認め、発起人をその機関と捉え、かつ、「設立中の会社」と成立した会社とを全く同一の存在と考える見解である（同一性説）通。

3　設立中の会社に実質的に効果帰属する行為の範囲

(1)　発起人の行為

設立段階において発起人が行うことのある行為としては、次の4種類がある。

(a)　設立を直接の目的とする行為
　ex.　定款の作成（26）、創立総会の招集（65 I）

(b)　会社の設立にとって法律上・経済上必要な行為
　ex.　設立事務所の賃借・設立事務員の雇入れ（設立費用（28④））、定款認証手数料（28④かっこ書）

(c)　会社の営業を開始する準備行為（開業準備行為）
　ex.　財産引受（28②）、営業事務所の賃借、成立後の会社の従業員の雇入れ、広告・宣伝

(d)　事業行為

(2)　発起人の権限の範囲

発起人の権限は、原則として、上記(a)(b)までの行為にのみ及ぶが、法定の要件をみたした場合には、例外的に財産引受にも及ぶ（最判昭33.10.24・百選4事件）。

4　発起人の権限の範囲外の開業準備行為の効果

(1)　成立後の会社による追認の可否

発起人の権限外の開業準備行為は無効であるから、成立後の会社が追認しても効果帰属しない（最判昭28.12.3）司。

(2)　発起人が開業準備行為を行った場合の発起人の責任

当該開業準備行為は無権代理人の行為に類似するから、発起人は民法117条の類推適用により責任を負う（最判昭33.10.24・百選4事件）。

<設立手続の概略> 予

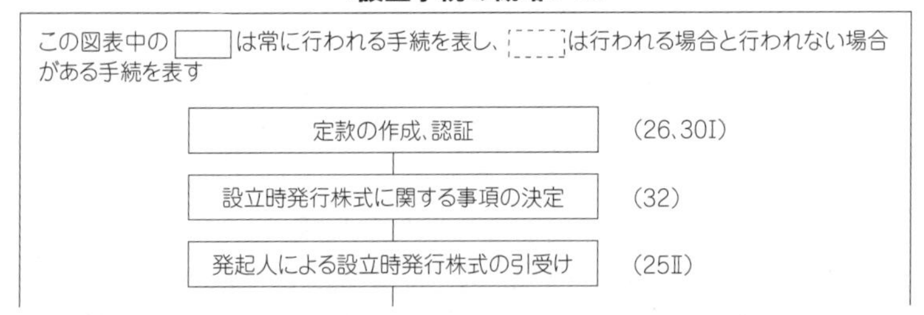

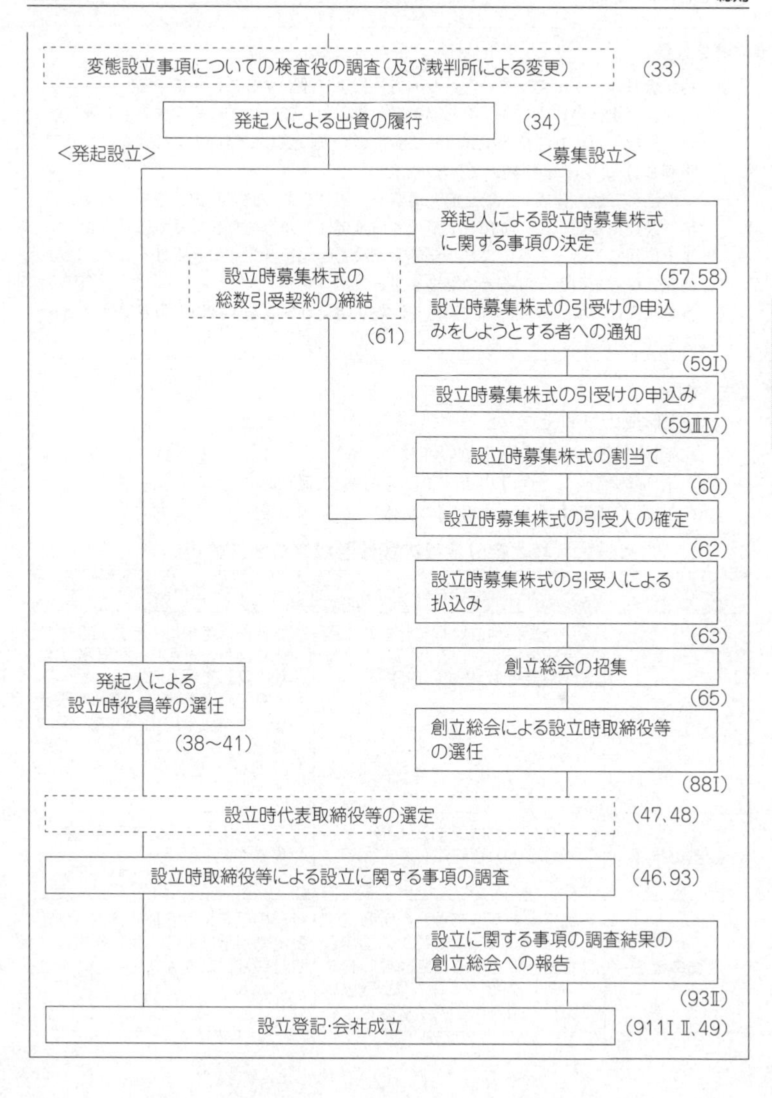
変態設立事項についての検査役の調査（及び裁判所による変更）
(33)
発起人による出資の履行
(34)
<発起設立>
<募集設立>
発起人による設立時募集株式に関する事項の決定
(57、58)
設立時募集株式の総数引受契約の締結
(61)
設立時募集株式の引受けの申込みをしようとする者への通知
(59Ⅰ)
設立時募集株式の引受けの申込み
(59ⅢⅣ)
設立時募集株式の割当て
(60)
設立時募集株式の引受人の確定
(62)
設立時募集株式の引受人による払込み
(63)
創立総会の招集
(65)
発起人による設立時役員等の選任
(38～41)
創立総会による設立時取締役等の選任
(88Ⅰ)
設立時代表取締役等の選定
(47、48)
設立時取締役等による設立に関する事項の調査
(46、93)
設立に関する事項の調査結果の創立総会への報告
(93Ⅱ)
設立登記・会社成立
(911Ⅰ Ⅱ、49)

株式会社

第２５条

Ⅰ　株式会社は、次に掲げるいずれかの方法により設立することができる。

①　次節＜定款の作成＞から第８節＜発起人等の責任＞までに規定するところにより、発起人が設立時発行株式（株式会社の設立に際して発行する株式をいう。以下同じ。）の全部を引き受ける方法

②　次節＜定款の作成＞、第３節＜出資＞、第３９条＜設立時役員等の人数及び資格＞及び第６節＜設立時代表取締役等の選定等＞から第９節＜募集による設立＞までに規定するところにより、発起人が設立時発行株式を引き受けるほか、設立時発行株式を引き受ける者の募集をする方法

Ⅱ　各発起人は、株式会社の設立に際し、設立時発行株式を１株以上引き受けなければならない〈共予書。

《注　釈》

一　実体形成のプロセス

①　団体の根本規範たる定款の作成

②　団体の構成員であり出資者である社員の確定

③　団体が活動するための機関の具備

＜株式会社と持分会社の実体形成プロセスの違い＞

	株式会社	持分会社
特色	①　社員の地位は細分化された割合的単位とされる ②　間接有限責任（104）	①　社員の地位は各社員につき単一であり、その内容が出資の価額に応じて異なる ②　合名会社の場合は直接無限責任、合同会社の場合は間接有限責任、合資会社の場合は直接無限責任と直接有限責任（576 Ⅱ Ⅲ Ⅳ）
定款の作成	①　発起人が作成する（26） ②　公証人の認証が必要（30 Ⅰ）	①　社員になろうとする者全員が作成する（575） ②　公証人の認証は不要
社員の確定	現物出資者がいる場合は定款に定めるが（28①）、それ以外の場合は定款外における設立時発行株式の引受け（25 Ⅰ、62）及び出資の履行（34、63）により確定する	社員の氏名又は名称及び住所が定款記載事項なので、定款作成により社員は確定する（576 Ⅰ④）

	株式会社	持分会社
社員の提供する出資	① 定款で定めた場合と現物出資の場合を除き、定款外で出資が確定する（32Ⅰ②、58Ⅰ②） ② 出資は設立前に履行されることを要する（34Ⅰ本文、63Ⅰ）。もっとも、発起人、設立時募集株式の引受人が期日までに払込みをしない場合には失権するが（36Ⅲ、63Ⅲ）、定款に定められた「設立に際して出資される財産の最低額」（27④）をみたしていれば、設立手続を続行することができる ③ 財産出資に限る（27④、32Ⅰ②、58Ⅰ②）	① 社員の出資の目的及びその価額又は評価の標準が定款に記載されるので、定款作成により出資が確定する（576Ⅰ⑥） ② 社員の出資義務は、合同会社を除き（578）、会社成立前に履行されることを要しない ③ 無限責任社員の出資の目的は、財産出資の他、労務や信用でもよい（民667Ⅱ、会576Ⅰ⑥参照）〈同
機関の具備	株主が当然に機関となるのではなく、設立時取締役や設立時監査役は、発起人、又は創立総会で別途選任される（38～41、88～90）	社員が当然に機関となる（590、599）。ただし、定款で別段の定めを設けることも可能である

二　法人格の付与

設立の登記によって、株式会社は法人格を取得し成立する（911、49）（準則主義）。

三　設立無効原因との関係〈予書

失権により、結果的に発起人が１株も権利を取得しなくなった場合には、他の出資者が出資した財産の価額が定款において定めた「設立に際して出資される財産の価額又はその最低額」をみたしていた場合でも、設立無効事由があると解される。

四　その他

募集設立の場合も、各発起人は、自ら株式を引き受ける〈同。

■第２節　定款の作成

第２６条　（定款の作成）

Ⅰ　株式会社を設立するには、発起人が定款を作成し、その全員がこれに署名し、又は記名押印しなければならない〈予書。

Ⅱ　前項の定款は、電磁的記録（電子的方式、磁気的方式その他人の知覚によっては認識することができない方式で作られる記録であって、電子計算機による情報処理の用に供されるものとして法務省令で定めるものをいう。以下同じ。）をもって作成することができる。この場合において、当該電磁的記録に記録された情報については、法務省令で定める署名又は記名押印に代わる措置をとらなければならない。

［趣旨］発起人が、会社の組織・活動を定める根本規則である定款を作成すべきことを規定する。

【関連条文】976⑦［不記・記録の制裁］、規224、225

第27条　（定款の記載又は記録事項） 司共予書

株式会社の定款には、次に掲げる事項を記載し、又は記録しなければならない。

① 目的
② 商号
③ 本店の所在地
④ 設立に際して出資される財産の価額又はその最低額
⑤ 発起人の氏名又は名称及び住所

《注　釈》

一　絶対的記載事項

1　意義

定款に必ず記載又は記録することを要し、記載又は記録を欠くと定款自体が無効となる事項のことをいう。

2　具体的事項

① 27条各号
② 発行可能株式総数（37 I、98）

＜各種会社の定款の絶対的記載事項＞

<table>
<tr><th>株式会社（27）</th><th>合名会社（576）</th><th>合資会社（576）</th><th>合同会社（576）</th></tr>
<tr><td colspan="4">目的
商号
本店の所在地</td></tr>
<tr><td>発起人の氏名
又は名称及び住所</td><td colspan="3">社員の氏名又は名称及び住所</td></tr>
<tr><td></td><td>社員の全部を無限責任社員とする旨（576 II）</td><td>社員の一部を無限責任社員とし、その他の社員を有限責任社員とする旨（576 III）</td><td>社員の全部を有限責任社員とする旨（576 IV）</td></tr>
<tr><td>設立に際して出資される財産の価額又はその最低額</td><td colspan="3">社員の出資の目的及びその価額又は評価の基準
（576 I⑥）</td></tr>
</table>

二　相対的記載事項（29前段）

1　意義

定款に記載又は記録しなくても定款の効力に影響しないが、その記載又は記録を欠くとその事項の効力が生じないもののことをいう。事項ごとに条文に定められている。

2　具体的事項
　①　変態設立事項（28）
　②　全部の株式の内容に関する特別の定めに関する事項（107 Ⅱ）、種類株式に関する事項（108 Ⅱ）等

三　任意的記載事項（29後段）

1　意義
任意的記載・記録事項とは、単に定款に記載又は記録しうるにすぎない事項のことをいう。

2　具体的事項
ex.　名義書換その他の株式事務に関する手続、定時株主総会招集の時期、株主総会の議長、決算期等

第２８条 〈書〉

株式会社を設立する場合には、次に掲げる事項は、第２６条第１項<定款の作成>の定款に記載し、又は記録しなければ、その効力を生じない。
①　金銭以外の財産を出資する者の氏名又は名称、当該財産及びその価額並びにその者に対して割り当てる設立時発行株式の数（設立しようとする株式会社が種類株式発行会社である場合にあっては、設立時発行株式の種類及び種類ごとの数。第３２条第１項第１号において同じ。）〈予〉
②　株式会社の成立後に譲り受けることを約した財産及びその価額並びにその譲渡人の氏名又は名称
③　株式会社の成立により発起人が受ける報酬その他の特別の利益及びその発起人の氏名又は名称〈予〉
④　株式会社の負担する設立に関する費用（定款の認証の手数料その他株式会社に損害を与えるおそれがないものとして法務省令で定めるものを除く。）〈予書〉

［趣旨］変態設立事項を定款に記載させることによって、設立時募集株式の申込人・会社成立後に株主となろうとする者・会社債権者にかかる事項の存否・内容を知らしめて、適切な意思決定を可能とすることにある。さらに、発起人の活動を明らかにすることで、発起人の不適切な行動を抑止することにもある。

《注　釈》

一　現物出資（①）

1　意義
現物出資とは、「金銭以外の財産」をもってする出資のことをいう。
現物出資を無制限に認めると、目的物が過大に評価されることにより、他の株主及び会社債権者を害するおそれがあるので、厳格な規制の下でこれを認めた。
→発起人のみがなしうる（34 Ⅰと63 Ⅰを対比）〈予〉。
cf.　募集株式の発行等の場合には誰でもなしうる（199 Ⅰ③）

2　出資の目的（内容）
動産、不動産、債権、有価証券、無体財産権等の権利の他、のれん、営業

（事業）の全部又は一部等の財産。

株式会社においては、株主は有限責任を負うにすぎない（104）ので、出資の目的は金銭又は金銭以外の財産に限られ、労務や信用は認められない。

二　財産引受（②）〈司H29

1　意義

財産引受とは、発起人が第三者との間で、会社のために会社の成立を条件として特定の財産を譲り受けることを約する契約のことをいう。

目的物が過大に評価されれば、会社の財産的基礎を危うくし、また、現物出資の規制を潜脱する方法として用いられる危険があるため、現物出資の場合と同様、変態設立事項とされた。

2　財産引受の無効の主張権者

財産引受の無効の主張は、いずれの当事者もすることができる（最判昭28.12.3）。ただし、譲受人が一部履行、残代金の確認等をしたのに、譲受人の事業がうまくいかなかったからといって、残代金の支払を免れるために譲受けから9年後に無効を主張することは信義則（民1Ⅱ）上許されない（最判昭61.9.11・百選5事件）。

3　追認の可否

定款に定めのない財産引受は、たとえ会社成立後、株主総会が特別決議をもってこれを承認しても、有効にならない（最判昭42.9.26）〈司予書。

→なおも会社が財産の取得を望むのであれば、改めて売買契約等を締結する必要がある。この場合においては、会社成立前から存在する事業用財産を取得する契約を会社成立後に締結する場合（事後設立、467Ⅰ⑤）に当たり得るため、事後設立の規制（⇒ p.402）を受けることがある

三　発起人が受ける報酬その他の特別の利益（③）

1　「発起人が受ける報酬その他の特別の利益」の意義

「発起人が受ける報酬」とは、発起人が成立後の会社から受ける利益のうち金額が確定しているものをいう。

「その他の特別の利益」とは、個々の発起人に人的に帰属する利益をいう。

ex.　剰余金の配当に関する優先権や現物出資した財産の買戻権など

cf.　発起人に対して剰余金の配当を優先して受けることができる優先株式の割当てをすることは、通常の割当行為にすぎないから、「特別の利益」には当たらない〈書

2　規制の趣旨

発起人のお手盛り防止のため、定款に記載又は記録させるものとした。

四　設立費用（④）

1　意義

設立費用とは、定款の認証の手数料その他株式会社に損害を与えるおそれがないものとして法務省令で定めるものを除き（規5）、発起人が設立中の会社のためにした、会社の設立のために必要な行為から生ずる費用をいう。

2　規制の趣旨

成立後の会社が負担すべきものであるが、無制限な負担により会社の財産的基礎が害されることを防ぐため、会社が負担する設立費用を定款に記載又は記録させることとした。

3　設立費用の範囲

(1)　設立費用に含まれるもの

設立に必要な取引行為から生ずる費用

ex.　設立事務所の賃料、定款及び株式申込証の印刷費、株主募集の広告費、創立総会招集の費用

(2)　問題となるもの

(a)　借入金

設立費用に充てるための借入金は設立費用ではなく、それが設立に必要な行為に使用された場合に、その使用された額が設立費用となる。

(b)　開業準備費用

財産引受以外の開業準備行為は、成立後の会社がなすのが原則であるから、開業準備費用は設立費用に当たらない。　⇒p.24

(3)　当然に会社負担とされるもの〈司予書

定款認証の手数料、その他株式会社に損害を与えるおそれがないものとして法務省令（規5）で定めるもの（定款に係る印紙税、株式払込取扱機関への手数料・報酬〈書、変態設立事項調査検査役への報酬、設立登記登録免許税）については、濫用のおそれがないため、定款への記載又は記録がなくても会社が負担すべきものとして、設立費用の規制対象から除外されている（28④かっこ書）。

4　設立費用の帰属〈司H29

法定要件をみたした金額の限度で対外的に会社に帰属するが、それを超える部分については発起人が対外的に責任を負う（大判昭2.7.4・百選6事件）〈司。

→設立費用に関する債務が複数あり、これらが定款に記載された額を超えている場合について、どの債務がどの限度で会社に帰属するのか問題となる。判例を支持する立場は、行為の時系列によって会社に帰属する債務及び額を判断し、順序が明らかでないときは、債務額に応じて按分した範囲で各々の債務が帰属すると解している

株式会社

<現物出資・財産引受・事後設立の比較>

	現物出資	財産引受	事後設立
意義	「金銭以外の財産」をもってする出資（28①）	発起人が、会社のため会社の成立を条件として特定の財産を譲り受けることを約する売買契約（28②）	会社の成立前から存在する財産で、その事業のために継続して使用するものを、株式会社の成立後2年以内に取得する契約（467Ⅰ⑤）
法的性質	株式引受	契約（取引上の行為）	契約（取引上の行為）
規制内容	① 設立時は発起人のみがなしうる（34Ⅰと63Ⅰ対照） ② 定款への記載・記録（28①） ③ 原則として検査役の調査（33Ⅰ）	① 定款への記載・記録（28②） ② 原則として検査役の調査（33Ⅰ）	① 原則として株主総会の特別決議（467Ⅰ⑤、309Ⅱ⑪） ② 例外：対価が純資産額の5分の1以下の場合は不要（467Ⅰ⑤ただし書） ③ 検査役の調査は不要

第29条

第27条各号<定款の絶対的記載事項>及び前条各号<変態設立事項>に掲げる事項のほか、株式会社の定款には、この法律の規定により定款の定めがなければその効力を生じない事項及びその他の事項でこの法律の規定に違反しないものを記載し、又は記録することができる。

[趣旨] 相対的記載事項、任意的載事項が定款自治（会社が定款で自由に会社法の規律を変更すること）の認められる事項であることを明らかにしたものである。

第30条　（定款の認証）

Ⅰ　第26条第1項<定款の作成>の定款は、公証人の認証を受けなければ、その効力を生じない〈司予書〉。

Ⅱ　前項の公証人の認証を受けた定款は、株式会社の成立前は、第33条第7項若しくは第9項<変態設立事項が不当な場合の変更等>又は第37条第1項若しくは第2項<発行可能株式総数の定め等>の規定による場合を除き、これを変更することができない〈予書〉。

[趣旨] 1項の趣旨は、定款の作成において公証人の認証を要求することで、定款の内容を明確にし、後日の紛争及び不正を防止することにある。2項の趣旨は、会社成立前に公証人の認証を受けた定款を変更できないとすることで、会社法が定めている設立規制の潜脱を防止することにある。

第３１条　（定款の備置き及び閲覧等）

Ⅰ　発起人（株式会社の成立後にあっては、当該株式会社）は、定款を発起人が定めた場所（株式会社の成立後にあっては、その本店及び支店）に備え置かなければならない〈予書。

Ⅱ　発起人（株式会社の成立後にあっては、その株主及び債権者）は、発起人が定めた時間（株式会社の成立後にあっては、その営業時間）内は、いつでも、次に掲げる請求をすることができる。ただし、第２号又は第４号に掲げる請求をするには、発起人（株式会社の成立後にあっては、当該株式会社）の定めた費用を支払わなければならない〈書。

①　定款が書面をもって作成されているときは、当該書面の閲覧の請求〈書

②　前号の書面の謄本又は抄本の交付の請求

③　定款が電磁的記録をもって作成されているときは、当該電磁的記録に記録された事項を法務省令で定める方法により表示したものの閲覧の請求〈書

④　前号の電磁的記録に記録された事項を電磁的方法であって発起人（株式会社の成立後にあっては、当該株式会社）の定めたものにより提供することの請求又はその事項を記載した書面の交付の請求

Ⅲ　株式会社の成立後において、当該株式会社の親会社社員（親会社の株主その他の社員をいう。以下同じ。）がその権利を行使するため必要があるときは、当該親会社社員は、裁判所の許可を得て、当該株式会社の定款について前項各号に掲げる請求をすることができる。ただし、同項第２号又は第４号に掲げる請求をするには、当該株式会社の定めた費用を支払わなければならない。

Ⅳ　定款が電磁的記録をもって作成されている場合であって、支店における第２項第３号及び第４号に掲げる請求に応じることを可能とするための措置として法務省令で定めるものをとっている株式会社についての第１項の規定の適用については、同項中「本店及び支店」とあるのは、「本店」とする。

[趣旨] 発起人等に定款の備置義務を課し、また発起人等に閲覧・交付請求を認めることで、直接には発起人、株主、債権者の利益を保護し、かかる個別的な公示（閲覧・交付）を通じ会社の状態を監視せしめることで、間接には会社の利益を図ることにある。

【関連条文】 976⑧［備置義務違反への罰則］、規226、227

■第３節　出資

第３２条　（設立時発行株式に関する事項の決定）

Ⅰ　発起人は、株式会社の設立に際して次に掲げる事項（定款に定めがある事項を除く。）を定めようとするときは、その全員の同意を得なければならない〈予書。

①　発起人が割当てを受ける設立時発行株式の数〈司書

②　前号の設立時発行株式と引換えに払い込む金銭の額

③　成立後の株式会社の資本金及び資本準備金の額に関する事項〈予書

Ⅱ　設立しようとする株式会社が種類株式発行会社である場合において、前項第１号の設立時発行株式が第１０８条第３項前段＜種類株式の内容の決定の委任＞の規定

による定款の定めがあるものであるときは、発起人は、その全員の同意を得て、当該設立時発行株式の内容を定めなければならない。

［趣旨］定款作成という設立手続の初期段階からすべてを決定しておくのは非常に困難であるし、資本と株式の関係が切断されている（⇒ p.23）以上、あえて株式に関する事項を原始定款に記載しておく必要はないと解されることから、設立時発行株式に関する事項は、定款に記載・記録しなかった場合には、発起人全員の同意によって定めるとして設立手続の硬直化を防ぐことにある。

第３３条　（定款の記載又は記録事項に関する検査役の選任）

Ⅰ　発起人は、定款に第２８条各号＜変態設立事項＞に掲げる事項についての記載又は記録があるときは、第３０条第１項＜定款の認証＞の公証人の認証の後遅滞なく、当該事項を調査させるため、裁判所に対し、検査役の選任の申立てをしなければならない〈書。

Ⅱ　前項の申立てがあった場合には、裁判所は、これを不適法として却下する場合を除き、検査役を選任しなければならない。

Ⅲ　裁判所は、前項の検査役を選任した場合には、成立後の株式会社が当該検査役に対して支払う報酬の額を定めることができる。

Ⅳ　第２項の検査役は、必要な調査を行い、当該調査の結果を記載し、又は記録した書面又は電磁的記録（法務省令で定めるものに限る。）を裁判所に提供して報告をしなければならない。

Ⅴ　裁判所は、前項の報告について、その内容を明瞭にし、又はその根拠を確認するため必要があると認めるときは、第２項の検査役に対し、更に前項の報告を求めることができる。

Ⅵ　第２項の検査役は、第４項の報告をしたときは、発起人に対し、同項の書面の写しを交付し、又は同項の電磁的記録に記録された事項を法務省令で定める方法により提供しなければならない。

Ⅶ　裁判所は、第４項の報告を受けた場合において、第２８条各号＜変態設立事項＞に掲げる事項（第２項の検査役の調査を経ていないものを除く。）を不当と認めたときは、これを変更する決定をしなければならない〈書。

Ⅷ　発起人は、前項の決定により第２８条各号＜変態設立事項＞に掲げる事項の全部又は一部が変更された場合には、当該決定の確定後１週間以内に限り、その設立時発行株式の引受けに係る意思表示を取り消すことができる。

Ⅸ　前項に規定する場合には、発起人は、その全員の同意によって、第７項の決定の確定後１週間以内に限り、当該決定により変更された事項についての定めを廃止する定款の変更をすることができる。

Ⅹ　前各項の規定は、次の各号に掲げる場合には、当該各号に定める事項については、適用しない。

①　第２８条第１号及び第２号＜現物出資事項等＞の財産（以下この章において「現物出資財産等」という。）について定款に記載され、又は記録された価額の総額が５００万円を超えない場合　同条第１号及び第２号に掲げる事項〈書

② 現物出資財産等のうち、市場価格のある有価証券（金融商品取引法（昭和２３年法律第２５号）第２条第１項に規定する有価証券をいい、同条第２項の規定により有価証券とみなされる権利を含む。以下同じ。）について定款に記載され、又は記録された価額が当該有価証券の市場価格として法務省令で定める方法により算定されるものを超えない場合　当該有価証券についての第２８条第１号又は第２号<現物出資事項等>に掲げる事項

③ 現物出資財産等について定款に記載され、又は記録された価額が相当であることについて弁護士、弁護士法人、公認会計士（外国公認会計士（公認会計士法（昭和２３年法律第１０３号）第１６条の２第５項 に規定する外国公認会計士をいう。）を含む。以下同じ。）、監査法人、税理士又は税理士法人の証明（現物出資財産等が不動産である場合にあっては、当該証明及び不動産鑑定士の鑑定評価。以下この号において同じ。）を受けた場合　第２８条第１号又は第２号<現物出資事項等>に掲げる事項（当該証明を受けた現物出資財産等に係るものに限る。）〈司書

Ⅺ 次に掲げる者は、前項第３号に規定する証明をすることができない。

① 発起人

② 第２８条第２号<財産引受の場合の定款への記載・記録事項>の財産の譲渡人

③ 設立時取締役（第３８条第１項<設立時取締役の選任>に規定する設立時取締役をいう。）又は設立時監査役（同条第３項第２号に規定する設立時監査役をいう。）

④ 業務の停止の処分を受け、その停止の期間を経過しない者

⑤ 弁護士法人、監査法人又は税理士法人であって、その社員の半数以上が第１号から第３号までに掲げる者のいずれかに該当するもの

［趣旨］28条各号に掲げる変態設立事項について、専門的知識を有する独立の第三者によるチェックを要求することで、利害関係人保護の実効性を図ることにある。また、一定の場合には検査役の調査を省略できるものとし（X）、設立手続の合理化にも配慮している。

《注　釈》

◆ 検査役

検査役は、法定の事項を調査するために臨時に選任される機関である。検査役は、総会（創立総会、株主総会、種類株主総会）により選任される場合（94、316、325）と、裁判所により選任される場合がある。

裁判所により選任される場合については、

① 現物出資等の調査（33、207、284）のため

② 株主総会の招集手続・決議方法の調査（306、325）のため

③ 少数株主の請求により会社・子会社の業務・財産状況の調査（358）のため

に検査役が選任され、特に、上記①現物出資等の調査の場合には「検査役の選任の申立てをしなければならない」と定められている。

→一方、吸収分割においても、事業譲渡においても、検査役の選任の申立てについて規定した条文は存在しない〈予

株式会社

また、持分会社では、検査役調査の制度は定められていない〈共〉。

第３４条（出資の履行）

Ⅰ　発起人は、設立時発行株式の引受け後遅滞なく、その引き受けた設立時発行株式につき、その出資に係る金銭の全額を払い込み、又はその出資に係る金銭以外の財産の全部を給付しなければならない。ただし、発起人全員の同意があるときは、登記、登録その他権利の設定又は移転を第三者に対抗するために必要な行為は、株式会社の成立後にすることを妨げない。

Ⅱ　前項の規定による払込みは、発起人が定めた銀行等（銀行（銀行法（昭和５６年法律第５９号）第２条第１項に規定する銀行をいう。第７０３条第１号において同じ。）、信託会社（信託業法（平成１６年法律第１５４号）第２条第２項に規定する信託会社をいう。以下同じ。）その他これに準ずるものとして法務省令で定めるものをいう。以下同じ。）の払込みの取扱いの場所においてしなければならない。

［趣旨］株式会社では、株主は間接有限責任（104）しか負わず、会社債権者の担保となるのは会社財産のみであることから、会社成立前に、払込金額全額の払込み・現物出資全部の給付を要求することで、会社財産を確保し、会社債権者の保護を図る。

《注　釈》

一　発起設立における払込金保管証明書の省略〈書〉

募集設立の場合と異なり（64）、発起設立の場合には払込金保管証明書は要求されていない。これは、新たに会社を設立しようとする場合に払込金保管証明書を発行する払込取扱機関となってくれる銀行等を探すには実務上ある程度の時間を要し、その制度が設立に時間を要する１つの要因となっているという批判があること、払込金保管証明書によっても見せ金等の仮装払込行為を防止することは困難であることによる。

二　株式払込みの仮装

1　預合い

(1)　意義

預合いとは、発起人が払込取扱銀行から金銭を借り入れ、これを設立中の会社の預金に振り替えて株式の払込みに充てるが、その借入金を返済するまではその預金を引き出さないことを約することをいう。

→払込みが実質的になされたといえれば預合いにはならないが、実質的になされたといえるかどうかは極めて慎重な審理が必要であり、会社に対する債権の弁済が払込みに関わる場合は、その債権の存在や会社の資力等につき審理することが必要である（最判昭 42.12.14・百選 A44 事件）

(2)　効果

発起人等は、仮装した出資に係る金銭等の全額（全部）について支払（給付）義務を負う（52 の２ⅠⅡ）。この義務は総株主の同意がない限り免除できない（55）。

52 条の２の文言からは、払込みを有効とするのが素直である。もっとも、支払義務が履行されるまでは株式は未成立であり、支払義務が履行されてはじめて当該株式や払込みが有効なものとして扱われるべきである。

また、募集設立の場合には払込取扱機関が保管証明責任を負う（64 Ⅱ）。

さらに、預合いを行った発起人等及び預合いに応じた払込取扱機関には刑事責任が科されている（965）。

2　見せ金 司H22

(1)　意義

見せ金とは、発起人が払込取扱銀行以外の者から金銭を借り入れて株式の払込みに充て、会社の成立後にこれを引き出してその借入金を返済することをいう。

(2)　見せ金による払込みの効力

当初から会社資金を確保する意図なく、借入金により払込みの外形を整え、会社成立後直ちにその払込金を払い戻して返済する、いわゆる見せ金は、払込みとして無効である。

この見せ金に当たるかは、

①　会社成立後、借入金を返済するまでの期間の長短

②　払込金が会社資金として運用されてきた事実の有無

③　借入金の返済が会社の資金関係に及ぼす影響の有無

などの事情から判断する（最判昭38.12.6・百選7事件）。

(3)　効果

(a)　設立無効原因に当たりうる（27④参照、828 Ⅰ①）。　⇒ p.600

(b)　見せ金をした発起人の責任

ア　仮装した出資に係る金銭等の全額（全部）について支払（給付）義務を負う（52の2 Ⅰ）。この義務は総株主の同意がない限り免除できない（55）。

イ　任務懈怠責任として、損害賠償責任を負う（53）。

ウ　発起人が創立総会で見せ金による払込みの事実を隠蔽したときは、会社財産を危うくする罪（963 Ⅰ）が成立する。

(c)　見せ金に関与した発起人又は設立時取締役の責任

ア　仮装した出資に係る金銭等の全額（全部）について支払（給付）義務を負う（52の2 Ⅱ）。ただし、出資の履行を仮装した者を除き、自己の職務を行うについて注意を怠らなかったことを証明した場合はこの限りでない（同ただし書）。この義務は総株主の同意がない限り免除できない（55）。

イ　任務懈怠責任（53）を負う。

ウ　見せ金による設立登記完了は、公正証書原本不実記載罪・同行使罪（刑157 Ⅰ、158 Ⅰ）に当たる（最決昭40.6.24、最決平3.2.28・百選101事件）予。

(d)　払込取扱機関の責任

募集設立において払込取扱機関が悪意又は重過失であった場合には、保

株式会社

管証明責任を負う（64 Ⅱ）。

【関連条文】63 Ⅰ［設立時募集株式引人の払込義務］、102 ⅢⅣ［設立手続等の特則］、102の2［払込みを仮装した設立時募集株式の引受人の責任］、103［発起人の責任等］、64［払込取扱機関による証明］、965［預合いの罪］、規7

第35条（設立時発行株式の株主となる権利の譲渡）

前条第1項の規定による払込み又は給付（以下この章において「出資の履行」という。）をすることにより設立時発行株式の株主となる権利の譲渡は、成立後の株式会社に対抗することができない。

［趣旨］株主となる権利（権利株）の譲渡を会社に対抗できないとすることで、株式引受人が交替することにより生じる設立手続の煩雑と渋滞を防止することにある。

《注　釈》

・あくまでも「対抗することができない」だけであり、成立後の株式会社が権利株の譲渡を認めて当該譲受人を株主として取り扱うことは自由である〈予〉。

【関連条文】50 Ⅱ［株式の引受人の権利の譲渡］、63 Ⅱ［設立時募集株式における権利株の譲渡］、208 Ⅳ［募集株式の発行等における権利株の譲渡］

第36条（設立時発行株式の株主となる権利の喪失）

Ⅰ　発起人のうち出資の履行をしていないものがある場合には、発起人は、当該出資の履行をしていない発起人に対して、期日を定め、その期日までに当該出資の履行をしなければならない旨を通知しなければならない〈予〉。

Ⅱ　前項の規定による通知は、同項に規定する期日の2週間前までにしなければならない。

Ⅲ　第1項の規定による通知を受けた発起人は、同項に規定する期日までに出資の履行をしないときは、当該出資の履行をすることにより設立時発行株式の株主となる権利を失う。

［趣旨］出資の履行をしていない発起人の失権手続を定め、設立手続の遅滞を防止することにある。

【関連条文】63 Ⅲ［設立時募集株式の引受人の失権］、208 Ⅴ［募集株式の引受人の失権］（失権手続を要することなく、当然失権）

第37条（発行可能株式総数の定め等）

Ⅰ　発起人は、株式会社が発行することができる株式の総数（以下「発行可能株式総数」という。）を定款で定めていない場合には、株式会社の成立の時までに、その全員の同意によって、定款を変更して発行可能株式総数の定めを設けなければならない〈司書〉。

Ⅱ　発起人は、発行可能株式総数を定款で定めている場合には、株式会社の成立の時までに、その全員の同意によって、発行可能株式総数についての定款の変更をすることができる〈予〉。

Ⅲ　設立時発行株式の総数は、発行可能株式総数の4分の1を下ることができない。ただし、設立しようとする株式会社が公開会社でない場合は、この限りでない〈司予〉。

【趣旨】発行可能株式総数については、定款作成時ではなく、会社成立時までに定款に定めればよいこととすることで、設立手続の硬直化を防ぐことにある。3項は、公開会社において、取締役会が株主総会の承認を得ることなく募集株式の発行をすることができる権限に制限を課し、既存株主の持株比率が取締役会の裁量により大幅に低下してしまうことを防ぐ趣旨である。

一方で公開会社でない会社の場合は、募集による株式の発行に関する事項を株主総会の特別決議で決することから、発行可能株式総数を発行済株式総数の4倍以内にするとの規制は存在しない（37 Ⅲただし書）。

【関連条文】98［創立総会の決議による発行可能株式総数の定め］、113 Ⅰ［発行可能株式総数は定款の絶対的記載事項］、911 Ⅲ⑥［登記］

株式会社

■第4節　設立時役員等の選任及び解任

第38条（設立時役員等の選任）

Ⅰ　発起人は、出資の履行が完了した後、遅滞なく、設立時取締役（株式会社の設立に際して取締役となる者をいう。以下同じ。）を選任しなければならない〈共予〉。

Ⅱ　設立しようとする株式会社が監査等委員会設置会社である場合には、前項の規定による設立時取締役の選任は、設立時監査等委員（株式会社の設立に際して監査等委員（監査等委員会の委員をいう。以下同じ。）となる者をいう。以下同じ。）である設立時取締役とそれ以外の設立時取締役とを区別してしなければならない。

Ⅲ　次の各号に掲げる場合には、発起人は、出資の履行が完了した後、遅滞なく、当該各号に定める者を選任しなければならない。

①　設立しようとする株式会社が会計参与設置会社である場合　設立時会計参与（株式会社の設立に際して会計参与となる者をいう。以下同じ。）

②　設立しようとする株式会社が監査役設置会社（監査役の監査の範囲を会計に関するものに限定する旨の定款の定めがある株式会社を含む。）である場合　設立時監査役（株式会社の設立に際して監査役となる者をいう。以下同じ。）

③　設立しようとする株式会社が会計監査人設置会社である場合　設立時会計監査人（株式会社の設立に際して会計監査人となる者をいう。以下同じ。）

Ⅳ　定款で設立時取締役（設立しようとする株式会社が監査等委員会設置会社である場合にあっては、設立時監査等委員である設立時取締役又はそれ以外の設立時取締役。以下この項において同じ。）、設立時会計参与、設立時監査役又は設立時会計監査人として定められた者は、出資の履行が完了した時に、それぞれ設立時取締役、設立時会計参与、設立時監査役又は設立時会計監査人に選任されたものとみなす。

【関連条文】88以下［募集設立の場合における設立時取締役等の選任及び解任］

第３９条

Ⅰ　設立しようとする株式会社が取締役会設置会社である場合には、設立時取締役は、３人以上でなければならない。

Ⅱ　設立しようとする株式会社が監査役会設置会社である場合には、設立時監査役は、３人以上でなければならない。

Ⅲ　設立しようとする株式会社が監査等委員会設置会社である場合には、設立時監査等委員である設立時取締役は、３人以上でなければならない。

Ⅳ　第３３１条第１項＜取締役の資格等＞（第３３５条第１項において準用する場合を含む。）予、第３３３条第１項若しくは第３項＜会計参与の資格等＞又は第３３７条第１項若しくは第３項の規定＜会計監査人の資格等＞により成立後の株式会社の取締役（監査等委員会設置会社にあっては、監査等委員である取締役又はそれ以外の取締役）、会計参与、監査役又は会計監査人となることができない者は、それぞれ設立時取締役（成立後の株式会社が監査等委員会設置会社である場合にあっては、設立時監査等委員である設立時取締役又はそれ以外の設立時取締役）、設立時会計参与、設立時監査役又は設立時会計監査人（以下この節において「設立時役員等」という。）となることができない。

Ⅴ　第３３１条の２＜取締役の資格等＞の規定は、設立時取締役及び設立時監査役について準用する。

【関連条文】326 Ⅰ［取締役会非設置会社の取締役の員数］、331 Ⅴ［取締役会設置会社の取締役の員数］、335 Ⅲ［監査役会設置会社の監査役の員数］

第４０条　（設立時役員等の選任の方法）

Ⅰ　設立時役員等の選任は、発起人の議決権の過半数をもって決定する書。

Ⅱ　前項の場合には、発起人は、出資の履行をした設立時発行株式１株につき１個の議決権を有する。ただし、単元株式数を定款で定めている場合には、１単元の設立時発行株式につき１個の議決権を有する。

Ⅲ　前項の規定にかかわらず、設立しようとする株式会社が種類株式発行会社である場合において、取締役の全部又は一部の選任について議決権を行使することができないものと定められた種類の設立時発行株式を発行するときは、当該種類の設立時発行株式については、発起人は、当該取締役となる設立時取締役の選任についての議決権を行使することができない。

Ⅳ　設立しようとする株式会社が監査等委員会設置会社である場合における前項の規定の適用については、同項中「、取締役」とあるのは「、監査等委員である取締役又はそれ以外の取締役」と、「当該取締役」とあるのは「これらの取締役」とする。

Ⅴ　第３項の規定は、設立時会計参与、設立時監査役及び設立時会計監査人の選任について準用する。

【４項読替え】

設立しようとする株式会社が監査等委員会設置会社である場合、監査等委員である取締役又はそれ以外の取締役の全部又は一部の選任について議決権を行使することができないものと定められた種類の設立時発行株式を発行するときは、当該種類の設立時発行株式については、発起人は、これらの取締役となる設立時取締役の選任についての議決権を行使することができない。

第４１条　（設立時役員等の選任の方法の特則）

Ⅰ　前条第１項の規定にかかわらず、株式会社の設立に際して第１０８条第１項第９号＜種類株主総会により取締役・監査役を選任できる株式＞に掲げる事項（取締役（監査等委員会設置会社にあっては、監査等委員である取締役又はそれ以外の取締役）に関するものに限る。）についての定めがある種類の株式を発行する場合には、設立時取締役（設立しようとする株式会社が監査等委員会設置会社である場合にあっては、設立時監査等委員である設立時取締役又はそれ以外の設立時取締役）の選任は、同条第２項第９号＜種類株主総会における取締役等の選任に関する定款の定め＞に定める事項についての定款の定めの例に従い、当該種類の設立時発行株式を引き受けた発起人の議決権（当該種類の設立時発行株式についての議決権に限る。）の過半数をもって決定する。

Ⅱ　前項の場合には、発起人は、出資の履行をした種類の設立時発行株式１株につき１個の議決権を有する。ただし、単元株式数を定款で定めている場合には、１単元の種類の設立時発行株式につき１個の議決権を有する。

Ⅲ　前２項の規定は、株式会社の設立に際して第１０８条第１項第９号＜種類株主総会により取締役・監査役を選任できる株式＞に掲げる事項（監査役に関するものに限る。）についての定めがある種類の株式を発行する場合について準用する。

第４２条　（設立時役員等の解任） 予

発起人は、株式会社の成立の時までの間、その選任した設立時役員等（第３８条第４項の規定により設立時役員等に選任されたものとみなされたものを含む。）を解任することができる。

第４３条　（設立時役員等の解任の方法）

Ⅰ　設立時役員等の解任は、発起人の議決権の過半数（設立時監査等委員である設立時取締役又は設立時監査役を解任する場合にあっては、３分の２以上に当たる多数）をもって決定する予書。

Ⅱ　前項の場合には、発起人は、出資の履行をした設立時発行株式１株につき１個の議決権を有する。ただし、単元株式数を定款で定めている場合には、１単元の設立時発行株式につき１個の議決権を有する。

Ⅲ　前項の規定にかかわらず、設立しようとする株式会社が種類株式発行会社である場合において、取締役の全部又は一部の解任について議決権を行使することができないものと定められた種類の設立時発行株式を発行するときは、当該種類の設立時発行株式については、発起人は、当該取締役となる設立時取締役の解任についての議決権を行使することができない。

Ⅳ　設立しようとする株式会社が監査等委員会設置会社である場合における前項の規定の適用については、同項中「、取締役」とあるのは「、監査等委員である取締役又はそれ以外の取締役」と、「当該取締役」とあるのは「これらの取締役」とする。
Ⅴ　第３項の規定は、設立時会計参与、設立時監査役及び設立時会計監査人の解任について準用する。

【４項読替え】
設立しようとする株式会社が監査等委員会設置会社である場合、監査等委員である取締役又はそれ以外の取締役の全部又は一部の解任について議決権を行使することができないものと定められた種類の設立時発行株式を発行するときは、当該種類の設立時発行株式については、発起人は、これらの取締役となる設立時取締役の解任についての議決権を行使することができない。

第４４条　（設立時取締役等の解任の方法の特則）

Ⅰ　前条第１項の規定にかかわらず、第４１条第１項<設立時取締役の選任の方法の特則>の規定により選任された設立時取締役（設立時監査等委員である設立時取締役を除く。次項及び第４項において同じ。）の解任は、その選任に係る発起人の議決権の過半数をもって決定する。
Ⅱ　前項の規定にかかわらず、第４１条第１項<設立時取締役の選任の方法の特則>の規定により又は種類創立総会（第８４条に規定する種類創立総会をいう。）若しくは種類株主総会において選任された取締役（監査等委員である取締役を除く。第４項において同じ。）を株主総会の決議によって解任することができる旨の定款の定めがある場合には、第４１条第１項<設立時取締役の選任の方法の特則>の規定により選任された設立時取締役の解任は、発起人の議決権の過半数をもって決定する。
Ⅲ　前２項の場合には、発起人は、出資の履行をした種類の設立時発行株式１株につき１個の議決権を有する。ただし、単元株式数を定款で定めている場合には、１単元の種類の設立時発行株式につき１個の議決権を有する。
Ⅳ　前項の規定にかかわらず、第２項の規定により設立時取締役を解任する場合において、取締役の全部又は一部の解任について議決権を行使することができないものと定められた種類の設立時発行株式を発行するときは、当該種類の設立時発行株式については、発起人は、当該取締役となる設立時取締役の解任についての議決権を行使することができない。
Ⅴ　前各項の規定は、第４１条第１項<設立時取締役の選任の方法の特則>の規定により選任された設立時監査等委員である設立時取締役及び同条第３項において準用する同条第１項の規定により選任された設立時監査役の解任について準用する。この場合において、第１項及び第２項中「過半数」とあるのは、「３分の２以上に当たる多数」と読み替えるものとする。

第４５条　（設立時役員等の選任又は解任の効力についての特則）

Ⅰ　株式会社の設立に際して第１０８条第１項第８号<拒否権付種類株式>に掲げる事項についての定めがある種類の株式を発行する場合において、当該種類の株式の内容として次の各号に掲げる事項について種類株主総会の決議があることを必要とする旨の定款の定めがあるときは、当該各号に定める事項は、定款の定めに従い、第４０条第１項<設立時役員等の選任の方法>又は第４３条第１項<設立時役員等の解任の方法>の規定による決定のほか、当該種類の設立時発行株式を引き受けた発起人の議決権（当該種類の設立時発行株式についての議決権に限る。）の過半数をもってする決定がなければ、その効力を生じない。

①　取締役（監査等委員会設置会社の取締役を除く。）の全部又は一部の選任又は解任　当該取締役となる設立時取締役の選任又は解任

②　監査等委員である取締役又はそれ以外の取締役の全部又は一部の選任又は解任　これらの取締役となる設立時取締役の選任又は解任

③　会計参与の全部又は一部の選任又は解任　当該会計参与となる設立時会計参与の選任又は解任

④　監査役の全部又は一部の選任又は解任　当該監査役となる設立時監査役の選任又は解任

⑤　会計監査人の全部又は一部の選任又は解任　当該会計監査人となる設立時会計監査人の選任又は解任

Ⅱ　前項の場合には、発起人は、出資の履行をした種類の設立時発行株式１株につき１個の議決権を有する。ただし、単元株式数を定款で定めている場合には、１単元の種類の設立時発行株式につき１個の議決権を有する。

株式会社

■第５節　設立時取締役等による調査

第４６条

Ⅰ　設立時取締役（設立しようとする株式会社が監査役設置会社である場合にあっては、設立時取締役及び設立時監査役。以下この条において同じ。）は、その選任後遅滞なく、次に掲げる事項を調査しなければならない。

①　第３３条第１０項第１号<少額免除>又は第２号<有価証券免除>に掲げる場合における現物出資財産等（同号に掲げる場合にあっては、同号の有価証券に限る。）について定款に記載され、又は記録された価額が相当であること〈予〉。

②　第３３条第１０項第３号<現物出資財産の価額等に関する弁護士等の証明>に規定する証明が相当であること。

③　出資の履行が完了していること〈書〉。

④　前３号に掲げる事項のほか、株式会社の設立の手続が法令又は定款に違反していないこと〈共予〉。

Ⅱ　設立時取締役は、前項の規定による調査により、同項各号に掲げる事項について法令若しくは定款に違反し、又は不当な事項があると認めるときは、発起人にその旨を通知しなければならない〈予〉。

Ⅲ　設立しようとする株式会社が指名委員会等設置会社である場合には、設立時取締役は、第１項の規定による調査を終了したときはその旨を、前項の規定による通知をしたときはその旨及びその内容を、設立時代表執行役（第４８条第１項第３号に規定する設立時代表執行役をいう。）に通知しなければならない。

【趣旨】成立後の会社の円滑な業務の執行等の準備をするという観点から、一定の事項につき設立時取締役等による調査・発起人への通知を要求した規定である。
【関連条文】93［募集設立の場合の設立時取締役等による調査］

■第６節　設立時代表取締役等の選定等

第４７条　（設立時代表取締役の選定等）

Ⅰ　設立時取締役は、設立しようとする株式会社が取締役会設置会社（指名委員会等設置会社を除く。）である場合には、設立時取締役（設立しようとする株式会社が監査等委員会設置会社である場合にあっては、設立時監査等委員である設立時取締役を除く。）の中から株式会社の設立に際して代表取締役（株式会社を代表する取締役をいう。以下同じ。）となる者（以下「設立時代表取締役」という。）を選定しなければならない〈予書〉。

Ⅱ　設立時取締役は、株式会社の成立の時までの間、設立時代表取締役を解職することができる。

Ⅲ　前２項の規定による設立時代表取締役の選定及び解職は、設立時取締役の過半数をもって決定する〈書〉。

第４８条　（設立時委員の選定等）

Ⅰ　設立しようとする株式会社が指名委員会等設置会社である場合には、設立時取締役は、次に掲げる措置をとらなければならない。

①　設立時取締役の中から次に掲げる者（次項において「設立時委員」という。）を選定すること。

イ　株式会社の設立に際して指名委員会の委員となる者

ロ　株式会社の設立に際して監査委員会の委員となる者

ハ　株式会社の設立に際して報酬委員会の委員となる者

②　株式会社の設立に際して執行役となる者（以下「設立時執行役」という。）を選任すること〈司〉。

③　設立時執行役の中から株式会社の設立に際して代表執行役となる者（以下「設立時代表執行役」という。）を選定すること。ただし、設立時執行役が１人であるときは、その者が設立時代表執行役に選定されたものとする。

Ⅱ　設立時取締役は、株式会社の成立の時までの間、設立時委員若しくは設立時代表執行役を解職し、又は設立時執行役を解任することができる。

Ⅲ　前２項の規定による措置は、設立時取締役の過半数をもって決定する。

■第7節　株式会社の成立

第４９条　（株式会社の成立） 〈司共書〉
株式会社は、その本店の所在地において設立の登記をすることによって成立する。

【関連条文】 911［株式会社の設立の登記］、979①［成立前に事業をした者に対する罰則］

第５０条　（株式の引受人の権利）
Ⅰ　発起人は、株式会社の成立の時に、出資の履行をした設立時発行株式の株主となる〈司予〉。
Ⅱ　前項の規定により株主となる権利の譲渡は、成立後の株式会社に対抗することができない〈予〉。

【趣旨】 2項の趣旨は、株主となる権利（権利株）の譲渡を制限することで、株主名簿の整備、株券発行事務の渋滞防止を図ることにある。
【関連条文】 35［設立時発行株式の株主となる権利の譲渡］、63Ⅱ［募集株式における権利株の譲渡］、208Ⅳ［募集株式の発行等における権利株の譲渡］

第５１条　（引受けの無効又は取消しの制限）
Ⅰ　民法（明治２９年法律第８９号）第９３条第１項ただし書<心裡留保>及び第９４条第１項<虚偽表示>の規定は、設立時発行株式の引受けに係る意思表示については、適用しない。
Ⅱ　発起人は、株式会社の成立後は、錯誤、詐欺又は強迫を理由として設立時発行株式の引受けの取消しをすることができない。

【趣旨】 株式引受に係る意思表示について、民法の意思表示の規定による無効・取消しを制限し、会社成立の基礎を不安定にすることを防止することによる。
《注　釈》

<設立時発行株式の引受けの申込みの無効・取消しの主張の可否>

	会社成立前又は議決権行使前	会社成立後又は議決権行使後
錯誤・詐欺・強迫	○（51Ⅱ、102Ⅵ）	×（51Ⅱ、102Ⅵ）
意思無能力 行為能力の制限 詐害行為取消	○	○
心裡留保	×（51Ⅰ、102Ⅴ）	×（51Ⅰ、102Ⅴ）
通謀虚偽表示	×（51Ⅰ、102Ⅴ）	×（51Ⅰ、102Ⅴ）

○：主張可　×：主張不可

【関連条文】 102ⅤⅥ［引受けの無効・取消しの制限］、211［引受けの無効・取消

しの制限］

第8節　発起人等の責任等

第52条　（出資された財産等の価額が不足する場合の責任）[司H22]

Ⅰ　株式会社の成立の時における現物出資財産等の価額が当該現物出資財産等について定款に記載され、又は記録された価額（定款の変更があった場合にあっては、変更後の価額）に著しく不足するときは、発起人及び設立時取締役は、当該株式会社に対し、連帯して、当該不足額を支払う義務を負う[予]。

Ⅱ　前項の規定にかかわらず、次に掲げる場合には、発起人（第２８条第１号の財産を給付した者[書]又は同条第２号の財産の譲渡人を除く。第２号において同じ。）及び設立時取締役は、現物出資財産等について同項の義務を負わない[司予書]。

①　第２８条第１号又は第２号＜現物出資事項等＞に掲げる事項について第３３条第２項＜裁判所による検査役の選任＞の検査役の調査を経た場合

②　当該発起人又は設立時取締役がその職務を行うについて注意を怠らなかったことを証明した場合[書]

Ⅲ　第１項に規定する場合には、第３３条第１０項第３号＜現物出資財産の価額等に関する弁護士等の証明＞に規定する証明をした者（以下この項において「証明者」という。）は、第１項の義務を負う者と連帯して、同項の不足額を支払う義務を負う。ただし、当該証明者が当該証明をするについて注意を怠らなかったことを証明した場合は、この限りでない[司書]。

第５２条の２　（出資の履行を仮装した場合の責任等）

Ⅰ　発起人は、次の各号に掲げる場合には、株式会社に対し、当該各号に定める行為をする義務を負う。

①　第３４条第１項＜発起人の出資の履行＞の規定による払込みを仮装した場合　払込みを仮装した出資に係る金銭の全額の支払

②　第３４条第１項＜発起人の出資の履行＞の規定による給付を仮装した場合　給付を仮装した出資に係る金銭以外の財産の全部の給付（株式会社が当該給付に代えて当該財産の価額に相当する金銭の支払を請求した場合にあっては、当該金銭の全額の支払）

Ⅱ　前項各号に掲げる場合には、発起人がその出資の履行を仮装することに関与した発起人又は設立時取締役として法務省令で定める者は、株式会社に対し、当該各号に規定する支払をする義務を負う[予]。ただし、その者（当該出資の履行を仮装したものを除く。）がその職務を行うについて注意を怠らなかったことを証明した場合は、この限りでない[書]。

Ⅲ　発起人が第１項各号に規定する支払をする義務を負う場合において、前項に規定する者が同項の義務を負うときは、これらの者は、連帯債務者とする。

Ⅳ　発起人は、第１項各号に掲げる場合には、当該各号に定める支払若しくは給付又は第２項の規定による支払がされた後でなければ、出資の履行を仮装した設立時発行株式について、設立時株主（第６５条第１項に規定する設立時株主をいう。次項において同じ。）及び株主の権利を行使することができない[予]。

Ⅴ　前項の設立時発行株式又はその株主となる権利を譲り受けた者は、当該設立時発行株式についての設立時株主及び株主の権利を行使することができる。ただし、その者に悪意又は重大な過失があるときは、この限りでない〈予〉。

[趣旨]資本充実を図り、会社債権者を保護する趣旨である。

【関連条文】102の2［払込みを仮装した設立時募集株式の引受人の責任］、103 Ⅱ［払込みを仮装した場合の発起人等の責任］、213の2［出資の履行を仮装した募集株式の引受人の責任］、213の3［出資の履行を仮装した場合の取締役等の責任］、286の2［新株予約権に係る払込み等を仮装した新株予約権者等の責任］、286の3［新株予約権に係る払込み等を仮装した場合の取締役等の責任］、計規21①②

第５３条　（発起人等の損害賠償責任）〈司H22

Ⅰ　発起人、設立時取締役又は設立時監査役は、株式会社の設立についてその任務を怠ったときは、当該株式会社に対し、これによって生じた損害を賠償する責任を負う〈書〉。

Ⅱ　発起人、設立時取締役又は設立時監査役がその職務を行うについて悪意又は重大な過失があったときは、当該発起人、設立時取締役又は設立時監査役は、これによって第三者に生じた損害を賠償する責任を負う〈予〉。

[趣旨]１項は、発起人等は将来の会社のため善良な管理者の注意をもってその設立手続を進行する義務を負っていることから、注意を怠り会社に損害を与えた場合に会社にかかる損害を賠償する責任を規定する。２項の趣旨は、一般の不法行為では第三者の保護に欠ける場合もあることから、法が特別の責任を課することで、第三者の保護を政策的に図ることにある。　⇒§423、§429

【関連条文】103 Ⅳ［擬似発起人の責任］

第５４条　（発起人等の連帯責任）

発起人、設立時取締役又は設立時監査役が株式会社又は第三者に生じた損害を賠償する責任を負う場合において、他の発起人、設立時取締役又は設立時監査役も当該損害を賠償する責任を負うときは、これらの者は、連帯債務者とする。

第５５条　（責任の免除）

第５２条第１項<出資された財産等の価額が不足する場合の責任>の規定により発起人又は設立時取締役の負う義務、第５２条の２第１項の規定<出資の履行を仮装した場合の責任>により発起人の負う義務、同条第２項<出資の履行の仮装に関与した場合の責任>の規定により発起人又は設立時取締役の負う義務及び第５３条第１項<発起人等の損害賠償責任>の規定により発起人、設立時取締役又は設立時監査役の負う責任は総株主の同意がなければ、免除することができない〈書〉。

株式会社

<設立関与者の責任>

	対会社			対第三者責任（悪意又は重過失がある場合）
	任務懈怠責任（過失責任）	財産価額填補責任	仮装払込み責任	
発起人	○（53 Ⅰ）	○（52 Ⅰ）	○（52の2 ⅠⅡ、103 Ⅱ）	○（53 Ⅱ）
擬似発起人（＊1）	○（＊2）（103 Ⅳ、53 Ⅰ）	○（103 Ⅳ、52 Ⅰ）	○（103 Ⅳ、52の2 Ⅰ、103 Ⅱ）	○（103 Ⅳ、53 Ⅱ）
設立時取締役	○（53 Ⅰ）	○（52 Ⅰ）	○（52の2 Ⅱ、103 Ⅱ）	○（53 Ⅱ）
設立時監査役	○（53 Ⅰ）	×	×	○（53 Ⅱ）
現物出資等の価額の証明等をした弁護士等	×	○（52 Ⅲ）	×	×

＊1　募集設立の場合のみ。
＊2　旧商法下では争いがあったが、会社法の下では文言上解消されたといえる。

第56条　（株式会社不成立の場合の責任）

株式会社が成立しなかったときは、発起人は、連帯して、株式会社の設立に関してした行為についてその責任を負い、株式会社の設立に関して支出した費用を負担する〈予書〉。

［趣旨］政策的に設立中の会社の機関である発起人に全責任を負わせることにより、設立時募集株式の引受人を保護する点にある（政策説）。

《注　釈》

一　「成立しなかったとき」（56）の意義

設立手続が設立登記（49）に至る前に途中で挫折し、会社が法律上も事実上も存在するに至らなかった場合をいう。したがって、設立登記がされて会社が成立するに至った場合には、「成立しなかったとき」に当たらず、本条は適用されない。

二　発起人の責任

1　責任の内容

(1)　設立に関してした行為の責任（56前段）

発起人は、設立時募集株式の引受人に対する払込金の返還について、無過失責任を負う。

(2)　設立に関して支出した費用の負担（56後段）

定款の認証手数料等、株式会社の設立に関して支出した費用は、全額が発起人の負担となる。

2　責任の性質

56条は、株式引受人保護のため政策的に発起人に全責任を負わせたものである（政策説・多数説）。

→もっとも、専ら株式引受人側に不成立の原因がある場合には、同条の適用はない

<会社の不成立・設立無効の場合の発起人の責任>

	会社の不成立	会社設立の無効
意義	会社設立が途中で挫折し、設立登記まで至らなかった場合	設立登記はあるが設立の手続等に瑕疵が存在し、会社の成立を認めることが適切でない場合
発起人の責任	56条	53条、54条

※　53条は会社が成立した場合の責任規定であり、不成立の場合には同条は適用されない（判例・通説）。

※　設立手続の外形が存在せず、会社としての実体を欠く場合、その会社は「不存在」であり、誰でもいつでも会社の不存在を主張できる。

■第9節　募集による設立

第1款　設立時発行株式を引き受ける者の募集

第57条　（設立時発行株式を引き受ける者の募集）

Ⅰ　発起人は、この款の定めるところにより、設立時発行株式を引き受ける者の募集をする旨を定めることができる。

Ⅱ　発起人は、前項の募集をする旨を定めようとするときは、その全員の同意を得なければならない。

第58条　（設立時募集株式に関する事項の決定）

Ⅰ　発起人は、前条第1項の募集をしようとするときは、その都度、設立時募集株式（同項の募集に応じて設立時発行株式の引受けの申込みをした者に対して割り当てる設立時発行株式をいう。以下この節において同じ。）について次に掲げる事項を定めなければならない書。

①　設立時募集株式の数（設立しようとする株式会社が種類株式発行会社である場合にあっては、その種類及び種類ごとの数。以下この款において同じ。）書

②　設立時募集株式の払込金額（設立時募集株式1株と引換えに払い込む金銭の額をいう。以下この款において同じ。）

③　設立時募集株式と引換えにする金銭の払込みの期日又はその期間書

④　一定の日までに設立の登記がされない場合において、設立時募集株式の引受けの取消しをすることができることとするときは、その旨及びその一定の日

Ⅱ　発起人は、前項各号に掲げる事項を定めようとするときは、その全員の同意を得なければならない書。

Ⅲ　設立時募集株式の払込金額その他の前条第1項の募集の条件は、当該募集（設立

しようとする株式会社が種類株式発行会社である場合にあっては、種類及び当該募集）ごとに、均等に定めなければならない。

第５９条（設立時募集株式の申込み）

Ⅰ　発起人は、第５７条第１項＜設立時発行株式を引き受ける者の募集＞の募集に応じて設立時募集株式の引受けの申込みをしようとする者に対し、次に掲げる事項を通知しなければならない予。

①　定款の認証の年月日及びその認証をした公証人の氏名

②　第２７条各号＜定款の絶対的記載事項＞、第２８条各号＜変態設立事項＞、第３２条第１項各号＜設立時発行株式に関する事項の決定＞及び前条第１項各号＜設立時募集株式に関する事項の決定＞に掲げる事項

③　発起人が出資した財産の価額

④　第６３条第１項＜設立時募集株式の払込金額の払込み＞の規定による払込みの取扱いの場所

⑤　前各号に掲げるもののほか、法務省令で定める事項

Ⅱ　発起人のうち出資の履行をしていないものがある場合には、発起人は、第３６条第１項＜失権手続における通知＞に規定する期日後でなければ、前項の規定による通知をすることができない。

Ⅲ　第５７条第１項＜設立時発行株式を引き受ける者の募集＞の募集に応じて設立時募集株式の引受けの申込みをする者は、次に掲げる事項を記載した書面を発起人に交付しなければならない。

①　申込みをする者の氏名又は名称及び住所

②　引き受けようとする設立時募集株式の数

Ⅳ　前項の申込みをする者は、同項の書面の交付に代えて、政令で定めるところにより、発起人の承諾を得て、同項の書面に記載すべき事項を電磁的方法により提供することができる。この場合において、当該申込みをした者は、同項の書面を交付したものとみなす。

Ⅴ　発起人は、第１項各号に掲げる事項について変更があったときは、直ちに、その旨及び当該変更があった事項を第３項の申込みをした者（以下この款において「申込者」という。）に通知しなければならない。

Ⅵ　発起人が申込者に対してする通知又は催告は、第３項第１号の住所（当該申込者が別に通知又は催告を受ける場所又は連絡先を発起人に通知した場合にあっては、その場所又は連絡先）にあてて発すれば足りる。

Ⅶ　前項の通知又は催告は、その通知又は催告が通常到達すべきであった時に、到達したものとみなす。

［趣旨］１項の趣旨は、設立時募集株式の申込者に対し、会社組織の大綱や申込条件を開示する点にある。

【関連条文】規８、令１、規230

第６０条　（設立時募集株式の割当て）

Ⅰ　発起人は、申込者の中から設立時募集株式の割当てを受ける者を定め、かつ、その者に割り当てる設立時募集株式の数を定めなければならない。この場合において、発起人は、当該申込者に割り当てる設立時募集株式の数を、前条第３項第２号＜引き受けようとする設立時募集株式の数＞の数よりも減少することができる〈書。

Ⅱ　発起人は、第５８条第１項第３号＜設立時募集株式と引換えにする金銭の払込みの期日又はその期間＞の期日（同号の期間を定めた場合にあっては、その期間の初日）の前日までに、申込者に対し、当該申込者に割り当てる設立時募集株式の数を通知しなければならない。

［趣旨］１項は、割当自由の原則（どの申込者に対し何株を割り当てるかの決定は発起人の自由）を定めるが、実際には、申込みの先着順に割り当てられるので、問題になることはない〈共。

第６１条　（設立時募集株式の申込み及び割当てに関する特則）

前２条の規定は、設立時募集株式を引き受けようとする者がその総数の引受けを行う契約を締結する場合には、適用しない〈予。

第６２条　（設立時募集株式の引受け）

次の各号に掲げる者は、当該各号に定める設立時募集株式の数について設立時募集株式の引受人となる。

①　申込者　発起人の割り当てた設立時募集株式の数

②　前条の契約により設立時募集株式の総数を引き受けた者　その者が引き受けた設立時募集株式の数

第６３条　（設立時募集株式の払込金額の払込み）

Ⅰ　設立時募集株式の引受人は、第５８条第１項第３号＜設立時募集株式と引換えにする金銭の払込みの期日又はその期間＞の期日又は同号の期間内に、発起人が定めた銀行等の払込みの取扱いの場所において、それぞれの設立時募集株式の払込金額の全額の払込みを行わなければならない〈書。

Ⅱ　前項の規定による払込みをすることにより設立時発行株式の株主となる権利の譲渡は、成立後の株式会社に対抗することができない〈予。

Ⅲ　設立時募集株式の引受人は、第１項の規定による払込みをしないときは、当該払込みをすることにより設立時募集株式の株主となる権利を失う〈共予。

［趣旨］１項の趣旨は、募集株式の引受人に払込金全額の払込みを要求して、会社財産の確保を図り、もって、会社債権者の保護を図る点にある。２項の趣旨は、株主となる権利（権利株）の譲渡を制限することで、株主名簿の整備、株券発行事務の渋滞防止を図ることにある。３項の趣旨は、出資の履行をしていない募集株式引受人は、発起人とは異なり当然に失権するものとして、設立手続の遅滞を防止することにある〈予書。

【関連条文】34［発起人の出資の履行］、35［設立時発行株式の株主となる権利の譲渡］、36［発起人の失権手続］、50 Ⅱ［株式の引受人の権利の譲渡］、208 Ⅳ［募集株式の発行等における権利株の譲渡］

第６４条　（払込金の保管証明）

Ⅰ　第５７条第１項＜設立時発行株式を引き受ける者の募集＞の募集をした場合には、発起人は、第３４条第１項＜発起人の出資の履行＞及び前条第１項＜設立時募集株式の払込金額の払込み＞の規定による払込みの取扱いをした銀行等に対し、これらの規定により払い込まれた金額に相当する金銭の保管に関する証明書の交付を請求することができる（司共書）。

Ⅱ　前項の証明書を交付した銀行等は、当該証明書の記載が事実と異なること又は第３４条第１項＜発起人の出資の履行＞若しくは前条第１項＜設立時募集株式の払込金額の払込み＞の規定により払い込まれた金銭の返還に関する制限があることをもって成立後の株式会社に対抗することができない（司）。

［趣旨］保管証明責任は、設立に直接関与していない引受人から払い込まれた金銭を成立後の会社の運営のために使用できないのでは引受人の期待を裏切ることになり、仮装払込に協力した払込取扱機関よりも引受人の利益を優先すべきことから設けられている。

《注　釈》

◆　**判例**

株金払込取扱銀行等は、その証明した金額を会社成立前に発起人等に払い戻しても、その後成立した会社に払込金返還を対抗することはできない（最判昭37.3.2）（予）。

【関連条文】34 Ⅱ［出資の履行］（発起設立の場合は保管証明制度なし）

第２款　創立総会等

《概　説》

・創立総会は、成立後の会社の株主総会に相当するものである。よって、法は、招集通知（68～71）、議事（78、79）、延期・続行（80）などにつき、株主総会とほぼ同様の規定を設けている。

第６５条　（創立総会の招集）

Ⅰ　第５７条第１項＜設立時発行株式を引き受ける者の募集＞の募集をする場合には、発起人は、第５８条第１項第３号＜設立時募集株式と引換えにする金銭の払込みの期日又はその期間＞の期日又は同号の期間の末日のうち最も遅い日以後、遅滞なく、設立時株主（第５０条第１項又は第１０２条第２項の規定により株式会社の株主となる者をいう。以下同じ。）の総会（以下「創立総会」という。）を招集しなければならない。

Ⅱ　発起人は、前項に規定する場合において、必要があると認めるときは、いつでも、創立総会を招集することができる。

【関連条文】830、831［決議の瑕疵］

第６６条　（創立総会の権限）

創立総会は、この節に規定する事項及び株式会社の設立の廃止、創立総会の終結その他株式会社の設立に関する事項に限り、決議をすることができる〈共〉。

第６７条　（創立総会の招集の決定）

Ⅰ　発起人は、創立総会を招集する場合には、次に掲げる事項を定めなければならない。

①　創立総会の日時及び場所

②　創立総会の目的である事項

③　創立総会に出席しない設立時株主が書面によって議決権を行使することができることとするときは、その旨

④　創立総会に出席しない設立時株主が電磁的方法によって議決権を行使することができることとするときは、その旨

⑤　前各号に掲げるもののほか、法務省令で定める事項

Ⅱ　発起人は、設立時株主（創立総会において決議をすることができる事項の全部につき議決権を行使することができない設立時株主を除く。次条から第７１条までにおいて同じ。）の数が１０００人以上である場合には、前項第３号に掲げる事項を定めなければならない。

【関連条文】規９

第６８条　（創立総会の招集の通知）

Ⅰ　創立総会を招集するには、発起人は、創立総会の日の２週間（前条第１項第３号又は第４号に掲げる事項を定めたときを除き、設立しようとする株式会社が公開会社でない場合にあっては、１週間（当該設立しようとする株式会社が取締役会設置会社以外の株式会社である場合において、これを下回る期間を定款で定めた場合にあっては、その期間））前までに、設立時株主に対してその通知を発しなければならない。

Ⅱ　次に掲げる場合には、前項の通知は、書面でしなければならない。

①　前条第１項第３号又は第４号＜書面等による議決権の行使＞に掲げる事項を定めた場合

②　設立しようとする株式会社が取締役会設置会社である場合

Ⅲ　発起人は、前項の書面による通知の発出に代えて、政令で定めるところにより、設立時株主の承諾を得て、電磁的方法により通知を発することができる。この場合において、当該発起人は、同項の書面による通知を発したものとみなす。

Ⅳ　前２項の通知には、前条第１項各号＜創立総会の招集の決定＞に掲げる事項を記載し、又は記録しなければならない。

Ⅴ　発起人が設立時株主に対してする通知又は催告は、第２７条第５号＜定款記載事項たる発起人の氏名・住所等＞又は第５９条第３項第１号＜設立時募集株式の引受けの申込みをする者が交付する書面に記載された当該申込者の氏名・住所等＞の住所（当該設立時株主が別に通知又は催告を受ける場所又は連絡先を発起人に通知した場合にあっては、その場所又は連絡先）にあてて発すれば足りる。

株式会社

Ⅵ　前項の通知又は催告は、その通知又は催告が通常到達すべきであった時に、到達したものとみなす。
Ⅶ　前２項の規定は、第１項の通知に際して設立時株主に書面を交付し、又は当該書面に記載すべき事項を電磁的方法により提供する場合について準用する。この場合において、前項中「到達したもの」とあるのは、「当該書面の交付又は当該事項の電磁的方法による提供があったもの」と読み替えるものとする。

【７項読替え】
前２項の規定は、第１項の通知に際して設立時株主に書面を交付し、又は当該書面に記載すべき事項を電磁的方法により提供する場合について準用する。この場合において、第５項の通知又は催告は、その通知又は催告が通常到達すべきであった時に、当該書面の交付又は当該事項の電磁的方法による提供があったものとみなす。

【関連条文】299［株主総会の招集の通知］、令２

第６９条　（招集手続の省略）
前条の規定にかかわらず、創立総会は、設立時株主の全員の同意があるときは、招集の手続を経ることなく開催することができる。ただし、第６７第１項第３号又は第４号<書面等による議決権行使>に掲げる事項を定めた場合は、この限りでない。

第７０条　（創立総会参考書類及び議決権行使書面の交付等）
Ⅰ　発起人は、第６７条第１項第３号<書面による議決権行使>に掲げる事項を定めた場合には、第６８条第１項<創立総会の招集の通知>の通知に際して、法務省令で定めるところにより、設立時株主に対し、議決権の行使について参考となるべき事項を記載した書類（以下この款において「創立総会参考書類」という。）及び設立時株主が議決権を行使するための書面（以下この款において「議決権行使書面」という。）を交付しなければならない。
Ⅱ　発起人は、第６８条第３項<電磁的方法による創立総会の招集の通知>の承諾をした設立時株主に対し同項の電磁的方法による通知を発するときは、前項の規定による創立総会参考書類及び議決権行使書面の交付に代えて、これらの書類に記載すべき事項を電磁的方法により提供することができる。ただし、設立時株主の請求があったときは、これらの書類を当該設立時株主に交付しなければならない。

【関連条文】規10、11

第71条

Ⅰ　発起人は、第６７条第１項第４号<電磁的方法による議決権の行使>に掲げる事項を定めた場合には、第６８条第１項<創立総会の招集の通知>の通知に際して、法務省令で定めるところにより、設立時株主に対し、創立総会参考書類を交付しなければならない。

Ⅱ　発起人は、第６８条第３項<電磁的方法による創立総会の招集の通知>の承諾をした設立時株主に対し同項の電磁的方法による通知を発するときは、前項の規定による創立総会参考書類の交付に代えて、当該創立総会参考書類に記載すべき事項を電磁的方法により提供することができる。ただし、設立時株主の請求があったときは、創立総会参考書類を当該設立時株主に交付しなければならない。

Ⅲ　発起人は、第１項に規定する場合には、第６８条第３項<電磁的方法による創立総会の招集の通知>の承諾をした設立時株主に対する同項の電磁的方法による通知に際して、法務省令で定めるところにより、設立時株主に対し、議決権行使書面に記載すべき事項を当該電磁的方法により提供しなければならない。

Ⅳ　発起人は、第１項に規定する場合において、第６８条第３項<電磁的方法による創立総会の招集の通知>の承諾をしていない設立時株主から創立総会の日の１週間前までに議決権行使書面に記載すべき事項の電磁的方法による提供の請求があったときは、法務省令で定めるところにより、直ちに、当該設立時株主に対し、当該事項を電磁的方法により提供しなければならない。

【関連条文】規 10、11

第72条　（議決権の数）

Ⅰ　設立時株主（成立後の株式会社がその総株主の議決権の４分の１以上を有することその他の事由を通じて成立後の株式会社がその経営を実質的に支配することが可能となる関係にあるものとして法務省令で定める設立時株主を除く。）は、創立総会において、その引き受けた設立時発行株式１株につき１個の議決権を有する。ただし、単元株式数を定款で定めている場合には、１単元の設立時発行株式につき１個の議決権を有する。

Ⅱ　設立しようとする株式会社が種類株式発行会社である場合において、株主総会において議決権を行使することができる事項について制限がある種類の設立時発行株式を発行するときは、創立総会において、設立時株主は、株主総会において議決権を行使することができる事項に相当する事項に限り、当該設立時発行株式について議決権を行使することができる。

Ⅲ　前項の規定にかかわらず、株式会社の設立の廃止については、設立時株主は、その引き受けた設立時発行株式について議決権を行使することができる。

【関連条文】規 12

第７３条　（創立総会の決議）

Ⅰ　創立総会の決議は、当該創立総会において議決権を行使することができる設立時株主の議決権の過半数であって、出席した当該設立時株主の議決権の３分の２以上に当たる多数をもって行う〈同。

Ⅱ　前項の規定にかかわらず、その発行する全部の株式の内容として譲渡による当該株式の取得について当該株式会社の承認を要する旨の定款の定めを設ける定款の変更を行う場合（設立しようとする株式会社が種類株式発行会社である場合を除く。）には、当該定款の変更についての創立総会の決議は、当該創立総会において議決権を行使することができる設立時株主の半数以上であって、当該設立時株主の議決権の３分の２以上に当たる多数をもって行わなければならない〈書。

Ⅲ　定款を変更してその発行する全部の株式の内容として第１０７条第１項第３号＜全部の株式の内容としての取得条項付株式＞に掲げる事項についての定款の定めを設け、又は当該事項についての定款の変更（当該事項についての定款の定めを廃止するものを除く。）をしようとする場合（設立しようとする株式会社が種類株式発行会社である場合を除く。）には、設立時株主全員の同意を得なければならない。

Ⅳ　創立総会は、第６７条第１項第２号＜創立総会の目的である事項＞に掲げる事項以外の事項については、決議をすることができない。ただし、定款の変更又は株式会社の設立の廃止については、この限りでない〈書。

《注　釈》

◆　**創立総会の決議要件**

創立総会の決議方法は、議決権を行使することができる設立時株主の議決権の過半数であって、出席した当該設立時株主の議決権の３分の２以上に当たる多数をもって行わなければならないとされる。これは、株主総会の特別決議の要件（309 Ⅱ）よりもさらに加重されている。

【関連条文】295［株主総会の権限］、309［株主総会の決議］

第７４条　（議決権の代理行使）

Ⅰ　設立時株主は、代理人によってその議決権を行使することができる。この場合においては、当該設立時株主又は代理人は、代理権を証明する書面を発起人に提出しなければならない。

Ⅱ　前項の代理権の授与は、創立総会ごとにしなければならない。

Ⅲ　第１項の設立時株主又は代理人は、代理権を証明する書面の提出に代えて、政令で定めるところにより、発起人の承諾を得て、当該書面に記載すべき事項を電磁的方法により提供することができる。この場合において、当該設立時株主又は代理人は、当該書面を提出したものとみなす。

Ⅳ　設立時株主が第６８条第３項＜電磁的方法による創立総会の招集の通知＞の承諾をした者である場合には、発起人は、正当な理由がなければ、前項の承諾をすることを拒んではならない。

Ⅴ　発起人は、創立総会に出席することができる代理人の数を制限することができる。

Ⅵ　発起人（株式会社の成立後にあっては、当該株式会社。次条第３項及び第７６条第４項において同じ。）は、創立総会の日から３箇月間、代理権を証明する書面及び第３項の電磁的方法により提供された事項が記録された電磁的記録を発起人が定めた場所（株式会社の成立後にあっては、その本店。次条第３項及び第７６条第４項において同じ。）に備え置かなければならない。
Ⅶ　設立時株主（株式会社の成立後にあっては、その株主。次条第４項及び第７６条第５項において同じ。）は、発起人が定めた時間（株式会社の成立後にあっては、その営業時間。次条第４項及び第７６条第５項において同じ。）内は、いつでも、次に掲げる請求をすることができる。
①　代理権を証明する書面の閲覧又は謄写の請求
②　前項の電磁的記録に記録された事項を法務省令で定める方法により表示したものの閲覧又は謄写の請求

【関連条文】310［株主総会における議決権の代理行使］、令１、規226

第７５条　（書面による議決権の行使）

Ⅰ　書面による議決権の行使は、議決権行使書面に必要な事項を記載し、法務省令で定める時までに当該議決権行使書面を発起人に提出して行う。
Ⅱ　前項の規定により書面によって行使した議決権の数は、出席した設立時株主の議決権の数に算入する。
Ⅲ　発起人は、創立総会の日から３箇月間、第１項の規定により提出された議決権行使書面を発起人が定めた場所に備え置かなければならない。
Ⅳ　設立時株主は、発起人が定めた時間内は、いつでも、第１項の規定により提出された議決権行使書面の閲覧又は謄写の請求をすることができる。

【関連条文】311［株主総会における書面による議決権の行使］、規13

第７６条　（電磁的方法による議決権の行使）

Ⅰ　電磁的方法による議決権の行使は、政令で定めるところにより、発起人の承諾を得て、法務省令で定める時までに議決権行使書面に記載すべき事項を、電磁的方法により当該発起人に提供して行う。
Ⅱ　設立時株主が第６８条第３項<電磁的方法による創立総会の招集の通知>の承諾をした者である場合には、発起人は、正当な理由がなければ、前項の承諾をすることを拒んではならない。
Ⅲ　第１項の規定により電磁的方法によって行使した議決権の数は、出席した設立時株主の議決権の数に算入する。
Ⅳ　発起人は、創立総会の日から３箇月間、第１項の規定により提供された事項を記録した電磁的記録を発起人が定めた場所に備え置かなければならない。
Ⅴ　設立時株主は、発起人が定めた時間内は、いつでも、前項の電磁的記録に記録された事項を法務省令で定める方法により表示したものの閲覧又は謄写の請求をすることができる。

【関連条文】312［株主総会における電磁的方法による議決権の行使］、令１

第７７条　（議決権の不統一行使）

Ⅰ　設立時株主は、その有する議決権を統一しないで行使することができる。この場合においては、創立総会の日の３日前までに、発起人に対してその旨及びその理由を通知しなければならない。

Ⅱ　発起人は、前項の設立時株主が他人のために設立時発行株式を引き受けた者でないときは、当該設立時株主が同項の規定によりその有する議決権を統一しないで行使することを拒むことができる。

【関連条文】313［株主総会における議決権不統一行使］

第７８条　（発起人の説明義務）

発起人は、創立総会において、設立時株主から特定の事項について説明を求められた場合には、当該事項について必要な説明をしなければならない。ただし、当該事項が創立総会の目的である事項に関しないものである場合、その説明をすることにより設立時株主の共同の利益を著しく害する場合その他正当な理由がある場合として法務省令で定める場合は、この限りでない。

【関連条文】314［株主総会における取締役等の説明義務］、規15

第７９条　（議長の権限）

Ⅰ　創立総会の議長は、当該創立総会の秩序を維持し、議事を整理する。

Ⅱ　創立総会の議長は、その命令に従わない者その他当該創立総会の秩序を乱す者を退場させることができる。

【関連条文】315［株主総会における議長の権限］

第８０条　（延期又は続行の決議）

創立総会においてその延期又は続行について決議があった場合には、第６７条<創立総会の招集の決定>及び第６８条<創立総会招集の通知>の規定は、適用しない。

【関連条文】317［株主総会における延期又は続行の決議］

第８１条　（議事録）

Ⅰ　創立総会の議事については、法務省令で定めるところにより、議事録を作成しなければならない。

Ⅱ　発起人（株式会社の成立後にあっては、当該株式会社。次条第２項において同じ。）は、創立総会の日から１０年間、前項の議事録を発起人が定めた場所（株式会社の成立後にあっては、その本店。同条第２項において同じ。）に備え置かなければならない。

Ⅲ　設立時株主（株式会社の成立後にあっては、その株主及び債権者。次条第３項において同じ。）は、発起人が定めた時間（株式会社の成立後にあっては、その営業時間。同項において同じ。）内は、いつでも、次に掲げる請求をすることができる。

① 第１項の議事録が書面をもって作成されているときは、当該書面の閲覧又は謄写の請求
② 第１項の議事録が電磁的記録をもって作成されているときは、当該電磁的記録に記録された事項を法務省令で定める方法により表示したものの閲覧又は謄写の請求

Ⅳ 株式会社の成立後において、当該株式会社の親会社社員は、その権利を行使するため必要があるときは、裁判所の許可を得て、第１項の議事録について前項各号に掲げる請求をすることができる。

【関連条文】318［株主総会における議事録］、規16、226

第８２条 （創立総会の決議の省略）

Ⅰ 発起人が創立総会の目的である事項について提案をした場合において、当該提案につき設立時株主（当該事項について議決権を行使することができるものに限る。）の全員が書面又は電磁的記録により同意の意思表示をしたときは、当該提案を可決する旨の創立総会の決議があったものとみなす。

Ⅱ 発起人は、前項の規定により創立総会の決議があったものとみなされた日から１０年間、同項の書面又は電磁的記録を発起人が定めた場所に備え置かなければならない。

Ⅲ 設立時株主は、発起人が定めた時間内は、いつでも、次に掲げる請求をすることができる。
① 前項の書面の閲覧又は謄写の請求
② 前項の電磁的記録に記録された事項を法務省令で定める方法により表示したものの閲覧又は謄写の請求

Ⅳ 株式会社の成立後において、当該株式会社の親会社社員は、その権利を行使するため必要があるときは、裁判所の許可を得て、第２項の書面又は電磁的記録について前項各号に掲げる請求をすることができる。

【関連条文】319［株主総会の決議の省略］、規226

第８３条 （創立総会への報告の省略）

発起人が設立時株主の全員に対して創立総会に報告すべき事項を通知した場合において、当該事項を創立総会に報告することを要しないことにつき設立時株主の全員が書面又は電磁的記録により同意の意思表示をしたときは、当該事項の創立総会への報告があったものとみなす。

【関連条文】320［株主総会への報告の省略］

第８４条　（種類株主総会の決議を必要とする旨の定めがある場合）

設立しようとする株式会社が種類株式発行会社である場合において、その設立に際して発行するある種類の株式の内容として、株主総会において決議すべき事項について、当該決議のほか、当該種類の株式の種類株主を構成員とする種類株主総会の決議があることを必要とする旨の定めがあるときは、当該事項は、その定款の定めの例に従い、創立総会の決議のほか、当該種類の設立時発行株式の設立時種類株主（ある種類の設立時発行株式の設立時株主をいう。以下この節において同じ。）を構成員とする種類創立総会（ある種類の設立時発行株式の設立時種類株主の総会をいう。以下同じ。）の決議がなければ、その効力を生じない。ただし、当該種類創立総会において議決権を行使することができる設立時種類株主が存しない場合は、この限りでない。

【関連条文】323［設立後に種類株主総会の決議を必要とする旨の定めがある場合］

第８５条　（種類創立総会の招集及び決議）

Ⅰ　前条、第９０条第１項＜種類創立総会の決議による設立時取締役の選任＞（同条第２項において準用する場合を含む。）、第９２条第１項＜譲渡制限種類株式、全部取得条項付種類株式の創設＞（同条第４項において準用する場合を含む。）、第１００条第１項＜譲渡制限種類株式、全部取得条項付種類株式の創設＞又は第１０１条第１項＜設立時種類株主に損害を及ぼすおそれのある定款変更＞の規定により種類創立総会の決議をする場合には、発起人は、種類創立総会を招集しなければならない。

Ⅱ　種類創立総会の決議は、当該種類創立総会において議決権を行使することができる設立時種類株主の議決権の過半数であって、出席した当該設立時種類株主の議決権の３分の２以上に当たる多数をもって行う。

Ⅲ　前項の規定にかかわらず、第１００条第１項＜譲渡制限種類株式、全部取得条項付種類株式の創設＞の決議は、同項に規定する種類創立総会において議決権を行使することができる設立時種類株主の半数以上であって、当該設立時種類株主の議決権の３分の２以上に当たる多数をもって行わなければならない。

【関連条文】325・296～300［設立後の種類株主総会の招集］、325・308～309［設立後の種類株主総会の決議］

第８６条　（創立総会に関する規定の準用）

第６７条＜創立総会の招集の決定＞から第７１条＜発起人の設立時株主に対する情報提供＞まで、第７２条第１項＜創立総会における議決権の数＞及び第７４条＜議決権の代理行使＞から第８２条＜創立総会の決議の省略＞までの規定は、種類創立総会について準用する。この場合において、第６７条第１項第３号及び第４号並びに第２項＜創立総会の招集の決定＞、第６８条第１項及び第３項＜創立総会の招集の通知＞、第６９条＜招集手続の省略＞から第７１条＜発起人の設立時株主に対する情報提供＞まで、第７２条第１項＜創立総会における議決権の数＞、第７４条第１項、第３項及び第４項＜議決権の代理行使＞、第７５条第２項＜書面による議決権の行使＞、第７６条第２項及び第３項＜電磁的方法による議決権の行使＞、第７７条＜議決権の不統一行使＞、第７８条本文＜発起人の説明義務＞並びに第８２条第１項＜創立総会の決議の省略＞中「設立時株主」とあるのは、「設立時種類株主（ある種類の設立時発行株式の設立時株主をいう。）」と読み替えるものとする。

【関連条文】規17

第３款　設立に関する事項の報告

第８７条

Ⅰ　発起人は、株式会社の設立に関する事項を創立総会に報告しなければならない。

Ⅱ　発起人は、次の各号に掲げる場合には、当該各号に定める事項を記載し、又は記録した書面又は電磁的記録を創立総会に提出し、又は提供しなければならない。

①　定款に第２８条各号＜変態設立事項＞に掲げる事項（第３３条第１０項各号に掲げる場合における当該各号に定める事項を除く。）の定めがある場合　第３３条第２項＜裁判所による検査役の選任＞の検査役の同条第４項＜検査役が裁判所に対してする報告＞の報告の内容

②　第３３条第１０項第３号＜現物出資財産の価額等に関する弁護士等の証明＞に掲げる場合　同号に規定する証明の内容

【関連条文】93［設立時取締役等による調査］

第４款　設立時取締役等の選任及び解任

第８８条　（設立時取締役等の選任）

Ⅰ　第５７条第１項＜設立時発行株式を引き受ける者の募集＞の募集をする場合には、設立時取締役、設立時会計参与、設立時監査役又は設立時会計監査人の選任は、創立総会の決議によって行わなければならない司予書。

Ⅱ　設立しようとする株式会社が監査等委員会設置会社である場合には、前項の規定による設立時取締役の選任は、設立時監査等委員である設立時取締役とそれ以外の設立時取締役とを区別してしなければならない。

【関連条文】329［設立後の役員等の選任］

株式会社

第８９条 （累積投票による設立時取締役の選任）

Ⅰ　創立総会の目的である事項が２人以上の設立時取締役（設立しようとする株式会社が監査等委員会設置会社である場合にあっては、設立時監査等委員である設立時取締役又はそれ以外の設立時取締役。以下この条において同じ。）の選任である場合には、設立時株主（設立時取締役の選任について議決権を行使することができる設立時株主に限る。以下この条において同じ。）は、定款に別段の定めがあるときを除き、発起人に対し、第３項から第５項までに規定するところにより設立時取締役を選任すべきことを請求することができる。

Ⅱ　前項の規定による請求は、同項の創立総会の日の５日前までにしなければならない。

Ⅲ　第７２条第１項＜創立総会における議決権の数＞の規定にかかわらず、第１項の規定による請求があった場合には、設立時取締役の選任の決議については、設立時株主は、その引き受けた設立時発行株式１株（単元株式数を定款で定めている場合にあっては、１単元の設立時発行株式）につき、当該創立総会において選任する設立時取締役の数と同数の議決権を有する。この場合においては、設立時株主は、１人のみに投票し、又は２人以上に投票して、その議決権を行使することができる。

Ⅳ　前項の場合には、投票の最多数を得た者から順次設立時取締役に選任されたものとする。

Ⅴ　前２項に定めるもののほか、第１項の規定による請求があった場合における設立時取締役の選任に関し必要な事項は、法務省令で定める。

【関連条文】342［設立後の累積投票による取締役の選任］、規18

第９０条 （種類創立総会の決議による設立時取締役等の選任）

Ⅰ　第８８条＜設立時取締役等の選任＞の規定にかかわらず、株式会社の設立に際して第１０８条第１項第９号＜種類株主総会により取締役・監査役を選任できる株式＞に掲げる事項（取締役（設立しようとする株式会社が監査等委員会設置会社である場合にあっては、監査等委員である取締役又はそれ以外の取締役）に関するものに限る。）についての定めがある種類の株式を発行する場合には、設立時取締役（設立しようとする株式会社が監査等委員会設置会社である場合にあっては、設立時監査等委員である設立時取締役又はそれ以外の設立時取締役）は、同条第２項第９号＜種類株主総会における取締役等の選任に関する定款の定め＞に定める事項についての定款の定めの例に従い、当該種類の設立時発行株式の設立時種類株主を構成員とする種類創立総会の決議によって選任しなければならない。

Ⅱ　前項の規定は、株式会社の設立に際して第１０８条第１項第９号＜種類株主総会により取締役・監査役を選任できる株式＞に掲げる事項（監査役に関するものに限る。）についての定めがある種類の株式を発行する場合について準用する。

【関連条文】347［設立後の種類株主総会における取締役又は監査役の選任等］

第９１条　（設立時取締役等の解任）

第８８条<設立時取締役等の選任>の規定により選任された設立時取締役、設立時会計参与、設立時監査役又は設立時会計監査人は、株式会社の成立の時までの間、創立総会の決議によって解任することができる。

【関連条文】339［設立後の役員等の解任］

第９２条

Ⅰ　第９０条第１項<種類創立総会の決議による設立時取締役の選任>の規定により選任された設立時取締役は、株式会社の成立の時までの間、その選任に係る種類の設立時発行株式の設立時種類株主を構成員とする種類創立総会の決議によって解任することができる。

Ⅱ　前項の規定にかかわらず、第４１条第１項<設立時取締役の選任の方法の特則>の規定により又は種類創立総会若しくは種類株主総会において選任された取締役を株主総会の決議によって解任することができる旨の定款の定めがある場合には、第９０条第１項<種類創立総会の決議による設立時取締役の選任>の規定により選任された設立時取締役は、株式会社の成立の時までの間、創立総会の決議によって解任することができる。

Ⅲ　設立しようとする株式会社が監査等委員会設置会社である場合における前項の規定の適用については、同項中「取締役を」とあるのは「監査等委員である取締役又はそれ以外の取締役を」と、「設立時取締役」とあるのは「設立時監査等委員である設立時取締役又はそれ以外の設立時取締役」とする。

Ⅳ　第１項及び第２項の規定は、第９０条第２項<種類創立総会の決議による設立時監査役の選任>において準用する同条第１項<種類創立総会の決議による設立時取締役の選任>の規定により選任された設立時監査役について準用する。

【3項読替え】

設立しようとする株式会社が監査等委員会設置会社である場合において、第41条第1項<設立時取締役の選任の方法の特則>の規定により又は種類創立総会若しくは種類株主総会において選任された監査等委員である取締役又はそれ以外の取締役を株主総会の決議によって解任することができる旨の定款の定めがある場合には、第90条第1項<種類創立総会の決議による設立時取締役の選任>の規定により選任された設立時監査等委員である設立時取締役又はそれ以外の設立時取締役は、株式会社の成立の時までの間、創立総会の決議によって解任することができる。

【関連条文】347［設立後の種類株主総会により選任された取締役・監査役の解任］

第５款　設立時取締役等による調査

第９３条　（設立時取締役等による調査）

Ⅰ　設立時取締役（設立しようとする株式会社が監査役設置会社である場合にあっては、設立時取締役及び設立時監査役。以下この条において同じ。）は、その選任後遅滞なく、次に掲げる事項を調査しなければならない。

①　第３３条第１０項第１号<少額免除>又は第２号<有価証券免除>に掲げる場合における現物出資財産等（同号に掲げる場合にあっては、同号の有価証券に限る。）について定款に記載され、又は記録された価額が相当であること。

②　第３３条第１０項第３号<現物出資財産の価額等に関する弁護士等の証明>に規定する証明が相当であること。

③　発起人による出資の履行及び第６３条第１項<設立時募集株式の払込金額の払込み>の規定による払込みが完了していること。

④　前３号に掲げる事項のほか、株式会社の設立の手続が法令又は定款に違反していないこと。

Ⅱ　設立時取締役は、前項の規定による調査の結果を創立総会に報告しなければならない。

Ⅲ　設立時取締役は、創立総会において、設立時株主から第１項の規定による調査に関する事項について説明を求められた場合には、当該事項について必要な説明をしなければならない。

【趣旨】１項、２項は、発起設立の場合と異なり、設立手続に関与していない引受人が存するため、発起人による設立事項の報告（87 Ⅰ）に加えて、設立時取締役等が調査し、設立手続に不当な点があるかどうかにかかわらず、調査結果を創立総会に報告することとされている。

【関連条文】46 Ⅱ［発起設立の場合は法令定款違反・不当な事項がある場合のみ発起人に通知］

第９４条　（設立時取締役等が発起人である場合の特則）

Ⅰ　設立時取締役（設立しようとする株式会社が監査役設置会社である場合にあっては、設立時取締役及び設立時監査役）の全部又は一部が発起人である場合には、創立総会においては、その決議によって、前条第１項各号<設立時取締役等による調査>に掲げる事項を調査する者を選任することができる。

Ⅱ　前項の規定により選任された者は、必要な調査を行い、当該調査の結果を創立総会に報告しなければならない。

【趣旨】調査の実効性の観点から、取締役・監査役のうちに発起人から選任された者がある場合には創立総会で調査をする者を選任し、調査・報告させることができる旨を規定する。

第６款　定款の変更

第９５条　（発起人による定款の変更の禁止）

第５７条第１項＜設立時発行株式を引き受ける者の募集＞の募集をする場合には、発起人は、第５８条第１項第３号＜設立時募集株式と引換えにする金銭の払込みの期日又はその期間＞の期日又は同号の期間の初日のうち最も早い日以後は、第３３条第９項＜変態設立事項について裁判所が変更した定めを廃止する定款変更＞並びに第３７条第１項及び第２項＜発行可能株式総数の定め等＞の規定にかかわらず、定款の変更をすることができない書。

第９６条　（創立総会における定款の変更）

第３０条第２項＜定款の認証＞の規定にかかわらず、創立総会においては、その決議によって、定款の変更をすることができる同共。

第９７条　（設立時発行株式の引受けの取消し）

創立総会において、第２８条各号＜変態設立事項＞に掲げる事項を変更する定款の変更の決議をした場合には、当該創立総会においてその変更に反対した設立時株主は、当該決議後２週間以内に限り、その設立時発行株式の引受けに係る意思表示を取り消すことができる。

【関連条文】37［発起設立の場合における発行可能株式総数の定め］

第９８条　（創立総会の決議による発行可能株式総数の定め）

５７条第１項＜設立時発行株式を引き受ける者の募集＞の募集をする場合において、発行可能株式総数を定款で定めていないときは、株式会社の成立の時までに、創立総会の決議によって、定款を変更して発行可能株式総数の定めを設けなければならない。

第９９条　（定款の変更の手続の特則）

設立しようとする会社が種類株式発行会社である場合において、次の各号に掲げるときは、当該各号の種類の設立時発行株式の設立時種類株主全員の同意を得なければならない。

① ある種類の株式の内容として第１０８条第１項第６号＜一部の株式の内容としての取得条項付株式＞に掲げる事項についての定款の定めを設け、又は当該事項についての定款の変更（当該事項についての定款の定めを廃止するものを除く。）をしようとするとき。

② ある種類の株式について第３２２条第２項＜種類株主総会決議を不要とする定款の定め＞の規定による定款の定めを設けようとするとき。

第１００条

Ⅰ　設立しようとする株式会社が種類株式発行会社である場合において、定款を変更してある種類の株式の内容として第１０８条第１項第４号＜一部の株式の内容としての譲渡制限株式＞又は第７号＜全部取得条項付種類株式＞に掲げる事項についての定款の定めを設けるときは、当該定款の変更は、次に掲げる設立時種類株主を構

株式会社

成員とする種類創立総会（当該設立時種類株主に係る設立時発行株式の種類が２以上ある場合にあっては、当該２以上の設立時発行株式の種類別に区分された設立時種類株主を構成員とする各種類創立総会。以下この条において同じ。）の決議がなければ、その効力を生じない。ただし、当該種類創立総会において議決権を行使することができる設立時種類株主が存しない場合は、この限りでない。

① 当該種類の設立時発行株式の設立時種類株主

② 第１０８条第２項第５号ロ<取得請求権付株式の対価として他の株式を交付する場合の定款の定め>の他の株式を当該種類の株式とする定めがある取得請求権付株式の設立時種類株主

③ 第１０８条第２項第６号ロ<取得条項付株式の対価として他の株式を交付する場合の定款の定め>の他の株式を当該種類の株式とする定めがある取得条項付株式の設立時種類株主

Ⅱ 前項に規定する種類創立総会において当該定款の変更に反対した設立時種類株主は、当該種類創立総会の決議後２週間以内に限り、その設立時発行株式の引受けに係る意思表示を取り消すことができる。

第１０１条

Ⅰ 設立しようとする株式会社が種類株式発行会社である場合において、次に掲げる事項についての定款の変更をすることにより、ある種類の設立時発行株式の設立時種類株主に損害を及ぼすおそれがあるときは、当該定款の変更は、当該種類の設立時発行株式の設立時種類株主を構成員とする種類創立総会（当該設立時種類株主に係る設立時発行株式の種類が２以上ある場合にあっては、当該２以上の設立時発行株式の種類別に区分された設立時種類株主を構成員とする各種類創立総会）の決議がなければ、その効力を生じない。ただし、当該種類創立総会において議決権を行使することができる設立時種類株主が存しない場合は、この限りでない。

① 株式の種類の追加

② 株式の内容の変更

③ 発行可能株式総数又は発行可能種類株式総数（株式会社が発行することができる１の種類の株式の総数をいう。以下同じ。）の増加

Ⅱ 前項の規定は、単元株式数についての定款の変更であって、当該定款の変更について第３２２条第２項<種類株主総会決議を不要とする定款の定め>の規定による定款の定めがある場合における当該種類の設立時発行株式の設立種類株主を構成員とする種類創立総会については、適用しない。

第７款 設立手続等の特則等

第１０２条 （設立手続等の特則）

Ⅰ 設立時募集株式の引受人は、発起人が定めた時間内は、いつでも、第３１条第２項各号<定款の閲覧請求等>に掲げる請求をすることができる。ただし、同項第２号又は第４号<定款が書面等をもって作成された場合の謄本等の交付請求>に掲げる請求をするには、発起人の定めた費用を支払わなければならない。

Ⅱ　設立時募集株式の引受人は、株式会社の成立の時に、第６３条第１項＜設立時募集株式の払込金額の払込み＞の規定による払込みを行った設立時発行株式の株主となる〈書。

Ⅲ　設立時募集株式の引受人は、第６３条第１項＜設立時募集株式の払込金額の払込み＞の規定による払込みを仮装した場合には、次条第１項＜払込みを仮装した設立時募集株式の引受人の責任＞又は第１０３条第２項＜払込みの仮装に関与した発起人・設立時取締役の責任＞の規定による支払がされた後でなければ、払込みを仮装した設立時発行株式について、設立時株主及び株主の権利を行使することができない〈予。

Ⅳ　前項の設立時発行株式又はその株主となる権利を譲り受けた者は、当該設立時発行株式についての設立時株主及び株主の権利を行使することができる。ただし、その者に悪意又は重大な過失があるときは、この限りでない。

Ⅴ　民法第９３条第１項ただし書＜心裡留保＞及び第９４条第１項＜虚偽表示＞の規定は、設立時募集株式の引受けの申込み及び割当て並びに第６１条＜設立時募集株式の申込み及び割当てに関する特則＞の契約に係る意思表示については、適用しない。

Ⅵ　設立時募集株式の引受人は、株式会社の成立後又は創立総会若しくは種類創立総会においてその議決権を行使した後は、錯誤、詐欺又は強迫を理由として設立時発行株式の引受けの取消しをすることができない〈司予書。

［趣旨］５項及び６項は、設立時募集株式の引受けにつき法的安定性を確保する趣旨である。

《注　釈》

◆　**判例**

他人の承諾を得てその名義を用い株式を引き受けた場合においては、名義貸与者ではなく、実質上の引受人である名義借用者が株主となる（最判昭42.11.17・百選８事件）〈共〈司R3。

【関連条文】51［発起設立における引受けの無効又は取消しの制限］、52の２ⅣⅤ［出資の履行を仮装した発起人と当該株式（又はその株主となる権利）を譲り受けた者の株主権行使に関する規定］、209ⅡⅢ［出資の履行を仮装した募集株式の引受人と当該募集株式を譲り受けた者の株主権行使に関する規定］、211［募集株式の発行等における引受けの無効又は取消しの制限］、282ⅡⅢ［払込みを仮装した新株予約権者とその目的である株式を譲り受けた者の株主権行使に関する規定］、774の８［株式交付子会社の株式の譲渡しの無効又は取消しの制限］

第１０２条の２　（払込みを仮装した設立時募集株式の引受人の責任）〈書

Ⅰ　設立時募集株式の引受人は、前条第３項＜設立時募集株式の引受人による仮装払込み＞に規定する場合には、株式会社に対し、払込みを仮装した払込金額の全額の支払をする義務を負う〈予。

Ⅱ　前項の規定により設立時募集株式の引受人の負う義務は、総株主の同意がなければ、免除することができない〈予。

【関連条文】52の2Ⅰ［出資の履行を仮装した発起人の責任］、55［発起設立における発起人・設立時取締役等の責任の免除］、213の2［出資の履行を仮装した募集株式の引受人の責任］、286の2［新株予約権に係る払込み等を仮装した新株予約権者等の責任］

第１０３条（発起人の責任等）

Ⅰ　第５７条第１項＜設立時発行株式を引き受ける者の募集＞の募集をした場合における第５２条第２項＜出資された財産等の価額が不足する場合に責任を負わない場合＞の規定の適用については、同項中「次に」とあるのは、「第１号に」とする予書。

Ⅱ　第１０２条第３項＜設立時募集株式の引受人による仮装払込み＞に規定する場合には、払込みを仮装することに関与した発起人又は設立時取締役として法務省令で定める者は、株式会社に対し、前条第１項＜払込みを仮装した設立時募集株式の引受人の責任＞の引受人と連帯して、同項に規定する支払をする義務を負う。ただし、その者（当該払込みを仮装したものを除く。）がその職務を行うについて注意を怠らなかったことを証明した場合は、この限りでない。

Ⅲ　前項の規定により発起人又は設立時取締役の負う義務は、総株主の同意がなければ、免除することができない。

Ⅳ　第５７条第１項＜設立時発行株式を引き受ける者の募集＞の募集をした場合において、当該募集の広告その他当該募集に関する書面又は電磁的記録に自己の氏名又は名称及び株式会社の設立を賛助する旨を記載し、又は記録することを承諾した者（発起人を除く。）は、発起人とみなして、前節＜発起人等の責任＞及び前３項の規定を適用する同予書。

【1項読替え】
募集設立においては、発起人・設立時取締役は、現物出資者又は当該財産の譲渡人でなくても、その職務を行うについて注意を怠らなかったことを証明しても責任を免れることはできない。

［趣旨］1項が発起人・設立時取締役等の無過失責任を規定する趣旨は、募集設立の場合に、株式引受人の保護を図ることにある。4項の趣旨は、禁反言又は外観法理に基づき、発起人らしい外観（擬似発起人）を信頼した者の保護を図ることにある。
【関連条文】52の2Ⅱ［出資の履行を仮装することに関与した発起人等の責任］、55［発起設立における発起人・設立時取締役等の責任の免除］、213の3［出資の履行を仮装した場合の取締役等の責任］、286の3［新株予約権に係る払込み等を仮装した場合の取締役等の責任］

《注　釈》

◆　**適用条文の関係**

①　発起設立の規定　→　26条～56条が適用
②　募集設立の規定　→　26条～37条・39条・47条～103条が適用
③　両者に共通の規定　→　26条～37条・39条・47条～56条が適用

株式会社

＜発起設立と募集設立の違い＞

	発起設立（25 I ①）	募集設立（25 I ②）
株式の引受人	発起人だけ	発起人と引受人
払込金融機関による保管証明責任	×〈同	○（64 I）
創立総会の有無	×	○
検査役の調査の結果が不当と判断された場合	裁判所の関与のみ（33 Ⅶ）	裁判所（33 Ⅶ）と創立総会（96参照）の関与

【関連条文】規18の2

・第2章・【株式】

■第1節　総則

第104条　（株主の責任）〈同

株主の責任は、その有する株式の引受価額を限度とする。

［趣旨］株主の責任を有限とすることにより会社への参加を容易にし、多数の資本を結合することを可能にすることにある。また、会社債権者による追及の利便性を確保するという観点からも、法は、株主有限責任を採用している。

【関連条文】580［持分会社社員の責任］

第105条　（株主の権利）

Ⅰ　株主は、その有する株式につき次に掲げる権利その他この法律の規定により認められた権利を有する。

①　剰余金の配当を受ける権利

②　残余財産の分配を受ける権利

③　株主総会における議決権

Ⅱ　株主に前項第1号及び第2号に掲げる権利の全部を与えない旨の定款の定めは、その効力を有しない〈予書。

［趣旨］1項では、株主が原則的に有する権利を明確化している。2項は、株式会社の営利性を表す規定といえる。具体的には、本条項により、株主に、①剰余金の配当を受ける権利、②残余財産の分配を受ける権利の一方が完全に与えられない株式であっても、他方の権利が与えられるならば、そのような定款の定めは許され、そのような内容の株式も株式として認められることが明らかにされた。

《注　釈》

一　自益権と共益権

自益権：株主が会社から経済的利益を受けることを目的とする権利

ex. 剰余金配当請求権（105Ⅰ①)、残余財産分配請求権（105Ⅰ②)

共益権：株主が会社の管理運営に参加し、経営に参与することを目的とする権利

ex. 議決権（105Ⅰ③)、監督是正権（828Ⅰ等)

二 単独株主権と少数株主権

単独株主権：１株を有する株主でも行使しうる権利

少数株主権：総株主の議決権又は株式の一定割合以上、又は一定数以上の議決権又は株式を有する株主のみが行使できる権利

<単独株主権と少数株主権の整理>

	議決権数・株式数の要件（＊1）	保有期間の制限（＊2）	権利の内容
単独株主権		なし	・議決権（308Ⅰ） ・議案提案権（304） ・会社の組織に関する行為の無効の訴え、株主総会決議取消しの訴えの提起権（828、831） ・各種行為の差止請求権（171の3、179の7、182の3、210、247、784の2、796の2、805の2） ・各種書類等の閲覧等請求権（会計帳簿閲覧等請求権（433）を除く） ・取締役会招集請求権（監査役設置会社、監査等委員会設置会社及び指名委員会等設置会社を除く。367Ⅰ）
単独株主権		行使前の６か月	・責任追及等の訴え［株主代表訴訟］提起権（847） ・取締役、執行役の違法行為差止請求権（360、422）
少数株主権	総株主の議決権の100分の１以上又は発行済株式総数の100分の１以上	行使前の６か月	・最終完全親会社等の株主による特定責任追及の訴え（847の3）
少数株主権	総株主の議決権の100分の１以上又は300個以上	行使前の６か月	・取締役会設置会社株主の議案提案権、議案の要領記載請求権（303Ⅱ、305Ⅰただし書）（＊3）
少数株主権	総株主の議決権の100分の１以上	行使前の６か月	・総会検査役選任請求権（306）
少数株主権	総株主の議決権の100分の３以上又は発行済株式総数の100分の３以上	なし	・会計帳簿閲覧等請求権（433） ・検査役選任請求権（358）

	議決権数・株式数の要件（＊1）	保有期間の制限（＊2）	権利の内容
少数株主権	総株主の議決権の100分の3以上	なし	・役員等の責任免除に対する異議権（426 Ⅶ）
	総株主の議決権の100分の3以上又は発行済株式総数の100分の3以上	行使前の6か月	・役員、清算人解任の訴えの提起権（854、479 Ⅱ）
	総株主の議決権の100分の3以上	行使前の6か月	・株主総会招集権（297）
	総株主の議決権の10分の1以上又は発行済株式総数の10分の1以上	なし	・解散請求権（833 Ⅰ）
	総株主の議決権の10分の1以上	なし	・一定の募集株式発行等における株主総会決議要求権（206の2 Ⅳ）
	法務省令［規則197等］原則として総株主の議決権の6分の1以上	なし	・簡易合併等の反対権（796 Ⅲ等）

＊1　10分の1、100分の1、100分の3、300個の保有個数は、定款の定めにより引下げ可能。
＊2　6か月の期間は、定款の定めにより短縮可能。また、公開会社でない会社の場合は保有期間の要件はない。
＊3　取締役会を置かない会社の場合は、単独株主権である。

三　固有権と非固有権

1　意義

固有権：株主の同意がない限り、株主総会決議をもってしても奪うことができない権利

非固有権：株主総会の決議により奪うことができる権利

2　固有権と非固有権の区別の基準

当該権利が、株式会社に参加する株主にとってその本質的利益に関するものであるか否かによって、個別的に決定する。

＜株主権の濫用とその対応＞

株主権		濫用	対応
共益権	議決権（308）	特別利害関係を有する株主の利益相反的な議決権行使	「著しく不当な決議がされたとき」は決議取消事由となる（831 Ⅰ③）
	質問権（314）	議事の進行を妨げる目的や経営上の秘密を取得する目的での質問	説明を拒否できる（314 ただし書）
	議題提案権・議案通知請求権（303、305）	議事の進行を妨げる目的での提案	少数株主権とし、かつ、株式保有期間を法定（公開会社のみ） 法令・定款違反等の議案の禁止（305 Ⅳ）
	株主名簿閲覧・謄写請求権（125 Ⅱ）	商業目的で株主の住所氏名の調査をする場合	拒否事由の法定（125 Ⅲ）
	会計帳簿閲覧・謄写請求権（433）	ライバル企業が経営上の秘密を取得する目的でする場合	少数株主権とし、かつ、拒否事由を法定（433 Ⅰ Ⅱ）
	責任追及等の訴え提起権（847）	請求に理由のない訴え等	株式保有期間（公開会社のみ） 原則として、会社に訴え提起を請求することを法定（847 Ⅰ Ⅲ） 担保提供（847 の 4）
		不正な利益・会社に損害を与える目的	却下制度（847 Ⅰただし書）
自益権一般		嫌がらせ目的	自益権行使は直接会社へ影響しないので、濫用防止規定は特になし ただし、権利濫用（民 1 Ⅲ）となる場合がありうる

第１０６条（共有者による権利の行使）

株式が２以上の者の共有に属するときは、共有者は、当該株式についての権利を行使する者１人を定め、株式会社に対し、その者の氏名又は名称を通知しなければ、当該株式についての権利を行使することができない[同]。ただし、株式会社が当該権利を行使することに同意した場合は、この限りでない[予]。

［趣旨］株式を数人が共有する場合に、株主の権利行使を制限して、会社の事務処理上の便宜を図るものである。ただし書は、この権利行使の制限が、会社の事務処理上の便宜のためのものであるから、会社側から権利の共同行使を認めることはさしつかえない旨を規定するものである。

《注　釈》

一　判例

1　権利行使の可否〈司H25

⑴　共有株式の権利行使者は、共有株主が持分の価格に従いその過半数で決める。これを定めない場合には、株主として権利行使できない（最判平9.1.28・百選10事件）〈予書。

⑵　共同相続人が準共有者としての地位に基づいて株主総会の決議不存在確認の訴え（830 I）を提起する場合も、権利行使者を定め会社に通知していないときは、特段の事情のない限り、原告適格を有しない（結論として、①発行済株式の全部が準共有の状態にあること、②株主総会が開催されたとして共同相続人のうちの1人が取締役として選任登記がなされていることを考慮して、「特段の事情」を認めた）（最判平2.12.4・百選9事件）〈予書〈司R5 予H28。

⑶　106条本文が共有に属する株式についての権利の行使の方法に関する「特別の定め」（民264ただし書）に当たるところ、106条ただし書の同意により「特別の定め」である106条本文の適用が排除される結果、一般法である民法の共有に関する規定が適用されることになると解されるから、「共有に属する株式について会社法106条本文の規定に基づく指定及び通知を欠いたまま当該株式についての権利が行使された場合において、当該権利の行使が民法の共有に関する規定に従ったものでないときは、株式会社が同条ただし書の同意をしても、当該権利の行使は、適法となるものではな」く、「共有に属する株式についての議決権の行使は、当該議決権の行使をもって直ちに株式を処分し、又は株式の内容を変更することになるなど特段の事情のない限り、株式の管理に関する行為として、民法252条本文により、各共有者の持分の価格に従い、その過半数で決せられる」（最判平27.2.19・百選11事件）〈予〈司R5 予H28。

2　被選定者の権限

権利行使者を1人に決めて、会社に通知したときは、たとえ共有者間で議決権行使について逐一合意を要するという取り決めがあっても、被選定者は自己の判断で有効に議決権を行使できる（最判昭53.4.14）〈予書。

二　遺産分割未了の共有株式と株主総会決議の定足数要件〈予R元

遺産分割未了のまま相続人の共有状態にある株式について、権利行使者の指定・通知がない場合には、会社の同意がない限り、議決権を行使することができない（106）。

この場合、遺産分割未了の共有株式が株主総会決議の定足数に含まれるかが問題となり、以下の2つの考え方がある。

①　定足数には含まれないとする考え方

∵「権利を行使することができない」（106本文）との文言から、遺産分割未了の共有株式は「議決権を行使することができる株主の議決権」

株式会社

(309、341）には当たらず、定足数には含まれない

② 定足数に含まれるとする考え方

∵ 遺産分割未了の共有株式は、権利行使者の指定・通知があるまで暫定的に議決権を行使できないだけであるから、「議決権を行使することができる株主の議決権」(309、341）に当たり、定足数に含まれる

第１０７条 （株式の内容についての特別の定め）

Ⅰ 株式会社は、その発行する全部の株式の内容として次に掲げる事項を定めることができる。

① 譲渡による当該株式の取得について当該株式会社の承認を要すること〈同〉。

② 当該株式について、株主が当該株式会社に対してその取得を請求することができること。

③ 当該株式について、当該株式会社が一定の事由が生じたことを条件としてこれを取得することができること。

Ⅱ 株式会社は、全部の株式の内容として次の各号に掲げる事項を定めるときは、当該各号に定める事項を定款で定めなければならない。

① 譲渡による当該株式の取得について当該株式会社の承認を要すること 次に掲げる事項

イ 当該株式を譲渡により取得することについて当該株式会社の承認を要する旨

ロ 一定の場合においては株式会社が第１３６条＜譲渡制限株式の株主からの承認の請求＞又は第１３７条第１項＜譲渡制限株式取得者からの承認の請求＞の承認をしたものとみなすときは、その旨及び当該一定の場合

② 当該株式について、株主が当該株式会社に対してその取得を請求することができること 次に掲げる事項

イ 株主が当該株式会社に対して当該株主の有する株式を取得することを請求することができる旨〈共〉

ロ イの株式１株を取得するのと引換えに当該株主に対して当該株式会社の社債（新株予約権付社債についてのものを除く。）を交付するときは、当該社債の種類（第６８１条第１号に規定する種類をいう。以下この編において同じ。）及び種類ごとの各社債の金額の合計額又はその算定方法

ハ イの株式１株を取得するのと引換えに当該株主に対して当該株式会社の新株予約権（新株予約権付社債に付されたものを除く。）を交付するときは、当該新株予約権の内容及び数又はその算定方法

ニ イの株式１株を取得するのと引換えに当該株主に対して当該株式会社の新株予約権付社債を交付するときは、当該新株予約権付社債についてのロに規定する事項及び当該新株予約権付社債に付された新株予約権についてのハに規定する事項

ホ イの株式１株を取得するのと引換えに当該株主に対して当該株式会社の株式等（株式、社債及び新株予約権をいう。以下同じ。）以外の財産を交付するときは、当該財産の内容及び数若しくは額又はこれらの算定方法

ヘ 株主が当該株式会社に対して当該株式を取得することを請求することができる期間

③　当該株式について、当該株式会社が一定の事由が生じたことを条件としてこれを取得することができること　次に掲げる事項
イ　一定の事由が生じた日に当該株式会社がその株式を取得する旨及びその事由
ロ　当該株式会社が別に定める日が到来することをもってイの事由とするときは、その旨
ハ　イの事由が生じた日にイの株式の一部を取得することとするときは、その旨及び取得する株式の一部の決定の方法
ニ　イの株式１株を取得するのと引換えに当該株主に対して当該株式会社の社債（新株予約権付社債についてのものを除く。）を交付するときは、当該社債の種類及び種類ごとの各社債の金額の合計額又はその算定方法
ホ　イの株式１株を取得するのと引換えに当該株主に対して当該株式会社の新株予約権（新株予約権付社債に付されたものを除く。）を交付するときは、当該新株予約権の内容及び数又はその算定方法
ヘ　イの株式１株を取得するのと引換えに当該株主に対して当該株式会社の新株予約権付社債を交付するときは、当該新株予約権付社債についてのニに規定する事項及び当該新株予約権付社債に付された新株予約権についてのホに規定する事項
ト　イの株式１株を取得するのと引換えに当該株主に対して当該株式会社の株式等以外の財産を交付するときは、当該財産の内容及び数若しくは額又はこれらの算定方法

第１０８条　（異なる種類の株式）

Ⅰ　株式会社は、次に掲げる事項について異なる定めをした内容の異なる２以上の種類の株式を発行することができる。ただし、指名委員会等設置会社及び公開会社は、第９号に掲げる事項についての定めがある種類の株式を発行することができない〈司予〉。
①　剰余金の配当
②　残余財産の分配
③　株主総会において議決権を行使することができる事項〈書〉
④　譲渡による当該種類の株式の取得について当該株式会社の承認を要すること〈司共〉。
⑤　当該種類の株式について、株主が当該株式会社に対してその取得を請求することができること。
⑥　当該種類の株式について、当該株式会社が一定の事由が生じたことを条件としてこれを取得することができること。
⑦　当該種類の株式について、当該株式会社が株主総会の決議によってその全部を取得すること。
⑧　株主総会（取締役会設置会社にあっては株主総会又は取締役会、清算人会設置会社（第４７８条第８項に規定する清算人会設置会社をいう。以下この条において同じ。）にあっては株主総会又は清算人会）において決議すべき事項のうち、当該決議のほか、当該種類の株式の種類株主を構成員とする種類株主総会の決議があることを必要とするもの

⑨　当該種類の株式の種類株主を構成員とする種類株主総会において取締役（監査等委員会設置会社にあっては、監査等委員である取締役又はそれ以外の取締役。次項第９号及び第１１２条第１項において同じ。）又は監査役を選任すること。

Ⅱ　株式会社は、次の各号に掲げる事項について内容の異なる２以上の種類の株式を発行する場合には、当該各号に定める事項及び発行可能種類株式総数を定款で定めなければならない。

①　剰余金の配当　当該種類の株主に交付する配当財産の価額の決定の方法、剰余金の配当をする条件その他剰余金の配当に関する取扱いの内容

②　残余財産の分配　当該種類の株主に交付する残余財産の価額の決定の方法、当該残余財産の種類その他残余財産の分配に関する取扱いの内容

③　株主総会において議決権を行使することができる事項　次に掲げる事項

イ　株主総会において議決権を行使することができる事項

ロ　当該種類の株式につき議決権の行使の条件を定めるときは、その条件

④　譲渡による当該種類の株式の取得について当該株式会社の承認を要すること　当該種類の株式についての前条第２項第１号<全部の株式の内容として譲渡により取得することについて当該株式会社の承認を要する場合の定款の定め>に定める事項

⑤　当該種類の株式について、株主が当該株式会社に対してその取得を請求することができること　次に掲げる事項

イ　当該種類の株式についての前条第２項第２号<全部の株式の内容として取得請求権付株式を設ける場合の定款の定め>に定める事項

ロ　当該種類の株式１株を取得するのと引換えに当該株主に対して当該株式会社の他の株式を交付するときは、当該他の株式の種類及び種類ごとの数又はその算定方法

⑥　当該種類の株式について、当該株式会社が一定の事由が生じたことを条件としてこれを取得することができること　次に掲げる事項

イ　当該種類の株式についての前条第２項第３号<全部の株式の内容として取得条項付株式を設ける場合の定款の定め>に定める事項

ロ　当該種類の株式１株を取得するのと引換えに当該株主に対して当該株式会社の他の株式を交付するときは、当該他の株式の種類及び種類ごとの数又はその算定方法〈書

⑦　当該種類の株式について、当該株式会社が株主総会の決議によってその全部を取得すること　次に掲げる事項

イ　第１７１条第１項第１号<全部取得条項付種類株式の取得対価>に規定する取得対価の価額の決定の方法

ロ　当該株主総会の決議をすることができるか否かについての条件を定めるときは、その条件

⑧　株主総会（取締役会設置会社にあっては株主総会又は取締役会、清算人会設置会社にあっては株主総会又は清算人会）において決議すべき事項のうち、当該決議のほか、当該種類の株式の種類株主を構成員とする種類株主総会の決議があることを必要とするもの　次に掲げる事項

イ　当該種類株主総会の決議があることを必要とする事項

ロ　当該種類株主総会の決議を必要とする条件を定めるときは、その条件

⑨　当該種類の株式の種類株主を構成員とする種類株主総会において取締役又は監査役を選任すること　次に掲げる事項
イ　当該種類株主を構成員とする種類株主総会において取締役又は監査役を選任すること及び選任する取締役又は監査役の数
ロ　イの定めにより選任することができる取締役又は監査役の全部又は一部を他の種類株主と共同して選任することとするときは、当該他の種類株主の有する株式の種類及び共同して選任する取締役又は監査役の数
ハ　イ又はロに掲げる事項を変更する条件があるときは、その条件及びその条件が成就した場合における変更後のイ又はロに掲げる事項
ニ　イからハまでに掲げるもののほか、法務省令で定める事項

Ⅲ　前項の規定にかかわらず、同項各号に定める事項（剰余金の配当について内容の異なる種類の種類株主が配当を受けることができる額その他法務省令で定める事項に限る。）の全部又は一部については、当該種類の株式を初めて発行する時までに、株主総会（取締役会設置会社にあっては株主総会又は取締役会、清算人会設置会社にあっては株主総会又は清算人会）の決議によって定める旨を定款で定めることができる。この場合においては、その内容の要綱を定款で定めなければならない。

［趣旨］会社法がこれらの株式の発行を認めたのは、一定の範囲と条件の下で株式の多様化を認めることにより、資金調達の多様化と支配関係の多様化の機会を株式会社に与えるためである。法は、株式の内容に関する定め方として、①発行する全部の株式の内容とする方法（107）と、②一部の株式の内容とする方法（108）とを規定している。①は「種類株式」とは呼ばれず、②が「種類株式」と呼ばれる。108条3項の趣旨は、定款である種類の株式の内容を定めてから実際に当該株式を発行するまでの間が長期にわたることもありうることから、発行時における市場の状況等に適した内容とするよう、柔軟・迅速に対応する点にある。

《注　釈》

一　剰余金・残余財産の配当につき内容の異なる株式（108 Ⅰ①②）

1　優先株式

(1)　他の株式に先んじて剰余金の配当等を受け取ることができる株式をいう。

(2)　参加的・非参加的、累積的・非累積的の別　⇒ p.470

(3)　トラッキング・ストック（特定事業連動株式）

(a)　会社が有する特定の完全子会社・事業部門等の業績にのみ連動するよう設計された株式をいう。

(b)　剰余金の配当について異なる定めをした内容の異なる株式の一種である（108 Ⅰ①）。

2　劣後株式

他の株式に遅れてしか剰余金の配当等を受け取れない株式をいう。

3　普通株式

剰余金の配当等に関し、標準となる株式をいう。

二　**議決権制限株式**（108 Ⅰ③）

1　一切の事項につき議決権がない、あるいは、一定の事項についてのみ議決権を有する株式をいう。

2　非公開会社における、資本多数決によらない支配権を行うニーズ、公開会社における、市場価格が安くなり分配当率が高くなる等の投資ニーズに応えるものである。

3　発行数の制限について　⇒ §115

三　**譲渡制限株式**（107 Ⅰ①、108 Ⅰ④）　⇒ p.99

1　譲渡による株式の取得について会社の承認を要する株式をいう（2⑰）。

＊　発行する全部又は一部の株式の内容として当該定款の定めを設けていない会社が「公開会社」である（2⑤）。

<公開会社と非公開会社の区分>

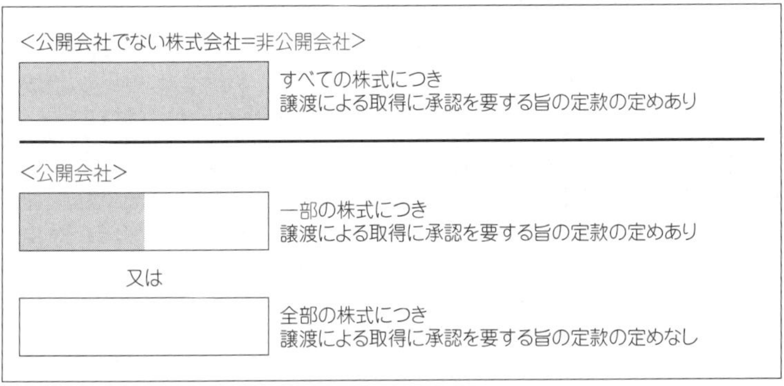

<公開会社でない株式会社=非公開会社>

すべての株式につき
譲渡による取得に承認を要する旨の定款の定めあり

<公開会社>

一部の株式につき
譲渡による取得に承認を要する旨の定款の定めあり

又は

全部の株式につき
譲渡による取得に承認を要する旨の定款の定めなし

2　小規模の会社では、人的な信頼関係にある者に株主を限定したいとの要請が強いので、これに応えるものである。

四　**取得請求権付株式**（107 Ⅰ②、108 Ⅰ⑤）

1　株主が会社に対しその株式の取得を請求することができる株式をいう（2⑱）。

2　会社法制定前の義務償還株式と転換予約権付株式とを統合して、取得請求権付株式という1つの制度にした。

3　この株式は、取得条項付株式と同様に、会社の自己株式取得をもたらすものである。もっとも、取得条項付株式とは異なり、強制的ではなく、株主の権利として会社に株式取得を認めるものである。また、法は、株式を取得する際の対価を社債や新株予約権等とすることを可能にしている（108 Ⅱ⑤⑥）。

五　**取得条項付株式**（107 Ⅰ③、108 Ⅰ⑥）

1　一定の事由が生じたことを条件として会社がその株式を強制的に取得することができる株式をいう（2⑲）。

2　会社法制定前の強制償還株式と強制転換条項付株式とを統合して、取得条項付株式という1つの制度にした。

六　全部取得条項付種類株式（108 Ⅰ⑦）

1　株主総会の特別決議によりその種類の株式の全部を取得することができるという内容の種類株式をいう（2⑲）。

2　総株主の同意ではなく、株主総会の特別決議により「100％減資」を可能とするものとして創設されたが、既発行株式の内容を変更するためにも利用できる制度である。

＊　100％減資とは、会社が債務超過の場合等に、既存株主の持株をゼロにすることを指す。

七　拒否権付種類株式（108 Ⅰ⑧）

1　株主総会・取締役会・清算人会において決議すべき事項につき、その決議のほか、当該種類の株式の種類株主を構成員とする種類株主総会の決議が必要である株式をいう（323）。

2　上場会社において、敵対的買収に対する防衛策（黄金株）として利用できるといわれている。

cf.　敵対的買収とは、買収対象会社の経営者や取締役会の意思に反して対象会社の株式を買い占め、支配下に置こうとする買収行為を指す。黄金株とは、特定の株主に合併・買収拒否など株主総会での拒否権を与える種類株式のことを指す

八　種類株主総会により取締役・監査役を選任できる株式（108 Ⅰ⑨）

1　非公開会社において（指名委員会等設置会社を除く）、その種類の株式の種類株主を構成員とする種類株主総会において取締役・監査役を選任することができる種類株式をいう（347）。

2　合弁会社などでは、それぞれの出資企業が出資割合や事業への関与度に応じて自己の意に添う役員を送り込みたいというニーズがある。この株式は、かかるニーズを満たすために用いられる。

3　指名委員会等設置会社や公開会社が発行できないとしている（108 Ⅰただし書）のは、公開会社では経営者支配の強化のため濫用の危険があることや、指名委員会等設置会社では指名委員会が取締役の選任議案の内容を決定するとされているからである。

第１０９条　（株主の平等）

Ⅰ　株式会社は、株主を、その有する株式の内容及び数に応じて、平等に取り扱わなければならない。

Ⅱ　前項の規定にかかわらず、公開会社でない株式会社は、第１０５条第１項各号＜株主の権利＞に掲げる権利に関する事項について、株主ごとに異なる取扱いを行う旨を定款で定めることができる〈書〉。

Ⅲ　前項の規定による定款の定めがある場合には、同項の株主が有する株式を同項の権利に関する事項について内容の異なる種類の株式とみなして、この編＜株式会社＞及び第５編＜組織変更、合併、会社分割、株式交換、株式移転及び株式交付＞の規定を適用する。

《注　釈》

一　株主平等の原則

株式会社は、株主としての資格に基づく法律関係については、株主を、その有する株式の内容及び数に応じて、平等に取り扱わなければならないという原則のことをいう（Ⅰ）。

二　根拠

一般的な正義・公平の理念が団体法において発現したものであると解されてきた。

これに対して、もっと技術的な要請に基づいて認められるべきものともいわれることもある。すなわち、株主平等取扱いという原則がないと、株主と会社との法律関係や株式の譲渡等を合理的に処理できなくなり、ひいては誰も安心して株式会社に株主として出資できなくなって株式会社制度が成り立たなくなるとされる。

三　法律上の現れ

議決権（308Ⅰ本文）、剰余金配当請求権（454Ⅲ）、残余財産分配請求権（504Ⅲ）について、持株数に応じて付与される旨の規定がある。

四　機能

株式会社における多数決の濫用や、会社管理者の恣意的な権限行使から少数株主を保護するという機能を果たす。

五　株主平等原則の内容とその例外

1　株主平等原則の内容

(1)　株式の内容が異なる種類の株式が発行されている場合には、株式の内容に応じて異なる取扱いをすることができる〈予〉。

(2)　株式の数が異なる場合には、株式数に応じて平等に取り扱わなければならない。

2　株主平等原則の法律上の例外

(1)　剰余金配当・残余財産分配・議決権に関する株主ごとの異なる取扱いの定め

非公開会社においては、株主の権利に関する事項について株主ごとに異なる取扱いを行う旨を定款に定めることができる（109Ⅱ、105Ⅰ①②③）〈予〉。

→株主の変動が乏しく、株主相互の関係が通常緊密である非公開会社において、株主の持株数の増減にかかわらない属人的な権利の配分を行うニーズに応えるもの（590Ⅱ、622Ⅰ、666参照）

一方、公開会社においては、一株一議決権の原則（308Ⅰ本文）は強行規定であり、非公開会社のように、株式1株につき複数個の議決権を有することを内容とする株式を発行することはできない〈予〉。

(2)　共益権行使の制限（少数株主権等）

一定の共益権を行使しうる者が、6か月以上前から株式を有する株主や、総株主の議決権のうちの一定割合以上の株式を有する株主等に限定される場合がある（297Ⅰ、303、306Ⅰ、358Ⅰ、360、854Ⅰ等）〈予〉。

⑶　単元未満株式（308ただし書、189 I）

⑷　株式の併合・分割による1株に満たない端数の発生（235 I II、234 I～V）

会社法の下では、1株に満たない端数は、すべて金銭によって処理される（234、235）。

＊　種類株式は株主平等原則の例外には当たらない。

∵　一般に株主平等原則とは、①株式の内容は同一であること（内容の同一性原則）と、②同一内容の株式は平等に取り扱われるべきであること（取扱いの平等性原則）の2つがあると考えられているところ、109条1項は、そのうち①の内容の同一性原則について言及していない

3　解釈上の例外

⑴　実質的な剰余金配当

株主に対する金品贈与契約が、無配による投資上の損失を補填する意味をもつときは、特定の株主のみを特別に有利に待遇し、利益を与えるものなので、株主平等原則に反する（最判昭45.11.24）。

⑵　株主優待制度

優待的取扱いの程度が軽微であれば、平等原則には反しないとする見解が有力である。

⑶　株主総会において従業員株主を前列に座らせた場合

「株主総会の議事進行の妨害等の事態が発生する……おそれのあることをもって……従業員株主らを他の株主よりも先に会場に入場させて株主席の前方に着席させる……措置は適切なものではなかったといわざるを得ない」（最判平8.11.12・百選A11事件）。

六　株主平等原則違反の効果

無効である（∵強行法的性格）。

ただし、不利益を受ける株主が承諾すれば、有効である。

七　判例

ブルドックソース事件（最決平19.8.7・百選98事件）

会社の企業価値が毀損され、会社の利益ひいては株主の共同の利益が害されることになるような場合には、その防止のために特定の株主を差別的に取り扱ったとしても、当該取扱いが衡平の理念に反し、相当性を欠くものでない限り、これを直ちに株主平等原則の趣旨に反するものということはできない。

【関連条文】309 IV［株主総会の特殊決議］

第１１０条　（定款の変更の手続の特則）

定款を変更してその発行する全部の株式の内容として第１０７条第１項第３号＜全部の株式の内容としての取得条項付株式＞に掲げる事項についての定款の定めを設け、又は当該事項についての定款の変更（当該事項についての定款の定めを廃止するものを除く。）をしようとする場合（株式会社が種類株式発行会社である場合を除く。）には、株主全員の同意を得なければならない。

［趣旨］取得条項付株式は株主の意思によらずに、会社が一定の事由の発生を条件に強制的に株式を取得するものだから、株主全員の同意を要求して、株主の保護を図っている。

第１１１条

Ⅰ　種類株式発行会社がある種類の株式の発行後に定款を変更して当該種類の株式の内容として第１０８条第１項第６号＜一定の事由が生じたことを条件とする取得条項付株式＞に掲げる事項についての定款の定めを設け、又は当該事項についての定款の変更（当該事項についての定款の定めを廃止するものを除く。）をしようとするときは、当該種類の株式を有する株主全員の同意を得なければならない予書。

Ⅱ　種類株式発行会社がある種類の株式の内容として第１０８条第１項第４号＜一部の株式の内容としての譲渡制限株式＞又は第７号＜全部取得条項付種類株式＞に掲げる事項についての定款の定めを設ける場合には、当該定款の変更は、次に掲げる種類株主を構成員とする種類株主総会（当該種類株主に係る株式の種類が２以上ある場合にあっては、当該２以上の株式の種類別に区分された種類株主を構成員とする各種類株主総会。以下この条において同じ。）の決議がなければ、その効力を生じない。ただし、当該種類株主総会において議決権を行使することができる種類株主が存しない場合は、この限りでない。

①　当該種類の株式の種類株主

②　第１０８条第２項第５号ロ＜取得請求権付株式の対価として他の株式を交付する場合の定款の定め＞の他の株式を当該種類の株式とする定めがある取得請求権付株式の種類株主

③　第１０８条第２項第６号ロ＜取得条項付株式の対価として他の株式を交付する場合の定款の定め＞の他の株式を当該種類の株式とする定めがある取得条項付株式の種類株主

【関連条文】324Ⅱ①［種類株主総会の特別決議］、324Ⅲ①［種類株主総会の特殊決議］

第１１２条　（取締役の選任等に関する種類株式の定款の定めの廃止の特則）

Ⅰ　第１０８条第２項第９号＜種類株主総会における取締役等の選任に関する定款の定め＞に掲げる事項（取締役に関するものに限る。）についての定款の定めは、この法律又は定款で定めた取締役の員数を欠いた場合において、そのために当該員数に足りる数の取締役を選任することができないときは、廃止されたものとみなす。

Ⅱ　前項の規定は、第１０８条第２項第９号＜種類株主総会における取締役等の選任に関する定款の定め＞に掲げる事項（監査役に関するものに限る。）についての定款の定めについて準用する。

第１１３条　（発行可能株式総数）

Ⅰ　株式会社は、定款を変更して発行可能株式総数についての定めを廃止することができない予。

Ⅱ　定款を変更して発行可能株式総数を減少するときは、変更後の発行可能株式総数は、当該定款の変更が効力を生じた時における発行済株式の総数を下ることができない予。

Ⅲ　次に掲げる場合には、当該定款の変更後の発行可能株式総数は、当該定款の変更が効力を生じた時における発行済株式の総数の４倍を超えることができない予。
　①　公開会社が定款を変更して発行可能株式総数を増加する場合
　②　公開会社でない株式会社が定款を変更して公開会社となる場合

Ⅳ　新株予約権（第２３６条第１項第４号の期間の初日が到来していないものを除く。）の新株予約権者が第２８２条第１項＜株主となる時期＞の規定により取得することとなる株式の数は、発行可能株式総数から発行済株式（自己株式（株式会社が有する自己の株式をいう。以下同じ。）を除く。）の総数を控除して得た数を超えてはならない予。

［趣旨］２項は、定款変更して発行可能株式総数を減少する場合において、変更後の発行可能株式総数が発行済株式の総数を下るときには、株式の一部が無効になるのではなく、定款の変更自体が無効になることを明らかにした。３項が会社の将来発行する株式の数を制限しているのは、新株発行により既存株主の被る持分比率維持の利益（会社支配面の利益）の低下の限界を画するためである。

《注　釈》

◆　発行可能株式総数の増加の条件付決議

株主総会の決議の効力の発生を条件又は期限にかからしめることは、法律の規定、趣旨又は条理に反しない限り、原則として許される（最判昭37.3.8・百選A 12事件）。

→募集株式の発行等がなされることを条件として、それを加えた発行済株式総数の４倍まで発行可能株式総数を増加する旨の定款の変更決議は、募集株式の発行等の効力発生日も確定している等の事情の下では、有効である（最判昭37.3.8・百選A 12事件）

【関連条文】37Ⅰ［発行可能株式総数の定め］、98［創立総会の決議による発行可能株式総数の定め］、180Ⅲ［公開会社が株式を併合する場合における４倍規制］、911Ⅲ⑥［設立登記事項］

第１１４条　（発行可能種類株式総数）

Ⅰ　定款を変更してある種類の株式の発行可能種類株式総数を減少するときは、変更後の当該種類の株式の発行可能種類株式総数は、当該定款の変更が効力を生じた時における当該種類の発行済株式の総数を下ることができない。

Ⅱ　ある種類の株式についての次に掲げる数の合計数は、当該種類の株式の発行可能種類株式総数から当該種類の発行済株式（自己株式を除く。）の総数を控除して得た数を超えてはならない。

①　取得請求権付株式（第１０７条第２項第２号への期間の初日が到来していないものを除く。）の株主（当該株式会社を除く。）が第１６７条第２項＜取得請求権付株式による取得請求の効力発生＞の規定により取得することとなる同項第４号＜取得請求権付株式の対価として交付する他の株式＞に規定する他の株式の数

②　取得条項付株式の株主（当該株式会社を除く。）が第１７０条第２項＜取得条項付株式の効力の発生等＞の規定により取得することとなる同項第４号＜取得条項付株式の対価として交付する他の株式＞に規定する他の株式の数

③　新株予約権（第２３６条第１項第４号＜新株予約権を行使することができる期間＞の期間の初日が到来していないものを除く。）の新株予約権者が第２８２条第１項＜株主となる時期＞の規定により取得することとなる株式の数

第１１５条　（議決権制限株式の発行数） 書

種類株式発行会社が公開会社である場合において、株主総会において議決権を行使することができる事項について制限のある種類の株式（以下この条において「議決権制限株式」という。）の数が発行済株式の総数の２分の１を超えるに至ったときは、株式会社は、直ちに、議決権制限株式の数を発行済株式の総数の２分の１以下にするための必要な措置をとらなければならない。

［趣旨］公開会社については、経営者等が議決権制限株式制度を利用して小額の出資で会社を支配することに対し歯止めをかける趣旨である。

【関連条文】108 Ⅰ③［議決権制限株式］

第１１６条　（反対株主の株式買取請求）

Ⅰ　次の各号に掲げる場合には、反対株主は、株式会社に対し、自己の有する当該各号に定める株式を公正な価格で買い取ることを請求することができる書。

①　その発行する全部の株式の内容として第１０７条第１項第１号＜全部の株式の内容としての譲渡制限株式＞に掲げる事項についての定めを設ける定款の変更をする場合　全部の株式

②　ある種類の株式の内容として第１０８条第１項第４号＜一部の株式の内容としての譲渡制限株式＞又は第７号＜全部取得条項付種類株式＞に掲げる事項についての定めを設ける定款の変更をする場合　第１１１条第２項各号＜種類株式に譲渡制限、全部取得条項を付する場合における定款変更＞に規定する株式

③　次に掲げる行為をする場合において、ある種類の株式（第３２２条第２項の規定による定款の定めがあるものに限る。）を有する種類株主に損害を及ぼすおそれがあるとき　当該種類の株式

　イ　株式の併合又は株式の分割<同

　ロ　第１８５条<株式無償割当て>に規定する株式無償割当て

　ハ　単元株式数についての定款の変更

　ニ　当該株式会社の株式を引き受ける者の募集（第２０２条第１項各号<株主に株式の割当てを受ける権利を与える場合>に掲げる事項を定めるものに限る。）

　ホ　当該株式会社の新株予約権を引き受ける者の募集（第２４１条第１項各号<株主に新株予約権の割当てを受ける権利を与える場合>に掲げる事項を定めるものに限る。）

　ヘ　第２７７条<新株予約権無償割当て>に規定する新株予約権無償割当て

Ⅱ　前項に規定する「反対株主」とは、次の各号に掲げる場合における当該各号に定める株主をいう。

①　前項各号の行為をするために株主総会（種類株主総会を含む。）の決議を要する場合　次に掲げる株主

　イ　当該株主総会に先立って当該行為に反対する旨を当該株式会社に対し通知し、かつ、当該株主総会において当該行為に反対した株主（当該株主総会において議決権を行使することができるものに限る。）

　ロ　当該株主総会において議決権を行使することができない株主

②　前号に規定する場合以外の場合　すべての株主

Ⅲ　第１項各号の行為をしようとする株式会社は、当該行為が効力を生ずる日（以下この条及び次条において「効力発生日」という。）の２０日前までに、同項各号に定める株式の株主に対し、当該行為をする旨を通知しなければならない。

Ⅳ　前項の規定による通知は、公告をもってこれに代えることができる。

Ⅴ　第１項の規定による請求（以下この節において「株式買取請求」という。）は、効力発生日の２０日前の日から効力発生日の前日までの間に、その株式買取請求に係る株式の数（種類株式発行会社にあっては、株式の種類及び種類ごとの数）を明らかにしてしなければならない。

Ⅵ　株券が発行されている株式について株式買取請求をしようとするときは、当該株式の株主は、株式会社に対し、当該株式に係る株券を提出しなければならない。ただし、当該株券について第２２３条<株券喪失登録の請求>の規定による請求をした者については、この限りでない。

Ⅶ　株式買取請求をした株主は、株式会社の承諾を得た場合に限り、その株式買取請求を撤回することができる。

Ⅷ　株式会社が第１項各号の行為を中止したときは、株式買取請求は、その効力を失う。

Ⅸ　第１３３条<株主の請求による株主名簿記載事項の記載又は記録>の規定は、株式買取請求に係る株式については、適用しない。

［趣旨］１項は、株式に譲渡制限を付ける場合等に反対する株主の投下資本回収の機会を保障し、もって株主の利益を保護するために、反対株主に株式買取請求権を認めるものである。６項は、株券が発行されている株式について株式買取請求をする場合、株主は、会社に株券を提出しなければならない旨規定することで、反対株主が株式買取請求をしながら市場等で自由に当該株式を売却し、事実上会社の承諾なく株式買取請求を撤回することを防止するものであり、株式買取請求の撤回制限

（Ⅶ）をより実効化する規定である。また、9項は、株券を発行していない場合についても、6項と同様の趣旨から、名義書換を請求することを禁止し、株式買取請求に係る株式の譲渡を防止している。

→6項・9項と同趣旨の規定は、①株式の併合（182の4Ⅴ・Ⅶ）、②事業譲渡（469Ⅵ・Ⅸ）、③合併・分割・株式交換・株式移転（785Ⅵ・Ⅸ、797Ⅵ・Ⅸ、806Ⅵ・Ⅸ）、④株式交付（816の6Ⅵ・Ⅸ）においても設けられている

《注　釈》

<反対株主に株式買取請求が認められる場合>

株式譲渡制限	全部の株式に譲渡制限の定めを置く定款変更をする場合（116Ⅰ①、107Ⅰ①） ある種類の株式について、譲渡制限の定めを置く定款変更をする場合（116Ⅰ②、108Ⅰ④）
株式の取得	ある種類の株式について全部取得条項付種類株式の定めを置く定款変更をする場合（116Ⅰ②、108Ⅰ⑦）
種類株主の利益保護	次に掲げる行為をする場合においてある種類の株式を有する種類株主に損害を及ぼすおそれがあるとき（116Ⅰ③）（種類株主総会の決議を要しない旨を定款で定めた場合（322Ⅱ）に限る） イ　株式の併合又は株式の分割 ロ　株式無償割当て ハ　単元株式数についての定款の変更 ニ　当該株式会社の株式を引き受ける者の募集（株主に割当てを受ける権利を与える場合） ホ　当該株式会社の新株予約権を引き受ける者の募集（株主に割当てを受ける権利を与える場合） ヘ　新株予約権無償割当て
株式の併合	株式会社が株式の併合をすることにより株式の数に1株に満たない端数が生ずる場合（182の4）
組織再編（＊1）	事業譲渡（469）（＊2）
	合併・分割・株式交換・株式移転（785、797、806）（＊3） 株式交付（816の6）（＊4）

＊1　①略式組織再編（ただし、株式交付に略式手続はない）における特別支配会社、②略式事業譲渡における特別支配会社、③簡易組織再編の存続会社等の株主、④簡易事業譲受けにおける譲受会社の株主については、株式買取請求権は認められていない。
＊2　事業の全部譲渡の承認決議が解散決議と同時にされた場合を除く（469Ⅰ①）。
＊3　組織変更（743以下）の場合は、株主全員の同意が要件とされているので（776Ⅰ）、株式買取請求権は認められていない。
＊4　株式交付子会社の株主に株式買取請求権は認められていない。

◆　**株式買取請求権の行使要件**

1　議決権を行使することができる株主の場合

株主が株式買取請求権を行使するためには、①当該株主総会に先立って当該行為に反対する旨を当該株式会社に通知し、かつ、②当該株主総会において

当該行為に反対しなければならない（116Ⅱ①イ、182の4Ⅱ①、469Ⅱ①イ、785Ⅱ①イ、797Ⅱ①イ、806Ⅱ①、816の6Ⅱ①イ）。

上記①の反対通知が要求される趣旨は、株式会社に対し、当該議案に反対する株主の議決権の個数や株式買取請求がされる株式数の見込みを認識させ、当該議案を可決させるための対策を講じたり、当該議案の撤回を検討したりする機会を与えるところにある（最決令5.10.26・令5重判7事件）。

→一般的に、反対の意思表示は株式会社に対する明示的・確定的な異議の表明である必要があると解されるところ、株主が当該議案に反対する旨の議決権の代理行使を第三者に委任することを内容とする委任状を株式会社に送付した場合であっても、当該委任状が作成・送付された経緯やその記載内容等の事情を勘案して、当該議案に反対する旨の当該株主の意思が株式会社に対して表明されているといえるときは、上記委任状の送付は反対通知に当たる（最決令5.10.26・令5重判7事件）

∵　株式会社において、上記見込みを認識するとともに、上記機会が与えられているといってよい

また、上記②の総会における反対が要求される趣旨は、当該行為に賛成の議決権行使をしながら当該行為に起因する株価値下がりのリスクをヘッジ（回避）しようとするのは権利濫用的だからであり、これを防止する点にある。

2　議決権を行使することができない株主の場合

議決権制限株式の株主など、当該総会において議決権を行使することができない株主（116Ⅱ①ロ、182の4Ⅱ②、469Ⅱ①ロ、785Ⅱ①ロ、797Ⅱ①ロ、806Ⅱ②、816の6Ⅱ①ロ）は、何もしなくても「反対株主」に該当し、株式買取請求権を行使することができる。

∵　議決権を行使できない株主に反対すべき行為の効力発生を阻止する権限はないので、反対通知の要求といった過重な負担を負わせることはできない

→当該行為にそもそも総会決議を要しない場合も、同様である（116Ⅱ②など）

なお、議決権行使の基準日後において株式を取得した株主も、「反対株主」として株式買取請求権を行使することができると解される。

∵「当該株主総会において議決権を行使することができない株主」（116Ⅱ①ロなど）という文言上、基準日後に株式を取得した株主は排除されていない

もっとも、当該総会決議がなされた後に株式を取得した株主にまで株式買取請求権の行使を認めるのは妥当ではない。

∵　不利益を被るとして反対すべき行為が行われることが確定した後に株式を取得した株主を保護する必要はない

したがって、当該総会決議までに株主名簿に記載・記録されていない株主は、株式買取請求権を行使することはできないと解されている。

株式会社

【関連条文】118 Ⅵ Ⅶ［新株予約権買取請求をする際の新株予約権証券等の提出義務］、118 Ⅹ［新株予約権買取請求に係る新株予約権についての新株予約権原簿の名義書換請求の禁止］、464［買取請求に応じて株式を取得した場合の責任］

第１１７条（株式の価格の決定等）

Ⅰ　株式買取請求があった場合において、株式の価格の決定について、株主と株式会社との間に協議が調ったときは、株式会社は、効力発生日から６０日以内にその支払をしなければならない。

Ⅱ　株式の価格の決定について、効力発生日から３０日以内に協議が調わないときは、株主又は株式会社は、その期間の満了の日後３０日以内に、裁判所に対し、価格の決定の申立てをすることができる。

Ⅲ　前条第７項の規定にかかわらず、前項に規定する場合において、効力発生日から６０日以内に同項の申立てがないときは、その期間の満了後は、株主は、いつでも、株式買取請求を撤回することができる。

Ⅳ　株式会社は、裁判所の決定した価格に対する第１項の期間の満了の日後の法定利率による利息をも支払わなければならない。

Ⅴ　株式会社は、株式の価格の決定があるまでは、株主に対し、当該株式会社が公正な価格と認める額を支払うことができる。

Ⅵ　株式買取請求に係る株式の買取りは、効力発生日に、その効力を生ずる。

Ⅶ　株券発行会社（その株式（種類株式発行会社にあっては、全部の種類の株式）に係る株券を発行する旨の定款の定めがある株式会社をいう。以下同じ。）は、株券が発行されている株式について株式買取請求があったときは、株券と引換えに、その株式買取請求に係る株式の代金を支払わなければならない。

《注　釈》

一　株式の価格決定前の仮払制度

株式買取請求を受けた会社は、価格決定前であっても、反対株主に対して会社自身が公正な価格と考える額を支払うことができる（仮払制度、117 Ⅴ）。

∵　株式買取請求がなされた株式に対する利息の獲得を狙って、濫用的に株式買取請求権が行使されることを防止するとともに、価格決定までの利息の負担を軽減させる

→仮払制度は、①株式の併合（182の５Ⅴ）、②事業譲渡（470 Ⅴ）、③合併・分割・株式交換・株式移転（786 Ⅴ、798 Ⅴ、807 Ⅴ）、④株式交付（816の７Ⅴ）においても設けられている

なお、新株予約権買取請求についても、同趣旨の規定が設けられている（119 Ⅴ、778 Ⅴ、788 Ⅴ、809 Ⅴ）。また、濫用的な株式買取請求権の行使の防止という趣旨ではなく、価格決定までの利息の負担を軽減させるという趣旨で、仮払制度が置かれているものもある（172、178の８Ⅲ参照）。

二　判例

振替株式について株式買取請求を受けた株式会社が、買取価格の決定の申立てに係る事件の審理において、同請求をした者が株主であることを争った場合

には、その審理終結までの間に個別株主通知がされることを要する（最決平22.12.7）。これは、争った時点で既に当該株式について振替機関の取扱いが廃止されていた場合であっても異ならない（最決平24.3.28・平24重判3事件）。

第１１８条　（新株予約権買取請求）

Ⅰ　次の各号に掲げる定款の変更をする場合には、当該各号に定める新株予約権の新株予約権者は、株式会社に対し、自己の有する新株予約権を公正な価格で買い取ることを請求することができる〈予。

①　その発行する全部の株式の内容として第１０７条第１項第１号＜全部の株式の内容としての譲渡制限株式＞に掲げる事項についての定めを設ける定款の変更　全部の新株予約権

②　ある種類の株式の内容として第１０８条第１項第４号＜一部の株式の内容としての譲渡制限株式＞又は第７号＜全部取得条項付種類株式＞に掲げる事項についての定款の定めを設ける定款の変更　当該種類の株式を目的とする新株予約権〈書

Ⅱ　新株予約権付社債に付された新株予約権の新株予約権者は、前項の規定による請求（以下この節において「新株予約権買取請求」という。）をするときは、併せて、新株予約権付社債についての社債を買い取ることを請求しなければならない。ただし、当該新株予約権付社債に付された新株予約権について別段の定めがある場合は、この限りでない。

Ⅲ　第１項各号に掲げる定款の変更をしようとする株式会社は、当該定款の変更が効力を生ずる日（以下この条及び次条において「定款変更日」という。）の２０日前までに、同項各号に定める新株予約権の新株予約権者に対し、当該定款の変更を行う旨を通知しなければならない。

Ⅳ　前項の規定による通知は、公告をもってこれに代えることができる。

Ⅴ　新株予約権買取請求は、定款変更日の２０日前の日から定款変更日の前日までの間に、その新株予約権買取請求に係る新株予約権の内容及び数を明らかにしてしなければならない。

Ⅵ　新株予約権証券が発行されている新株予約権について新株予約権買取請求をしようとするときは、当該新株予約権の新株予約権者は、株式会社に対し、その新株予約権証券を提出しなければならない。ただし、当該新株予約権証券について非訟事件手続法（平成２３年法律第５１号）第１１４条＜有価証券無効宣言公示催告の申立権者＞に規定する公示催告の申立てをした者については、この限りでない。

Ⅶ　新株予約権付社債券（第２４９条第２号に規定する新株予約権付社債券をいう。以下この項及び次条第８項において同じ。）が発行されている新株予約権付社債に付された新株予約権について新株予約権買取請求をしようとするときは、当該新株予約権の新株予約権者は、株式会社に対し、その新株予約権付社債券を提出しなければならない。ただし、当該新株予約権付社債券について非訟事件手続法第１１４条＜有価証券無効宣言公示催告の申立権者＞に規定する公示催告の申立てをした者については、この限りでない。

Ⅷ　新株予約権買取請求をした新株予約権者は、株式会社の承諾を得た場合に限り、その新株予約権買取請求を撤回することができる。

Ⅸ　株式会社が第１項各号に掲げる定款の変更を中止したときは、新株予約権買取請求は、その効力を失う。

Ⅹ　第２６０条<新株予約権者の請求による新株予約権原簿記載事項の記載又は記録>の規定は、新株予約権買取請求に係る新株予約権については、適用しない。

［趣旨］新株予約権が発行されている場合における株式の種類の設計の弾力化を図るため、新株予約権者の保護の方法として、新株予約権買取請求を認めたものである。

【関連条文】116 Ⅵ［株式買取請求をする際の株券の提出義務］、116 Ⅸ［株式買取請求に係る株式についての株主名簿の名義書換請求の禁止］、787［吸収合併等における新株予約権買取請求］、808［新設合併等における新株予約権買取請求］

第１１９条　（新株予約権の価格の決定等）

Ⅰ　新株予約権買取請求があった場合において、新株予約権（当該新株予約権が新株予約権付社債に付されたものである場合において、当該新株予約権付社債についての社債の買取りの請求があったときは、当該社債を含む。以下この条において同じ。）の価格の決定について、新株予約権者と株式会社との間に協議が調ったときは、株式会社は、定款変更日から６０日以内にその支払をしなければならない。

Ⅱ　新株予約権の価格の決定について、定款変更日から３０日以内に協議が調わないときは、新株予約権者又は株式会社は、その期間の満了の日後３０日以内に、裁判所に対し、価格の決定の申立てをすることができる。

Ⅲ　前条第８項の規定にかかわらず、前項に規定する場合において、定款変更日から６０日以内に同項の申立てがないときは、その期間の満了後は、新株予約権者は、いつでも、新株予約権買取請求を撤回することができる。

Ⅳ　株式会社は、裁判所の決定した価格に対する第１項の期間の満了の日後の法定利率による利息をも支払わなければならない。

Ⅴ　株式会社は、新株予約権の価格の決定があるまでは、新株予約権者に対し、当該株式会社が公正な価格と認める額を支払うことができる。

Ⅵ　新株予約権買取請求に係る新株予約権の買取りは、定款変更日に、その効力を生ずる。

Ⅶ　株式会社は、新株予約権証券が発行されている新株予約権について新株予約権買取請求があったときは、新株予約権証券と引換えに、その新株予約権買取請求に係る新株予約権の代金を支払わなければならない。

Ⅷ　株式会社は、新株予約権付社債券が発行されている新株予約権付社債に付された新株予約権について新株予約権買取請求があったときは、その新株予約権付社債券と引換えに、その新株予約権買取請求に係る新株予約権の代金を支払わなければならない。

第１２０条　（株主等の権利の行使に関する利益の供与） 司H30 予R4

Ⅰ　株式会社は、何人に対しても、株主の権利、当該株式会社に係る適格旧株主（第８４７条の２第９項に規定する適格旧株主をいう。）の権利又は当該株式会社の最終完全親会社等（第８４７条の３第１項に規定する最終完全親会社等をいう。）の株主の権利の行使に関し、財産上の利益の供与（当該株式会社又はその子会社の計算においてするものに限る。以下この条において同じ。）をしてはならない 司。

Ⅱ　株式会社が特定の株主に対して無償で財産上の利益の供与をしたときは、当該株式会社は、株主の権利の行使に関し、財産上の利益の供与をしたものと推定する。株式会社が特定の株主に対して有償で財産上の利益の供与をした場合において、当該株式会社又はその子会社の受けた利益が当該財産上の利益に比して著しく少ないときも、同様とする〈同〉。

Ⅲ　株式会社が第１項の規定に違反して財産上の利益の供与をしたときは、当該利益の供与を受けた者は、これを当該株式会社又はその子会社に返還しなければならない。この場合において、当該利益の供与を受けた者は、当該株式会社又はその子会社に対して当該利益と引換えに給付をしたものがあるときは、その返還を受けることができる〈同〉。

Ⅳ　株式会社が第１項の規定に違反して財産上の利益の供与をしたときは、当該利益の供与をすることに関与した取締役（指名委員会等設置会社にあっては、執行役を含む。以下この項において同じ。）として法務省令で定める者は、当該株式会社に対して、連帯して、供与した利益の価額に相当する額を支払う義務を負う。ただし、その者（当該利益の供与をした取締役を除く。）がその職務を行うについて注意を怠らなかったことを証明した場合は、この限りでない〈司予〉。

Ⅴ　前項の義務は、総株主の同意がなければ、免除することができない。

［趣旨］株主の権利行使に影響を及ぼす趣旨で会社が利益供与を行うことは、健全な会社運営を害することから、これを防止するために設けられた。４項ただし書かっこ書の趣旨は、利益供与の反社会性から、取締役の法令遵守意識の低下を防止すべく、利益供与を実行した取締役には無過失責任を課した点にある。

《注　釈》

一　「何人に対しても」（Ⅰ）の意義

本条の趣旨から、利益供与の相手方は、株主に限られず、いかなる者でもよい。

二　「株主の権利……の行使に関し」（Ⅰ）の意義

1　従業員持株会への奨励金支出は、議決権の行使についての独立性が確保されていること、奨励金の額・割合等から考えて福利厚生を目的としており、「株主の権利の行使」に関する「利益の供与」には当たらない（福井地判昭60.3.29）。

2　株式の譲渡は、株主たる地位の移転であり、それ自体は「株主の権利の行使」とはいえないが、会社から見て好ましくないと判断される株主が議決権等の株主の権利を行使することを回避する目的で、当該株主から株式を譲り受けるための対価を何人かに供与する行為は、「株主の権利の行使に関し」利益を供与する行為というべきである（最判平18.4.10・百選12事件）〈同〉。

三　「財産上の利益」（Ⅰ）の意義

1　株主の権利の行使に関して行われる財産上の利益の供与は、原則として、すべて禁止される。もっとも、120条１項の趣旨に照らし、当該利益が、株主の権利行使に影響を及ぼすおそれのない正当な目的に基づき供与される場合であって、かつ、個々の株主に供与される額が社会通念上許容される範囲内のものであり、株主全体に供与される総額も会社の財産的基礎に影響を及ぼすものでないときには、例外的に許容されるとした裁判例がある（東京地判平19.12.6・百選31事件）。

2　株式会社が、同社株主から株式を買い受ける第三者の売買代金債務を連帯保証することは、会社が連帯保証債務を履行しても主たる債務者が会社に対して償還義務（民462Ⅰ）を負うこと、保証に際し保証料を収受していないとしても当該会社が他人の債務を保証することを業とする者ではないことから、財産上の利益の供与には当たらない（東京高判平29.1.31・平29重判2事件）。

【関連条文】830・831［株主総会の瑕疵の是正］、847Ⅰ［責任追及等の訴え］、968［株主等の権利の行使に関する贈収賄罪］、970［株主の権利の行使に関する利益供与の罪］、規21

■第2節　株主名簿

第121条（株主名簿）

株式会社は、株主名簿を作成し、これに次に掲げる事項（以下「株主名簿記載事項」という。）を記載し、又は記録しなければならない。

① 株主の氏名又は名称及び住所〈書〉

② 前号の株主の有する株式の数（種類株式発行会社にあっては、株式の種類及び種類ごとの数）

③ 第1号の株主が株式を取得した日〈予〉

④ 株式会社が株券発行会社である場合には、第2号の株式（株券が発行されているものに限る。）に係る株券の番号

［趣旨］絶えず変動する多数の株主を会社との関係で明確化・固定化することで、会社の事務処理の便宜を図ることにある。このように会社の事務処理の便宜を図ることは、究極的には、株主の利益になる。

《注　釈》

一　株主名簿の意義

「株主名簿」とは、株主及び株券に関する事項を明らかにするため、会社法の規定により作成することを要する帳簿（121）をいう。

二　機能

株主の会社に対する権利行使は株主名簿の記載を基準になされることになっているから、株主名簿は次のような機能を果たす。

1　株主にとっての機能

(1) 権利行使の度に会社に対して株券を呈示する煩を避けることができる。

(2) 株主名簿に氏名、住所が記載・記録されていれば、会社は記載された住所に対して通知を発する（126Ⅰ）から、権利行使の機会を逃さずに済む。

2　会社にとっての機能

(1) 会社との関係で株主が固定化・明確化することになり、会社の事務処理の便宜を図ることができる。

⑵　権利行使する者の氏名、住所を把握することができ、株主総会の定足数確保のため委任状の提出を勧誘することができる。

三　株主名簿の効力

1　確定的効力（130）

2　株式に設定した質権は、株主名簿に記載・記録することにより特別の効力が生じる（147Ⅰ）。

3　資格授与的効力（131Ⅰ）、免責的効力（手40Ⅲ参照）

4　会社の株主に対する通知・催告の場所（126、196）

【関連条文】976⑦⑧［不実記載・備置義務違反に対する制裁］

第122条（株主名簿記載事項を記載した書面の交付等）〈書

Ⅰ　前条第1号＜株主名簿に記載すべき株主の氏名等＞の株主は、株式会社に対し、当該株主についての株主名簿に記載され、若しくは記録された株主名簿記載事項を記載した書面の交付又は当該株主名簿記載事項を記録した電磁的記録の提供を請求することができる。

Ⅱ　前項の書面には、株式会社の代表取締役（指名委員会等設置会社にあっては、代表執行役。次項において同じ。）が署名し、又は記名押印しなければならない。

Ⅲ　第1項の電磁的記録には、株式会社の代表取締役が法務省令で定める署名又は記名押印に代わる措置をとらなければならない。

Ⅳ　前3項の規定は、株券発行会社については、適用しない〈書。

【関連条文】976④［不当拒絶への罰則］、規225

第123条（株主名簿管理人）〈予書

株式会社は、株主名簿管理人（株式会社に代わって株主名簿の作成及び備置きその他の株主名簿に関する事務を行う者をいう。以下同じ。）を置く旨を定款で定め、当該事務を行うことを委託することができる。

第124条（基準日）

Ⅰ　株式会社は、一定の日（以下この章において「基準日」という。）を定めて、基準日において株主名簿に記載され、又は記録されている株主（以下この条において「基準日株主」という。）をその権利を行使することができる者と定めることができる〈予。

Ⅱ　基準日を定める場合には、株式会社は、基準日株主が行使することができる権利（基準日から3箇月以内に行使するものに限る。）の内容を定めなければならない。

Ⅲ　株式会社は、基準日を定めたときは、当該基準日の2週間前までに、当該基準日及び前項の規定により定めた事項を公告しなければならない。ただし、定款に当該基準日及び当該事項について定めがあるときは、この限りでない〈司。

Ⅳ　基準日株主が行使することができる権利が株主総会又は種類株主総会における議決権である場合には、株式会社は、当該基準日後に株式を取得した者の全部又は一部を当該権利を行使することができる者と定めることができる〈書。ただし、当該株式の基準日株主の権利を害することができない〈書。

株式会社

Ⅴ　第1項から第3項までの規定は、第149条第1項<登録株式質権者についての株主名簿の記載事項を記載した書面の交付等>に規定する登録株式質権者について準用する。

［趣旨］株主名簿の記載は、株式譲渡に伴う名義書換等により絶えず変動することから、株主総会で議決権を行使する者や、剰余金の配当を受ける者を確定するために基準日を設けた。

《注　釈》

・124条3項ただし書の定款の定めは、基準日の2週間前までに存在することが必要である（東京高判平27.3.12・百選A 13事件）。

・基準日制度は会社の便宜のための制度であるため、会社が認めれば、基準日後に株式を取得した者でも議決権を行使することができる（124 Ⅳ本文）。もっとも、基準日後に基準日株主から株式を譲り受けた者に対して、会社がその議決権の行使を認めることは、当該株式の基準日株主の権利を害することとなるため、許されない（124 Ⅳただし書）。

第125条　（株主名簿の備置き及び閲覧等）

Ⅰ　株式会社は、株主名簿をその本店（株主名簿管理人がある場合にあっては、その営業所）に備え置かなければならない。

Ⅱ　株主及び債権者は、株式会社の営業時間内は、いつでも、次に掲げる請求をすることができる。この場合においては、当該請求の理由を明らかにしてしなければならない。

①　株主名簿が書面をもって作成されているときは、当該書面の閲覧又は謄写の請求

②　株主名簿が電磁的記録をもって作成されているときは、当該電磁的記録に記録された事項を法務省令で定める方法により表示したものの閲覧又は謄写の請求

Ⅲ　株式会社は、前項の請求があったときは、次のいずれかに該当する場合を除き、これを拒むことができない〈予〉。

①　当該請求を行う株主又は債権者（以下この項において「請求者」という。）がその権利の確保又は行使に関する調査以外の目的で請求を行ったとき。

②　請求者が当該株式会社の業務の遂行を妨げ、又は株主の共同の利益を害する目的で請求を行ったとき。

③　請求者が株主名簿の閲覧又は謄写によって知り得た事実を利益を得て第三者に通報するため請求を行ったとき。

④　請求者が、過去2年以内において、株主名簿の閲覧又謄写によって知り得た事実を利益を得て第三者に通報したことがあるものであるとき。

Ⅳ　株式会社の親会社社員は、その権利を行使するため必要があるときは、裁判所の許可を得て、当該株式会社の株主名簿について第2項各号に掲げる請求をすることができる。この場合においては、当該請求の理由を明らかにしてしなければならない。

Ⅴ　前項の親会社社員について第3項各号のいずれかに規定する事由があるときは、裁判所は、前項の許可をすることができない。

［趣旨］株式会社に株主名簿の備置きを義務付けて、株主・会社債権者に閲覧・謄写を認めることで、株主・会社債権者の利益を保護することにある。また、会社の機関

を監視することにより、間接的に会社の利益を保護しようとするものでもある。

《注　釈》

◆　判例

1　公開買付勧誘目的及び委任状勧誘目的は、株主の「権利の確保又は行使に関する調査」（125 Ⅲ①）に当たる（東京地決平24.12.21・平25重判1事件）。

∵①　株主が他の株主から株式を譲り受けることは、自己が保有する株式数を増加させ株主総会における発言権を強化するための最も有力な方法といえ、株主の権利の確保又は行使と密接な関連を有する

②　株主が株主総会において議案を提出したり、議決権を行使することは株主権の行使にほかならないところ、自己に賛同する同志を募る目的で株主名簿の閲覧謄写の請求をすることは、株主の権利の確保又は行使に関する調査の目的で行うものと評価すべき

2　金融商品取引法に基づく損害賠償請求訴訟の原告を募る目的は、株主の「権利の確保又は行使に関する調査」には当たらない（名古屋高決平22.6.17・百選A3事件）。

＜株主名簿等の備置き及び閲覧＞

	定款 （31）（＊2）	株主名簿 （125）	株券喪失登録簿 （231）（＊3）	新株予約権原簿 （252）	社債原簿 （684）
備置場所	本店・支店 （＊4）	本店 （＊5）	本店 （＊5）	本店 （＊5）	本店 （＊6）
閲覧請求権者 （＊1）	①　株主 ②　債権者 ③　親会社社員 （＊7）	①　株主 ②　債権者 ③　親会社社員 （＊7）	誰でも （＊8）	①　株主 ②　債権者 （＊9） ③　親会社社員 （＊7）	①　社債権者 ②　その他法務省令で定める者 ③　親会社社員 （＊7）

＊1　電磁的記録をもって作成されている場合は、その電磁的記録に記録された事項を法務省令で定める方法（規226）により表示したものの閲覧請求権者

＊2　株式会社成立前にあっては、備置場所は発起人が定めた場所（31 Ⅰ）、閲覧請求権者は発起人（31 Ⅱ）

＊3　株券発行会社のみ作成する必要がある（221）

＊4　定款が電磁的記録をもって作成されている場合で、支店における31条2項3号、4号の請求に応じることを可能とするための措置として、法務省令で定めるものを採っている株式会社は「本店」のみ（31 Ⅳ、規227）

＊5　株主名簿管理人がある場合は、その営業所

＊6　社債原簿管理人がある場合は、その営業所

＊7　親会社社員が権利を行使するために必要がある場合。また、裁判所の許可が必要

＊8　ただし、利害関係がある部分に限る

＊9　新株予約権は「債権」の一種であるから、新株予約権者は「債権者」に当たる〈書〉

【関連条文】310 Ⅶ Ⅷ［代理権を証明する書面の閲覧謄写請求の理由の明示・拒絶事由］、311 Ⅳ Ⅴ［議決権行使書面の閲覧謄写請求の理由の明示・拒絶事由］、312 Ⅴ Ⅵ［電磁的記録に記録された事項を表示したものの閲覧謄写請求の理由の明示・

株式会社

拒絶事由］

第１２６条　（株主に対する通知等）

Ⅰ　株式会社が株主に対してする通知又は催告は、株主名簿に記載し、又は記録した当該株主の住所（当該株主が別に通知又は催告を受ける場所又は連絡先を当該株式会社に通知した場合にあっては、その場所又は連絡先）にあてて発すれば足りる予。

Ⅱ　前項の通知又は催告は、その通知又は催告が通常到達すべきであった時に、到達したものとみなす。

Ⅲ　株式が２以上の者の共有に属するときは、共有者は、株式会社が株主に対してする通知又は催告を受領する者１人を定め、当該株式会社に対し、その者の氏名又は名称を通知しなければならない予。この場合においては、その者を株主とみなして、前２項の規定を適用する。

Ⅳ　前項の規定による共有者の通知がない場合には、株式会社が株式の共有者に対してする通知又は催告は、そのうちの１人に対してすれば足りる予。

Ⅴ　前各項の規定は、第２９９条第１項<株主総会の招集の通知>（第３２５条において準用する場合を含む。）の通知に際して株主に書面を交付し、又は当該書面に記載すべき事項を電磁的方法により提供する場合について準用する。この場合において、第２項中「到達したもの」とあるのは、「当該面の交付又は当該事項の電磁的方法による提供があったもの」と読み替えるものとする。

【5項読替え】

前各項の規定は、第299条第1項<株主総会の招集の通知>（第325条において準用する場合を含む。）の通知に際して株主に書面を交付し、又は当該書面に記載すべき事項を電磁的方法により提供する場合について準用する。この場合において、株主に対する通知又は催告は、その通知又は催告が通常到達すべきであった時に、当該書面の交付又は当該事項の電磁的方法による提供があったものとみなす。

［趣旨］株式会社から株主に対する通知・催告は、株主名簿上の株主の住所に宛てれば足りるものとして、事務処理上の便宜を図っている。

【関連条文】116 Ⅲ［反対株主に対する通知］、201 Ⅲ［公開会社における募集株式の募集事項の通知］、240 Ⅱ［公開会社における新株予約権の募集事項の通知］、299［株主総会の招集の通知］、469 Ⅲ［事業譲渡の反対株主に対する通知］、685［社債権者に対する通知等］、785 Ⅲ・797 Ⅲ・806 Ⅲ［合併等の反対株主に対する通知］、849 Ⅴ［責任追及等の訴えにおける株主に対する通知］

第３節　株式の譲渡等

《概　説》

◆　振替株式制度

1　はじめに

振替株式制度とは、株券不発行会社における株式について、その権利関係を振替機関又は口座管理機関が備える振替口座簿に記載し、その権利の帰属は振替口座簿の記載により定まるものとされ、振替株式の譲渡、質入れ等は振替口座簿の口座記載（振替）によってなされ、株主名簿の記載は振替機関からの通知に基づいてなされるものである（社債、株式等の振替に関する法律。以下、「振替法」という）。

なお、株式買取請求の撤回制限をより実効的なものにするため、株式買取請求に関する会社法の特例として買取口座制度が設けられている（振替法155）。

⇒ p.98

2　振替機関、口座管理機関、加入者、振替口座簿

振替機関とは、振替業を営む者として主務大臣から指定を受けた株式会社をいう（振替法2Ⅱ）。また、口座管理機関とは、証券会社等、他人のために口座の開設を行う一定の金融機関をいう（振替法2Ⅳ、44参照）。両者を併せて振替機関等という（振替法2Ⅴ）。

振替株式とは、株券不発行会社の株式（譲渡制限株式を除く）で振替機関が取り扱うものをいう（振替法128Ⅰ）。

加入者とは、振替機関等が株式等の振替を行うために口座を開設した者をいう（振替法2Ⅲ）。

振替口座簿とは、振替株式制度により譲渡・質入れがなされる株式に関する権利の帰属を明らかにするため、振替機関等によって作成され、備え置かれる帳簿である（振替法12Ⅲ、45Ⅱ）。振替口座簿は、各加入者の口座ごとに区分される（振替法129Ⅰ）。口座管理機関の口座は、自己口座（当該口座管理機関が権利を有するものを記載・記録する口座）と顧客口座（当該口座管理機関又はその下位機関の加入者が権利を有するものを記載・記録する口座）に区分される（振替法129Ⅱ）。

3　振替株式の譲渡

振替株式の譲渡は、振替株式の譲渡人である加入者の申請により、譲受人がその口座における保有欄にその譲渡にかかる株式数の増加の記載・記録を受けなければ、その効力を生じない（振替法140）共予書。株式数の増加が記載・記録されることにより、会社以外の第三者に譲渡を対抗できる（振替法161Ⅲ参照）書。なお、会社との関係については下記「4・(1)　総株主通知」を参照。

加入者の口座（口座管理機関の口座については自己口座に限る）における保有株式の記載・記録には権利推定効があり（振替法143）、口座振替によって善意取得も生じる（振替法144）共。善意取得がなされることによって、その銘柄の振替株式総数がその銘柄の振替株式の発行総数を超える事態が生じた場合、超過記載をした振替機関等が、超過数と同数の振替株式を自ら取得してこれを放棄することによって調整がなされる（振替法145、146）。

4　振替株式に関する権利の行使方法共

(1)　総株主通知

会社が振替株式の株主として会社に対し権利を行使すべき者を確定する目

的で一定の日（基準日等）を定めた場合（会124、180Ⅱ②等）、振替機関は会社に対し、当該一定の日の振替口座簿に記載された株主の氏名・住所、保有株式の種類・数等を速やかに通知しなければならない（総株主通知、振替法151ⅠⅦ）。総株主通知を可能にするため、各口座管理機関はその直近上位機関（その口座を直接に管理する振替機関等）に対して、自己又は下位機関の加入者に関する事項を報告しなければならない（振替法151Ⅵ）。総株主通知を受けた会社は、通知された事項を株主名簿に記載・記録し、これにより当該一定の日に株主名簿の名義書換がなされたものとみなされ、会社はその株主に権利を行使させることになる（振替法152Ⅰ）予。

なお、振替株式に質権が設定されている場合、振替機関は会社に対し、原則として株主（質権設定者）に関する事項を通知するが（振替法151Ⅱ②、129Ⅲ④）、実質が登録株式質（会148）であって質権者から直近上位機関に対してその旨の申出があったときに限り、質権者に関する事項も通知しなければならない（振替法151ⅢⅣ）共。

⑵　個別株主通知

株主が会社に対して少数株主権等を行使しようとするときは、自己が口座を有する口座管理機関を通じて振替機関に対し、保有振替株式の種類・数等の事項を会社に通知するよう申し出なければならない（個別株主通知、振替法154Ⅲ～Ⅴ）。この場合、株主は、株主名簿の記載・記録にかかわりなく（振替法154Ⅰ）、当該個別株主通知後４週間以内に、権利行使しなければならない（振替法154Ⅱ）。

5　加入者等の情報提供請求権

加入者は、直近上位機関に対し、所定の費用を支払って、同機関が備える振替口座簿の自己の口座に記載・記録されている事項を証明した書面の交付（又は電磁的方法によるその提供）を請求することができる（振替法277前段）。当該口座につき利害関係を有する者として政令で定めるものについても、正当の理由があるときは同様とされ（振替法277後段）、当該振替株式の発行会社は利害関係を有する者に当たるとされている共。

6　株式買取請求に関する会社法の特例（振替法155）

買取請求に係る株式が振替法上の振替株式である場合、会社が組織再編等をするときは、買取口座を開設して（同Ⅰ）、これを公告しなければならない（同Ⅱ）。そして、反対株主は、株式買取請求を行うに際して、買取口座を振替先口座とする振替申請を行わなければならない（同Ⅲ）。これにより、買取口座に当該振替株式が記載・記録され、反対株主は、買取請求に係る株式を自由に売却できなくなる（同ⅣⅥ）。

これらは、株式買取請求の撤回制限（会785Ⅶ、797Ⅶ）の実効性を担保することを目的とするものである。

第１款　株式の譲渡

第１２７条　（株式の譲渡）

株主は、その有する株式を譲渡することができる。

[趣旨]株式譲渡による株主の投下資本回収（⇒p.442）の必要性と、株式会社の社員が個性を喪失しており、誰が社員であっても原則として会社に影響がないという会社にとっての許容性から、株主はその有する株式を原則として自由に他人に譲渡することができる旨を規定する（株式譲渡自由の原則）。

《注　釈》

◆　株式譲渡の制限

1　法律による制限

(1)　時期による株式譲渡の制限

(a)　権利株の譲渡制限

ア　制限の内容

権利株、すなわち会社成立前又は募集株式の発行等の効力発生前における株式引受人の地位の譲渡は、会社に対抗することができない（35、50Ⅱ、63Ⅱ、208Ⅳ）が、当事者間では有効である（最判昭31.12.11）。

イ　制限の趣旨

株式引受人が交替することにより生じる設立手続又は募集株式の発行等の手続が煩雑になることと渋滞を防止するためである。

(b)　株券発行前の株式譲渡制限　⇒p.100

(2)　自己株式の取得・保有に関する制限　⇒p.117

(3)　子会社による親会社株の取得禁止　⇒§135

2　定款による株式譲渡の制限

(1)　制限の効果

(a)　会社の承認を欠く場合でも、譲渡当事者間においては有効である（最判昭48.6.15・百選16事件）予。

(b)　会社の承認を欠く譲渡において、会社はなお譲渡人を株主として取り扱う義務がある（最判昭63.3.15）。

(c)　相続や合併といった一般承継によって譲渡制限株式を取得する場合については、会社の承認は必要とされていない（134④参照）予書。もっとも、会社は、定款で定めることにより、一般承継人に株式の売渡しを請求することができる（174～177）。

(2)　株式取得者の承認請求権（137Ⅰ）

(3)　登記（911Ⅲ⑦）、株券への記載（216③）　＊　なお、908条1項参照

(4)　譲渡制限株式の譲渡担保　⇒p.113

3　契約による株式譲渡の制限

(1)　会社と株主との間の契約による制限

原則：無効　（∵127条の脱法行為）

例外：契約内容が投下資本回収を妨げない場合に限り有効

(2) 会社以外の者と株主との間（株主相互間も含む）の契約による制限

原則：有効（契約自由の原則）

例外：会社・株主間契約の潜脱手段となる場合には無効

(3) 契約に違反する譲渡の効力

取得者の善意・悪意を問わず有効　（∵株式譲受人などの保護）

(4) 従業員持株制度

(a) 意義

従業員の士気高揚や福利厚生の目的で、従業員が会社の資金の援助を受けて、従業員持株会を通じて自社の株式に投資する仕組みをいう。

(b) 会社による奨励金の支給

利益供与禁止との関係　⇒ p.91

(c) 退会時の譲渡の合意の有効性

ex.1　譲渡制限ある会社において、従業員持株制度に基づいて取得した株式を、退職時に取締役会の指定する者に取得価格で譲渡する合意は、相当な剰余金の配当がされている事情の下では、127条、民法90条に反せず、有効である（最判平7.4.25・百選18事件）共

ex.2　非公開会社において、会社が当事者でない株式譲渡制限契約における従業員株主と持株会間の合意の有効性について、107条・127条及び民法90条が適用され、契約内容に合理性があり、株主に譲渡益の期待がなく、契約内容を認識した上で自由意思により株式を取得しているときは、会社が多額の利益を計上しながら特段の事情もないのに一切配当を行うことなく社内に留保していたような事情がない限り、有効である（最判平21.2.17・平21重判1事件）

【関連条文】130［株式の譲渡の対抗要件］、585［持分会社における持分の譲渡］

第１２８条　（株券発行会社の株式の譲渡）

Ⅰ　株券発行会社の株式の譲渡は、当該株式に係る株券を交付しなければ、その効力を生じない書。ただし、自己株式の処分による株式の譲渡については、この限りでない書。

Ⅱ　株券の発行前にした譲渡は、株券発行会社に対し、その効力を生じない。

［趣旨］1項の趣旨は、大量の株式の流通を合理的に行うため、株券発行会社の株式は株券の交付によって譲渡できるとしたことにある。2項の趣旨は、株券発行前に株主が交替することから生じる株券発行事務の渋滞を防止し、株券発行が正確かつ円滑に行われるようにするという、会社の事務処理上の便宜を図ることにある。

《注　釈》

◆　株券の発行前にした株券発行会社の株式の譲渡（Ⅱ）

1　制限の内容

株券の発行前にした譲渡につき、株券発行会社に対する関係に限ってその効

力が否定される（Ⅱ）。一方、譲渡当事者間においては、当該株式に係る株券の交付がないことをもってその効力が否定されることはない（最判令6.4.19）。
∵① 株券の発行前にした譲渡について、仮に128条1項が適用され、株券の交付がないことをもって、株券発行会社に対する関係のみならず、譲渡当事者間でもその効力を生じないと解すると、同項とは別に株券発行会社に対する関係に限って128条2項の規定を設けた意味が失われる
② 株券の発行前にした譲渡につき、株式は意思表示のみによって譲渡することができるという原則（127参照）を修正して譲渡当事者間での効力まで否定すべき合理的必要性があるということもできない
→株券発行会社の株式の譲渡は、当該株式に係る株券を交付しなければ、その効力を生じないとする128条1項は、株券の発行後にした譲渡に適用される規定である

2　株券発行を不当に遅滞している場合
本条2項は株券発行を円滑にする趣旨であるから、会社が株券の発行を不当に遅滞し、信義則上譲渡の効力を否定するのを相当としない状況に立ち至った場合には、株主は意思表示のみによって、会社に対する関係でも有効に株式を譲渡できる。会社は、株券発行前であることを理由としてその効力を否定できず、株式譲受人を株主として取り扱わなければならない（最大判昭47.11.8・百選A4事件）（215参照）〈司予〉。

【関連条文】214以下［株券］

第129条（自己株式の処分に関する特則）

Ⅰ　株券発行会社は、自己株式を処分した日以後遅滞なく、当該自己株式を取得した者に対し、株券を交付しなければならない。
Ⅱ　前項の規定にかかわらず、公開会社でない株券発行会社は、同項の者から請求がある時までは、同項の株券を交付しないことができる。

第130条（株式の譲渡の対抗要件）〈書〉

Ⅰ　株式の譲渡は、その株式を取得した者の氏名又は名称及び住所を株主名簿に記載し、又は記録しなければ、株式会社その他の第三者に対抗することができない〈司〉。
Ⅱ　株券発行会社における前項の規定の適用については、同項中「株式会社その他の第三者」とあるのは、「株式会社」とする〈書〉。

【2項読替え】
株券発行会社においては、株式の譲渡は、その株式を取得した者の氏名又は名称及び住所を株主名簿に記載し、又は記録しなければ、株式会社に対抗することができないとする〈司〉。

［趣旨］株式の移転は株主名簿の名義書換をしなければ会社に対抗できない（確定的効力）旨を定め、会社の事務処理上の便宜を図ることにある。

《注 釈》

一 株式譲渡と株主名簿

1 対抗要件

(1) 株式譲渡は、株主名簿の名義書換をしなければ、会社（株券発行会社でない会社では会社その他の第三者）に対して対抗できない（130 Ⅰ Ⅱ）。

→第三者の対抗要件は、株式譲渡による取得と両立し得ない法的地位に立つ者が現れた場合に意味がある（ex. 株式の二重譲渡がなされた場合）〈予H23

(2) 株式の譲渡の対抗要件に関する130条1項が株式の相続にも適用されるか〈司H29

ア 肯定説（多数説）

株式の相続人は、名義書換がなされなければ、株主としての権利を行使することができない。

∵ 合併と異なり、相続の場合には、会社がその事実を知らないこともありうるため、会社が株主の変動を把握できるようにする必要がある

イ 否定説

株式の相続人は、相続の事実さえ証明できれば、名義書換がなされなくとも株主としての権利を行使することができる。

∵ 130条1項が株式の「譲渡」という特定承継のみを対象としている

2 名義書換未了の株式譲受人〈司H25

会社の側から、名義書換未了の株式譲受人を株主として認めることは許される（最判昭30.10.20）〈司予。

∵ 130条の趣旨は会社の事務処理上の便宜を図ることにあり、会社がその便宜を放棄するのは自由

→会社が従前、当該名義書換未了の株式譲受人を株主として認め、権利行使を容認してきたなどの特段の事情が認められる場合には、訴訟において、会社が株主の地位を争うことは、信義則（禁反言）に反して許されないことがある（名古屋地一宮支判平20.3.26・百選A 39事件）

二 名義書換の不当拒絶〈予H23 予R元

1 譲受人の適法な名義書換請求を正当な理由なく拒絶した場合〈共、過失により名義書換をしない場合〈共書、名義書換請求者は、名義書換なくして株主たる地位を主張できる（最判昭41.7.28・百選13事件）〈予。

∵ 名義書換の確定的効力は、会社が適法に名義書換を行うことを前提にしている

2 正当な理由なく拒絶した場合の具体例

① 株券について公示催告の申立てがあることを理由とした拒絶（最判昭29.2.19）

② 請求者が総会屋であることを理由とした拒絶（東京地判昭37.5.31）

三　失念株

1　失念株とは、株式の譲受人が基準日までに株主名簿の名義書換をしなかった株式をいう。株主名簿を基準として株式分割や剰余金配当、株主割当てによる株式発行が行われた場合、株式や配当財産の帰属が問題となる。

2　分割株式及び配当財産の帰属

分割株式や配当財産は譲受人に帰属し、譲受人は譲渡人に対して、分割株式（譲渡人が分割株式を売却した場合は売却代金、最判平19.3.8・百選14事件〈共）や配当財産（最判昭37.4.20）を不当利得返還請求することができる〈予。

∵　譲渡当事者間では譲渡の効力が生じ、譲受人が株主である

3　割当株式の帰属

株主割当てで募集株式が発行された場合（202）、譲渡人が申込み・払込みを行って取得した割当株式は株式の譲渡人に帰属し、譲受人は譲渡人に対して、割当株式を不当利得返還請求することはできない（最判昭35.9.15・百選A6事件）。

∵　募集株式の割当てを受ける権利は名義株主である譲渡人に与えられており、法律上の原因がないとはいえない

【関連条文】976⑦［過料に処すべき行為］

第131条　（権利の推定等）

Ⅰ　株券の占有者は、当該株券に係る株式についての権利を適法に有するものと推定する。

Ⅱ　株券の交付を受けた者は、当該株券に係る株式についての権利を取得する。ただし、その者に悪意又は重大な過失があるときは、この限りでない〈書。

［趣旨］1項は、株式の流通性を高めるために、有価証券である株券の占有に資格授与的効力を認めている。2項は、株式流通の安全を図り、大量の株式の流通を合理的に行うために善意取得を認めた規定である。

第132条　（株主の請求によらない株主名簿記載事項の記載又は記録）

Ⅰ　株式会社は、次の各号に掲げる場合には、当該各号の株式の株主に係る株主名簿記載事項を株主名簿に記載し、又は記録しなければならない。

①　株式を発行した場合

②　当該株式会社の株式を取得した場合

③　自己株式を処分した場合

Ⅱ　株式会社は、株式の併合をした場合には、併合した株式について、その株式の株主に係る株主名簿記載事項を株主名簿に記載し、又は記録しなければならない。

Ⅲ　株式会社は、株式の分割をした場合には、分割した株式について、その株式の株主に係る株主名簿記載事項を株主名簿に記載し、又は記録しなければならない。

第133条　（株主の請求による株主名簿記載事項の記載又は記録）

Ⅰ　株式を当該株式を発行した株式会社以外の者から取得した者（当該株式会社を除

株式会社

く。以下この節において「株式取得者」という。）は、当該株式会社に対し、当該株式に係る株主名簿記載事項を株主名簿に記載し、又は記録することを請求することができる。

Ⅱ　前項の規定による請求は、利害関係人の利益を害するおそれがないものとして法務省令で定める場合を除き、その取得した株式の株主として株主名簿に記載され、若しくは記録された者又はその相続人その他の一般承継人と共同してしなければならない。

【関連条文】 規22

第１３４条

前条の規定は、株式取得者が取得した株式が譲渡制限株式である場合には、適用しない。ただし、次のいずれかに該当する場合は、この限りでない。

①　当該株式取得者が当該譲渡制限株式を取得することについて第１３６条＜譲渡制限株式の株主からの承認の請求＞の承認を受けていること。

②　当該株式取得者が当該譲渡制限株式を取得したことについて第１３７条第１項＜譲渡制限株式取得者からの承認の請求＞の承認を受けていること。

③　当該株式取得者が第１４０条第４項＜株式会社による指定買取人の指定＞に規定する指定買取人であること。

④　当該株式取得者が相続その他の一般承継により譲渡制限株式を取得した者であること〈共予。

第１３５条　（親会社株式の取得の禁止）

Ⅰ　子会社は、その親会社である株式会社の株式（以下この条において「親会社株式」という。）を取得してはならない。

Ⅱ　前項の規定は、次に掲げる場合には、適用しない。

①　他の会社（外国会社を含む。）の事業の全部を譲り受ける場合において当該他の会社の有する親会社株式を譲り受ける場合

②　合併後消滅する会社から親会社株式を承継する場合〈司

③　吸収分割により他の会社から親会社株式を承継する場合〈書

④　新設分割により他の会社から親会社株式を承継する場合

⑤　前各号に掲げるもののほか、法務省令で定める場合

Ⅲ　子会社は、相当の時期にその有する親会社株式を処分しなければならない〈書。

［趣旨］ 子会社による親会社株式の取得は、これを自由に認めると、自己株式取得と同様の弊害が生じることから、原則として禁止されている。

《注　釈》

◆　子会社による親会社株の取得制限

1　親会社・子会社の意義

<親会社・子会社の意義>

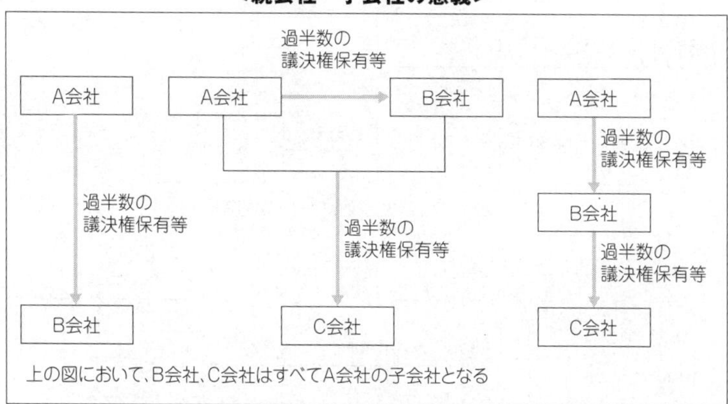

※　会社法は、過半数の議決権の保有という形式的基準と、「財務及び事業の方針の決定を支配している場合」という実質的基準を用いて、親子会社を定義している（2③④、規3）。

2　規制の内容

子会社は、その親会社の株式を取得することは、原則としてできない（135Ⅰ）。例外的に取得が認められるのは、同条2項が列挙する場合に限定されている〈同〉。

3　違反の効果

自己株式取得規制違反の場合と同様に考えられる。すなわち、無効であるが、相手方が善意である場合には、子会社は無効を主張できないと解されている。

もっとも、役員に対する制裁は、自己株式制限違反の場合（963Ⅴ①）より軽く、100万円以下の過料にとどまる（976⑩）。

4　適法に取得した親会社株式の地位

⑴　議決権は否定される（308Ⅰ、325）。

⑵　その他の共益権

子会社と親会社は別人格であることから、権利の性質に応じて、議決権行使を前提とするものは否定されるが、それ以外は認められるとする見解が有力である。

⑶　自益権

剰余金配当請求権等の自益権は、子会社も有するものと解されている。

【関連条文】 2③［子会社の定義］、2④［親会社の定義］、規3・23、会308Ⅰかっこ書［相互保有株式］、規67

第２款　株式の譲渡に係る承認手続

《概　説》

<定款による株式譲渡制限がある場合の譲渡手続>

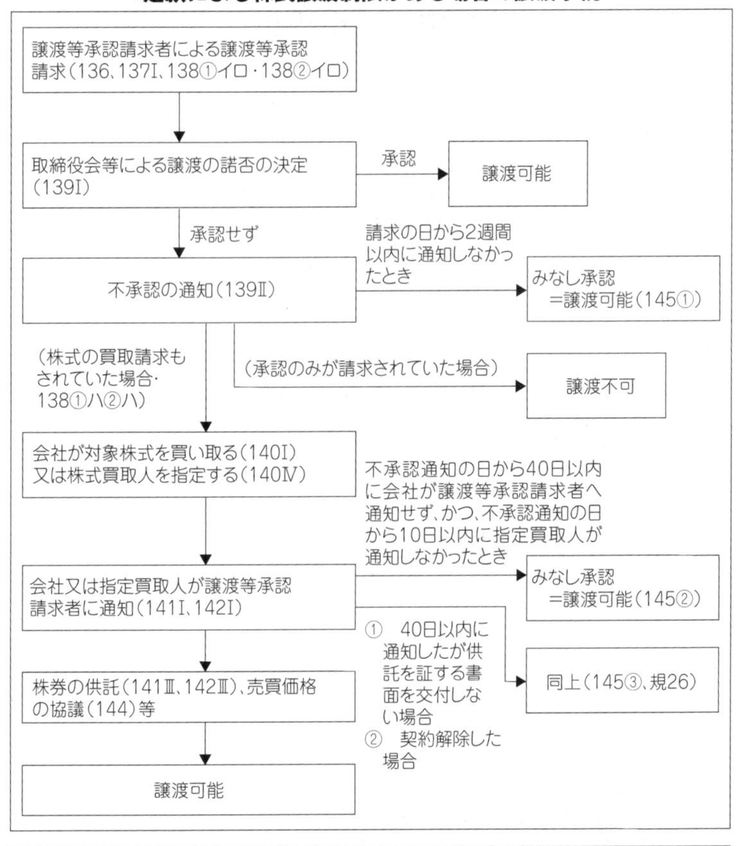

第１３６条　（株主からの承認の請求）

　譲渡制限株式の株主は、その有する譲渡制限株式を他人（当該譲渡制限株式を発行した株式会社を除く。）に譲り渡そうとするときは、当該株式会社に対し、当該他人が当該譲渡制限株式を取得することについて承認をするか否かの決定をすることを請求することができる。

［趣旨］譲渡制限株主の投下資本回収を保障するものである。

第１３７条　（株式取得者からの承認の請求）

Ⅰ　譲渡制限株式を取得した株式取得者は、株式会社に対し、当該譲渡制限株式を取得したことについて承認をするか否かの決定をすることを請求することができる〈司予〉。

Ⅱ　前項の規定による請求は、利害関係人の利益を害するおそれがないものとして法務省令で定める場合を除き、その取得した株式の株主として株主名簿に記載され、若しくは記録された者又はその相続人その他の一般承継人と共同してしなければならない。

《注　釈》

・譲渡の承認請求を譲受人からもなしうるものとしており、当事者間においては譲渡が有効であることを前提としていると考えられる。　⇒ p.99

・株式会社が株券発行会社である場合において、当該会社の譲渡制限株式を取得した者は、会社に対し、株券を提示することにより、単独で、当該株式を取得したことについて承認をするか否かの決定をすることを請求することができる（137 Ⅱ、規 24 Ⅱ①）〈書〉。

【関連条文】 規 24

第１３８条　（譲渡等承認請求の方法）

次の各号に掲げる請求（以下この款において「譲渡等承認請求」という。）は、当該各号に定める事項を明らかにしてしなければならない。

①　第１３６条＜譲渡制限株式の株主からの承認の請求＞の規定による請求　次に掲げる事項

イ　当該請求をする株主が譲り渡そうとする譲渡制限株式の数（種類株式発行会社にあっては、譲渡制限株式の種類及び種類ごとの数）

ロ　イの譲渡制限株式を譲り受ける者の氏名又は名称

ハ　株式会社が第１３６条＜譲渡制限株式の株主からの承認の請求＞の承認をしない旨の決定をする場合において、当該株式会社又は第１４０条第４項＜株式会社による指定買取人の指定＞に規定する指定買取人がイの譲渡制限株式を買い取ることを請求するときは、その旨

②　前条第１項の規定による請求　次に掲げる事項

イ　当該請求をする株式取得者の取得した譲渡制限株式の数（種類株式発行会社にあっては、譲渡制限株式の種類及び種類ごとの数）

ロ　イの株式取得者の氏名又は名称

ハ　株式会社が前条第１項の承認をしない旨の決定をする場合において、当該株式会社又は第１４０条第４項＜株式会社による指定買取人の指定＞に規定する指定買取人がイの譲渡制限株式を買い取ることを請求するときは、その旨〈予〉

《その他》

・会社又は指定買取人による買取りを請求することができる旨の規定（138 ①ハ、同②ハ）は、新株予約権には存在しない（264 ①参照）〈書〉。

【関連条文】 155 ②［自己株式の取得］、264［譲渡等承認請求の方法］、461 Ⅰ①

［配当等の制限］、465 Ⅰ①Ⅱ［欠損が生じた場合の責任］

第１３９条　（譲渡等の承認の決定等） 予R2

Ⅰ　株式会社が第１３６条＜譲渡制限株式の株主からの承認の請求＞又は第１３７条第１項＜譲渡制限株式取得者からの承認の請求＞の承認をするか否かの決定をするには、株主総会（取締役会設置会社にあっては、取締役会）の決議によらなければならない。ただし、定款に別段の定めがある場合は、この限りでない 司共。

Ⅱ　株式会社は、前項の決定をしたときは、譲渡等承認請求をした者（以下この款において「譲渡等承認請求者」という。）に対し、当該決定の内容を通知しなければならない。

株式会社

［趣旨］ 1項ただし書で、定款の定めにより、取締役会設置会社において株主総会を承認機関とすることや、代表取締役を承認機関とすることなどもできることになった。

《注　釈》

一　判例

譲渡制限株式の制度趣旨は、専ら会社にとって好ましくない者が株主となることを防止し、譲渡人以外の株主の利益を保護することにあるから、いわゆる一人会社の株主がその保有する株式を他に譲渡した場合には、会社の承認がなくても、その譲渡は、会社に対する関係でも有効である（最判平5.3.30・百選〔第2版〕18事件）共予書。

また、一人会社でない会社の株主がその保有する株式を当該会社の株主でない者に譲渡した場合において、譲渡人以外の株主全員がこれを承認していたときは、譲渡制限株式の制度趣旨から、会社の承認がなくても、その譲渡は、譲渡当事者以外の者に対する関係でも有効である（最判平9.3.27参照）書。

二　「別段の定め」（139 Ⅰただし書）

株主の資格を特定の者に制限することは許されないが、取締役会等の承認を要する場合を制限して、現在の株主以外の者や会社の従業員以外の者等に株式を譲渡する場合には、取締役会の承認を必要とすると定めることは許される 予。

第１４０条　（株式会社又は指定買取人による買取り）

Ⅰ　株式会社は、第１３８条第１号ハ又は第２号ハ＜譲渡制限株式の譲渡を承認しない場合の株主又は株式取得者からの買取請求＞の請求を受けた場合において、第１３６条＜譲渡制限株式の株主からの承認の請求＞又は第１３７条第１項＜譲渡制限株式取得者からの承認の請求＞の承認をしない旨の決定をしたときは、当該譲渡等承認請求に係る譲渡制限株式（以下この款において「対象株式」という。）を買い取らなければならない。この場合においては、次に掲げる事項を定めなければならない。

①　対象株式を買い取る旨

②　株式会社が買い取る対象株式の数（種類株式発行会社にあっては、対象株式の種類及び種類ごとの数）

Ⅱ　前項各号に掲げる事項の決定は、株主総会の決議によらなければならない 書。

Ⅲ　譲渡等承認請求者は、前項の株主総会において議決権を行使することができない。ただし、当該譲渡等承認請求者以外の株主の全部が同項の株主総会において議決権を行使することができない場合は、この限りでない。
Ⅳ　第１項の規定にかかわらず、同項に規定する場合には、株式会社は、対象株式の全部又は一部を買い取る者（以下この款において「指定買取人」という。）を指定することができる〈予。
Ⅴ　前項の規定による指定は、株主総会（取締役会設置会社にあっては、取締役会）の決議によらなければならない〈書。ただし、定款に別段の定めがある場合は、この限りでない。

【関連条文】309 Ⅱ①［株主総会の特別決議］

第１４１条　（株式会社による買取りの通知）

Ⅰ　株式会社は、前条第１項各号<株式会社又は指定買取人による買取りの際に定める事項>に掲げる事項を決定したときは、譲渡等承認請求者に対し、これらの事項を通知しなければならない〈司。
Ⅱ　株式会社は、前項の規定による通知をしようとするときは、１株当たり純資産額（１株当たりの純資産額として法務省令で定める方法により算定される額をいう。以下同じ。）に前条第１項第２号<株式会社が買い取る対象株式の数>の対象株式の数を乗じて得た額をその本店の所在地の供託所に供託し、かつ、当該供託を証する書面を譲渡等承認請求者に交付しなければならない〈書。
Ⅲ　対象株式が株券発行会社の株式である場合には、前項の書面の交付を受けた譲渡等承認請求者は、当該交付を受けた日から１週間以内に、前条第１項第２号<株式会社が買い取る対象株式の数>の対象株式に係る株券を当該株券発行会社の本店の所在地の供託所に供託しなければならない。この場合においては、当該譲渡等承認請求者は、当該株券発行会社に対し、遅滞なく、当該供託をした旨を通知しなければならない。
Ⅳ　前項の譲渡等承認請求者が同項の期間内に同項の規定による供託をしなかったときは、株券発行会社は、前条第１項第２号<株式会社が買い取る対象株式の数>の対象株式の売買契約を解除することができる。

【関連条文】規25

《注　釈》

◆　**対象株式の売買契約の成立時期**

会社・指定買取人が譲渡株主・株式取得者（譲渡等承認請求者）に対してなす対象株式を買い取る旨の通知（141 Ⅰ、142 Ⅰ）は、形成権の行使であり、それにより、会社・指定買取人と譲渡等承認請求者との間に対象株式の売買契約が成立する（141 Ⅳ、142 Ⅳ参照）〈司。

株式会社

第１４２条 （指定買取人による買取りの通知）

Ⅰ 指定買取人は、第１４０条第４項<株式会社による指定買取人の指定>の規定による指定を受けたときは、譲渡等承認請求者に対し、次に掲げる事項を通知しなければならない書。

① 指定買取人として指定を受けた旨

② 指定買取人が買い取る対象株式の数（種類株式発行会社にあっては、対象株式の種類及び種類ごとの数）

Ⅱ 指定買取人は、前項の規定による通知をしようとするときは、１株当たり純資産額に同項第２号の対象株式の数を乗じて得た額を株式会社の本店の所在地の供託所に供託し、かつ、当該供託を証する書面を譲渡等承認請求者に交付しなければならない。

Ⅲ 対象株式が株券発行会社の株式である場合には、前項の書面の交付を受けた譲渡等承認請求者は、当該交付を受けた日から１週間以内に、第１項第２号の対象株式に係る株券を当該株券発行会社の本店の所在地の供託所に供託しなければならない。この場合においては、当該譲渡等承認請求者は、指定買取人に対し、遅滞なく、当該供託をした旨を通知しなければならない。

Ⅳ 前項の譲渡等承認請求者が同項の期間内に同項の規定による供託をしなかったときは、指定買取人は、第１項第２号の対象株式の売買契約を解除することができる。

第１４３条 （譲渡等承認請求の撤回）

Ⅰ 第１３８条第１号ハ又は第２号ハ<譲渡制限株式の譲渡を承認しない場合の株主又は株式取得者からの買取請求>の請求をした譲渡等承認請求者は、第１４１条第１項<株式会社による買取りの通知>の規定による通知を受けた後は、株式会社の承諾を得た場合に限り、その請求を撤回することができる書。

Ⅱ 第１３８条第１号ハ又は第２号ハ<譲渡制限株式の譲渡を承認しない場合の株主又は株式取得者からの買取請求>の請求をした譲渡等承認請求者は、前条第１項の規定による通知を受けた後は、指定買取人の承諾を得た場合に限り、その請求を撤回することができる同。

［趣旨］１項の規定の趣旨は、株式会社等が買取りのための資金準備等をしているにもかかわらず、請求撤回を容易に許すと、かかる会社の準備等が無駄になるおそれがあったので、かかる弊害を防止する点にある。

第１４４条 （売買価格の決定）

Ⅰ 第１４１条第１項<株式会社による買取りの通知>の規定による通知があった場合には、第１４０条第１項第２号<株式会社が買い取る対象株式の数>の対象株式の売買価格は、株式会社と譲渡等承認請求者との協議によって定める。

Ⅱ 株式会社又は譲渡等承認請求者は、第１４１条第１項<株式会社による買取りの通知>の規定による通知があった日から２０日以内に、裁判所に対し、売買価格の決定の申立てをすることができる書。

Ⅲ 裁判所は、前項の決定をするには、譲渡等承認請求の時における株式会社の資産状態その他一切の事情を考慮しなければならない。

Ⅳ　第１項の規定にかかわらず、第２項の期間内に同項の申立てがあったときは、当該申立てにより裁判所が定めた額をもって第１４０条第１項第２号<株式会社が買い取る対象株式の数>の対象株式の売買価格とする。
Ⅴ　第１項の規定にかかわらず、第２項の期間内に同項の申立てがないとき（当該期間内に第１項の協議が調った場合を除く。）は、１株当たり純資産額に第１４０条第１項第２号<株式会社が買い取る対象株式の数>の対象株式の数を乗じて得た額をもって当該対象株式の売買価格とする。
Ⅵ　第１４１条第２項<株式会社による買取り額の供託>の規定による供託をした場合において、第１４０条第１項第２号<株式会社が買い取る対象株式の数>の対象株式の売買価格が確定したときは、株式会社は、供託した金銭に相当する額を限度として、売買代金の全部又は一部を支払ったものとみなす。
Ⅶ　前各項の規定は、第１４２条第１項<指定買取人による買取りの通知>の規定による通知があった場合について準用する。この場合において、第１項中「第１４０条第１項第２号」とあるのは「第１４２条第１項第２号」と、「株式会社」とあるのは「指定買取人」と、第２項中「株式会社」とあるのは「指定買取人」と、第４項及び第５項中「第１４０条第１項第２号」とあるのは「第１４２条第１項第２号」と、前項中「第１４１条第２項」とあるのは「第１４２条第２項」と、第１４０条第１項第２号」とあるのは「同条第１項第２号」と、「株式会社」とあるのは「指定買取人」と読み替えるものとする。

【7項読替え】

前各項の規定は、第142条第1項<指定買取人による買取りの通知>の規定による通知があった場合について準用する。

Ⅰ　第142条第1項<指定買取人による買取りの通知>の規定による通知があった場合には、第142条第1項第2号<指定買取人が通知する買い取る対象株式の数>の対象株式の売買価格は、指定買取人と譲渡等承認請求者との協議によって定める。
Ⅱ　指定買取人又は譲渡等承認請求者は、第142条第1項<指定買取人による買取りの通知>の規定による通知があった日から20日以内に、裁判所に対し、売買価格の決定の申立てをすることができる。
Ⅲ　裁判所は、前項の決定をするには、譲渡等承認請求の時における株式会社の資産状態その他一切の事情を考慮しなければならない。
Ⅳ　第1項の規定にかかわらず、第2項の期間内に同項の申立てがあったときは、当該申立てにより裁判所が定めた額をもって第142条第1項第2号の対象株式の売買価格とする。
Ⅴ　第1項の規定にかかわらず、第2項の期間内に同項の申立てがないとき（当該期間内に第1項の協議が調った場合を除く。）は、1株あたり純資産額に第142条第1項第2号<指定買取人が通知する買い取る対象株式の数>の対象株式の数を乗じて得た額をもって当該対象株式の売買価格とする。
Ⅵ　第142条第2項<指定買取人による供託・書面の交付>の規定による供託をした場合において同条第1項第2号<指定買取人が通知する買い取る対象株式の数>の対象株式の売買価格が確定したときは、指定買取人は、供託した金銭に相当する額を限度として、売買代金の全部又は一部を支払ったものとみなす。

第１４５条（株式会社が承認をしたとみなされる場合） 司H25 予H23

次に掲げる場合には、株式会社は、第１３６条＜譲渡制限株式の株主からの承認の請求＞又は第１３７条第１項＜譲渡制限株式取得者からの承認の請求＞の承認をする旨の決定をしたものとみなす。ただし、株式会社と譲渡等承認請求者との合意により別段の定めをしたときは、この限りでない 予。

① 株式会社が第１３６条＜譲渡制限株式の株主からの承認の請求＞又は第１３７条第１項＜譲渡制限株式取得者からの承認の請求＞の規定による請求の日から２週間（これを下回る期間を定款で定めた場合にあっては、その期間）以内に第１３９条第２項＜譲渡等承認請求をした者に対する承認決定の内容の通知＞の規定による通知をしなかった場合

② 株式会社が第１３９条第２項＜譲渡等承認請求をした者に対する承認決定の内容の通知＞の規定による通知の日から４０日（これを下回る期間を定款で定めた場合にあっては、その期間）以内に第１４１条第１項＜株式会社による買取りの通知＞の規定による通知をしなかった場合（指定買取人が第１３９条第２項の規定による通知の日から１０日（これを下回る期間を定款で定めた場合にあっては、その期間）以内に第１４２条第１項の規定による通知をした場合を除く。）

③ 前２号に掲げる場合のほか、法務省令で定める場合

【関連条文】規 26

第３款　株式の質入れ

《概　説》

◆ 株式の担保化

1　株式担保化の自由とその制限

原則：自由（株式譲渡が原則として自由（127））

例外：制限

① 譲渡制限の定めがある場合（107 Ⅰ①、108 Ⅰ④）

② 権利株（35、50 Ⅱ、63 Ⅱ、208 Ⅳ）、又は株券発行前の株式（128 Ⅱ）

2　略式質

(1) 意義

株券発行会社において、当事者間の合意と株券の交付によって設定される株式質（146 Ⅱ）をいう。

→質権者による株券の継続占有が第三者対抗要件となる（147 Ⅱ）

→株券発行会社の株式につき認められる方法

(2) 効力

(a) 優先弁済権（民 362 Ⅱ、342）

(b) 留置的効力（民 347）

(c) 物上代位権（151、840 Ⅳ）

3　登録質

(1)　意義

株券の交付のほかに、質権設定者の請求によって会社が質権者の氏名・名称及び住所を株主名簿に記載・記録してなされる株式質をいう（148）。

→株券発行会社以外の株式は、原則として、登録株式質の方法によってしか質入れすることができない（147 Ⅰ）

(2)　効力

(a)　優先弁済権（民362 Ⅱ、342）

(b)　留置的効力（民347）

(c)　物上代位権（151、なお154）

4　株式の譲渡担保

(1)　意義

担保の目的のために株式を債権者に譲渡すること。

→株券発行会社の場合、株券の交付により成立し（128 Ⅰ）、担保権者が株券を占有する（登録譲渡担保の場合には、さらに名義書換がなされる）

(2)　略式質と譲渡担保の区別

外形により区別できない以上、当事者の意思により区別する他ない。当事者の意思が明確でない場合は、譲渡担保と推定すべきとするのが一般である。

(3)　譲渡制限株式の譲渡担保

譲渡制限株式を譲渡担保に供するには、会社の承認を要するが、会社の承認を経ずになされた場合でも、契約当事者間では有効である（最判昭48.6.15・百選16事件）共書。

第１４６条　（株式の質入れ）

Ⅰ　株主は、その有する株式に質権を設定することができる。

Ⅱ　株券発行会社の株式の質入れは、当該株式に係る株券を交付しなければ、その効力を生じない書。

[趣旨]株式は換金性も高く、しかも原則として株式の自由譲渡性が認められているため（127）、担保の対象として適切なものであることから、株式が質権の目的物となることを認めたものである。

第１４７条　（株式の質入れの対抗要件）

Ⅰ　株式の質入れは、その質権者の氏名又は名称及び住所を株主名簿に記載し、又は記録しなければ、株式会社その他の第三者に対抗することができない。

Ⅱ　前項の規定にかかわらず、株券発行会社の株式の質権者は、継続して当該株式に係る株券を占有しなければ、その質権をもって株券発行会社その他の第三者に対抗することができない書。

Ⅲ　民法第３６４条＜債権を目的とする質権の対抗要件＞の規定は、株式については、適用しない。

株式会社

第１４８条　（株主名簿の記載等） 書

株式に質権を設定した者は、株式会社に対し、次に掲げる事項を株主名簿に記載し、又は記録することを請求することができる。
① 質権者の氏名又は名称及び住所
② 質権の目的である株式

第１４９条　（株主名簿の記載事項を記載した書面の交付等）

Ⅰ　前条各号<株主名簿の記載等>に掲げる事項が株主名簿に記載され、又は記録された質権者（以下「登録株式質権者」という。）は、株式会社に対し、当該登録株式質権者についての株主名簿に記載され、若しくは記録された同条各号に掲げる事項を記載した書面の交付又は当該事項を記録した電磁的記録の提供を請求することができる。
Ⅱ　前項の書面には、株式会社の代表取締役（指名委員会等設置会社にあっては、代表執行役。次項において同じ。）が署名し、又は記名押印しなければならない。
Ⅲ　第１項の電磁的記録には、株式会社の代表取締役が法務省令で定める署名又は記名押印に代わる措置をとらなければならない。
Ⅳ　前３項の規定は、株券発行会社については、適用しない。

【関連条文】規 225

第１５０条　（登録株式質権者に対する通知等）

Ⅰ　株式会社が登録株式質権者に対してする通知又は催告は、株主名簿に記載し、又は記録した当該登録株式質権者の住所（当該登録株式質権者が別に通知又は催告を受ける場所又は連絡先を当該株式会社に通知した場合にあっては、その場所又は連絡先）にあてて発すれば足りる。
Ⅱ　前項の通知又は催告は、その通知又は催告が通常到達すべきであった時に、到達したものとみなす。

第１５１条　（株式の質入れの効果）

Ⅰ　株式会社が次に掲げる行為をした場合には、株式を目的とする質権は、当該行為によって当該株式の株主が受けることのできる金銭等（金銭その他の財産をいう。以下同じ。）について存在する。
① 第１６７条第１項<取得請求権付株式の取得日>の規定による取得請求権付株式の取得
② 第１７０条第１項<取得条項付株式の取得日>の規定による取得条項付株式の取得
③ 第１７３条第１項<全部取得条項付種類株式の取得日>の規定による第１７１条第１項<全部取得条項付種類株式の取得に関する決定>に規定する全部取得条項付種類株式の取得
④ 株式の併合
⑤ 株式の分割
⑥ 第１８５条<株式無償割当て>に規定する株式無償割当て

⑦　第２７７条<新株予約権無償割当て>に規定する新株予約権無償割当て
⑧　剰余金の配当〈書
⑨　残余財産の分配
⑩　組織変更
⑪　合併（合併により当該株式会社が消滅する場合に限る。）
⑫　株式交換
⑬　株式移転
⑭　株式の取得（第１号から第３号までに掲げる行為を除く。）

Ⅱ　特別支配株主（第１７９条第１項に規定する特別支配株主をいう。第１５４条第３項において同じ。）が株式売渡請求（第１７９条第２項に規定する株式売渡請求をいう。）により売渡株式（第１７９条の２第１項第２号に規定する売渡株式をいう。以下この項において同じ。）の取得をした場合には、売渡株式を目的とする質権は、当該取得によって当該売渡株式の株主が受けることのできる金銭について存在する。

《注　釈》

◆　剰余金配当請求権に対する物上代位

会社法は明文の規定により、略式質権（株券を交付するだけで、株主名簿に質権に関する所定の事項を記載・記録しないもの）も剰余金配当請求権につき物上代位の効力が及ぶとした（151 Ⅰ⑧）〈書。

第１５２条

Ⅰ　株式会社（株券発行会社を除く。以下この条において同じ。）は、前条第１項第１号から第３号まで<取得請求権付株式、取得条項付株式、全部取得条項付種類株式の取得>に掲げる行為をした場合（これらの行為に際して当該株式会社が株式を交付する場合に限る。）又は同項第６号<株式の無償割当て>に掲げる行為をした場合において、同項の質権の質権者が登録株式質権者（第２１８条第５項の規定による請求により第１４８条各号に掲げる事項が株主名簿に記載され、又は記録されたものを除く。以下この款において同じ。）であるときは、前条第１項の株主が受けることができる株式について、その質権者の氏名又は名称及び住所を株主名簿に記載し、又は記録しなければならない。

Ⅱ　株式会社は、株式の併合をした場合において、前条第１項の質権の質権者が登録株式質権者であるときは、併合した株式について、その質権者の氏名又は名称及び住所を株主名簿に記載し、又は記録しなければならない。

Ⅲ　株式会社は、株式の分割をした場合において、前条第１項の質権の質権者が登録株式質権者であるときは、分割した株式について、その質権者の氏名又は名称及び住所を株主名簿に記載し、又は記録しなければならない。

第１５３条

Ⅰ　株券発行会社は、前条第１項に規定する場合には、第１５１条第１項<株式の質入の効果>の株主が受ける株式に係る株券を登録株式質権者に引き渡さなければならない。

Ⅱ　株券発行会社は、前条第２項に規定する場合には、併合した株式に係る株券を登録株式質権者に引き渡さなければならない。
Ⅲ　株券発行会社は、前条第３項に規定する場合には、分割した株式について新たに発行する株券を登録株式質権者に引き渡さなければならない。

第１５４条

Ⅰ　登録株式質権者は、第１５１条第１項<株式の質入の効果>の金銭等（金銭に限る。）又は同条第２項の金銭を受領し、他の債権者に先立って自己の債権の弁済に充てることができる。
Ⅱ　株式会社が次の各号に掲げる行為をした場合において、前項の債権の弁済期が到来していないときは、登録株式質権者は、当該各号に定める者に同項に規定する金銭等に相当する金額を供託させることができる。この場合において、質権は、その供託金について存在する。
①　第１５１条第１項第１号から第６号まで、第８号、第９号又は第１４号に掲げる行為　当該株式会社
②　組織変更　第７４４条第１項第１号に規定する組織変更後持分会社
③　合併（合併により当該株式会社が消滅する場合に限る。）　第７４９条第１項に規定する吸収合併存続会社又は第７５３条第１項に規定する新設合併設立会社
④　株式交換　第７６７条に規定する株式交換完全親会社
⑤　株式移転　第７７３条第１項第１号に規定する株式移転設立完全親会社
Ⅲ　第１５１条第２項<特別支配株主が株式売渡請求により売渡株式の取得をした場合の株式の買入れの効果>に規定する場合において、第１項の債権の弁済期が到来していないときは、登録株式質権者は、当該特別支配株主に同条第２項の金銭に相当する金額を供託させることができる。この場合において、質権は、その供託金について存在する。

第４款　信託財産に属する株式についての対抗要件等

第１５４条の２

Ⅰ　株式については、当該株式が信託財産に属する旨を株主名簿に記載し、又は記録しなければ、当該株式が信託財産に属することを株式会社その他の第三者に対抗することができない。
Ⅱ　第１２１条第１号の株主は、その有する株式が信託財産に属するときは、株式会社に対し、その旨を株主名簿に記載し、又は記録することを請求することができる。
Ⅲ　株主名簿に前項の規定による記載又は記録がされた場合における第１２２条第１項及び第１３２条の規定の適用については、第１２２条第１項中「記録された株主名簿記載事項」とあるのは「記録された株主名簿記載事項（当該株主の有する株式が信託財産に属する旨を含む。）」と、第１３２条中「株主名簿記載事項」とあるのは「株主名簿記載事項（当該株主の有する株式が信託財産に属する旨を含む。）」とする。
Ⅳ　前３項の規定は、株券発行会社については、適用しない。

■第４節　株式会社による自己の株式の取得

第１款　総則

《概　説》

◆　自己株式の取得・保有に関する制限

1　自己株式取得の弊害とメリット

(1)　弊害

旧法下では自己株式の取得につき、(a)資本維持の原則に反する、(b)株主平等原則に反する、(c)会社支配の公正を害する、(d)株式取引の公正を害する、といった弊害があると指摘されてきた。

(2)　メリット

(a)　募集株式発行等に伴う株主の持ち株割合の低下を防ぎながら、機動的な組織の再編成が可能となる。

(b)　株式の需給関係を調整し、持ち合い株式の解消のための受け皿となる。

(c)　敵対的買収をしようとする者に取得されることを防止できる。

→企業の構造改革を推進し、証券市場の活性化を図るためにメリットがある。そこで、会社法は、資本維持の原則に反することなく、株主等を害さないような財源規制及び取得方法規制の下で、自己株式の取得を許容している

＊　自己株式の無償取得、他の会社から現物配当の形でその交付を受ける場合は、上記弊害がないので、規制なしに取得可能とされている(155⑬、規27①②)。

2　自己株式を取得できる場合

155条各号、規則27条に定める場合に限り、自己株式の取得ができる。

＊　会社が自己株式を担保として取得する場合（質受け、譲渡担保等）は、規制なくして取得ができる〈書

3　財源規制

自己株式取得により株主に対して交付する金銭等の帳簿価額の総額は、取得の効力発生日における分配可能額を超えてはならない（461Ⅰ①～⑦、166Ⅰただし書、170Ⅴ、なお464Ⅰ参照）〈司。

4　取得方法規制

(1)　合意による自己株式の有償取得（155③）（すべての株主に申込機会を与えて行う取得）

(a)　意義

「合意」による自己株式の取得とは、株式会社と株主との間において、取得についての合意が成立する場合をいい、「有償取得」とは、発行会社の計算において発行会社の自己株式を有償で取得することをいう。

(b)　規制

株主との合意により自己株式を有償で取得するには、原則として、156

〜159条のような手続を踏むことが必要である。

(2) 特定の株主からの取得（160〜162、164）

(3) 市場取引、公開買付けの方法による取得（165）

(4) 子会社からの取得（163）

5 自己株式の保有

(1) 自己株式の保有の自由

会社は取得した自己株式を特に期間制限なく保有できる（金庫株の解禁）司予。

(2) 保有する自己株式の法的地位

(a) 共益権

ア 議決権は認められない（308 Ⅱ）共。

イ その他の共益権も認められないものと解されている（∵会社が自己の構成員たる地位を占めるのは、社団法理からみて背理）。

(b) 自益権

ア 剰余金配当請求権は認められない（453、454 Ⅲ）共書。

イ 残余財産分配請求権は認められない（504 Ⅲ）。

ウ 株式分割・株式併合

→株式分割・株式併合がなされた際に、自己株式にもその効果が及ぶとする見解が有力である（182、184 Ⅰ参照）書

エ 募集株式・新株予約権等の割当てを受ける権利

→明文で否定されている司書

募集株式：202 Ⅱ 新株予約権：241 Ⅱ

株式の無償割当て：186 Ⅱ 新株予約権の無償割当て：278 Ⅱ

cf. 全部取得条項付種類株式の取得対価の割当ても、自己株式の場合は否定（171 Ⅱ）

(3) 分配可能額との関係

自己株式の取得が行われた場合、貸借対照表上は、取得の対価として交付された財産帳簿価額相当額が純資産の部に控除項目として計上される（計規76 Ⅱ）。したがって、保有する自己株式の総額は分配可能額（461 Ⅱ）には含まれない司予。

(4) 資本金との関係 ⇒ p.134

会社法の下では、株式数と資本金との関係は切断されており、自己株式を消却しても、資本金の額が減少するわけではない共予。

自己株式を取得しても資本金の額に変化はない司。

(5) 発行可能株式総数との関係 ⇒ p.134

自己株式を消却すると、「発行済株式総数」が減少するが、定款で定めた「発行可能株式総数」（37 Ⅰ、98、113 Ⅰ）は減少しない共予。

自己株式を取得しても「発行済株式総数」に変化はない予。

＜自己株式と子会社所有の親会社株式の比較＞

	共益権		自益権		
	議決権	その他	剰余金配当請求権	残余財産分配請求権	募集株式の割当てを受ける権利の行使の可否
自己株式	なし 予（308 Ⅱ）	なし	なし 予（453 かっこ書）	なし 予（504 Ⅲ）	否 司予（202 Ⅱかっこ書）
親会社株式	なし（308 Ⅰかっこ書）	あり（議決権を前提とする権利を除く（＊1））	あり	あり	可（＊2）

＊1　たとえば、株主総会招集権、株主提案権などがこれに当たる。
＊2　争いがあるが、行使自体は認めた上で、相当の時期に処分することを求める見解が有力である。

6　自己株式の処分 司予

法が特に別の処分方法を認めた場合を除き、株式の発行と同じ規制が加えられている（199 以下）。別の処分方法は、新株予約権の行使に際して新株発行に代えて移転する場合（282）、取得条項付株式等の対価として交付する場合（108 Ⅱ⑤ロ等）、合併・企業分割等の企業再編成の対価として交付する場合（749 等）、単元未満株主の請求に応じて単元未満自己株式を売り渡す場合（194 Ⅲ）等に限られる。

自己株式の処分が、法定の手続によらず行われた場合には、株主、取締役、監査役、執行役等は、自己株式の処分の無効の訴えを6か月以内に提起することができる（828 Ⅰ③）。

7　自己株式の消却　⇒ p.134

8　自己株式の取得方法規制違反の効果 司H23

(1)　制限違反の自己株式取得の効力

会社名義で取得した場合には無効であるが、他人名義で取得した場合には、相手方が悪意のときのみ無効であり、相手方が善意であれば有効である（相対的無効説）。

(2)　無効の主張権者

自己株式の取得について違反があった場合であっても、無効の主張は相手方からはできない（最判平 5.7.15）。

(3)　自己株式取得制限違反のその他の効果

(a)　刑事制裁

何人の名義かを問わず、会社の計算で不正に自己株式を取得したときは、取締役・監査役等に刑事制裁が科せられる（963 Ⅴ①）。

(b)　取締役の任務懈怠責任

法令違反の行為として、取締役は会社に対して損害賠償責任を負う(423 Ⅰ)。この場合の損害額については、取得価格と時価との差額が会社の損害であるとする裁判例（大阪地判平15.3.5・百選〔第２版〕22事件）がある。また、完全子会社による親会社の株式取得の事案において、完全子会社が親会社株式を取得しこれを処分した場合の親会社の損害は、子会社による取得価格と処分価格との差額だとする判例（最判平5.9.9・百選19事件）がある。

9　自己株式取得の財源規制違反の効果　⇒ p.392

＜自己株式の取得、保有、処分・消却＞

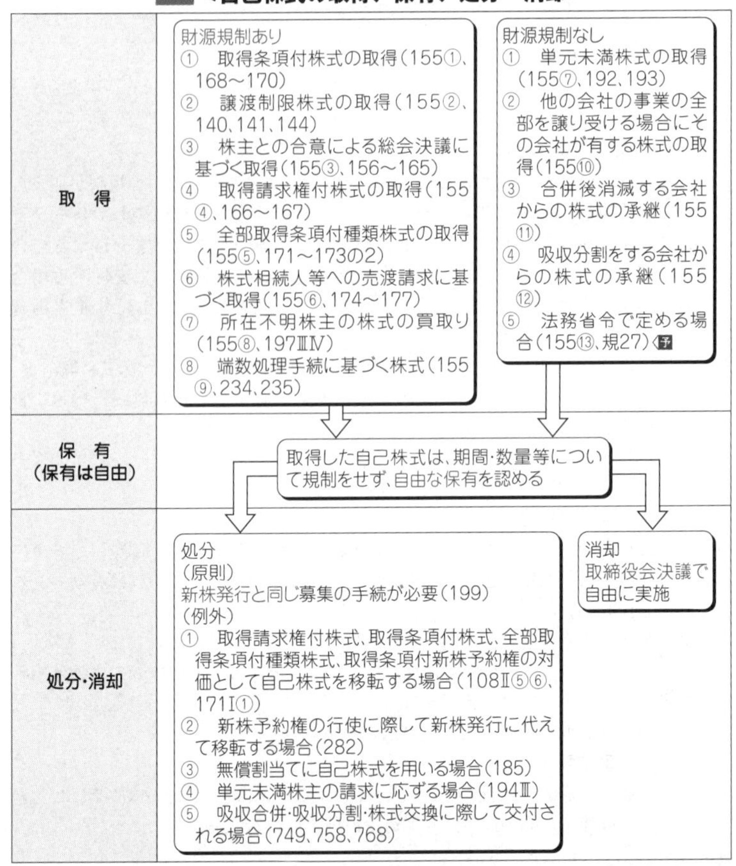

取　得
財源規制あり
① 取得条項付株式の取得（155①、168～170）
② 譲渡制限株式の取得（155②、140、141、144）
③ 株主との合意による総会決議に基づく取得（155③、156～165）
④ 取得請求権付株式の取得（155④、166～167）
⑤ 全部取得条項付種類株式の取得（155⑤、171～173の2）
⑥ 株式相続人等への売渡請求に基づく取得（155⑥、174～177）
⑦ 所在不明株主の株式の買取り（155⑧、197ⅢⅣ）
⑧ 端数処理手続に基づく株式（155⑨、234、235）
財源規制なし
① 単元未満株式の取得（155⑦、192、193）
② 他の会社の事業の全部を譲り受ける場合にその会社が有する株式の取得（155⑩）
③ 合併後消滅する会社からの株式の承継（155⑪）
④ 吸収分割をする会社からの株式の承継（155⑫）
⑤ 法務省令で定める場合（155⑬、規27）予
保　有
（保有は自由）
取得した自己株式は、期間・数量等について規制をせず、自由な保有を認める
処分・消却
処分
（原則）
新株発行と同じ募集の手続が必要（199）
（例外）
① 取得請求権付株式、取得条項付株式、全部取得条項付種類株式、取得条項付新株予約権の対価として自己株式を移転する場合（108Ⅱ⑤⑥、171Ⅰ①）
② 新株予約権の行使に際して新株発行に代えて移転する場合（282）
③ 無償割当てに自己株式を用いる場合（185）
④ 単元未満株主の請求に応ずる場合（194Ⅲ）
⑤ 吸収合併・吸収分割・株式交換に際して交付される場合（749、758、768）
消却
取締役会決議で自由に実施

第１５５条

株式会社は、次に掲げる場合に限り、当該株式会社の株式を取得することができる。
① 第１０７条第２項第３号イ<取得条項付株式である旨及び取得事由についての定款の定め>の事由が生じた場合
② 第１３８条第１号ハ又は第２号ハ<譲渡制限株式の譲渡を承認しない場合の株主又は株式取得者からの買取請求>の請求があった場合
③ 次条第１項の決議があった場合
④ 第１６６条第１項<取得請求権付株式の取得の請求>の規定による請求があった場合
⑤ 第１７１条第１項<全部取得条項付種類株式の取得に関する決定>の決議があった場合
⑥ 第１７６条第１項<相続人等に対する売渡しの請求>の規定による請求をした場合
⑦ 第１９２条第１項<単元未満株式の買取りの請求>の規定による請求があった場合
⑧ 第１９７条第３項各号<所在不明株主等の株式の会社による買取り>に掲げる事項を定めた場合
⑨ 第２３４条第４項各号<１株未満の端数処理としての会社による買取り>（第２３５条第２項において準用する場合を含む。）に掲げる事項を定めた場合
⑩ 他の会社（外国会社を含む。）の事業の全部を譲り受ける場合において当該他の会社が有する当該株式会社の株式を取得する場合
⑪ 合併後消滅する会社から当該株式会社の株式を承継する場合
⑫ 吸収分割をする会社から当該株式会社の株式を承継する場合〈書
⑬ 前各号に掲げる場合のほか、法務省令で定める場合

[趣旨] 自己株式取得の弊害を防止するため、自己株式を取得できる場合について規定する。 ⇒ p.117
【関連条文】 規27

第２款　株主との合意による取得

第１目　総則

第１５６条　（株式の取得に関する事項の決定） 〈予R2

Ⅰ　株式会社が株主との合意により当該株式会社の株式を有償で取得するには、あらかじめ、株主総会の決議によって、次に掲げる事項を定めなければならない〈書。ただし、第３号の期間は、１年を超えることができない。
① 取得する株式の数（種類株式発行会社にあっては、株式の種類及び種類ごとの数）
② 株式を取得するのと引換えに交付する金銭等（当該株式会社の株式等を除く。以下この款において同じ。）の内容及びその総額
③ 株式を取得することができる期間
Ⅱ　前項の規定は、前条第１号及び第２号並びに第４号から第１３号までに掲げる場

合には、適用しない。

[趣旨] すべての株主に申込機会を与えて自己株式を取得する場合を規定している。これにより株主は平等に株式売却の機会を得ることができる。

【関連条文】 309 I II② ［特定の株主からの取得については株主総会の特別決議］、459 I① ［一定の場合には取締役会で定めることができる旨を定款で定めることができる］、461 I② ［配当等の制限］、465 I②II ［欠損が生じた場合の責任］

第１５７条（取得価格等の決定）

I　株式会社は、前条第１項の規定による決定に従い株式を取得しようとするときは、その都度、次に掲げる事項を定めなければならない。
　① 取得する株式の数（種類株式発行会社にあっては、株式の種類及び数）
　② 株式１株を取得するのと引換えに交付する金銭等の内容及び数若しくは額又はこれらの算定方法
　③ 株式を取得するのと引換えに交付する金銭等の総額
　④ 株式の譲渡しの申込みの期日

II　取締役会設置会社においては、前項各号に掲げる事項の決定は、取締役会の決議によらなければならない。

III　第１項の株式の取得の条件は、同項の規定による決定ごとに、均等に定めなければならない。

【関連条文】 461 I② ［配当等の制限］、462 I②II III ［引換えに交付する金銭等が分配可能額を超える場合の責任］、465 I③II ［欠損が生じた場合の責任］

第１５８条（株主に対する通知等）

I　株式会社は、株主（種類株式発行会社にあっては、取得する株式の種類の種類株主）に対し、前条第１項各号に掲げる事項を通知しなければならない書。

II　公開会社においては、前項の規定による通知は、公告をもってこれに代えることができる。

第１５９条（譲渡しの申込み）

I　前条第１項の規定による通知を受けた株主は、その有する株式の譲渡しの申込みをしようとするときは、株式会社に対し、その申込みに係る株式の数（種類株式発行会社にあっては、株式の種類及び数）を明らかにしなければならない。

II　株式会社は、第１５７条第１項第４号＜自己株式についての株式の譲渡しの申込みの期日＞の期日において、前項の株主が申込みをした株式の譲受けを承諾したものとみなす。ただし、同項の株主が申込みをした株式の総数（以下この項において「申込総数」という。）が同条第１項第１号＜取得する自己株式の数＞の数（以下この項において「取得総数」という。）を超えるときは、取得総数を申込総数で除して得た数に前項の株主が申込みをした株式の数を乗じて得た数（その数に１に満たない端数がある場合にあっては、これを切り捨てるものとする。）の株式の譲受けを承諾したものとみなす。

第２目　特定の株主からの取得

第１６０条（特定の株主からの取得）

Ⅰ　株式会社は、第１５６条第１項各号＜自己株式の取得に関する事項の決定＞に掲げる事項の決定に併せて、同項の株主総会の決議によって、第１５８条第１項＜自己株式取得に際しての株主に対する通知＞の規定による通知を特定の株主に対して行う旨を定めることができる書。

Ⅱ　株式会社は、前項の規定による決定をしようとするときは、法務省令で定める時までに、株主（種類株式発行会社にあっては、取得する株式の種類の種類株主）に対し、次項の規定による請求をすることができる旨を通知しなければならない。

Ⅲ　前項の株主は、第１項の特定の株主に自己をも加えたものを同項の株主総会の議案とすることを、法務省令で定める時までに、請求することができる。

Ⅳ　第１項の特定の株主は、第１５６条第１項＜自己株式の取得に関する事項の決定＞の株主総会において議決権を行使することができない予。ただし、第１項の特定の株主以外の株主の全部が当該株主総会において議決権を行使することができない場合は、この限りでない予。

Ⅴ　第１項の特定の株主を定めた場合における第１５８条第１項＜自己株式取得に際しての株主に対する通知＞の規定の適用については、同項中「株主（種類株式発行会社にあっては、取得する株式の種類の種類株主）」とあるのは、「第１６０条第１項の特定の株主」とする。

【５項読替え】
自己株式取得に際して特定の株主に対してのみ通知をすることを定めた場合、株式会社は、第160条１項＜特定の株主からの自己株式の取得＞の特定の株主に対して、前条第１項各号＜取得価格等の決定＞に掲げる事項を通知しなければならない。

［趣旨］特定の株主から株式を取得する場合、他の株主との公平を図ることにある。
【関連条文】309Ⅱ②［株主総会の特別決議］、規28、29

第１６１条（市場価格のある株式の取得の特則）

前条第２項及び第３項の規定は、取得する株式が市場価格のある株式である場合において、当該株式１株を取得するのと引換えに交付する金銭等の額が当該株式１株の市場価格として法務省令で定める方法により算定されるものを超えないときは、適用しない。

［趣旨］他の株主が、会社が取得する価格以上の額で市場売却できる場合は、株主間の公平を害するおそれが少ないことから、一定の手続規制を適用しないものとした。
【関連条文】規30

第１６２条（相続人等からの取得の特則）

第１６０条第２項＜売主追加請求ができる旨の他の株主への通知＞及び第３項＜売主追加請求権＞の規定は、株式会社が株主の相続人その他の一般承継人からその相続その他の一般承継により取得した当該株式会社の株式を取得する場合には、適用しない。ただし、次のいずれかに該当する場合は、この限りでない。
① 株式会社が公開会社である場合
② 当該相続人その他の一般承継人が株主総会又は種類株主総会において当該株式について議決権を行使した場合

［趣旨］会社のコントロールすることができない事情によって、会社にとって好ましくない者が株主となった場合に、かかる状態を解消する措置を採りやすくするための規定である。
【関連条文】174以下［相続人等に対する売渡しの請求］

第１６３条 （子会社からの株式の取得）

株式会社がその子会社の有する当該株式会社の株式を取得する場合における第１５６条第１項<自己株式の取得に関する事項の決定>の規定の適用については、同項中「株主総会」とあるのは、「株主総会（取締役会設置会社にあっては、取締役会）」とする。この場合においては、第１５７条<取得価格等の決定>から第１６０条<特定の株主からの取得>までの規定は、適用しない。

【読替え】
株式会社がその子会社の有する当該株式会社の株式を取得する場合において、株式会社が株主との合意により当該株式会社の株式を有償で取得するには、あらかじめ、株主総会（取締役会設置会社にあっては、取締役会）の決議によって、次に掲げる事項を定めなければならない。ただし、第３号の期間は、１年を超えることができない。
① 取得する株式の数（種類株式発行会社にあっては、株式の種類及び種類ごとの数）
② 株式を取得するのと引換えに交付する金銭等（当該株式会社の株式等を除く。以下この款において同じ。）の内容及びその総額
③ 株式を取得することができる期間
この場合においては、第157条から第160条までの規定は、適用しない。

［趣旨］子会社は親会社株式の取得が原則的に禁止されており、例外的に取得した場合にも相当な時期に処分が義務付けられているが、その一方で親会社株式の売却先を見つけることは困難である場合が多いため、子会社による親会社株式の保有を早期に解消すべく、株主に対する通知等の手続規定（157～160）を適用しないものとした。
【関連条文】461 Ⅰ②［配当等の制限］、462 Ⅰ①ⅡⅢ［取得対価が分配可能額を超える場合の責任］、465 Ⅰ②Ⅱ［欠損が生じた場合の責任］

第１６４条 （特定の株主からの取得に関する定款の定め）

Ⅰ 株式会社は、株式（種類株式発行会社にあっては、ある種類の株式。次項において同じ。）の取得について第１６０条第１項<特定の株主からの自己株式の取得>の規定による決定をするときは同条第２項<売主追加請求ができる旨の他の株主への通知>及び第３項<売主追加請求権>の規定を適用しない旨を定款で定めることができる。

Ⅱ　株式の発行後に定款を変更して当該株式について前項の規定による定款の定めを設け、又は当該定めについての定款の変更（同項の定款で定めを廃止するものを除く。）をしようとするときは、当該株式を有する株主全員の同意を得なければならない。

第３目　市場取引等による株式の取得

第１６５条

Ⅰ　第１５７条＜取得価格等の決定＞から第１６０条＜特定の株主からの取得＞までの規定は、株式会社が市場において行う取引又は金融商品取引法第２７条の２第６項に規定する公開買付けの方法（以下この条において「市場取引等」という。）により当該株式会社の株式を取得する場合には、適用しない。

Ⅱ　取締役会設置会社は、市場取引等により当該株式会社の株式を取得することを取締役会の決議によって定めることができる旨を定款で定めることができる〈同〉。

Ⅲ　前項の規定による定款の定めを設けた場合における第１５６条第１項＜自己株式の取得に関する事項の決定＞の規定の適用については、同項中「株主総会」とあるのは、「株主総会（第１６５条第１項に規定する場合にあっては、株主総会又は取締役会）」とする。

【3項読替え】

前項の規定による定款の定めを設けた場合において、株式会社が、株主との合意により当該株式会社の株式を有償で取得するには、あらかじめ、株主総会（第165条第1項＜市場取引等による自己株式の取得＞に規定する場合にあっては、株主総会又は取締役会）の決議によって、次に掲げる事項を定めなければならない。ただし、第3号の期間は、1年を超えることができない。

①　取得する株式の数（種類株式発行会社にあっては、株式の種類及び種類ごとの数）
②　株式を取得するのと引換えに交付する金銭等（当該株式会社の株式等を除く。以下この款において同じ。）の内容及びその総額
③　株式を取得することができる期間

［趣旨］市場取引等により自己株式を取得する場合には、株主間の公平を害するおそれが少ないので、機動的に自己株式を取得することができるようにした。

【関連条文】461 Ⅰ②［配当等の制限］、462 Ⅰ①ⅡⅢ［取得対価が分配可能額を超える場合の責任］、465 Ⅰ①Ⅱ［欠損が生じた場合の責任］

第３款　取得請求権付株式及び取得条項付株式の取得

第１目　取得請求権付株式の取得の請求

第１６６条　（取得の請求）

Ⅰ　取得請求権付株式の株主は、株式会社に対して、当該株主の有する取得請求権付株式を取得することを請求することができる。ただし、当該取得請求権付株式を取得するのと引換えに第１０７条第２項第２号ロからホ＜取得請求権付株式と引換え

に交付する財産についての定款の定め＞までに規定する財産を交付する場合において、これらの財産の帳簿価額が当該請求の日における第４６１条第２項＜剰余金の配当に関する分配可能額＞の分配可能額を超えているときは、この限りでない〈司予。

Ⅱ　前項の規定による請求は、その請求に係る取得請求権付株式の数（種類株式発行会社にあっては、取得請求権付株式の種類及び種類ごとの数）を明らかにしてしなければならない。

Ⅲ　株券発行会社の株主がその有する取得請求権付株式について第１項の規定による請求をしようとするときは、当該取得請求権付株式に係る株券を株券発行会社に提出しなければならない。ただし、当該取得請求権付株式に係る株券が発行されていない場合は、この限りでない。

【関連条文】155④［自己株式の取得］

第１６７条　（効力の発生）

Ⅰ　株式会社は、前条第１項の規定による請求の日に、その請求に係る取得請求権付株式を取得する〈共。

Ⅱ　次の各号に掲げる場合には、前条第１項の規定による請求をした株主は、その請求の日に、第１０７条第２項第２号＜全部の株式の内容として取得請求権付株式を設ける場合の定款の定め＞（種類株式発行会社にあっては、第１０８条第２項第５号）に定める事項についての定めに従い、当該各号に定める者となる〈共。

①　第１０７条第２項第２号ロ＜取得請求権付株式の対価として社債を交付する場合の定款の定め＞に掲げる事項についての定めがある場合　同号ロの社債の社債権者

②　第１０７条第２項第２号ハ＜取得請求権付株式の対価として新株予約権を交付する場合の定款の定め＞に掲げる事項についての定めがある場合　同号ハの新株予約権の新株予約権者

③　第１０７条第２項第２号ニ＜取得請求権付株式の対価として新株予約権付社債を交付する場合の定款の定め＞に掲げる事項についての定めがある場合　同号ニの新株予約権付社債についての社債の社債権者及び当該新株予約権付社債に付された新株予約権の新株予約権者

④　第１０８条第２項第５号ロ＜取得請求権付株式の対価として他の株式を交付する場合の定款の定め＞に掲げる事項についての定めがある場合　同号ロの他の株式の株主

Ⅲ　前項第４号に掲げる場合において、同号に規定する他の株式の数に１株に満たない端数があるときは、これを切り捨てるものとする。この場合においては、株式会社は、定款に別段の定めがある場合を除き、次の各号に掲げる場合の区分に応じ、当該各号に定める額にその端数を乗じて得た額に相当する金銭を前条第１項の規定による請求をした株主に対して交付しなければならない。

①　当該株式が市場価格のある株式である場合　当該株式１株の市場価格として法務省令で定める方法により算定される額

②　前号に掲げる場合以外の場合　１株当たり純資産額

Ⅳ　前項の規定は、当該株式会社の社債及び新株予約権について端数がある場合について準用する。この場合において、同項第２号中「１株当たり純資産額」とあるのは、「法務省令で定める額」と読み替えるものとする。

【関連条文】 465 Ⅰ④Ⅱ［欠損が生じた場合の責任］、規31、32、33

第２目　取得条項付株式の取得

第１６８条（取得する日の決定）

Ⅰ　第１０７条第２項第３号ロ＜別に定めた日の到来を取得事由とする旨の定款の定め＞に掲げる事項についての定めがある場合には、株式会社は、同号ロ＜別に定めた日の到来を取得事由とする旨の定款の定め＞の日を株主総会（取締役会設置会社にあっては、取締役会）の決議によって定めなければならない〈書〉。ただし、定款に別段の定めがある場合は、この限りでない。

Ⅱ　第１０７条第２項第３号ロ＜別に定めた日の到来を取得事由とする旨の定款の定め＞の日を定めたときは、株式会社は、取得条項付株式の株主（同号ハに掲げる事項についての定めがある場合にあっては、次条第１項の規定により決定した取得条項付株式の株主）及びその登録株式質権者に対し、当該日の２週間前までに、当該日を通知しなければならない。

Ⅲ　前項の規定による通知は、公告をもってこれに代えることができる。

第１６９条（取得する株式の決定等）

Ⅰ　株式会社は、第１０７条第２項第３号ハ＜取得事由が生じた日に株式の一部を取得する旨等の定款の定め＞に掲げる事項についての定めがある場合において、取得条項付株式を取得しようとするときは、その取得する取得条項付株式を決定しなければならない。

Ⅱ　前項の取得条項付株式は、株主総会（取締役会設置会社にあっては、取締役会）の決議によって定めなければならない。ただし、定款に別段の定めがある場合は、この限りでない。

Ⅲ　第１項の規定による決定をしたときは、株式会社は、同項の規定により決定した取得条項付株式の株主及びその登録株式質権者に対し、直ちに、当該取得条項付株式を取得する旨を通知しなければならない〈書〉。

Ⅳ　前項の規定による通知は、公告をもってこれに代えることができる〈書〉。

第１７０条（効力の発生等）

Ⅰ　株式会社は、第１０７条第２項第３号イ＜取得条項付株式である旨及び取得事由についての定款の定め＞の事由が生じた日（同号ハに掲げる事項についての定めがある場合にあっては、第１号に掲げる日又は第２号に掲げる日のいずれか遅い日。次項及び第５項において同じ。）に、取得条項付株式（同条第２項第３号ハに掲げる事項についての定めがある場合にあっては、前条第１項の規定により決定したもの。次項において同じ。）を取得する〈同〉。

①　第１０７条第２項第３号イ＜取得条項付株式である旨及び取得事由についての定款の定め＞の事由が生じた日

② 前条第３項の規定による通知の日又は同条第４項の公告の日から２週間を経過した日

Ⅱ 次の各号に掲げる場合には、取得条項付株式の株主（当該株式会社を除く。）は、第１０７条第２項第３号イ＜取得条項付株式である旨及び取得事由についての定款の定め＞の事由が生じた日に、同号（種類株式発行会社にあっては、第１０８条第２項第６号）に定める事項についての定めに従い、当該各号に定める者となる〈同。

① 第107条第2項第3号ニ＜取得条項付株式の対価として社債を交付する場合の定款の定め＞に掲げる事項についての定めがある場合　同号ニの社債の社債権者

② 第１０７条第２項第３号ホ＜取得条項付株式の対価として新株予約権を交付する場合の定款の定め＞に掲げる事項についての定めがある場合　同号ホの新株予約権の新株予約権者

③ 第１０７条第２項第３号ヘ＜取得条項付株式の対価として新株予約権付社債を交付する場合の定款の定め＞に掲げる事項についての定めがある場合　同号ヘの新株予約権付社債についての社債の社債権者及び当該新株予約権付社債に付された新株予約権の新株予約権者

④ 第108条第2項第6号ロ＜取得条項付株式の対価として他の株式を交付する場合の定款の定め＞に掲げる事項についての定めがある場合　同号ロの他の株式の株主

Ⅲ 株式会社は、第107条第2項第3号イ＜取得条項付株式である旨及び取得事由についての定款の定め＞の事由が生じた後、遅滞なく、取得条項付株式の株主及びその登録株式質権者（同号ハに掲げる事項についての定めがある場合にあっては、前条第1項の規定により決定した取得条項付株式の株主及びその登録株式質権者）に対し、当該事由が生じた旨を通知しなければならない。ただし、第１６８条第2項＜取得日の株主に対する通知＞の規定による通知又は同条第３項＜通知に代わる公告＞の公告をしたときは、この限りでない。

Ⅳ 前項本文の規定による通知は、公告をもってこれに代えることができる。

Ⅴ 前各項の規定は、取得条項付株式を取得するのと引換えに第１０７条第２項第３号ニからトまでに規定する財産を交付する場合において、これらの財産の帳簿価額が同号イの事由が生じた日における第４６１条第２項＜剰余金の配当に関する分配可能額＞の分配可能額を超えているときは、適用しない〈予。

【関連条文】 465 Ⅰ⑤Ⅱ［欠損が生じた場合の責任］

第４款　全部取得条項付種類株式の取得

第１７１条　（全部取得条項付種類株式の取得に関する決定）

Ⅰ 全部取得条項付種類株式（第１０８条第１項第７号に掲げる事項についての定めがある種類の株式をいう。以下この款において同じ。）を発行した種類株式発行会社は、株主総会の決議によって、全部取得条項付種類株式の全部を取得することができる。この場合においては、当該株主総会の決議によって、次に掲げる事項を定めなければならない。

① 全部取得条項付種類株式を取得するのと引換えに金銭等を交付するときは、当該金銭等（以下この条において「取得対価」という。）についての次に掲げる事項

イ　当該取得対価が当該株式会社の株式であるときは、当該株式の種類及び種類ごとの数又はその数の算定方法

ロ　当該取得対価が当該株式会社の社債（新株予約権付社債についてのものを除く。）であるときは、当該社債の種類及び種類ごとの各社債の金額の合計額又はその算定方法

ハ　当該取得対価が当該株式会社の新株予約権（新株予約権付社債に付されたものを除く。）であるときは、当該新株予約権の内容及び数又はその算定方法

ニ　当該取得対価が当該株式会社の新株予約権付社債であるときは、当該新株予約権付社債についてのロに規定する事項及び当該新株予約権付社債に付された新株予約権についてのハに規定する事項

ホ　当該取得対価が当該株式会社の株式等以外の財産であるときは、当該財産の内容及び数若しくは額又はこれらの算定方法

②　前号に規定する場合には、全部取得条項付種類株式の株主に対する取得対価の割当てに関する事項

③　株式会社が全部取得条項付種類株式を取得する日（以下この款において「取得日」という。）

Ⅱ　前項第２号に掲げる事項についての定めは、株主（当該株式会社を除く。）の有する全部取得条項付種類株式の数に応じて取得対価を割り当てることを内容とするものでなければならない。

Ⅲ　取締役は、第１項の株主総会において、全部取得条項付種類株式の全部を取得することを必要とする理由を説明しなければならない。

第１７１条の２　（全部取得条項付種類株式の取得対価等に関する書面等の備置き及び閲覧等）

Ⅰ　全部取得条項付種類株式を取得する株式会社は、次に掲げる日のいずれか早い日から取得日後６箇月を経過する日までの間、前条第１項各号に掲げる事項その他法務省令で定める事項を記載し、又は記録した書面又は電磁的記録をその本店に備え置かなければならない。

①　前条第１項の株主総会の日の２週間前の日（第３１９条第１項＜株主総会の決議の省略＞の場合にあっては、同項の提案があった日）

②　第１７２条第２項＜全部取得条項付種類株式の取得に関する通知＞の規定による通知の日又は同条第３項の公告の日のいずれか早い日

Ⅱ　全部取得条項付種類株式を取得する株式会社の株主は、当該株式会社に対して、その営業時間内は、いつでも、次に掲げる請求をすることができる。ただし、第２号又は第４号に掲げる請求をするには、当該株式会社の定めた費用を支払わなければならない。

①　前項の書面の閲覧の請求

②　前項の書面の謄本又は抄本の交付の請求

③　前項の電磁的記録に記録された事項を法務省令で定める方法により表示したものの閲覧の請求

④　前項の電磁的記録に記録された事項を電磁的方法であって株式会社の定めたものにより提供することの請求又はその事項を記載した書面の交付の請求

第171条の3（全部取得条項付種類株式の取得をやめることの請求）

第171条第1項<全部取得条項付種類株式の取得に関する決定>の規定による全部取得条項付種類株式の取得が法令又は定款に違反する場合において、株主が不利益を受けるおそれがあるときは、株主は、株式会社に対し、当該全部取得条項付種類株式の取得をやめることを請求することができる。

［趣旨］キャッシュ・アウトの手段となりうる全部取得条項付種類株式の取得は、当該株式を保有している株主の地位に大きな変動を及ぼすものであることから、事前開示（171の2）と事後開示（173の2）により、情報開示の充実化を図っている。また、全部取得条項付種類株式の取得は、株主構成の変化を伴うため、会社から流出する財産が適正な価額であり、たとえ会社に損害がない場合であっても、一部の株主が不利益を受けるおそれがあることから、差止請求権（171の3）が認められている。

【関連条文】155⑤［自己株式の取得］、309Ⅱ③［株主総会の特別決議］、462Ⅰ③ⅡⅢ［全部取得条項付種類株式の取得対価が分配可能額を超える場合の責任］

第172条（裁判所に対する価格の決定の申立て）

Ⅰ　第171条第1項各号に掲げる事項を定めた場合には、次に掲げる株主は、取得日の20日前の日から取得日の前日までの間に、裁判所に対し、株式会社による全部取得条項付種類株式の取得の価格の決定の申立てをすることができる。

①　当該株主総会に先立って当該株式会社による全部取得条項付種類株式の取得に反対する旨を当該株式会社に対し通知し、かつ、当該株主総会において当該取得に反対した株主（当該株主総会において議決権を行使することができるものに限る。）

②　当該株主総会において議決権を行使することができない株主

Ⅱ　株式会社は、取得日の20日前までに、全部取得条項付種類株式の株主に対し、当該全部取得条項付種類株式の全部を取得する旨を通知しなければならない。

Ⅲ　前項の規定による通知は、公告をもってこれに代えることができる。

Ⅳ　株式会社は、裁判所の決定した価格に対する取得日後の法定利率による利息をも支払わなければならない。

Ⅴ　株式会社は、全部取得条項付種類株式の取得の価格の決定があるまでは、株主に対し、当該株式会社がその公正な価格と認める額を支払うことができる。

［趣旨］濫用的な株式買取請求権の行使の防止という趣旨ではなく、価格決定までの利息の負担を軽減させるという趣旨で、価格決定前の公正な価格と認める額の仮払制度が設けられている。

《注　釈》

◆　判例

1　172条1項所定の取得価格の決定の申立てがされた場合、裁判所は、当該株式の取得日における公正な価格をもって、その取得価格を決定すべきである。当該株式の取得日における公正な価格を定めるに当たっては、取得日における当該株式の客観的価値に加えて、強制取得により失われる今後の株価の上昇に対する期待を評価した価額をも考慮するのが相当である（東京高決平20.9.12・百選87事件）。

2　全部取得条項付種類株式の全部取得に関する決議を行う株主総会の基準日後に株式を取得した株主（基準日後取得株主）が、「当該株主総会において議決権を行使することができない株主」（172 Ⅰ②）として価格決定の申立てをすることができるか。

→原則として、価格決定申立ての申立適格が認められる

∵①　基準日後取得株主に価格決定申立権を認めない旨の明文の規定は存在しない（東京地決平25.9.17・平25重判3事件参照）

②　価格決定申立権は議決権と切り離された権利として規律されている（東京地決平25.7.31・百選〔第3版〕A 34事件参照）

→ただし、①不当な投機的目的のみをもって基準日後に株式を取得したような場合（東京地決平25.9.17・平25重判3事件参照）や、②全部取得に必要な株主総会・種類株主総会決議がすべてなされた後に株式を取得したような場合（東京地決平25.7.31・百選〔第3版〕A 34事件参照）には、価格決定による保護を与える必要がなく、例外的に申立権の濫用となる

3　多数株主が株式会社の株式等の公開買付けを行い、その後に当該株式会社の株式を全部取得条項付種類株式とし、当該株式会社が同株式の全部を取得する取引において、独立した第三者委員会や専門家の意見を聴くなど多数株主等と少数株主との間の利益相反関係の存在により意思決定過程が恣意的になることを排除するための措置が講じられ、公開買付けに応募しなかった株主の保有する上記株式も公開買付けに係る買付け等の価格と同額で取得する旨が明示されているなど一般に公正と認められる手続により上記公開買付けが行われ、その後に当該株式会社が上記買付け等の価格と同額で全部取得条項付種類株式を取得した場合には、上記取引の基礎となった事情に予期しない変動が生じたと認めるに足りる特段の事情がない限り、裁判所は、上記株式の取得価格を上記公開買付けにおける買付け等の価格と同額とするのが相当である（最決平28.7.1・百選86事件）。

第１７３条　（効力の発生）

Ⅰ　株式会社は、取得日に、全部取得条項付種類株式の全部を取得する。

Ⅱ　次の各号に掲げる場合には、当該株式会社以外の全部取得条項付種類株式の株主（前条第１項の申立てをした株主を除く。）は、取得日に、第１７１条第１項＜全部取得条項付種類株式の取得に関する決定＞の株主総会の決議による定めに従い、当該各号に定める者となる。

①　第１７１条第１項第１号イ＜取得対価が株式である場合の定め＞に掲げる事項についての定めがある場合　同号イの株式の株主

②　第１７１条第１項第１号ロ＜取得対価が社債である場合の定め＞に掲げる事項についての定めがある場合　同号ロの社債の社債権者

③　第171条第1項第1号ハ<取得対価が新株予約権である場合の定め>に掲げる事項についての定めがある場合　同号ハの新株予約権の新株予約権者
④　第171条第1項第1号ニ<取得対価が新株予約権付社債である場合の定め>に掲げる事項についての定めがある場合　同号ニの新株予約権付社債についての社債の社債権者及び当該新株予約権付社債に付された新株予約権の新株予約権者

第173条の2　（全部取得条項付種類株式の取得に関する書面等の備置き及び閲覧等）

Ⅰ　株式会社は、取得日後遅滞なく、株式会社が取得した全部取得条項付種類株式の数その他の全部取得条項付種類株式の取得に関する事項として法務省令で定める事項を記載し、又は記録した書面又は電磁的記録を作成しなければならない。
Ⅱ　株式会社は、取得日から6箇月間、前項の書面又は電磁的記録をその本店に備え置かなければならない。
Ⅲ　全部取得条項付種類株式を取得した株式会社の株主又は取得日に全部取得条項付種類株式の株主であった者は、当該株式会社に対して、その営業時間内は、いつでも、次に掲げる請求をすることができる。ただし、第2号又は第4号に掲げる請求をするには、当該株式会社の定めた費用を支払わなければならない。
①　前項の書面の閲覧の請求
②　前項の書面の謄本又は抄本の交付の請求
③　前項の電磁的記録に記録された事項を法務省令で定める方法により表示したものの閲覧の請求
④　前項の電磁的記録に記録された事項を電磁的方法であって株式会社の定めたものにより提供することの請求又はその事項を記載した書面の交付の請求

［趣旨］キャッシュ・アウトの手段となりうる全部取得条項付種類株式の取得は、当該株式を保有している株主の地位に大きな変動を及ぼすものであることから、事前開示（171の2）と事後開示（173の2）により、情報開示の充実化を図っている。
【関連条文】461Ⅰ④［配当等の制限］、465Ⅰ⑥Ⅱ［欠損が生じた場合の責任］

第5款　相続人等に対する売渡しの請求

《概　説》

一般承継による株式の移転は、株式譲渡制限制度による会社の承認の対象にならないが、他の株主にとり好ましくない一般承継人を会社から排除する道を認めている。
162条の場合と異なり、一般承継人の同意なしに会社が株式を取得できる。

第174条　（相続人等に対する売渡しの請求に関する定款の定め） 司H30

株式会社は、相続その他の一般承継により当該株式会社の株式（譲渡制限株式に限る。）を取得した者に対し、当該株式を当該株式会社に売り渡すことを請求することができる旨を定款で定めることができる 司予。

第１７５条（売渡しの請求の決定） 予

Ⅰ　株式会社は、前条の規定による定款の定めがある場合において、次条第１項の規定による請求をしようとするときは、その都度、株主総会の決議によって、次に掲げる事項を定めなければならない。

①　次条第１項の規定による請求をする株式の数（種類株式発行会社にあっては、株式の種類及び種類ごとの数）

②　前号の株式を有する者の氏名又は名称

Ⅱ　前項第２号の者は、同項の株主総会において議決権を行使することができない。ただし、同号の者以外の株主の全部が当該株主総会において議決権を行使することができない場合は、この限りでない。

【関連条文】309 Ⅱ③［株主総会の特別決議］

第１７６条（売渡しの請求）

Ⅰ　株式会社は、前条第１項各号＜相続人等に対する譲渡制限株式の売渡しの請求＞に掲げる事項を定めたときは、同項第２号＜譲渡制限株式を有する相続人等＞の者に対し、同項第１号＜相続人等に対する売渡しの請求をする株式の数＞の株式を当該株式会社に売り渡すことを請求することができる。ただし、当該株式会社が相続その他の一般承継があったことを知った日から１年を経過したときは、この限りでない。

Ⅱ　前項の規定による請求は、その請求に係る株式の数（種類株式発行会社にあっては、株式の種類及び種類ごとの数）を明らかにしてしなければならない。

Ⅲ　株式会社は、いつでも、第１項の規定による請求を撤回することができる。

【関連条文】155⑥［自己株式の取得］、461 Ⅰ⑤［配当等の制限］、465 Ⅰ⑦Ⅱ［欠損が生じた場合の責任］

第１７７条（売買価格の決定）

Ⅰ　前条第１項の規定による請求があった場合には、第１７５条第１項第１号＜相続人等に対する売渡しの請求をする株式の数＞の株式の売買価格は、株式会社と同項第２号＜譲渡制限株式を有する相続人等＞の者との協議によって定める。

Ⅱ　株式会社又は第１７５条第１項第２号＜譲渡制限株式を有する相続人等＞の者は、前条第１項の規定による請求があった日から２０日以内に、裁判所に対し、売買価格の決定の申立てをすることができる。

Ⅲ　裁判所は、前項の決定をするには、前条第１項の規定による請求の時における株式会社の資産状態その他一切の事情を考慮しなければならない。

Ⅳ　第１項の規定にかかわらず、第２項の期間内に同項の申立てがあったときは、当該申立てにより裁判所が定めた額をもって第１７５条第１項第１号＜相続人等に対する売渡しの請求をする株式の数＞の株式の売買価格とする。

Ⅴ　第２項の期間内に同項の申立てがないとき（当該期間内に第１項の協議が調った場合を除く。）は、前条第１項の規定による請求は、その効力を失う。

第6款　株式の消却

《概　説》

◆　株式の消却

1　意義

株式の消却とは、会社が有する自己株式を絶対的に消滅させる行為である。

特定の株式の消滅である点で、全部の株式の消滅である会社の解散（471）と異なり、株式自体の消滅である点において、株券の失効（228 Ⅰ）とも異なる。株式の消却は会社の存続中における唯一の株式消滅の原因である。

2　株式消却の効果

(1)　会社の発行可能株式総数に対する影響

(a)　原則

株式消却により会社の発行済株式の総数は減少する予。この場合、会社の発行可能株式総数（又は、発行可能種類株式総数）は変化しない予。その結果、授権枠は拡大する。

(b)　例外

定款や株主総会の決議により発行可能株式総数を減少することを定めた場合には、発行可能株式総数が減少する。

(2)　株式消却の資本金の額に対する影響

資本金・資本準備金・利準金と株式数は、完全に切り離されているため（⇒ p.23）、自己株式の消却によって、資本金等の額は変動しない予。

第178条

Ⅰ　株式会社は、自己株式を消却することができる。この場合においては、消却する自己株式の数（種類株式発行会社にあっては、自己株式の種類及び種類ごとの数）を定めなければならない。

Ⅱ　取締役会設置会社においては、前項後段の規定による決定は、取締役会の決議によらなければならない書。

【関連条文】911 Ⅲ⑨・915 Ⅰ［変更登記］、976 ⑪［違反に対する罰則］

第4節の2　特別支配株主の株式等売渡請求

《概　説》

◆　キャッシュ・アウト

1　意義

キャッシュ・アウトとは、支配株主が現金を対価として少数株主を締め出すことをいう。このキャッシュ・アウトを直接の目的とする制度として、特別支配株主の株式等売渡請求制度が設けられている。

2　手続

特別支配株主は売渡請求にかかる事項を決定して（179の2）、対象会社に売渡請求を行う旨を通知し（179の3 Ⅰ）、対象会社の取締役（取締役会）の承認（決議）を得なければならない（同Ⅰ Ⅲ）。

対象会社が請求を承認した場合、取得日の20日前までに売渡株主に対し売渡請求にかかる事項を通知又は公告しなければならない（179の4ⅠⅡ）書。この通知・公告により、特別支配株主から売渡株主への株式等売渡請求がなされたものとみなされる（同Ⅲ）。株式等売渡請求をした特別支配株主は、取得日（179の2Ⅰ⑤）に売渡株式等の全部を取得する（179の9Ⅰ）。なお、この通知・公告後において売渡株式を譲り受けた者は、売買価格決定の申立て（179の8Ⅰ）をすることができない（最決平29.8.30・百選83事件）。

売渡請求にかかる事項と会社が承認した旨を記載した書面は、会社の本店に備え置かれ、売渡株主の閲覧等に供される（179の5ⅠⅡ）。

対象会社が承認した後は、特別支配株主による売渡請求の撤回は、取得日の前日までに対象会社の承認を得た場合に限られる（179の6Ⅰ）。

3　売渡株主の保護

①売渡差止め制度（179の7Ⅰ）、②売買価格の決定の申立て（179の8Ⅰ）、③売渡株式等の取得の無効の訴え（846の2以下）の3つがある。

なお、売買価格の決定の申立て（179の8Ⅰ）に対して、特別支配株主は、価格決定前に、当該特別支配株主が公正と考える額を売渡株主に対して支払うことができるとした仮払制度が認められている（同Ⅲ）。これは、価格決定までの利息の負担を軽減させる趣旨である。

株式会社

第１７９条　（株式等売渡請求）

Ⅰ　株式会社の特別支配株主予書（株式会社の総株主の議決権の１０分の９（これを上回る割合を当該株式会社の定款で定めた場合にあっては、その割合）以上を当該株式会社以外の者及び当該者が発行済株式の全部を有する株式会社予書その他これに準ずるものとして法務省令で定める法人（以下この条及び次条第１項において「特別支配株主完全子法人」という。）が有している場合における当該者をいう。以下同じ。）は、当該株式会社の株主（当該株式会社及び当該特別支配株主を除く。）の全員に対し、その有する当該株式会社の株式の全部を当該特別支配株主に売り渡すことを請求することができる。ただし、特別支配株主完全子法人に対しては、その請求をしないことができる。

Ⅱ　特別支配株主は、前項の規定による請求（以下この章及び第８４６条の２第２項第１号において「株式売渡請求」という。）をするときは、併せて、その株式売渡請求に係る株式を発行している株式会社（以下「対象会社」という。）の新株予約権の新株予約権者（対象会社及び当該特別支配株主を除く。）の全員に対し、その有する対象会社の新株予約権の全部を当該特別支配株主に売り渡すことを請求することができる予。ただし、特別支配株主完全子法人に対しては、その請求をしないことができる。

Ⅲ　特別支配株主は、新株予約権付社債に付された新株予約権について前項の規定による請求（以下「新株予約権売渡請求」という。）をするときは、併せて、新株予約権付社債についての社債の全部を当該特別支配株主に売り渡すことを請求しなければならない。ただし、当該新株予約権付社債に付された新株予約権について別段の定めがある場合は、この限りでない。

第179条の2　（株式等売渡請求の方法）

Ⅰ　株式売渡請求は、次に掲げる事項を定めてしなければならない。
①　特別支配株主完全子法人に対して株式売渡請求をしないこととするときは、その旨及び当該特別支配株主完全子法人の名称
②　株式売渡請求によりその有する対象会社の株式を売り渡す株主（以下「売渡株主」という。）に対して当該株式（以下この章において「売渡株式」という。）の対価として交付する金銭の額又はその算定方法
③　売渡株主に対する前号の金銭の割当てに関する事項
④　株式売渡請求に併せて新株予約権売渡請求（その新株予約権売渡請求に係る新株予約権が新株予約権付社債に付されたものである場合における前条第３項の規定による請求を含む。以下同じ。）をするときは、その旨及び次に掲げる事項
イ　特別支配株主完全子法人に対して新株予約権売渡請求をしないこととするときは、その旨及び当該特別支配株主完全子法人の名称
ロ　新株予約権売渡請求によりその有する対象会社の新株予約権を売り渡す新株予約権者（以下「売渡新株予約権者」という。）に対して当該新株予約権（当該新株予約権が新株予約権付社債に付されたものである場合において、前条第３項の規定による請求をするときは、当該新株予約権付社債についての社債を含む。以下この編において「売渡新株予約権」という。）の対価として交付する金銭の額又はその算定方法
ハ　売渡新株予約権者に対するロの金銭の割当てに関する事項
⑤　特別支配株主が売渡株式（株式売渡請求に併せて新株予約権売渡請求をする場合にあっては、売渡株式及び売渡新株予約権。以下「売渡株式等」という。）を取得する日（以下この節において「取得日」という。）
⑥　前各号に掲げるもののほか、法務省令で定める事項

Ⅱ　対象会社が種類株式発行会社である場合には、特別支配株主は、対象会社の発行する種類の株式の内容に応じ、前項第３号に掲げる事項として、同項第２号の金銭の割当てについて売渡株式の種類ごとに異なる取扱いを行う旨及び当該異なる取扱いの内容を定めることができる。

Ⅲ　第１項第３号に掲げる事項についての定めは、売渡株主の有する売渡株式の数（前項に規定する定めがある場合にあっては、各種類の売渡株式の数）に応じて金銭を交付することを内容とするものでなければならない。

第179条の3　（対象会社の承認）

Ⅰ　特別支配株主は、株式売渡請求（株式売渡請求に併せて新株予約権売渡請求をする場合にあっては、株式売渡請求及び新株予約権売渡請求。以下「株式等売渡請求」という。）をしようとするときは、対象会社に対し、その旨及び前条第１項各号に掲げる事項を通知し、その承認を受けなければならない予。

Ⅱ　対象会社は、特別支配株主が株式売渡請求に併せて新株予約権売渡請求をしようとするときは、新株予約権売渡請求のみを承認することはできない。

Ⅲ　取締役会設置会社が第１項の承認をするか否かの決定をするには、取締役会の決議によらなければならない予。

Ⅳ　対象会社は、第１項の承認をするか否かの決定をしたときは、特別支配株主に対し、当該決定の内容を通知しなければならない。

第１７９条の４　（売渡株主等に対する通知等）

Ⅰ　対象会社は、前条第１項の承認をしたときは、取得日の２０日前までに、次の各号に掲げる者に対し、当該各号に定める事項を通知しなければならない〈書。

①　売渡株主（特別支配株主が株式売渡請求に併せて新株予約権売渡請求をする場合にあっては、売渡株主及び売渡新株予約権者。以下この節において「売渡株主等」という。）　当該承認をした旨、特別支配株主の氏名又は名称及び住所、第１７９条の２第１項第１号から第５号まで＜株式等売渡請求において定める事項＞に掲げる事項その他法務省令で定める事項〈書

②　売渡株式の登録株式質権者（特別支配株主が株式売渡請求に併せて新株予約権売渡請求をする場合にあっては売渡株式の登録株式質権者及び売渡新株予約権の登録新株予約権質権者（第２７０条第１項に規定する登録新株予約権質権者をいう。））　当該承認をした旨

Ⅱ　前項の規定による通知（売渡株主に対してするものを除く。）は、公告をもってこれに代えることができる〈書。

Ⅲ　対象会社が第１項の規定による通知又は前項の公告をしたときは、特別支配株主から売渡株主等に対し、株式等売渡請求がされたものとみなす。

Ⅳ　第１項の規定による通知又は第２項の公告の費用は、特別支配株主の負担とする。

第１７９条の５　（株式等売渡請求に関する書面等の備置き及び閲覧等）

Ⅰ　対象会社は、前条第１項第１号の規定による通知の日又は同条第２項の公告の日のいずれか早い日から取得日後６箇月（対象会社が公開会社でない場合にあっては、取得日後１年）を経過する日までの間、次に掲げる事項を記載し、又は記録した書面又は電磁的記録をその本店に備え置かなければならない。

①　特別支配株主の氏名又は名称及び住所

②　第１７９条の２第１項各号＜株式等売渡請求において定める事項＞に掲げる事項

③　第１７９条の３第１項＜特別支配株主による株式売渡請求の通知及び対象会社の承認＞の承認をした旨

④　前３号に掲げるもののほか、法務省令で定める事項

Ⅱ　売渡株主等は、対象会社に対して、その営業時間内は、いつでも、次に掲げる請求をすることができる。ただし、第２号又は第４号に掲げる請求をするには、当該対象会社の定めた費用を支払わなければならない。

①　前項の書面の閲覧の請求

②　前項の書面の謄本又は抄本の交付の請求

③　前項の電磁的記録に記録された事項を法務省令で定める方法により表示したものの閲覧の請求

④　前項の電磁的記録に記録された事項を電磁的方法であって対象会社の定めたものにより提供することの請求又はその事項を記載した書面の交付の請求

第１７９条の6 （株式等売渡請求の撤回）

Ⅰ 特別支配株主は、第１７９条の３第１項<特別支配株主による株式売渡請求の通知及び対象会社の承認>の承認を受けた後は、取得日の前日までに対象会社の承諾を得た場合に限り、売渡株式等の全部について株式等売渡請求を撤回することができる。

Ⅱ 取締役会設置会社が前項の承諾をするか否かの決定をするには、取締役会の決議によらなければならない。

Ⅲ 対象会社は、第１項の承諾をするか否かの決定をしたときは、特別支配株主に対し、当該決定の内容を通知しなければならない。

Ⅳ 対象会社は、第１項の承諾をしたときは、遅滞なく、売渡株主等に対し、当該承諾をした旨を通知しなければならない。

Ⅴ 前項の規定による通知は、公告をもってこれに代えることができる。

Ⅵ 対象会社が第４項の規定による通知又は前項の公告をしたときは、株式等売渡請求は、売渡株式等の全部について撤回されたものとみなす。

Ⅶ 第４項の規定による通知又は第５項の公告の費用は、特別支配株主の負担とする。

Ⅷ 前各項の規定は、新株予約権売渡請求のみを撤回する場合について準用する〈書〉。この場合において、第４項中「売渡株主等」とあるのは、「売渡新株予約権者」と読み替えるものとする。

第１７９条の7 （売渡株式等の取得をやめることの請求）

Ⅰ 次に掲げる場合において、売渡株主が不利益を受けるおそれがあるときは、売渡株主は、特別支配株主に対し、株式等売渡請求に係る売渡株式等の全部の取得をやめることを請求することができる〈書〉。

① 株式売渡請求が法令に違反する場合〈書〉

② 対象会社が第１７９条の４第１項第１号<売渡株主等に対する通知事項>（売渡株主に対する通知に係る部分に限る。）又は第１７９条の５<株式等売渡請求に関する書面等の備置き及び閲覧等>の規定に違反した場合

③ 第１７９条の２第１項第２号<売渡株式の対価として交付する金銭の額又はその算定方法>又は第３号<売渡株式の対価として交付する金銭の割当てに関する事項>に掲げる事項が対象会社の財産の状況その他の事情に照らして著しく不当である場合

Ⅱ 次に掲げる場合において、売渡新株予約権者が不利益を受けるおそれがあるときは、売渡新株予約権者は、特別支配株主に対し、株式等売渡請求に係る売渡株式等の全部の取得をやめることを請求することができる。

① 新株予約権売渡請求が法令に違反する場合

② 対象会社が第１７９条の４第１項第１号<売渡株主等に対する通知事項>（売渡新株予約権者に対する通知に係る部分に限る。）又は第１７９条の５<株式等売渡請求に関する書面等の備置き及び閲覧等>の規定に違反した場合

③ 第１７９条の２第１項第４号ロ<売渡新株予約権の対価として交付する金銭の額又はその算定方法>又はハ<売渡新株予約権の対価として交付する金銭の割当てに関する事項>に掲げる事項が対象会社の財産の状況その他の事情に照らして

著しく不当である場合

第１７９条の８　（売買価格の決定の申立て）

Ⅰ　株式等売渡請求があった場合には、売渡株主等は、取得日の２０日前の日から取得日の前日までの間に、裁判所に対し、その有する売渡株式等の売買価格の決定の申立てをすることができる。

Ⅱ　特別支配株主は、裁判所の決定した売買価格に対する取得日後の法定利率による利息をも支払わなければならない。

Ⅲ　特別支配株主は、売渡株式等の売買価格の決定があるまでは、売渡株主等に対し、当該特別支配株主が公正な売買価格と認める額を支払うことができる。

第１７９条の９　（売渡株式等の取得）

Ⅰ　株式等売渡請求をした特別支配株主は、取得日に、売渡株式等の全部を取得する。

Ⅱ　前項の規定により特別支配株主が取得した売渡株式等が譲渡制限株式又は譲渡制限新株予約権（第２４３条第２項第２号に規定する譲渡制限新株予約権をいう。）であるときは、対象会社は、当該特別支配株主が当該売渡株式等を取得したことについて、第１３７条第１項<譲渡制限株式取得者からの承認の請求>又は第２６３条第１項<新株予約権取得者からの承認の請求>の承認をする旨の決定をしたものとみなす。

第１７９条の１０　（売渡株式等の取得に関する書面等の備置き及び閲覧等）

Ⅰ　対象会社は、取得日後遅滞なく、株式等売渡請求により特別支配株主が取得した売渡株式等の数その他の株式等売渡請求に係る売渡株式等の取得に関する事項として法務省令で定める事項を記載し、又は記録した書面又は電磁的記録を作成しなければならない。

Ⅱ　対象会社は、取得日から６箇月間（対象会社が公開会社でない場合にあっては、取得日から１年間）、前項の書面又は電磁的記録をその本店に備え置かなければならない。

Ⅲ　取得日に売渡株主等であった者は、対象会社に対して、その営業時間内は、いつでも、次に掲げる請求をすることができる。ただし、第２号又は第４号に掲げる請求をするには、当該対象会社の定めた費用を支払わなければならない。

①　前項の書面の閲覧の請求

②　前項の書面の謄本又は抄本の交付の請求

③　前項の電磁的記録に記録された事項を法務省令で定める方法により表示したものの閲覧の請求

④　前項の電磁的記録に記録された事項を電磁的方法であって対象会社の定めたものにより提供することの請求又はその事項を記載した書面の交付の請求

株式会社

第5節　株式の併合等

第1款　株式の併合

《概　説》

◆　株式の併合

1　意義

⑴　株式の併合とは、数個の株式を合わせてそれよりも少数の株式とする会社の行為をいう（180 Ⅰ）。

cf.　新株予約権については、併合を認める旨の規定は存在しない〈予

⑵　株式の併合が行われる場合

1株の適正な市場価格の形成という観点から出資単位を大きくしたい場合の他、合併等の準備のため、株式の割当比率を1対1にするため等に一方当事会社の株式を併合することが多い。

2　株式の併合の効果

⑴　発行可能株式総数に対する影響

株式の併合により、会社の発行済株式総数が減少する〈予。

株式の併合を行う場合、株主総会決議において効力発生日における発行可能株式総数（113参照）を定める必要がある（180 Ⅱ④）。

→公開会社の場合、発行可能株式総数は、効力発生日における発行済株式総数の4倍を超えない数を定めなければならない（180 Ⅲ本文）

⑵　資本金の額に対する影響

資本金・資本準備金・利益準備金と株式数は、完全に切り離されているため（⇒ p.23）、株式の併合によっても、資本金等の額は変動しない〈予。

第180条　（株式の併合）

Ⅰ　株式会社は、株式の併合をすることできる。

Ⅱ　株式会社は、株式の併合をしようとするときは、その都度、株主総会の決議によって、次に掲げる事項を定めなければならない〈司予書。

①　併合の割合

②　株式の併合がその効力を生ずる日（以下この款において「効力発生日」という。）

③　株式会社が種類株式発行会社である場合には、併合する株式の種類

④　効力発生日における発行可能株式総数

Ⅲ　前項第4号の発行可能株式総数は、効力発生日における発行済株式の総数の4倍を超えることができない。ただし、株式会社が公開会社でない場合は、この限りでない〈予。

Ⅳ　取締役は、第2項の株主総会において、株式の併合をすることを必要とする理由を説明しなければならない〈書〈司H29。

[趣旨]株式の併合により、各株主の持株数が減少したり、株主たる地位を失うなど、株主の権利に重大な影響を与えることから、株式の併合は株主総会の特別決議が必要となる（Ⅱ、309 Ⅱ④）。なお、併合の割合（Ⅱ①）に制限はない〈書。また、

既存株主の被る持株比率の低下の限界を画するため、公開会社が株式の併合をする場合、その効力発生日における発行可能株式総数は、効力発生日における発行済株式総数の4倍を超えることができない（4倍規制、Ⅲ）。

【関連条文】113Ⅲ［定款変更後の4倍規制］、235［1に満たない端数の処理］、309Ⅱ④［株主総会の特別決議］、911Ⅲ⑨・915Ⅰ［変更登記］

第181条　（株主に対する通知等）

Ⅰ　株式会社は、効力発生日の2週間前までに、株主（種類株式発行会社にあっては、前条第2項第3号の種類の種類株主。以下この款において同じ。）及びその登録株式質権者に対し、同項各号<株式の併合をする場合の株主総会決議事項>に掲げる事項を通知しなければならない〈書〉。

Ⅱ　前項の規定による通知は、公告をもってこれに代えることができる〈書〉。

第182条　（効力の発生）

Ⅰ　株主は、効力発生日に、その日の前日に有する株式（種類株式発行会社にあっては、第180条第2項第3号の種類の株式。以下この項において同じ。）の数に同条第2項第1号<併合の割合>の割合を乗じて得た数の株式の株主となる。

Ⅱ　株式の併合をした株式会社は、効力発生日に、第180条第2項第4号<株式併合の効力発生日における発行可能株式総数>に掲げる事項についての定めに従い、当該事項に係る定款の変更をしたものとみなす。

第182条の2　（株式の併合に関する事項に関する書面等の備置き及び閲覧等）

Ⅰ　株式の併合（単元株式数（種類株式発行会社にあっては、第180条第2項第3号の種類の株式の単元株式数。以下この項において同じ。）を定款で定めている場合にあっては、当該単元株式数に同条第2項第1号の割合を乗じて得た数に1に満たない端数が生ずるものに限る。以下この款において同じ。）をする株式会社は、次に掲げる日のいずれか早い日から効力発生日後6箇月を経過する日までの間、同項各号に掲げる事項その他法務省令で定める事項を記載し、又は記録した書面又は電磁的記録をその本店に備え置かなければならない。

① 第180条第2項<株式の併合において定める事項>の株主総会（株式の併合をするために種類株主総会の決議を要する場合にあっては、当該種類株主総会を含む。第182条の4第2項において同じ。）の日の2週間前の日（第319条第1項の場合にあっては、同項の提案があった日）

② 第182条の4第3項<株式の併合における反対株主に対する通知>の規定により読み替えて適用する第181条第1項の規定による株主に対する通知の日又は第181条第2項の公告の日のいずれか早い日

Ⅱ　株式の併合をする株式会社の株主は、当該株式会社に対して、その営業時間内は、いつでも、次に掲げる請求をすることができる。ただし、第2号又は第4号に掲げる請求をするには、当該株式会社の定めた費用を支払わなければならない。

① 前項の書面の閲覧の請求

② 前項の書面の謄本又は抄本の交付の請求

株式会社

③　前項の電磁的記録に記録された事項を法務省令で定める方法により表示したものの閲覧の請求
④　前項の電磁的記録に記録された事項を電磁的方法であって株式会社の定めたものにより提供することの請求又はその事項を記載した書面の交付の請求

第１８２条の３　（株式の併合をやめることの請求）

株式の併合が法令又は定款に違反する場合において、株主が不利益を受けるおそれがあるときは、株主は、株式会社に対し、当該株式の併合をやめることを請求することができる〈予〉。

第１８２条の４　（反対株主の株式買取請求）〈司H29〉

Ⅰ　株式会社が株式の併合をすることにより株式の数に１株に満たない端数が生ずる場合には、反対株主は、当該株式会社に対し、自己の有する株式のうち１株に満たない端数となるものの全部を公正な価格で買い取ることを請求することができる〈書〉。
Ⅱ　前項に規定する「反対株主」とは、次に掲げる株主をいう。
①　第１８０条第２項<株式の併合において定める事項>の株主総会に先立って当該株式の併合に反対する旨を当該株式会社に対し通知し、かつ、当該株主総会において当該株式の併合に反対した株主（当該株主総会において議決権を行使することができるものに限る。）
②　当該株主総会において議決権を行使することができない株主
Ⅲ　株式会社が株式の併合をする場合における株主に対する通知についての第１８１条第１項の規定の適用については、同項中「２週間」とあるのは、「２０日」とする。
Ⅳ　第１項の規定による請求（以下この款において「株式買取請求」という。）は、効力発生日の２０日前の日から効力発生日の前日までの間に、その株式買取請求に係る株式の数（種類株式発行会社にあっては、株式の種類及び種類ごとの数）を明らかにしてしなければならない。
Ⅴ　株券が発行されている株式について株式買取請求をしようとするときは、当該株式の株主は、株式会社に対し、当該株式に係る株券を提出しなければならない。ただし、当該株券について第２２３条<株券喪失登録の請求>の規定による請求をした者については、この限りでない。
Ⅵ　株式買取請求をした株主は、株式会社の承諾を得た場合に限り、その株式買取請求を撤回することができる〈予〉。
Ⅶ　第１３３条<株主の請求による株主名簿記載事項の記載又は記録>の規定は、株式買取請求に係る株式については、適用しない。

【３項読替え】

株式会社が株式の併合をする場合、株式会社は、効力発生日の20日前までに、株主（種類株式発行会社にあっては、第180条第２項第３号<種類株式発行会社が併合する株式の種類>の種類の種類株主。以下この款において同じ。）及びその登録株式質権者に対し、同項各号に掲げる事項を通知しなければならない。

株式会社

第182条の5（株式の価格の決定等）

Ⅰ　株式買取請求があった場合において、株式の価格の決定について、株主と株式会社との間に協議が調ったときは、株式会社は、効力発生日から60日以内にその支払をしなければならない。

Ⅱ　株式の価格の決定について、効力発生日から30日以内に協議が調わないときは、株主又は株式会社は、その期間の満了の日後30日以内に、裁判所に対し、価格の決定の申立てをすることができる。

Ⅲ　前条第6項の規定にかかわらず、前項に規定する場合において、効力発生日から60日以内に同項の申立てがないときは、その期間の満了後は、株主は、いつでも、株式買取請求を撤回することができる。

Ⅳ　株式会社は、裁判所の決定した価格に対する第1項の期間の満了の日後の法定利率による利息をも支払わなければならない。

Ⅴ　株式会社は、株式の価格の決定があるまでは、株主に対し、当該株式会社が公正な価格と認める額を支払うことができる。

Ⅵ　株式買取請求に係る株式の買取りは、効力発生日に、その効力を生ずる。

Ⅶ　株券発行会社は、株券が発行されている株式について株式買取請求があったときは、株券と引換えに、その株式買取請求に係る株式の代金を支払わなければならない。

第182条の6（株式の併合に関する書面等の備置き及び閲覧等）

Ⅰ　株式の併合をした株式会社は、効力発生日後遅滞なく、株式の併合が効力を生じた時における発行済株式（種類株式発行会社にあっては、第180条第2項第3号の種類の発行済株式）の総数その他の株式の併合に関する事項として法務省令で定める事項を記載し、又は記録した書面又は電磁的記録を作成しなければならない。

Ⅱ　株式会社は、効力発生日から6箇月間、前項の書面又は電磁的記録をその本店に備え置かなければならない。

Ⅲ　株式の併合をした株式会社の株主又は効力発生日に当該株式会社の株主であった者は、当該株式会社に対して、その営業時間内は、いつでも、次に掲げる請求をすることができる。ただし、第2号又は第4号に掲げる請求をするには、当該株式会社の定めた費用を支払わなければならない。

①　前項の書面の閲覧の請求

②　前項の書面の謄本又は抄本の交付の請求

③　前項の電磁的記録に記録された事項を法務省令で定める方法により表示したものの閲覧の請求

④　前項の電磁的記録に記録された事項を電磁的方法であって株式会社の定めたものにより提供することの請求又はその事項を記載した書面の交付の請求

[趣旨] 株式の併合は、併合の割合を極端に大きくすることで、大部分の少数株主の保有株式を1株に満たない端数にすることが可能であるため、少数株主のキャッシュ・アウト（⇒p.134）の手段として用いることもできる。しかし、少数株主を排除する目的で濫用的な株式の併合がなされれば、大部分の少数株主は株主たる地位を失うなど、株主の権利に重大な影響を与えることが予想される。そこで、株主保護のために、①差止請求権（182の3）、②反対株主の端数株式の買取請求権

（182の4）が認められるとともに、③事前開示（182の2）・事後開示（182の6）を通じて情報開示の充実化が図られ、①差止請求権・②端数株式の買取請求権を行使する機会が確保されている。

第２款　株式の分割

《概　説》

◆　株式分割

1　意義

株式分割とは、株式を細分化して従来よりも多数の株式にする会社の行為をいう（183）。

cf.　新株予約権については、分割を認める旨の規定は存在しない〈予

→株式併合における差止請求（182の3）や反対株主による株式買取請求権（182の4）を認める明文の規定はない〈予

∵　株式分割は株主の地位に何ら実質的な変動を生じさせない

→株式の分割によって、株主の有する株式と異なる種類の株式を当該株主に取得させることはできない〈書

2　機能

(1)　株価が高騰しすぎたとき株価を引き下げる。

(2)　株式数を増やしてその株式の市場性・流動性を高める。

(3)　分割後の配当額等のいかんによっては、実質的な増配や株価上昇の利益を株主にもたらす。

第１８３条　（株式の分割）

Ⅰ　株式会社は、株式の分割をすることできる。

Ⅱ　株式会社は、株式の分割をしようとするときは、その都度、株主総会（取締役会設置会社にあっては、取締役会）の決議によって、次に掲げる事項を定めなければならない〈司書。

①　株式の分割により増加する株式の総数の株式の分割前の発行済株式（種類株式発行会社にあっては、第３号の種類の発行済株式）の総数に対する割合及び当該株式の分割に係る基準日

②　株式の分割がその効力を生ずる日

③　株式会社が種類株式発行会社である場合には、分割する株式の種類

［趣旨］株式分割がなされても株主の地位に何ら実質的な変動を生じさせないし、会社債権者にも影響を与えないので、取締役会設置会社において取締役会、取締役会非設置会社においては株主総会の決議により、株式の分割をすることができることとした（Ⅱ）。

【関連条文】911 Ⅲ⑥⑨・915 Ⅰ［変更登記］

第１８４条　（効力の発生等）

Ⅰ　基準日において株主名簿に記載され、又は記録されている株主（種類株式発行会社にあっては、基準日において株主名簿に記載され、又は記録されている前条第２項第３号の種類の種類株主）は、同項第２号＜株式の分割がその効力を生ずる日＞の日に、基準日に有する株式（種類株式発行会社にあっては、同項第３号の種類の株式。以下この項において同じ。）の数に同条第２項第１号＜分割の割合および基準日＞の割合を乗じて得た数の株式を取得する。

Ⅱ　株式会社（現に２以上の種類の株式を発行しているものを除く。）は、第４６６条＜定款の変更＞の規定にかかわらず、株主総会の決議によらないで、前条第２項第２号＜株式の分割が効力を生ずる日＞の日における発行可能株式総数をその日の前日の発行可能株式総数に同項第１号＜分割の割合および基準日＞の割合を乗じて得た数の範囲内で増加する定款の変更をすることができる〈共予書〉。

［趣旨］大幅な株式分割を実施する場合には、分割後の発行済株式総数が発行可能株式総数（113 Ⅰ）を超過する場合があり、このとき株主総会の特別決議（466、309 Ⅱ⑪）を経て定款変更しなければならないことになる。しかし、それでは手続が遅延してしまうため、２項により特別決議を経ずに迅速に発行可能株式総数を分割比率に応じて増加させようとした〈同〉。

第３款　株式無償割当て

《概　説》

◆　株式無償割当て

1　意義

株式無償割当てとは、株主に対して新たに払込みをさせないで持株比率に応じて、株式を割り当てる会社の行為をいう（185）。

2　機能

会社法制定前の商法においては、株式分割によって普通株式を普通株式と種類株式に分割することができるのかが問題となっていたが、会社法は同じ特定の種類の株式を一定の割合で増加させる場合のみを株式分割として規整し、それ以外の形で新たな払込みなしに株式数を増加させる場合のために株式無償割当ての制度を設けた。

なお、株式の無償割当てがあっても、資本金は増加しない〈司書〉。

3　株式分割との比較

＜株式分割と株式無償割当ての比較＞〈共〉

	株式分割	株式無償割当て
株主が異なる種類の株式を取得すること	×	○
自己株式の増加又は自己株式についての割当て	○	×
自己株式の交付	×	○

第185条　（株式無償割当て）

株式会社は、株主（種類株式発行会社にあっては、ある種類の種類株主）に対して新たに払込みをさせないで当該株式会社の株式の割当て（以下この款において「株式無償割当て」という。）をすることができる〈司。

《注　釈》

・株式無償割当てによる株式の発行は、金銭が会社に払い込まれることがないため、資金調達方法となり得ない〈司。

【関連条文】911 Ⅲ⑨・915 Ⅰ［変更登記］

第186条　（株式無償割当てに関する事項の決定）

Ⅰ　株式会社は、株式無償割当てをしようとするときは、その都度、次に掲げる事項を定めなければならない。

①　株主に割り当てる株式の数（種類株式発行会社にあっては、株式の種類及び種類ごとの数）又はその数の算定方法

②　当該株式無償割当てがその効力を生ずる日〈共

③　株式会社が種類株式発行会社である場合には、当該株式無償割当てを受ける株主の有する株式の種類

Ⅱ　前項第1号に掲げる事項についての定めは、当該株式会社以外の株主（種類株式発行会社にあっては、同項第3号の種類の種類株主）の有する株式（種類株式発行会社にあっては、同項第3号の種類の株式）の数に応じて同項第1号の株式を割り当てることを内容とするものでなければならない〈書。

Ⅲ　第1項各号に掲げる事項の決定は、株主総会（取締役会設置会社にあっては、取締役会）の決議によらなければならない〈書。ただし、定款に別段の定めがある場合は、この限りでない。

第187条　（株式無償割当ての効力の発生等）

Ⅰ　前条第1項第1号＜株主に割り当てる株式の数等＞の株式の割当てを受けた株主は、同項第2号＜株式の無償割当ての効力発生日＞の日に、同項第1号＜株主に割り当てる株式の数等＞の株式の株主となる。

Ⅱ　株式会社は、前条第1項第2号＜株式の無償割当ての効力発生日＞の日後遅滞なく、株主（種類株式発行会社にあっては、同項第3号の種類の種類株主）及びその登録株式質権者に対し、当該株主が割当てを受けた株式の数（種類株式発行会社にあっては、株式の種類及び種類ごとの数）を通知しなければならない。

■第6節　単元株式数

第1款　総則

《概　説》

一　意義

単元株制度とは、定款で定めた一定数の株式をまとめたものを1単元とし、

1単元の株式について1個の議決権を与えるが、単元株式数に満たない株式（単元未満株式）には議決権を与えないこととする制度である（188 Ⅰ）。

二　機能

1　株価の低い企業が株式の大きさを引き上げよう（株価を上げよう）とする場合に、相当額の費用を要する株式併合を行う代わりに株式併合と同様の効果を実現する手段となる。

2　株価の高い企業においては、株価を引き下げるために株式分割を行いながら、分割前の1株に対応する数の株式を1単元とすることにより、株主管理費用等を分割前と同等にすることができる。

三　単元未満株主の権利

1　単元未満株主の自益権

あくまで独立した1個の株式であるから、原則としてすべての自益権が認められる。

2　単元未満株主の共益権

原則として株主としての権利を有するが、議決権の行使（189 Ⅰ）、議決権の存在を前提とする権利（株主提案権（303）等）は認められない。

第188条　（単元株式数）

Ⅰ　株式会社は、その発行する株式について、一定の数の株式をもって株主が株主総会又は種類株主総会において1個の議決権を行使することができる1単元の株式とする旨を定款で定めることができる。

Ⅱ　前項の一定の数は、法務省令で定める数を超えることはできない司。

Ⅲ　種類株式発行会社においては、単元株式数は、株式の種類ごとに定めなければならない司予。

《注　釈》

・単元株式数は1000株及び発行済株式総数の200分の1に当たる数を超えてはならない（規34）司。

【関連条文】308 Ⅰただし書［単元未満株主の議決権の排除］、911 Ⅲ⑧、規34

第189条　（単元未満株式についての権利の制限等）

Ⅰ　単元株式数に満たない数の株式（以下「単元未満株式」という。）を有する株主（以下「単元未満株主」という。）は、その有する単元未満株式について、株主総会及び種類株主総会において議決権を行使することができない司。

Ⅱ　株式会社は、単元未満株主が当該単元未満株式について次に掲げる権利以外の権利の全部又は一部を行使することができない旨を定款で定めることができる司書。

①　第171条第1項第1号＜全部取得条項付種類株式の取得対価＞に規定する取得対価の交付を受ける権利

②　株式会社による取得条項付株式の取得と引換えに金銭等の交付を受ける権利

③　第185条＜株式無償割当て＞に規定する株式無償割当てを受ける権利

④ 第192条第1項<単元未満株式の買取りの請求>の規定により単元未満株式を買い取ることを請求する権利予

⑤ 残余財産の分配を受ける権利

⑥ 前各号に掲げるもののほか、法務省令で定める権利

Ⅲ 株券発行会社は、単元未満株式に係る株券を発行しないことができる旨を定款で定めることができる予。

[趣旨] 株主総会の開催に際し、計算書類やその監査報告書を招集通知に添付して送付する等の株主管理コストを節減する観点から、法は単元未満株式の議決権に対する制約を認めた予。

《注 釈》

・単元未満株式のみを有する株主には、株主提案権・総会出席権・質問権・総会決議取消訴権を含め、議決権の存在を前提とする一切の総会参与権がないと解せられる司書。

【関連条文】 規35

第190条（理由の開示）

単元株式数を定める場合には、取締役は、当該単元株式数を定める定款の変更を目的とする株主総会において、当該単元株式数を定めることを必要とする理由を説明しなければならない。

第191条（定款変更手続の特則）

株式会社は、次のいずれにも該当する場合には、第466条<定款の変更>の規定にかかわらず、株主総会の決議によらないで、単元株式数（種類株式発行会社にあっては、各種類の株式の単元株式数。以下この条において同じ。）を増加し、又は単元株式数についての定款の定めを設ける定款の変更をすることができる。

① 株式の分割と同時に単元株式数を増加し、又は単元株式数についての定款の定めを設けるものであること。

② イに掲げる数がロに掲げる数を下回るものでないこと。

イ 当該定款の変更後において各株主がそれぞれ有する株式の数を単元株式数で除して得た数

ロ 当該定款変更前において各株主がそれぞれ有する株式の数（単元株式数を定めている場合にあっては、当該株式の数を単元株式数で除して得た数）

株式会社

第２款　単元未満株主の買取請求

第１９２条　（単元未満株式の買取りの請求）

Ⅰ　単元未満株主は、株式会社に対し、自己の有する単元未満株式を買い取ることを請求することができる。

Ⅱ　前項の規定による請求は、その請求に係る単元未満株式の数（種類株式発行会社にあっては、単元未満株式の種類及び種類ごとの数）を明らかにしてしなければならない。

Ⅲ　第１項の規定による請求をした単元未満株主は、株式会社の承諾を得た場合に限り、当該請求を撤回することができる。

［趣旨］単元未満株式の譲渡が困難であることから、単元未満株主の投下資本回収の機会を保障する。

【関連条文】155⑦［自己株式の取得］

第１９３条　（単元未満株式の価格の決定）

Ⅰ　前条第1項の規定による請求があった場合には、次の各号に掲げる場合の区分に応じ、当該各号に定める額をもって当該請求に係る単元未満株式の価格とする。

①　当該単元未満株式が市場価格のある株式である場合　当該単元未満株式の市場価格として法務省令で定める方法により算定される額

②　前号に掲げる場合以外の場合　株式会社と前条第１項の規定による請求をした単元未満株主との協議によって定める額

Ⅱ　前項第２号に掲げる場合には、前条第１項の規定による請求をした単元未満株主又は株式会社は、当該請求をした日から２０日以内に、裁判所に対し、価格の決定の申立てをすることができる。

Ⅲ　裁判所は、前項の決定をするには、前条第１項の規定による請求の時における株式会社の資産状態その他一切の事情を考慮しなければならない。

Ⅳ　第１項の規定にかかわらず、第２項の期間内に同項の申立てがあったときは、当該申立てにより裁判所が定めた額をもって当該単元未満株式の価格とする。

Ⅴ　第１項の規定にかかわらず、同項第２号に掲げる場合において、第２項の期間内に同項の申立てがないとき（当該期間内に第１項第２号の協議が調った場合を除く。）は、１株当たり純資産額に前条第１項の規定による請求に係る単元未満株式の数を乗じて得た額をもって当該単元未満株式の価格とする。

Ⅵ　前条第１項の規定による請求に係る株式の買取りは、当該株式の代金の支払の時に、その効力を生ずる。

Ⅶ　株券発行会社は、株券が発行されている株式につき前条第1項の規定による請求があったときは、株券と引換えに、その請求に係る株式の代金を支払わなければならない。

【関連条文】規36

第３款　単元未満株主の売渡請求

第１９４条

Ⅰ　株式会社は、単元未満株主が当該株式会社に対して単元未満株式売渡請求（単元未満株主が有する単元未満株式の数と併せて単元株式数となる数の株式を当該単元未満株主に売り渡すことを請求することをいう。以下この条において同じ。）をすることができる旨を定款で定めることができる〈司予書〉。

Ⅱ　単元未満株式売渡請求は、当該単元未満株主に売り渡す単元未満株式の数（種類株式発行会社にあっては、単元未満株式の種類及び種類ごとの数）を明らかにしてしなければならない。

Ⅲ　単元未満株式売渡請求を受けた株式会社は、当該単元未満株式売渡請求を受けた時に前項の単元未満株式の数に相当する数の株式を有しない場合を除き、自己株式を当該単元未満株主に売り渡さなければならない。

Ⅳ　第１９２条第３項＜単元未満株主の買取請求の撤回＞及び前条第１項から第６項まで＜単元未満株式の価格の決定＞の規定は、単元未満株式売渡請求について準用する。

［趣旨］単元未満株式売渡請求は、単元未満株主に単元株主となることを認めた制度であり、その制度の採否を定款自治に委ねた。定款で定めることとしたのは本制度が募集株式の発行等の手続によらないで自己株式を処分するという例外的な制度であることを考慮したためである。

【関連条文】規37

第４款　単元株式数の変更等

第１９５条

Ⅰ　株式会社は、第４６６条＜定款の変更＞の規定にかかわらず、取締役の決定（取締役会設置会社にあっては、取締役会の決議）によって、定款を変更して単元株式数を減少し、又は単元株式数についての定款の定めを廃止することができる〈司書〉。

Ⅱ　前項の規定により定款の変更をした場合には、株式会社は、当該定款の変更の効力が生じた日以後遅滞なく、その株主（種類株式発行会社にあっては、同項の規定により単元株式数を変更した種類の種類株主）に対し、当該定款の変更をした旨を通知しなければならない。

Ⅲ　前項の規定による通知は、公告をもってこれに代えることができる。

［趣旨］単元株制度を廃止することは、株主にとって有利にこそなれ、不利になることはないことから、株主総会の特別決議によらずに定款変更することを認めた。

■第７節　株主に対する通知の省略等

《概　説》

◆　**所在不明株主の株式売却制度**

この制度は、継続して５年間以上株主名簿記載の住所に通知・催告が届かず（126 Ⅰ参照）、かつ剰余金を受領していない株主の株式について（457 Ⅰ参照）、一定事項を公告・個別の通知をしたうえで、当該株式を競売することを認めるものである（197、198）。

売却代金は当該株主に支払うこととされているが、所在不明であるため供託されることになる（民494Ⅱ）。

第１９６条　（株主に対する通知の省略）

Ⅰ　株式会社が株主に対してする通知又は催告が５年以上継続して到達しない場合には、株式会社は、当該株主に対する通知又は催告をすることを要しない予。

Ⅱ　前項の場合には、同項の株主に対する株式会社の義務の履行を行う場所は、株式会社の住所地とする予。

Ⅲ　前２項の規定は、登録株式質権者について準用する。

第１９７条　（株式の競売）

Ⅰ　株式会社は、次のいずれにも該当する株式を競売し、かつ、その代金をその株式の株主に交付することができる。

①　その株式の株主に対して前条第１項又は第２９４条第２項の規定により通知及び催告をすることを要しないもの

②　その株式の株主が継続して５年間剰余金の配当を受領しなかったもの

Ⅱ　株式会社は、前項の規定による競売に代えて、市場価格のある同項の株式については市場価格として法務省令で定める方法により算定される額をもって、市場価格のない同項の株式については裁判所の許可を得て競売以外の方法により、これを売却することができる。この場合において、当該許可の申立ては、取締役が２人以上あるときは、その全員の同意によってしなければならない。

Ⅲ　株式会社は、前項の規定により売却する株式の全部又は一部を買い取ることができる。この場合においては、次に掲げる事項を定めなければならない。

①　買い取る株式の数（種類株式発行会社にあっては、株式の種類及び種類ごとの数）

②　前号の株式の買取りをするのと引換えに交付する金銭の総額

Ⅳ　取締役会設置会社においては、前項各号に掲げる事項の決定は、取締役会の決議によらなければならない。

Ⅴ　第１項及び第２項の規定にかかわらず、登録株式質権者がある場合には、当該登録株式質権者が次のいずれにも該当する者であるときに限り、株式会社は、第１項の規定による競売又は第２項の規定による売却をすることができる。

①　前条第３項において準用する同条第１項の規定により通知又は催告をすることを要しない者

②　継続して５年間第１５４条第１項の規定により受領することができる剰余金の配当を受領しなかった者

【関連条文】155⑧［自己株式の取得］、461Ⅰ⑥［配当等の制限］、462Ⅰ④ⅡⅢ［売却する株式の買取りと引換えに交付する金銭の総額が分配可能額を超える場合の責任］、465Ⅰ⑧［欠損が生じた場合の責任］、規38

第１９８条　（利害関係人の異議）

Ⅰ　前条第１項の規定による競売又は同条第２項の規定による売却をする場合には、株式会社は、同条第１項の株式の株主その他の利害関係人が一定の期間内に異議を述べることができる旨その他法務省令で定める事項を公告し、かつ、当該株式の株主及びその登録株式質権者には、各別にこれを催告しなければならない。ただし、当該期間は、３箇月を下ることができない。

Ⅱ　第１２６条第１項及び第１５０条第１項の規定にかかわらず、前項の規定による催告は、株主名簿に記載し、又は記録した当該株主及び登録株式質権者の住所（当該株主又は登録株式質権者が別に通知又は催告を受ける場所又は連絡先を当該株式会社に通知した場合にあっては、その場所又は連絡先を含む。）にあてて発しなければならない。

Ⅲ　第１２６条第３項及び第４項の規定にかかわらず、株式が２以上の者の共有に属するときは、第１項の規定による催告は、共有者に対し、株主名簿に記載し、又は記録した住所（当該共有者が別に通知又は催告を受ける場所又は連絡先を当該株式会社に通知した場合にあっては、その場所又は連絡先を含む。）にあてて発しなければならない。

Ⅳ　第１９６条第１項（同条第３項において準用する場合を含む。）の規定は、第１項の規定による催告については、適用しない。

Ⅴ　第１項の規定による公告をした場合（前条第１項の株式に係る株券が発行されている場合に限る。）において、第１項の期間内に利害関係人が異議を述べなかったときは、当該株式に係る株券は、当該期間の末日に無効となる。

【関連条文】規 39

■第８節　募集株式の発行等

《概　説》

◆　資金調達の方法

1　内部資金と外部資金

(1)　内部資金

企業の内部から資金を調達する場合であり、利潤の社内留保、減価償却等が挙げられる。

(a)　利潤の社内留保

会社が得た利益を、準備金等の名目で株主に配当せず、会社に留保する場合がこれに当たる。

(b)　減価償却

複数の事業年度（会計期間）にわたって使用される有形固定資産の取得原価を、その資産を使用できる期間にわたって配分する手続をいう。

(2)　外部資金

企業の外部から資金を調達する場合をいう。

(a)　金融機関等からの借入金

業務執行の一環として、取締役（取締役会設置会社においては、取締役会、なお362 Ⅳ②）又は代表取締役（執行役）が決定をする。

(b)　募集株式の発行等

(c)　社債の発行　⇒ p.469

2　自己資本と他人資本

(1)　自己資本

企業が返済義務を負わない場合であり、募集株式の発行等による資金と内部資金がこれに当たる。募集株式発行等の方法によれば、多額かつ長期の資金調達が可能となる。

(2)　他人資本

企業が返済義務を負う場合であり、一般の消費貸借による借入金（金融機関からの借入金）や企業間信用（支払手形や買掛金）のほか、大量かつ長期の資金調達を可能とするものとして社債がある。

＜株式会社における資金調達手段＞回

<table>
<tr><td rowspan="5">外部資金</td><td>自己資本</td><td colspan="3">募集株式発行等（199以下）</td></tr>
<tr><td rowspan="4">他人資本</td><td colspan="2" rowspan="2">社債発行</td><td>通常の社債発行（676以下）</td></tr>
<tr><td>新株予約権付社債（238 Ⅰ⑥）回</td></tr>
<tr><td colspan="2">借入れ</td><td>金融機関等からの借入れ</td></tr>
<tr><td colspan="2">企業間信用</td><td>支払手形
買掛金</td></tr>
<tr><td rowspan="2">内部資金</td><td rowspan="2">自己資本</td><td rowspan="2">自己金融</td><td>利益の
内部留保</td><td>繰越利益剰余金
積立金
準備金など</td></tr>
<tr><td>減価償却等</td><td>減価償却
減耗償却</td></tr>
</table>

※　新株予約権（236以下）が資金調達目的で発行されることもある回。

第１款　募集事項の決定等

《概　説》

◆　募集株式の発行等

1　意義

募集株式の発行等とは、会社成立後に株式引受人を募集することによって株式を発行すること（通常の株式発行）、及び自己株式を処分することをいう。

2　募集株式の発行等の特色

(1)　人的・物的規模の拡大

(2)　会社の一部設立

3「通常の株式発行（募集株式の発行）」と「特殊の株式発行（募集株式の発

行以外の株式の発行)」
(1)「通常の株式発行」(募集株式の発行)
(2)「特殊の株式発行」(募集株式の発行以外の株式の発行)
(a) 取得請求権付株式・取得条項付株式・全部取得条項付種類株式の取得に当たって株式を対価とする場合(108 II⑤ロ⑥ロ、171 I①イ)
(b) 株式分割(183)
(c) 株式無償割当て(185)
(d) 新株予約権の行使(282)
(e) 吸収合併(749 I②イ)、吸収分割(758④イ)、株式交換(768 I②イ)の際の存続会社等による発行
(f) 会社更生手続による発行(会更175)

4　募集株式の発行等の方法
(1) 株主割当て：株主に対して割当てを受ける権利を持株数に比例して与えて募集株式の発行を行う場合
(2) それ以外の方法：①公募発行(広く一般投資家から募集株式を引き受ける者を募集する方法)と②第三者割当て(特定の第三者に募集株式を割り当てて資金を調達する方法)

5　既存の株主の保護
(1) 既存の株主保護の必要性
①株主以外の者に株式が割り当てられれば、既存の株主の持株比率が低下することになるし、②株式の発行価額いかんによっては株価が下落し、既存の株主が経済的損失を被るおそれがあるため、既存の株主の保護を図る必要がある。
(2) 持株比率の保護
(a) 公開会社の場合
株式発行による迅速な資金調達の必要性、公開会社であれば既存株主は他の株主からの株式譲受によって持分比率を回復する余地があるという許容性から、株主に割当てを受ける権利を与えるか否かの決定は取締役会に委ねられている(202 III③)。
もっとも、公開会社においても、定款で定めれば募集株式の発行等に係る事項の決定を株主総会の権限となしうる(295 II)。
公開会社において、募集株式の引受人が総株主の議決権の2分の1を超える株式を保有する結果となる第三者割当てを行う場合(支配株主の異動を伴う募集株式の発行等)、会社支配への影響が生じる。そこで、取締役会決議のみではなく、株主に対して一定の手続をとる必要があることとされている(206の2)。　⇒§206の2
(b) 非公開会社の場合
募集事項の決定には株主総会の特別決議が必要とされており(199 I II、309 II⑤)、既存株主の持株比率維持の利益は保護されている。

(3) 第三者に対する有利発行 ⇒ p.157
(4) 募集株式の発行等の差止請求権 ⇒ §210
(5) 不公正な払込金額で引き受けた者の責任 ⇒ §212
(6) 仮装払込みの責任 ⇒ §213の2、§213の3
(7) 新株発行・自己株式処分無効の訴え ⇒ §828 Ⅰ②③
(8) 新株発行等不存在確認の訴え ⇒ §829①②

<設立時の株式発行と設立後の募集株式の発行等>

<table>
<tr><th></th><th colspan="2">設立時の株式発行</th><th>募集株式の発行等</th></tr>
<tr><td>株式発行の優先目的</td><td colspan="2">引受人の会社の財産的規模に対する合理的期待の保護及び会社の財産的基礎の確立</td><td>資金調達の円滑化</td></tr>
<tr><td rowspan="3">株式に関する事項の決定</td><td colspan="2">① 設立に際して出資される財産の価額又は最低額
→定款の絶対的記載事項(27④)</td><td rowspan="3">・公開会社
→取締役会決議(201 Ⅰ、199 Ⅱ)
・非公開会社
→株主総会の特別決議(199 Ⅱ、309 Ⅱ⑤)</td></tr>
<tr><td colspan="2">② 発起人が割当てを受ける設立時発行株式の数等
→発起人の全員の同意又は定款(32、58)</td></tr>
<tr><td colspan="2">③ その他の事項
ex. 払込取扱金融機関等
→発起人の過半数(民670 Ⅰ)</td></tr>
<tr><td rowspan="4">払込み</td><td>共通点</td><td colspan="2">・全額払込主義(34 Ⅰ、63 Ⅰ、208 Ⅰ)
・現物出資の全部給付(34 Ⅰ、208 Ⅱ)
・引受けの無効・取消しの制限(51、102 ⅤⅥ、211)</td></tr>
<tr><td rowspan="3">相違点</td><td>出資される財産の価額又は最低額の出資が必要(27④)</td><td>引受け・出資の履行のあった限度で発行等の効力が認められる(208 Ⅴ)</td></tr>
<tr><td>設立時募集株式について払込みがない場合当然に失権するが(63 Ⅲ)、発起人については失権手続が必要(36)</td><td>払込みがない場合当然に失権する(208 Ⅴ)</td></tr>
<tr><td>現物出資は発起人のみ可(34 Ⅰと63 Ⅰ対照)</td><td>現物出資者についての制限はない(208 Ⅱ)</td></tr>
<tr><td>既存株主</td><td colspan="2">存在しない</td><td>存在する
→保護の必要性</td></tr>
</table>

第１９９条　（募集事項の決定）

Ⅰ　株式会社は、その発行する株式又はその処分する自己株式を引き受ける者の募集をしようとするときは、その都度、募集株式（当該募集に応じてこれらの株式の引受けの申込みをした者に対して割り当てる株式をいう。以下この節において同じ。）について次に掲げる事項を定めなければならない。

① 募集株式の数（種類株式発行会社にあっては、募集株式の種類及び数。以下この節において同じ。）

② 募集株式の払込金額（募集株式１株と引換えに払い込む金銭又は給付する金銭以外の財産の額をいう。以下この節において同じ。）又はその算定方法

③ 金銭以外の財産を出資の目的とするときは、その旨並びに当該財産の内容及び価額

④ 募集株式と引換えにする金銭の払込み又は前号の財産の給付の期日又はその期間

⑤ 株式を発行するときは、増加する資本金及び資本準備金に関する事項

Ⅱ　前項各号に掲げる事項（以下この節において「募集事項」という。）の決定は、株主総会の決議によらなければならない。

Ⅲ　第１項第２号の払込金額が募集株式を引き受ける者に特に有利な金額である場合には、取締役は、前項の株主総会において、当該払込金額でその者の募集をすることを必要とする理由を説明しなければならない〈司〈司R2。

Ⅳ　種類株式発行会社において、第１項第１号の募集株式の種類が譲渡制限株式であるときは、当該種類の株式に関する募集事項の決定は、当該種類の株式を引き受ける者の募集について当該種類の株式の種類株主を構成員とする種類株主総会の決議を要しない旨の定款の定めがある場合を除き、当該種類株主総会の決議がなければ、その効力を生じない。ただし、当該種類株主総会において議決権を行使することができる種類株主が存しない場合は、この限りでない。

Ⅴ　募集事項は、第１項の募集ごとに、均等に定めなければならない。

［趣旨］資金調達の便宜と既存株主の保護の調和を図るものである。

＜募集株式の発行等に必要な手続＞

	公開会社		非公開会社
	通常の株式の発行等	譲渡制限株式の発行等	
株主割当て	取締役会決議（202 Ⅲ③Ⅴ）	取締役会決議（202 Ⅲ③Ⅴ）	株主総会の特別決議（202 Ⅲ④、309 Ⅱ⑤）
			定款により取締役・取締役会が決定できる旨を定めることができる（202 Ⅲ①②）

		公開会社		非公開会社
		通常の株式の発行等	譲渡制限株式の発行等	
第三者割当て	通常の発行等	取締役会決議（201 Ⅰ）	取締役会決議（201 Ⅰ） ＋ 種類株主総会特別決議（199 Ⅳ、324 Ⅱ②）（定款で排除可）	株主総会の特別決議（199 Ⅰ Ⅱ、309 Ⅱ⑤） ＋ 種類株主総会特別決議（199 Ⅳ、324 Ⅱ②）（定款で排除可）
				株主総会の特別決議（309 Ⅱ⑤） ＋ 種類株主総会特別決議（324 Ⅱ②）（定款で排除可（200 Ⅰ Ⅳ））による取締役・取締役会への委任
	有利発行	株主総会の特別決議・理由の説明（199 Ⅱ Ⅲ、201 Ⅰ、309 Ⅱ⑤）	株主総会の特別決議・理由の説明（199 Ⅰ Ⅱ Ⅲ、201 Ⅰ、309 Ⅱ⑤） ＋ 種類株主総会特別決議（199 Ⅳ、324 Ⅱ②）（定款で排除可）	株主総会の特別決議・理由の説明（199 Ⅰ Ⅱ Ⅲ、309 Ⅱ⑤） ＋ 種類株主総会特別決議（199 Ⅳ、324 Ⅱ②）（定款で排除可）

※　株主割当てによる募集株式の発行等をする場合において、ある種類の株式の種類株主に損害を及ぼすおそれがあるときは、当該種類の株式の種類株主を構成員とする種類株主総会の特別決議が必要となる（322 Ⅰ④、324 Ⅱ④）。なお、この決議は、定款による排除が可能である（322 Ⅱ）。

《注　釈》

一　「特に有利な金額」（Ⅲ）か否かの判断 司H19 予H26

1　「特に有利な金額」の意義

「特に有利な金額」とは、公正な価額と比較して、特に低い金額をいうと解されている。そこで、公正な価額の意義が問題となる。以下のとおり、市場価格がある場合とない場合とで分けて述べる。

2　市場価格がある場合（上場会社の場合）

(1)　この場合、公正な価額とは、通常は株式の時価、すなわち、募集株式の効力発生日に最も近接した日の当該株式の市場価格を指す。この点、判例（最判昭50.4.8）は、「発行価額決定前の当該会社の株式価格、右株価の騰落習性、売買出来高の実績、会社の資産状態、収益状態、配当状況、発行ずみ株式数、新たに発行される株式数、株式市況の動向、これらから予測される新株の消化可能性等の諸事情を総合」して公正な価額を決定することを認めており、「旧株主の利益と会社が有利な資本調達を実現するという利益との調和」を求めている。

市場価格のある株式について、募集株式の発行が行われると需要と供給のバランスが崩れ、市場価格が下落することもある。そこで、実務上、時価を基準として0.9を乗じた価格以上の額（いわゆる自主ルール）であれば、「特に有利な金額」には当たらないと一般に解されている（東京地決平16.6.1・百選20事件参照）。

⑵　買収を目的とする株式の買占め等により、市場価格が一時的に高騰している場合であっても、その高騰した市場価格が買収による企業価値の増大を反映している限り、その市場価格が公正な価額であると考えられている。

もっとも、企業の客観的価値以外の投機的思惑その他の人為的な要素によって、市場価格が企業の客観的価値を反映することなく異常に騰落することもあるため、市場価格を絶対視することはできない（東京高判昭48.7.27・百選95事件）。このような場合は、高騰した市場価格を公正な価額の基準から排除することも認められる。

3　市場価格がない場合（非上場会社の場合）

判例（最判平27.2.19・百選21事件）は、「非上場会社が株主以外の者に新株を発行するに際し、客観的資料に基づく一応合理的な算定方法によって発行価額が決定されていたといえる場合には、その発行価額は、特別の事情のない限り」、「特に有利な金額」には当たらないとしている。

∵①　非上場会社の株価の算定については、様々な評価手法が存在しており、明確な判断基準が確立されているわけではない

②　取締役会が、新株発行当時、客観的資料に基づく一応合理的な算定方法によって発行価額を決定していたにもかかわらず、裁判所が、事後的に、他の評価手法を用いるなどして改めて株価の算定を行った上、その算定結果と現実の発行価額とを比較して「特に有利な金額」に当たるか否かを判断するのは、取締役らの予測可能性を害する

二　違法な有利発行と責任追及

1株の公正な価額が1,000円である株式会社の取締役が、株主総会の特別決議を経ることなく、1株250円で10万株の募集株式の発行等をし、その結果、2,500万円を調達したというケースを想定する。

1　423条1項に基づく責任追及

上記のケースにおいて、取締役は公正な価額である1株1,000円で10万株の募集株式の発行等をして、1億円を調達すべきであったとする。この場合、会社には7,500万円もの資金を得られなかったという損害が発生する。

→取締役は、会社に対して、7,500万円の損害賠償責任（423 Ⅰ）を負い、株主は、代表訴訟（847以下）により会社に代わって責任追及することができる

2　429条1項に基づく責任追及

上記のケースにおいて、取締役は、①1株1,000円で2万5,000株の募集株式の発行等をして、2,500万円を調達すべきであった、又は②そもそも募集株

式の発行等はなされるべきではなかったとする。これらの場合、会社に損害が発生したとはいえないが、株主は、その保有株式の希釈化による直接損害を被ったといえる。

→株主は、取締役に対して、保有株式の価値減少にかかる自己個人への損害を賠償するよう請求することができる（429 Ⅰ）

＊　実際の裁判例では、責任の原因事実が主張・立証される限り、いずれの責任追及も認められるものと解されている（423条1項責任を認めたものとして東京地判平12.7.27参照、429条1項責任を認めたものとして大阪高判平11.6.17・百選A 26事件参照）。

【関連条文】309 Ⅱ⑤［株主総会の特別決議］、201［公開会社における募集事項の決定］、324 Ⅱ②［種類株主総会の特別決議］

第２００条　（募集事項の決定の委任）

Ⅰ　前条第２項及び第４項の規定にかかわらず、株主総会においては、その決議によって、募集事項の決定を取締役（取締役会設置会社にあっては、取締役会）に委任することができる。この場合においては、その委任に基づいて募集事項の決定をすることができる募集株式の数の上限及び払込金額の下限を定めなければならない。

Ⅱ　前項の払込金額の下限が募集株式を引き受ける者に特に有利な金額である場合には、取締役は、同項の株主総会において、当該払込金額でその者の募集をすることを必要とする理由を説明しなければならない。

Ⅲ　第１項の決議は、前条第１項第４号<募集株式と引換えにする金銭の払込み又は金銭以外の財産の給付の期日又はその期間>の期日（同号の期間を定めた場合にあっては、その期間の末日）が当該決議の日から１年以内の日である同項の募集についてのみその効力を有する。

Ⅳ　種類株式発行会社において、第１項の募集株式の種類が譲渡制限株式であるときは、当該種類の株式に関する募集事項の決定の委任は、当該種類の株式について前条第４項の定款の定めがある場合を除き、当該種類の株式の種類株主を構成員とする種類株主総会の決議がなければ、その効力を生じない。ただし、当該種類株主総会において議決権を行使することができる種類株主が存しない場合は、この限りでない。

［趣旨］資金調達の便宜の観点から、募集株式の発行等に関わる募集事項の決定を取締役・取締役会に委任できるものとした。

【関連条文】309 Ⅱ⑤［株主総会の特別決議］、324 Ⅱ②［種類株主総会の特別決議］

第２０１条　（公開会社における募集事項の決定の特則）

Ⅰ　第１９９条第３項<募集株式が有利発行される場合における取締役の説明義務>に規定する場合を除き、公開会社における同条第２項<株主総会決議による募集事項の決定>の規定の適用については、同項中「株主総会」とあるのは、「取締役会」とする。この場合においては、前条の規定は、適用しない回。

Ⅱ　前項の規定により読み替えて適用する第１９９条第２項<株主総会決議による募集事項の決定>の取締役会の決議によって募集事項を定める場合において、市場価格のある株式を引き受ける者の募集をするときは、同条第１項第２号<募集株式の

払込金額又はその算定方法＞に掲げる事項に代えて、公正な価額による払込みを実現するために適当な払込金額の決定の方法を定めることができる。

Ⅲ　公開会社は、第１項の規定により読み替えて適用する第１９９条第２項＜募集事項の株主総会決議による決定＞の取締役会の決議によって募集事項を定めたときは、同条第１項第４号＜募集株式と引換えにする金銭の払込み又は金銭以外の財産の給付の期日又はその期間＞の期日（同号の期間を定た場合にあっては、その期間の初日）の２週間前までに、株主に対し、当該募集事項（前項の規定により払込金額の決定の方法を定めた場合にあっては、その方法を含む。以下この節において同じ。）を通知しなければならない〈書。

Ⅳ　前項の規定による通知は、公告をもってこれに代えることができる〈予書。

Ⅴ　第３項の規定は、株式会社が募集事項について同項に規定する期日の２週間前までに金融商品取引法第４条第１項から第３項までの届出をしている場合その他の株主の保護に欠けるおそれがないものとして法務省令で定める場合には、適用しない。

【１項読替え】
第199条第３項＜募集株式が有利発行される場合における取締役の説明義務＞に規定する場合を除き、公開会社においては、199条１項各号に掲げる事項（以下この節において「募集事項」という。）の決定は、取締役会の決議によらなければならない。

[趣旨]公開会社においては、資金調達の便宜を重視して、取締役会で募集事項の決定をすることができるものとした。

【関連条文】規40

第２０２条　（株主に株式の割当てを受ける権利を与える場合）

Ⅰ　株式会社は、第１９９条第１項＜募集事項の決定＞の募集において、株主に株式の割当てを受ける権利を与えることができる。この場合においては、募集事項のほか、次に掲げる事項を定めなければならない。

① 株主に対し、次条第２項の申込みをすることにより当該株式会社の募集株式（種類株式発行会社にあっては、当該株主の有する種類の株式と同一の種類のもの）の割当てを受ける権利を与える旨

② 前号の募集株式の引受けの申込みの期日

Ⅱ　前項の場合には、同項第１号の株主（当該株式会社を除く〈同。）は、その有する株式の数に応じて募集株式の割当てを受ける権利を有する。ただし、当該株主が割当てを受ける募集株式の数に１株に満たない端数があるときは、これを切り捨てるものとする。

Ⅲ　第１項各号に掲げる事項を定める場合には、募集事項及び同項各号に掲げる事項は、次の各号に掲げる場合の区分に応じ、当該各号に定める方法によって定めなければならない。

① 当該募集事項及び第１項各号に掲げる事項を取締役の決定によって定めることができる旨の定款の定めがある場合（株式会社が取締役会設置会社である場合を除く。） 取締役の決定

② 当該募集事項及び第１項各号に掲げる事項を取締役会の決議によって定めることができる旨の定款の定めがある場合（次号に掲げる場合を除く。） 取締役会の決議〈同

③　株式会社が公開会社である場合　取締役会の決議
④　前３号に掲げる場合以外の場合　株主総会の決議

Ⅳ　株式会社は、第１項各号に掲げる事項を定めた場合には、同項第２号の期日の２週間前までに、同項第１号の株主（当該株式会社を除く。）に対し、次に掲げる事項を通知しなければならない。
①　募集事項
②　当該株主が割当てを受ける募集株式の数
③　第１項第２号の期日

Ⅴ　第１９９条第２項から第４項<募集事項の決定等>まで及び前２条の規定<募集事項の決定の委任、公開会社における募集事項の決定の特則>は、第１項から第３項までの規定により株主に株式の割当てを受ける権利を与える場合には、適用しない書。

【関連条文】309Ⅱ⑤［株主総会の特別決議］

第２０２条の２（取締役の報酬等に係る募集事項の決定の特則）

Ⅰ　金融商品取引法第２条第１６項に規定する金融商品取引所に上場されている株式を発行している株式会社は、定款又は株主総会の決議による第３６１条第１項第３号<取締役の報酬等のうち当該株式会社の募集株式の数の上限等>に掲げる事項についての定めに従いその発行する株式又はその処分する自己株式を引き受ける者の募集をするときは、第１９９条第１項第２号及び第４号<募集株式の払込金額又はその算定方法、及び金銭の払込み又は現物出資の期日又はその期間>に掲げる事項を定めることを要しない。この場合において、当該株式会社は、募集株式について次に掲げる事項を定めなければならない。
①　取締役の報酬等（第３６１条第１項に規定する報酬等をいう。第２３６条第３項第１号<取締役の報酬等として当該新株予約権を発行する場合>において同じ。）として当該募集に係る株式の発行又は自己株式の処分をするものであり、募集株式と引換えにする金銭の払込み又は第１９９条第１項第３号<現物出資である旨と当該財産の内容及び価額>の財産の給付を要しない旨
②　募集株式を割り当てる日（以下この節において「割当日」という。）

Ⅱ　前項各号に掲げる事項を定めた場合における第１９９条第２項<株主総会決議による募集事項の決定>の規定の適用については、同項中「前項各号」とあるのは、「前項各号（第２号及び第４号を除く。）及び第２０２条の２第１項各号」とする。この場合においては、第２００条<募集事項の決定の委任>及び前条<株主に株式の割当てを受ける権利を与える場合>の規定は、適用しない。

Ⅲ　指名委員会等設置会社における第１項の規定の適用については、同項中「定款又は株主総会の決議による第３６１条第１項第３号に掲げる事項についての定め」とあるのは「報酬委員会による第４０９条第３項第３号に定める事項についての決定」と、「取締役」とあるのは「執行役又は取締役」とする。

【令元改正】令和元年改正前会社法下では、募集株式の発行等を行う場合、必ず募集株式の払込金額又はその算定方法（199Ⅰ②）を定めなければならず（出資の履

株式会社

行が必要となる)、取締役に報酬として株式を付与する場合も例外ではなかった。そのため、取締役に募集株式を割り当てると同時に、出資の履行に必要な金銭報酬請求権を付与し、これを現物出資させることで取締役に株式を付与するという運用がなされていたが、技巧的で分かりにくい上に、株価が上昇した場合には有利発行規制に該当するリスクもあるため、そのリスクを回避すべく高い金額の金銭報酬請求権を付与しなければならないなどの不都合もあった。

そこで、令和元年改正により、本条が新設され、金銭の払込み等を要せずに無償で株式を報酬等として付与することが認められた。このような改正がなされても、取締役の報酬等として付与される株式の数の上限等は定款又は株主総会の決議によって定められることとされており（361 I ③)、既存株主の保護も図られている。

なお、同様の改正は、取締役に報酬として新株予約権を発行する場合にもなされている（236 Ⅲ Ⅳ参照)。新株予約権は、払込金額（238 I ②）を無償で発行することも可能だが、行使価額（236 I ②）を無償とすることは想定されていないところ、これを無償とすることが可能となる。

本条2項は、払込金額や払込期日・期間の規定（199 I ②④）の適用はないが、募集事項の決定機関の原則的規律は維持されることを明らかにする趣旨で、決定機関の特則に関する200条及び202条の適用がない旨を規定している。

また、直接の明文の規定はないが、有利発行規制（199 Ⅲ）は、当然に適用外となると解されている。

[趣旨] 取締役等への適切なインセンティブを付与することの重要性に鑑み、金銭報酬請求権の現物出資という方法ではなく、端的に無償による株式・新株予約権の報酬等としての付与を認めた。

《注 釈》

・上場会社が、定款又は株主総会の決議による361条1項3号（取締役の報酬等のうち当該株式会社の募集株式の数の上限等）に掲げる事項についての定めに従い株式又は自己株式を引き受ける者の募集をする場合、払込金額又はその算定方法（199 I ②）及び払込期日又は払込期間（199 I ④）を定めることを要しない。

→この場合、当該株式会社は、募集株式について、①取締役の報酬等（361 I）として当該募集に係る株式の発行又は自己株式の処分をするものであり、募集株式と引換えにする金銭の払込み又は199条1項3号（現物出資である旨と当該財産の内容及び価額）の財産の給付を要しない旨（202の2 I ①)、②募集株式の割当日（202の2 I ②）を定めなければならない

→上場会社である指名委員会等設置会社では、「定款又は株主総会の決議」ではなく「報酬委員会による決定」によりなされ、「取締役」のみならず「執行役」にも同じ規律が適用される（202の2 Ⅲ、205 Ⅴ）

・対象会社が上場会社に限られているのは、非上場会社では支配権確保のため株式報酬が濫用的に利用されるおそれがあるためである。

・「取締役」は、取締役であった者に取締役の報酬等として交付する場合も含む

（205 Ⅲ）。

→取締役以外の執行役員や従業員に対して本条の適用はない

∵　202条の2は取締役の報酬等として利用する場合に特化した規定

【関連条文】199［募集事項の決定］、200［募集事項の決定の委任］、202［株主に株式の割当てを受ける権利を与える場合］、205 Ⅲ～Ⅴ［募集株式の申込み及び割当てに関する特則］、209 Ⅳ［株主となる時期等］、236 Ⅲ Ⅳ［取締役の報酬等に係る新株予約権の内容］、361 Ⅰ③［取締役の報酬等のうち当該株式会社の募集株式の数の上限等］、409［報酬委員会による報酬の決定の方法等］

第２款　募集株式の割当て

第２０３条　（募集株式の申込み）

Ⅰ　株式会社は、第１９９条第１項<募集事項の決定>の募集に応じて募集株式の引受けの申込みをしようとする者に対し、次に掲げる事項を通知しなければならない。

①　株式会社の商号

②　募集事項

③　金銭の払込みをすべきときは、払込みの取扱いの場所

④　前３号に掲げるもののほか、法務省令で定める事項

Ⅱ　第１９９条第１項<募集事項の決定>の募集に応じて募集株式の引受けの申込みをする者は、次に掲げる事項を記載した書面を株式会社に交付しなければならない。

①　申込みをする者の氏名又は名称及び住所

②　引き受けようとする募集株式の数

Ⅲ　前項の申込みをする者は、同項の書面の交付に代えて、政令で定めるところにより、株式会社の承諾を得て、同項の書面に記載すべき事項を電磁的方法により提供することができる。この場合において、当該申込みをした者は、同項の書面を交付したものとみなす。

Ⅳ　第１項の規定は、株式会社が同項各号に掲げる事項を記載した金融商品取引法第２条第１０項に規定する目論見書を第１項の申込みをしようとする者に対して交付している場合その他募集株式の引受けの申込みをしようとする者の保護に欠けるおそれがないものとして法務省令で定める場合には、適用しない。

Ⅴ　株式会社は、第１項各号に掲げる事項について変更があったときは、直ちに、その旨及び当該変更があった事項を第２項の申込みをした者（以下この款において「申込者」という。）に通知しなければならない。

Ⅵ　株式会社が申込者に対してする通知又は催告は、第２項第１号の住所（当該申込者が別に通知又は催告を受ける場所又は連絡先を当該株式会社に通知した場合にあっては、その場所又は連絡先）にあてて発すれば足りる。

Ⅶ　前項の通知又は催告は、その通知又は催告が通常到達すべきであった時に、到達したものとみなす。

［趣旨］株式申込人の保護の観点から、一定の事項を株式申込人に通知することとした。

【関連条文】１、規41、42

第２０４条　（募集株式の割当て）

Ⅰ　株式会社は、申込者の中から募集株式の割当てを受ける者を定め、かつ、その者に割り当てる募集株式の数を定めなければならない。この場合において、株式会社は、当該申込者に割り当てる募集株式の数を、前条第２項第２号＜引き受けようとする募集株式の数＞の数よりも減少することができる。

Ⅱ　募集株式が譲渡制限株式である場合には、前項の規定による決定は、株主総会（取締役会設置会社にあっては、取締役会）の決議によらなければならない。ただし、定款に別段の定めがある場合は、この限りでない書。

Ⅲ　株式会社は、第１９９条第１項第４号＜払込み又は給付の期日＞の期日（同号の期間を定めた場合にあっては、その期間の初日）の前日までに、申込者に対し、当該申込者に割り当てる募集株式の数を通知しなければならない。

Ⅳ　第２０２条＜株主に株式の割当てを受ける権利を与える場合＞の規定により株主に株式の割当てを受ける権利を与えた場合において、株主が同条第１項第２号＜募集株式の引受けの申込みの期日＞の期日までに前条第２項の申込みをしないときは、当該株主は、募集株式の割当てを受ける権利を失う予書。

【関連条文】309 Ⅱ⑤［株主総会の特別決議］

第２０５条　（募集株式の申込み及び割当てに関する特則）

Ⅰ　前２条＜募集株式の申込み、募集株式の割当て＞の規定は、募集株式を引き受けようとする者がその総数の引受けを行う契約を締結する場合には、適用しない。

Ⅱ　前項に規定する場合において、募集株式が譲渡制限株式であるときは、株式会社は、株主総会（取締役会設置会社にあっては、取締役会）の決議によって、同項の契約の承認を受けなければならない。ただし、定款に別段の定めがある場合は、この限りでない。

Ⅲ　第２０２条の２第１項後段＜取締役の報酬等に係る募集事項の決定の特則＞の規定による同項各号に掲げる事項についての定めがある場合には、定款又は株主総会の決議による第３６１条第１項第３号＜取締役の報酬等としての当該株式会社の募集株式＞に掲げる事項についての定めに係る取締役（取締役であった者を含む。）以外の者は、第２０３条第２項＜募集株式の引受け＞の申込みをし、又は第１項の契約を締結することができない。

Ⅳ　前項に規定する場合における前条第３項並びに第２０６条の２第１項、第３項及び第４項の規定の適用については、前条第３項及び第２０６条の２第１項中「第１９９条第１項第４号の期日（同号の期間を定めた場合にあっては、その期間の初日）」とあり、同条第３項中「同項に規定する期日」とあり、並びに同条第４項中「第１項に規定する期日」とあるのは、「割当日」とする。

Ⅴ　指名委員会等設置会社における第３項の規定の適用については、同項中「定款又は株主総会の決議による第３６１条第１項第３号に掲げる事項についての定め」とあるのは「報酬委員会による第４０９条第３項第３号に定める事項についての決定」と、「取締役」とあるのは「執行役又は取締役」とする。

【令元改正】本条３項は、出資の履行を要しないで募集株式の発行等を受けられるのは、取締役の報酬等として利用する場合のみであるから、361条1項3号に掲げる事項についての定めに係る取締役（取締役であった者を含む）以外の者は、引受けの申込み（203Ⅱ）又は総数引受契約（205Ⅰ）の締結をすることができない旨定めるものである（本条5項も同趣旨である）。

本条4項は、取締役の報酬等として株式を付与する場合、払込期日・期間の規定（199Ⅰ④）の適用はないため、「払込期日」を基準とする会社法の規律について、これを「割当日」に読み替えるものである。

【関連条文】202の2［取締役の報酬等に係る募集事項の決定の特則］、203Ⅱ［募集株式の引受けの申込み］、206の2［公開会社における募集株式の割当て等の特則］、209［株主となる時期］、211［募集株式の発行等における引受けの無効又は取消しの制限］、361Ⅰ③［取締役の報酬等のうち当該株式会社の募集株式の数の上限等］、409［報酬委員会による報酬の決定の方法等］

第２０６条　（募集株式の引受け）

次の各号に掲げる者は、当該各号に定める募集株式の数について募集株式の引受人となる。

① 申込者　株式会社の割り当てた募集株式の数

② 前条第１項の契約により募集株式の総数を引き受けた者　その者が引き受けた募集株式の数

第２０６条の２　（公開会社における募集株式の割当て等の特則）

Ⅰ　公開会社は、募集株式の引受人について、第１号に掲げる数の第２号に掲げる数に対する割合が２分の１を超える場合には、第１９９条第１項第４号＜募集株式と引換えにする金銭の払込み又は金銭以外の財産の給付の期日又はその期間＞の期日（同号の期間を定めた場合にあっては、その期間の初日）の２週間前までに、株主に対し、当該引受人（以下この項及び第４項において「特定引受人」という。）の氏名又は名称及び住所、当該特定引受人についての第１号に掲げる数その他の法務省令で定める事項を通知しなければならない予。ただし、当該特定引受人が当該公開会社の親会社等である場合又は第２０２条の規定により株主に株式の割当てを受ける権利を与えた場合は、この限りでない。

① 当該引受人（その子会社等を含む。）がその引き受けた募集株式の株主となった場合に有することとなる議決権の数

② 当該募集株式の引受人の全員がその引き受けた募集株式の株主となった場合における総株主の議決権の数

Ⅱ　前項の規定による通知は、公告をもってこれに代えることができる予。

Ⅲ　第１項の規定にかかわらず、株式会社が同項の事項について同項に規定する期日の２週間前までに金融商品取引法第４条第１項から第３項までの届出をしている場合その他の株主の保護に欠けるおそれがないものとして法務省令で定める場合には、第１項の規定による通知は、することを要しない。

Ⅳ　総株主（この項の株主総会において議決権を行使することができない株主を除く。）の議決権の１０分の１（これを下回る割合を定款で定めた場合にあっては、その割合）以上の議決権を有する株主が第１項の規定による通知又は第２項の公告

の日（前項の場合にあっては、法務省令で定める日）から２週間以内に特定引受人（その子会社等を含む。以下この項において同じ。）による募集株式の引受けに反対する旨を公開会社に対し通知したときは、当該公開会社は、第１項に規定する期日の前日までに、株主総会の決議によって、当該特定引受人に対する募集株式の割当て又は当該特定引受人との間の第２０５条第１項の契約の承認を受けなければならない予。ただし、当該公開会社の財産の状況が著しく悪化している場合において、当該公開会社の事業の継続のため緊急の必要があるときは、この限りでない。

Ⅴ　第３０９条第１項の規定にかかわらず、前項の株主総会の決議は、議決権を行使することができる株主の議決権の過半数（３分の１以上の割合を定款で定めた場合にあっては、その割合以上）を有する株主が出席し、出席した当該株主の議決権の過半数（これを上回る割合を定款で定めた場合にあっては、その割合以上）をもって行わなければならない予書。

《注　釈》

◆　**支配株主の異動を伴う募集株式の発行等における特則（206の２）**

1　趣旨

公開会社においては、有利発行（199Ⅲ）とならない限り、取締役会が募集株式の発行等を決定する（201Ⅰ、199Ⅱ）。もっとも、その募集株式の発行等が支配株主の異動を伴う場合には、公開会社の経営に大きな影響を与えるため、株主に対する情報開示を徹底し、株主の意思を問うこととした。

なお、募集新株予約権の発行についても、同様の規定が設けられている（244の２）。

2　手続

(1)　通知・公告

公開会社は、募集株式の発行等の引受人（その子会社等を含む。）が総株主の議決権の過半数を有することとなる募集株式の発行等を行う場合（この場合の引受人を「特定引受人」という）、払込期日の２週間前までに、株主に対して、引受人の住所・氏名、特定引受人が有することになる議決権の数を通知又は公告しなければならない（206の２ⅠⅡ）。もっとも、特定引受人が既に親会社である場合、株主割当ての場合、有価証券届出書を提出している場合等は、通知又は公告が不要となる（同Ⅰただし書、Ⅲ）。

(2)　株主総会の決議による承認

通知・公告の日から２週間以内に、総株主の議決権の10分の１以上を有する株主が募集株式の引受けに反対する旨を会社に通知したときは、この募集株式の割当て等について、株主総会の普通決議による承認を要する（206の２ⅣⅤ）。もっとも、会社の財産状況が著しく悪化しており、公開会社の存立を維持するため緊急の必要があるときは、当該決議は不要となる（同Ⅳただし書）。

第３款　金銭以外の財産の出資

第２０７条 予H29

Ⅰ　株式会社は、第１９９条第１項第３号<現物出資である旨と当該財産の内容及び価額>に掲げる事項を定めたときは、募集事項の決定の後遅滞なく、同号の財産（以下この節において「現物出資財産」という。）の価額を調査させるため、裁判所に対し、検査役の選任の申立てをしなければならない。

Ⅱ　前項の申立てがあった場合には、裁判所は、これを不適法として却下する場合を除き、検査役を選任しなければならない。

Ⅲ　裁判所は、前項の検査役を選任した場合には、株式会社が当該検査役に対して支払う報酬の額を定めることができる。

Ⅳ　第２項の検査役は、必要な調査を行い、当該調査の結果を記載し、又は記録した書面又は電磁的記録（法務省令で定めるものに限る。）を裁判所に提供して報告をしなければならない。

Ⅴ　裁判所は、前項の報告について、その内容を明瞭にし、又はその根拠を確認するため必要があると認めるときは、第2項の検査役に対し、更に前項の報告を求めることができる。

Ⅵ　第２項の検査役は、第４項の報告をしたときは、株式会社に対し、同項の書面の写しを交付し、又は同項の電磁的記録に記録された事項を法務省令で定める方法により提供しなければならない。

Ⅶ　裁判所は、第４項の報告を受けた場合において、現物出資財産について定められた第１９９条第１項第３号<現物出資である旨と当該財産の内容及び価額>の価額（第２項の検査役の調査を経ていないものを除く。）を不当と認めたときは、これを変更する決定をしなければならない。

Ⅷ　募集株式の引受人（現物出資財産を給付する者に限る。以下この条において同じ。）は、前項の決定により現物出資財産の価額の全部又は一部が変更された場合には、当該決定の確定後１週間以内に限り、その募集株式の引受けの申込み又は第２０５条第１項<募集株式の申込み及び割当てに関する特則>の契約に係る意思表示を取り消すことができる。

Ⅸ　前各項の規定は、次の各号に掲げる場合には、当該各号に定める事項については、適用しない。

①　募集株式の引受人に割り当てる株式の総数が発行済株式の総数の１０分の１を超えない場合　当該募集株式の引受人が給付する現物出資財産の価額 予

②　現物出資財産について定められた第１９９条第１項第３号<現物出資である旨と当該財産の内容及び価額>の価額の総額が５００万円を超えない場合　当該現物出資財産の価額 予

③　現物出資財産のうち、市場価格のある有価証券について定められた第１９９条第１項第３号<現物出資である旨と当該財産の内容及び価額>の価額が当該有価証券の市場価格として法務省令で定める方法により算定されるものを超えない場合　当該有価証券についての現物出資財産の価額 予

④　現物出資財産について定められた第１９９条第１項第３号<現物出資である旨と当該財産の内容及び価額>の価額が相当であることについて弁護士、弁護士法人、公認会計士、監査法人、税理士又は税理士法人の証明（現物出資財産が不動

株式会社

産である場合にあっては、当該証明及び不動産鑑定士の鑑定評価。以下この号において同じ。）を受けた場合　当該証明を受けた現物出資財産の価額〈予

⑤　現物出資財産が株式会社に対する金銭債権（弁済期が到来しているものに限る。）であって、当該金銭債権について定められた第１９９条第１項第３号<現物出資である旨と当該財産の内容及び価額>の価額が当該金銭債権に係る負債の帳簿価額を超えない場合　当該金銭債権についての現物出資財産の価額〈予〈予H29

Ⅹ　次に掲げる者は、前項第４号に規定する証明をすることができない。

①　取締役、会計参与、監査役若しくは執行役又は支配人その他の使用人

②　募集株式の引受人

③　業務の停止の処分を受け、その停止の期間を経過しない者

④　弁護士法人、監査法人又は税理士法人であって、その社員の半数以上が第１号又は第２号に掲げる者のいずれかに該当するもの

【関連条文】33［設立における変態設立事項に関する検査役の選任］、規228、229、43

第４款　出資の履行等

第２０８条　（出資の履行）

Ⅰ　募集株式の引受人（現物出資財産を給付する者を除く。）は、第１９９条第１項第４号<募集株式と引換えにする金銭の払込又は金銭以外の財産の給付の期日又はその期間>の期日又は同号の期間内に、株式会社が定めた銀行等の払込みの取扱いの場所において、それぞれの募集株式の払込金額の全額を払い込まなければならない〈司書。

Ⅱ　募集株式の引受人（現物出資財産を給付する者に限る。）は、第１９９条第１項第４号<募集株式と引換えにする金銭の払込又は金銭以外の財産の給付の期日又はその期間>の期日又は同号の期間内に、それぞれの募集株式の払込金額の全額に相当する現物出資財産を給付しなければならない〈司。

Ⅲ　募集株式の引受人は、第１項の規定による払込み又は前項の規定による給付（以下この款において「出資の履行」という。）をする債務と株式会社に対する債権とを相殺することができない〈司予書。

Ⅳ　出資の履行をすることにより募集株式の株主となる権利の譲渡は、株式会社に対抗することができない。

Ⅴ　募集株式の引受人は、出資の履行をしないときは、当該出資の履行をすることにより募集株式の株主となる権利を失う〈司書。

《注　釈》

◆　**出資の履行における会社側からの相殺の可否〈予H29**

208条３項の趣旨は、引受人に出資額に相当する財産を会社に対して現実に拠出させ、もって資本充実の要請を果たす点にある。仮に、引受人が無資力になった場合、会社側からの相殺を禁止すれば、会社は引受人から出資の履行を受けられないにもかかわらず、引受人に債務を現実に履行しなければならなくなり、かえって会社の財産が減少する。また、208条３項の文理上も会社側からの相殺は禁止されていない。そのため、会社側からの相殺は認められるものと解

されている。

【関連条文】36［設立時発行株式の株主となる権利の喪失］、63［設立時募集株式の払込金額の払込み］、35［設立時発行株式の株主となる権利の譲渡］、50 Ⅱ［株式の引受人の権利の譲渡］、63 Ⅱ［設立時募集株式における権利株の譲渡］

第２０９条　（株主となる時期等）

Ⅰ　募集株式の引受人は、次の各号に掲げる場合には、当該各号に定める日に、出資の履行をした募集株式の株主となる。

① 第１９９条第１項第４号＜募集株式と引換えにする金銭の払込又は金銭以外の財産の給付の期日又はその期間＞の期日を定めた場合　当該期日

② 第１９９条第１項第４号＜募集株式と引換えにする金銭の払込又は金銭以外の財産の給付の期日又はその期間＞の期間を定めた場合　出資の履行をした日〈書

Ⅱ　募集株式の引受人は、第２１３条の２第１項各号＜出資の履行を仮装した募集株式の引受人の責任＞に掲げる場合には、当該各号に定める支払若しくは給付又は第２１３条の３第１項＜出資の履行を仮装した場合の取締役等の責任＞の規定による支払がされた後でなければ、出資の履行を仮装した募集株式について、株主の権利を行使することができない。

Ⅲ　前項の募集株式を譲り受けた者は、当該募集株式についての株主の権利を行使することができる。ただし、その者に悪意又は重大な過失があるときは、この限りでない〈書〈予H29。

Ⅳ　第１項の規定にかかわらず、第２０２条の２第１項後段＜取締役の報酬等に係る募集事項の決定の特則＞の規定による同項各号に掲げる事項についての定めがある場合には、募集株式の引受人は、割当日に、その引き受けた募集株式の株主となる。

【令元改正】取締役の報酬等として募集株式の無償発行（202の２）を行う場合、金銭の払込みを要しないことから、募集株式の引受人は、割当日に株主となる旨の規定（209 Ⅳ）が新設された。

【趣旨】出資の履行を仮装した募集株式の引受人やこれに関与した取締役等は、会社に対して、払込金額の支払義務等を負う（213の２ Ⅰ①②、213の３）ところ、この義務が履行されない間は、本来拠出されるべき財産が拠出されていない以上、当該引受人に株主の権利の行使を認めるのは相当でない。そこで、本条２項は、この義務が履行された後でなければ、出資の履行が仮装された募集株式について、株主の権利を行使できないこととした。もっとも、本条３項は、株式取引の安全を確保するため、当該募集株式を譲り受けた者が出資の履行が仮装されたことについて善意・無重過失である場合には、株主の権利を行使できる旨規定している。

→209条２項・３項の規定や213条の２の規定から、出資の履行が仮装された場合の株式発行であっても有効と解されている〈同H22 予H29

→募集新株予約権の払込みや新株予約権の行使に際してする払込み等を仮装した場合（282 Ⅱ Ⅲ、286の２、286の３）についても、同様の規律がある

【関連条文】52の２ Ⅳ Ⅴ［出資の履行を仮装した発起人と当該株式（又はその株

株式会社

主となる権利）を譲り受けた者の株主権行使に関する規定］、102 Ⅲ Ⅳ［払込みを仮装した設立時募集株式の引受人と当該株式（又はその株主となる権利）を譲り受けた者の株主権行使に関する規定］、282 Ⅱ Ⅲ［払込みを仮装した新株予約権者とその目的である株式を譲り受けた者の株主権行使に関する規定］

第５款　募集株式の発行等をやめることの請求

第２１０条

次に掲げる場合において、株主が不利益を受けるおそれ〈予があるときは、株主は、株式会社に対し、第１９９条第１項＜募集事項の決定＞の募集に係る株式の発行又は自己株式の処分をやめることを請求することができる。

① 当該株式の発行又は自己株式の処分が法令又は定款に違反する場合

② 当該株式の発行又は自己株式の処分が著しく不公正な方法により行われる場合〈予

［趣旨］不公正発行により不利益を受ける株主の個人的利益の保護を図る点にある。

《注　釈》

一　法令又は定款に違反（①）

「法令」には、会社を対象とするいかなる法令も含まれる。ただし、会社に義務を生じさせる具体的な規定であることを要する。

法令違反の具体例としては、株主総会特別決議を欠く有利発行〈予R5（199 Ⅱ Ⅲ、201 Ⅰ、309 Ⅱ⑤）等が挙げられる。また、定款違反の具体例としては、定款所定の発行可能株式総数を超えた新株発行等が挙げられる。

二「著しく不公正な方法」（②）〈司H19 司H25 予R5

1　著しく不公正な方法による募集株式の発行等とは、不当な目的を達成する手段として募集株式の発行等が利用される場合をいう。

2　主要目的ルール

(1)　新株発行においては資金調達の必要性があったか否かが重視される。

cf.　新株予約権発行の場合　⇒ p.195

(2)　会社において支配権につき争いがあり、従来の株主の持株比率に重大な影響を及ぼすような数の発行がされ、それが第三者に割り当てられる場合に、その発行が特定の株主の持株比率を低下させ現経営者の支配権を維持することを主要な目的としてされたものであるときは、不当な目的を達成する手段として新株発行が利用される場合に当たる（主要目的ルール、東京地決平16.7.30）。

∵　本来、誰に会社を経営させるかは、株主総会における取締役選任を通じて株主が資本多数決によって決すべき問題であるにもかかわらず、現経営陣が支配権を維持・確保するために新株発行によって株主の構成を自由に変更できるとすると、株主が資本多数決によって経営者を決定するという会社法の基本的な建前に反する

また、主要な目的がそのようなものでなくとも、特定の株主の持株比率が

著しく低下されることを認識しつつ株式発行がなされた場合は、株式発行を正当化させるだけの合理的な理由がない限り、不公正発行となるとした裁判例がある（東京地決平元.7.25）。

不公正発行に関する裁判例としては、事業計画のために新株発行による資金調達をする必要性があり、当該事業計画にも合理性が認められる場合には、新株発行に際して経営支配権を維持する意図があったとしても、不公正発行に当たらないとしたもの（東京高決平16.8.4・百選96事件）や、株価及び業績向上への従業員の意欲向上等を図り行われた新株発行については、株主の会社に対する影響力を低下させることが主要な目的であったとは認められないとしたもの（東京高決平24.7.12・平24重判2事件）がある。

三　「株主が不利益を受けるおそれがあるとき」（柱書）

「不利益」とは、株主が直接受ける不利益をいい、会社が損害を受けることで間接的に株主が被る不利益は含まれない。

四　その他

1　新株予約権発行の差止め　⇒ p.195
2　差止めを無視してなされた募集株式の発行等の効力　⇒ p.601
3　既に発行された新株予約権の行使に応じてする新株の発行の差止め
原則として認められない。
∵①　既に発行された新株予約権の行使に応じてする新株の発行は、新株予約権に基づき会社が負担した義務の履行にすぎない
②　新株予約権の無効原因がないにもかかわらず、それに基づく新株の発行の差止めが許容されるとすれば、取引の安全や法的安定性が害される

もっとも、新株予約権等の発行に無効原因がある場合や新株予約権発行に差止事由がありながら、その差止めの機会が株主に十分に保障されていなかった場合には、210条の準用あるいは類推適用により、新株の発行の差止めが認められる（名古屋地一宮支決令2.12.24・令3重判2事件）。

【関連条文】360［株主による取締役の行為の差止め］、385［監査役による取締役の行為の差止め］、407［監査委員による執行役等の行為の差止め］、422［株主による執行役の行為の差止め］

第6款　募集に係る責任等

第２１１条　（引受けの無効又は取消しの制限）

Ⅰ　民法第９３条第１項ただし書＜心裡留保＞及び第９４条第１項＜虚偽表示＞の規定は、募集株式の引受けの申込み及び割当て並びに第２０５条第１項＜募集株式の申込み及び割当てに関する特則＞の契約に係る意思表示については、適用しない。
Ⅱ　募集株式の引受人は、第２０９条第１項＜株主となる時期＞の規定により株主となった日から１年を経過した後又はその株式について権利を行使した後は、錯誤、詐欺又は強迫を理由として募集株式の引受けの取消しをすることができない書。

［関連条文］51［発起設立における引受けの無効又は取消しの制限］、102 Ⅴ Ⅵ［募集設立における引受けの無効又は取消しの制限］、774の8［株式交付子会社の株式の譲渡しの無効又は取消しの制限］

第２１２条　（不公正な払込金額で株式を引き受けた者等の責任）

Ⅰ　募集株式の引受人は、次の各号に掲げる場合には、株式会社に対し、当該各号に定める額を支払う義務を負う。

①　取締役（指名委員会等設置会社にあっては、取締役又は執行役）と通じて著しく不公正な払込金額で募集株式を引き受けた場合　当該払込金額と当該募集株式の公正な価額との差額に相当する金額

②　第２０９条第１項＜株主となる時期＞の規定により募集株式の株主となった時におけるその給付した現物出資財産の価額がこれについて定められた第１９９条第１項第３号＜現物出資である旨と当該財産の内容及び価額＞の価額に著しく不足する場合　当該不足額

Ⅱ　前項第２号に掲げる場合において、現物出資財産を給付した募集株式の引受人が当該現物出資財産の価額がこれについて定められた第１９９条第１項第３号＜現物出資である旨と当該財産の内容及び価額＞の価額に著しく不足することにつき善意でかつ重大な過失がないときは、募集株式の引受けの申込み又は第２０５条第１項＜募集株式の申込み及び割当てに関する特則＞の契約に係る意思表示を取り消すことができる。

［趣旨］取締役等と通じて、著しく不公正な価額で株式を引き受けた者がいる場合には、既存株主や他の株式引受人の株式の財産的価値を低下させることとなるので、公平を図るため、差額・不足額の支払責任を負わせたものである。

《注　釈》

◆　不公正な払込金額で引き受けた者の責任〈司H19

「著しく不公正な払込金額」（212 Ⅰ①）とは、実質的には「特に有利な金額」（199 Ⅲ）と同義であり、発行決定時の株式の市場価格や会社の資産状態、収益力、市況の見通し等からみて、不当に低い払込価額を意味する。　⇒ p.157

第２１３条　（出資された財産等の価額が不足する場合の取締役等の責任）

Ⅰ　前条第１項第２号＜現物出資財産の価額が著しく不足する場合の引受人の不足額支払義務＞に掲げる場合には、次に掲げる者（以下この条において「取締役等」という。）は、株式会社に対し、同号に定める額を支払う義務を負う。

①　当該募集株式の引受人の募集に関する職務を行った業務執行取締役（指名委員会等設置会社にあっては、執行役。以下この号において同じ。）その他当該業務執行取締役の行う業務の執行に職務上関与した者として法務省令で定めるもの

②　現物出資財産の価額の決定に関する株主総会の決議があったときは、当該株主総会に議案を提案した取締役として法務省令で定めるもの

③　現物出資財産の価額の決定に関する取締役会の決議があったときは、当該取締役会に議案を提案した取締役（指名委員会等設置会社にあっては、取締役又は執行役）として法務省令で定めるもの

Ⅱ　前項の規定にかかわらず、次に掲げる場合には、取締役等は、現物出資財産について同項の義務を負わない〈書〉。
①　現物出資財産の価額について第２０７条第２項<現物出資財産の調査のため裁判所が選任した検査役>の検査役の調査を経た場合
②　当該取締役等がその職務を行うについて注意を怠らなかったことを証明した場合

Ⅲ　第１項に規定する場合には、第２０７条第９項第４号<現物出資財産の価額が相当であることについて弁護士等の証明を受けたとして検査役の調査が不要となる場合>に規定する証明をした者（以下この条において「証明者」という。）は、株式会社に対し前条第１項第２号<現物出資財産の価額が著しく不足する場合の引受人の不足額支払義務>に定める額を支払う義務を負う。ただし、当該証明者が当該証明をするについて注意を怠らなかったことを証明したときは、この限りでない。

Ⅳ　募集株式の引受人がその給付した現物出資財産についての前条第１項第２号<現物出資財産の価額が著しく不足する場合の引受人の不足額支払義務>に定める額を支払う義務を負う場合において、次の各号に掲げる者が当該現物出資財産について当該各号に定める義務を負うときは、これらの者は、連帯債務者とする。
①　取締役等　第１項の義務
②　証明者　前項本文の義務

第２１３条の２　（出資の履行を仮装した募集株式の引受人の責任）〈予H29〉

Ⅰ　募集株式の引受人は、次の各号に掲げる場合には、株式会社に対し、当該各号に定める行為をする義務を負う。
①　第２０８条第１項<募集株式の引受人の出資の履行>の規定による払込みを仮装した場合　払込みを仮装した払込金額の全額の支払
②　第２０８条第２項<現物出資における募集株式の引受人の出資の履行>の規定による給付を仮装した場合　給付を仮装した現物出資財産の給付（株式会社が当該給付に代えて当該現物出資財産の価額に相当する金銭の支払を請求した場合にあっては、当該金銭の全額の支払）

Ⅱ　前項の規定により募集株式の引受人の負う義務は、総株主の同意がなければ、免除することができない。

第２１３条の３　（出資の履行を仮装した場合の取締役等の責任）〈予H29〉

Ⅰ　前条第１項各号<出資の履行を仮装した募集株式の引受人の責任>に掲げる場合には、募集株式の引受人が出資の履行を仮装することに関与した取締役（指名委員会等設置会社にあっては、執行役を含む。）として法務省令で定める者は、株式会社に対し、当該各号に規定する支払をする義務を負う。ただし、その者（当該出資の履行を仮装したものを除く。）がその職務を行うについて注意を怠らなかったことを証明した場合は、この限りでない〈予〉。

Ⅱ　募集株式の引受人が前条第１項各号<出資の履行を仮装した募集株式の引受人の責任>に規定する支払をする義務を負う場合において、前項に規定する者が同項の義務を負うときは、これらの者は、連帯債務者とする。

［趣旨］現物出資財産の価額が払込金額に著しく不足する場合は、既存の株主等の財産的価値を低下させるので、取締役等に不足額を会社に対して支払う義務を負わ

せた。

《注　釈》

◆　仮装払込みの責任〈予H29〉　⇒§52の2、102の2、103Ⅱ、286の2、286の3

1　責任の内容

(1)　出資を仮装した引受人の責任（213の2）

払込期日や払込期間が経過した場合であっても、仮装した払込金額等の全額（全部）の支払（給付）義務を負う（同Ⅰ）。これらの義務は総株主の同意がない限り免除できない（同Ⅱ）。

なお、仮装払込みに該当するかどうかについては、「二　株式払込みの仮装」（⇒p.36）参照。

(2)　仮装払込みに関与した取締役又は執行役の責任（213の3）

会社に対して、引受人と連帯して支払義務を負う（同Ⅰ）が、職務を行うについて注意を怠らなかったことを証明した取締役・執行役は、支払義務を免れる（同Ⅰただし書）。もっとも、関与にとどまらず、出資の履行を仮装した取締役・執行役は、免責されない（同Ⅰただし書）。

→なお、会社法施行規則46条の2参照

2　株主権の行使の制約（209ⅡⅢ）　⇒p.169

3　代表訴訟（847）

株主は代表訴訟により、出資の履行を仮装した引受人に対する支払を求めることができる。

■第9節　株券

第1款　総則

第214条　（株券を発行する旨の定款の定め）〈書〉

株式会社は、その株式（種類株式発行会社にあっては、全部の種類の株式）に係る株券を発行する旨を定款で定めることができる。

［趣旨］株券を発行する旨を定款に定めない限り株券を発行することができないとするが、これは、公開会社においては、ペーパーレス化による決算の迅速性・確実性を図るためである。他方、非公開会社においては、その株式の流通性が乏しく株券発行の必要性が少ないことに鑑みて、株券の発行を強制する必要がないと考えられるからである。

《注　釈》

◆　株券

1　意義

「株券」とは、株式すなわち株主としての地位を表章する有価証券（財産的価値のある私権を表章する証券であって、権利の発生・移転・行使の全部又は一部が証券によってなされることを要するもの）をいう。

2　法的性質

株券は、①有価証券性、②有因証券性・非設権証券性、③非文言証券性、④緩やかな要式証券性という法的性質を備えている。

3　株券の発行

(1)　株券の発行時期

会社法は、株券を発行しないこと（株券不発行）を原則としている。会社が株券を発行するためには、定款でその旨を定めなくてはならない（214）<司。

(2)　株券の効力発生時期

→交付時説（交付契約説）（最判昭 40.11.16・百選 23 事件）<予

会社が株券を作成して、これを株主に交付した時に株券の効力が生ずる

第２１５条　（株券の発行）

Ⅰ　株券発行会社は、株式を発行した日以後遅滞なく、当該株式に係る株券を発行しなければならない。

Ⅱ　株券発行会社は、株式の併合をしたときは、第１８０条第２項第２号＜株式の併合がその効力を生ずる日＞の日以後遅滞なく、併合した株式に係る株券を発行しなければならない<予。

Ⅲ　株券発行会社は、株式の分割をしたときは、第１８３条第２項第２号＜株式の分割がその効力を生ずる日＞の日以後遅滞なく、分割した株式に係る株券（既に発行されているものを除く。）を発行しなければならない。

Ⅳ　前３項の規定にかかわらず、公開会社でない株券発行会社は、株主から請求がある時までは、これらの規定の株券を発行しないことができる<司予。

[趣旨] 株主の株式譲渡による株式の換価に支障を来すことを防止するため、株券発行会社による遅滞なき株式の発行を要求した規定である。

第２１６条　（株券の記載事項）

株券には、次に掲げる事項及びその番号を記載し、株券発行会社の代表取締役（指名委員会等設置会社にあっては、代表執行役）がこれに署名し、又は記名押印しなければならない<書。

①　株券発行会社の商号

②　当該株券に係る株式の数

③　譲渡による当該株券に係る株式の取得について株式会社の承認を要することを定めたときは、その旨<書

④　種類株式発行会社にあっては、当該株券に係る株式の種類及びその内容

《注　釈》

◆　株券の記載事項

株券は厳格な要式証券ではないから、本質的事項の記載があれば、その他の事項の記載を欠いても、株券は無効とならない。

第２１７条　（株券不所持の申出）

Ⅰ　株券発行会社の株主は、当該株券発行会社に対し、当該株主の有する株式に係る

株券の所持を希望しない旨を申し出ることができる〈予書〉。

Ⅱ　前項の規定による申出は、その申出に係る株式の数（種類株式発行会社にあっては、株式の種類及び種類ごとの数）を明らかにしてしなければならない。この場合において、当該株式に係る株券が発行されているときは、当該株主は、当該株券を株券発行会社に提出しなければならない〈予〉。

Ⅲ　第１項の規定による申出を受けた株券発行会社は、遅滞なく、前項前段の株式に係る株券を発行しない旨を株主名簿に記載し、又は記録しなければならない。

Ⅳ　株券発行会社は、前項の規定による記載又は記録をしたときは、第２項前段の株式に係る株券を発行することができない。

Ⅴ　第２項後段の規定により提出された株券は、第３項の規定による記載又は記録をした時において、無効となる〈予〉。

Ⅵ　第１項の規定による申出をした株主は、いつでも、株券発行会社に対し、第２項前段の株式に係る株券を発行することを請求することができる。この場合において、第２項後段の規定により提出された株券があるときは、株券の発行に要する費用は、当該株主の負担とする。

［趣旨］株主は、株主名簿に氏名が記載されていれば、株券がなくても権利行使できるし（130参照）、株券を持っていると紛失・盗難などにより第三者に善意取得される危険もあるため、当分株式を譲渡するつもりのない株主の静的安全を保護するために、株券不所持の制度が設けられた。

【関連条文】128Ⅰ［株券発行会社の株式の譲渡］

第２１８条　（株券を発行する旨の定款の定めの廃止）

Ⅰ　株券発行会社は、その株式（種類株式発行会社にあっては、全部の種類の株式）に係る株券を発行する旨の定款の定めを廃止する定款の変更をしようとするときは、当該定款の変更の効力が生ずる日の２週間前までに、次に掲げる事項を公告し、かつ、株主及び登録株式質権者には、各別にこれを通知しなければならない〈予〉。

①　その株式（種類株式発行会社にあっては、全部の種類の株式）に係る株券を発行する旨の定款の定めを廃止する旨

②　定款の変更がその効力を生ずる日〈予〉

③　前号の日において当該株式会社の株券は無効となる旨

Ⅱ　株券発行会社の株式に係る株券は、前項第２号の日に無効となる〈予〉。

Ⅲ　第１項の規定にかかわらず、株式の全部について株券を発行していない株券発行会社がその株式（種類株式発行会社にあっては、全部の種類の株式）に係る株券を発行する旨の定款の定めを廃止する定款の変更をしようとする場合には、同項第２号の日の２週間前までに、株主及び登録株式質権者に対し、同項第１号及び第２号に掲げる事項を通知すれば足りる。

Ⅳ　前項の規定による通知は、公告をもってこれに代えることができる。

Ⅴ　第１項に規定する場合には、株式の質権者（登録株式質権者を除く。）は、同項第２号の日の前日までに、株券発行会社に対し、第１４８条各号＜株主名簿の記載等＞に掲げる事項を株主名簿に記載し、又は記録することを請求することができる〈書〉。

第２款　株券の提出等

第２１９条　（株券の提出に関する公告等）

Ⅰ　株券発行会社は、次の各号に掲げる行為をする場合には、当該行為の効力が生ずる日（第４号の２に掲げる行為をする場合にあっては、第１７９条の２第１項第５号に規定する取得日。以下この条において「株券提出日」という。）までに当該株券発行会社に対し当該各号に定める株式に係る株券を提出しなければならない旨を株券提出日の１箇月前までに、公告し、かつ、当該株式の株主及びその登録株式質権者には、各別にこれを通知しなければならない。ただし、当該株式の全部について株券を発行していない場合は、この限りでない。

①　第１０７条第１項第１号＜全部の株式の内容としての譲渡制限株式＞に掲げる事項についての定款の定めを設ける定款の変更　全部の株式（種類株式発行会社にあっては、当該事項についての定めを設ける種類の株式）

②　株式の併合　全部の株式（種類株式発行会社にあっては、第１８０条第２項第３号＜種類株式発行会社が併合する株式の種類＞の種類の株式）

③　第１７１条第１項＜全部取得条項付種類株式の取得に関する決定＞に規定する全部取得条項付種類株式の取得　当該全部取得条項付種類株式

④　取得条項付株式の取得　当該取得条項付株式

④の２　第１７９条の３第１項＜特別支配株主による株式売渡請求の通知及び対象会社の承認＞の承認　売渡株式

⑤　組織変更　全部の株式

⑥　合併（合併により当該株式会社が消滅する場合に限る。）　全部の株式

⑦　株式交換　全部の株式 書

⑧　株式移転　全部の株式

Ⅱ　株券発行会社が次の各号に掲げる行為をする場合において、株券提出日までに当該株券発行会社に対して株券を提出しない者があるときは、当該各号に定める者は、当該株券の提出があるまでの間、当該行為（第２号に掲げる行為をする場合にあっては、株式売渡請求に係る売渡株式の取得）によって当該株券に係る株式の株主が受けることのできる金銭等の交付を拒むことができる。

①　前項第１号から第４号までに掲げる行為　当該株券発行会社

②　第１７９条の３第１項＜特別支配株主による株式売渡請求の通知及び対象会社の承認＞の承認　特別支配株主

③　組織変更　第７４４条第１項第１号に規定する組織変更後持分会社

④　合併（合併により当該株式会社が消滅する場合に限る。）　第７４９条第１項に規定する吸収合併存続会社又は第７５３条第１項に規定する新設合併設立会社

⑤　株式交換　第７６７条に規定する株式交換完全親会社

⑥　株式移転　第７７３条第１項第１号に規定する株式移転設立完全親会社

Ⅲ　第１項各号に定める株式に係る株券は、株券提出日に無効となる。

Ⅳ　第１項第４号の２の規定による公告及び通知の費用は、特別支配株主の負担とする。

《注　釈》

◆　判例

株券が無効（219 Ⅲ）となっても、株券提出期間内に旧株券を提出しなかった株主が株主としての地位を失うわけではない（最判昭60.3.7・百選Ａ５事件）。

第２２０条　（株券の提出をすることができない場合）

Ⅰ　前条第１項各号＜株券の提出に関する公告等＞に掲げる行為をした場合において、株券を提出することができない者があるときは、株券発行会社は、その者の請求により、利害関係人に対し異議があれば一定の期間内にこれを述べることができる旨を公告することができる。ただし、当該期間は、３箇月を下ることができない。

Ⅱ　株券発行会社が前項の規定による公告をした場合において、同項の期間内に利害関係人が異議を述べなかったときは、前条第２項各号＜株券を提出しない者に対する金銭等の交付の拒否＞に定める者は、前項の請求をした者に対し、同条第２項の金銭等を交付することができる。

Ⅲ　第１項の規定による公告の費用は、同項の請求をした者の負担とする。

《注　釈》

◆　判例

異議があれば一定の期間内に述べることができる旨の公告をすることを、会社に請求できる株主は、株主名簿上の名義人である必要はない（最判昭52.11.8）。

第３款　株券喪失登録

《概　説》

◆　株券失効制度

株券失効制度とは、盗難、遺失等により株券を喪失した場合、株券が善意取得（131 Ⅱ）されることを防止するため、一定の手続を経て喪失株券を無効にする制度である（221～233）。

一般に、有価証券を喪失した者を救済するために当該証券を無効にする制度としては非訟事件手続法の定める公示催告手続がある。しかし、公示催告には手続の繁雑さや費用がかさむなど利用しづらい面があることから、株券については、より簡便な手続による株券失効制度が定められている。なお、株券以外の証券である新株予約権証券、社債券等は公示催告の手続の対象となる（291 Ⅰ、699 Ⅰ）。

第２２１条　（株券喪失登録簿）

株券発行会社（株式会社がその株式（種類株式発行会社にあっては、全部の種類の株式）に係る株券を発行する旨の定款の定めを廃止する定款の変更をした日の翌日から起算して１年を経過していない場合における当該株式会社を含む。以下この款（第２２３条、第２２７条及び第２２８条第２項を除く。）において同じ。）は、株券喪失登録簿を作成し、これに次に掲げる事項（以下この款において「株券喪失登録簿記載事項」という。）を記載し、又は記録しなければならない。

①　第２２３条<株券喪失登録の請求>の規定による請求に係る株券（第２１８条第２項又は第２１９条第３項の規定により無効となった株券及び株式の発行又は自己株式の処分の無効の訴えに係る請求を認容する判決が確定した場合における当該株式に係る株券を含む。以下この款（第２２８条を除く。）において同じ。）の番号
②　前号の株券を喪失した者の氏名又は名称及び住所
③　第１号の株券に係る株式の株主又は登録株式質権者として株主名簿に記載され、又は記録されている者（以下この款において「名義人」という。）の氏名又は名称及び住所
④　第１号の株券につき前３号に掲げる事項を記載し、又は記録した日（以下この款において「株券喪失登録日」という。）

第２２２条　（株券喪失登録に関する事務の委託）

株券発行会社における第１２３条<株主名簿管理人>の規定の適用については、同条中「株主名簿の」とあるのは「株主名簿及び株券喪失登録簿の」と、「株主名簿に」とあるのは「株主名簿及び株券喪失登録簿に」とする。

第２２３条　（株券喪失登録の請求）

株券を喪失した者は、法務省令で定めるところにより、株券発行会社に対し、当該株券についての株券喪失登録簿記載事項を株券喪失登録簿に記載し、又は記録すること（以下「株券喪失登録」という。）を請求することができる。

【関連条文】規 47

第２２４条　（名義人等に対する通知）

Ⅰ　株券発行会社が前条の規定による請求に応じて株券喪失登録をした場合において、当該請求に係る株券を喪失した者として株券喪失登録簿に記載され、又は記録された者（以下この款において「株券喪失登録者」という。）が当該株券に係る株式の名義人でないときは、株券発行会社は、遅滞なく、当該名義人に対し、当該株券について株券喪失登録をした旨並びに第２２１条第1号<請求に係る株券の番号>、第2号<株券喪失者の氏名・住所>及び第４号<株券喪失登録日>に掲げる事項を通知しなければならない。
Ⅱ　株式についての権利を行使するために株券が株券発行会社に提出された場合において、当該株券について株券喪失登録がされているときは、株券発行会社は、遅滞なく、当該株券を提出した者に対し、当該株券について株券喪失登録がされている旨を通知しなければならない。

［趣旨］１項の趣旨は、株券喪失登録の請求がなされ、これに応じて発行会社が株券喪失登録簿に記載等をしたが、株券喪失登録者が株式の名義人でない場合には、請求した者と名義人との間でいずれが権利者か問題になることに鑑み、名義人等に登録に対する異議を述べる機会を与えるものである。２項の趣旨は、株券提出者に、後述する当該株券喪失登録の抹消申請（225 条以下）をする機会を与える点にある。

第２２５条　（株券を所持する者による抹消の申請）

Ⅰ　株券喪失登録がされた株券を所持する者（その株券についての株券喪失登録者を除く。）は、法務省令で定めるところにより、株券発行会社に対し、当該株券喪失登録の抹消を申請することができる。ただし、株券喪失登録日の翌日から起算して１年を経過したときは、この限りでない。

Ⅱ　前項の規定による申請をしようとする者は、株券発行会社に対し、同項の株券を提出しなければならない。

Ⅲ　第１項の規定による申請を受けた株券発行会社は、遅滞なく、同項の株券喪失登録者に対し、同項の規定による申請をした者の氏名又は名称及び住所並びに同項の株券の番号を通知しなければならない。

Ⅳ　株券発行会社は、前項の規定による通知の日から２週間を経過した日に、第２項の規定により提出された株券に係る株券喪失登録を抹消しなければならない。この場合においては、株券発行会社は、当該株券を第１項の規定による申請をした者に返還しなければならない。

【関連条文】規 48

第２２６条　（株券喪失登録者による抹消の申請）

Ⅰ　株券喪失登録者は、法務省令で定めるところにより、株券発行会社に対し、株券喪失登録（その株式（種類株式発行会社にあっては、全部の種類の株式）に係る株券を発行する旨の定款の定めを廃止する定款の変更をした場合にあっては、前条第２項の規定により提出された株券についての株券喪失登録を除く。）の抹消を申請することができる。

Ⅱ　前項の規定による申請を受けた株券発行会社は、当該申請を受けた日に、当該申請に係る株券喪失登録を抹消しなければならない。

【関連条文】規 49

第２２７条　（株券を発行する旨の定款の定めを廃止した場合における株券喪失登録の抹消）

その株式（種類株式発行会社にあっては、全部の種類の株式）に係る株券を発行する旨の定款の定めを廃止する定款の変更をする場合には、株券発行会社は、当該定款の変更の効力が生ずる日に、株券喪失登録（当該株券喪失登録がされた株券に係る株式の名義人が株券喪失登録者であるものに限り、第２２５条第２項の規定により提出された株券についてのものを除く。）を抹消しなければならない予。

第２２８条　（株券の無効）

Ⅰ　株券喪失登録（抹消されたものを除く。）がされた株券は、株券喪失登録日の翌日から起算して１年を経過した日に無効となる予。

Ⅱ　前項の規定により株券が無効となった場合には、株券発行会社は、当該株券についての株券喪失登録者に対し、株券を再発行しなければならない。

［趣旨］１項は、株券を取得した者に、株式会社に対して株券を提出する時間的猶

予を与える趣旨である。

《注　釈》

一　株券失効制度と善意取得

株券失効制度は、株券に関する実質的権利の帰属を確定するわけではないから、株券喪失登録後株券失効までの間に株券を善意取得していた者の実質的権利は影響を受けず、善意取得者は、同手続により形式的資格を回復した者に対して、再発行株券の引渡し等を請求できる。

二　無効株券の取得者の保護

証券会社を通じて買い受けた上場株券が無効であることが判明した場合には、取得者は、証券業界の慣行に基づき、証券会社に対して代わりの株券の交付を請求できる。

第２２９条　（異議催告手続との関係）

Ⅰ　株券喪失登録者が第２２０条第１項<株券の提出をすることができない場合>の請求をした場合には、株券発行会社は、同項の期間の末日が株券喪失登録日の翌日から起算して１年を経過する日前に到来するときに限り、同項の規定による公告をすることができる。

Ⅱ　株券発行会社が第２２０条第１項<株券の提出をすることができない場合>の規定による公告をするときは、当該株券発行会社は、当該公告をした日に、当該公告に係る株券についての株券喪失登録を抹消しなければならない。

第２３０条　（株券喪失登録の効力）

Ⅰ　株券発行会社は、次に掲げる日のいずれか早い日（以下この条において「登録抹消日」という。）までの間は、株券喪失登録がされた株券に係る株式を取得した者の氏名又は名称及び住所を株主名簿に記載し、又は記録することができない。

①　当該株券喪失登録が抹消された日

②　株券喪失登録日の翌日から起算して１年を経過した日

Ⅱ　株券発行会社は、登録抹消日後でなければ、株券喪失登録がされた株券を再発行することができない。

Ⅲ　株券喪失登録者が株券喪失登録をした株券に係る株式の名義人でないときは、当該株式の株主は、登録抹消日までの間は、株主総会又は種類株主総会において議決権を行使することができない。

Ⅳ　株券喪失登録がされた株券に係る株式については、第１９７条第１項<所在不明株主等の株式の競売>の規定による競売又は同条第２項<所在不明株主等の株式の競売以外の方法による売却>の規定による売却をすることができない。

第２３１条　（株券喪失登録簿の備置き及び閲覧等）

Ⅰ　株券発行会社は、株券喪失登録簿をその本店（株主名簿管理人がある場合にあっては、その営業所）に備え置かなければならない。

Ⅱ　何人も、株券発行会社の営業時間内は、いつでも、株券喪失登録簿（利害関係がある部分に限る。）について、次に掲げる請求をすることができる。この場合においては、当該請求の理由を明らかにしてしなければならない。

①　株券喪失登録簿が書面をもって作成されているときは、当該書面の閲覧又は謄写の請求

②　株券喪失登録簿が電磁的記録をもって作成されているときは、当該電磁的記録に記録された事項を法務省令で定める方法により表示したものの閲覧又は謄写の請求

【関連条文】規 226

第２３２条　（株券喪失登録者に対する通知等）

Ⅰ　株券発行会社が株券喪失登録者に対してする通知又は催告は、株券喪失登録簿に記載し、又は記録した当該株券喪失登録者の住所（当該株券喪失登者が別に通知又は催告を受ける場所又は連絡先を株券発行会社に通知した場合にあっては、その場所又は連絡先）にあてて発すれば足りる。

Ⅱ　前項の通知又は催告は、その通知又は催告が通常到達すべきであった時に、到達したものとみなす。

第２３３条　（適用除外）

非訟事件手続法（平成２３年法律第５１号）第４編の規定は、株券については、適用しない〈司書〉。

第１０節　雑則

第２３４条　（１に満たない端数の処理）

Ⅰ　次の各号に掲げる行為に際して当該各号に定める者に当該株式会社の株式を交付する場合において、その者に対し交付しなければならない当該株式会社の株式の数に1株に満たない端数があるときは、その端数の合計数（その合計数に1に満たない端数がある場合にあっては、これを切り捨てるものとする。）に相当する数の株式を競売し、かつ、その端数に応じてその競売により得られた代金を当該者に交付しなければならない〈司予〉。

①　第１７０条第１項<取得条項付株式の取得日>の規定による株式の取得　当該株式会社の株主

②　第１７３条第１項<全部取得条項付種類株式の取得日>の規定による株式の取得　当該株式会社の株主

③　第１８５条<株式無償割当て>に規定する株式無償割当て　当該株式会社の株主〈書〉

④　第２７５条第１項<取得条項付新株予約権を取得する日>の規定による新株予約権の取得　第２３６条第１項第７号イ<取得条項付新株予約権を一定の事由が生じた日に取得することとするとき>の新株予約権の新株予約権者

⑤　合併（合併により当該株式会社が存続する場合に限る。）　合併後消滅する会社の株主又は社員
⑥　合併契約に基づく設立時発行株式の発行　合併後消滅する会社の株主又は社員
⑦　株式交換による他の株式会社の発行済株式全部の取得　株式交換をする株式会社の株主
⑧　株式移転計画に基づく設立時発行株式の発行　株式移転をする株式会社の株主
⑨　株式交付　株式交付親会社（第７７４条の３第１項第１号に規定する株式交付親会社をいう。）に株式交付に際して株式交付子会社（同号に規定する株式交付子会社をいう。）の株式又は新株予約権等（同項第７号に規定する新株予約権等をいう。）を譲り渡した者

Ⅱ　株式会社は、前項の規定による競売に代えて、市場価格のある同項の株式については市場価格として法務省令で定める方法により算定される額をもって、市場価格のない同項の株式については裁判所の許可を得て競売以外の方法により、これを売却することができる〈予。この場合において、当該許可の申立ては、取締役が２人以上あるときは、その全員の同意によってしなければならない〈予。
Ⅲ　前項の規定により第１項の株式を売却した場合における同項の規定の適用については、同項中「競売により」とあるのは、「売却により」とする。
Ⅳ　株式会社は、第２項の規定により売却する株式の全部又は一部を買い取ることができる。この場合においては、次に掲げる事項を定めなければならない。
①　買い取る株式の数（種類株式発行会社にあっては、株式の種類及び種類ごとの数）
②　前号の株式の買取りをするのと引換えに交付する金銭の総額
Ⅴ　取締役会設置会社においては、前項各号に掲げる事項の決定は、取締役会の決議によらなければならない。
Ⅵ　第１項から第４項までの規定は、第１項各号に掲げる行為に際して当該各号に定める者に当該株式会社の社債又は新株予約権を交付するときについて準用する。

【関連条文】155⑨［自己株式の取得］、462Ⅰ⑤ⅡⅢ［売却する株式の買取りと引換えにする金銭の総額が分配可能額を超える場合の責任］、465Ⅰ⑨［欠損が生じた場合の責任］、規50・51

第２３５条 〈司H29

Ⅰ　株式会社が株式の分割又は株式の併合をすることにより株式の数に１株に満たない端数が生ずるときは、その端数の合計数（その合計数に１に満たない端数が生ずる場合にあっては、これを切り捨てるものとする。）に相当する数の株式を競売し、かつ、その端数に応じてその競売により得られた代金を株主に交付しなければならない。
Ⅱ　前条第２項から第５項までの規定は、前項の場合について準用する〈予。

【関連条文】183・184［株式分割］、180～182の6［株式併合］、規52

株式会社

・第3章・【新株予約権】

■第1節　総則

《概　説》

一　新株予約権の意義

新株予約権とは、株式会社に対して行使することにより当該株式会社の株式の交付を受けることができる権利をいう（2㉑）。

二　新株予約権制度の機能

1　資金調達の機能

(1)　新株予約権は、株式のコール・オプションたる金融商品として、資金調達の機能を有する。

＊　オプションとは、その保有者にあらかじめ定められた期日、あるいはそれ以前に一定の価格で株式を買う権利・売る権利を与えるものをいい、このうち保有者が株式を買う権利をもつものを、コール・オプションという。

(2)　資金調達手段をさらに多様化するために、新株予約権と社債を組み合わせた新株予約権付社債も会社法で併せて規定されている（2㉒）。　⇒ p.470

2　ストック・オプションとしての機能

ストック・オプションとは、インセンティブ報酬として一定の期間（権利行使期間）内にあらかじめ定められた価額（権利行使価額）で会社から株式を取得することができる権利のことをいう。取締役や使用人に対して、ストック・オプションを付与する場合には、会社の業績向上を目指して努力するインセンティブを与えることが可能となる。　⇒ p.296

3　買収防衛策としての機能

買収者が一定割合以上の株式を買い占めた場合には、買収者以外の株主には自動的に株式が発行されるような新株予約権を発行する例もある（ポイズン・ピル、ライツ・プラン）。

また、取得請求権付株式の対価として交付することも認められる。

＊　ポイズン・ピルとは、平時導入型買収防衛策の1つで、ある特定の条項をつけることで、買収者による議決権の獲得を阻害するものをいう。また、ライツ・プランは、買収者の議決権比率を低下させることを意図した平時導入型買収防衛策をいう。

三　新株予約権付社債　⇒ p.470

第236条　（新株予約権の内容）

Ⅰ　株式会社が新株予約権を発行するときは、次に掲げる事項を当該新株予約権の内容としなければならない。

①　当該新株予約権の目的である株式の数（種類株式発行会社にあっては、株式の種類及び種類ごとの数）又はその数の算定方法

②　当該新株予約権の行使に際して出資される財産の価額又はその算定方法

③　金銭以外の財産を当該新株予約権の行使に際してする出資の目的とするときは、その旨並びに当該財産の内容及び価額〈共

④　当該新株予約権を行使することができる期間

⑤　当該新株予約権の行使により株式を発行する場合における増加する資本金及び資本準備金に関する事項

⑥　譲渡による当該新株予約権の取得について当該株式会社の承認を要することとするときは、その旨

⑦　当該新株予約権について、当該株式会社が一定の事由が生じたことを条件としてこれを取得することができることとするときは、次に掲げる事項

イ　一定の事由が生じた日に当該株式会社がその新株予約権を取得する旨及びその事由

ロ　当該株式会社が別に定める日が到来することをもってイの事由とするときは、その旨

ハ　イの事由が生じた日にイの新株予約権の一部を取得することとするときは、その旨及び取得する新株予約権の一部の決定の方法

ニ　イの新株予約権を取得するのと引換えに当該新株予約権の新株予約権者に対して当該株式会社の株式を交付するときは、当該株式の数（種類株式発行会社にあっては、株式の種類及び種類ごとの数）又はその算定方法

ホ　イの新株予約権を取得するのと引換えに当該新株予約権の新株予約権者に対して当該株式会社の社債（新株予約権付社債についてのものを除く。）を交付するときは、当該社債の種類及び種類ごとの各社債の金額の合計額又はその算定方法

ヘ　イの新株予約権を取得するのと引換えに当該新株予約権の新株予約権者に対して当該株式会社の他の新株予約権（新株予約権付社債に付されたものを除く。）を交付するときは、当該他の新株予約権の内容及び数又はその算定方法

ト　イの新株予約権を取得するのと引換えに当該新株予約権の新株予約権者に対して当該株式会社の新株予約権付社債を交付するときは、当該新株予約権付社債についてのホに規定する事項及び当該新株予約権付社債に付された新株予約権についてのヘに規定する事項

チ　イの新株予約権を取得するのと引換えに当該新株予約権の新株予約権者に対して当該株式会社の株式等以外の財産を交付するときは、当該財産の内容及び数若しくは額又はこれらの算定方法

⑧　当該株式会社が次のイからホまでに掲げる行為をする場合において、当該新株予約権の新株予約権者に当該イからホまでに定める株式会社の新株予約権を交付することとするときは、その旨及びその条件

イ　合併（合併により当該株式会社が消滅する場合に限る。）　合併後存続する株式会社又は合併により設立する株式会社〈予

ロ　吸収分割　吸収分割をする株式会社がその事業に関して有する権利義務の全部又は一部を承継する株式会社

ハ　新設分割　新設分割により設立する株式会社

ニ　株式交換　株式交換をする株式会社の発行済株式の全部を取得する株式会社

ホ　株式移転　株式移転により設立する株式会社

株式会社

⑨ 新株予約権を行使した新株予約権者に交付する株式の数に１株に満たない端数がある場合において、これを切り捨てるものとするときは、その旨
⑩ 当該新株予約権（新株予約権付社債に付されたものを除く。）に係る新株予約権証券を発行することとするときは、その旨
⑪ 前号に規定する場合において、新株予約権者が第２９０条<記名式と無記名式との間の転換>の規定による請求の全部又は一部をすることができないこととするときは、その旨

Ⅱ 新株予約権付社債に付された新株予約権の数は、当該新株予約権付社債についての社債の金額ごとに、均等に定めなければならない。

Ⅲ 金融商品取引法第２条第１６項に規定する金融商品取引所に上場されている株式を発行している株式会社は、定款又は株主総会の決議による第３６１条第１項第４号又は第５号ロ<取締役の報酬等のうち当該株式会社の募集新株予約権の数の上限等>に掲げる事項についての定めに従い新株予約権を発行するときは、第１項第２号に掲げる事項を当該新株予約権の内容とすることを要しない。この場合において、当該株式会社は、次に掲げる事項を当該新株予約権の内容としなければならない。
① 取締役の報酬等として又は取締役の報酬等をもってする払込みと引換えに当該新株予約権を発行するものであり、当該新株予約権の行使に際してする金銭の払込み又は第１項第３号の財産の給付を要しない旨
② 定款又は株主総会の決議による第３６１条第１項第４号又は第５号ロ<取締役の報酬等のうち当該株式会社の募集新株予約権の数の上限等>に掲げる事項についての定めに係る取締役（取締役であった者を含む。）以外の者は、当該新株予約権を行使することができない旨

Ⅳ 指名委員会等設置会社における前項の規定の適用については、同項中「定款又は株主総会の決議による第３６１条第１項第４号又は第５号ロに掲げる事項についての定め」とあるのは「報酬委員会による第４０９条第３項第４号又は第５号ロに定める事項についての決定」と、同項第１号中「取締役」とあるのは「執行役若しくは取締役」と、同項第２号中「取締役」とあるのは「執行役又は取締役」とする。

《その他》

・譲渡制限株式（2⑰、107 Ⅰ①・108 Ⅰ④）が認められているように、新株予約権についても、譲渡制限新株予約権（236 Ⅰ⑥）が認められている一方、譲渡等承認請求を受けた場合において、その承認をしない旨を決定した場合における株式会社又は指定買取人による買取り（140）に相当する規定は、譲渡制限新株予約権に関しては設けられていない予。
・取得条項付株式（2⑲、107 Ⅰ③・108 Ⅰ⑥）が認められているように、新株予約権についても、取得条項付新株予約権（236 Ⅰ⑦）が認められている一方、取得条項付株式の取得における分配可能額規制（170 Ⅴ）に相当する規定は、取得条項付新株予約権の取得に関しては設けられていない予。
∵ 取得条項付株式の取得は自己株式の取得であり、株主に対して会社の財産を分配するものであるため、分配可能額規制が設けられている一方、取得条

項付新株予約権の取得は自己株式の取得ではなく、株主に対して会社の財産を分配するものでもないため

【関連条文】202の2［取締役の報酬等に係る募集事項の決定の特則］

第２３７条（共有者による権利の行使）

新株予約権が２以上の者の共有に属するときは、共有者は、当該新株予約権についての権利を行使する者１人を定め、株式会社に対し、その者の氏名又は名称を通知しなければ、当該新株予約権についての権利を行使することができない〈司書。ただし、株式会社が当該権利を行使することに同意した場合は、この限りでない。

【関連条文】106［株式の共有者による権利の行使］

■第２節　新株予約権の発行

第１款　募集事項の決定等

第２３８条（募集事項の決定）〈司H27

Ⅰ　株式会社は、その発行する新株予約権を引き受ける者の募集をしようとするときは、その都度、募集新株予約権（当該募集に応じて当該新株予約権の引受けの申込みをした者に対して割り当てる新株予約権をいう。以下この章において同じ。）について次に掲げる事項（以下この節において「募集事項」という。）を定めなければならない。

①　募集新株予約権の内容及び数

②　募集新株予約権と引換えに金銭の払込みを要しないこととする場合には、その旨〈予書

③　前号に規定する場合以外の場合には、募集新株予約権の払込金額（募集新株予約権１個と引換えに払い込む金銭の額をいう。以下この章において同じ。）又はその算定方法

④　募集新株予約権を割り当てる日（以下この節において「割当日」という。）〈書

⑤　募集新株予約権と引換えにする金銭の払込みの期日を定めるときは、その期日〈共書

⑥　募集新株予約権が新株予約権付社債に付されたものである場合には、第６７６条各号＜募集社債に関する事項の決定＞に掲げる事項

⑦　前号に規定する場合において、同号の新株予約権付社債に付された募集新株予約権についての第１１８条第１項＜定款変更する場合の新株予約権買取請求＞、第１７９条第２項＜特別支配株主の新株予約権売渡請求＞、第７７７条第１項＜組織変更する場合の新株予約権買取請求＞、第７８７条第１項＜吸収合併、吸収分割、株式交換をする場合の新株予約権買取請求＞又は第８０８条第１項＜新設合併、新設分割、株式移転をする場合の新株予約権買取請求＞の規定による請求の方法につき別段の定めをするときは、その定め

Ⅱ　募集事項の決定は、株主総会の決議によらなければならない。

Ⅲ　次に掲げる場合には、取締役は、前項の株主総会において、第１号の条件又は第２号の金額で募集新株予約権を引き受ける者の募集をすることを必要とする理由を説明しなければならない。

①　第１項第２号に規定する場合において、金銭の払込みを要しないこととするこ

株式会社

とが当該者に特に有利な条件であるとき〈予〉。
② 第１項第３号に規定する場合において、同号の払込金額が当該者に特に有利な金額であるとき〈同〉。

Ⅳ 種類株式発行会社において、募集新株予約権の目的である株式の種類の全部又は一部が譲渡制限株式であるときは、当該募集新株予約権に関する募集事項の決定は、当該種類の株式を目的とする募集新株予約権を引き受ける者の募集について当該種類の株式の種類株主を構成員とする種類株主総会の決議を要しない旨の定款の定めがある場合を除き、当該種類株主総会の決議がなければ、その効力を生じない。ただし、当該種類株主総会において議決権を行使することができる種類株主が存しない場合は、この限りでない。

Ⅴ 募集事項は、第１項の募集ごとに、均等に定めなければならない。

[趣旨] 新株予約権の発行は既存株主の将来の持分比率・経済的利益といった利益に影響を与えるものであることから、既存株主の利益保護を加味した募集事項の決定手続を規定した。

《注 釈》

◆ 判例

1 238条3項2号にいう「特に有利な金額」による募集新株予約権の発行とは、公正な払込金額よりも特に低い価額による発行をいう。取締役会において決定された払込金額が公正なオプション価額を大きく下回るときは、原則として、募集新株予約権の有利発行に該当する（東京地決平18.6.30・百選25事件）。

2 客観的資料に基づく一応合理的な算定方法によって払込金額や発行条件が決定されていたといえる場合には、その払込金額や発行条件は、特別の事情のない限り、238条3項1号・2号所定の有利発行には当たらない（名古屋地一宮支決令2.12.24・令3重判2事件）。

∵ 新株予約権の公正な価額は、新株予約権の発行前に既に市場価格が成立しているわけではないため、非上場会社による新株発行の場合（最判平27.2.19・百選21事件）と同様の基準で判断される

【関連条文】 309 Ⅱ⑥［株主総会の特別決議］、240［公開会社における募集事項の決定の特則］、324 Ⅱ③［種類株主総会の特別決議］、828 Ⅰ④［新株予約権発行無効の訴え］、829③［新株予約権発行不存在確認の訴え］

第２３９条 （募集事項の決定の委任）

Ⅰ 前条第２項及び第４項の規定にかかわらず、株主総会においては、その決議によって、募集事項の決定を取締役（取締役会設置会社にあっては、取締役会）に委任することができる。この場合においては、次に掲げる事項を定めなければならない。
① その委任に基づいて募集事項の決定をすることができる募集新株予約権の内容及び数の上限
② 前号の募集新株予約権につき金銭の払込みを要しないこととする場合には、その旨

③　前号に規定する場合以外の場合には、募集新株予約権の払込金額の下限

Ⅱ　次に掲げる場合には、取締役は、前項の株主総会において、第１号の条件又は第２号の金額で募集新株予約権を引き受ける者の募集をすることを必要とする理由を説明しなければならない。

①　前項第２号に規定する場合において、金銭の払込みを要しないこととすることが当該者に特に有利な条件であるとき。

②　前項第３号に規定する場合において、同号の払込金額の下限が当該者に特に有利な金額であるとき。

Ⅲ　第１項の決議は、割当日が当該決議の日から１年以内の日である前条第１項の募集についてのみその効力を有する。

Ⅳ　種類株式発行会社において、募集新株予約権の目的である株式の種類の全部又は一部が譲渡制限株式であるときは、当該募集新株予約権に関する募集事項の決定の委任は、前条第４項の定款の定めがある場合を除き、当該種類株主総会の決議がなければ、その効力を生じない。ただし、当該種類株主総会において議決権を行使することできる種類株主が存しない場合は、この限りでない。

[趣旨]資金調達の迅速性等についての便宜を図るため、募集事項の決定を取締役に委任できる旨を規定した。

《注　釈》

◆　判例

取締役会が株主総会決議による委任を受けて新株予約権の行使条件を定めた場合に、新株予約権の発行後に上記行使条件を取締役会決議によって変更することは原則として許されず、上記行使条件の細目的な変更をするにとどまるものであるときを除き、当該取締役会決議は無効である。そして、非公開会社が株主割当て以外の方法により発行した新株予約権に株主総会によって行使条件が付された場合に、この行使条件が当該新株予約権を発行した趣旨に照らして当該新株予約権の重要な内容を構成しているときは、上記行使条件に反した新株予約権の行使による株式の発行には、無効原因がある（最判平24.4.24・百選26事件）〈司H27〉。

∵　既存株主の持株比率がその意思に反して影響を受けることになる点において、株主総会の特別決議を経ないまま株主割当て以外の方法による募集株式の発行がされた場合と異なるところはない

【関連条文】309Ⅱ⑥［株主総会の特別決議］、324Ⅱ③［種類株主総会の特別決議］

第２４０条　（公開会社における募集事項の決定の特則）

Ⅰ　第２３８条第３項各号<新株予約権の有利発行>に掲げる場合を除き、公開会社における同条第２項<新株予約権募集事項の決定>の規定の適用については、同項中「株主総会」とあるのは、「取締役会」とする。この場合においては、前条の規定は、適用しない〈司予〉。

Ⅱ　公開会社は、前項の規定により読み替えて適用する第２３８条第２項<新株予約

権の募集事項の決定＞の取締役会の決議によって募集事項を定めた場合には、割当日の２週間前までに、株主に対し、当該募集事項を通知しなければならない〈予。
Ⅲ　前項の規定による通知は、公告をもってこれに代えることができる〈予。
Ⅳ　第２項の規定は、株式会社が募集事項について割当日の２週間前までに金融商品取引法第４条第１項から第３項までの届出をしている場合その他の株主の保護に欠けるおそれがないものとして法務省令で定める場合には、適用しない。

【１項読替え】
公開会社においては、238条第３項各号＜新株予約権の有利発行＞に掲げる場合を除き、募集事項の決定は、取締役会の決議によらなければならない。この場合においては、前条の規定は適用しない。

株式会社

［趣旨］資金調達の便宜を図るため、公開会社における新株予約権の募集事項の決定について特則を規定した。
【関連条文】規53

第２４１条　（株主に新株予約権の割当てを受ける権利を与える場合）

Ⅰ　株式会社は、第２３８条第１項＜募集事項の決定＞の募集において、株主に新株予約権の割当てを受ける権利を与えることができる。この場合においては、募集事項のほか、次に掲げる事項を定めなければならない。
　①　株主に対し、次条第２項の申込みをすることにより当該株式会社の募集新株予約権（種類株式発行会社にあっては、その目的である株式の種類が当該株主の有する種類の株式と同一の種類のもの）の割当てを受ける権利を与える旨
　②　前号の募集新株予約権の引受けの申込みの期日〈書
Ⅱ　前項の場合には、同項第１号の株主（当該株式会社を除く。〈予）は、その有する株式の数に応じて募集新株予約権の割当てを受ける権利を有する。ただし、当該株主が割当てを受ける募集新株予約権の数に１に満たない端数があるときは、これを切り捨てるものとする〈書。
Ⅲ　第１項各号に掲げる事項を定める場合には、募集事項及び同項各号に掲げる事項は、次の各号に掲げる場合の区分に応じ、当該各号に定める方法によって定めなければならない。
　①　当該募集事項及び第１項各号に掲げる事項を取締役の決定によって定めることができる旨の定款の定めがある場合（株式会社が取締役会設置会社である場合を除く。）　取締役の決定
　②　当該募集事項及び第１項各号に掲げる事項を取締役会の決議によって定めることができる旨の定款の定めがある場合（次号に掲げる場合を除く。）　取締役会の決議〈予
　③　株式会社が公開会社である場合　取締役会の決議〈書
　④　前３号に掲げる場合以外の場合　株主総会の決議
Ⅳ　株式会社は、第１項各号に掲げる事項を定めた場合には、同項第２号の期日の２週間前までに、同項第１号の株主（当該株式会社を除く。）に対し、次に掲げる事項を通知しなければならない。

① 募集事項
② 当該株主が割当てを受ける募集新株予約権の内容及び数
③ 第１項第２号の期日

Ⅴ 第２３８条第２項から第４項<募集事項の決定に必要な決議>まで及び前２条<募集事項の決定の委任、公開会社における募集事項の決定の特則>の規定は、第１項から第３項までの規定により株主に新株予約権の割当てを受ける権利を与える場合には、適用しない。

［趣旨］ 1項は、会社の機動的な資金調達の可能性を確保するため、個々の新株予約権の発行に際して割当てを受ける権利を与えるか否かは、会社が定めることができると規定した。4項は、株主割当ての場合には株主に申し込みの機会を確保するため、株主に一定事項を通知すべきことを規定した。

【関連条文】 309 Ⅱ⑥［株主総会の特別決議］

株式会社

第２款　募集新株予約権の割当て

第２４２条 （募集新株予約権の申込み）

Ⅰ 株式会社は、第２３８条第1項<募集事項の決定>の募集に応じて募集新株予約権の引受けの申込みをしようとする者に対し、次に掲げる事項を通知しなければならない。

① 株式会社の商号
② 募集事項
③ 新株予約権の行使に際して金銭の払込みをすべきときは、払込みの取扱いの場所
④ 前３号に掲げるもののほか、法務省令で定める事項

Ⅱ 第２３８条第１項<募集事項の決定>の募集に応じて募集新株予約権の引受けの申込みをする者は、次に掲げる事項を記載した書面を株式会社に交付しなければならない。

① 申込みをする者の氏名又は名称及び住所
② 引き受けようとする募集新株予約権の数

Ⅲ 前項の申込みをする者は、同項の書面の交付に代えて、政令で定めるところにより、株式会社の承諾を得て、同項の書面に記載すべき事項を電磁的方法により提供することができる。この場合において、当該申込みをした者は、同項の書面を交付したものとみなす。

Ⅳ 第１項の規定は、株式会社が同項各号に掲げる事項を記載した金融商品取引法第２条第１０項 に規定する目論見書を第１項 の申込みをしようとする者に対して交付している場合その他募集新株予約権の引受けの申込みをしようとする者の保護に欠けるおそれがないものとして法務省令で定める場合には、適用しない。

Ⅴ 株式会社は、第１項各号に掲げる事項について変更があったときは、直ちに、その旨及び当該変更があった事項を第２項の申込みをした者（以下この款において「申込者」という。）に通知しなければならない。

Ⅵ 募集新株予約権が新株予約権付社債に付されたものである場合には、申込者（募集新株予約権のみの申込みをした者に限る。）は、その申込みに係る募集新株予約権を付した新株予約権付社債の引受けの申込みをしたものとみなす。

Ⅶ　株式会社が申込者に対してする通知又は催告は、第２項第１号の住所（当該申込者が別に通知又は催告を受ける場所又は連絡先を当該株式会社に通知した場合にあっては、その場所又は連絡先）にあてて発すれば足りる。
Ⅷ　前項の通知又は催告は、その通知又は催告が通常到達すべきであった時に、到達したものとみなす。

【関連条文】規 54、55、令 1

第２４３条　（募集新株予約権の割当て）

Ⅰ　株式会社は、申込者の中から募集新株予約権の割当てを受ける者を定め、かつ、その者に割り当てる募集新株予約権の数を定めなければならない。この場合において、株式会社は、当該申込者に割り当てる募集新株予約権の数を、前条第２項第２号<引き受けようとする募集新株予約権の数>の数よりも減少することができる。
Ⅱ　次に掲げる場合には、前項の規定による決定は、株主総会（取締役会設置会社にあっては、取締役会）の決議によらなければならない。ただし、定款に別段の定めがある場合は、この限りでない。
　①　募集新株予約権の目的である株式の全部又は一部が譲渡制限株式である場合〈書
　②　募集新株予約権が譲渡制限新株予約権（新株予約権であって、譲渡による当該新株予約権の取得について株式会社の承認を要する旨の定めがあるものをいう。以下この章において同じ。）である場合
Ⅲ　株式会社は、割当日の前日までに、申込者に対し、当該申込者に割り当てる募集新株予約権の数（当該募集新株予約権が新株予約権付社債に付されたものである場合にあっては、当該新株予約権付社債についての社債の種類及び各社債の金額の合計額を含む。）を通知しなければならない。
Ⅳ　第２４１条<株主に新株予約権の割当てを受ける権利を与える場合>の規定により株主に新株予約権の割当てを受ける権利を与えた場合において、株主が同条第１項第２号<募集新株予約権の引受けの申込みの期日>の期日までに前条第２項の申込みをしないときは、当該株主は、募集新株予約権の割当てを受ける権利を失う。

【関連条文】309 Ⅱ⑥［株主総会の特別決議］

第２４４条　（募集新株予約権の申込み及び割当てに関する特則）

Ⅰ　前２条<募集新株予約権の申込み・割当て>の規定は、募集新株予約権を引き受けようとする者がその総数の引受けを行う契約を締結する場合には、適用しない。
Ⅱ　募集新株予約権が新株予約権付社債に付されたものである場合における前項の規定の適用については、同項中「の引受け」とあるのは、「及び当該募集新株予約権を付した社債の総額の引受け」とする。
Ⅲ　第１項に規定する場合において、次に掲げるときは、株式会社は、株主総会（取締役会設置会社にあっては、取締役会）の決議によって、同項の契約の承認を受けなければならない。ただし、定款に別段の定めがある場合は、この限りでない。
　①　募集新株予約権の目的である株式の全部又は一部が譲渡制限株式であるとき。
　②　募集新株予約権が譲渡制限新株予約権であるとき。

第２４４条の２　（公開会社における募集新株予約権の割当て等の特則）

Ⅰ　公開会社は、募集新株予約権の割当てを受けた申込者又は前条第１項の契約により募集新株予約権の総数を引き受けた者（以下この項において「引受人」と総称する。）について、第１号に掲げる数の第２号に掲げる数に対する割合が２分の１を超える場合には、割当日の２週間前までに、株主に対し、当該引受人（以下この項及び第５項において「特定引受人」という。）の氏名又は名称及び住所、当該特定引受人についての第１号に掲げる数その他の法務省令で定める事項を通知しなければならない。ただし、当該特定引受人が当該公開会社の親会社等である場合又は第２４１条＜株主に新株予約権の割当てを受ける権利を与える場合＞の規定により株主に新株予約権の割当てを受ける権利を与えた場合は、この限りでない。

①　当該引受人（その子会社等を含む。）がその引き受けた募集新株予約権に係る交付株式の株主となった場合に有することとなる最も多い議決権の数

②　前号に規定する場合における最も多い総株主の議決権の数

Ⅱ　前項第１号に規定する「交付株式」とは、募集新株予約権の目的である株式、募集新株予約権の内容として第２３６条第１項第７号ニ＜取得条項付新株予約権の取得対価として株式を交付するとき＞に掲げる事項についての定めがある場合における同号ニの株式その他募集新株予約権の新株予約権者が交付を受ける株式として法務省令で定める株式をいう。

Ⅲ　第１項の規定による通知は、公告をもってこれに代えることができる。

Ⅳ　第１項の規定にかかわらず、株式会社が同項の事項について割当日の２週間前までに金融商品取引法第４条第１項から第３項までの届出をしている場合その他の株主の保護に欠けるおそれがないものとして法務省令で定める場合には、第１項の規定による通知は、することを要しない。

Ⅴ　総株主（この項の株主総会において議決権を行使することができない株主を除く。）の議決権の１０分の１（これを下回る割合を定款で定めた場合にあっては、その割合）以上の議決権を有する株主が第１項の規定による通知又は第３項の公告の日（前項の場合にあっては、法務省令で定める日）から２週間以内に特定引受人（その子会社等を含む。以下この項において同じ。）による募集新株予約権の引受けに反対する旨を公開会社に対し通知したときは、当該公開会社は、割当日の前日までに、株主総会の決議によって、当該特定引受人に対する募集新株予約権の割当て又は当該特定引受人との間の前条第１項の契約の承認を受けなければならない。ただし、当該公開会社の財産の状況が著しく悪化している場合において、当該公開会社の事業の継続のため緊急の必要があるときは、この限りでない。

Ⅵ　第３０９条第１項＜株主総会の普通決議＞の規定にかかわらず、前項の株主総会の決議は、議決権を行使することができる株主の議決権の過半数（３分の１以上の割合を定款で定めた場合にあっては、その割合以上）を有する株主が出席し、出席した当該株主の議決権の過半数（これを上回る割合を定款で定めた場合にあっては、その割合以上）をもって行わなければならない。

【関連条文】206の２［公開会社における募集株式の割当て等の特則］

株式会社

第２４５条　（新株予約権者となる日）

Ⅰ　次の各号に掲げる者は、割当日に、当該各号に定める募集新株予約権の新株予約権者となる〈司予書〉。

①　申込者　株式会社の割り当てた募集新株予約権

②　第２４４条第１項の契約により募集新株予約権の総数を引き受けた者　その者が引き受けた募集新株予約権

Ⅱ　募集新株予約権が新株予約権付社債に付されたものである場合には、前項の規定により募集新株予約権の新株予約権者となる者は、当該募集新株予約権を付した新株予約権付社債についての社債の社債権者となる。

第３款　募集新株予約権に係る払込み

第２４６条

Ⅰ　第２３８条第１項第３号<新株予約権の払込金額又はその算定方法>に規定する場合には、新株予約権者は、募集新株予約権についての第２３６条第１項第４号<新株予約権を行使することができる期間>の期間の初日の前日（第２３８条第１項第５号に規定する場合にあっては、同号の期日。第３項において「払込期日」という。）までに、株式会社が定めた銀行等の払込みの取扱いの場所において、それぞれの募集新株予約権の払込金額の全額を払い込まなければならない。

Ⅱ　前項の規定にかかわらず、新株予約権者は、株式会社の承諾を得て、同項の規定による払込みに代えて、払込金額に相当する金銭以外の財産を給付し、又は当該株式会社に対する債権をもって相殺することができる〈司予書〉。

Ⅲ　第２３８条第１項第３号<新株予約権の払込金額又はその算定方法>に規定する場合には、新株予約権者は、募集新株予約権についての払込期日までに、それぞれの募集新株予約権の払込金額の全額の払込み（当該払込みに代えてする金銭以外の財産の給付又は当該株式会社に対する債権をもってする相殺を含む。）をしないときは、当該募集新株予約権を行使することができない〈予〉。

［趣旨］２項については、本条項の払込みは、出資の場合（208 Ⅲ）とは異なり、資本充実原則が妥当しないので、相殺が認められることを定める。

《注　釈》

・新株予約権は、これを発行した会社の貸借対照表において、純資産の部に計上される（計規 76 Ⅰ①ニ）〈司〉。

第４款　募集新株予約権の発行をやめることの請求

第２４７条

次に掲げる場合において、株主が不利益を受けるおそれがあるときは、株主は、株式会社に対し、第２３８条第１項<募集事項の決定>の募集に係る新株予約権の発行をやめることを請求することができる〈共書〉。

①　当該新株予約権の発行が法令又は定款に違反する場合〈司〉

> ②　当該新株予約権の発行が著しく不公正な方法により行われる場合〈予書

［趣旨］新株予約権の発行は、その条件・内容によっては、既存株主に対して、持分比率維持の利益、経済的価値維持の利益が低下するという影響を及ぼすおそれがある。そこで、本条は、かかる弊害から既存株主を保護する観点から、新株予約権発行差止請求権を認めた。

《注　釈》

一　新株予約権発行の差止め〈司R元

各要件については、募集株式発行の差止め（210）を参照。　⇒p.170

取締役会設置会社が新株予約権無償割当てを行うときは、募集新株予約権発行の場合と異なり、株主総会決議は常に不要とされているから、会社法上には新株予約権無償割当ての差止めに関する規定が存在しない。

∵　無償割当てにおいては同一内容の予約権が持株数に応じて株主に割り当てられるため（278Ⅱ）、原則として株主が不利益を受けることがない

もっとも、買収防衛策として新株予約権無償割当てが用いられる場合には、特定の株主が権利不行使となる差別的行使条件が設定され得る。そうすると、既存株主としての地位に実質的な変動が生じ、持株比率及び保有株式の経済的価値の低下という不利益が生じるおそれがある。

→新株予約権無償割当てについても、それが株主の地位に実質的変動を及ぼす場合には、募集新株予約権発行の差止めに関する247条が類推適用されると解されている（ブルドックソース事件第1審、東京地決平19.6.28）

二「法令又は定款に違反する場合」（①）〈司R元

敵対的買収によって会社の企業価値がき損され、会社の利益ひいては株主の共同の利益が害されることから、買収防衛策が必要であると認められ（①買収防衛策の必要性）、かつ、買収防衛策に基づく具体的な措置が衡平の理念に反し、相当性を欠くものではない場合（②買収防衛策の相当性）には、差別的な内容の新株予約権無償割当てであっても、株主平等の原則（109Ⅰ）又はその趣旨に反せず、法令に違反しない（ブルドックソース事件、最決平19.8.7・百選98事件）。

①の必要性については、最終的には、会社の利益の帰属主体である株主自身により判断されるべきである。

→株主総会の決議が適正を欠くものであった場合や、判断の前提とされた事実が実際には存在しなかったり虚偽であったりなど、判断の相当性を失わせるような重大な瑕疵が存在しない限り、当該判断が尊重される

②の相当性が認められるためには、買収防衛策の発動によって買収者に生じる持株比率の希釈化という損害を回避できる可能性が必要と解されている。

→持株比率は低下するものの、新株予約権の価値に見合う取得対価の支払により経済的補償が受けられる場合（ブルドックソース事件、最決平19.8.7・百選98事件参照）や、たとえ取得対価が低廉であり経済的補償が受けられ

なくても、買収提案の撤回・中止により、買収防衛策の発動による持株比率の希釈化という損害を回避し得る場合には、相当性が認められるものと解されている

三　「著しく不公正な方法」（②）　司R元

「著しく不公正な方法」（不公正発行）かどうかは、募集株式の発行と同様に、主要目的ルールによって判断されるのが原則である。

→現に経営支配権争いが生じている場合において、経営支配権の維持・確保を主要な目的とした新株予約権の発行がされた場合には、原則、不公正な発行として差止請求が認められる（ニッポン放送事件、東京高決平17.3.23・百選97事件）

もっとも、新株予約権の発行は、資金調達の目的だけでなく、インセンティブ報酬を付与するための手段として用いられるなど、多種多様な目的で行われるため、経営支配権を維持するという目的と対置されるのは資金調達の目的に限られない。

→株主全体の利益保護の観点から当該新株予約権の発行を正当化する特段の事情がある場合（敵対的買収者が真摯に合理的な経営を目指すものではなく、敵対的買収者による支配権取得が会社に回復し難い損害をもたらす事情があることを会社が疎明、立証した場合等）には、例外的に、不公正な発行として差止請求をすることはできない（ニッポン放送事件、東京高決平17.3.23・百選97事件）

＊　勧告的決議（会社法の定める決議事項ではなくとも、会社の政策的事項に関する一定の判断を株主総会に仰ぐ場合になされる事実上の決議）であっても、株主の多数意思を確認するという点では意味があると解されており、例えば、募集株式の発行等が「著しく不公正な方法」（210②、247②）に該当するかどうかの判断において、勧告的決議を得ていることが「著しく不公正な方法」とはいえない（差止めを認めない）との方向に考慮される事情になると解する見解もある。

【関連条文】210［募集株式の発行等をやめることの請求］

第5款　雑則

第２４８条

第６７６条から第６８０条まで<募集社債の発行手続に関する規定>の規定は、新株予約権付社債についての社債を引き受ける者の募集については、適用しない。

■第3節　新株予約権原簿

第２４９条　（新株予約権原簿）書

株式会社は、新株予約権を発行した日以後遅滞なく、新株予約権原簿を作成し、次の各号に掲げる新株予約権の区分に応じ、当該各号に定める事項（以下「新株予約権原簿記載事項」という。）を記載し、又は記録しなければならない。

①　無記名式の新株予約権証券が発行されている新株予約権（以下この章において「無記名新株予約権」という。）　当該新株予約権証券の番号並びに当該無記名新株予約権の内容及び数

②　無記名式の新株予約権付社債券（証券発行新株予約権付社債（新株予約権付社債であって、当該新株予約権付社債についての社債につき社債券を発行する旨の定めがあるものをいう。以下この章において同じ。）に係る社債券をいう。以下同じ。）が発行されている新株予約権付社債（以下この章において「無記名新株予約権付社債」という。）に付された新株予約権　当該新株予約権付社債券の番号並びに当該新株予約権の内容及び数

③　前２号に掲げる新株予約権以外の新株予約権　次に掲げる事項

イ　新株予約権者の氏名又は名称及び住所

ロ　イの新株予約権者の有する新株予約権の内容及び数

ハ　イの新株予約権者が新株予約権を取得した日

ニ　ロの新株予約権が証券発行新株予約権（新株予約権（新株予約権付社債に付されたものを除く。）であって、当該新株予約権に係る新株予約権証券を発行する旨の定めがあるものをいう。以下この章において同じ。）であるときは、当該新株予約権（新株予約権証券が発行されているものに限る。）に係る新株予約権証券の番号

ホ　ロの新株予約権が証券発行新株予約権付社債に付されたものであるときは、当該新株予約権を付した新株予約権付社債（新株予約権付社債券が発行されているものに限る。）に係る新株予約権付社債券の番号

第２５０条　（新株予約権原簿記載事項を記載した書面の交付等）

Ⅰ　前条第３号イ<新株予約権者の氏名又は名称及び住所>の新株予約権者は、株式会社に対し、当該新株予約権者についての新株予約権原簿に記載され、若しくは記録された新株予約権原簿記載事項を記載した書面の交付又は当該新株予約権原簿記載事項を記録した電磁的記録の提供を請求することができる。

Ⅱ　前項の書面には、株式会社の代表取締役（指名委員会等設置会社にあっては、代表執行役。次項において同じ。）が署名し、又は記名押印しなければならない。

Ⅲ　第１項の電磁的記録には、株式会社の代表取締役が法務省令で定める署名又は記名押印に代わる措置をとらなければならない。

Ⅳ　前３項の規定は、証券発行新株予約権及び証券発行新株予約権付社債に付された新株予約権については、適用しない。

【関連条文】規 225

株式会社

第２５１条　（新株予約権原簿の管理） 〈書

株式会社が新株予約権を発行している場合における第１２３条<株主名簿管理人>の規定の適用については、同条中「株主名簿の」とあるのは「株主名簿及び新株予約権原簿の」と、「株主名簿に」とあるのは「株主名簿及び新株予約権原簿に」とする。

【読替え】

株式会社が新株予約権を発行している場合においては、株式会社は、株主名簿管理人（株式会社に代わって株主名簿及び新株予約権原簿の作成及び備置きその他の株主名簿及び新株予約権原簿に関する事務を行う者をいう。以下同じ。）を置く旨を定款で定め、当該事務を行うことを委託することができる。

第２５２条　（新株予約権原簿の備置き及び閲覧等）

Ⅰ　株式会社は、新株予約権原簿をその本店（株主名簿管理人がある場合にあっては、その営業所）に備え置かなければならない。

Ⅱ　株主及び債権者は、株式会社の営業時間内は、いつでも、次に掲げる請求をすることができる。この場合においては、当該請求の理由を明らかにしてしなければならない。

①　新株予約権原簿が書面をもって作成されているときは、当該書面の閲覧又は謄写の請求

②　新株予約権原簿が電磁的記録をもって作成されているときは、当該電磁的記録に記録された事項を法務省令で定める方法により表示したものの閲覧又は謄写の請求

Ⅲ　株式会社は、前項の請求があったときは、次のいずれかに該当する場合を除き、これを拒むことができない。

①　当該請求を行う株主又は債権者（以下この項において「請求者」という。）がその権利の確保又は行使に関する調査以外の目的で請求を行ったとき。

②　請求者が当該株式会社の業務の遂行を妨げ、又は株主の共同の利益を害する目的で請求を行ったとき。

③　請求者が新株予約権原簿の閲覧又は謄写によって知り得た事実を利益を得て第三者に通報するため請求を行ったとき。

④　請求者が、過去２年以内において、新株予約権原簿の閲覧又は謄写によって知り得た事実を利益を得て第三者に通報したことがあるものであるとき。

Ⅳ　株式会社の親会社社員は、その権利を行使するため必要があるときは、裁判所の許可を得て、当該株式会社の新株予約権原簿について第２項各号に掲げる請求をすることができる。この場合においては、当該請求の理由を明らかにしてしなければならない。

Ⅴ　前項の親会社社員について第３項各号のいずれかに規定する事由があるときは、裁判所は、前項の許可をすることができない。

第２５３条　（新株予約権者に対する通知等）

Ⅰ　株式会社が新株予約権者に対してする通知又は催告は、新株予約権原簿に記載し、又は記録した当該新株予約権者の住所（当該新株予約権者が別に通知又は催告を受ける場所又は連絡先を当該株式会社に通知した場合にあっては、その場所又は連絡先）にあてて発すれば足りる。

Ⅱ　前項の通知又は催告は、その通知又は催告が通常到達すべきであった時に、到達したものとみなす。

Ⅲ　新株予約権が２以上の者の共有に属するときは、共有者は、株式会社が新株予約権者に対してする通知又は催告を受領する者１人を定め、当該株式会社に対し、その者の氏名又は名称を通知しなければならない。この場合においては、その者を新株予約権者とみなして、前２項の規定を適用する。

Ⅳ　前項の規定による共有者の通知がない場合には、株式会社が新株予約権の共有者に対してする通知又は催告は、そのうちの１人に対してすれば足りる。

■第４節　新株予約権の譲渡等

第１款　新株予約権の譲渡

第２５４条　（新株予約権の譲渡）

Ⅰ　新株予約権者は、その有する新株予約権を譲渡することができる。

Ⅱ　前項の規定にかかわらず、新株予約権付社債に付された新株予約権のみを譲渡することはできない。ただし、当該新株予約権付社債についての社債が消滅したときは、この限りでない書。

Ⅲ　新株予約権付社債についての社債のみを譲渡することはできない。ただし、当該新株予約権付社債に付された新株予約権が消滅したときは、この限りでない。

第２５５条　（証券発行新株予約権の譲渡）

Ⅰ　証券発行新株予約権の譲渡は、当該証券発行新株予約権に係る新株予約権証券を交付しなければ、その効力を生じない。ただし、自己新株予約権（株式会社が有する自己の新株予約権をいう。以下この章において同じ。）の処分による証券発行新株予約権の譲渡については、この限りでない。

Ⅱ　証券発行新株予約権付社債に付された新株予約権の譲渡は、当該証券発行新株予約権付社債に係る新株予約権付社債券を交付しなければ、その効力を生じない。ただし、自己新株予約権付社債（株式会社が有する自己の新株予約権付社債をいう。以下この条及び次条において同じ。）の処分による当該自己新株予約権付社債に付された新株予約権の譲渡については、この限りでない。

第２５６条　（自己新株予約権の処分に関する特則）

Ⅰ　株式会社は、自己新株予約権（証券発行新株予約権に限る。）を処分した日以後遅滞なく、当該自己新株予約権を取得した者に対し、新株予約権証券を交付しなければならない。

Ⅱ　前項の規定にかかわらず、株式会社は、同項の者から請求がある時までは、同項の新株予約権証券を交付しないことができる。
Ⅲ　株式会社は、自己新株予約権付社債（証券発行新株予約権付社債に限る。）を処分した日以後遅滞なく、当該自己新株予約権付社債を取得した者に対し、新株予約権付社債券を交付しなければならない。
Ⅳ　第６８７条<社債券を発行する場合の社債の譲渡>の規定は、自己新株予約権付社債の処分による当該自己新株予約権付社債について社債の譲渡については、適用しない。

第２５７条　（新株予約権の譲渡の対抗要件）

Ⅰ　新株予約権の譲渡は、その新株予約権を取得した者の氏名又は名称及び住所を新株予約権原簿に記載し、又は記録しなければ、株式会社その他の第三者に対抗することができない同。
Ⅱ　記名式の新株予約権証券が発行されている証券発行新株予約権及び記名式の新株予約権付社債券が発行されている証券発行新株予約権付社債に付された新株予約権についての前項の規定の適用については、同項中「株式会社その他の第三者」とあるのは、「株式会社」とする。
Ⅲ　第１項の規定は、無記名新株予約権及び無記名新株予約権付社債に付された新株予約権については、適用しない。

第２５８条　（権利の推定等）

Ⅰ　新株予約権証券の占有者は、当該新株予約権証券に係る証券発行新株予約権についての権利を適法に有するものと推定する。
Ⅱ　新株予約権証券の交付を受けた者は、当該新株予約権証券に係る証券発行新株予約権にいての権利を取得する。ただし、その者に悪意又は重大な過失があるときは、この限りでない。
Ⅲ　新株予約権付社債券の占有者は、当該新株予約権付社債券に係る証券発行新株予約権付社債に付された新株予約権についての権利を適法に有するものと推定する。
Ⅳ　新株予約権付社債券の交付を受けた者は、当該新株予約権付社債券に係る証券発行新株予約権付社債に付された新株予約権についての権利を取得する。ただし、その者に悪意又は重大な過失があるときは、この限りでない。

第２５９条　（新株予約権者の請求によらない新株予約権原簿記載事項の記載又は記録）

Ⅰ　株式会社は、次の各号に掲げる場合には、当該各号の新株予約権の新株予約権者に係る新株予約権原簿記載事項を新株予約権原簿に記載し、又は記録しなければならない。
①　当該株式会社の新株予約権を取得した場合
②　自己新株予約権を処分した場合
Ⅱ　前項の規定、無記名新株予約権及び無記名新株予約権付社債に付された新株予約権については、適用しない。

［趣旨］258条については、本条の規定により、証券発行型の新株予約権につき、株

券発行会社の株式（131）と同様に流通を促進させ、譲渡を容易にしている。

第２６０条　（新株予約権者の請求による新株予約権原簿記載事項の記載又は記録）

Ⅰ　新株予約権を当該新株予約権を発行した株式会社以外の者から取得した者（当該株式会社を除く。以下この節において「新株予約権取得者」という。）は、当該株式会社に対し、当該新株予約権に係る新株予約権原簿記載事項を新株予約権原簿に記載し、又は記録することを請求することができる。

Ⅱ　前項の規定による請求は、利害関係人の利益を害するおそれがないものとして法務省令で定める場合を除き、その取得した新株予約権の新株予約権者として新株予約権原簿に記載され、若しくは記録された者又はその相続人その他の一般承継人と共同してしなければならない。

Ⅲ　前２項の規定は、無記名新株予約権及び無記名新株予約権付社債に付された新株予約権については、適用しない。

【関連条文】規 56

第２６１条

前条の規定は、新株予約権取得者が取得した新株予約権が譲渡制限新株予約権である場合には、適用しない。ただし、次のいずれかに該当する場合は、この限りでない。

①　当該新株予約権取得者が当該譲渡制限新株予約権を取得することについて次条の承認を受けていること。

②　当該新株予約権取得者が当該譲渡制新株予約権を取得したことについて第２６３条第１項<新株予約権取得者からの承認の請求>の承認を受けていること。

③　当該新株予約権取得者が相続その他の一般承継により譲渡制限新株予約権を取得した者であること。

第２款　新株予約権の譲渡の制限

第２６２条　（新株予約権者からの承認の請求） 書

譲渡制限新株予約権の新株予約権者は、その有する譲渡制限新株予約権を他人（当該譲渡制限新株予約権を発行した株式会社を除く。）に譲り渡そうとするときは、当該株式会社に対し、当該他人が当該譲渡制限新株予約権を取得することについて承認をするか否かの決定をすることを請求することができる。

第２６３条　（新株予約権取得者からの承認の請求）

Ⅰ　譲渡制限新株予約権を取得した新株予約権取得者は、株式会社に対し、当該譲渡制限新株予約権を取得したことについて承認をするか否かの決定をすることを請求することができる。

Ⅱ　前項の規定による請求は、利害関係人の利益を害するおそれがないものとして法務省令で定める場合を除き、その取得した新株予約権の新株予約権者として新株予約権原簿に記載され、若しくは記録された者又はその相続人その他の一般承継人と共同してしなければならない。

【関連条文】規57

第２６４条　（譲渡等承認請求の方法）

次の各号に掲げる請求（以下この款において「譲渡等承認請求」という。）は、当該各号に定める事項を明らかにしてしなければならない。

①　第262条＜新株予約権者からの承認の請求＞の規定による請求　次に掲げる事項

イ　当該請求をする新株予約権者が譲り渡そうとする譲渡制限新株予約権の内容及び数

ロ　イの譲渡制限新株予約権を譲り受ける者の氏名又は名称

②　前条第１項の規定による請求　次に掲げる事項

イ　当該請求をする新株予約権取得者の取得した譲渡制限新株予約権の内容及び数

ロ　イの新株予約権取得者の氏名又は名称

第２６５条　（譲渡等の承認の決定等）

Ⅰ　株式会社が第２６２条＜新株予約権者からの承認の請求＞又は第２６３条第１項＜新株予約権取得者からの承認の請求＞の承認をするか否かの決定をするには、株主総会（取締役会設置会社にあっては、取締役会）の決議によらなければならない。ただし、新株予約権の内容として別段の定めがある場合は、この限りでない。

Ⅱ　株式会社は、前項の決定をしたときは、譲渡等承認請求をした者に対し、当該決定の内容を通知しなければならない。

第２６６条　（株式会社が承認をしたとみなされる場合）

株式会社が譲渡等承認請求の日から２週間（これを下回る期間を定款で定めた場合にあっては、その期間）以内に前条第２項の規定による通知をしなかった場合には、第２６２条＜新株予約権者からの承認の請求＞又は第２６３条第１項＜新株予約権取得者からの承認の請求＞の承認をしたものとみなす。ただし、当該株式会社と当該譲渡等承認請求をした者との合意により別段の定めをしたときは、この限りでない。

第３款　新株予約権の質入れ

第２６７条　（新株予約権の質入れ）

Ⅰ　新株予約権者は、その有する新株予約権に質権を設定することができる。

Ⅱ　前項の規定にかかわらず、新株予約権付社債に付された新株予約権のみに質権を設定することはできない。ただし、当該新株予約権付社債についての社債が消滅したときは、この限りでない。

Ⅲ　新株予約権付社債についての社債のみに質権を設定することはできない。ただし、当該新株予約権付社債に付された新株予約権が消滅したときは、この限りでない。

Ⅳ　証券発行新株予約権の質入れは、当該証券発行新株予約権に係る新株予約権証券を交付しなければ、その効力を生じない。

株式会社

Ⅴ　証券発行新株予約権付社債に付された新株予約権の質入れは、当該証券発行新株予約権付社債に係る新株予約権付社債券を交付しなければ、その効力を生じない。

第268条　（新株予約権の質入れの対抗要件）

Ⅰ　新株予約権の質入れは、その質権者の氏名又は名称及び住所を新株予約権原簿に記載し、又は記録しなければ、株式会社その他の第三者に対抗することができない。
Ⅱ　前項の規定にかかわらず、証券発行新株予約権の質権者は、継続して当該証券発行新株予約権に係る新株予約権証券を占有しなければ、その質権をもって株式会社その他の第三者に対抗することができない。
Ⅲ　第1項の規定にかかわらず、証券発行新株予約権付社債に付された新株予約権の質権者は、継続して当該証券発行新株予約権付社債に係る新株予約権付社債券を占有しなければ、その質権をもって株式会社その他の第三者に対抗することができない。

第269条　（新株予約権原簿の記載等）

Ⅰ　新株予約権に質権を設定した者は、株式会社に対し、次に掲げる事項を新株予約権原簿に記載し、又は記録することを請求することができる。
①　質権者の氏名又は名称及び住所
②　質権の目的である新株予約権
Ⅱ　前項の規定は、無記名新株予約権及び無記名新株予約権付社債に付された新株予約権については、適用しない。

第270条　（新株予約権原簿の記載事項を記載した書面の交付等）

Ⅰ　前条第1項各号<新株予約権原簿の記載等>に掲げる事項が新株予約権原簿に記載され、又は記録された質権者（以下「登録新株予約権質権者」という。）は、株式会社に対し、当該登録新株予約権質権者についての新株予約権原簿に記載され、若しくは記録された同項各号に掲げる事項を記載した書面の交付又は当該事項を記録した電磁的記録の提供を請求することができる。
Ⅱ　前項の書面には、株式会社の代表取締役（指名委員会等設置会社にあっては、代表執行役。次項において同じ。）が署名し、又は記名押印しなければならない。
Ⅲ　第1項の電磁的記録には、株式会社の代表取締役が法務省令で定める署名又は記名押印に代わる措置をとらなければならない。
Ⅳ　前3項の規定は、証券発行新株予約権及び証券発行新株予約権付社債に付された新株予約権については、適用しない。

【関連条文】規225

第271条　（登録新株予約権質権者に対する通知等）

Ⅰ　株式会社が登録新株予約権質権者に対してする通知又は催告は、新株予約権原簿に記載し、又は記録した当該登録新株予約権質権者の住所（当該登録新株予約権質権者が別に通知又は催告を受ける場所又は連絡先を当該株式会社に通知した場合にあっては、その場所又は連絡先）にあてて発すれば足りる。

株式会社

Ⅱ　前項の通知又は催告は、その通知又は催告が通常到達すべきであった時に、到達したものとみなす。

第272条　（新株予約権の質入れの効果）

Ⅰ　株式会社が次に掲げる行為をした場合には、新株予約権を目的とする質権は、当該行為によって当該新株予約権の新株予約権者が受けることのできる金銭等について存在する。
①　新株予約権の取得
②　組織変更
③　合併（合併により当該株式会社が消滅する場合に限る。）
④　吸収分割
⑤　新設分割
⑥　株式交換
⑦　株式移転

Ⅱ　登録新株予約権質権者は、前項の金銭等（金銭に限る。）を受領し、他の債権者に先立って自己の債権の弁済に充てることができる。
Ⅲ　株式会社が次の各号に掲げる行為をした場合において、前項の債権の弁済期が到来していないときは、登録新株予約権質権者は、当該各号に定める者に同項に規定する金銭等に相当する金額を供託させることができる。この場合において、質権は、その供託金について存在する。
①　新株予約権の取得　当該株式会社
②　組織変更　第７４４条第１項第１号に規定する組織変更後持分会社
③　合併（合併により当該株式会社が消滅する場合に限る。）　第７４９条第１項に規定する吸収合併存続会社又は第７５３条第１項に規定する新設合併設立会社
Ⅳ　前３項の規定は、特別支配株主が新株予約権売渡請求により売渡新株予約権の取得をした場合について準用する。この場合において、前項中「当該各号に定める者」とあるのは、「当該特別支配株主」と読み替えるものとする。
Ⅴ　新株予約権付社債に付された新株予約権（第２３６条第１項第３号の財産が当該新株予約権付社債についての社債であるものであって、当該社債の償還額が当該新株予約権についての同項第２号の価額以上であるものに限る。）を目的とする質権は、当該新株予約権の行使をすることにより当該新株予約権の新株予約権者が交付を受ける株式について存在する。

第４款　信託財産に属する新株予約権についての対抗要件等

第272条の2

Ⅰ　新株予約権については、当該新株予約権が信託財産に属する旨を新株予約権原簿に記載し、又は記録しなければ、当該新株予約権が信託財産に属することを株式会社その他の第三者に対抗することができない。
Ⅱ　第２４９条第３号イの新株予約権者は、その有する新株予約権が信託財産に属するときは、株式会社に対し、その旨を新株予約権原簿に記載し、又は記録すること

を請求することができる。

Ⅲ　新株予約権原簿に前項の規定による記載又は記録がされた場合における第２５０条第１項及び第２５９条第１項の規定の適用については、第２５０条第１項中「記録された新株予約権原簿記載事項」とあるのは「記録された新株予約権原簿記載事項（当該新株予約権者の有する新株予約権が信託財産に属する旨を含む。）」と、第２５９条第１項中「新株予約権原簿記載事項」とあるのは「新株予約権原簿記載事項（当該新株予約権者の有する新株予約権が信託財産に属する旨を含む。）」とする。

Ⅳ　前３項の規定は、証券発行新株予約権及び証券発行新株予約権付社債に付された新株予約権については、適用しない。

■第５節　株式会社による自己の新株予約権の取得

第１款　募集事項の定めに基づく新株予約権の取得

第２７３条　（取得する日の決定）

Ⅰ　取得条項付新株予約権（第２３６条第１項第７号イに掲げる事項についての定めがある新株予約権をいう。以下この章において同じ。）の内容として同号ロ<取得条項付新株予約権を別に定める日に取得することとするとき>に掲げる事項についての定めがある場合には、株式会社は、同号ロ<取得条項付新株予約権を別に定める日に取得することとするとき>の日を株主総会（取締役会設置会社にあっては、取締役会）の決議によって定めなければならない。ただし、当該取得条項付新株予約権の内容として別段の定めがある場合は、この限りでない。

Ⅱ　第２３６条第１項第７号ロの日を定めたときは、株式会社は、取得条項付新株予約権の新株予約権者（同号ハに掲げる事項についての定めがある場合にあっては、次条第１項の規定により決定した取得条項付新株予約権の新株予約権者）及びその登録新株予約権質権者に対し、当該日の２週間前までに、当該日を通知しなければならない。

Ⅲ　前項の規定による通知は、公告をもってこれに代えることができる。

第２７４条　（取得する新株予約権の決定等）

Ⅰ　株式会社は、新株予約権の内容として第２３６条第１項第７号ハ<一定の事由が生じた日に取得条項付新株予約権の一部を取得するとき>に掲げる事項についての定めがある場合において、取得条項付新株予約権を取得しようとするときは、その取得する取得条項付新株予約権を決定しなければならない。

Ⅱ　前項の取得条項付新株予約権は、株主総会（取締役会設置会社にあっては、取締役会）の決議によって定めなければならない。ただし、当該取得条項付新株予約権の内容として別段の定めがある場合は、この限りでない。

Ⅲ　第１項の規定による決定をしたときは、株式会社は、同項の規定により決定した取得条項付新株予約権の新株予約権者及びその登録新株予約権質権者に対し、直ちに、当該取得条項付新株予約権を取得する旨を通知しなければならない。

Ⅳ　前項の規定による通知は、公告をもってこれに代えることができる。

第２７５条　（効力の発生等）

Ⅰ　株式会社は、第２３６条第１項第７号イ<取得条項付新株予約権を一定の事由が生じた日に取得することとするとき>の事由が生じた日（同号ハに掲げる事項についての定めがある場合にあっては、第１号に掲げる日又は第２号に掲げる日のいずれか遅い日。次項及び第３項において同じ。）に、取得条項付新株予約権（同条第１項第７号ハに掲げる事項についての定めがある場合にあっては、前条第１項の規定により決定したもの。次項及び第３項において同じ。）を取得する。

① 第２３６条第１項第７号イ<取得条項付新株予約権を一定の事由が生じた日に取得することとするとき>の事由が生じた日

② 前条第３項の規定による通知の日又は同条第４項の公告の日から２週間を経過した日

Ⅱ　前項の規定により株式会社が取得する取得条項付新株予約権が新株予約権付社債に付されたものである場合には、株式会社は、第２３６条第１項第７号イ<取得条項付新株予約権を一定の事由が生じた日に取得することとするとき>の事由が生じた日に、当該新株予約権付社債についての社債を取得する。

Ⅲ　次の各号に掲げる場合には、取得条項付新株予約権の新株予約権者（当該株式会社を除く。）は、第２３６条第１項第７号イ<取得条項付新株予約権を一定の事由が生じた日に取得することとするとき>の事由が生じた日に、同号に定める事項についての定めに従い、当該各号に定める者となる。

① 第２３６条第１項第７号ニ<取得条項付新株予約権の取得対価として株式を交付するとき>に掲げる事項についての定めがある場合　同号ニの株式の株主

② 第２３６条第１項第７号ホ<取得条項付新株予約権の取得対価として社債を交付するとき>に掲げる事項についての定めがある場合　同号ホの社債の社債権者

③ 第２３６条第１項第７号へ<取得条項付新株予約権の取得対価として他の新株予約権を交付するとき>に掲げる事項についての定めがある場合　同号への他の新株予約権の新株予約権者

④ 第２３６条第１項第７号ト<取得条項付新株予約権の取得対価として新株予約権付社債を交付するとき>に掲げる事項についての定めがある場合　同号トの新株予約権付社債についての社債の社債権者及び当該新株予約権付社債に付された新株予約権の新株予約権者

Ⅳ　株式会社は、第２３６条第１項第７号イ<取得条項付新株予約権を一定の事由が生じた日に取得することとするとき>の事由が生じた後、遅滞なく、取得条項付新株予約権の新株予約権者及びその登録新株予約権質権者（同号ハに掲げる事項についての定めがある場合にあっては、前条第１項の規定により決定した取得条項付新株予約権の新株予約権者及びその登録新株予約権質権者）に対し、当該事由が生じた旨を通知しなければならない。ただし、第２７３条第２項<取得日の通知>の規定による通知又は同条第３項<取得日の公告>の公告をしたときは、この限りでない。

Ⅴ　前項本文の規定による通知は、公告をもってこれに代えることができる。

《注　釈》

1　自己新株予約権の取得については、自己株式の取得の場合（155）とは異なり、限定列挙していない。会社が強制的に新株予約権を取得する手続としては、以下の場合があるが、会社が自己新株予約権を取得できるのは、以下の場合に限られない〈予〉。

① 取得条項付新株予約権を一定の事由が生じた日に取得する場合（236 Ⅰ⑦イ）
② 取得条項付新株予約権を会社が定める日に取得する場合（236 Ⅰ⑦ロ）
③ 一定の事由が生じた日に取得条項付新株予約権の一部を取得する場合（236 Ⅰ⑦ハ）

2 自己株式の処分（⇒ p.119）と異なり、自己新株予約権の処分には発行手続と同様の手続規定は置かれていない（834 ⑭⑮参照）。

第２款 新株予約権の消却

第２７６条

Ⅰ 株式会社は、自己新株予約権を消却することができる。この場合においては、消却する自己新株予約権の内容及び数を定めなければならない。
Ⅱ 取締役会設置会社においては、前項後段の規定による決定は、取締役会の決議によらなければならない。

《注 釈》

・法は、従来の消却という概念を整理し、自己新株予約権の取得とその消却に分けて検討することにしている。その結果、新株予約権を消却する場合には、会社が自己新株予約権を取得して、それを消却するという手順を踏むことになる〈司〉。

■第６節 新株予約権無償割当て

第２７７条 （新株予約権無償割当て）〈書〉

株式会社は、株主（種類株式発行会社にあっては、ある種類の種類株主）に対して新たに払込みをさせないで当該株式会社の新株予約権の割当て（以下この節において「新株予約権無償割当て」という。）をすることができる〈予〉。

第２７８条 （新株予約権無償割当てに関する事項の決定）

Ⅰ 株式会社は、新株予約権無償割当てをしようとするときは、その都度、次に掲げる事項を定めなければならない。
① 株主に割り当てる新株予約権の内容及び数又はその算定方法
② 前号の新株予約権が新株予約権付社債に付されたものであるときは、当該新株予約権付社債についての社債の種類及び各社債の金額の合計額又はその算定方法
③ 当該新株予約権無償割当てがその効力を生ずる日
④ 株式会社が種類株式発行会社である場合には、当該新株予約権無償割当てを受ける株主の有する株式の種類
Ⅱ 前項第１号及び第２号に掲げる事項についての定めは、当該株式会社以外の株主（種類株式発行会社にあっては、同項第４号の種類の種類株主）の有する株式（種類株式発行会社にあっては、同項第４号の種類の株式）の数に応じて同項第１号の新株予約権及び同項第２号の社債を割り当てることを内容とするものでなければな

らない。

Ⅲ　第１項各号に掲げる事項の決定は、株主総会（取締役会設置会社にあっては、取締役会）の決議によらなければならない。ただし、定款に別段の定めがある場合は、この限りでない。

第２７９条　（新株予約権無償割当ての効力の発生等）

Ⅰ　前条第１項第１号<株主に割り当てる新株予約権の内容等>の新株予約権の割当てを受けた株主は、同項第３号<新株予約権無償割当ての効力発生日>の日に、同項第１号<株主に割り当てる新株予約権の内容等>の新株予約権の新株予約権者（同項第２号に規定する場合にあっては、同項第１号の新株予約権の新株予約権者及び同項第２号の社債の社債権者）となる。

Ⅱ　株式会社は、前条第１項第３号<新株予約権無償割当ての効力発生日>の日後遅滞なく、株主（種類株式発行会社にあっては、同項第４号の種類の種類株主）及びその登録株式質権者に対し、当該株主が割当てを受けた新株予約権の内容及び数（同項第２号に規定する場合にあっては、当該株主が割当てを受けた社債の種類及び各社債の金額の合計額を含む。）を通知しなければならない。

Ⅲ　前項の規定による通知がされた場合において、前条第１項第１号<株主に割り当てる新株予約権の内容等>の新株予約権についての第２３６条第１項第４号<新株予約権を行使することができる期間>の期間の末日が当該通知の日から２週間を経過する日前に到来するときは、同号の期間は、当該通知の日から２週間を経過する日まで延長されたものとみなす。

■第７節　新株予約権の行使

第１款　総則

第２８０条　（新株予約権の行使）

Ⅰ　新株予約権の行使は、次に掲げる事項を明らかにしてしなければならない。

①　その行使に係る新株予約権の内容及び数

②　新株予約権を行使する日

Ⅱ　証券発行新株予約権を行使しようとするときは、当該証券発行新株予約権の新株予約権者は、当該証券発行新株予約権に係る新株予約権証券を株式会社に提出しなければならない。ただし、当該新株予約権証券が発行されていないときは、この限りでない。

Ⅲ　証券発行新株予約権付社債に付された新株予約権を行使しようとする場合には、当該新株予約権の新株予約権者は、当該新株予約権を付した新株予約権付社債に係る新株予約権付社債券を株式会社に提示しなければならない。この場合において、当該株式会社は、当該新株予約権付社債券に当該証券発行新株予約権付社債に付された新株予約権が消滅した旨を記載しなければならない。

Ⅳ　前項の規定にかかわらず、証券発行新株予約権付社債に付された新株予約権を行使しようとする場合において、当該新株予約権の行使により当該証券発行新株予約権付社債についての社債が消滅するときは、当該新株予約権の新株予約権者は、当

株式会社

該新株予約権を付した新株予約権付社債に係る新株予約権付社債券を株式会社に提出しなければならない〈同〉。

Ⅴ　第３項の規定にかかわらず、証券発行新株予約権付社債についての社債の償還後に当該証券発行新株予約権付社債に付された新株予約権を行使しようとする場合には、当該新株予約権の新株予約権者は、当該新株予約権を付した新株予約権付社債に係る新株予約権付社債券を株式会社に提出しなければならない。

Ⅵ　株式会社は、自己新株予約権を行使することができない〈共予書〉。

第２８１条　（新株予約権の行使に際しての払込み）

Ⅰ　金銭を新株予約権の行使に際してする出資の目的とするときは、新株予約権者は、前条第１項第２号＜新株予約権を行使する日＞の日に、株式会社が定めた銀行等の払込みの取扱いの場所において、その行使に係る新株予約権についての第２３６条第１項第２号＜新株予約権の行使に際して出資される財産の価額又はその算定方法＞の価額の全額を払い込まなければならない〈同〉。

Ⅱ　金銭以外の財産を新株予約権の行使に際してする出資の目的とするときは、新株予約権者は、前条第１項第２号＜新株予約権を行使する日＞の日に、その行使に係る新株予約権についての第２３６条第１項第３号＜新株予約権の行使時に出資される金銭以外の財産＞の財産を給付しなければならない。この場合において、当該財産の価額が同項第２号＜新株予約権の行使に際して出資される財産の価額又はその算定方法＞の価額に足りないときは、前項の払込みの取扱いの場所においてその差額に相当する金銭を払い込まなければならない〈同〉。

Ⅲ　新株予約権者は、第１項の規定による払込み又は前項の規定による給付をする債務と株式会社に対する債権とを相殺することができない。

《注　釈》

・新株予約権の行使によって新株が発行されたときは、資本金の額（計規17）及び発行済株式の総数がいずれも増加する〈予〉。

第２８２条　（株主となる時期等）

Ⅰ　新株予約権を行使した新株予約権者は、当該新株予約権を行使した日に、当該新株予約権の目的である株式の株主となる〈予〉。

Ⅱ　新株予約権を行使した新株予約権者であって第２８６条の２第１項各号＜新株予約権に係る払込み等を仮装した新株予約権者の責任＞に掲げる者に該当するものは、当該各号に定める支払若しくは給付又は第２８６条の３第１項＜新株予約権に係る払込み等を仮装した場合の取締役等の責任＞の規定による支払がされた後でなければ、第２８６条の２第１項各号＜新株予約権に係る払込み等を仮装した新株予約権者の責任＞の払込み又は給付が仮装された新株予約権の目的である株式について、株主の権利を行使することができない。

Ⅲ　前項の株式を譲り受けた者は、当該株式についての株主の権利を行使することができる。ただし、その者に悪意又は重大な過失があるときは、この限りでない。

【関連条文】52の2ⅣⅤ［出資の履行を仮装した発起人と当該株式（又はその株主となる権利）を譲り受けた者の株主権行使に関する規定］、102ⅢⅣ［払込みを仮装した設立時募集株式の引受人と当該株式（又はその株主となる権利）を譲り受けた者の株主権行使に関する規定］、209ⅡⅢ［出資の履行を仮装した募集株式の引受人と当該募集株式を譲り受けた者の株主権行使に関する規定］

第２８３条　（１に満たない端数の処理）

新株予約権を行使した場合において、当該新株予約権の新株予約権者に交付する株式の数に１株に満たない端数があるときは、株式会社は、当該新株予約権者に対し、次の各号に掲げる場合の区分に応じ、当該各号に定める額にその端数を乗じて得た額に相当する金銭を交付しなければならない。ただし、第２３６条第１項第９号<新株予約権者に交付する株式の数に１株に満たない端数がある場合>に掲げる事項についての定めがある場合、この限りでない。

① 当該株式が市場価格のある株式である場合　当該株式１株の市場価格として法務省令で定める方法により算定される額

② 前号に掲げる場合以外の場合　１株当たり純資産額

【関連条文】規58

第２款　金銭以外の財産の出資

第２８４条

Ⅰ 株式会社は、第２３６条第１項第３号<新株予約権の行使時に出資される金銭以外の財産>に掲げる事項についての定めがある新株予約権が行使された場合には、第２８１条第２項<金銭以外の財産を出資の目的とするときの新株予約権の行使に際しての給付>の規定による給付があった後、遅滞なく、同号の財産（以下この節において「現物出資財産」という。）の価額を調査させるため、裁判所に対し、検査役の選任の申立てをしなければならない書。

Ⅱ 前項の申立てがあった場合には、裁判所は、これを不適法として却下する場合を除き、検査役を選任しなければならない。

Ⅲ 裁判所は、前項の検査役を選任した場合には、株式会社が当該検査役に対して支払う報酬の額を定めることができる。

Ⅳ 第２項の検査役は、必要な調査を行い、当該調査の結果を記載し、又は記録した書面又は電磁的記録（法務省令で定めるものに限る。）を裁判所に提供して報告をしなければならない。

Ⅴ 裁判所は、前項の報告について、その内容を明瞭にし、又はその根拠を確認するため必要があると認めるときは、第２項の検査役に対し、更に前項の報告を求めることができる。

Ⅵ 第２項の検査役は、第４項の報告をしたときは、株式会社に対し、同項の書面の写しを交付し、又は同項の電磁的記録に記録された事項を法務省令で定める方法により提供しなければならない。

Ⅶ 裁判所は、第４項の報告を受けた場合において、現物出資財産について定められた第２３６条第１項第３号<新株予約権の行使時に出資される金銭以外の財産>の価額（第２項の検査役の調査を経ていないものを除く。）を不当と認めたときは、これを変更する決定をしなければならない。

Ⅷ　第１項の新株予約権の新株予約権者は、前項の決定により現物出資財産の価額の全部又は一部が変更された場合には、当該決定の確定後１週間以内に限り、その新株予約権の行使に係る意思表示を取り消すことができる。

Ⅸ　前各項の規定は、次の各号に掲げる場合には、当該各号に定める事項については、適用しない。

①　行使された新株予約権の新株予約権者が交付を受ける株式の総数が発行済株式の総数の１０分の１を超えない場合　当該新株予約権者が給付する現物出資財産の価額

②　現物出資財産について定められた第２３６条第１項第３号<新株予約権の行使時に出資される金銭以外の財産>の価額の総額が５００万円を超えない場合　当該現物出資財産の価額

③　現物出資財産のうち、市場価格のある有価証券について定められた第２３６条第１項第３号<新株予約権の行使時に出資される金銭以外の財産>の価額が当該有価証券の市場価格として法務省令で定める方法により算定されるものを超えない場合　当該有価証券についての現物出資財産の価額

④　現物出資財産について定められた第２３６条第１項第３号<新株予約権の行使時に出資される金銭以外の財産>の価額が相当であることについて弁護士、弁護士法人、公認会計士、監査法人、税理士又は税理士法人の証明（現物出資財産が不動産である場合にあっては、当該証明及び不動産鑑定士の鑑定評価。以下この号において同じ。）を受けた場合　当該証明を受けた現物出資財産の価額

⑤　現物出資財産が株式会社に対する金銭債権（弁済期が到来しているものに限る。）であって、当該金銭債権について定められた第２３６条第１項第３号<金銭以外の財産を当該新株予約権の行使に際してする出資の目的とする旨並びに当該財産の内容及び価額>の価額が当該金銭債権に係る負債の帳簿価額を超えない場合　当該金銭債権についての現物出資財産の価額

Ⅹ　次に掲げる者は、前項第４号に規定する証明をすることができない。

①　取締役、会計参与、監査役若しくは執行役又は支配人その他の使用人

②　新株予約権者

③　業務の停止の処分を受け、その停止の期間を経過しない者

④　弁護士法人、監査法人又は税理士法人であって、その社員の半数以上が第１号又は第２号に掲げる者のいずれかに該当するもの

《注　釈》

・新株予約権の行使時における現物出資に関する規制は、募集株式の発行における現物出資と同様の規制（207）となっている。

【関連条文】規 228、229、59

第３款　責任

第２８５条　（不公正な払込金額で新株予約権を引き受けた者等の責任）

Ⅰ　新株予約権を行使した新株予約権者は、次の各号に掲げる場合には、株式会社に対し、当該各号に定める額を支払う義務を負う。

①　第２３８条第１項第２号＜募集新株予約権と引換えに金銭の払込みを要しないこととする場合＞に規定する場合において、募集新株予約権につき金銭の払込みを要しないこととすることが著しく不公正な条件であるとき（取締役（指名委員会等設置会社にあっては、取締役又は執行役。次号において同じ。）と通じて新株予約権を引き受けた場合に限る。）　当該新株予約権の公正な価額

②　第２３８条第１項第３号＜新株予約権の払込金額又はその算定方法＞に規定する場合において、取締役と通じて著しく不公正な払込金額で新株予約権を引き受けたとき　当該払込金額と当該新株予約権の公正な価額との差額に相当する金額

③　第２８２条第１項＜株主となる時期＞の規定により株主となった時におけるその給付した現物出資財産の価額がこれについて定められた第２３６条第１項第３号＜新株予約権の行使時に出資される金銭以外の財産＞の価額に著しく不足する場合　当該不足額

Ⅱ　前項第３号に掲げる場合において、現物出資財産を給付した新株予約権者が当該現物出資財産の価額がこれについて定められた第２３６条第１項第３号＜新株予約権の行使時に出資される金銭以外の財産＞の価額に著しく不足することにつき善意でかつ重大な過失がないときは、新株予約権の行使に係る意思表示を取り消すことができる予。

第２８６条　（出資された財産等の価額が不足する場合の取締役等の責任）

Ⅰ　前条第１項第３号＜現物出資財産が著しく不足する場合の新株予約権者の支払義務＞に掲げる場合には、次に掲げる者（以下この条において「取締役等」という。）は、株式会社に対し、同号に定める額を支払う義務を負う。

①　当該新株予約権者の募集に関する職務を行った業務執行取締役（指名委員会等設置会社にあっては、執行役。以下この号において同じ。）その他当該業務執行取締役の行う業務の執行に職務上関与した者として法務省令で定めるもの

②　現物出資財産の価額の決定に関する株主総会の決議があったときは、当該株主総会に議案を提案した取締役として法務省令で定めるもの

③　現物出資財産の価額の決定に関する取締役会の決議があったときは、当該取締役会に議案を提案した取締役（指名委員会等設置会社にあっては、取締役又は執行役）として法務省令で定めるもの

Ⅱ　前項の規定にかかわらず、次に掲げる場合には、取締役等は、現物出資財産について同項の義務を負わない。

①　現物出資財産の価額について第２８４条第２項＜現物出資財産の検査役の選任＞の検査役の調査を経た場合予

②　当該取締役等がその職務を行うについて注意を怠らなかったことを証明した場合

Ⅲ　第１項に規定する場合には、第２８４条第９項第４号＜現物出資財産の価額等に

関する弁護士等の証明>に規定する証明をした者（以下この条において「証明者」という。）は、株式会社に対し前条第1項第3号<現物出資財産が著しく不足する場合の新株予約権者の支払義務>に定める額を支払う義務を負う。ただし、当該証明者が当該証明をするについて注意を怠らなかったことを証明したときは、この限りでない。

Ⅳ　新株予約権者がその給付した現物出資財産についての前条第1項第3号<現物出資財産が著しく不足する場合の新株予約権者の支払義務>に定める額を支払う義務を負う場合において、次に掲げる者が当該現物出資財産について当該各号に定める義務を負うときは、これらの者は、連帯債務者とする。

①　取締役等　第1項の義務

②　証明者　前項本文の義務

株式会社

第286条の2（新株予約権に係る払込み等を仮装した新株予約権者等の責任）

Ⅰ　新株予約権を行使した新株予約権者であって次の各号に掲げる者に該当するものは、株式会社に対し、当該各号に定める行為をする義務を負う。

①　第246条第1項<募集新株予約権に係る払込み>の規定による払込み（同条第2項の規定により当該払込みに代えてする金銭以外の財産の給付を含む。）を仮装した者又は当該払込みが仮装されたことを知って、若しくは重大な過失により知らないで募集新株予約権を譲り受けた者　払込みが仮装された払込金額の全額の支払（当該払込みに代えてする金銭以外の財産の給付が仮装された場合にあっては、当該財産の給付（株式会社が当該給付に代えて当該財産の価額に相当する金銭の支払を請求した場合にあっては、当該金銭の全額の支払））

②　第281条第1項<金銭を出資の目的とするときの新株予約権の行使に際しての払込み>又は第2項後段<新株予約権の行使に際し金銭以外の財産を出資の目的とした場合における不足額払込義務>の規定による払込みを仮装した者　払込みを仮装した金銭の全額の支払

③　第281条第2項前段<金銭以外の財産を出資の目的とするときの新株予約権の行使に際しての給付>の規定による給付を仮装した者　給付を仮装した金銭以外の財産の給付（株式会社が当該給付に代えて当該財産の価額に相当する金銭の支払を請求した場合にあっては、当該金銭の全額の支払）

Ⅱ　前項の規定により同項に規定する新株予約権者の負う義務は、総株主の同意がなければ、免除することができない。

第286条の3（新株予約権に係る払込み等を仮装した場合の取締役等の責任）

Ⅰ　新株予約権を行使した新株予約権者であって前条第1項各号<新株予約権に係る払込み等を仮装した新株予約権者の責任>に掲げる者に該当するものが当該各号に定める行為をする義務を負う場合には、当該各号の払込み又は給付を仮装することに関与した取締役（指名委員会等設置会社にあっては、執行役を含む。）として法務省令で定める者は、株式会社に対し、当該各号に規定する支払をする義務を負う。ただし、その者（当該払込み又は当該給付を仮装したものを除く。）がその職務を行うについて注意を怠らなかったことを証明した場合は、この限りでない。

Ⅱ　新株予約権を行使した新株予約権者であって前条第1項各号<新株予約権に係る

払込み等を仮装した新株予約権者の責任>に掲げる者に該当するものが当該各号に規定する支払をする義務を負う場合において、前項に規定する者が同項の義務を負うときは、これらの者は、連帯債務者とする。

【関連条文】52の2Ⅰ［出資の履行を仮装した発起人の責任］、52の2Ⅱ［出資の履行を仮装することに関与した発起人等の責任］、102の2［払込みを仮装した設立時募集株式の引受人の責任］、103Ⅱ［払込みを仮装した場合の発起人等の責任］、213の2［出資の履行を仮装した募集株式の引受人の責任］、213の3［出資の履行を仮装した場合の取締役等の責任］

第4款　雑則

第287条

第276条第1項<新株予約権の消却>の場合のほか、新株予約権者がその有する新株予約権を行使することができなくなったときは、当該新株予約権は、消滅する 司予。

［趣旨］本条は、新株予約権として行使される可能性がなくなった場合でも、新株予約権の消却が行われなければ法的に新株予約権として存続するという不自然な結果を生じさせないために規定された。

《注　釈》

・株式会社は、自己新株予約権を取得したとしても、当該自己新株予約権を行使することができない（280Ⅵ）。しかし、当該自己新株予約権は、当該株式会社がこれを取得した時に当然に消滅するわけではない（287参照）書。

∵　株式会社は、その自己新株予約権を第三者に処分でき、新株予約権者となった第三者は、その権利を行使することができる

第8節　新株予約権に係る証券

第1款　新株予約権証券

第288条（新株予約権証券の発行）

Ⅰ　株式会社は、証券発行新株予約権を発行した日以後遅滞なく、当該証券発行新株予約権に係る新株予約権証券を発行しなければならない。

Ⅱ　前項の規定にかかわらず、株式会社は、新株予約権者から請求がある時までは、同項の新株予約権証券を発行しないことができる。

第289条（新株予約権証券の記載事項）

新株予約権証券には、次に掲げる事項及びその番号を記載し、株式会社の代表取締役（指名委員会等設置会社にあっては、代表執行役）がこれに署名し、又は記名押印しなければならない。

①　株式会社の商号

②　当該新株予約権証券に係る証券発行新株予約権の内容及び数

第２９０条　（記名式と無記名式との間の転換）

証券発行新株予約権の新株予約権者は、第２３６条第１項第１１号＜新株予約権証券を発行する場合において記名式と無記名式との間の転換を請求することができないとする旨＞に掲げる事項についての定めによりすることができないこととされている場合を除き、いつでも、その記名式の新株予約権証券を無記名式とし、又はその無記名式の新株予約権証券を記名式とすることを請求することができる。

第２９１条　（新株予約権証券の喪失）

Ⅰ　新株予約権証券は、非訟事件手続法１００条に規定する公示催告手続によって無効とすることができる〈司〉。

Ⅱ　新株予約権証券を喪失した者は、非訟事件手続法第１０６条第１項に規定する除権決定を得た後でなければ、その再発行を請求することができない。

第２款　新株予約権付社債券

第２９２条

Ⅰ　証券発行新株予約権付社債に係る新株予約権付社債券には、第６９７条第１項＜社債券の記載事項＞の規定により記載すべき事項のほか、当該証券発行新株予約権付社債に付された新株予約権の内容及び数を記載しなければならない。

Ⅱ　証券発行新株予約権付社債についての社債の償還をする場合において、当該証券発行新株予約権付社債に付された新株予約権が消滅していないときは、株式会社は、当該証券発行新株予約権付社債に係る新株予約権付社債券と引換えに社債の償還をすることを請求することができない。この場合においては、株式会社は、社債の償還をするのと引換えに、当該新株予約権付社債券の提示を求め、当該新株予約権付社債券に社債の償還をした旨を記載することができる。

第３款　新株予約権証券等の提出

第２９３条　（新株予約権証券の提出に関する公告等）

Ⅰ　株式会社が次の各号に掲げる行為をする場合において、当該各号に定める新株予約権に係る新株予約権証券（当該新株予約権が新株予約権付社債に付されたものである場合にあっては、当該新株予約権付社債に係る新株予約権付社債券。以下この款において同じ。）を発行しているときは、当該株式会社は、当該行為の効力が生ずる日（第１号に掲げる行為をする場合にあっては、第１７９条の２第１項第５号に規定する取得日。以下この条において「新株予約権証券提出日」という。）までに当該株式会社に対し当該新株予約権証券を提出しなければならない旨を新株予約権証券提出日の１箇月前までに、公告し、かつ、当該新株予約権の新株予約権者及びその登録新株予約権質権者には、各別にこれを通知しなければならない。

①　第１７９条の３第１項＜特別支配株主による株式売渡請求の通知及び対象会社

の承認<の承認　売渡新株予約権
①の２　取得条項付新株予約権の取得　当該取得条項付新株予約権
②　組織変更　全部の新株予約権
③　合併（合併により当該株式会社が消滅する場合に限る。）　全部の新株予約権
④　吸収分割　第７５８条第５号イ＜吸収分割契約新株予約権の内容＞に規定する吸収分割契約新株予約権
⑤　新設分割　第７６３条第１項第１０号イ＜新設分割計画新株予約権の内容＞に規定する新設分割計画新株予約権
⑥　株式交換　第７６８条第１項第４号イ＜株式交換契約新株予約権の内容＞に規定する株式交換契約新株予約権
⑦　株式移転　第７７３条第１項第９号イ＜株式移転計画新株予約権の内容＞に規定する株式移転計画新株予約権

Ⅱ　株式会社が次の各号に掲げる行為をする場合において、新株予約権証券提出日までに当該株式会社に対して新株予約権証券を提出しない者があるときは、当該各号に定める者は、当該新株予約権証券の提出があるまでの間、当該行為（第１号に掲げる行為をする場合にあっては、新株予約権売渡請求に係る売渡新株予約権の取得）によって当該新株予約権証券に係る新株予約権の新株予約権者が交付を受けることができる金銭等の交付を拒むことができる。
①　第１７９条の３第１項＜特別支配株主による株式売渡請求の通知及び対象会社の承認＞の承認　特別支配株主
②　取得条項付新株予約権の取得　当該株式会社
③　組織変更　第７４４条第１項第１号に規定する組織変更後持分会社
④　合併（合併により当該株式会社が消滅する場合に限る。）　第７４９条第１項に規定する吸収合併存続会社又は第７５３条第１項に規定する新設合併設立会社
⑤　吸収分割　第７５８条第１号に規定する吸収分割承継株式会社
⑥　新設分割　第７６３条第１項第１号に規定する新設分割設立株式会社
⑦　株式交換　第７６８条第１項第１号に規定する株式交換完全親株式会社
⑧　株式移転　第７７３条第１項第１号に規定する株式移転設立完全親会社

Ⅲ　第１項各号に定める新株予約権に係る新株予約権証券は、新株予約権証券提出日に無効となる。

Ⅳ　第１項第１号の規定による公告及び通知の費用は、特別支配株主の負担とする。

Ⅴ　第２２０条＜株券の提出をすることができない場合＞の規定は、第１項各号に掲げる行為をした場合において、新株予約権証券を提出することができない者があるときについて準用する。この場合において、同条第２項中「前条第２項各号」とあるのは、「第２９３条第２項各号」と読み替えるものとする。

第２９４条　（無記名式の新株予約権証券等が提出されない場合）

Ⅰ　第１３２条＜株主の請求によらない株主名簿記載事項の記載又は記録＞の規定にかかわらず、前条第１項第１号の２＜取得条項付新株予約権の取得＞に掲げる行為をする場合（株式会社が新株予約権を取得するのと引換えに当該新株予約権の新株予約権者に対して当該株式会社の株式を交付する場合に限る。）において、同項の規定により新株予約権証券（無記名式のものに限る。以下この条において同じ。）

株式会社

が提出されないときは、株式会社は、当該新株予約権証券を有する者が交付を受けることができる株式に係る第１２１条第１号<株主名簿に記載すべき株主の氏名等>に掲げる事項を株主名簿に記載し、又は記録することを要しない。

Ⅱ　前項に規定する場合には、株式会社は、前条第１項の規定により提出しなければならない新株予約権証券を有する者が交付を受けることができる株式の株主に対する通知又は催告をすることを要しない。

Ⅲ　第２４９条<新株予約権原簿>及び第２５９条第１項<新株予約権者の請求によらない新株予約権原簿事項の記載又は記録>の規定にかかわらず、前条第１項第１号の２<取得条項付新株予約権の取得>に掲げる行為をする場合（株式会社が新株予約権を取得するのと引換えに当該新株予約権の新株予約権者に対して当該株式会社の他の新株予約権（新株予約権付社債に付されたものを除く。）を交付する場合に限る。）において、同項の規定により新株予約権証券が提出されないときは、株式会社は、当該新株予約権証券を有する者が交付を受けることができる当該他の新株予約権（無記名新株予約権を除く。）に係る第２４９条第３号イ<新株予約権者の氏名又は名称及び住所>に掲げる事項を新株予約権原簿に記載し、又は記録することを要しない。

Ⅳ　前項に規定する場合には、株式会社は、前条第１項の規定により提出しなければならない新株予約権証券を有する者が交付を受けることができる新株予約権の新株予約権者に対する通知又は催告をすることを要しない。

Ⅴ　第２４９条<新株予約権原簿>及び第２５９条第１項<新株予約権者の請求によらない新株予約権原簿事項の記載又は記録>の規定にかかわらず、前条第１項第１号の２<取得条項付新株予約権の取得>に掲げる行為をする場合（株式会社が新株予約権を取得するのと引換えに当該新株予約権の新株予約権者に対して当該株式会社の新株予約権付社債を交付する場合に限る。）において、同項の規定により新株予約権証券が提出されないときは、株式会社は、当該新株予約権証券を有する者が交付を受けることができる新株予約権付社債（無記名新株予約権付社債を除く。）に付された新株予約権に係る第２４９条第３号イ<新株予約権者の氏名又は名称及び住所>に掲げる事項を新株予約権原簿に記載し、又は記録することを要しない。

Ⅵ　前項に規定する場合には、株式会社は、前条第１項の規定により提出しなければならない新株予約権証券を有する者が交付を受けることができる新株予約権付社債に付された新株予約権の新株予約権者に対する通知又は催告をすることを要しない。

・第４章・【機関】

《概　説》

◆　機関総説

1　はじめに

(1)　機関の意義

会社の意思決定又は行為をする者として法により定められている自然人又は会議体を会社の機関という。

(2)　機関の分化（326 Ⅰ、cf. 持分会社につき、590 Ⅰ、599 Ⅰ）

2　会社法における機関設計総論

機関設計のルールは、株主の会社に対する利害関係の程度の違いにより、公開会社であるかどうかの軸と、会社債権者の会社に対する利害関係の程度の違いにより、大会社（資本金が5億円以上又は負債の合計が200億円以上の会社、2⑥）であるかどうかの軸によって整理することが可能である。

<株式会社の機関設計①・フローチャート>

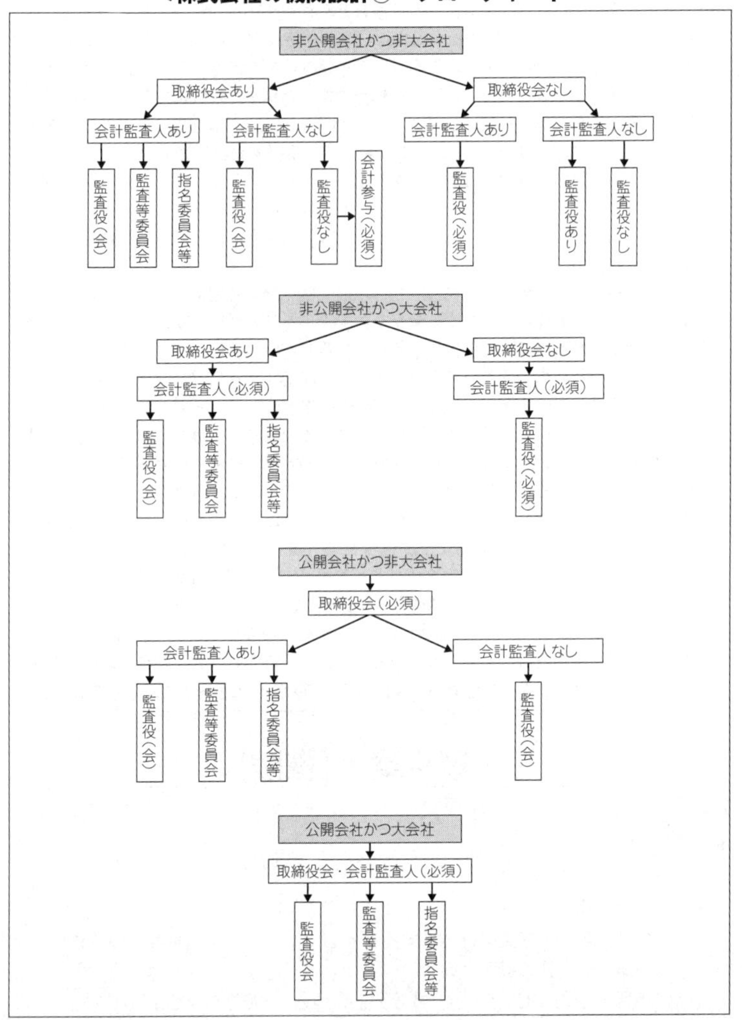

<株式会社の機関設計②・図表>

	非公開会社	公開会社
非大会社	・取締役 ・取締役＋監査役（＊1） ・取締役＋監査役＋会計監査人 ・取締役会＋会計参与（＊2） ・取締役会＋監査役（＊1） ・取締役会＋監査役会 ・取締役会＋監査役＋会計監査人 ・取締役会＋監査役会＋会計監査人 ・取締役会＋監査等委員会＋会計監査人 ・取締役会＋指名委員会等＋会計監査人	・取締役会＋監査役 ・取締役会＋監査役会 ・取締役会＋監査役＋会計監査人 ・取締役会＋監査役会＋会計監査人 ・取締役会＋監査等委員会＋会計監査人 ・取締役会＋指名委員会等＋会計監査人
大会社	・取締役＋監査役＋会計監査人 ・取締役会＋監査役＋会計監査人 ・取締役会＋監査役会＋会計監査人 ・取締役会＋監査等委員会＋会計監査人 ・取締役会＋指名委員会等＋会計監査人	・取締役会＋監査役会＋会計監査人 ・取締役会＋監査等委員会＋会計監査人 ・取締役会＋指名委員会等＋会計監査人

＊1　監査役の監査の範囲を会計に関するものに限定する旨を定款で定めることができる（389 Ⅰ）。

＊2　会計参与の設置は任意であるが、公開会社でない非大会社の取締役会設置会社では、会計参与を設置することで監査役の設置義務を免れる（327 Ⅱただし書）。

3　機関設計の基本的なルール

(1)　すべての株式会社は、株主総会及び取締役を置かなければならない（295 Ⅰ参照、326 Ⅰ）。

∵　所有と経営の分離を図るため

(2)　取締役会の設置義務（327 Ⅰ）

(a)　公開会社は、取締役会を置かなければならない（327 Ⅰ①）。

∵　公開会社では頻繁に株主が変動し、個々の株主が業務執行を十分に監視することは期待できないことから、業務執行を監視するために取締役会の設置が義務付けられている

→取締役会は、取締役の中から代表取締役を選定しなければならない（362 Ⅲ）

(b)　監査役会設置会社は、取締役会を置かなければならない（327 Ⅰ②）。

∵　取締役会を置かないという簡易で機動性の高い機関設計を選択した会社にとって、監視者がより多く複雑な監査役会を置くという機関設計のニーズはない

→取締役会を置かない場合には、監査役会を置くことができない

(c)　監査等委員会設置会社・指名委員会等設置会社は、取締役会を置かなければならない（327 Ⅰ③④）。

∵　監査等委員会設置会社は、監査等委員である取締役を３人以上置く（331 Ⅵ）ことで取締役会の監督機能を強化する制度であるため、取締

役会の設置が義務付けられており、また、指名委員会等設置会社では、取締役会によって委員会の委員の選定・解職（400 Ⅱ・401 Ⅰ）が行われ、指名委員会等が取締役会の機能の一部を担うという制度設計となっているため、取締役会の設置が義務付けられている

→取締役会を置かない場合には、監査等委員会・指名委員会等を置くことができない

⑶ 監査役等の設置義務（327 Ⅱ Ⅲ）

(a) 取締役会設置会社は、原則として、監査役（会）・監査等委員会・指名委員会等のいずれかを置かなければならない（327 Ⅱ本文、Ⅳ）。

∵ 取締役会設置会社では、株主に代わり業務執行を監督する機関が必要となる

ただし、監査等委員会設置会社・指名委員会等設置会社では、監査役を置くことができない（327 Ⅳ）。同様に、指名委員会等設置会社では、監査等委員会を置くことができない（327 Ⅵ）。

∵ 機能が重複し、責任の所在が不明確となる

(b) 例外として、公開会社でない非大会社の取締役会設置会社では、会計参与を設置することで監査役の設置義務を免れる（327 Ⅱただし書）。

∵ 監査役会設置会社・会計監査人設置会社を除く非公開会社では、定款で監査役の監査の範囲を会計監査に限定することができる（389 Ⅰ）こととのバランス

(c) 会計監査人設置会社では、監査役（会）・監査等委員会・指名委員会等のいずれかを置かなければならない（327 Ⅲ、Ⅳ）。

∵ 経営陣と会計監査人との癒着を防止するとともに、会計監査人による適正な計算書類の監査を有効に機能させるために、監査役等を置くことで、会計監査人の経営陣からの独立性を担保する必要がある

⑷ 会計監査人の設置義務（327 Ⅴ、328）

(a) 監査等委員会設置会社・指名委員会等設置会社は、会計監査人を置かなければならない（327 Ⅴ）。

∵ 業務執行者に大幅に権限を移譲するこれらの会社では、委員会による組織的な監査の前提となる内部統制システムが構築されている必要があり、それには会計監査人による適正な計算書類の作成を通じた財務面での監督が必須となる

(b) 大会社は、会計監査人を置かなければならない（328）。

∵ 会社債権者を保護するために計算書類の適正化を確保する必要がある上、大会社であれば会計監査人の設置に伴うコストを負担することも可能

→公開会社であり、かつ大会社である株式会社は、会計監査人のみならず、監査役会・監査等委員会・指名委員会等のいずれかを設置する義務も負う（328 Ⅰ）

∵　業務執行者を監視・監督する必要性が高く、個々の株主による監視・監督も期待できないため

■第1節　株主総会及び種類株主総会等

第1款　株主総会

第295条（株主総会の権限）

Ⅰ　株主総会は、この法律に規定する事項及び株式会社の組織、運営、管理その他株式会社に関する一切の事項について決議をすることができる予。

Ⅱ　前項の規定にかかわらず、取締役会設置会社においては、株主総会は、この法律に規定する事項及び定款で定めた事項に限り、決議をすることができる予。

Ⅲ　この法律の規定により株主総会の決議を必要とする事項について、取締役、執行役、取締役会その他の株主総会以外の機関が決定することができることを内容とする定款の定めは、その効力を有しない。

［趣旨］1項は、取締役会非設置会社における株主総会においては、すべての事項を決議できるものとして、株主が株主総会の決議を通して会社経営に関与することが理念的に否定されていない旨を規定している。2項は、取締役会設置会社における株主総会においては、会社法に規定する事項及び定款に定める事項に限り決議することができるとして、所有と経営を分離することにより、経営の合理化を図ろうとしている予。3項は、株主総会の決議を必要とする事項については、重要事項として株主総会の権限に専属するものとしている。

《注　釈》

一　株主総会の意義

株主総会は、株主の総意で会社の意思を決定する必要的機関である。

二　株主総会の権限 司R元

株主総会の権限は、取締役会設置の有無によって異なる。

1　取締役会非設置会社の場合（295Ⅰ）

株主総会は、会社法に規定する事項及び株式会社の組織、運営、管理その他株式会社に関する一切の事項について決議することができる（295Ⅰ）。

∵　株主が直接、経営上の決定に深く関与することが予定されている

2　取締役会設置会社の場合（295Ⅱ）

株主総会は、会社法に規定する事項及び定款で定めた事項に限り、議決をすることができる（295Ⅱ）。

∵　取締役会設置会社においては、会社の規模が相対的に大きくなることが想定され、経営の意思や能力に乏しい株主の集合体に会社の意思決定を委ねるよりも、取締役会にこれを委ねたほうが合理的であり、会社の運営・管理は基本的に取締役会の責任で行うことが予定されている

株式会社

(1) 法定決議事項（「会社法に規定する事項」）

(a) 会社の基礎に根本的変動を生じる事項

① 事業の譲渡等（467Ⅰ、309Ⅱ⑪）

② 定款変更（466、309Ⅱ⑪）

③ 株式交換（783Ⅰ、795Ⅰ、309Ⅱ⑫）、株式移転（804Ⅰ、309Ⅱ⑫）、株式交付（816の3Ⅰ、309Ⅱ⑫）

④ 合併（783Ⅰ、795Ⅰ、804Ⅰ、309Ⅱ⑫）、分割（783Ⅰ、795Ⅰ、804Ⅰ、309Ⅱ⑫）

⑤ 解散（471③、309Ⅱ⑪）等

(b) 取締役・監査役・会計監査人等の選任・解任（329Ⅰ、339Ⅰ）

(c) 計算書類の承認（438Ⅱ）

(d) 株主の重要な利益に関する事項

① 剰余金の配当（454Ⅰ）

② 自己株式の有償取得（156Ⅰ）

③ 募集株式・新株予約権の有利発行等（201Ⅰ、199Ⅲ参照、240Ⅰ、238Ⅲ参照）

(e) 取締役等が権限を濫用する危険のある事項

① 報酬の決定（361Ⅰ）

② 事後設立（467Ⅰ⑤）等

(2) 法定決議事項以外の事項

取締役会設置会社の株主総会は、法定決議事項以外の事項であっても、定款に規定すれば、当該事項を決議することができる。

ex. 取締役会の決議事項である代表取締役の選定・解職（362Ⅱ③）を、株主総会決議によって行うことができる旨の定款規定は有効である（最決平29.2.21・百選41事件 ⇒p.299）

(3) 取締役会設置会社において、取締役会の業務執行に関する意思決定権限（362Ⅱ①）を株主総会へ委譲することの可否

株主が経営の効率性を犠牲にしても自ら意思決定しようと考えるならば、株式会社の本質又は強行法規に反しない限り、委譲を肯定する見解が有力である。

三 取締役会との比較 ⇒p.298、303

四　株主総会の形骸化

＜公開会社における株主総会形骸化の是正手段の整理＞

総会への参加・議決権の行使を促すための制度	**総会への出席の機会と準備の余裕を与えるための制度**	原則として2週間前までに招集通知を発することを要する（299Ⅰ） →①　株主総会の日時・場所等の記載を要する（299Ⅳ、288Ⅰ） ②　書面等による議決権行使できる旨を定めた場合は（298Ⅰ③④Ⅱ）、株主総会参考書類・議決権行使書面等を交付（301、302） ③　定時株主総会においては、計算書類・事業報告等を提供（437） （ただし、株主全員の同意がある場合はこれらの規制は適用されない（300）。また、全員出席総会も同様（最判昭46.6.24、最判昭60.12.20・百選27事件〈司R2〉））
	議決権行使の機会を保障するための制度	議決権の代理行使（310） 書面投票制度（298Ⅰ③Ⅱ） 電子投票制度（298Ⅰ④） 書面決議（319、320）
総会への参加・議決権の行使を促すための制度		株主提案権（303～305） 取締役等の説明義務（314）
総会の適正化を阻害する要因を除去するための制度	**取締役による議決権行使の歪曲化の防止**	会社は、自己株式、相互保有株式について議決権を有しない（308Ⅰかっこ書、Ⅱ）
	総会屋による議決権行使の歪曲化の防止	株主の権利行使に対する利益供与の禁止（120、970） 総会屋に対する贈収賄罪（968） 総会議長権限の明確化（315）

五　株主総会決議の瑕疵　⇒§830、831

第296条（株主総会の招集）

Ⅰ　定時株主総会は、毎事業年度の終了後一定の時期に招集しなければならない〈予書〉。
Ⅱ　株主総会は、必要がある場合には、いつでも、招集することができる。
Ⅲ　株主総会は、次条第4項の規定により招集する場合を除き、取締役が招集する。

［趣旨］総会の招集は、招集権限のある者により一定の手続に基づきなされることを要求することで、株主全員に出席の機会と準備の余裕を与え、かつ、どの集会が株主総会と認められるかについての紛争を防ぎ、法的安定性を図っている。

株式会社

《注　釈》

<株主総会の招集手続>

招集手続の要否	原則：必要 例外：書面又は電磁的方法による議決権の行使を認めた場合を除き、議決権を有する株主全員の同意があるときは省略することができる（300、298 Ⅱ Ⅲ）
招集通知を発する時期	(1) 公開会社、又は書面、電磁的方法による議決権行使を認めた場合においては、会日の2週間前まで（299 Ⅰ本文） (2) 公開会社でない株式会社では会日の1週間前まで（299 Ⅰかっこ書） (3) 公開会社でなく、取締役会設置会社でない株式会社は、定款で、1週間より短い期間を定めることができる（299 Ⅰかっこ書）
通知不要株主	(1) 議決権を行使することができない株主（298 Ⅱ本文かっこ書、299 Ⅰ）共 ① 議決権制限株式を有する株主（108 Ⅰ③） ② 自己株式取得、相続人等に対する売渡請求にかかる決議において売主となる者（160 Ⅳ、175 Ⅱ） ③ 議決権に関する基準日後に株式を取得した株主（124 Ⅰ）（*） ④ 単元未満株主（308 Ⅰただし書、189 Ⅰ） ⑤ 自己株式を有する会社自身（308 Ⅱ） ⑥ 株式の相互保有の場合（308 Ⅰかっこ書） (2) 通知不能株主（196 Ⅰ）
通知方法	(1) 以下に掲げる場合は、書面又は株主の承諾を得て電磁的方法により通知（299 Ⅱ Ⅲ） ① 書面又は電磁的方法による議決権行使を認めた場合 ② 取締役会設置会社の場合 (2) 取締役会設置会社でない株式会社で、書面又は電磁的方法による議決権行使を認めていない場合は、方法に制限はない（299 Ⅱ）
通知への記載又は記録事項	日時、場所、会議の目的事項等（299 Ⅳ、298 Ⅰ、規63）司R2
招集地	規定はない →株主の分布状況・出席人数等を適宜考慮して、会社が自由に開催場所を定めることが可能司。
瑕疵の主張	決議取消しの訴え（831）又は決議不存在確認の訴え（830 Ⅰ）もしくは決議無効確認の訴え（830 Ⅱ）による

＊　例外あり（124 Ⅳ、131 Ⅱ）

【関連条文】976 Ⅰ［不開催に対する罰則］

第２９７条　（株主による招集の請求）司

Ⅰ　総株主の議決権の１００分の３（これを下回る割合を定款で定めた場合にあっては、その割合）以上の議決権を６箇月（これを下回る期間を定款で定めた場合にあっては、その期間）前から引き続き有する株主は、取締役に対し、株主総会の目的である事項（当該株主が議決権を行使することができる事項に限る。）及び招集の理由を示して、株主総会の招集を請求することができる〈司〉。
Ⅱ　公開会社でない株式会社における前項の規定の適用については、同項中「6箇月（これを下回る期間を定款で定めた場合にあっては、その期間）前から引き続き有する」とあるのは、「有する」とする〈書〉。
Ⅲ　第1項の株主総会の目的である事項について議決権を行使することができない株主が有する議決権の数は、同項の総株主の議決権の数に算入しない。
Ⅳ　次に掲げる場合には、第1項の規定による請求をした株主は、裁判所の許可を得て、株主総会を招集することができる〈書〉。
①　第1項の規定による請求の後遅滞なく招集の手続が行われない場合
②　第1項の規定による請求があった日から8週間（これを下回る期間を定款で定めた場合にあっては、その期間）以内の日を株主総会の日とする株主総会の招集の通知が発せられない場合

［趣旨］取締役会の恣意により、株主総会が開かれないときに株主の利益を保護するために、一定の株主に株主総会の招集を認めた点にある。もっとも、会社運営の効率化が害されたり、株主総会招集請求権が濫用されるおそれがあるため、少数株主権とされている。なお、2項は、非公開会社では、所有と経営の分離がなされておらず、株主の経営参与がより一層認められるべきであることから、持株要件を緩和している。

《注　釈》

＜少数株主による株主総会の招集手続と議題提案権・議案要領通知請求権の行使手続についての比較検討＞〈司R元〉

	少数株主による株主総会の招集手続（297）	議題提案権（303）・議案要領通知請求権（305）の行使手続
議事運営の主導権	少数株主は株主総会の招集等の手続（298）を行うことにより、株主総会の議事運営にその意向を反映し得る	取締役が株主総会の招集等の手続を行うため、少数株主が株主総会の招集等の手続を行う場合と比べると、株主総会の議事運営に少数株主の意向を反映することに支障があり得る
費用等の手続面の負担	少数株主が株主総会の招集・開催（299、301、302等）の費用・労力を負担する	会社が株主総会の招集・開催の費用・労力を負担する
時期の選択	定時株主総会が開催されるのを待つことを要せず、それよりも前に、株主総会を開催することができる	定時株主総会が開催されるのを待たなければならない

【関連条文】968Ⅰ②［贈収賄に対する罰則］

株式会社

第２９８条 （株主総会の招集の決定）

Ⅰ　取締役（前条第４項の規定により株主が株主総会を招集する場合にあっては、当該株主。次項本文及び次条から第３０２条までにおいて同じ。）は、株主総会を招集する場合には、次に掲げる事項を定めなければならない。

①　株主総会の日時及び場所〈共予

②　株主総会の目的である事項があるときは、当該事項

③　株主総会に出席しない株主が書面によって議決権を行使することができることとするときは、その旨〈予

④　株主総会に出席しない株主が電磁的方法によって議決権を行使することができることとするときは、その旨

⑤　前各号に掲げるもののほか、法務省令で定める事項

Ⅱ　取締役は、株主（株主総会において決議をすることができる事項の全部につき議決権を行使することができない株主を除く。次条から第３０２条までにおいて同じ。）の数が１０００人以上である場合には、前項第３号に掲げる事項を定めなければならない〈司予書。ただし、当該株式会社が金融商品取引法第２条第１６項に規定する金融商品取引所に上場されている株式を発行している株式会社であって法務省令で定めるものである場合は、この限りでない。

Ⅲ　取締役会設置会社における前項の規定の適用については、同項中「株主総会において決議をすることができる事項」とあるのは、「前項第２号に掲げる事項」とする。

Ⅳ　取締役会設置会社においては、前条第４項の規定により株主が株主総会を招集するときを除き、第１項各号に掲げる事項の決定は、取締役会の決議によらなければならない〈共。

【3項読替え】

取締役会設置会社においては、取締役は、株主（第１項第２号に掲げる事項＜株主総会の目的である事項＞の全部につき議決権を行使することができない株主を除く。次条から第302条までにおいて同じ。）の数が1000人以上である場合には、前項第３号に掲げる事項を定めなければならない。ただし、当該株式会社が金融商品取引法第２条第16項に規定する金融商品取引所に上場されている株式を発行している株式会社であって法務省令で定めるものである場合は、この限りでない〈共。

【趣旨】２項・３項は、議決権を有する株主が1,000人以上のような株主数が多い会社において、書面投票制度を義務付けることで、株主の議決権行使を容易にして株主の意思を株主総会に反映させるとともに、定足数の確保を図る規定である。

【関連条文】規63、64

第２９９条 （株主総会の招集の通知）

Ⅰ　株主総会を招集するには、取締役は、株主総会の日の２週間〈共書（前条第１項第３号又は第４号に掲げる事項を定めたときを除き〈書、公開会社でない株式会社にあっては、１週間〈司予書（当該株式会社が取締役会設置会社以外の株式会社である場合において、これを下回る期間を定款で定めた場合にあっては、その期間））前までに、株主に対してその通知を発しなければならない。

Ⅱ　次に掲げる場合には、前項の通知は、書面でしなければならない。
　①　前条第１項第３号＜書面による議決権の行使ができる旨定めたとき＞又は第４号＜電磁的方法による議決権の行使ができる旨定めたとき＞に掲げる事項を定めた場合〈予
　②　株式会社が取締役会設置会社である場合〈司共予書
Ⅲ　取締役は、前項の書面による通知の発出に代えて、政令で定めるところにより、株主の承諾を得て、電磁的方法により通知を発することができる。この場合において、当該取締役は、同項の書面による通知を発したものとみなす。
Ⅳ　前２項の通知には、前条第１項各号＜株主総会を招集する場合に定めなければならない事項＞に掲げる事項を記載し、又は記録しなければならない。

［趣旨］会日より一定期間前までに招集通知を発することを義務付けることで株主に出席の機会と準備の余裕を与えることにある。

《注　釈》

◆　判例

株主全員（代理人を含む）がその開催に同意して出席した全員出席総会において行われた決議は、法定の招集手続を経なかったとしても有効である（最判昭60.12.20・百選27事件）〈司R2。

【関連条文】令2

第３００条　（招集手続の省略）

前条の規定にかかわらず、株主総会は、株主の全員の同意があるときは、招集の手続を経ることなく開催することができる〈予。ただし、第２９８条第１項第３号＜書面による議決権の行使ができる旨定めたとき＞又は第４号＜電磁的方法による議決権の行使ができる旨定めたとき＞に掲げる事項を定めた場合は、この限りでない〈書。

［趣旨］招集手続は株主に議決権行使の機会を保障するために必要とされるものである以上、株主自らその利益を放棄する場合にはこれを要求する必要がない。

第３０１条　（株主総会参考書類及び議決権行使書面の交付等）

Ⅰ　取締役は、第２９８条第１項第３号＜書面による議決権の行使ができる旨定めたとき＞に掲げる事項を定めた場合には、第２９９条第１項＜株主総会の招集の通知＞の通知に際して、法務省令で定めるところにより、株主に対し、議決権の行使について参考となるべき事項を記載した書類（以下この節において「株主総会参考書類」という。）及び株主が議決権を行使するための書面（以下この節において「議決権行使書面」という。）を交付しなければならない〈書。
Ⅱ　取締役は、第２９９条第３項＜電磁的方法による株主総会の招集の通知＞の承諾をした株主に対し同項の電磁的方法による通知を発するときは、前項の規定による株主総会参考書類及び議決権行使書面の交付に代えて、これらの書類に記載すべき事項を電磁的方法により提供することができる。ただし、株主の請求があったときは、これらの書類を当該株主に交付しなければならない。

第３０２条

Ⅰ　取締役は、第２９８条第１項第４号＜電磁的方法による議決権の行使ができる旨定めたとき＞に掲げる事項を定めた場合には、第２９９条第１項＜株主総会の招集の通知＞の通知に際して、法務省令で定めるところにより、株主に対し、株主総会参考書類を交付しなければならない。

Ⅱ　取締役は、第２９９条第３項＜電磁的方法による株主総会の招集の通知＞の承諾をした株主に対し同項の電磁的方法による通知を発するときは、前項の規定による株主総会参考書類の交付に代えて、当該株主総会参考書類に記載すべき事項を電磁的方法により提供することができる。ただし、株主の請求があったときは、株主総会参考書類を当該株主に交付しなければならない。

Ⅲ　取締役は、第１項に規定する場合には、第２９９条第３項＜電磁的方法による株主総会の招集の通知＞の承諾をした株主に対する同項の電磁的方法による通知に際して、法務省令で定めるところにより、株主に対し、議決権行使書面に記載すべき事項を当該電磁的方法により提供しなければならない。

Ⅳ　取締役は、第１項に規定する場合において、第２９９条第３項＜電磁的方法による株主総会の招集の通知＞の承諾をしていない株主から株主総会の日の１週間前までに議決権行使書面に記載すべき事項の電磁的方法による提供の請求があったときは、法務省令で定めるところにより、直ちに、当該株主に対し、当該事項を電磁的方法により提供しなければならない。

［趣旨］株主の経営意思・意欲を喚起するために、参考書類の送付を規定している。
【関連条文】規 65、66、73～94

第３０３条　（株主提案権）

Ⅰ　株主は、取締役に対し、一定の事項（当該株主が議決権を行使することができる事項に限る〈同。次項において同じ。）を株主総会の目的とすることを請求することができる。

Ⅱ　前項の規定にかかわらず、取締役会設置会社においては、総株主の議決権の１００分の１（これを下回る割合を定款で定めた場合にあっては、その割合）以上の議決権又は３００個（これを下回る数を定款で定めた場合にあっては、その個数）以上の議決権を６箇月（これを下回る期間を定款で定めた場合にあっては、その期間）前から引き続き有する株主に限り、取締役に対し、一定の事項を株主総会の目的とすることを請求することができる。この場合において、その請求は、株主総会の日の８週間（これを下回る期間を定款で定めた場合にあっては、その期間）前までにしなければならない〈同書。

Ⅲ　公開会社でない取締役会設置会社における前項の規定の適用については、同項中「６箇月（これを下回る期間を定款で定めた場合にあっては、その期間）前から引き続き有する」とあるのは、「有する」とする。

Ⅳ　第２項の一定の事項について議決権を行使することができない株主が有する議決権の数は、同項の総株主の議決権の数に算入しない。

【3項読替え】

第1項の規定にかかわらず、公開会社でない取締役会設置会社においては、総株主の議決権の100分の1（これを下回る割合を定款で定めた場合にあっては、その割合）以上の議決権又は300個（これを下回る数を定款で定めた場合にあっては、その個数）以上の議決権を有する株主に限り、取締役に対し、一定の事項を株主総会の目的とすることを請求することができる。この場合において、その請求は、株主総会の日の8週間（これを下回る期間を定款で定めた場合にあっては、その期間）前までにしなければならない〈司。

【関連条文】976⑲［請求に応じない場合の罰則］、968 I②［濫用株主等に対する罰則］

第304条

株主は、株主総会において、株主総会の目的である事項（当該株主が議決権を行使することができる事項に限る〈司。次条第1項において同じ。）につき議案を提出することができる〈予書。ただし、当該議案が法令若しくは定款に違反する場合又は実質的に同一の議案につき株主総会において総株主（当該議案について議決権を行使することができない株主を除く。）の議決権の10分の1（これを下回る割合を定款で定めた場合にあっては、その割合）以上の賛成を得られなかった日から3年を経過していない場合は、この限りでない〈司予。

第305条

I　株主は、取締役に対し、株主総会の日の8週間（これを下回る期間を定款で定めた場合にあっては、その期間）前までに、株主総会の目的である事項につき当該株主が提出しようとする議案の要領を株主に通知すること（第299条第2項又は第3項の通知をする場合にあっては、その通知に記載し、又は記録すること）を請求することができる。ただし、取締役会設置会社においては、総株主の議決権の100分の1（これを下回る割合を定款で定めた場合にあっては、その割合）以上の議決権又は300個（これを下回る数を定款で定めた場合にあっては、その個数）以上の議決権を6箇月（これを下回る期間を定款で定めた場合にあっては、その期間）前から引き続き有する株主に限り、当該請求をすることができる〈司書。

II　公開会社でない取締役会設置会社における前項ただし書の規定の適用については、同項ただし書中「6箇月（これを下回る期間を定款で定めた場合にあっては、その期間）前から引き続き有する」とあるのは、「有する」とする。

III　第1項の株主総会の目的である事項について議決権を行使することができない株主が有する議決権の数は、同項ただし書の総株主の議決権の数に算入しない。

IV　取締役会設置会社の株主が第1項の規定による請求をする場合において、当該株主が提出しようとする議案の数が10を超えるときは、前3項の規定は、10を超える数に相当することとなる数の議案については、適用しない。この場合において、当該株主が提出しようとする次の各号に掲げる議案の数については、当該各号に定めるところによる。

① 取締役、会計参与、監査役又は会計監査人（次号において「役員等」という。）の選任に関する議案　当該議案の数にかかわらず、これを１の議案とみなす予。
② 役員等の解任に関する議案　当該議案の数にかかわらず、これを１の議案とみなす。
③ 会計監査人を再任しないことに関する議案　当該議案の数にかかわらず、これを１の議案とみなす。
④ 定款の変更に関する２以上の議案　当該２以上の議案について異なる議決がされたとすれば当該議決の内容が相互に矛盾する可能性がある場合には、これらを１の議案とみなす予。

Ⅴ　前項前段の１０を超える数に相当することとなる数の議案は、取締役がこれを定める。ただし、第１項の規定による請求をした株主が当該請求と併せて当該株主が提出しようとする２以上の議案の全部又は一部につき議案相互間の優先順位を定めている場合には、取締役は、当該優先順位に従い、これを定めるものとする予。

Ⅵ　第１項から第３項までの規定は、第１項の議案が法令若しくは定款に違反する場合又は実質的に同一の議案につき株主総会において総株主（当該議案について議決権を行使することができない株主を除く。）の議決権の１０分の１（これを下回る割合を定款で定めた場合にあっては、その割合）以上の賛成を得られなかった日から３年を経過していない場合には、適用しない。

【2項読替え】
公開会社でない取締役会設置会社においては、総株主の議決権の100分の1（これを下回る割合を定款で定めた場合にあっては、その割合）以上の議決権又は300個（これを下回る数を定款で定めた場合にあっては、その個数）以上の議決権を有する株主に限り、取締役に対し議案の要領を株主に通知することを請求をすることができる。

【令元改正】近年、１人の株主による膨大な数の議案の提案がなされる事例が散見され、その事例では、無駄に審議時間等が割かれることで株主総会の意思決定機能が害されること、招集通知の印刷等に要するコストや時間が増加することなどの弊害が指摘されていた。そこで、令和元年改正により、取締役会設置会社において、株主が本条１項に基づく議案要領通知請求権を行使して同一の株主総会に提案できる議案数を10までとする規定が新設され、10を超える数に相当する数の議案を拒絶できることとなった（305 Ⅳ。なお、拒絶しなくても株主総会決議が違法となるわけではない）。そして、10を超える数に相当する数の議案は、株主ではなく取締役が選択する（要領を通知すべき10個の議案は取締役が選択する）が、株主が議案相互間の優先順位を定めている場合には、取締役はその優先順位に従う（305 Ⅴ）。

この規制は、取締役会非設置会社には適用されない。また、本条４項各号は、議案の数の数え方について規定しており、たとえば、取締役３名の選任及び監査役１名の選任に係る議案の要領の通知を請求した場合、４個の議案ではなく１個の議案として数えることになる（305 Ⅳ①参照）。

なお、上記の制限は、株主が303条１項に基づく議題提案権を行使して提案できる議題の数や、304条に基づく議場における議案（動議）提案権を行使して提案できる議案の数に制限を設けるものではない。

［趣旨］303条から305条は、株主総会の活性化を図り、株主の意思を経営に反映するために、株主に一定の事項を議題とすること等を請求する権利を認めている。もっとも、株式会社運営の効率性が害されたり、濫用されたりするおそれがあることから、303条と305条については少数株主権とされている。

《注　釈》

一　株主提案権

議題提案権：一定の事項を総会の会議の目的とすべきことを請求する権利（303）　ex.「取締役解任の件」

議案提出権：会議の目的たる事項につき議案を提出することができる権利（304）　ex.「甲を取締役に選任する件」

議案要領通知請求権：株主が提出しようとする議案の要領を他の株主に通知することを請求する権利（305）

＜株主提案権の比較＞

		議題の追加を請求する権利（303）	議案の要領の通知を請求する権利（305）	議案を提出する権利（304）
内容		一定の事項を目的とすることを請求する	会議の目的事項について自己の議案の要領を株主に通知することを請求する	会議の目的事項につき議案を提出する
行使要件	持株（※）	公開会社である取締役会設置会社では ①　6か月*前から総株主の議決権の100分の1*以上を有する株主、 又は ②　6か月*前から300*個以上の議決権を有する株主		単独株主権
		公開会社でない取締役会設置会社では、保有期間に制限はない		
		取締役会設置会社でない株式会社においては、保有期間に制限はなく単独株主権である		
	期間	取締役会設置会社 →総会の日の8週間*前まで	総会の日の8週間*前まで	当然に制限なし 予
		取締役会設置会社でない株式会社 →期間制限なし		
	方法	取締役に対してする		株主総会においてする

	議題の追加を請求する権利（303）	議案の要領の通知を請求する権利（305）	議案を提出する権利（304）
拒否事由	①　その議題につき、当該株主が議決権を行使できないとき ②　株主提案権の行使が権利濫用に該当するとき（東京高決平24.5.31・百選〔第３版〕31事件）	左記①②に加え、 ③　その議案が法令又は定款に違反するとき ④　実質的に同一の議案について総株主の議決権の10分の１*以上の賛成を得られなかった日から３年を経過していないとき ⑤　議案の数が10を超える場合において、超過数に相当する数の議案	左記①～④（左記⑤は含まれない）

＊　定款でこれを下回る割合、数、期間を定めた場合にあっては、その割合、数、期間となる。

※　持株要件をどの時点まで充足している必要があるかにつき、①株主総会終結時までとする見解と、②株主総会の基準日と株主提案権の行使日のいずれか遅い日までとする見解が対立している。この点、基準日又は行使日後に提案株主が議決権を継続保有しているかを会社が確認することは困難であるため、①の見解は実務上難があるとされており、実務上の取扱いとしては、②の見解によるのが一般的であるとされている（予H30）。

二　裁判例

1　札幌高判平9.1.28・百選〔第２版〕33事件

①　議案提案理由の字数が400字を超えていたところ、別表部分を除いてその余の提案理由の部分を請求書面の記載に沿ってほぼそのまま記載したことは、違法ではない（規93Ⅰ柱書かっこ書参照）。

②　取締役会の提出した議案を「会社提案」と記載することは、株主総会決議取消事由とはならない。

③　賛否の記載のない議決権行使書面について、取締役会提案の議案については賛成、株主提案の議案については反対として取り扱うことは違法ではない（規66Ⅰ②参照）。

2　東京高決平24.5.31・百選〔第３版〕31事件

「株主提案権といえども、これを濫用することが許されないことは当然であって、その行使が、主として、当該株主の私怨を晴らし、あるいは特定の個人や会社を困惑させるなど、正当な株主提案権の行使とは認められないような目的に出たものである場合には、株主提案権の行使が権利の濫用として許されない場合がある」。「株主提案権は、共益権の一つとして少数株主に認められた権利であるから、株主提案に係る議題、議案の数や提案理由の内容、長さによっては、会社又は株主に著しい損害を与えるような権利行使として権利濫用に該当する場合があり得る」。

3　東京地決平25.5.10・平25重判4事件

「議案の一部に法令に違反する内容が含まれる議案については、株主提案の対象とはなり得ない」（304ただし書）。この点、取締役やその親族による株式売却は事前予告を必要とし、株主に開示されなくてはならないという内容の定款の一部変更の議案が株主から株主提案権の行使として提出された場合、「会社の役員に対し、定款においてその保有する自社株の売却に一定の制約を加えることは、株主の属性ではなく、役員の会社の機関としての側面に着目した規制であって、これを直ちに株主平等の原則や株式自由譲渡の原則に反するものと断定することはできない」が、「役員の親族についてもその株式の譲渡に上記のような制約を課すことは、株主のうち一定の属性（身分関係）を有する者に対し、その株式の譲渡に重大な制約を課すもの」であり、株主平等の原則や株式自由譲渡の原則に反するから、株主提案の対象とはなり得ない。

第３０６条　（株主総会の招集手続等に関する検査役の選任）

Ⅰ　株式会社〈同〉又は総株主（株主総会において決議をすることができる事項の全部につき議決権を行使することができない株主を除く。）の議決権の１００分の１（これを下回る割合を定款で定めた場合にあっては、その割合）以上の議決権を有する株主は、株主総会に係る招集の手続及び決議の方法を調査させるため、当該株主総会に先立ち、裁判所に対し、検査役の選任の申立てをすることができる〈同書〉。

Ⅱ　公開会社である取締役会設置会社における前項の規定の適用については、同項中「株主総会において決議をすることができる事項」とあるのは「第２９８条第１項第２号に掲げる事項」と、「有する」とあるのは「６箇月（これを下回る期間を定款で定めた場合にあっては、その期間）前から引き続き有する」とし、公開会社でない取締役会設置会社における同項の規定の適用については、同項中「株主総会において決議をすることができる事項」とあるのは、「第２９８条第１項第２号に掲げる事項」とする。

Ⅲ　前２項の規定による検査役の選任の申立てがあった場合には、裁判所は、これを不適法として却下する場合を除き、検査役を選任しなければならない。

Ⅳ　裁判所は、前項の検査役を選任した場合には、株式会社が当該検査役に対して支払う報酬の額を定めることができる。

Ⅴ　第３項の検査役は、必要な調査を行い、当該調査の結果を記載し、又は記録した書面又は電磁的記録（法務省令で定めるものに限る。）を裁判所に提供して報告をしなければならない。

Ⅵ　裁判所は、前項の報告について、その内容を明瞭にし、又はその根拠を確認するため必要があると認めるときは、第３項の検査役に対し、更に前項の報告を求めることができる。

Ⅶ　第３項の検査役は、第５項の報告をしたときは、株式会社（検査役の選任の申立てをした者が当該株式会社でない場合にあっては、当該株式会社及びその者）に対し、同項の書面の写しを交付し、又は同項の電磁的記録に記録された事項を法務省令で定める方法により提供しなければならない。

【2項読替え】

公開会社である取締役会設置会社においては、株式会社又は総株主（298条第1項第2号＜株主総会の目的である事項＞に掲げる事項の全部につき議決権を行使することができない株主を除く。）の議決権の100分の1（これを下回る割合を定款で定めた場合にあっては、その割合）以上の議決権を6箇月（これを下回る期間を定款で定めた場合にあっては、その期間）前から引き続き有する株主は、株主総会に係る招集の手続及び決議の方法を調査させるため、当該株主総会に先立ち、裁判所に対し、検査役の選任の申立てをすることができる。

公開会社でない取締役会設置会社においては、株式会社又は総株主（298条第1項第2号＜株主総会の目的である事項＞に掲げる事項の全部につき議決権を行使することができない株主を除く。）の議決権の100分の1（これを下回る割合を定款で定めた場合にあっては、その割合）以上の議決権を有する株主は、株主総会に係る招集の手続及び決議の方法を調査させるため、当該株主総会に先立ち、裁判所に対し、検査役の選任の申立てをすることができる。

［趣旨］株主総会手続の公正さを担保するために、一定の株主が株主総会の招集手続・決議方法を調査させる検査役を選任できる旨を定める規定である。

【関連条文】規228、229

第307条 （裁判所による株主総会招集等の決定）

Ⅰ　裁判所は、前条第5項の報告があった場合において、必要があると認めるときは、取締役に対し、次に掲げる措置の全部又は一部を命じなければならない〈書。

①　一定の期間内に株主総会を招集すること。

②　前条第5項の調査の結果を株主に通知すること。

Ⅱ　裁判所が前項第1号に掲げる措置を命じた場合には、取締役は、前条第5項の報告の内容を同号の株主総会において開示しなければならない。

Ⅲ　前項に規定する場合には、取締役（監査役設置会社にあっては、取締役及び監査役）は、前条第5項の報告の内容を調査し、その結果を第1項第1号の株主総会に報告しなければならない。

［趣旨］取締役会等の恣意により、株主総会が開かれないときに、株主の利益を保護するために裁判所による招集命令を規定する。

第308条 （議決権の数）

Ⅰ　株主（株式会社がその総株主の議決権の4分の1以上を有することその他の事由を通じて株式会社がその経営を実質的に支配することが可能な関係にあるものとして法務省令で定める株主を除く。）は、株主総会において、その有する株式1株につき1個の議決権を有する〈予。ただし、単元株式数を定款で定めている場合には、1単元の株式につき1個の議決権を有する。

Ⅱ　前項の規定にかかわらず、株式会社は、自己株式については、議決権を有しない〈共書。

［趣旨］1項は、間接有限責任しか負わない株主（104）の負担するリスクは出資額に限られるところ、出資額に応じた会社支配力を与えることが公平であるから、一株一議決権の原則（資本多数決）を採用したものである。1項かっこ書は、多数の株式を有しているか実質的に支配している会社が、相手の会社に圧力をかけ、その会社が自己の会社に対して有する議決権を間接的に行使することを認めれば、議決権行使の歪曲化、資本の空洞化等の弊害が生じることから、相互保有株式の議決権を規制したものである〈予。2項は、自己株式について会社に議決権を認めると、経営者が自己の地位を強化するおそれがあり、これにより会社支配の公正が害されることを防止するため、議決権は認められない旨を規定した〈予。

《注　釈》

◆　**一株一議決権の原則の例外**

①　議決権制限株式（108 Ⅰ③）
②　自己株式（308 Ⅱ）〈司
③　相互保有株式（308 Ⅰかっこ書）
④　基準日後に発行された株式（124 Ⅰ参照）
⑤　単元未満株式（308 Ⅰただし書）
⑥　自己株式取得・売渡請求に関する特別決議における売主である株主（160 Ⅳ、175 Ⅱ）

【関連条文】313［議決権の不統一行使］、342 Ⅲ［累積投票による取締役の選任］、規67

第３０９条　（株主総会の決議）

Ⅰ　株主総会の決議は、定款に別段の定めがある場合を除き、議決権を行使することができる株主の議決権の過半数を有する株主が出席し、出席した当該株主の議決権の過半数をもって行う〈予書。

Ⅱ　前項の規定にかかわらず、次に掲げる株主総会の決議は、当該株主総会において議決権を行使することができる株主の議決権の過半数（３分の１以上の割合を定款で定めた場合にあっては、その割合以上）を有する株主が出席し、出席した当該株主の議決権の３分の２（これを上回る割合を定款で定めた場合にあっては、その割合）以上に当たる多数をもって行わなければならない。この場合においては、当該決議の要件に加えて、一定の数以上の株主の賛成を要する旨その他の要件を定款で定めることを妨げない。

①　第１４０条第２項及び第５項＜譲渡制限株式の株式会社又は指定買取人による買取り＞の株主総会
②　第１５６条第１項＜自己株式の取得に関する事項の決定＞の株主総会（第１６０条第１項の特定の株主を定める場合に限る。）〈書
③　第１７１条第１項＜全部取得条項付種類株式の取得に関する決定＞及び第１７５条第１項＜相続人等に対する譲渡制限株式の売渡しの請求＞の株主総会〈予
④　第１８０条第２項＜株式の併合において定める事項＞の株主総会〈司予
⑤　第１９９条第２項＜株主総会決議による募集事項の決定＞、第２００条第１項

＜募集事項の決定の委任＞、第２０２条第３項第４号＜非公開会社における株主割当＞、第２０４条第２項＜募集株式が譲渡制限株式である場合の割当＞及び第２０５条第２項＜募集株式が譲渡制限株式の場合における引受人のその総数の引受け＞の株主総会

⑥　第２３８条第２項＜新株予約権の募集事項の決定＞、第２３９条第１項＜新株予約権の募集事項の決定の委任＞、第２４１条第３項第４号＜定款に特段の定めのない非公開会社の募集事項等の決定＞、第２４３条第２項＜募集新株予約権の目的である株式が譲渡制限株式である場合等の割当ての決定＞及び第２４４条第３項＜募集新株予約権の目的が譲渡制限株式である場合及び募集新株予約権が譲渡制限新株予約権の場合＞の株主総会

⑦　第３３９条第１項＜役員及び会計監査人の解任＞の株主総会（第３４２条第３項から第５項まで＜累積投票による取締役の選任＞の規定により選任された取締役（監査等委員である取締役を除く。）を解任する場合又は監査等委員である取締役若しくは監査役を解任する場合に限る。）予書

⑧　第４２５条第１項＜役員等の株式会社に対する責任の一部免除＞の株主総会

⑨　第４４７条第１項＜資本金の額の減少における株主総会決議事項＞の株主総会（次のいずれにも該当する場合を除く。）

イ　定時株主総会において第４４７条第１項各号＜資本金の額の減少における株主総会決議事項＞に掲げる事項を定めること。

ロ　第４４７条第１項第１号＜減少する資本金の額＞の額がイの定時株主総会の日（第４３９条前段に規定する場合にあっては、第４３６条第３項の承認があった日）における欠損の額として法務省令で定める方法により算定される額を超えないこと。

⑩　第４５４条第４項＜配当財産が金銭以外の財産である場合の決定事項＞の株主総会（配当財産が金銭以外の財産であり、かつ、株主に対して同項第１号に規定する金銭分配請求権を与えないこととする場合に限る。）予

⑪　第６章＜定款の変更＞から第８章＜解散＞までの規定により株主総会の決議を要する場合における当該株主総会同予書

⑫　第５編＜組織変更、合併、会社分割、株式交換、株式移転及び株式交付＞の規定により株主総会の決議を要する場合における当該株主総会同

Ⅲ　前２項の規定にかかわらず、次に掲げる株主総会（種類株式発行会社の株主総会を除く。）の決議は、当該株主総会において議決権を行使することができる株主の半数以上（これを上回る割合を定款で定めた場合にあっては、その割合以上）であって、当該株主の議決権の３分の２（これを上回る割合を定款で定めた場合にあっては、その割合）以上に当たる多数をもって行わなければならない。

①　その発行する全部の株式の内容として譲渡による当該株式の取得について当該株式会社の承認を要する旨の定款の定めを設ける定款の変更を行う株主総会同共予書

②　第７８３条第１項＜吸収合併契約等の承認＞の株主総会（合併により消滅する株式会社又は株式交換をする株式会社が公開会社であり、かつ、当該株式会社の株主に対して交付する金銭等の全部又は一部が譲渡制限株式等（同条第３項に規定する譲渡制限株式等をいう。次号において同じ。）である場合における当該株主総会に限る。）

③　第８０４条第１項＜新設合併契約等の承認＞の株主総会（合併又は株式移転をする株式会社が公開会社であり、かつ、当該株式会社の株主に対して交付する金銭等の全部又は一部が譲渡制限株式等である場合における当該株主総会に限る。）

Ⅳ　前３項の規定にかかわらず、第１０９条第２項＜非公開会社における株主ごとの異なる取扱い＞の規定による定款の定めについての定款の変更（当該定款の定めを廃止するものを除く。）を行う株主総会の決議は、総株主の半数以上（これを上回る割合を定款で定めた場合にあっては、その割合以上）であって、総株主の議決権の４分の３（これを上回る割合を定款で定めた場合にあっては、その割合）以上に当たる多数をもって行わなければならない〈司書〉。

Ⅴ　取締役会設置会社においては、株主総会は、第２９８条第１項第２号＜株主総会の目的である事項＞に掲げる事項以外の事項については、決議をすることができない〈予〉〈司H25〉。ただし、第３１６条第１項若しくは第２項＜株主総会に提出された資料等の調査＞に規定する者の選任〈書〉又は第３９８条第２項＜定時株主総会における会計監査人の意見の陳述＞の会計監査人の出席を求めることについては、この限りでない。

《注　釈》

一　決議（採決）の方法・成立

1　決議（採決）の方法

株主総会における決議（採決）の方法については、法律に特別の規定がなく、定款に別段の定めがない限り、議案の賛否について判定できる方法であれば、いかなる方法によるかは議長の合理的裁量に委ねられている（大阪高決令3.12.7・令4重判4事件）。

なお、議長が投票制度を採用した場合、各株主の投票内容については、原則として、投票用紙の記載・不記載（不記載は棄権（事実上の反対）とみなされる）や提出・不提出（不提出は議決権の不行使とみなされる）により客観的に判定される。

→「株主が株主総会に出席した場合には、事前に行った議決権行使書面による議決権の行使が撤回される」という投票のルール（⇒ p.243）が株主に周知・説明されていなかったため、株主が投票用紙と異なる方法で意思表示をすることができると誤認したことがやむを得ない場合であって、当該株主の意思表示の内容が投票用紙のものと異なることが明確に認められ、恣意的な取扱いとなるおそれがないときは、議長は、例外的に投票用紙以外の事情をも考慮して当該株主の投票内容を把握することができる（大阪高決令3.12.7・令4重判4事件）

2　決議の成立

株主総会の決議は、定款に別段の定めがない限り、株主の賛否が明確であり、賛成の議決権数が決議に必要な数に達したことが明白になった時点で成立する（最判昭42.7.25、東京高判令元.10.17・百選A9事件）。

二　普通決議、特別決議、特殊決議

決議は多数決によって行われるが、決議する事項の重要性に応じて、決議の要件が異なる。通常の事項は普通決議、重要な事項については特別決議、さらに重要な事項は特殊決議に分かれる。

＜株主総会の決議の種類＞

		要件		具体例
		定足数	議決権	
普通決議	309 I	**原則** 議決権を行使することのできる株主の議決権の過半数を有する株主 **例外** 定款で別段の定め可	**原則** 出席した株主の議決権の過半数 **例外** 定款で別段の定め可	・取締役・監査役の報酬決定（361 I、387 I） ・計算書類等の承認の決定（438 II）
普通決議	341	**原則** 議決権を行使することのできる株主の議決権の過半数を有する株主 **例外** 3分の1以上を下限として定款で加重・減軽可	**原則** 出席した株主の議決権の過半数 **例外** これを上回る割合を定款で定めた場合はその割合以上	役員の選任・解任
特別決議（309 II）		**原則** 議決権を行使することのできる株主の議決権の過半数を有する株主 **例外** 3分の1以上を下限として定款で加重・減軽可	**原則** 出席した株主の議決権の3分の2以上 **例外** 定款でそれを上回る割合を定めること可 また、決議要件に加えて頭数要件を加えることも可（309 II）	・特定の株主からの自己株式の取得（160 I、309 II②） ・第三者に対する募集株式の有利発行（199 II、309 II⑤） ・累積投票で選任された取締役・監査役の解任（339 I、309 II⑦） ・譲渡による株式取得につき会社の承認を要する旨の定款の定めの廃止（466、309 II⑪）共 ・事業譲渡等（467 I、309 II⑪）
特殊決議	309 III	なし	**原則** 議決権を行使することのできる株主の半数以上であって、当該株主の議決権の3分の2以上 **例外** 定款でそれを上回る割合を定めること可	すべての発行済株式を譲渡制限株式とする旨の定めを新設する定款変更（309 III①）

		要件		具体例
		定足数	議決権	
特殊決議	309 Ⅳ	なし	**原則** 総株主の半数以上であって、総株主の議決権の4分の3以上 **例外** 定款でそれを上回る割合を定めること可	非公開会社において、剰余金の配当を受ける権利等に関する事項について、株主ごとに異なる取扱いを行う旨の定款の定め

三　多数決の限界及び修正

1　多数決の限界

総会の権限に属する事項であっても、以下のような決議はなし得ない（このような決議がなされた場合、無効原因となる）。

①　強行法規に違反する決議

②　株主平等原則に違反する決議

＊　ただし、非公開会社では、特殊決議によって剰余金の分配・残余財産の分配・議決権について株主の個性に着目して異なる取扱いをする旨を定款に定めることは可能（109Ⅱ）。

③　固有権を侵害する決議

④　実質的に著しく不当な決議

2　多数決の修正

少数派の保護のために多数決の原則が修正される場合がある。

(1)　特別決議、特殊決議（309ⅡⅢⅣ）

(2)　種類株主総会（321以下）

(3)　累積投票制度（342）

(4)　取締役・監査役・会計参与の解任の訴え（854ⅠⅢⅣ）

3　多数決原理の下における少数株主の経済的救済

(1)　株式譲渡自由の原則（127）

(2)　募集株式の発行等における払込金額規制（201Ⅰ、199Ⅱ、309Ⅱ⑤）

(3)　株式買取請求権（469、785、797、806等）

4　株主総会決議の瑕疵　⇒§830、831

《その他》

・現行の会社法には、株主総会に出席するための方法について制限を設ける規定は存在しないため、株式会社は、株主総会の場所に存しない株主を、映像と音声の送受信により相手の状態を相互に認識しながら通話をすることができる方法によって、当該株主総会に出席させることは可能であると一般に解されている予。

【関連条文】 319［決議の省略］、規68

第３１０条　（議決権の代理行使）

Ⅰ　株主は、代理人によってその議決権を行使することができる。この場合においては、当該株主又は代理人は、代理権を証明する書面を株式会社に提出しなければならない。

Ⅱ　前項の代理権の授与は、株主総会ごとにしなければならない。

Ⅲ　第１項の株主又は代理人は、代理権を証明する書面の提出に代えて、政令で定めるところにより、株式会社の承諾を得て、当該書面に記載すべき事項を電磁的方法により提供することができる。この場合において、当該株主又は代理人は、当該書面を提出したものとみなす。

Ⅳ　株主が第２９９条第３項＜電磁的方法による株主総会の招集の通知＞の承諾をした者である場合には、株式会社は、正当な理由がなければ、前項の承諾をすることを拒んではならない。

Ⅴ　株式会社は、株主総会に出席することができる代理人の数を制限することができる〈書〉。

Ⅵ　株式会社は、株主総会の日から３箇月間、代理権を証明する書面及び第３項の電磁的方法により提供された事項が記録された電磁的記録をその本店に備え置かなければならない。

Ⅶ　株主（前項の株主総会において決議をした事項の全部につき議決権を行使することができない株主を除く〈予〉。次条第４項及び第３１２条第５項において同じ。）は、株式会社の営業時間内は、いつでも、次に掲げる請求をすることができる。この場合においては、当該請求の理由を明らかにしてしなければならない。

① 代理権を証明する書面の閲覧又は謄写の請求

② 前項の電磁的記録に記録された事項を法務省令で定める方法により表示したものの閲覧又は謄写の請求

Ⅷ　株式会社は、前項の請求があったときは、次のいずれかに該当する場合を除き、これを拒むことができない。

① 当該請求を行う株主（以下この項において「請求者」という。）がその権利の確保又は行使に関する調査以外の目的で請求を行ったとき。

② 請求者が当該株式会社の業務の遂行を妨げ、又は株主の共同の利益を害する目的で請求を行ったとき。

③ 請求者が代理権を証明する書面の閲覧若しくは謄写又は前項第２号の電磁的記録に記録された事項を法務省令で定める方法により表示したものの閲覧若しくは謄写によって知り得た事実を利益を得て第三者に通報するため請求を行ったとき。

④ 請求者が、過去２年以内において、代理権を証明する書面の閲覧若しくは謄写又は前項第２号の電磁的記録に記録された事項を法務省令で定める方法により表示したものの閲覧若しくは謄写によって知り得た事実を利益を得て第三者に通報したことがあるものであるとき。

［趣旨］議決権の代理行使を認めることにより、株主に議決権行使を容易にし、議決権の行使の機会を保障する点にある〈予〉。このため、定款により議決権の代理行使を禁止することは認められない〈予〉。

《注　釈》

一　代理人を株主に限る旨の定款の定めの有効性〈司H29 司R3 予R5

株主総会が、株主以外の第三者によって攪乱されることを防止し、会社の利益を保護する趣旨にでたものと認められ、合理的な理由による相当程度の制限といえるから、本条に反しない（最判昭43.11.1・百選29事件）〈司書。

二　代理人を株主に限る旨の定款の適用範囲〈予R5

代理人を株主に限る旨の定款の規定が有効であるとしても、総会が攪乱されて会社の利益が害されるおそれがなく、株主の議決権行使の機会が事実上奪われる場合には、例外的に定款の規定の効力が及ばない〈司R3。株主以外による議決権行使が代理人を株主に限る旨の定款に反しないとされた例としては、以下のものが挙げられる。

ex.1　株主たる地方公共団体が、非株主である職員を代理人とする場合（最判昭51.12.24・百選34事件）〈共予

ex.2　弁護士を代理人とする場合（札幌高判令元.7.12・令2重判3事件）

三　議決権信託

議決権信託は、議決権を統一的に行使するため株主が株式を1人の受託者に対し信託するものである。ただ、議決権信託が、株主の議決権を含む共益権の自由な行使を阻止するためのものである場合には、委託者の利益保護に著しく欠け、会社法の精神に照らして無効とされる（大阪高決昭58.10.27・百選30事件）。

四　白紙委任の可否〈司H21

会社と対立する株主から「会社提案の議題への賛否は株主に白紙委任する」旨を記載した委任状で勧誘を受け、かかる委任状を提出した被勧誘者は、勧誘者に対して会社側の議案に反対する旨の代理権授与を有効に行ったと解される（東京地判平19.12.6・百選31事件）。

∵　白紙委任を認めず、常に会社提案の議題への賛否の記載欄を設けた委任状の作成を要求すれば、委任状勧誘をする株主は、会社側の議案を知るために会社の発する招集通知を受け取るまで待たなければならず、委任状勧誘において会社と株主の公平を著しく害する

五　代理人が株主の指示に反する議決権行使をした場合の効力〈司H21

代理人は、株主からの特別の指示から合理的に導き出せる内容により議決権を行使する権限があり、その内容に反する議決権の行使は代理権の逸脱ないし濫用になる（東京高判令元.10.17・百選A9事件）。

∵　代理人による議決権行使の有効性について民法の原則は排除されない

cf.　学説では、株主・代理人間の単なる委任関係上の義務違反にすぎないとして有効とする説もあるが、代理人による無権代理とする見解が多数説である

【関連条文】125 II III［株主名簿の閲覧謄写請求の理由の明示・拒絶事由］、311 IV V［議決権行使書面の閲覧謄写請求の理由の明示・拒絶事由］、312 V VI［電磁的記録に記録された事項を表示したものの閲覧謄写請求の理由の明示・拒絶事由］

株式会社

第３１１条　（書面による議決権の行使）

Ⅰ　書面による議決権の行使は、議決権行使書面に必要な事項を記載し、法務省令で定める時までに当該記載をした議決権行使書面を株式会社に提出して行う。

Ⅱ　前項の規定により書面によって行使した議決権の数は、出席した株主の議決権の数に算入する。

Ⅲ　株式会社は、株主総会の日から３箇月間、第１項の規定により提出された議決権行使書面をその本店に備え置かなければならない。

Ⅳ　株主は、株式会社の営業時間内は、いつでも、第１項の規定により提出された議決権行使書面の閲覧又は謄写の請求をすることができる《同予》。この場合においては、当該請求の理由を明らかにしてしなければならない。

Ⅴ　株式会社は、前項の請求があったときは、次のいずれかに該当する場合を除き、これを拒むことができない。

①　当該請求を行う株主（以下この項において「請求者」という。）がその権利の確保又は行使に関する調査以外の目的で請求を行ったとき。

②　請求者が当該株式会社の業務の遂行を妨げ、又は株主の共同の利益を害する目的で請求を行ったとき。

③　請求者が第１項の規定により提出された議決権行使書面の閲覧又は謄写によって知り得た事実を利益を得て第三者に通報するため請求を行ったとき。

④　請求者が、過去２年以内において、第１項の規定により提出された議決権行使書面の閲覧又は謄写によって知り得た事実を利益を得て第三者に通報したことがあるものであるとき。

株式会社

【令元改正】議決権行使書面（電磁的方法により提供された場合（312 Ⅴ Ⅵ参照）も含む）には、法令上の要求ではないものの株主の住所が記載されているのが一般的であり、株主名簿の閲覧謄写請求が拒絶された場合に、株主の住所等の情報を取得する目的で、議決権行使書面の閲覧謄写請求が利用されているとの指摘や、株式会社の業務遂行を妨げる目的など、正当な目的以外の目的で議決権行使書面の閲覧謄写請求権が行使されているとの指摘がなされていた。そこで、プライバシーを保護し、濫用的な議決権行使書面の閲覧謄写請求権の行使を防止するために、議決権行使書面の閲覧謄写請求を行う場合には、当該請求の理由を明らかにしなければならない（311 Ⅳ後段）とともに、一定の拒絶事由（同Ⅴ）が新たに設けられ、株主名簿の閲覧謄写請求に関する規律と同様の取扱いがなされることとなった。なお、代理権を証明する書面（委任状）の閲覧謄写請求についても同様の改正がなされている（310 Ⅶ Ⅷ）。

［趣旨］4項の趣旨は、賛否の票数を株主が調査できるようにし、また、決議取消の訴え（831）を提起できるようにする点にある。

《注　釈》

◆　**書面による議決権の行使の制度**

1　株主総会の開催の要否《予》

書面決議制度（319 Ⅰ参照　⇒p.247）とは異なり、書面による議決権の行使ができることを定めた場合でも、株主総会の開催は必要である。

2　提出された議決権行使書面に賛否の記載がない場合の取扱い〈司H21

会社は、各議案につき賛成・反対・棄権のいずれかの意思表示があったものとして取り扱う旨を、議決権行使書面に予め記載できる（規66Ⅰ②）。

3　書面による議決権の行使をした後に出席した場合〈共予書

株主は、株主総会に先立って議決権行使書面を会社に提出した場合であっても、当該株主総会に出席し、又は代理人に出席させ、その議決権を行使することができる。

∵①　議決権行使書面は、株主が株主総会に「出席しない」（298Ⅰ③④）ときに効力を生ずるので、株主又はその代理人が株主総会に出席すれば、書面による議決権の行使は撤回され、議決権行使書面の効力は失われる

②　書面による議決権行使の制度は、株主の意思をできるだけ決議に反映させるために株主自身が株主総会に出席することなく議決権を行使できるよう設けられた制度にすぎない（東京高判令元.10.17・百選Ａ９事件参照）

【関連条文】125ⅡⅢ［株主名簿の閲覧謄写請求の理由の明示・拒絶事由］、298Ⅱ［書面による議決権行使を認めなければならない場合］、310ⅦⅧ［代理権を証明する書面の閲覧謄写請求の理由の明示・拒絶事由］、312ⅤⅥ［電磁的記録に記録された事項を表示したものの閲覧謄写請求の理由の明示・拒絶事由］

第３１２条　（電磁的方法による議決権の行使）

Ⅰ　電磁的方法による議決権の行使は、政令で定めるところにより、株式会社の承諾を得て、法務省令で定める時までに議決権行使書面に記載すべき事項を、電磁的方法により当該株式会社に提供して行う。

Ⅱ　株主が第２９９条第３項＜電磁的方法による株主総会の招集の通知＞の承諾をした者である場合には、株式会社は、正当な理由がなければ、前項の承諾をすることを拒んではならない。

Ⅲ　第１項の規定により電磁的方法によって行使した議決権の数は、出席した株主の議決権の数に算入する。

Ⅳ　株式会社は、株主総会の日から３箇月間、第１項の規定により提供された事項を記録した電磁的記録をその本店に備え置かなければならない。

Ⅴ　株主は、株式会社の営業時間内は、いつでも、前項の電磁的記録に記録された事項を法務省令で定める方法により表示したものの閲覧又は謄写の請求をすることができる。この場合においては、当該請求の理由を明らかにしてしなければならない。

Ⅵ　株式会社は、前項の請求があったときは、次のいずれかに該当する場合を除き、これを拒むことができない。

①　当該請求を行う株主（以下この項において「請求者」という。）がその権利の確保又は行使に関する調査以外の目的で請求を行ったとき。

②　請求者が当該株式会社の業務の遂行を妨げ、又は株主の共同の利益を害する目的で請求を行ったとき。

③　請求者が前項の電磁的記録に記録された事項を法務省令で定める方法により表示したものの閲覧又は謄写によって知り得た事実を利益を得て第三者に通報するため請求を行ったとき。
④　請求者が、過去２年以内において、前項の電磁的記録に記録された事項を法務省令で定める方法により表示したものの閲覧又は謄写によって知り得た事実を利益を得て第三者に通報したことがあるものであるとき。

［趣旨］遠隔地に居住している等の事情により総会に出席することが困難な株主の議決権行使を容易にし、株主の意思を決議に確実に反映させるとともに、定足数の確保を図るために設けられたものである。
【関連条文】125 Ⅱ Ⅲ［株主名簿の閲覧謄写請求の理由の明示・拒絶事由］、310 Ⅶ Ⅷ［代理権を証明する書面の閲覧謄写請求の理由の明示・拒絶事由］、311 Ⅳ Ⅴ［議決権行使書面の閲覧謄写請求の理由の明示・拒絶事由］

第３１３条　（議決権の不統一行使）
Ⅰ　株主は、その有する議決権を統一しないで行使することができる〈共予書。
Ⅱ　取締役会設置会社においては、前項の株主は、株主総会の日の３日前までに、取締役会設置会社に対してその有する議決権を統一しないで行使する旨及びその理由を通知しなければならない〈書。
Ⅲ　株式会社は、第１項の株主が他人のために株式を有する者でないときは、当該株主が同項の規定によりその有する議決権を統一しないで行使することを拒むことができる〈予書。

［趣旨］複数の者から株式の信託を受けている場合等、形式上（株主名簿上）は１人の株主であるが、実質的には複数の株主に権利が帰属している場合に、実質上の株主の意向に従って議決権を行使するために、議決権の不統一行使を認めるものである。

《注　釈》

◆　議決権の不統一行使と事前の通知

取締役会設置会社の株主は、株主総会の日の３日前までに、取締役会設置会社に対してその有する議決権を統一しないで行使する旨及びその理由を通知しなければならない（313 Ⅱ）。

一方、取締役会非設置会社の株主は、このような事前の通知をすることなく、議決権の不統一行使をすることができる〈予。

∵　取締役会非設置会社では、株主総会の招集通知において議題（298 Ⅰ②）が明らかにされない可能性がある（299 Ⅱ Ⅳ参照）ことから、株主に事前の通知を求めない規律となっている

第３１４条　（取締役等の説明義務）〈予

取締役、会計参与、監査役及び執行役は、株主総会において、株主から特定の事項について説明を求められた場合には、当該事項について必要な説明をしなければならない〈共。ただし、当該事項が株主総会の目的である事項に関しないものである場合、その説明をすることにより株主の共同の利益を著しく害する場合その他正当な理由が

ある場合として法務省令で定める場合は、この限りでない。

［趣旨］議題に関する質疑応答の機会を保障するという会議体の一般原則（慣行）を規定している。

《注　釈》

一　説明義務（本文）

説明義務は、株主総会の場において株主から説明を求められてはじめて発生する。説明義務の程度は、株主が議題を合理的に判断するのに客観的に必要な範囲での説明で足り（東京高判昭61.2.19・百選32事件）、その基準となる株主は平均的な株主となる（東京地判平16.5.13）。

十分な説明といえるか否かは、①事前に株主に送付された招集通知や株主参考書類への記載、②事前質問状に対する一括回答の内容、③その他質問株主が既に有する知識や入手可能な判断資料等を考慮に入れて判断する（東京地判平16.5.13、奈良地判平12.3.29）。なお、事前質問状に対する一括説明が直ちに説明義務違反とはならない（東京高判昭61.2.19・百選32事件）。

二　「正当な理由」（ただし書）

「正当な理由」が認められるものとしては、株主が説明を求めた事項について説明をするために調査をすることが必要である場合（規71①。ただし、当該株主が株主総会の日より相当の期間前に当該事項を株式会社に対して通知した場合（規71①イ）、当該事項について説明をするために必要な調査が著しく容易である場合（規71①ロ）は除く 司。）、株主が説明を求めた事項について説明をすることにより株式会社その他の者（当該株主を除く。）の権利を侵害することとなる場合（同②）、株主が当該株主総会において実質的に同一の事項について繰り返して説明を求める場合（同③） 予 等がある。

三　説明義務違反の効果 司H23 予H25

株主に質問の機会を全く与えなかった場合、不実の説明をした場合、正当な事由なく不十分な説明しか行わなかった場合等は、決議方法の法令（314）違反が認められ、株主総会決議の取消事由となる（831 Ⅰ①）。

【関連条文】976⑨［不当に説明しないことに対する制裁］、規71

第３１５条　（議長の権限）

Ⅰ　株主総会の議長は、当該株主総会の秩序を維持し、議事を整理する。

Ⅱ　株主総会の議長は、その命令に従わない者その他当該株主総会の秩序を乱す者を退場させることができる。

［趣旨］会議体の一般原則からすれば理論上当然に認められるものであるが、総会屋対策の一環として、あえて議長の権限を明文をもって規定した。

《注　釈》

一　議長の権限が恣意的に行使された場合の効果 司H30

決議方法の法令違反ないし著しい不公正という取消事由（831 Ⅰ①）になり得

株式会社

る[共]。

∵　議長の権限は、株主が株主総会に実質的に参加できることを確保するためにある

二　判例

1　株主総会決議の特別利害関係人が議長になっても、議長たる地位において議決権を行使しない限り、取消事由に当たらない（東京地決昭28.9.2）。

2　議長が株主からの質問を無視して総会を打ち切っても、質問者が会社の経営状況について既に十分な知識・情報を得ているなどの事情がある場合には、取消事由に当たらない（東京地判平16.5.13）。

第３１６条　（株主総会に提出された資料等の調査）

Ⅰ　株主総会においては、その決議によって、取締役、会計参与、監査役、監査役会及び会計監査人が当該株主総会に提出し、又は提供した資料を調査する者を選任することができる[共]。

Ⅱ　第２９７条＜少数株主による株主総会の招集の請求＞の規定により招集された株主総会においては、その決議によって、株式会社の業務及び財産状況を調査する者を選任することができる。

第３１７条　（延期又は続行の決議）

株主総会においてその延期又は続行について決議があった場合には、第２９８条＜株主総会の招集の決定＞及び第２９９条＜株主総会の招集の通知＞の規定は、適用しない[共書]。

［趣旨］317条は、株主総会において、その延期又は続行について決議があった場合には、同一性のある会議が開かれるにすぎないから、298条や299条は適用されないことを定めた。

第３１８条　（議事録）

Ⅰ　株主総会の議事については、法務省令で定めるところにより、議事録を作成しなければならない。

Ⅱ　株式会社は、株主総会の日から１０年間、前項の議事録をその本店に備え置かなければならない。

Ⅲ　株式会社は、株主総会の日から５年間、第１項の議事録の写しをその支店に備え置かなければならない。ただし、当該議事録が電磁的記録をもって作成されている場合であって、支店における次項第２号に掲げる請求に応じることを可能とするための措置として法務省令で定めるものをとっているときは、この限りでない。

Ⅳ　株主及び債権者は、株式会社の営業時間内は、いつでも、次に掲げる請求をすることができる[予書]。

①　第１項の議事録が書面をもって作成されているときは、当該書面又は当該書面の写しの閲覧又は謄写の請求[同]

②　第１項の議事録が電磁的記録をもって作成されているときは、当該電磁的記録に記録された事項を法務省令で定める方法により表示したものの閲覧又は謄写の請求

Ⅴ　株式会社の親会社社員は、その権利を行使するため必要があるときは、裁判所の許可を得て、第1項の議事録について前項各号に掲げる請求をすることができる書。

[趣旨] 株主総会の議事が行われたことについての証拠として、議事録の作成・備置・閲覧・謄写について規定された。

《注　釈》

◆ **「債権者」（318 Ⅳ）と株式買取請求をした株主**

株式併合により1株に満たない端数となる株式について、株式買取請求（182の4 Ⅰ）をした者は、たとえ会社から仮払い（182の5 Ⅴ）を受けた場合であっても、「債権者」（318 Ⅳ）に当たる（最判令3.7.5・令3重判5事件）。

∵① 株式の価格の決定（182の5 Ⅰ Ⅱ）があるまでは、その価格は未形成というほかなく、会社による仮払いによって支払請求権が全て消滅したとはいえない

② 318条4項の趣旨は、株主及び債権者において、権利を適切に行使し、その利益を確保するために会社の業務ないし財産の状況等に関する情報を入手することを可能とし、もってその保護を図ることにあるところ、株式買取請求をした者が会社による仮払いを受けても、株式の価格の決定があるまでは、情報を入手する必要性は失われない

【関連条文】 976④［不当拒否に対する制裁］、規72、227、226

第319条　（株主総会の決議の省略）

Ⅰ　取締役又は株主が株主総会の目的である事項について提案をした場合において、当該提案につき株主（当該事項について議決権を行使することができるものに限る。）の全員が書面又は電磁的記録により同意の意思表示をしたときは、当該提案を可決する旨の株主総会の決議があったものとみなす同。

Ⅱ　株式会社は、前項の規定により株主総会の決議があったものとみなされた日から10年間、同項の書面又は電磁的記録をその本店に備え置かなければならない。

Ⅲ　株主及び債権者は、株式会社の営業時間内は、いつでも、次に掲げる請求をすることができる。

① 前項の書面の閲覧又は謄写の請求

② 前項の電磁的記録に記録された事項を法務省令で定める方法により表示したものの閲覧又は謄写の請求

Ⅳ　株式会社の親会社社員は、その権利を行使するため必要があるときは、裁判所の許可を得て、第2項の書面又は電磁的記録について前項各号に掲げる請求をすることができる。

Ⅴ　第1項の規定により定時株主総会の目的である事項のすべてについての提案を可決する旨の株主総会の決議があったものとみなされた場合には、その時に当該定時株主総会が終結したものとみなす。

[趣旨] 株主総会決議は株主の保護のために必要とされるものであるところ、株主全員が提案に同意するのであるなら、株主総会を開催しなくても株主の保護に欠けるところはないのであるから、決議の省略を認めたものである。

【関連条文】規226

第３２０条 （株主総会への報告の省略）

取締役が株主の全員に対して株主総会に報告すべき事項を通知した場合において、当該事項を株主総会に報告することを要しないことにつき株主の全員が書面又は電磁的記録により同意の意思表示をしたときは、当該事項の株主総会への報告があったものとみなす〈同書〉。

［趣旨］すべての株主が報告事項を認知し、その上で質問権を放棄するのであるなら株主総会を開催する必要がないので、開催の省略を認めたものである。

【関連条文】438 Ⅲ・439［株主総会に報告すべき事項］

第２款 種類株主総会

《概 説》

会社が数種の株式を発行した場合には、異なる種類の株主の間で各種の権利の調整が必要となるので、種類株主総会制度が設けられている（321～325）。

第３２１条 （種類株主総会の権限）

種類株主総会は、この法律に規定する事項及び定款で定めた事項に限り、決議をすることができる〈同〉。

《注 釈》

◆ 種類株主総会の権限

1 法令に規定する決議事項

(1) ある種類の種類株主に損害を及ぼすおそれがある場合における当該行為の承認（322）。

(2) 拒否権付種類株式を設けた場合における拒否権の対象事項（108 Ⅰ⑧Ⅱ⑧、323）。

(3) 種類株主総会により取締役・監査役を選解任できる株式を設けた場合における当該選解任（108 Ⅰ⑨Ⅱ⑨、347）。

(4) 種類株式に譲渡制限又は全部取得条項を付す場合における定款変更（111 Ⅱ、324 Ⅲ①）。

(5) 譲渡制限株式（又はそれを目的とする新株予約権）の募集（199 Ⅳ、200 Ⅳ、238 Ⅳ、239 Ⅳ）。

(6) 合併等の組織再編行為において譲渡制限株式等を割り当てられる場合等の合併契約等の承認（783 Ⅲ、795 Ⅳ、804 Ⅲ）。

2 定款で定めた決議事項

ex.1 譲渡制限種類株式に関するその譲渡（取得）承認（139 Ⅰただし書）

ex.2 トラッキング・ストックに関するその連動対象である子会社の役員等選解任権等 ⇒p.77

第３２２条　（ある種類の種類株主に損害を及ぼすおそれがある場合の種類株主総会）

Ⅰ　種類株式発行会社が次に掲げる行為をする場合において、ある種類の株式の種類株主に損害を及ぼすおそれがあるときは、当該行為は、当該種類の株式の種類株主を構成員とする種類株主総会（当該種類株主に係る株式の種類が２以上ある場合にあっては、当該２以上の株式の種類別に区分された種類株主を構成員とする各種類株主総会。以下この条において同じ。）の決議がなければ、その効力を生じない。ただし、当該種類株主総会において議決権を行使することができる種類株主が存しない場合は、この限りでない。

①　次に掲げる事項についての定款の変更（第１１１条第１項又は第２項に規定するものを除く。）

イ　株式の種類の追加

ロ　株式の内容の変更

ハ　発行可能株式総数又は発行可能種類株式総数の増加

①の２　第１７９条の３第１項<特別支配株主による株式売渡請求の通知及び対象会社の承認>の承認

②　株式の併合又は株式の分割

③　第１８５条<株式無償割当て>に規定する株式無償割当て

④　当該株式会社の株式を引き受ける者の募集（第２０２条第１項各号に掲げる事項を定めるものに限る。）

⑤　当該株式会社の新株予約権を引き受ける者の募集（第２４１条第１項各号に掲げる事項を定めるものに限る。）

⑥　第２７７条<新株予約権無償割当て>に規定する新株予約権無償割当て

⑦　合併

⑧　吸収分割

⑨　吸収分割による他の会社がその事業に関して有する権利義務の全部又は一部の承継

⑩　新設分割

⑪　株式交換

⑫　株式交換による他の株式会社の発行済株式全部の取得

⑬　株式移転

⑭　株式交付

Ⅱ　種類株式発行会社は、ある種類の株式の内容として、前項の規定による種類株主総会の決議を要しない旨を定款で定めることができる。

Ⅲ　第１項の規定は、前項の規定による定款の定めがある種類の株式の種類株主を構成員とする種類株主総会については、適用しない。ただし、第１項第１号に規定する定款の変更（単元株式数についてのものを除く。）を行う場合は、この限りでない。

Ⅳ　ある種類の株式の発行後に定款を変更して当該種類の株式について第２項の規定による定款の定めを設けようとするときは、当該種類の種類株主全員の同意を得なければならない。

第３２３条　（種類株主総会の決議を必要とする旨の定めがある場合）

　種類株式発行会社において、ある種類の株式の内容として、株主総会（取締役会設置会社にあっては株主総会又は取締役会、第４７８条第８項に規定する清算人会設置会社にあっては株主総会又は清算人会）において決議すべき事項について、当該決議のほか、当該種類の株式の種類株主を構成員とする種類株主総会の決議があることを必要とする旨の定めがあるときは、当該事項は、その定款の定めに従い、株主総会、取締役会又は清算人会の決議のほか、当該種類の株式の種類株主を構成員とする種類株主総会の決議がなければ、その効力を生じない。ただし、当該種類株主総会において議決権を行使することができる種類株主が存しない場合は、この限りでない。

第３２４条　（種類株主総会の決議）

Ⅰ　種類株主総会の決議は、定款に別段の定めがある場合を除き、その種類の株式の総株主の議決権の過半数を有する株主が出席し、出席した当該株主の議決権の過半数をもって行う。

Ⅱ　前項の規定にかかわらず、次に掲げる種類株主総会の決議は、当該種類株主総会において議決権を行使することができる株主の議決権の過半数（３分の１以上の割合を定款で定めた場合にあっては、その割合以上）を有する株主が出席し、出席した当該株主の議決権の３分の２（これを上回る割合を定款で定めた場合にあっては、その割合）以上に当たる多数をもって行わなければならない。この場合においては、当該決議の要件に加えて、一定の数以上の株主の賛成を要する旨その他の要件を定款で定めることを妨げない。

①　第１１１条第２項＜種類株式に譲渡制限、全部取得条項を付する場合における定款変更＞の種類株主総会（ある種類の株式の内容として第１０８条第１項第７号に掲げる事項についての定款の定めを設ける場合に限る。）

②　第１９９条第４項＜募集株式の種類が譲渡制限株式である場合に必要とされる種類株主総会特別決議＞及び第２００条第４項＜募集株式の種類が譲渡制限株式であり募集事項の決定の委任をする場合に必要とされる種類株主総会特別決議＞の種類株主総会

③　第２３８条第４項＜種類株式発行会社において募集新株予約権の目的である株式の種類が譲渡制限株式である場合の募集事項の決定に当たっての種類株主総会の決議＞及び第２３９条第４項＜種類株式発行会社において募集新株予約権の種類が譲渡制限株式である場合の募集事項の委任に当たっての種類株主総会決議＞の種類株主総会

④　第３２２条第１項＜ある種類の種類株主に損害を及ぼすおそれがある場合の種類株主総会＞の種類株主総会

⑤　第３４７条第２項＜種類株主総会における取締役又は監査役の選任等＞の規定により読み替えて適用する第３３９条第１項＜役員及び会計監査人の解任＞の種類株主総会

⑥　第７９５条第４項＜吸収合併契約等の承認等における種類株主総会決議＞の種類株主総会

⑦　第８１６条の３第３項＜株式交付計画の承認等における種類株主総会＞の種類

株主総会

Ⅲ　前2項の規定にかかわらず、次に掲げる種類株主総会の決議は、当該種類株主総会において議決権を行使することができる株主の半数以上（これを上回る割合を定款で定めた場合にあっては、その割合以上）であって、当該株主の議決権の3分の2（これを上回る割合を定款で定めた場合にあっては、その割合）以上に当たる多数をもって行わなければならない。

① 第111条第2項<種類株式に譲渡制限、全部取得条項を付する場合における定款変更>の種類株主総会（ある種類の株式の内容として第108条第1項第4号に掲げる事項についての定款の定めを設ける場合に限る。）

② 第783条第3項<吸収合併等により合併対価として譲渡制限株式等が交付される場合>及び第804条第3項<新設合併等により合併対価として譲渡制限株式等が交付される場合>の種類株主総会

【関連条文】108 Ⅰ⑧［拒否権付種類株式］、324 Ⅱ④［種類株主総会の特別決議］

第325条　（株主総会に関する規定の準用）

前款（第295条第1項及び第2項、第296条第1項及び第2項並びに第309条を除く。）の規定は、種類株主総会について準用する〈書〉。この場合において、第297条第1項中「総株主」とあるのは「総株主（ある種類の株式の株主に限る。以下この款（第308条第1項を除く。）において同じ。）」と、「株主は」とあるのは「株主（ある種類の株式の株主に限る。以下この款（第318条第4項及び第319条第3項を除く。）において同じ。）は」と読み替えるものとする。

【関連条文】規 95

第3款　電子提供措置

第325条の2　（電子提供措置をとる旨の定款の定め）

株式会社は、取締役が株主総会（種類株主総会を含む。）の招集の手続を行うときは、次に掲げる資料（以下この款において「株主総会参考書類等」という。）の内容である情報について、電子提供措置（電磁的方法により株主（種類株主総会を招集する場合にあっては、ある種類の株主に限る。）が情報の提供を受けることができる状態に置く措置であって、法務省令で定めるものをいう。以下この款、第911条第3項第12号の2及び第976条第19号において同じ。）をとる旨を定款で定めることができる。この場合において、その定款には、電子提供措置をとる旨を定めれば足りる。

① 株主総会参考書類

② 議決権行使書面

③ 第437条の計算書類及び事業報告

④ 第444条第6項の連結計算書類

第325条の3　（電子提供措置）

Ⅰ　電子提供措置をとる旨の定款の定めがある株式会社の取締役は、第299条第2

項各号<株主総会の招集の通知を書面でしなければならない場合>に掲げる場合には、株主総会の日の３週間前の日又は同条第１項の通知を発した日のいずれか早い日（以下この款において「電子提供措置開始日」という。）から株主総会の日後３箇月を経過する日までの間（以下この款において「電子提供措置期間」という。）、次に掲げる事項に係る情報について継続して電子提供措置をとらなければならない。

① 第２９８条第１項各号<株主総会を招集する場合に定めなければならない事項>に掲げる事項
② 第３０１条第１項に規定する場合には、株主総会参考書類及び議決権行使書面に記載すべき事項
③ 第３０２条第１項に規定する場合には、株主総会参考書類に記載すべき事項
④ 第３０５条第１項の規定による請求があった場合には、同項の議案の要領
⑤ 株式会社が取締役会設置会社である場合において、取締役が定時株主総会を招集するときは、第４３７条の計算書類及び事業報告に記載され、又は記録された事項
⑥ 株式会社が会計監査人設置会社（取締役会設置会社に限る。）である場合において、取締役が定時株主総会を招集するときは、第４４４条第６項の連結計算書類に記載され、又は記録された事項
⑦ 前各号に掲げる事項を修正したときは、その旨及び修正前の事項

Ⅱ 前項の規定にかかわらず、取締役が第２９９条第１項<株主総会の招集の通知>の通知に際して株主に対し議決権行使書面を交付するときは、議決権行使書面に記載すべき事項に係る情報については、前項の規定により電子提供措置をとることを要しない。

Ⅲ 第１項の規定にかかわらず、金融商品取引法第２４条第１項の規定によりその発行する株式について有価証券報告書を内閣総理大臣に提出しなければならない株式会社が、電子提供措置開始日までに第１項各号に掲げる事項（定時株主総会に係るものに限り、議決権行使書面に記載すべき事項を除く。）を記載した有価証券報告書（添付書類及びこれらの訂正報告書を含む。）の提出の手続を同法第２７条の３０の２に規定する開示用電子情報処理組織（以下この款において単に「開示用電子情報処理組織」という。）を使用して行う場合には、当該事項に係る情報については、同項の規定により電子提供措置をとることを要しない。

第３２５条の４（株主総会の招集の通知等の特則）

Ⅰ 前条第１項の規定により電子提供措置をとる場合における第２９９条第１項<株主総会の招集の通知>の規定の適用については、同項中「２週間（前条第１項第３号又は第４号に掲げる事項を定めたときを除き、公開会社でない株式会社にあっては、１週間（当該株式会社が取締役会設置会社以外の株式会社である場合において、これを下回る期間を定款で定めた場合にあっては、その期間））」とあるのは、「２週間」とする。

Ⅱ 第２９９条第４項の規定にかかわらず、前条第１項の規定により電子提供措置をとる場合には、第２９９条第２項又は第３項の通知には、第２９８条第１項第５号<法務省令で定める事項>に掲げる事項を記載し、又は記録することを要しない。

この場合において、当該通知には、同項第1号から第4号までに掲げる事項のほか、次に掲げる事項を記載し、又は記録しなければならない。

① 電子提供措置をとっているときは、その旨
② 前条第3項の手続を開示用電子情報処理組織を使用して行ったときは、その旨
③ 前2号に掲げるもののほか、法務省令で定める事項

Ⅲ 第301条第1項、第302条第1項、第437条及び第444条第6項の規定にかかわらず、電子提供措置をとる旨の定款の定めがある株式会社においては、取締役は、第299条第1項<株主総会の招集の通知>の通知に際して、株主に対し、株主総会参考書類等を交付し、又は提供することを要しない。

Ⅳ 電子提供措置をとる旨の定款の定めがある株式会社における第305条第1項<議案要領通知請求権>の規定の適用については、同項中「その通知に記載し、又は記録する」とあるのは、「当該議案の要領について第325条の2に規定する電子提供措置をとる」とする。

第325条の5 （書面交付請求）

Ⅰ 電子提供措置をとる旨の定款の定めがある株式会社の株主（第299条第3項<電磁的方法による株主総会の招集の通知>（第325条において準用する場合を含む。）の承諾をした株主を除く。）は、株式会社に対し、第325条の3第1項各号（第325条の7において準用する場合を含む。）に掲げる事項（以下この条において「電子提供措置事項」という。）を記載した書面の交付請求することができる。

Ⅱ 取締役は、第325条の3第1項の規定により電子提供措置をとる場合には、第299条第1項<株主総会の招集の通知>の通知に際して、前項の規定による請求（以下この条において「書面交付請求」という。）をした株主（当該株主総会において議決権を行使することができる者を定めるための基準日（第124条第1項に規定する基準日をいう。）を定めた場合にあっては、当該基準日までに書面交付請求をした者に限る。）に対し、当該株主総会に係る電子提供措置事項を記載した書面を交付しなければならない。

Ⅲ 株式会社は、電子提供措置事項のうち法務省令で定めるものの全部又は一部については、前項の規定により交付する書面に記載することを要しない旨を定款で定めることができる。

Ⅳ 書面交付請求をした株主がある場合において、その書面交付請求の日（当該株主が次項ただし書の規定により異議を述べた場合にあっては、当該異議を述べた日）から1年を経過したときは、株式会社は、当該株主に対し、第2項の規定による書面の交付を終了する旨を通知し、かつ、これに異議のある場合には一定の期間（以下この条において「催告期間」という。）内に異議を述べるべき旨を催告することができる。ただし、催告期間は、1箇月を下ることができない。

Ⅴ 前項の規定による通知及び催告を受けた株主がした書面交付請求は、催告期間を経過した時にその効力を失う。ただし、当該株主が催告期間内に異議を述べたときは、この限りでない。

第325条の6 （電子提供措置の中断）

第325条の3第1項の規定にかかわらず、電子提供措置期間中に電子提供措置の

中断（株主が提供を受けることができる状態に置かれた情報がその状態に置かれないこととなったこと又は当該情報がその状態に置かれた後改変されたこと（同項第7号の規定により修正されたことを除く。）をいう。以下この条において同じ。）が生じた場合において、次の各号のいずれにも該当するときは、その電子提供措置の中断は、当該電子提供措置の効力に影響を及ぼさない。

① 電子提供措置の中断が生ずることにつき株式会社が善意でかつ重大な過失がないこと又は株式会社に正当な事由があること。

② 電子提供措置の中断が生じた時間の合計が電子提供措置期間の１０分の１を超えないこと。

③ 電子提供措置開始日から株主総会の日までの期間中に電子提供措置の中断が生じたときは、当該期間中に電子提供措置の中断が生じた時間の合計が当該期間の１０分の１を超えないこと。

④ 株式会社が電子提供措置の中断が生じたことを知った後速やかにその旨、電子提供措置の中断が生じた時間及び電子提供措置の中断の内容について当該電子提供措置に付して電子提供措置をとったこと。

第３２５条の７（株主総会に関する規定の準用）

第３２５条の３から前条まで（第３２５条の３第１項（第５号及び第６号に係る部分に限る。）及び第３項並びに第３２５条の５第１項及び第３項から第５項までを除く。）の規定は、種類株主総会について準用する。この場合において、第３２５条の３第１項中「第２９９条第２項各号」とあるのは「第３２５条において準用する第２９９条第２項各号」と、「同条第１項」とあるのは「同条第１項（第３２５条において準用する場合に限る。次項、次条及び第３２５条の５において同じ。）」と、「第２９８条第１項各号」とあるのは「第２９８条第１項各号（第３２５条において準用する場合に限る。）」と、「第３０１条第１項」とあるのは「第３２５条において準用する第３０１条第１項」と、「第３０２条第１項」とあるのは「第３２５条において準用する第３０２条第１項」と、「第３０５条第１項」とあるのは「第３０５条第１項（第３２５条において準用する場合に限る。次条第４項において同じ。）」と、同条第２項中「株主」とあるのは「株主（ある種類の株式の株主に限る。次条から第３２５条の６までにおいて同じ。）」と、第３２５条の４第２項中「第２９９条第４項」とあるのは「第３２５条において準用する第２９９条第４項」と、「第２９９条第２項」とあるのは「第３２５条において準用する第２９９条第２項」と、「第２９８条第１項第５号」とあるのは「第３２５条において準用する第２９８条第１項第５号」と、「同項第１号から第４号まで」とあるのは「第３２５条において準用する同項第１号から第４号まで」と、同条第３項中「第３０１条第１項、第３０２条第１項、第４３７条及び第４４４条第６項」とあるのは「第３２５条において準用する第３０１条第１項及び第３０２条第１項」と読み替えるものとする。

【令元改正】株主総会の招集通知に際して株主総会参考書類等（株主総会参考書類、議決権行使書面、計算書類・事業報告、連結計算書類）を交付する場合、原則として書面（紙）ですることを要する（301 Ⅰ、302 Ⅰ、437、444 Ⅵ）。これらを電子メール等の電磁的方法で提供することも可能ではあるが、株主の個別の承諾を得なければならず（301 Ⅱ、302 Ⅲなど）、多数の株主から個別の承諾を得ることは困難であるから、実務上、これらは書面によって交付されるのが通常とされていた。

そこで、令和元年改正会社法は、株主総会参考書類等について、株主の個別の承諾を得ることなく、書面（紙）の交付に代えてインターネットのウェブサイト上に掲載するという電子提供措置をとることを可能とする制度（325の2）を新設した。これにより、書面（紙）による株主総会参考書類等の印刷・郵送に伴う時間・費用が削減され、より早期により充実した内容の株主総会参考書類等を株主に提供することが可能となり、株主も資料の内容を検討する時間をより長く確保できるようになる。

《注　釈》

一　電子提供措置の実施

株式会社において、株主総会参考書類等（株主総会参考書類（301 Ⅰ）、議決権行使書面（301 Ⅰ）、計算書類・事業報告（437）、連結計算書類（444 Ⅵ）。325の2①～④参照）について、電子提供措置（電磁的方法により株主が情報の提供を受けることができる状態に置く措置）をとるためには、「電子提供措置をとる」などの定款の定めが必要となる（325の2）。

そして、この定款の定めがある株式会社において、実際に電子提供措置をとらなければならないのは、①書面投票・電子投票を実施する場合（299 Ⅱ①）、又は②株式会社が取締役会設置会社である場合（299 Ⅱ②）である（325の3 Ⅰ柱書）。

二　電子提供措置により提供される情報

電子提供措置をとる旨の定款の定めがある株式会社の取締役は、325条の3第1項各号に掲げる事項（電子提供措置事項）に係る情報について、電子提供措置をとらなければならない（325の3 Ⅰ）。

→株主総会の招集通知に際して議決権行使書面を交付したときは、議決権行使書面に記載すべき事項に係る情報について、電子提供措置をとることを要しない（325の3 Ⅱ）

三　電子提供措置期間

1　電子提供措置は、株主総会の日の3週間前の日又は招集通知を発した日のいずれか早い日（電子提供措置開始日）から、株主総会の日後3か月を経過する日までの間、継続してとらなければならない（電子提供措置期間、325の3 Ⅰ）。

→株主総会が終了した後も電子提供措置を継続してとらなければならないのは、株主総会決議取消しの訴え（831 Ⅰ）において証拠として利用される可能性があるためである

2　電子提供措置期間中において、停電やサーバーの故障による通信障害、ハッカーによる不正な情報改変などが原因で電子提供措置が中断した場合でも、325条の6各号のいずれにも該当するときは、電子提供措置の効力に影響を及ぼさない（325の6）。

四　株主総会の招集通知の特則

電子提供措置をとることにより、株主総会の招集通知に際して、株主に対し、株主総会参考書類等の交付・提供が不要となる（325の4Ⅲ）。もっとも、株主がウェブサイトにアクセスできるようにする必要があるため、取締役は、株主総会の日の２週間前までに株主総会の招集通知を発送しなければならない（325の4Ⅰ・299Ⅰ）。

→株主総会の招集通知には、298条1項1～4号に掲げる事由のほか、電子提供措置をとっている旨やそのＵＲＬなどの情報を記載すれば足りる（325の4Ⅱ参照）

五　株主の書面交付請求権

1　電子提供措置をとる場合、株主は、株主総会の招集通知に記載された情報を基に当該ウェブサイトに各自アクセスし、株主総会参考書類等の情報を入手することになる。もっとも、インターネットの利用が困難な株主の利益にも配慮する必要がある。そこで、株主は、株式会社に対し、電子提供措置事項（325の3Ⅰ各号参照）を記載した書面の交付請求することができる（書面交付請求権、325の5Ⅰ）。この規定は、強行法規である。

株主は、会社が株主総会の基準日（124Ⅰ）を設けている場合は、当該基準日までに書面交付請求権を行使する必要がある（325の5Ⅱ参照）。

∵　取締役は、「当該基準日までに書面交付請求をした者」（325の5Ⅱかっこ書）に限り、書面を交付しなければならないとの規定が置かれているため

2　株式会社は、書面交付請求を受けた場合でも、電子提供措置事項のうち一定の事項については、その交付する書面に記載することを要しない旨を定款で定めることができる（325の5Ⅲ）。

3　株主が書面交付請求をした場合には、これを撤回しない限り、その後に行われる全ての株主総会についても書面交付請求をしたものとして扱われる。しかし、それでは株主総会参考書類等の印刷・郵送に伴う時間・費用の削減という電子提供措置の制度趣旨が損なわれる。

そこで、書面交付請求の日から1年を経過したときは、株式会社は、当該株主に対し、書面の交付を終了する旨を通知し、これに異議のある場合には一定の催告期間内（1か月以上）に異議を述べるべき旨を催告することができる（325の5Ⅳ）。

→催告期間内に当該株主が異議を述べなかった場合、当該株主がした書面交付請求は、催告期間経過時に効力を失う（325の5Ⅴ本文）

→催告期間内に当該株主が異議を述べた場合、当該株主がした書面交付請求の効力は失われないが、当該異議を述べた日から1年を経過した後、再度、株式会社は同様の催告をすることができる（325の5Ⅳかっこ書）

■第2節　株主総会以外の機関の設置

第326条（株主総会以外の機関の設置）

Ⅰ　株式会社には、１人又は２人以上の取締役を置かなければならない〈司。

Ⅱ　株式会社は、定款の定めによって、取締役会、会計参与、監査役、監査役会、会計監査人、監査等委員会又は指名委員会等を置くことができる〈予。

［趣旨］所有と経営の制度的分離を図るため、すべての株式会社には、株主総会及び取締役を置かなければならないとしつつ（Ⅰ、590Ⅰ参照）、起業の促進を図るとともに、コーポレートガバナンスの多様なニーズに応ずるため、定款で、取締役会・会計参与・監査役・監査役会・会計監査人・監査等委員会・指名委員会等という機関を置くことを認めている（機関設計自由の原則、Ⅱ）。

第327条（取締役会等の設置義務等）

Ⅰ　次に掲げる株式会社は、取締役会を置かなければならない〈書。

①　公開会社〈司予

②　監査役会設置会社〈司予

③　監査等委員会設置会社

④　指名委員会等設置会社

Ⅱ　取締役会設置会社（監査等委員会設置会社及び指名委員会等設置会社を除く。）は、監査役を置かなければならない〈予。ただし、公開会社でない会計参与設置会社については、この限りでない。

Ⅲ　会計監査人設置会社（監査等委員会設置会社及び指名委員会等設置会社を除く。）は、監査役を置かなければならない。

Ⅳ　監査等委員会設置会社及び指名委員会等設置会社は、監査役を置いてはならない〈予。

Ⅴ　監査等委員会設置会社及び指名委員会等設置会社は、会計監査人を置かなければならない〈司予書。

Ⅵ　指名委員会等設置会社は、監査等委員会を置いてはならない。

［趣旨］コーポレートガバナンスの多様なニーズに応ずるため、機関設計の柔軟化が図られている。もっとも、株主や会社債権者の利益を保護するため、一定の機関の設置を会社の規模等に応じて義務付けることにし、機関設計の基本ルールを定めている。４項の趣旨は、監査等委員会設置会社及び指名委員会等設置会社は取締役会の監督機能が強化される反面、これと重複するような監督機関は不要となるため、監査役を置くことはできないことを明確にする点にある。

株式会社

《注　釈》

＜取締役会設置会社と取締役会設置会社でない株式会社の比較＞

<table>
<tr><th></th><th>取締役会設置会社</th><th>取締役会設置会社でない株式会社</th></tr>
<tr><td>株主総会の招集通知</td><td>書面又は電磁的方法（299 Ⅱ②）</td><td>制限なし（ただし299 Ⅱ①）</td></tr>
<tr><td>株主総会の決議事項</td><td>会社法に規定する事項及び定款で定めた事項に限られる（295 Ⅱ）</td><td>株式会社に関する一切の事項について決議することができる（295 Ⅰ）</td></tr>
<tr><td>株主提案権の行使</td><td>一定の要件がある場合あり（303、304、305）</td><td>要件なし（303、304、305）</td></tr>
<tr><td>議決権不統一行使の旨の事前通知</td><td>必要（会日の３日前までにする、313 Ⅱ）</td><td>不要</td></tr>
<tr><td>監査役の設置</td><td>原則として必要（327Ⅱ）</td><td>任意</td></tr>
<tr><td>計算書類等の株主への提供</td><td>必要（437）</td><td>不要</td></tr>
<tr><td>中間配当の可否</td><td>可（454 Ⅴ）</td><td rowspan="2"></td></tr>
<tr><td>市場取引等による自己株式の取得決定権限の定款による取締役会への委譲</td><td>可（165 Ⅱ）</td></tr>
<tr><td>募集株式の発行等における、募集事項の決定の委任先（200 Ⅰ）</td><td rowspan="5">取締役会</td><td rowspan="5">取締役</td></tr>
<tr><td>株主総会の招集の決定（298 Ⅳ）</td></tr>
<tr><td>監査役の取締役の不正行為等の報告先（382）</td></tr>
<tr><td>公開会社でない株式会社が募集新株予約権の発行を行う場合における、募集事項等の決定の委任先（239 Ⅰ）</td></tr>
<tr><td>株式の発行と同時にする資本金の額の減少であって、一定の要件をみたす場合における資本金の額の減少に関する事項についての決定（447 Ⅲ）</td></tr>
</table>

	取締役会設置会社	取締役会設置会社でない株式会社
譲渡制限株式の譲渡の承認・指定買取人の決定（139Ⅰ・140Ⅴ）	取締役会	株主総会
子会社の有する自己株式の取得に関する事項の決定（163）	取締役会	株主総会
募集株式が譲渡制限株式である場合の割当てに関する事項の決定（204Ⅱ）	取締役会	株主総会
競業及び利益相反取引についての承認（356Ⅰ、365Ⅰ）	取締役会	株主総会
会社・取締役間の訴訟において会社を代表する者の決定（353、364）	株主総会又は取締役会	株主総会
定款規定による、役員等の任務懈怠責任の一部免除の決定（426Ⅰ）	取締役会（当該責任を負う取締役は議決権行使不可）	取締役（当該責任を負う取締役を除く）の過半数

第３２７条の２　（社外取締役の設置義務）

監査役会設置会社（公開会社であり、かつ、大会社であるものに限る。）であって金融商品取引法第２４条第１項の規定によりその発行する株式について有価証券報告書を内閣総理大臣に提出しなければならないものは、社外取締役を置かなければならない予。

【令元改正】我が国の資本市場が信頼されるようにするためには、上場会社において、業務執行者から独立した客観的な立場からの監督機能を果たすことが期待される社外取締役の設置を義務付けることが必要である。そこで、監査役会設置会社（公開・大会社に限る）であって、有価証券報告書提出会社（≒上場会社、金商24Ⅰ）については、社外取締役の設置が義務付けられることとなった。

なお、平成26年改正により導入された「社外取締役を置くことが相当でない理由」の説明義務（改正前327の2参照）は、令和元年改正後は課されなくなることに注意を要する。

《注　釈》

◆　社外取締役の設置に関する規定

1　上場会社等の設置義務（327の2）

監査役会設置会社（公開・大会社に限る）であって、有価証券報告書提出会社（≒上場会社、金商24Ⅰ）については、社外取締役の設置が義務付けられる。社外取締役の人数は、１人でもよい。この場合において、社外取締役を選任しなかったときは、過料に処せられる（976⑲の2）。

2　特別取締役による取締役会の決議（373）

取締役の数が6人以上（373Ⅰ①）であり、かつ、取締役のうち１人以上が

株式会社

社外取締役（同②）である取締役会設置会社（指名委員会等設置会社を除く）では、重要な財産の処分・譲受け（362 Ⅳ①、399の13 Ⅳ①）、多額の借財（362 Ⅳ②、399の13 Ⅳ②）についての取締役会の決議について、特別取締役の決議に委ねることができる（373 Ⅰ）。

3　監査等委員会設置会社（331 Ⅵ）・指名委員会等設置会社（400 Ⅲ）

監査等委員会設置会社においては、監査等委員である取締役は、3人以上で、その過半数は、社外取締役でなければならない（331 Ⅵ）。また、指名委員会等設置会社の各委員会は、委員3人以上で、その過半数は、社外取締役でなければならない（400 Ⅰ Ⅲ）。

→監査等委員会設置会社・指名委員会等設置会社では、少なくとも2人以上の社外取締役を設置しなければならない

第328条（大会社における監査役会等の設置義務）

Ⅰ　大会社（公開会社でないもの、監査等委員会設置会社及び指名委員会等設置会社を除く。）は、監査役会及び会計監査人を置かなければならない〈司予書〉。

Ⅱ　公開会社でない大会社は、会計監査人を置かなければならない〈司〉。

【趣旨】大会社は類型的に利害関係人が多数に上るところ、会計知識・経験に関する資格要件が定められていない監査役・監査委員の監査では不十分であるため、企業の利害関係人保護のため会計監査人を置かなければならないとした。

《注　釈》

◆　大会社のガバナンスの仕組み

1　会計監査人の設置義務を負う（328）。

2　監査役会、監査等委員会又は、指名委員会等の設置義務を負う（ただし、公開会社に限る。328）。

3　内部統制システム構築についての決定義務を負う（348 Ⅳ、362 Ⅴ）。⇒ p.353

4　貸借対照表の他、損益計算書についても公告義務を負う（440 Ⅰ）。

5　連結計算書類の作成義務を負う（ただし、有価証券報告書提出会社に限る。444 Ⅲ）。

【関連条文】2⑥［大会社］

■第3節　役員及び会計監査人の選任及び解任

第1款　選任

第329条（選任）

Ⅰ　役員（取締役、会計参与及び監査役をいう。以下この節、第371条第4項及び第394条第3項において同じ。）及び会計監査人は、株主総会の決議によって選任する〈共予〉。

Ⅱ　監査等委員会設置会社においては、前項の規定による取締役の選任は、監査等委

員である取締役とそれ以外の取締役とを区別してしなければならない。
Ⅲ　第1項の決議をする場合には、法務省令で定めるところにより、役員（監査等委員会設置会社にあっては、監査等委員である取締役若しくはそれ以外の取締役又は会計参与。以下この項において同じ。）が欠けた場合又はこの法律若しくは定款で定めた役員の員数を欠くこととなるときに備えて補欠の役員を選任することができる〈共予〉。

［趣旨］会社すなわち株主全体にとって重要な役割を担う者の選任は、出資者たる株主の意思にかからしめるべきであることから、役員の選任は株主総会の権限とされた。

《注　釈》

一　「選任」・「解任」と「選定」・「解職」

「選任」（329）・「解任」（339）は、取締役・会計参与・監査役などについて用いられ、会社法上の一定の地位を有しない者にこれを付与し、又は、地位を有する者からその地位を剥奪する場合に用いられる文言である。

一方、「選定」・「解職」（362Ⅱ③）は、代表取締役・代表執行役などについて用いられ、会社法上の一定の地位を有する者について、さらに一定の地位を付与し、又はこれを剥奪する場合に用いられる文言である。

二　役員選任の効力

株主総会による役員選任決議は会社の内部的意思決定にすぎないから、役員選任の効力が生じるためには、会社代表者と被選任者との間の委任契約が必要となる（330）〈予〉。

【関連条文】341［役員等の選任の株主総会決議］、規96

第330条　（株式会社と役員等との関係）

株式会社と役員及び会計監査人との関係は、委任に関する規定に従う。

《注　釈》

一　株式会社と役員等との関係

取締役・監査役等の役員等と会社の実質関係は委任関係であって（民643以下）、もっぱら会社のためにその権限を行使することを要する旨を規定している（善管注意義務、民644）。

二　会計監査人の責任

「通常実施すべき監査手続」に従って、個別の被監査会社の状況に応じて、監査計画を策定し、画一的なものではない多様な監査証拠を入手し、監査要点に応じて必要かつ十分と考えられる監査手続を実施することが、会計監査人に課せられた善管注意義務である（大阪地判平20.4.18・百選71事件）。

【関連条文】355［忠実義務］、423［役員等の株式会社に対する損害賠償責任］

第331条　（取締役の資格等）〈司〉

Ⅰ　次に掲げる者は、取締役となることができない〈予書〉。

① 法人〈予書
② 削除
③ この法律若しくは一般社団法人及び一般財団法人に関する法律（平成１８年法律第４８号）の規定に違反し、又は金融商品取引法第１９７条、第１９７条の２第１号から第１０号の３まで若しくは第１３号から第１５号まで、第１９８条第８号、第１９９条、第２００条第１号から第１２号の２まで、第２０号若しくは第２１号、第２０３条第３項若しくは第２０５条第１号から第６号まで、第１９号若しくは第２０号の罪、民事再生法（平成１１年法律第２２５号）第２５５条、第２５６条、第２５８条から第２６０条まで若しくは第２６２条の罪、外国倒産処理手続の承認援助に関する法律（平成１２年法律第１２９号）第６５条、第６６条、第６８条若しくは第６９条の罪、会社更生法（平成１４年法律第１５４号）第２６６条、第２６７条、第２６９条から第２７１条まで若しくは第２７３条の罪若しくは破産法（平成１６年法律第７５号）第２６５条、第２６６条、第２６８条から第２７２条まで若しくは第２７４条の罪を犯し、刑に処せられ、その執行を終わり、又はその執行を受けることがなくなった日から２年を経過しない者〈書
④ 前号に規定する法律の規定以外の法令の規定に違反し、禁錮以上の刑に処せられ、その執行を終わるまで又はその執行を受けることがなくなるまでの者（刑の執行猶予中の者を除く。）

Ⅱ 株式会社は、取締役が株主でなければならない旨を定款で定めることができない。ただし、公開会社でない株式会社においては、この限りでない〈予書。
Ⅲ 監査等委員である取締役は、監査等委員会設置会社若しくはその子会社の業務執行取締役若しくは支配人その他の使用人又は当該子会社の会計参与（会計参与が法人であるときは、その職務を行うべき社員）若しくは執行役を兼ねることができない。
Ⅳ 指名委員会等設置会社の取締役は、当該指名委員会等設置会社の支配人その他の使用人を兼ねることができない〈司予。
Ⅴ 取締役会設置会社においては、取締役は、３人以上でなければならない。
Ⅵ 監査等委員会設置会社においては、監査等委員である取締役は、３人以上で、その過半数は、社外取締役でなければならない〈予書。

【令元改正】令和元年改正前会社法331条１項２号は、取締役の欠格事由として「成年被後見人若しくは被保佐人又は外国の法令上これらと同様に取り扱われている者」を掲げていた。しかし、このような欠格条項の存在が成年後見制度の利用を躊躇させる要因の１つとなっているとの指摘を受け、成年後見制度の利用を促進するために、上記欠格条項は削除され、新たに成年被後見人等の取締役の就任に関する331条の２が設けられるに至った。

［趣旨］２項の趣旨は、公開会社において広く適材を得ることができるようにする点にある。他方、非公開会社に関する２項ただし書は、非公開会社の閉鎖的な性格から、取締役の資格に関し広い定款自治を認めている。３項の兼任禁止規定は、監査する者と監査される者が同一であると監査の実効性に疑念が生じるために置かれている。４項は、取締役の執行役を監督する職務との矛盾を防ぐため、取締役と使

用人とを分離している。6項は、社外取締役の活用を促進するための規定であり、指名委員会等設置会社の委員会構成に倣ったものである。

《注　釈》

一　事後的な資格喪失

取締役は、就任後、本条の資格を失うと、当然に地位を失う。

二　欠格事由と兼任禁止の違い

欠格事由は、その事由がある場合には、当然に、その者はその役員等に就任することができず、また、役員等に就任後に欠格事由が生じた場合には、当然にその役員としての地位を失うことになる。一方、兼任禁止は、欠格事由のように、当然にその役員としての地位を失うわけではなく、役員に対し、他の役職への就任の受諾を禁止しているにすぎない。

【関連条文】335 Ⅰ［監査役の資格］、402 Ⅳ［執行役の資格］

第331条の2

Ⅰ　成年被後見人が取締役に就任するには、その成年後見人が、成年被後見人の同意（後見監督人がある場合にあっては、成年被後見人及び後見監督人の同意）を得た上で、成年被後見人に代わって就任の承諾をしなければならない予書。

Ⅱ　被保佐人が取締役に就任するには、その保佐人の同意を得なければならない書。

Ⅲ　第1項の規定は、保佐人が民法第876条の4第1項の代理権を付与する旨の審判に基づき被保佐人に代わって就任の承諾をする場合について準用する。この場合において、第1項中「成年被後見人の同意（後見監督人がある場合にあっては、成年被後見人及び後見監督人の同意）」とあるのは、「被保佐人の同意」と読み替えるものとする。

Ⅳ　成年被後見人又は被保佐人がした取締役の資格に基づく行為は、行為能力の制限によっては取り消すことができない。

【令元改正】成年後見制度の利用を促進するために、取締役の欠格事由について規定していた改正前会社法331条1項2号は削除され、成年被後見人等の取締役への就任に関する本条が新設された。

《注　釈》

◆　成年被後見人等の取締役等への就任

本条は、設立時取締役・設立時監査役（39 Ⅴ）、監査役（335 Ⅰ）、執行役（402 Ⅳ）、清算人（478 Ⅷ）に準用されている。

<成年被後見人等の取締役等への就任>

		誰の同意を要するか	誰が就任の承諾をするか
成年被後見人	後見監督人あり	成年被後見人及び後見監督人（331の2 Ⅰかっこ書）	成年後見人（331の2 Ⅰ）
	後見監督人なし	成年被後見人（331の2 Ⅰ）	

		誰の同意を要するか	誰が就任の承諾をするか
被保佐人	就任承諾に係る保佐人の代理権（民876の4Ⅰ）あり	被保佐人（331の2Ⅲ・同Ⅰ）	保佐人（331の2Ⅲ・同Ⅰ）
	就任承諾に係る保佐人の代理権（民876の4Ⅰ）なし	保佐人（331の2Ⅱ）	被保佐人（331の2Ⅱ）

同意を得ずに就任の承諾をしても、その効力は生じない。

成年被後見人又は被保佐人がした取締役の資格に基づく行為は、行為能力の制限によっては取り消すことができない（331の2Ⅳ）。

なお、取締役等の欠格事由から成年被後見人が除外（改正前331Ⅰ②削除）されたとはいえ、後見開始の審判は委任の終了事由とされ、取締役等が後見開始の審判を受けたときは、その地位を失うことに注意を要する（330、402Ⅲ、478Ⅷ、民653③）。この者を再度取締役等に選任するかどうかは、別途、その後の株主総会で判断される。

これに対し、保佐開始の審判は委任の終了事由とはされておらず、取締役等が保佐開始の審判を受けても、当然にはその地位を失うことはない（民653各号参照）。

第３３２条　（取締役の任期）

Ⅰ　取締役の任期は、選任後２年以内に終了する事業年度のうち最終のものに関する定時株主総会の終結の時までとする。ただし、定款又は株主総会の決議によって、その任期を短縮することを妨げない〈司予。

Ⅱ　前項の規定は、公開会社でない株式会社（監査等委員会設置会社及び指名委員会等設置会社を除く〈予。）において、定款によって、同項の任期を選任後１０年以内に終了する事業年度のうち最終のものに関する定時株主総会の終結の時まで伸長することを妨げない〈司書。

Ⅲ　監査等委員会設置会社の取締役（監査等委員であるものを除く。）についての第１項の規定の適用については、同項中「２年」とあるのは、「１年」とする〈予書。

Ⅳ　監査等委員である取締役の任期については、第１項ただし書の規定は、適用しない〈予書。

Ⅴ　第１項本文の規定は、定款によって、任期の満了前に退任した監査等委員である取締役の補欠として選任された監査等委員である取締役の任期を退任した監査等委員である取締役の任期の満了する時までとすることを妨げない。

Ⅵ　指名委員会等設置会社の取締役についての第１項の規定の適用については、同項中「２年」とあるのは、「１年」とする。

Ⅶ　前各項の規定にかかわらず、次に掲げる定款の変更をした場合には、取締役の任期は、当該定款の変更の効力が生じた時に満了する〈書。

①　監査等委員会又は指名委員会等を置く旨の定款の変更

②　監査等委員会又は指名委員会等を置く旨の定款の定めを廃止する定款の変更〈書

③　その発行する株式の全部の内容として譲渡による当該株式の取得について当該

株式会社の承認を要する旨の定款の定めを廃止する定款の変更（監査等委員会設置会社及び指名委員会等設置会社がするものを除く。）

【3項読替え】

監査等委員会設置会社の取締役（監査等委員であるものを除く。）の任期は、選任後1年以内に終了する事業年度のうち最終のものに関する定時株主総会の終結の時までとする。ただし、定款又は株主総会の決議によって、その任期を短縮することを妨げない。

【6項読替え】

指名委員会等設置会社の取締役の任期は、選任後1年以内に終了する事業年度のうち最終のものに関する定時株主総会の終結の時までとする。ただし、定款又は株主総会の決議によって、その任期を短縮することを妨げない。

[趣旨] 本条で取締役の任期につき上限を定めている理由は、取締役の地位が長く続くことによる弊害を防止すべく、適切な時期に株主の信任にかかるコントロールを確保する点にある。

＜任期の整理＞

	最長期間	定款等による短縮の可否	備考
取締役（原則）	2年（332Ⅰ本文）（＊1）	○（332Ⅰただし書）（＊2）	非公開会社（監査等委員会設置会社・指名委員会等設置会社を除く）では、定款により10年まで伸長することが可能（332Ⅱ）
監査等委員の取締役	2年（332Ⅰ本文）	×（332Ⅳ）	補欠の監査等委員の取締役の任期は、定款で退任した監査等委員である取締役の任期満了までとすることができる（332Ⅴ）
監査等委員以外の取締役	1年（332Ⅲ）	○（332Ⅰただし書）	—
指名委員会等の取締役	1年（332Ⅵ）	○（332Ⅰただし書）	—
執行役	1年（402Ⅶ本文）（＊3）	○（402Ⅶただし書）	—

	最長期間	定款等による短縮の可否	備考
監査役	4年（336 Ⅰ）	× （332 Ⅰただし書との対比）	・非公開会社では、定款により10年まで伸長することが可能（336 Ⅱ） ・補欠監査役の任期は、定款で退任した監査役の任期満了までとすることができる（336 Ⅲ）
会計参与	2年(334 Ⅰ・332 Ⅰ本文) →監査等委員会設置会社・指名委員会等設置会社では1年(334 Ⅰ・332 Ⅲ、332 Ⅵ)	○ （334 Ⅰ・332 Ⅰただし書）	非公開会社（監査等委員会設置会社・指名委員会等設置会社を除く）では、定款により10年まで伸長することが可能（334 Ⅰ・332 Ⅱ）
会計監査人	1年（338 Ⅰ）	× （332 Ⅰただし書との対比）	定時株主総会において別段の決議がされなかったときは、再任されたものとみなす（338 Ⅱ）

＊1　当該任期内に終了する事業年度のうち最終のものに関する定時株主総会の終結の時まで（以下同じ。ただし、執行役を除く。）。

＊2　取締役を２人以上選任する場合において、株主総会の決議によって任期を短縮するときは、各取締役について異なる任期を定めることもできる〈書〉。

＊3　当該任期内に終了する事業年度のうち最終のものに関する定時株主総会の終結後最初に招集される取締役会の終結の時まで（402 Ⅶ本文）。

第３３３条　（会計参与の資格等）

Ⅰ　会計参与は、公認会計士若しくは監査法人又は税理士若しくは税理士法人でなければならない〈司〉。

Ⅱ　会計参与に選任された監査法人又は税理士法人は、その社員の中から会計参与の職務を行うべき者を選定し、これを株式会社に通知しなければならない。この場合においては、次項各号に掲げる者を選定することはできない。

Ⅲ　次に掲げる者は、会計参与となることができない。

①　株式会社又はその子会社の取締役〈司書〉、監査役若しくは執行役又は支配人その他の使用人

②　業務の停止の処分を受け、その停止の期間を経過しない者

③　税理士法（昭和２６年法律第２３７号）第４３条の規定により同法第２条第２項に規定する税理士業務を行うことができない者

第３３４条　（会計参与の任期）

Ⅰ　第３３２条<取締役の任期>（第４項及び第５項を除く。次項において同じ。）の規定は、会計参与の任期について準用する。

Ⅱ　前項において準用する第３３２条<取締役の任期>の規定にかかわらず、会計参与設置会社が会計参与を置く旨の定款の定めを廃止する定款の変更をした場合には、会計参与の任期は、当該定款の変更の効力が生じた時に満了する。

[趣旨]333条3項の趣旨は、会計参与の職務の独立性を確保する点にある。

第３３５条　（監査役の資格等）

Ⅰ　第３３１条第1項及び第2項<取締役の資格等>並びに第３３１条の2の規定は、監査役について準用する〈予。

Ⅱ　監査役は、株式会社若しくはその子会社の取締役若しくは支配人その他の使用人又は当該子会社の会計参与（会計参与が法人であるときは、その職務を行うべき社員）若しくは執行役を兼ねることができない〈司予。

Ⅲ　監査役会設置会社においては、監査役は、３人以上で、そのうち半数以上は〈司予書、社外監査役でなければならない。

[趣旨]２項の趣旨は、監査する者とされる者が同一人では公正な監査を期待できないから、兼任禁止を設けて、監査役の地位の独立性を確保することにある。３項は、業務執行担当者の影響を受けず客観的な意見を表明できる者が監査役の中に必要であることを考慮して定められた。

《注　釈》

◆　監査役の独立性の担保（335 Ⅱ）

1　横滑り監査

事業年度の途中で招集された株主総会において、それまで取締役であった者が監査役に選任されると（いわゆる「横滑り」）、自己が取締役であった期間につき自己を含む取締役の職務執行を監査する「自己監査」の事態が生じるが、この程度のことは許される（東京高判昭61.6.26〈最判昭62.4.21が上告棄却〉）。

2　会社の顧問弁護士と監査役の兼任

→顧問弁護士は335条２項の「使用人」には該当せず、監査役に就任することもできるとする見解が有力である

3　弁護士である監査役が特定の訴訟事件につき会社の代理人となることは、本条に反しない（最判昭61.2.18・百選70事件）。

4　兼任禁止にふれる者が監査役に選任された場合には、従前の地位を辞任して監査役に就任したとみなされ、同人が事実上従前の地位を継続したとしても、監査役の任務懈怠とはなるが選任決議の効力には影響を及ぼさない（最判平元.9.19）〈司H24。

第３３６条（監査役の任期）

Ⅰ　監査役の任期は、選任後４年以内に終了する事業年度のうち最終のものに関する定時株主総会の終結の時までとする〈司予書〉。

Ⅱ　前項の規定は、公開会社でない株式会社において、定款によって、同項の任期を選任後１０年以内に終了する事業年度のうち最終のものに関する定時株主総会の終結の時まで伸長することを妨げない〈予〉。

Ⅲ　第1項の規定は、定款によって、任期の満了前に退任した監査役の補欠として選任された監査役の任期を退任した監査役の任期の満了する時までとすることを妨げない。

Ⅳ　前３項の規定にかかわらず、次に掲げる定款の変更をした場合には、監査役の任期は、当該定款の変更の効力が生じた時に満了する〈書〉。

① 監査役を置く旨の定款の定めを廃止する定款の変更

② 監査等委員会又は指名委員会等を置く旨の定款の変更

③ 監査役の監査の範囲を会計に関するものに限定する旨の定款の定めを廃止する定款の変更

④ その発行する全部の株式の内容として譲渡による当該株式の取得について当該株式会社の承認を要する旨の定款の定めを廃止する定款の変更

《注　釈》

・監査役の任期を定款や選任決議により短縮することはできない（332 Ⅰただし書参照）〈司〉。

∵　監査役の地位を強化し、その独立性を確保する

第３３７条（会計監査人の資格等）

Ⅰ　会計監査人は、公認会計士又は監査法人でなければならない。

Ⅱ　会計監査人に選任された監査法人は、その社員の中から会計監査人の職務を行うべき者を選定し、これを株式会社に通知しなければならない。この場合においては、次項第２号に掲げる者を選定することはできない。

Ⅲ　次に掲げる者は、会計監査人となることができない。

① 公認会計士法の規定により、第４３５条第２項<計算書類等の作成>に規定する計算書類について監査をすることができない者

② 株式会社の子会社若しくはその取締役、会計参与、監査役若しくは執行役から公認会計士若しくは監査法人の業務以外の業務により継続的な報酬を受けている者又はその配偶者〈司〉

③ 監査法人でその社員の半数以上が前号に掲げる者であるもの

第３３８条（会計監査人の任期）

Ⅰ　会計監査人の任期は、選任後１年以内に終了する事業年度のうち最終のものに関する定時株主総会の終結の時までとする。

Ⅱ　会計監査人は、前項の定時株主総会において別段の決議がされなかったときは、当該定時株主総会において再任されたものとみなす〈共〉。

Ⅲ　前２項の規定にかかわらず、会計監査人設置会社が会計監査人を置く旨の定款の定めを廃止する定款の変更をした場合には、会計監査人の任期は、当該定款の変更

の効力が生じた時に満了する。

［趣旨］338条2項の趣旨は、会計監査人の地位の独立性と監査継続性を重視する点にある。

＜兼任禁止の整理＞司

	兼任禁止（当該株式会社をA社、その子会社をB社とする）
監査役	①　A社・B社の取締役・支配人・使用人（335 Ⅱ）（＊1）（＊2） ②　B社の会計参与・執行役（335 Ⅱ） →A社の監査役がA社の親会社の取締役・執行役・使用人を兼任することは可能
監査等委員である取締役	①　A社・B社の業務執行取締役・支配人・使用人（331 Ⅲ）（＊1）（＊2） ②　B社の会計参与・執行役（331 Ⅲ） →A社の監査等委員である取締役がA社の親会社の取締役・執行役・使用人を兼任することは可能
監査委員会の委員（監査委員）	①　A社・B社の執行役・業務執行取締役（400 Ⅳ）（＊1） ②　B社の会計参与・支配人・使用人（400 Ⅳ） →A社の監査委員がA社の親会社の取締役・執行役・使用人を兼任することは可能
指名委員会等の取締役	A社の支配人・使用人（331 Ⅳ） →指名委員会等設置会社でない株式会社の取締役（監査等委員会設置会社の監査等委員である取締役を除く）が使用人等を兼任することは可能
会計参与	A社・B社の取締役・監査役・執行役・支配人・使用人（333 Ⅲ①）
執行役	監査委員会の委員（400 Ⅳ）・会計参与（333 Ⅲ①） →執行役が取締役・支配人・使用人を兼任することは可能（402 Ⅵ参照）

＊1　ここに「会計参与」が規定されていないのは、333条3項1号により、A社の会計参与はA社の監査役や取締役となることができない旨規定されているためである。

＊2　ここに「執行役」が規定されていないのは、A社に監査役や監査等委員会を置く場合、A社に執行役は存在し得ない（執行役が存在するのは指名委員会等設置会社のみであり、指名委員会等設置会社では監査役や監査等委員会を置くことができない。327 Ⅳ・327 Ⅵ参照）ためである。

第2款　解任

第339条　（解任）

Ⅰ　役員及び会計監査人は、いつでも、株主総会の決議によって解任することができる司予書。

Ⅱ　前項の規定により解任された者は、その解任について正当な理由がある場合を除き、株式会社に対し、解任によって生じた損害の賠償を請求することができる予。

［趣旨］会社の実質的所有者たる株主により構成される株主総会にも補充的に監督機能を認め、会社運営の適正化を図っている。旧商法では、任期途中で取締役を解

株式会社

任するためには株主総会の特別決議が必要だったが、会社法は普通決議で足りると定め、株主の地位を強化した司。

《注　釈》

一　「正当な理由」（Ⅱ）司H28 司R4

「正当な理由」の有無については、判例（最判昭57.1.21・百選42事件）を踏まえると、取締役の非行や業務遂行能力の著しい欠如といった客観的な事由の有無によって決せられる。

二　判例

心身の故障は取締役解任の正当事由となりうる（最判昭57.1.21・百選42事件）。

【関連条文】329Ⅰ［役員等の選任］、341［役員の解任の株主総会決議］、854［株式会社の役員解任の訴え］

第３４０条　（監査役等による会計監査人の解任）

Ⅰ　監査役は、会計監査人が次のいずれかに該当するときは、その会計監査人を解任することができる。

①　職務上の義務に違反し、又は職務を怠ったとき予。

②　会計監査人としてふさわしくない非行があったとき。

③　心身の故障のため、職務の執行に支障があり、又はこれに堪えないとき。

Ⅱ　前項の規定による解任は、監査役が２人以上ある場合には、監査役の全員の同意によって行わなければならない司共予書。

Ⅲ　第１項の規定により会計監査人を解任したときは、監査役（監査役が２人以上ある場合にあっては、監査役の互選によって定めた監査役）は、その旨及び解任の理由を解任後最初に招集される株主総会に報告しなければならない。

Ⅳ　監査役会設置会社における前３項の規定の適用については、第１項中「監査役」とあるのは「監査役会」と、第２項中「監査役が２人以上ある場合には、監査役」とあるのは「監査役」と、前項中「監査役（監査役が２人以上ある場合にあっては、監査役の互選によって定めた監査役）」とあるのは「監査役会が選定した監査役」とする予書。

Ⅴ　監査等委員会設置会社における第１項から第３項までの規定の適用については、第１項中「監査役」とあるのは「監査等委員会」と、第２項中「監査役が２人以上ある場合には、監査役」とあるのは「監査等委員」と、第３項中「監査役（監査役が２人以上ある場合にあっては、監査役の互選によって定めた監査役）」とあるのは「監査等委員会が選定した監査等委員」とする。

Ⅵ　指名委員会等設置会社における第１項から第３項までの規定の適用については、第１項中「監査役」とあるのは「監査委員会」と、第２項中「監査役が２人以上ある場合には、監査役」とあるのは「監査委員会の委員」と、第３項中「監査役（監査役が２人以上ある場合にあっては、監査役の互選によって定めた監査役）」とあるのは「監査委員会が選定した監査委員会の委員」とする。

【4項読替え】

Ⅰ　監査役会設置会社においては、監査役会は、会計監査人が次のいずれかに該当するときは、その会計監査人を解任することができる。

① 職務上の義務に違反し、又は職務を怠ったとき

② 会計監査人としてふさわしくない非行があったとき

③ 心身の故障のため、職務の執行に支障があり、又はこれに堪えないとき

Ⅱ　前項の規定による解任は、監査役の全員の同意によって行わなければならない。

Ⅲ　第１項の規定により会計監査人を解任したときは、監査役会が選定した監査役は、その旨及び解任の理由を解任後最初に招集される株主総会に報告しなければならない。

【5項読替え】

Ⅰ　監査等委員会設置会社においては、監査等委員会は、会計監査人が次のいずれかに該当するときは、その会計監査人を解任することができる。

① 職務上の義務に違反し、又は職務を怠ったとき

② 会計監査人としてふさわしくない非行があったとき

③ 心身の故障のため、職務の執行に支障があり、又はこれに堪えないとき

Ⅱ　前項の規定による解任は、監査等委員の全員の同意によって行わなければならない。

Ⅲ　第１項の規定により会計監査人を解任したときは、監査等委員会が選定した監査等委員は、その旨及び解任の理由を解任後最初に招集される株主総会に報告しなければならない。

【6項読替え】

Ⅰ　指名委員会等設置会社においては、監査委員会は、会計監査人が次のいずれかに該当するときは、その会計監査人を解任することができる。

① 職務上の義務に違反し、又は職務を怠ったとき

② 会計監査人としてふさわしくない非行があったとき

③ 心身の故障のため、職務の執行に支障があり、又はこれに堪えないとき

Ⅱ　前項の規定による解任は、監査委員会の委員の全員の同意によって行わなければならない。

Ⅲ　第１項の規定により会計監査人を解任したときは、監査委員会が選定した監査委員会の委員は、その旨及び解任の理由を解任後最初に招集される株主総会に報告しなければならない。

第３款　選任及び解任の手続に関する特則

第３４１条　（役員の選任及び解任の株主総会の決議）

第３０９条第１項<株主総会の普通決議>の規定にかかわらず、役員を選任し、又は解任する株主総会の決議は、議決権を行使することができる株主の議決権の過半数（３分の１以上の割合を定款で定めた場合にあっては、その割合以上 共予）を有する株主が出席し、出席した当該株主の議決権の過半数（これを上回る割合を定款で定めた場合にあっては、その割合以上）をもって行わなければならない。

［趣旨］株主の意向を会社経営に反映させるべく、株主の利益に反する役員を容易に選任・解任することができるようにするため、定款で特段の定めがない限り、株主総会の普通決議で足りるとする。

《注　釈》

◆　株主総会決議の定足数に頭数要件を設ける定款の規定と役員選任決議の適法性

役員の選解任に係る株主総会決議について、定足数に頭数要件を設ける定款の規定（「株主総会の決議は、議決権を行使することができる株主の２分の１以上が出席し、出席した当該株主の議決権の過半数をもって行う」との規定）が適用されるかが問題となった事案において、裁判例（東京高判令4.10.31・令５重判３事件）は、次のとおり判示した。

会社法309条１項・２項及び341条の「体裁からすると、会社法は、……会社ないし株主に重大な影響を及ぼす事項を決議する場合における株主総会の決議の定足数及び決議要件については、資本多数決を徹底し、定款で定めることができる内容を限定しているものということができる。すなわち、341条は、『第309条第１項の規定にかかわらず』とした上、定足数については『３分の１以上の割合を定款で定めた場合』、決議要件については『これ（過半数）を上回る割合を定款で定めた場合』と規定し、定款で定めることができる内容を限定している。そして、……定款で定めることができる内容を限定していることは、309条２項においても同様である。このような株主総会決議における定足数及び決議要件に関する309条１項、同条２項、341条の各規定が設けられた趣旨に照らすと、会社法は、役員の選解任に係る株主総会決議については、議決権数による定足数及び決議要件の下限を定めるとともに、定款で定めることができる内容を限定して、資本多数決によることを徹底しているものと解するのが相当である」とした上で、「会社法341条は、このような頭数要件を定款で定めることを認めていないことからすれば（これを認めると、同条の趣旨である資本多数決の徹底が図られないこととなる。）」、株主総会の決議につき定足数に頭数要件を設ける定款の規定は、「役員の選解任に係る株主総会の決議には適用されない」とした。

→定足数に頭数要件を設けた趣旨は、少数株主を含めた多くの株主の意見を経営に取り入れるためであるとの反論に対し、上記裁判例は、「会社法は、取締役の選解任における少数株主の意見を反映するため、累積投票制度（342条）や種類株主による取締役選任等の制度（347条）を別途設けており、これによって少数株主の保護は一定の限度で図られている」とした

【関連条文】329Ⅰ・339Ⅰ［役員の選任・解任の決議］、342Ⅵ・343Ⅳ［本条の適用除外］

第３４２条　（累積投票による取締役の選任）

Ⅰ　株主総会の目的である事項が２人以上の取締役（監査等委員会設置会社にあっては、監査等委員である取締役又はそれ以外の取締役。以下この条において同じ。）の選任である場合には、株主（取締役の選任について議決権を行使することができる株主に限る。以下この条において同じ。）は、定款に別段の定めがあるときを除き、株式会社に対し、第３項から第５項までに規定するところにより取締役を選任すべきことを請求することができる〈司予。

Ⅱ　前項の規定による請求は、同項の株主総会の日の５日前までにしなければならない。

Ⅲ　第３０８条第１項＜議決権の数＞の規定にかかわらず、第１項の規定による請求があった場合には、取締役の選任の決議については、株主は、その有する株式１株（単元株式数を定款で定めている場合にあっては、１単元の株式）につき、当該株主総会において選任する取締役の数と同数の議決権を有する。この場合においては、株主は、１人のみに投票し、又は２人以上に投票して、その議決権を行使することができる〈書。

Ⅳ　前項の場合には、投票の最多数を得た者から順次取締役に選任されたものとする。

Ⅴ　前２項に定めるもののほか、第１項の規定による請求があった場合における取締役の選任に関し必要な事項は、法務省令で定める。

Ⅵ　前条の規定は、前３項に規定するところにより選任された取締役の解任の決議については、適用しない。

[趣旨]少数派株主もその持株数に応じて、自己の利益を代表する者を取締役会に送り込むことによって、その意思を経営に反映することを可能にするものであり、株主、特に少数派株主の地位を強化しようとするものである。

《注　釈》

一　判例

定款により累積投票の請求を排除していない株式会社においては、取締役選任を議案とする株主総会の招集通知に、選任される取締役の数を明示しなければならない。ただし、招集通知に「取締役全員任期満了につき改選の件」と記載され、他に選任される取締役の数に関する記載がない場合においては、特段の事情のない限り、当該株主総会において従前の取締役と同数の取締役を選任する旨の記載があると解することができる（最判平 10.11.26・百選Ａ８事件）。

二　その他

監査役の選任決議は、取締役の選任と異なり、累積投票制度が認められない〈司。

【関連条文】309 Ⅱ⑦［累積投票により選任された取締役の解任は株主総会特別決議］、規 97

第３４２条の２　（監査等委員である取締役等の選任等についての意見の陳述）

Ⅰ　監査等委員である取締役は、株主総会において、監査等委員である取締役の選任若しくは解任又は辞任について意見を述べることができる。

Ⅱ　監査等委員である取締役を辞任した者は、辞任後最初に招集される株主総会に出席して、辞任した旨及びその理由を述べることができる。
Ⅲ　取締役は、前項の者に対し、同項の株主総会を招集する旨及び第２９８条第１項第１号<株主総会の日時及び場所>に掲げる事項を通知しなければならない。
Ⅳ　監査等委員会が選定する監査等委員は、株主総会において、監査等委員である取締役以外の取締役の選任若しくは解任又は辞任について監査等委員会の意見を述べることができる書。

［趣旨］監査等委員会は、その職務として、監査等委員である取締役以外の取締役の選任・解任・辞任や報酬等について意見を述べることができる（意見陳述権、399の2Ⅲ③、342の2Ⅳ・361Ⅵ）。この趣旨は、社外取締役を主要な構成員とする監査等委員会の意見を反映させることにより、経営陣に対する実効的な監督を働かせようとする点にあり、監査等委員会の経営評価機能を発揮させるためのものと解されている。なお、このような権限は、監査役（会）・監査委員会にはない。

株式会社

第３４３条　（監査役の選任に関する監査役の同意等）共書

Ⅰ　取締役は、監査役がある場合において、監査役の選任に関する議案を株主総会に提出するには、監査役（監査役が２人以上ある場合にあっては、その過半数）の同意を得なければならない書。
Ⅱ　監査役は、取締役に対し、監査役の選任を株主総会の目的とすること又は監査役の選任に関する議案を株主総会に提出することを請求することができる。
Ⅲ　監査役会設置会社における前２項の規定の適用については、第１項中「監査役（監査役が２人以上ある場合にあっては、その過半数）」とあるのは「監査役会」と、前項中「監査役は」とあるのは「監査役会は」とする。
Ⅳ　第３４１条<役員の選任及び解任の株主総会の決議>の規定は、監査役の解任の決議については、適用しない司。

【3項読替え】
Ⅰ　監査役会設置会社においては、取締役は、監査役の選任に関する議案を株主総会に提出するには、監査役会の同意を得なければならない。
Ⅱ　監査役会は、取締役に対し、監査役の選任を株主総会の目的とすること又は監査役の選任に関する議案を株主総会に提出することを請求することができる。

【関連条文】309Ⅱ⑦［監査役の解任は株主総会特別決議］

第３４４条　（会計監査人の選任等に関する議案の内容の決定）予書

Ⅰ　監査役設置会社においては、株主総会に提出する会計監査人の選任及び解任並びに会計監査人を再任しないことに関する議案の内容は、監査役が決定する。
Ⅱ　監査役が２人以上ある場合における前項の規定の適用については、同項中「監査役が」とあるのは、「監査役の過半数をもって」とする。
Ⅲ　監査役会設置会社における第１項の規定の適用については、同項中「監査役」とあるのは、「監査役会」とする。

【2項読替え】
監査役が2人以上ある監査役設置会社においては、株主総会に提出する会計監査人の選任及び解任並びに会計監査人を再任しないことに関する議案の内容は、監査役の過半数をもって決定する。
【3項読替え】
監査役会設置会社においては、株主総会に提出する会計監査人の選任及び解任並びに会計監査人を再任しないことに関する議案の内容は、監査役会が決定する。

[趣旨] 会計監査人の独立性を確保するとともに、監査役・監査役会の意思を反映させるため、会計監査人の選解任・不再任に関する議案の内容決定権について、監査等委員会（399の2 Ⅲ②）と同様、監査役・監査役会に付与されている。なお、監査委員会（404 Ⅱ②）にも同様の規定がある。

第３４４条の２　（監査等委員である取締役の選任に関する監査等委員会の同意等）

Ⅰ　取締役は、監査等委員会がある場合において、監査等委員である取締役の選任に関する議案を株主総会に提出するには、監査等委員会の同意を得なければならない。
Ⅱ　監査等委員会は、取締役に対し、監査等委員である取締役の選任を株主総会の目的とすること又は監査等委員である取締役の選任に関する議案を株主総会に提出することを請求することができる。
Ⅲ　第３４１条の規定は、監査等委員である取締役の解任の決議については、適用しない。

第３４５条　（会計参与等の選任等についての意見の陳述）

Ⅰ　会計参与は、株主総会において、会計参与の選任若しくは解任又は辞任について意見を述べることができる〈予書。
Ⅱ　会計参与を辞任した者は、辞任後最初に招集される株主総会に出席して、辞任した旨及びその理由を述べることができる。
Ⅲ　取締役は、前項の者に対し、同項の株主総会を招集する旨及び第２９８条第１項第１号＜株主総会の日時及び場所＞に掲げる事項を通知しなければならない。
Ⅳ　第１項の規定は監査役について、前２項の規定は監査役を辞任した者について、それぞれ準用する。この場合において、第１項中「会計参与の」とあるのは、「監査役の」と読み替えるものとする〈予。
Ⅴ　第１項の規定は会計監査人について、第２項及び第３項の規定は会計監査人を辞任した者及び第３４０条第１項＜監査役等による会計監査人の解任＞の規定により会計監査人を解任された者について、それぞれ準用する。この場合において、第１項中「株主総会において、会計参与の選任若しくは解任又は辞任について」とあるのは「会計監査人の選任、解任若しくは不再任又は辞任について、株主総会に出席して」と、第２項中「辞任後」とあるのは「解任後又は辞任後」と、「辞任した旨及びその理由」とあるのは「辞任した旨及びその理由又は解任についての意見」と読み替えるものとする。

【4項読替え】

第１項の規定は監査役について、前２項の規定は監査役を辞任した者について、それぞれ準用する。

Ⅰ　監査役は、株主総会において、監査役の選任若しくは解任又は辞任について意見を述べることができる。

Ⅱ　監査役を辞任した者は、辞任後最初に招集される株主総会に出席して、辞任した旨及びその理由を述べることができる〈共〉。

Ⅲ　取締役は、前項の者に対し、同項の株主総会を招集する旨及び第298条第１項第１号＜株主総会の日時及び場所＞に掲げる事項を通知しなければならない。

【5項読替え】

第１項の規定は会計監査人について、第２項及び第３項の規定は会計監査人を辞任した者及び第340条第１項＜監査役による会計監査人の解任＞の規定により会計監査人を解任された者について、それぞれ準用する。

Ⅰ　会計監査人は、会計監査人の選任、解任若しくは不再任又は辞任について、株主総会に出席して意見を述べることができる。

Ⅱ　会計監査人を辞任した者及び第340条第１項＜監査役による会計監査人の解任＞の規定により会計監査人を解任された者は、解任後又は辞任後最初に招集される株主総会に出席して、辞任した旨及びその理由又は解任についての意見を述べることができる。

Ⅲ　取締役は、前項の者に対し、同項の株主総会を招集する旨及び第298条第１項第１号＜株主総会の日時及び場所＞に掲げる事項を通知しなければならない。

［趣旨］本条所定の役員等の身分保障を図るものである。

第３４６条　（役員等に欠員を生じた場合の措置）

Ⅰ　役員（監査等委員会設置会社にあっては、監査等委員である取締役若しくはそれ以外の取締役又は会計参与。以下この条において同じ。）が欠けた場合又はこの法律若しくは定款で定めた役員の員数が欠けた場合には、任期の満了又は辞任により退任した役員は、新たに選任された役員（次項の一時役員の職務を行うべき者を含む。）が就任するまで、なお役員としての権利義務を有する〈司R5〉。

Ⅱ　前項に規定する場合において、裁判所は、必要があると認めるときは、利害関係人の申立てにより、一時役員の職務を行うべき者を選任することができる。

Ⅲ　裁判所は、前項の一時役員の職務を行うべき者を選任した場合には、株式会社がその者に対して支払う報酬の額を定めることができる。

Ⅳ　会計監査人が欠けた場合又は定款で定めた会計監査人の員数が欠けた場合において、遅滞なく会計監査人が選任されないときは、監査役は、一時会計監査人の職務を行うべき者を選任しなければならない〈共〉。

Ⅴ　第３３７条＜会計監査人の資格等＞及び第３４０条＜監査役等による会計監査人の解任＞の規定は、前項の一時会計監査人の職務を行うべき者について準用する。

Ⅵ　監査役会設置会社における第４項の規定の適用については、同項中「監査役」とあるのは、「監査役会」とする。

Ⅶ　監査等委員会設置会社における第４項の規定の適用については、同項中「監査役」とあるのは、「監査等委員会」とする。
Ⅷ　指名委員会等設置会社における第４項の規定の適用については、同項中「監査役」とあるのは、「監査委員会」とする。

【6項読替え】
監査役会設置会社においては、会計監査人が欠けた場合又は定款で定めた会計監査人の員数が欠けた場合に、遅滞なく会計監査人が選任されないときは、監査役会は、一時会計監査人の職務を行うべき者を選任しなければならない。

【7項読替え】
監査等委員会設置会社においては、会計監査人が欠けた場合又は定款で定めた会計監査人の員数が欠けた場合に、遅滞なく会計監査人が選任されないときは、監査等委員会は、一時会計監査人の職務を行うべき者を選任しなければならない。

【8項読替え】
指名委員会等設置会社においては、会計監査人が欠けた場合又は定款で定めた会計監査人の員数が欠けた場合に、遅滞なく会計監査人が選任されないときは、監査委員会は、一時会計監査人の職務を行うべき者を選任しなければならない。

第３４７条　（種類株主総会における取締役又は監査役の選任等）

Ⅰ　第１０８条第１項第９号＜種類株主総会により取締役・監査役を選任できる株式＞に掲げる事項（取締役（監査等委員会設置会社にあっては、監査等委員である取締役又はそれ以外の取締役）に関するものに限る。）についての定めがある種類の株式を発行している場合における第３２９条第１項＜役員及び会計監査人の選任＞、第３３２条第１項＜取締役の任期＞、第３３９条第１項＜役員及び会計監査人の解任＞、第３４１条＜役員の選任及び解任の株主総会の決議＞並びに第３４４条の２第１項及び第２項＜監査等委員である取締役の選任に関する監査等委員会の同意等＞の規定の適用については、第３２９条第１項中「株主総会」とあるのは「株主総会（取締役（監査等委員会設置会社にあっては、監査等委員である取締役又はそれ以外の取締役）については、第１０８条第２項第９号に定める事項についての定款の定めに従い、各種類の株式の種類株主を構成員とする種類株主総会）」と、第３３２条第１項及び第３３９条第１項中「株主総会の決議」とあるのは「株主総会（第４１条第１項の規定により又は第９０条第１項の種類創立総会若しくは第３４７条第１項の規定により読み替えて適用する第３２９条第１項の種類株主総会において選任された取締役（監査等委員会設置会社にあっては、監査等委員である取締役又はそれ以外の取締役。以下この項において同じ。）については、当該取締役の選任に係る種類の株式の種類株主を構成員とする種類株主総会（定款に別段の定めがある場合又は当該取締役の任期満了前に当該種類株主総会において議決権を行使することができる株主が存在しなくなった場合にあっては、株主総会））の決議」と、第３４１条中「第３０９条第１項」とあるのは「第３０９条第１項及び第３２４条」と、「株主総会」とあるのは「株主総会（第３４７条第１項の規定により読み替えて適用する第３２９条第１項及び第３３９条第１項の種類株主総会を含む。）」と、第３４４条の２第１項及び第２項中「株主総会」とあるのは「第３４７条第１項の規定により読み替えて適用する第３２９条第１項の種類株主総会」とする。

Ⅱ　第１０８条第１項第９号<種類株主総会により取締役・監査役を選任できる株式>に掲げる事項（監査役に関するものに限る。）についての定めがある種類の株式を発行している場合における第３２９条第１項<役員及び会計監査人の選任>、第３３９条第１項<役員及び会計監査人の解任>、第３４１条<役員の選任及び解任の株主総会の決議>並びに第３４３条第１項及び第２項<監査役の選任に関する監査役の同意等>の規定の適用については、第３２９条第１項中「株主総会」とあるのは「株主総会（監査役については、第１０８条第２項第９号に定める事項についての定款の定めに従い、各種類の株式の種類株主を構成員とする種類株主総会）」と、第３３９条第１項中「株主総会」とあるのは「株主総会（第４１条第３項において準用する同条第１項の規定により又は第９０条第２項において準用する同条第１項の種類創立総会若しくは第３４７条第２項の規定により読み替えて適用する第３２９条第１項の種類株主総会において選任された監査役については、当該監査役の選任に係る種類の株式の種類株主を構成員とする種類株主総会（定款に別段の定めがある場合又は当該監査役の任期満了前に当該種類株主総会において議決権を行使することができる株主が存在しなくなった場合にあっては、株主総会））」と、第３４１条中「第３０９条第１項」とあるのは「第３０９条第１項及び第３２４条」と、「株主総会」とあるのは「株主総会（第３４７条第２項の規定により読み替えて適用する第３２９条第１項の種類株主総会を含む。）」と、第３４３条第１項及び第２項中「株主総会」とあるのは「第３４７条第２項規定により読み替えて適用する第３２９条第１項の種類株主総会」とする。

【関連条文】324 Ⅱ⑤［種類株主総会の特別決議］

■第４節　取締役

《概　説》

◆　**取締役の意義**

取締役は、取締役会の設置の有無により、その権限等が異なる。

1　取締役会非設置会社

取締役とは、定款に別段の定めがある場合を除き、原則として会社の業務を執行し、会社を代表する独任制の機関をいう（348 Ⅰ、349 Ⅰ）。

2　取締役会設置会社

取締役とは、取締役会を構成するとともに、取締役会を通じて、会社の業務執行の意思決定及び取締役相互の業務の監督に関与することを権限とする者をいう（348 Ⅰ参照、362 Ⅰ Ⅱ参照）。

→個々の取締役は会社の機関ではなく、機関たる取締役会の構成員たる地位、及び代表取締役の前提としての地位を有するにすぎない

＊　指名委員会等設置会社においても、取締役は会社の機関ではなく、機関たる取締役会の構成員たる地位を有するにすぎない。

第３４８条　（業務の執行）

Ⅰ　取締役は、定款に別段の定めがある場合を除き、株式会社（取締役会設置会社を除く。以下この条において同じ。）の業務を執行する。

Ⅱ　取締役が２人以上ある場合には、株式会社の業務は、定款に別段の定めがある場合を除き、取締役の過半数をもって決定する〈予〉。

Ⅲ　前項の場合には、取締役は、次に掲げる事項についての決定を各取締役に委任することができない。

①　支配人の選任及び解任

②　支店の設置、移転及び廃止

③　第２９８条第１項各号＜株主総会の招集の決定＞（第３２５条において準用する場合を含む。）に掲げる事項

④　取締役の職務の執行が法令及び定款に適合することを確保するための体制その他株式会社の業務並びに当該株式会社及びその子会社から成る企業集団の業務の適正を確保するために必要なものとして法務省令で定める体制の整備

⑤　第４２６条第１項＜取締役等による免除に関する定款の定め＞の規定による定款の定めに基づく第４２３条第１項＜役員等の株式会社に対する損害賠償責任＞の責任の免除

Ⅳ　大会社においては、取締役は、前項第４号に掲げる事項を決定しなければならない。

【関連条文】362 Ⅱ①・363 Ⅰ［取締役会設置会社の業務執行の決定・業務執行］、規 98

第３４８条の２　（業務の執行の社外取締役への委託）

Ⅰ　株式会社（指名委員会等設置会社を除く。）が社外取締役を置いている場合において、当該株式会社と取締役との利益が相反する状況にあるとき、その他取締役が当該株式会社の業務を執行することにより株主の利益を損なうおそれがあるときは、当該株式会社は、その都度、取締役の決定（取締役会設置会社にあっては、取締役会の決議）によって、当該株式会社の業務を執行することを社外取締役に委託することができる〈予〉。

Ⅱ　指名委員会等設置会社と執行役との利益が相反する状況にあるとき、その他執行役が指名委員会等設置会社の業務を執行することにより株主の利益を損なうおそれがあるときは、当該指名委員会等設置会社は、その都度、取締役会の決議によって、当該指名委員会等設置会社の業務を執行することを社外取締役に委託することができる。

Ⅲ　前２項の規定により委託された業務の執行は、第２条第１５号イ＜社外取締役の要件＞に規定する株式会社の業務の執行に該当しないものとする〈予〉。ただし、社外取締役が業務執行取締役（指名委員会等設置会社にあっては、執行役）の指揮命令により当該委託された業務を執行したときは、この限りでない〈予〉。

【令元改正】社外取締役が株式会社の「業務を執行した」場合には、社外性を失う（2⑮イ）。しかし、社外取締役には、①経営全般の監督機能のみならず、②会社と

その利害関係者との間の利益相反の監督機能が期待されており、株主と取締役との間で利害関係が対立するような場面や、親会社と子会社の少数株主との間で利害関係が対立するような場面では、社外取締役による積極的な関与（業務執行）が求められる。

そこで、本条1項・2項は、会社と業務執行者との間の利益相反の問題を回避する観点から、会社の業務執行を社外取締役に委託することを認めるとともに、本条3項は、社外取締役が委託された会社の業務を執行したとしても、社外取締役の要件は失われない旨を明確に規定することで、社外取締役が萎縮することなく利益相反の監督機能を発揮できるよう意図した。

《注　釈》

一　指名委員会等設置会社以外の株式会社の場合（348の2 Ⅰ）

1 「利益が相反する状況にあるとき」

典型的には、利益相反取引（356 Ⅰ②③　⇒ p.287）を行う場合が「利益が相反する状況にあるとき」に当たるが、これに限定されない。株式会社が取引の当事者とはならないものの、取引の構造上、取締役・株主間に利益相反関係が認められるＭＢＯ（マネジメント・バイアウト）も「利益が相反する状況にあるとき」に当たると考えられている。

2 「株主の利益を損なうおそれがあるとき」

親会社との取引に関する業務執行によって不当に親会社の利益が図られる場合や、キャッシュ・アウト（親会社等の支配株主による現金を対価とする少数株主の締出し）を行う際の取締役の業務執行によって少数株主の利益が損なわれる場合などが、「株主の利益を損なうおそれがあるとき」に当たる。

二　指名委員会等設置会社の場合（348の2 Ⅱ）

指名委員会等設置会社の取締役は、この法律等に「別段の定め」がある場合を除き、会社の業務を執行することができない（415）。したがって、指名委員会等設置会社における利益相反の関係は、取締役との間ではなく、業務執行を行う執行役（418②参照）との間で生じる。

指名委員会等設置会社の社外取締役が業務執行の委託を受けた場合、社外取締役の要件（2⑮イ）の問題とは別に、415条に抵触するとの疑義も生じ得るが、348条の2第2項の規定は、415条の「別段の定め」に該当すると解されている。

三　社外取締役への業務執行の委託の手続

1 「その都度」

社外取締役に業務執行を委託するためには、個々の委託について、「その都度」、取締役の決定（取締役会設置会社にあっては、取締役会の決議）が必要となる（348の2 Ⅰ Ⅱ）。なお、業務執行を委託する社外取締役の人数に制限はない。

→あらかじめ抽象的に業務執行を委託する社外取締役を決定・決議しておくことはできず、具体的な事由が発生した際に委託の決定・決議を行い、そ

の際、委託する業務の具体的な内容や権限の範囲、委託の期間等を定める

2　社外取締役への業務執行の委託の決定を取締役・執行役に委任することの可否

監査等委員会設置会社では、一定の要件の下、重要な業務執行の決定を取締役に委任することが認められている（399の13ⅤⅥ）。しかし、社外取締役への業務執行の委託（348の2Ⅰ）の決定権限を取締役に委任することはできない（399の13Ⅴただし書、同⑥）。

同様に、指名委員会等設置会社においても、社外取締役への業務執行の委託（348の2Ⅰ）の決定権限を執行役に委任することはできない（416Ⅳただし書、同⑥）。

以上の改正を踏まえると、監査等委員会設置会社・指名委員会等設置会社以外の取締役会設置会社においても、取締役会は、社外取締役への業務執行の委託の決定権限を取締役に委任することはできないと解されている。

四「株式会社の業務の執行に該当しない」（348の2Ⅲ）

社外取締役が本条1項・2項により委託された業務の執行を遂行しても、社外取締役の要件は失われない（348の2Ⅲ本文）。

ただし、社外取締役が業務執行取締役（指名委員会等設置会社にあっては、執行役）の指揮命令により当該委託された業務を執行したときは、株式会社の業務の執行（2⑮イ）に該当する結果、社外取締役の要件が失われる（同ただし書）。

第349条　（株式会社の代表）

Ⅰ　取締役は、株式会社を代表する。ただし、他に代表取締役その他株式会社を代表する者を定めた場合は、この限りでない。

Ⅱ　前項本文の取締役が2人以上ある場合には、取締役は、各自、株式会社を代表する。

Ⅲ　株式会社（取締役会設置会社を除く。）は、定款、定款の定めに基づく取締役の互選又は株主総会の決議によって、取締役の中から代表取締役を定めることができる〈予。

Ⅳ　代表取締役は、株式会社の業務に関する一切の裁判上又は裁判外の行為をする権限を有する〈予。

Ⅴ　前項の権限に加えた制限は、善意の第三者に対抗することができない〈司。

［趣旨］1項、2項は、取締役会非設置会社の取締役は一般的に会社の代表機関であることを規定するものである。4項は、代表取締役が包括的権限を有することを規定し、5項は取引の安全のため、代表取締役の代表権は不可制限的なものであると規定している。

《注　釈》

◆　代表取締役

1　意義

代表取締役とは、指名委員会等設置会社以外の会社において、業務執行をし、対外的に会社を代表する常設の機関である。

2　代表取締役の権限

(1)　代表取締役は、代表権及び業務執行権限を有する。

(2)　関連判例

(a)　代表取締役が、取締役会の決議を経てすることを要する対外的な個々的取引行為を右決議を経ないでした場合でも、原則として有効であり、ただ、相手方が右決議を経ていないことを知り又は知り得べかりしときに限って無効となる（最判昭40.9.22・百選61事件）〈司予〈司H20 司H26 司R3 予H24。

(b)　取締役会の決議を欠く代表取締役による株主総会の招集の効力
→決議取消事由（831 Ⅰ①）となる（最判昭41.8.26）

(c)　取締役会の決議を欠く社債の発行の効力
→有効（通説）

(d)　取締役会の決議を欠く募集株式の発行（201 Ⅰ、199 Ⅱ）等の効力
→有効（最判平6.7.14・百選100事件）

(e)　代表権の濫用については、相手方が代表取締役の真意につき悪意・有過失の場合は民法107条により無権代理人の行為とみなされる〈司H26。

(f)　代表取締役が取締役会の決議を経ないで重要な財産に関する処分をした場合、取引相手方が取締役会決議を経ていないことを知っていたとしても、会社の利益を保護する362条4項の趣旨から、原則として無効を主張できるのは会社のみに限られ、会社以外の者は、取締役会が無効を主張する旨の決議をしているなどの特段の事情がない限り、無効を主張することはできない（最判平21.4.17・平21重判2事件）〈司共。

【関連条文】362 Ⅲ［取締役会設置会社における会社の代表］、354［表見代表取締役］

第３５０条　（代表者の行為についての損害賠償責任）

株式会社は、代表取締役その他の代表者がその職務を行うについて第三者に加えた損害を賠償する責任を負う〈司。

《注　釈》

◆　判例

会社が責任を負う場合には、代表取締役個人も責任を負う（最判昭49.2.28）。

第３５１条　（代表取締役に欠員を生じた場合の措置）

Ⅰ　代表取締役が欠けた場合又は定款で定めた代表取締役の員数が欠けた場合には、任期の満了又は辞任により退任した代表取締役は、新たに選定された代表取締役（次項の一時代表取締役の職務を行うべき者を含む。）が就任するまで、なお代表取締役としての権利義務を有する〈司〈司R5。

Ⅱ　前項に規定する場合において、裁判所は、必要があると認めるときは、利害関係人の申立てにより、一時代表取締役の職務を行うべき者を選任することができる。

Ⅲ　裁判所は、前項の一時代表取締役の職務を行うべき者を選任した場合には、株式会社がその者に対して支払う報酬の額を定めることができる。

［趣旨］取締役が終任となるとき、法律（331 V）や定款で定めた取締役の員数が欠けることが予想されるが、こうした場合、会社は遅滞なく後任の取締役を選任しなければならない。しかし、この後任者の選任には時間がかかる場合も少なくないので、本条は、こうした間隙を埋め合わせることで業務を滞りなく行わせるため任期継続義務を定めた。

《注　釈》

・任期満了や辞任以外の事由で取締役が退任する場合には、本条所定の任期継続義務はない。
　∵　このような場合、会社と取締役との信頼関係が損なわれているはずであり、その者に任務を継続させるのは妥当ではない

> **第３５２条　（取締役の職務を代行する者の権限）**
>
> Ⅰ　民事保全法（平成元年法律第９１号）第５６条に規定する仮処分命令により選任された取締役又は代表取締役の職務を代行する者は、仮処分命令に別段の定めがある場合を除き、株式会社の常務に属しない行為をするには、裁判所の許可を得なければならない。
>
> Ⅱ　前項の規定に違反して行った取締役又は代表取締役の職務を代行する者の行為は、無効とする。ただし、株式会社は、これをもって善意の第三者に対抗することができない。

《注　釈》

一　常務（Ⅰ）

「常務」とは、会社として日常行われるべき通常の業務をいう。
ex.　定時株主総会を招集すること
cf.　取締役の解任を目的とする臨時株主総会の招集は、「常務」に当たらない

二　判例

1　取締役の職務執行停止仮処分の効力
　取締役の職務の執行を停止しその代行者を選任する仮処分は、仮処分により職務の執行を停止された取締役が辞任し、株主総会の決議により新たに後任の取締役が選任されたとしても、仮処分決定を取り消す判決があるまではその効力を失わず、代行者の権限も消滅しない。この場合、原則として代行者が職務を行い、その限度で後任取締役の職務の執行は制限される。代表取締役を選任することは仮処分により妨げられないが、代表取締役の職務の執行も取締役同様仮処分により制限される（最判昭 45.11.6・百選 44 事件）。

2　代表取締役職務代行者による臨時総会の招集と会社の常務
　取締役の解任を目的とする臨時総会を招集することは、少数株主による招集の請求に基づく臨時総会の招集であっても、会社の常務に属しない行為にあたる（最判昭 50.6.27・百選 45 事件）。

第３５３条　（株式会社と取締役との間の訴えにおける会社の代表）〈書

第３４９条第４項<代表取締役の権限>の規定にかかわらず、株式会社が取締役（取締役であった者を含む。以下この条において同じ。）に対し、又は取締役が株式会社に対して訴えを提起する場合には、株主総会は、当該訴えについて株式会社を代表する者を定めることができる。

［趣旨］業務監査権限を有する監査役が存在しない会社（非監査役設置会社）においては、会社・取締役間の訴えについても、通常の会社訴訟と同様に、本来、代表取締役が会社を代表することになる。しかし、このような訴訟は相手方が同僚の取締役であるところ、馴れ合いが生じるおそれがあるので、かかる弊害防止の観点から、本条は、株主総会が会社を代表する者を定めることとした。

【関連条文】364［非監査役設置会社における会社代表者］、386［監査役設置会社における会社代表者］、408［指名委員会等設置会社における会社代表者］

第３５４条　（表見代表取締役）

株式会社は、代表取締役以外の取締役に社長、副社長その他株式会社を代表する権限を有するものと認められる名称を付した場合には、当該取締役がした行為について、善意の第三者に対してその責任を負う。

［趣旨］代表権が与えられていないにもかかわらず、代表権を有するものと認められる名称を付した取締役を代表取締役と信じた第三者の信頼を保護する点にある。

《注　釈》

一　要件

1　外観の存在（代表権を有すると認められる名称の使用）

ex.1　取締役会長（東京地判昭48.4.25）

ex.2　代表取締役職務代行者（最判昭44.11.27）

2　外観の付与（会社の帰責性）

会社がかかる名称の付与を明示、又は黙示的に認めたこと。

3　外観への信頼

相手方は善意無重過失であることを要する（最判昭52.10.14・百選46事件）〈司予。

保護される第三者の範囲は取引の直接の相手方に限られる（最判昭59.3.29・商法百選24事件）〈予。

＊　908条1項との関係

354条は908条1項の特則を定めたものであり、相手方は現実に善意無重過失である限り354条による保護を受けうる（最判昭42.4.28）。

二　取締役以外の者が名称を使用した場合〈司H26 予R3

1　会社の使用人にも、354条が類推適用される（最判昭35.10.14）〈予。

2　代表取締役に通知しないで招集された取締役会で代表取締役に選任された取締役が職務を行った場合は、選任決議が無効であっても、354条が類推適用される（最判昭 56.4.24）〈司予。

三　訴訟手続への適用の可否

会社の代表者としての資格を有しない者につき代表取締役の就任の登記がされた場合において、その者を被告である当該会社の代表者として提起された訴えは、不適法である（最判昭 45.12.15）〈予。

【関連条文】421［表見代表執行役］、908［登記の効力］

第３５５条（忠実義務）

取締役は、法令及び定款並びに株主総会の決議を遵守し、株式会社のため忠実にその職務を行わなければならない〈予書。

［趣旨］取締役は、会社に対して委任に基づく善管注意義務を負うものであり（330、民 644）、この善管注意義務を明確化・具体化したものとして、忠実義務を負う旨を規定する（八幡製鉄事件、最大判昭 45.6.24・百選２事件）。

《注　釈》

◆　**従業員の引き抜きの忠実義務（355）違反該当性**〈司H27

プログラマーあるいはシステムエンジニア等の人材を派遣することを目的とする会社において退任予定の取締役が自己の利益のために部下を引き抜く行為は、忠実義務に反する（東京高判平元.10.26・百選 A20 事件）。

【関連条文】330［株式会社と役員等との関係］、423［役員等の株式会社に対する損害賠償責任］

第３５６条（競業及び利益相反取引の制限）

Ⅰ　取締役は、次に掲げる場合には、株主総会において、当該取引につき重要な事実を開示し、その承認を受けなければならない。

①　取締役が自己又は第三者のために株式会社の事業の部類に属する取引をしようとするとき〈予。

②　取締役が自己又は第三者のために株式会社と取引をしようとするとき。

③　株式会社が取締役の債務を保証することその他取締役以外の者との間において株式会社と当該取締役との利益が相反する取引をしようとするとき。

Ⅱ　民法第１０８条<自己契約及び双方代理>の規定は、前項の承認を受けた同項第２号又は第３号の取引については、適用しない。

［趣旨］１項１号の趣旨は、取締役が自由に会社の営業の部類に属する取引をなしうるとすれば、会社が取得できたはずの取引の機会が奪われたり、会社の機密の利用により会社に損害を及ぼすおそれがあるので、これを防止する点にある。１項２号・３号の趣旨は、取締役が自ら当事者として、又は第三者の代理人として会社と取引をする場合等の利益相反取引において、一定の制限を課すことで、取締役が会社の利益を犠牲にして自己又は第三者の利益を図ることを防止する点にある〈司。なお、１項の株主総会の承認決議は、普通決議である〈司。

《注　釈》

一　競業避止義務 司H27

1　競業避止義務の対象とされる行為

(1)「自己又は第三者のために」の意義

経済的効果の帰属を問題にし、当該取引が「自己又は第三者の計算で」行われる場合を指すとする見解（計算説 通）と、法律的効果の帰属を問題にし、当該取引が「自己又は第三者の名義で」行われる場合を指すとする見解（名義説）がある。

取締役が競業会社の代表取締役等に就任しなくても、その株式を多数保有する等、事実上の主宰者として経営を支配した場合には、「自己又は第三者のために」取引したと認められる場合がある（東京地判昭56.3.26・百選53事件、大阪高判平2.7.18） 予。

(2)「会社の事業の部類に属する取引」の意義

(a) ①会社の事業の目的たる取引より広く、それと同種又は類似の商品・役務を対象とする取引であって、②会社の行う事業と市場において競合し、会社と取締役との間に利益の衝突を来す可能性のある取引をいう。

なお、ここで規制の対象となる取引は、当該事業に属する取引であるが、これには原材料を仕入れる取引も含まれる 司。

(b) ある会社が一定の地域への進出を意図し、具体的に市場調査をしていたときには、その地域で当該会社の代表取締役が他の競合会社の代表取締役として経営することは競業避止義務に違反する（東京地判昭56.3.26・百選53事件） 予。

(c) 取締役が退任後に同業種の会社を設立することは自由であるが、競業禁止特約が締結される場合もある（東京地決平5.10.4）。

2　競業避止義務違反の効果

(1) 取引の効力

相手方の善意・悪意を問わず有効である。

∵　競業避止義務違反の取引は、会社を当事者とする取引ではなく、取締役と第三者との取引であって、通常、会社は当事者となっていないのであり、株主総会・取締役会の承認の有無という会社内の手続によって取引の効力が左右されると第三者の取引の安全を著しく害する

(2) 差止請求

(a) 会社からの請求→競業避止義務の当然の効果として

(b) 株主からの請求（360）

(c) 監査役からの請求（監査役設置会社の場合）（385 Ⅰ）

(d) 監査委員からの請求（指名委員会等設置会社の場合）（407 Ⅰ）

(3) 損害賠償義務（423）

株主総会・取締役会の決議により競業の承認を得ても、取締役の会社に対する責任が完全に免除されるわけではない。その競業により会社に損害が生じ

た場合には、当該競業行為に関し任務懈怠のある取締役は責任を免れない 同。
また、それによって取締役・執行役又は第三者が得た利益の額が、損害の額と推定される（423 Ⅱ）。

(4) 取締役の解任事由（339 Ⅱ、854 Ⅰ）

3 その他の競業避止義務との比較

＜競業避止義務の比較＞

	趣旨	会社の事業の部類に属する取引をすること	同種の事業を目的とする会社の取締役等となること	異種の事業を目的とする会社の取締役等となること	自ら事業を行うこと	他の会社・商人の使用人となること
事業譲渡会社（21）	事業譲受会社の利益保護	×（＊）	○	○	○	○
支配人（12）	会社の利益保護	×	×	×	×	×
代理商（17）		×	×	○	○	○
持分会社の業務執行社員（594 Ⅰ）		×	×	○	○	○
株式会社の取締役（356 Ⅰ①）		×	○ 同	○	○	○

○：競業避止義務の対象外　×：競業避止義務の対象内
＊　同一の事業に限る。地理的、時間的な制限あり。

二　利益相反取引の規制 予H26

1 規制の対象とされる取引

(1) 直接取引（Ⅰ②） 司H24 予H24 予H30 予R2

直接取引とは、取締役が自己又は第三者のために会社との間で行う取引をいう。自己又は第三者の「ために」とは、自己又は第三者の「名義」（権利義務の帰属が基準）において取引をするという意味である。

∵　競業避止義務（356 Ⅰ①）と異なり、間接取引（356 Ⅰ③）が明文で規制されているため、自己又は第三者の「計算」（経済的利益の帰属が基準）において取引をすることと解釈する実益がない

ex.1　取締役が当該会社の相手方となって取引を行う場合（自己の名義） 予

ex.2　取締役が他の会社を代表して取引を行う場合（第三者の名義）

(2) 間接取引（Ⅰ③） 司H20 司R3

間接取引とは、会社と取締役以外の者との間における、会社と取締役の利益が相反する取引をいう。この間接取引に該当するかどうかは、①会社と第三者の取引であって、②外形的・客観的にみて会社の犠牲で取締役に利益が生じる取引といえるか否かによって判断する。

∵ 取引の安全を図るため、間接取引の範囲は明確にすべき

ex.1 会社が取締役の債務を保証する場合

ex.2 代表取締役が会社を代表して、自ら代表取締役を務める別会社の第三者に対する債務を保証する場合 判 書

cf. 取締役が会社の債務を保証することは、会社の利益となるから、問題なくできる

(3) 判例

(a) 手形行為と利益相反取引

約束手形の振出人は、その手形振出により、原因関係上の債務とは別個の新たな債務を負担し、しかも、その債務は、挙証責任の加重、抗弁の切断、不渡処分の危険等を伴うことにより、原因関係上の債務よりも一層厳格な支払債務であるから、会社から取締役への約束手形の振出は、利益相反取引に当たる（最大判昭46.10.13・百選55事件）。

(b) 会社の承認が不要な場合

① 株主全員の同意がある場合（最判昭49.9.26・百選54事件） 司

② 一人会社の場合（最判昭45.8.20） 司書 司H20

③ 取締役の会社に対する負担のない贈与、無利息・無担保の金銭貸付けの場合（最判昭38.12.6） 予書

2 利益相反取引の責任

(1) 損害賠償責任（423Ⅰ）

(a) 利益相反取引が行われて会社に損害が生じた場合、会社の承認の有無にかかわらず、取締役は任務懈怠責任を負いうる（423Ⅰ） 予。

(b) 任務懈怠の推定（423Ⅲ） 司H24 予H30

利益相反取引が行われて会社に損害が生じた場合、会社と利益が衝突する下記①～③の取締役は、その任務を怠ったものと推定される（423Ⅲ）。

① 356条1項の取締役（423Ⅲ①）

・直接取引において自己のために会社と取引をした取締役（356Ⅰ②）

ex. 無担保貸付けにおいて貸付けを受ける取締役

→当該取締役は無過失責任を負う（428Ⅰ） 司 司H24

・直接取引において第三者のために会社と取引をした取締役（356Ⅰ②）

・間接取引において会社と利益が相反する取締役（356Ⅰ③）

② 会社が当該取引をすることを決定した取締役（423Ⅲ②）

株式会社

③　当該取引に関する取締役会の承認の決議に賛成した取締役（423Ⅲ③）

⑵　解任の訴え（854Ⅰ）

会社の承認を欠く利益相反取引は、法令に違反する重大な事実として、解任事由になりうる。

3　会社の承認を欠く利益相反取引の効力 司H20 司R3 予H24 予H26

⑴　会社は、取締役又は取締役が代理した直接取引の相手方に対しては、常に取引の無効を主張できる 司書。

しかし、間接取引の相手方（最大判昭43.12.25・百選56事件）や、会社が取締役を受取人として振り出した約束手形の譲受人（最大判昭46.10.13・百選55事件）といった第三者との関係においては、会社は第三者の悪意を立証してはじめて無効を主張できる（相対的無効説） 司書

⑵　取引の相手方側から取引の無効を主張することはできない（最判昭48.12.11） 書。

∵　利益相反取引規制は会社の利益保護を目的としている

⑶　利益相反取引と代表取締役の代表権の濫用

代表取締役が自己の債務を担保するために、第三者の振り出した約束手形について取締役会の承認を経ずに会社を代表して裏書する行為は、利益相反取引（間接取引、356Ⅰ③）に当たり、かつ、代表取締役の権限濫用にも当たるため、利益相反取引規制違反による第三者に対する無効主張と、民法107条による効果不帰属の主張がともに認められる（東京高判平26.5.22・平26重判6事件参照）。

三　競業取引・利益相反取引の承認手続

1　取締役は、競業取引・利益相反取引を行う場合、当該取引につき「重要な事実」を開示し、株主総会（取締役会設置会社の場合は取締役会）の承認を受けなければならない（356Ⅰ・365Ⅰ）。この承認は、取引ごとに行われる必要があるが、取引の合理的な限度を定めたうえで包括的な承認を行うこともできる。

→会社と利益が衝突する取締役は、取締役会の決議について特別利害関係が認められるため、議決に加わることができない（369Ⅱ）

「重要な事実」とは、承認の対象となる取引が会社にいかなる影響を及ぼすかを判断するうえで必要な情報をいい、取引の相手方、目的物、数量、価格、取引範囲、履行期、債権者、債務の内容、主債務者の返済能力等を開示すべきことになる 予H26。

2　取締役会設置会社においては、競業取引・利益相反取引をした取締役は、当該取引後遅滞なく、当該取引についての重要な事実を取締役会に報告しなければならない（365Ⅱ）。

3　なお、取締役の場合と異なり、監査役は業務執行を行わないので、取締役の場合と異なり、会社との競業取引（356Ⅰ①）や利益相反取引（356Ⅰ②③）

に関する規定が設けられていない予。

→監査役については、「取締役会の承認を受けなければならない」といった規律はないが、それは単に予防的・形式的な規制がないというだけであり、実際に監査役が職務上知り得た会社の営業秘密を利用して競業取引などを行い、会社に損害を生じさせた場合には、善管注意義務違反の責任を免れない予

【関連条文】365［取締役会設置会社の場合］

第３５７条　（取締役の報告義務）

Ⅰ　取締役は、株式会社に著しい損害を及ぼすおそれのある事実があることを発見したときは、直ちに、当該事実を株主（監査役設置会社にあっては、監査役）に報告しなければならない書。

Ⅱ　監査役会設置会社における前項の規定の適用については、同項中「株主（監査役設置会社にあっては、監査役）」とあるのは、「監査役会」とする。

Ⅲ　監査等委員会設置会社における第１項の規定の適用については、同項中「株主（監査役設置会社にあっては、監査役）」とあるのは、「監査等委員会」とする。

第３５８条　（業務の執行に関する検査役の選任）

Ⅰ　株式会社の業務の執行に関し、不正の行為又は法令若しくは定款に違反する重大な事実があることを疑うに足りる事由があるときは、次に掲げる株主は、当該株式会社の業務及び財産の状況を調査させるため、裁判所に対し、検査役の選任の申立てをすることができる司。

①　総株主（株主総会において決議をすることができる事項の全部につき議決権を行使することができない株主を除く。）の議決権の１００分の３（これを下回る割合を定款で定めた場合にあっては、その割合）以上の議決権を有する株主

②　発行済株式（自己株式を除く。）の１００分の３（これを下回る割合を定款で定めた場合にあっては、その割合）以上の数の株式を有する株主

Ⅱ　前項の申立てがあった場合には、裁判所は、これを不適法として却下する場合を除き、検査役を選任しなければならない。

Ⅲ　裁判所は、前項の検査役を選任した場合には、株式会社が当該検査役に対して支払う報酬の額を定めることができる。

Ⅳ　第２項の検査役は、その職務を行うため必要があるときは、株式会社の子会社の業務及び財産の状況を調査することができる。

Ⅴ　第２項の検査役は、必要な調査を行い、当該調査の結果を記載し、又は記録した書面又は電磁的記録（法務省令で定めるものに限る。）を裁判所に提供して報告をしなければならない。

Ⅵ　裁判所は、前項の報告について、その内容を明瞭にし、又はその根拠を確認するため必要があると認めるときは、第２項の検査役に対し、更に前項の報告を求めることができる。

Ⅶ　第２項の検査役は、第５項の報告をしたときは、株式会社及び検査役の選任の申立てをした株主に対し、同項の書面の写しを交付し、又は同項の電磁的記録に記録

された事項を法務省令で定める方法により提供しなければならない。

[趣旨]株主の経理検査権（⇒ p.370）の１つとして、検査役選任請求権を規定する。

《注　釈》

◆　判例

1　定時株主総会が開催されず、計算書類の作成・総会への提出・承認がなされておらず、任期満了にもかかわらず代表取締役がその地位にとどまっており、代表取締役が個人で負担すべき医療費を会社財産から支出し、赤字であるにもかかわらず役員報酬約1,000万円を支出したという事案では、「不正の行為又は法令若しくは定款に違反する重大な事実があることを疑うに足りる事由」があるといえる（大阪高決昭55.6.9・百選A30事件）。

2　株主が検査役選任の申請をした後に会社が新株を発行したことにより、申請株主が総株主の議決権の３％未満しか有しないものとなった場合には、会社が株主の申請を妨害する目的で新株を発行したなどの特段の事情がない限り、申請人は適格を欠く（最決平18.9.28・百選57事件）予。

【関連条文】433［会計帳簿の閲覧等の請求］、規228、229

第３５９条　（裁判所による株主総会招集等の決定）

Ⅰ　裁判所は、前条第５項の報告があった場合において、必要があると認めるときは、取締役に対し、次に掲げる措置の全部又は一部を命じなければならない。

①　一定の期間内に株主総会を招集すること。

②　前条第５項の調査の結果を株主に通知すること。

Ⅱ　裁判所が前項第１号に掲げる措置を命じた場合には、取締役は、前条第５項の報告の内容を同号の株主総会において開示しなければならない。

Ⅲ　前項に規定する場合には、取締役（監査役設置会社にあっては、取締役及び監査役）は、前条第５項の報告の内容を調査し、その結果を第１項第１号の株主総会に報告しなければならない。

第３６０条　（株主による取締役の行為の差止め）司書

Ⅰ　６箇月（これを下回る期間を定款で定めた場合にあっては、その期間）前から引き続き株式を有する株主は、取締役が株式会社の目的の範囲外の行為その他法令若しくは定款に違反する行為をし、又はこれらの行為をするおそれがある場合において、当該行為によって当該株式会社に著しい損害が生ずるおそれがあるときは、当該取締役に対し、当該行為をやめることを請求することができる。

Ⅱ　公開会社でない株式会社における前項の規定の適用については、同項中「６箇月（これを下回る期間を定款で定めた場合にあっては、その期間）前から引き続き株式を有する株主」とあるのは、「株主」とする。

Ⅲ　監査役設置会社、監査等委員会設置会社又は指名委員会等設置会社における第１項の規定の適用については、同項中「著しい損害」とあるのは、「回復することができない損害」とする。

【2項読替え】
公開会社でない株式会社においては、株主は、取締役が株式会社の目的の範囲外の行為その他法令若しくは定款に違反する行為をし、又はこれらの行為をするおそれがある場合において、当該行為によって当該株式会社に著しい損害が生ずるおそれがあるときは、当該取締役に対し、当該行為をやめることを請求することができる。

【3項読替え】
監査役設置会社、監査等委員会設置会社又は指名委員会等設置会社においては、6か月（これを下回る期間を定款で定めた場合にあっては、その期間）前から引き続き株式を有する株主は、取締役が株式会社の目的の範囲外の行為その他法令若しくは定款に違反する行為をし、又はこれらの行為をするおそれがある場合において、当該行為によって当該株式会社に回復することができない損害が生ずるおそれがあるときは、当該取締役に対し、当該行為をやめることを請求することができる。

［趣旨］取締役の違法行為に対する事前の防止手段として個々の株主に差止めの権利を認めて、会社ひいては株主の利益を保護する点にある。なお、事後の株主救済手段としては、株主代表訴訟（847）がある。

《注　釈》

◆　**違法行為差止請求権** 司H21 司H24

1　「法令」の意義

(1)　法令違反行為における「法令」には、自己株式規制（156）などの会社法上の個別具体的な規定のみならず、善管注意義務（330、民644）や忠実義務（355）といった一般的な規定も含まれる。

＊　違法行為差止請求と経営判断原則
経営不振企業に対する支援を行うか否か、支援を行うとした場合の支援の時期や内容といった判断は、経営判断に他ならないから、差止請求の可否の判断にも経営判断原則の適用がある（東京地決平16.6.23・百選58事件）。

(2)　会社法以外の法令についても、任務懈怠責任における「法令」（423 Ⅰ）と同様（最判平12.7.7・百選47事件参照）、「法令」に含まれると解されている（大阪高判平14.4.11）。

2　「著しい損害」・「回復することができない損害」の意義
「著しい損害」とは、損害の質及び量において著しいことを意味し、損害賠償その他の措置による回復が可能か否かは問われない。「回復することができない損害」とは、損害賠償によってはその損害を償うことができないことを意味し、回復が相当困難な場合も含まれる。「著しい損害」は「回復することができない損害」よりも程度が低く、後者が認められる場合は前者も認められる。

3　差止請求権の行使
差止請求権は裁判上又は裁判外において行使することができる。
→裁判上の差止請求が行われた場合については、代表訴訟に関する規定（847等）が類推適用されると一般に解されている。もっとも、管轄に関

する848条については類推適用されないとする見解が有力である（∵明文なくして専属管轄の規定を類推適用すべきではない）

<各種の差止請求権>

	原告	被告	要件
株主による取締役・執行役の違法行為等の差止め（360・422）	株主（公開会社では6か月の保有期間あり）	取締役・執行役	法令・定款に違反する行為をし、又はするおそれがある場合に、会社に著しい損害（＊1）が生ずるおそれがあるとき
監査役等による取締役・執行役の違法行為等の差止め（385・399の6・407）	監査役・監査等委員・監査委員	取締役・執行役	法令・定款に違反する行為をし、又はするおそれがある場合に、会社に著しい損害が生じるおそれがあるとき
募集株式発行等の差止め（210・247）	株主	会社	法令・定款に違反する場合又は著しく不公正な方法により行われる場合に、株主が不利益を受けるおそれがあるとき
全部取得条項付種類株式の取得の差止め（171の3）	株主	会社	法令・定款に違反する場合に、株主が不利益を受けるおそれがあるとき
株式の併合の差止め（182の3）	株主	会社	法令・定款に違反する場合に、株主が不利益を受けるおそれがあるとき
組織再編の差止め（784の2・796の2・805の2）	株主	会社	法令・定款に違反する場合（＊2）に、株主が不利益を受けるおそれがあるとき
株式等売渡請求に係る売渡株式等の全部の取得差止め（179の7）	売渡株主等（179の2Ⅰ②参照）	特別支配株主（179Ⅰ参照）	法令に違反する場合、通知若しくは事前開示に関する規制に違反した場合又は対価が著しく不当な場合に、売渡株主等が不利益を受けるおそれがあるとき

＊1　監査役設置会社・監査等委員会設置会社・指名委員会等設置会社では回復することができない損害が要件となる。

＊2　略式手続による場合は、法令・定款違反に加え、組織再編の対価の著しい不当性も、差止事由となる。

【関連条文】 27④［定款の絶対的記載事項］、385［監査役による差止請求］、407［指名委員会等設置会社における監査委員による差止請求］、422［指名委員会等設置会社における株主による差止請求］、847［株主代表訴訟］

第361条（取締役の報酬等） 回

Ⅰ　取締役の報酬、賞与その他の職務執行の対価として株式会社から受ける財産上の利益（以下この章において「報酬等」という。）についての次に掲げる事項は、定款に当該事項を定めていないときは、株主総会の決議によって定める。

①　報酬等のうち額が確定しているものについては、その額

② 報酬等のうち額が確定していないものについては、その具体的な算定方法〈予〉
③ 報酬等のうち当該株式会社の募集株式（第１９９条第１項に規定する募集株式をいう。以下この項及び第４０９条第３項<報酬委員会による報酬の決定方法等>において同じ。）については、当該募集株式の数（種類株式発行会社にあっては、募集株式の種類及び種類ごとの数）の上限その他法務省令で定める事項
④ 報酬等のうち当該株式会社の募集新株予約権（第２３８条第１項に規定する募集新株予約権をいう。以下この項及び第４０９条第３項<報酬委員会による報酬の決定方法等>において同じ。）については、当該募集新株予約権の数の上限その他法務省令で定める事項
⑤ 報酬等のうち次のイ又はロに掲げるものと引換えにする払込みに充てるための金銭については、当該イ又はロに定める事項
　イ 当該株式会社の募集株式　取締役が引き受ける当該募集株式の数（種類株式発行会社にあっては、募集株式の種類及び種類ごとの数）の上限その他法務省令で定める事項
　ロ 当該株式会社の募集新株予約権　取締役が引き受ける当該募集新株予約権の数の上限その他法務省令で定める事項
⑥ 報酬等のうち金銭でないもの（当該株式会社の募集株式及び募集新株予約権を除く。）については、その具体的な内容〈予〉

Ⅱ 監査等委員会設置会社においては、前項各号に掲げる事項は、監査等委員である取締役とそれ以外の取締役とを区別して定めなければならない。

Ⅲ 監査等委員である各取締役の報酬等について定款の定め又は株主総会の決議がないときは、当該報酬等は、第１項の報酬等の範囲内において、監査等委員である取締役の協議によって定める。

Ⅳ 第１項各号に掲げる事項を定め、又はこれを改定する議案を株主総会に提出した取締役は、当該株主総会において、当該事項を相当とする理由を説明しなければならない〈司〉。

Ⅴ 監査等委員である取締役は、株主総会において、監査等委員である取締役の報酬等について意見を述べることができる〈書〉。

Ⅵ 監査等委員会が選定する監査等委員は、株主総会において、監査等委員である取締役以外の取締役の報酬等について監査等委員会の意見を述べることができる〈予〉。

Ⅶ 次に掲げる株式会社の取締役会は、取締役（監査等委員である取締役を除く。以下この項において同じ。）の報酬等の内容として定款又は株主総会の決議による第１項各号に掲げる事項についての定めがある場合には、当該定めに基づく取締役の個人別の報酬等の内容についての決定に関する方針として法務省令で定める事項を決定しなければならない。ただし、取締役の個人別の報酬等の内容が定款又は株主総会の決議により定められているときは、この限りでない。
① 監査役会設置会社（公開会社であり、かつ、大会社であるものに限る。）であって、金融商品取引法第２４条第１項の規定によりその発行する株式について有価証券報告書を内閣総理大臣に提出しなければならないもの
② 監査等委員会設置会社

【令元改正】本条１項３号～５号は、株式・新株予約権を取締役の報酬等として付

与すれば取締役の業績向上へのインセンティブに大きく寄与する一方、株式・新株予約権を報酬等にすると、既存の株主の持株比率の低下や希釈化による経済的損失が生じるおそれがあることから、株式・新株予約権については、定款又は株主総会の決議によって更に詳細な事項（株式等の数の上限等）を定めることとしたものである。なお、同様の改正は、指名委員会等設置会社についてもなされている（409 Ⅲ③～⑤参照。ただし、報酬委員会は個人別の報酬等を決定するため、「上限」ではなく「数」を決定する）。

次に、令和元年改正前会社法下では、本条１項１号（確定額の報酬等）に関する議案を株主総会に提出する場合、取締役に説明義務は課されていなかったが、改正会社法下では、これについても取締役に説明義務が課されることとなった（361 Ⅳ参照）。

また、社外取締役の設置が義務付けられている株式会社（327の２参照、及び監査等委員会設置会社）では、社外取締役による経営の監督機能が特に期待されているところ、取締役のインセンティブを引き出すために報酬等を付与する場合、それが公正性・透明性の観点から適切なものとなるように、社外取締役が報酬等の決定方針に関与するのが重要であると考えられる。そこで、本条７項は、取締役（監査等委員である取締役を除く）の報酬等の内容として361条１項各号に掲げる事項についての定めがある場合、上記株式会社の取締役会は「報酬等の決定方針」を定めなければならない旨を規定している（なお、指名委員会等設置会社では、報酬委員会がこれを決定（409参照）するため、本条７項は適用されない）。「報酬等の決定方針」の決定を取締役に委任することはできない（399の13 Ⅴ⑦参照）。

［趣旨］１項の趣旨は取締役の報酬を取締役会に任せると、同僚意識から制御がきかないことになるため、このような取締役によるお手盛りの弊害を防止し、会社や株主の利益を保護するため株主総会の決議事項とした。

《注　釈》

◆　取締役の報酬等

１　規制の範囲

(1)　退職慰労金

(a)　退職慰労金は、「報酬等」にあたる（最判昭39.12.11・百選59事件）。

cf.　弔慰金も、小額の香典として認められる場合は別として、職務執行の対価と認められる限り、報酬に該当するとされる（最判昭48.11.26）〈司〉。

(b)　取締役会への一任の可否

無条件に一任することは許されないが、会社の業績・勤続年数・担当業務・功績の軽重から割り出した一定の基準により退職慰労金を決定する慣例が確立しており、かつ株主がその基準を知りうる状況にあった場合に、この慣例に従って定めることを黙示して決議したとみられるときには、有効である（最判昭39.12.11・百選59事件）〈司予〈予R3〉。

(c)　退職慰労年金は、取締役の職務執行の対価として支給される趣旨を含む場合は報酬等にあたる（最判平22.3.16・平22重判３事件）。

株式会社

→退職慰労年金の支給は、退職慰労金を事実上分割払いにしたものといえる

(2) 使用人兼務取締役

使用人兼務取締役が取締役として受ける報酬額の決定に際し、「使用人として受ける給与の体系が明確に確立されており、かつ、使用人として受ける給与がそれによって支給されている限り」、使用人分を含まない旨を明示して取締役として受ける報酬額のみを株主総会で決議しても、361条の脱法にはあたらない（最判昭60.3.26参照）〈司予〉。

(3) 新株予約権の付与（ストック・オプション）

取締役に対し、いわゆるインセンティブ報酬の趣旨で、会社から新株予約権が付与される場合があり、新株予約権の発行規制の他、本条の規制を受ける〈共〉。　⇒ p.184

株式会社

2　報酬等の決定方法

報酬の金額、支払時期、支払方法の決定を取締役会に一任する旨の株主総会決議は無効である（最判昭48.11.26）。これに対して、取締役全員に対する報酬の総額又は最高限度額を株主総会決議で定めたうえで、各取締役への配分を取締役会決議に委ねることは許される（大判昭7.6.10）〈予〉。さらに、当該委任を受けた取締役会の決議を経たうえで、各取締役の報酬額の決定を代表取締役に再委任することも許される（最判昭31.10.5）。

3　具体的報酬請求権の発生

定款又は株主総会決議によって報酬が定められなければ、具体的な報酬請求権は発生せず、取締役は会社に対して報酬を請求することはできない（最判平15.2.21・百選A21事件）〈予R3〉。

→退職慰労金を支給する旨の株主総会の決議等が存在しない場合において、取締役が退職慰労金の支給を受けたことは、不当利得になる。もっとも、会社がいったん支払われた退職慰労金の返還を請求することが信義則に反し、権利の濫用として許されない場合もある（最判平21.12.18・百選A 22事件参照）〈予R3〉

4　事後的な株主総会決議

株主総会決議を経ずに支払われた役員報酬について、事後の株主総会決議で承認されれば、その報酬の支払は株主総会決議に基づく有効なものとなる（最判平17.2.15・平17重判3事件）〈予〉。

5　報酬等の変更〈司H28〉

(1) 取締役の報酬を無報酬に変更する旨の株主総会決議

株主総会が取締役の報酬を無報酬に変更する旨の決議をしたとしても、当該取締役は、これに同意しない限り、当該報酬の請求権を失わない。この理は、取締役の職務内容に著しい変更があったことを前提に株主総会決議がされた場合でも異ならない（最判平4.12.18・百選A23事件）〈司予書〉。

∵　定款又は株主総会決議によって取締役の報酬額が具体的に定められた場合、その報酬額は、会社と取締役間の契約内容となって契約当事者双

方を拘束する

→本判決は、契約の拘束力を理由としているから、無報酬への変更のみならず減額する場合もその射程に含まれる

(2)　内規の廃止による退職慰労年金不支給の可否

取締役が退任により当然に内規に基づき退職慰労年金債権を取得することはなく、株主総会決議による個別の判断を経て初めて、会社と退任取締役との間で退職慰労年金を支給する契約が成立し、当該退任取締役が具体的な退職慰労年金債権を取得する。退任取締役が株主総会決議による個別の判断を経て具体的な退職慰労年金債権を取得したものである以上、内規の廃止の効力を既に退任した取締役に及ぼすことは許されず、その同意なく上記退職慰労年金債権を失わせることはできない（最判平22.3.16・平22重判3事件）〈予〉。

(3)　既に役員に付与されたストック・オプションに係る新株予約権の行使に関して事後的に条件を付すことの可否

役員に付与されたストック・オプションにつき、事後的にその権利行使に関して条件を付すことは、いったん支払われた報酬の内容を変更するものであって、個別の同意を得ない限り許されない（東京地決平25.5.10・平25重判4事件）。

6　事業報告による開示

公開会社における事業報告では、取締役の報酬についても報酬額等の「総額」を挙げる必要がある（435Ⅱ、規121④イ、ロ、ハ）。

【関連条文】299Ⅳ・298Ⅰ⑤［株主総会招集通知に記載・記録］、330・民648・656［報酬請求権］、387［監査役の報酬］、379［会計参与の報酬］、399［会計監査人の報酬］、404Ⅳ［指名委員会等設置会社における執行役等の報酬］、409［報酬委員会による報酬の決定の方法等］

■第5節　取締役会

《概　説》

1　意義

取締役会とは、取締役の全員で構成され、その会議における決議によって業務執行に関する会社の意思を決定し、また取締役の職務の執行を監督する機関をいう。

2　権限

取締役会は、業務執行を決定する（362Ⅱ①）とともに、取締役の職務執行を監督する権限を有する（同②）。

<取締役会と株主総会の比較>

	取締役会	株主総会
議決権の性格	職務の遂行	権利の行使
議決権の数	一人一議決権（369 Ⅰ）	原則一株一議決権（308 Ⅰ）
決議の種類	普通決議のみ	特別決議や特殊決議もあり（309）
代理行使	不可	可（310）
不統一行使	不可	可（313）
書面又は電磁的記録による投票	原則　不可 ただし、取締役全員の同意あれば可（370） （監査役会設置会社では監査役の異議がないことが必要）	可（311、312）
特別利害関係人	決議に参加できない（369 Ⅱ）	決議に参加できる ただし、著しく不当な決議がなされた場合、決議取消しの訴えの原因となる（831 Ⅰ③）
議事録	必要（369 Ⅲ） 監査役設置会社、監査等委員会設置会社又は指名委員会等設置会社では、裁判所の許可を得た場合のみ、株主は閲覧可（371 Ⅱ Ⅲ）	必要（318 Ⅰ） 株主は閲覧可（318 Ⅳ）

第１款　権限等

第３６２条　（取締役会の権限等）

Ⅰ　取締役会は、すべての取締役で組織する。

Ⅱ　取締役会は、次に掲げる職務を行う。

①　取締役会設置会社の業務執行の決定

②　取締役の職務の執行の監督

③　代表取締役の選定及び解職

Ⅲ　取締役会は、取締役の中から代表取締役を選定しなければならない。

Ⅳ　取締役会は、次に掲げる事項その他の重要な業務執行の決定を取締役に委任することができない。

①　重要な財産の処分及び譲受け

②　多額の借財〈予

③　支配人その他の重要な使用人の選任及び解任〈予

④　支店その他の重要な組織の設置、変更及び廃止

⑤　第６７６条第１号<募集社債の総額>に掲げる事項その他の社債を引き受ける者の募集に関する重要な事項として法務省令で定める事項〈書

⑥　取締役の職務の執行が法令及び定款に適合することを確保するための体制その他株式会社の業務並びに当該株式会社及びその子会社から成る企業集団の業務の適正を確保するために必要なものとして法務省令で定める体制の整備〈司予

⑦　第426条第1項<取締役等による免除に関する定款の定め>の規定による定款の定めに基づく第423条第1項<役員等の株式会社に対する損害賠償責任>の責任の免除

Ⅴ　大会社である取締役会設置会社においては、取締役会は、前項第6号に掲げる事項を決定しなければならない。

[趣旨] 4項の趣旨については、会社の効率的な業務執行の観点から、取締役会から、代表取締役や業務執行取締役に対して意思決定を委ねざるを得ない。しかし、権限委譲を無制限に認めると、取締役会の形骸化や代表取締役の独断専行を招くという弊害が生じうる。そこで、本条で、取締役会の監視機能を維持させるために、取締役会の専決事項を法定した〈予。

《注　釈》

一　監視義務（Ⅱ②）〈司H26

代表取締役はもちろん、一般の取締役も、代表取締役等の業務執行一般につき、監視し、取締役会を通じて業務執行が適正に行われるようにする職務を有する（最判昭48.5.22・百選67事件）〈予。また、社外取締役も取締役であるから、前記監視義務を負う〈共予。

二　代表取締役の選定・解職（Ⅱ③）

1　取締役会の監視機能の一環として、「代表取締役の選定及び解職」（362Ⅱ③）が取締役会の職務とされているところ、非公開会社かつ取締役会設置会社において、取締役会の決議によるほか株主総会の決議によっても代表取締役を定めることができる旨の定款の定めは有効かという点につき、判例（最決平29.2.21・百選41事件）は、「非公開会社（法327条1項1号参照）が、その判断に基づき取締役会を置いた場合、株主総会は、法に規定する事項及び定款で定めた事項に限り決議をすることができることとなるが（法295条2項）、法において、この定款で定める事項の内容を制限する明文の規定はない。そして、法は取締役会をもって代表取締役の職務執行を監督する機関と位置付けていると解されるが、取締役会設置会社である非公開会社において、取締役会の決議によるほか株主総会の決議によっても代表取締役を定めることができることとしても、代表取締役の選定及び解職に関する取締役会の権限（法362条2項3号）が否定されるものではなく、取締役会の監督権限の実効性を失わせるとはいえない」として、上記定款の定めを有効であるとした〈予書〈司R元 予R3。

2　取締役会は、理由のいかんを問わず、いつでも代表取締役を解職することができる（362Ⅱ③）が、そのためには、代表取締役を解職するための取締役会決議が適法になされることが必要である。

代表取締役の解職を内容とする取締役会決議は、経営判断に属する事項であり、取締役会の裁量に委ねられる事項であるから、手続に重大な瑕疵がなく、それが裁量権の逸脱・濫用と認められない限り有効となる（富山地高岡支判平31.4.17・令元重判7事件）。

3　取締役会の決議による代表取締役の解職は、その決議により直ちにその効力が生ずるのであり、代表取締役に対する告知があってはじめて生ずるものではない（最判昭41.12.20）予書。

三　「重要な財産の処分及び譲受け」（Ⅳ①）の判断基準 予H24

「重要な財産の処分に該当するかどうかは、当該財産の価額、その会社の総資産に占める割合、当該財産の保有目的、処分行為の態様及び会社における従来の取扱い等の事情を総合的に考慮して判断すべき」である（最判平6.1.20・百選60事件）。

四　「多額の借財」（Ⅳ②）の判断基準 司H20 司H26 司R3

「多額の借財」に該当するかどうかは、当該借財の額、その会社の総資産・経常利益等に占める割合、借財の目的及び従来の取扱い等の事情を総合的に考慮して判断される（東京地判平9.3.17）。

<各取締役に委任することができないと法定されている事項>

	取締役会設置会社	非取締役会設置会社
重要な財産の処分及び譲受け	○（362 Ⅳ①）	―
多額の借財	○（362 Ⅳ②）	―
支配人その他の重要な使用人の選任・解任	○（362 Ⅳ③）	○（348 Ⅲ①）
支店その他の重要な組織の設置、変更及び廃止	○（362 Ⅳ④）	○（348 Ⅲ②）
社債の募集についての重要事項	○（362 Ⅳ⑤）	―
内部統制システムの構築	○（362 Ⅳ⑥）	○（348 Ⅲ④）
定款規定に基づく取締役等の責任の一部免除	○（362 Ⅳ⑦）	○（348 Ⅲ⑤）
株主総会の招集に関する事項	―	○（348 Ⅲ③）

○：委任できない事項

【関連条文】348・349［取締役会非設置会社の場合の取締役］、規99、100

第３６３条　（取締役会設置会社の取締役の権限）

Ⅰ　次に掲げる取締役は、取締役会設置会社の業務を執行する 予。

① 代表取締役

② 代表取締役以外の取締役であって、取締役会の決議によって取締役会設置会社の業務を執行する取締役として選定されたもの

Ⅱ　前項各号に掲げる取締役は、3箇月に1回以上、自己の職務の執行の状況を取締役会に報告しなければならない 予書。

［趣旨］２項は、取締役会による監督機能の実効性を図るため、業務執行をなす取締役に自己の業務執行の状況を取締役会に報告する義務を課したものである〈予〉。

《注　釈》

◆　**使用人への再委任**〈予〉

日々の業務執行の決定をすべて取締役会が行うことは現実的ではないため、取締役会は、一定の重要な事項（362 Ⅳ各号参照）を除き、代表取締役その他の特定の取締役に業務執行の決定を委任することができる（362 Ⅳ参照）。また、取締役会から委任を受けた代表取締役や業務執行取締役も、その業務執行の決定をすべて自らが行うことは現実的ではないため、その委任された業務執行の決定を使用人に再委任することができると解されている。

【関連条文】348［取締役会非設置会社の会社の場合における業務執行］

第３６４条　（取締役会設置会社と取締役との間の訴えにおける会社の代表）

第３５３条＜株式会社と取締役との間の訴えにおける会社の代表＞に規定する場合には、取締役会は、同条の規定による株主総会の定めがある場合を除き、同条の訴えについて取締役会設置会社を代表する者を定めることができる。

【関連条文】353［非取締役会設置会社における会社代表者］、386［監査役設置会社における会社代表者］、408［指名委員会等設置会社における会社代表者］

第３６５条　（競業及び取締役会設置会社との取引等の制限）

Ⅰ　取締役会設置会社における第３５６条＜競業及び利益相反取引の制限＞の規定の適用については、同条第１項中「株主総会」とあるのは、「取締役会」とする。

Ⅱ　取締役会設置会社においては、第３５６条第１項各号＜競業及び利益相反取引の制限＞の取引をした取締役は、当該取引後、遅滞なく、当該取引についての重要な事実を取締役会に報告しなければならない〈予書〉。

【１項読替え】

Ⅰ　取締役会設置会社においては、取締役は、次に掲げる場合には、取締役会において、当該取引につき重要な事実を開示し、その承認を受けなければならない。

① 取締役が自己又は第三者のために株式会社の事業の部類に属する取引をしようとするとき。

② 取締役が自己又は第三者のために株式会社と取引をしようとするとき。

③ 株式会社が取締役の債務を保証することその他取締役以外の者との間において株式会社と当該取締役との利益が相反する取引をしようとするとき。

Ⅱ　民法第108条＜自己契約及び双方代理＞の規定は、前項の承認を受けた同項第２号の取引については、適用しない。

［趣旨］取締役の競業取引・利益相反取引は、経営判断に密接に関わるものであるから、取締役会設置会社においては、経営の意思決定機関である取締役会が決定するものとした。

第２款　運営

第３６６条　（招集権者）

Ⅰ　取締役会は、各取締役が招集する。ただし、取締役会を招集する取締役を定款又は取締役会で定めたときは、その取締役が招集する〈予書〉。

Ⅱ　前項ただし書に規定する場合には、同項ただし書の規定により定められた取締役（以下この章において「招集権者」という。）以外の取締役は、招集権者に対し、取締役会の目的である事項を示して、取締役会の招集を請求することができる。

Ⅲ　前項の規定による請求があった日から５日以内に、その請求があった日から２週間以内の日を取締役会の日とする取締役会の招集の通知が発せられない場合には、その請求をした取締役は、取締役会を招集することができる。

［趣旨］取締役会を開催して、取締役の監視義務の実効性を確保するために、各取締役に招集権を認めた規定である。

【関連条文】383 Ⅱ Ⅲ［監査役による招集］、410［指名委員会等設置会社の場合］

第３６７条　（株主による招集の請求）

Ⅰ　取締役会設置会社（監査役設置会社、監査等委員会設置会社及び指名委員会等設置会社を除く〈予書〉。）の株主は、取締役が取締役会設置会社の目的の範囲外の行為その他法令若しくは定款に違反する行為をし、又はこれらの行為をするおそれがあると認めるときは、取締役会の招集を請求することができる。

Ⅱ　前項の規定による請求は、取締役（前条第１項ただし書に規定する場合にあっては、招集権者）に対し、取締役会の目的である事項を示して行わなければならない。

Ⅲ　前条第３項の規定は、第１項の規定による請求があった場合について準用する。

Ⅳ　第1項の規定による請求を行った株主は、当該請求に基づき招集され、又は前項において準用する前条第3項の規定により招集した取締役会に出席し、意見を述べることができる。

［趣旨］監査役設置会社や指名委員会等設置会社以外の会社においては、取締役の業務執行監査する権限を有する者が存在しないことから、取締役が法令・定款違反行為をするおそれがあるような場合に、取締役会の監督機能の実効性を確保させるため株主に招集請求権を認めた。

第３６８条　（招集手続）

Ⅰ　取締役会を招集する者は、取締役会の日の１週間（これを下回る期間を定款で定めた場合にあっては、その期間〈予〉）前までに、各取締役（監査役設置会社にあっては、各取締役及び各監査役）に対してその通知を発しなければならない。

Ⅱ　前項の規定にかかわらず、取締役会は、取締役（監査役設置会社にあっては、取締役及び監査役）の全員の同意があるときは、招集の手続を経ることなく開催することができる〈書〉。

［趣旨］２項は、経営の機動性確保のため招集手続の省略を認めるものである。

《概　説》

＜取締役会と株主総会の招集手続の比較＞

		取締役会	株主総会
招集権者		原則：各取締役（366 Ⅰ） 例外：特定の取締役（366 Ⅰただし書）（ただし、特定の取締役以外の取締役も招集しうる、366 Ⅲ） 株主（監査役設置会社と指名委員会等設置会社以外、367） 監査役（383 Ⅲ）　等	原則：取締役会が決定し、代表取締役が執行（296 Ⅲ、298 Ⅳ） 例外：少数株主（297 Ⅳ） 裁判所（307、359）
招集手続	時期	原則として会日の１週間前までに通知（368 Ⅰ）（定款で短縮可）	公開会社：会日の２週間前までに通知（299 Ⅰ） 非公開会社：会日の１週間前までに通知（定款で短縮可）
	方法	制限なし	書面等による議決権の行使を認める場合、取締役会設置会社である場合は、書面・電磁的方法による（299 Ⅱ Ⅲ）
	相手方	取締役・監査役（368 Ⅰ）	株主（299 Ⅰ）
	通知事項	規定なし（＊）	書面・電磁的方法による通知が要求される場合には、株主総会日時・場所・目的等（299 Ⅳ、298 Ⅰ）

＊　取締役会の場合、業務執行に関する様々な事項が付議されることは当然予想されるから、招集通知には議題等を示す必要はない〈司予〈予R元。

第３６９条　（取締役会の決議）

Ⅰ　取締役会の決議は、議決に加わることができる取締役の過半数（これを上回る割合を定款で定めた場合にあっては、その割合以上〈司）が出席し、その過半数（これを上回る割合を定款で定めた場合にあっては、その割合以上）をもって行う〈共予書。

Ⅱ　前項の決議について特別の利害関係を有する取締役は、議決に加わることができない。

Ⅲ　取締役会の議事については、法務省令で定めるところにより、議事録を作成し、議事録が書面をもって作成されているときは、出席した取締役及び監査役は、これに署名し、又は記名押印しなければならない〈予書。

Ⅳ　前項の議事録が電磁的記録をもって作成されている場合における当該電磁的記録に記録された事項については、法務省令で定める署名又は記名押印に代わる措置をとらなければならない。

Ⅴ　取締役会の決議に参加した取締役であって第３項の議事録に異議をとどめないものは、その決議に賛成したものと推定する〈司予書。

株式会社

［趣旨］ 1項は、取締役は個人的信頼に基づき選任されることから、一人一議決権である旨を規定している。2項の趣旨は、取締役は専ら会社のために権限を行使すべきであるが（355）、特別利害関係人には公正な権利行使を期待することができないことから、決議の公正を図るために、特別利害関係を有する取締役は議決に加わることができないとする点にある（831 Ⅰ③と対比）〈司〉。 ⇒ p.298

《注　釈》

一　決議

1　決議要件

取締役会の決議は、決議に加わることができる取締役の過半数が出席し、その出席取締役の過半数で決定する（369 Ⅰ）。定款でこの要件を加重することはできるが、緩和することはできない（同かっこ書）。

→取締役会の決議の目的である事項について、決議に参加した取締役による賛否が同数となった後、当該取締役による過半数の賛成により議長一任の決議が成立したときは、議長は、決裁権を行使して、賛否が同数となった当該事項についての取締役会の決議を成立させることができる〈書〉

2　定足数の充足時期

取締役会の定足数は、開会時に充足されただけでは足りず、討議・議決の全過程を通じて維持されなければならない〈共〉。また、定足数を欠く取締役会の決議は、無効である（最判昭41.8.26）。

二　特別利害関係（Ⅱ）〈予H23 予H26 予R元〉

1　意義・趣旨

取締役会の決議について特別利害関係を有する取締役は、決議の公正を図るため、「議決に加わることができない」（369 Ⅱ）。これは、定足数算定の基礎となる取締役数から除外されることを意味する。

→特別利害関係を有する取締役に出席権・意見陳述権は認められず、議長から退席を要求されればその指示に従わなければならないが、当該取締役の説明・弁明を聴くために出席・意見陳述を許可することは差し支えないと解されている

＊　株主総会決議では、特別利害関係人たる株主であっても議決権を行使することができ、著しく不当な決議がされたときに限り、株主総会決議の取消事由となるにすぎない（831 Ⅰ③）。他方、取締役会決議では、特別利害関係を有する取締役は「議決に加わることができない」と定められ、議決権の行使が事前に排除されている。このような厳格な定めとなっているのは、取締役は会社に対して忠実義務（355）を負っているため、特別利害関係を有する取締役による忠実義務違反を予防し、取締役会決議の公正を担保する必要があるためである。

⇒ p.613（株主総会における特別利害関係人）

ここにいう「特別の利害関係」とは、取締役の忠実義務違反をもたらすおそれのある、会社の利益と衝突する取締役の個人的利害関係をいう。

2　具体例

以下のものが「特別の利害関係」を有する例として挙げられる。いずれも、取締役が自己の個人的利益を会社の利益に優先して議決権を行使するおそれがあるものである。

① 競業取引や利益相反取引を行う際にその取引の承認を求める場合（365Ⅰ・356）における当該取締役

② 取締役の任務懈怠責任（423Ⅰ）につき定款の定めに基づいて一部免除を受ける場合（426Ⅰ）における当該取締役

③ 監査役設置会社でない会社と取締役との間の訴えにおいて会社代表者を選定する場合（364・353）における当該取締役

④ 取締役会において代表取締役を解職する場合における当該代表取締役（最判昭44.3.28・百選63事件）共予 司H28

∵ 当該代表取締役に対し、一切の私心を去って、会社に対して負担する忠実義務に従い公正に議決権を行使することは必ずしも期待しがたく、かえって、自己の個人的利益を図って行動することすらあり得る

→取締役会において代表取締役を選定する場合、その候補者となる取締役は特別利害関係人に当たらない

∵ 代表取締役の選定はすべての取締役に共通する利害である

⑤ 株主総会での取締役の解任（339Ⅰ）の議案を決定する取締役会決議（298Ⅳ）において、その解任の対象とされる取締役（東京地決平29.9.26・平30重判6事件）

三　取締役会決議の瑕疵

1　効果・主張方法

取締役会決議に瑕疵がある場合（取締役会決議の招集手続・決議方法に法令違反がある場合や、これらが著しく不公正な場合のほか、その決議内容が法令・定款に違反する場合）、株主総会の場合のような特別の定め（830、831参照）はないことから、私法の一般原則に従い、当該決議は当然に無効となる。

したがって、その無効は、いつでも、誰から誰に対しても主張することができる。また、取締役会決議の無効（不存在）確認の訴えを提起することも、他の請求を行う訴えの中で理由として取締役会決議の無効を主張することも可能である。

もっとも、法的安定性を害するおそれがあるため、①瑕疵が軽微な場合は当然に無効とはならず、②無効（不存在）な決議に基づく代表取締役等の行為も当然に無効となるわけではない（最判昭40.9.22・百選61事件参照⇒p.282）。

2　判例 司H19 司H28 予H23

(1) 一部の取締役に対する招集通知を欠いた場合

この場合、瑕疵のある招集手続に基づいて開かれた取締役会の決議は無効になると解すべきであるが、その取締役が出席してもなお決議の結果に影響

がないと認めるべき特段の事情があるときは、上記瑕疵は決議の効力に影響がないものとして、決議は有効になる（最判昭44.12.2・百選62事件）〈共。

「特段の事情」に当たるものとしては、以下のものが挙げられている。

① 名目的取締役（取締役としての選任手続は経ているが、実際には取締役としての職務を果たすことが期待されず、本人もその意思がない場合）に対して招集通知を欠いた場合（上記判例の事案）

② 代表取締役の解職決議がなされた取締役会につき、当該代表取締役に対して招集通知を欠いた場合（東京地判平23.1.7）〈司H28

∵ 当該代表取締役は特別利害関係人に当たる（369 Ⅱ、最判昭44.3.28・百選63事件参照）ところ、決議の公正を期すべく、特別利害関係人たる取締役に出席権・意見陳述権は認められないと解すべきであるから、特別利害関係人たる取締役に対する通知を欠いても、決議の結果に影響はない

③ 利益相反取引の承認決議がなされた取締役会につき、取引の相手方たる取締役に対して招集通知を欠いた場合

(2) 特別利害関係人たる取締役が議決権を行使した場合〈予H26

取締役会の議決が、当該議決について特別の利害関係を有する取締役が加わってされたものであっても、当該取締役を除外してもなお議決の成立に必要な多数が存するときは、その効力は否定されない（漁業協同組合の事例、最判平28.1.22・百選A17事件参照）。

←この判例に対しては、①特別利害関係人たる取締役が議決に加わることにより他の取締役の判断や決議の効力に影響を及ぼすこと、②決議の結果に影響がなければ常に決議は有効であると解すると、多数派による違法・不公正な取締役会運営が助長されるおそれがあることから、原則として、当該決議は無効であり、例外的に、特別利害関係人たる取締役が議決に加わらなくても当該決議がされたと認めるに足りる特段の事情があるときに限り、決議は有効になると解すべきであるとの批判が有力になされている

【関連条文】423 Ⅲ③［決議賛成による任務懈怠の推定］、規101、225

第３７０条（取締役会の決議の省略）

取締役会設置会社は、取締役が取締役会の決議の目的である事項について提案をした場合において、当該提案につき取締役（当該事項について議決に加わることができるものに限る。）の全員が書面又は電磁的記録により同意の意思表示をしたとき（監査役設置会社にあっては、監査役が当該提案について異議を述べたときを除く。）は、当該提案を可決する旨の取締役会の決議があったものとみなす旨を定款で定めることができる〈司予書。

［趣旨］従来、取締役会を開催しないで持ち回り決議しても無効と解されていたが（最判昭44.11.27）、外国に居住する取締役等がいるときに機動的な意思決定をする

必要が生じる場合等、実務上の要請に応えて決議の省略の制度が導入された。

第３７１条　（議事録等）

Ⅰ　取締役会設置会社は、取締役会の日（前条の規定により取締役会の決議があったものとみなされた日を含む。）から１０年間、第３６９条第３項の議事録又は前条の意思表示を記載し、若しくは記録した書面若しくは電磁的記録（以下この条において「議事録等」という。）をその本店に備え置かなければならない。

Ⅱ　株主は、その権利を行使するため必要があるときは、株式会社の営業時間内は、いつでも、次に掲げる請求をすることができる。

①　前項の議事録等が書面をもって作成されているときは、当該書面の閲覧又は謄写の請求

②　前項の議事録等が電磁的記録をもって作成されているときは、当該電磁的記録に記録された事項を法務省令で定める方法により表示したものの閲覧又は謄写の請求

Ⅲ　監査役設置会社、監査等委員会設置会社又は指名委員会等設置会社における前項の規定の適用については、同項中「株式会社の営業時間内は、いつでも」とあるのは、「裁判所の許可を得て」とする〈予書〉。

Ⅳ　取締役会設置会社の債権者は、役員又は執行役の責任を追及するため必要があるときは、裁判所の許可を得て、当該取締役会設置会社の議事録等について第２項各号に掲げる請求をすることができる〈同書〉。

Ⅴ　前項の規定は、取締役会設置会社の親会社社員がその権利を行使するため必要があるときについて準用する〈書〉。

Ⅵ　裁判所は、第３項において読み替えて適用する第２項各号に掲げる請求又は第４項（前項において準用する場合を含む。以下この項において同じ。）の請求に係る閲覧又は謄写をすることにより、当該取締役会設置会社又はその親会社若しくは子会社に著しい損害を及ぼすおそれがあると認めるときは、第３項において読み替えて適用する第２項の許可又は第４項の許可をすることができない。

【3項読替え】

監査役設置会社、監査等委員会設置会社又は指名委員会等設置会社において、株主は、その権利を行使するため必要があるときは、裁判所の許可を得て、次に掲げる請求をすることができる。

①　前項の議事録等が書面をもって作成されているときは、当該書面の閲覧又は謄写の請求

②　前項の議事録等が電磁的記録をもって作成されているときは、当該電磁的記録に記録された事項を法務省令で定める方法により表示したものの閲覧又は謄写の請求

［趣旨］２項の趣旨は、業務監査権限のある監査役がおらず、各株主に強い監視権限が付与されている会社においては、裁判所の許可を要せずして議事録を閲覧させる点にある〈同〉。３項、４項の趣旨は、取締役会の議事は会社の機密事項にも及ぶところ、議事録の閲覧・謄写が広く認められると、取締役会の議事が形式的になり、監督機能も低下するおそれがあるので、かかる弊害を防止する点にある。

株式会社

【関連条文】規 226

第３７２条 （取締役会への報告の省略）

Ⅰ 取締役、会計参与、監査役又は会計監査人が取締役（監査役設置会社にあっては、取締役及び監査役）の全員に対して取締役会に報告すべき事項を通知したときは、当該事項を取締役会へ報告することを要しない。

Ⅱ 前項の規定は、第３６３条第２項<代表取締役等の取締役会に対する報告>の規定による報告については、適用しない予。

Ⅲ 指名委員会等設置会社についての前２項の規定の適用については、第１項中「監査役又は会計監査人」とあるのは「会計監査人又は執行役」と、「取締役（監査役設置会社にあっては、取締役及び監査役）」とあるのは「取締役」と、前項中「第３６３条第２項」とあるのは「第４１７条第４項」とする。

【３項読替え】

Ⅰ 指名委員会等設置会社においては、取締役、会計参与、会計監査人又は執行役が取締役の全員に対して取締役会に報告すべき事項を通知したときは、当該事項を取締役会へ報告することを要しない。

Ⅱ 前項の規定は、第 417 条第４項<執行役の取締役会に対する報告>の規定による報告については、適用しない。

【関連条文】365 Ⅱ［競業取引の取締役会に対する報告］、382［監査役の取締役・取締役会に対する報告］、417 Ⅲ［委員会の取締役会に対する報告］、417 Ⅳ［執行役の取締役会に対する報告］、419 Ⅰ［執行役の監査委員に対する報告］

第３７３条 （特別取締役による取締役会の決議）

Ⅰ 第３６９条第１項<取締役会の決議>の規定にかかわらず、取締役会設置会社（指名委員会等設置会社を除く。）が次に掲げる要件のいずれにも該当する場合（監査等委員会設置会社にあっては、第３９９条の１３第５項に規定する場合又は同条第６項の規定による定款の定めがある場合を除く。）には、取締役会は、第３６２条第４項第１号及び第２号<重要な財産の処分及び譲受け、多額の借財>又は第３９９条の１３第４項第１号及び第２号<重要な財産の処分及び譲受け、多額の借財>に掲げる事項についての取締役会の決議については、あらかじめ選定した３人以上の取締役（以下この章において「特別取締役」という。）のうち、議決に加わることができるものの過半数（これを上回る割合を取締役会で定めた場合にあっては、その割合以上）が出席し、その過半数（これを上回る割合を取締役会で定めた場合にあっては、その割合以上）をもって行うことができる旨を定めることができる司書。

① 取締役の数が６人以上であること。

② 取締役のうち１人以上が社外取締役であること司予。

Ⅱ 前項の規定による特別取締役による議決の定めがある場合には、特別取締役以外の取締役は、第３６２条第４項第１号及び第２号<重要な財産の処分及び譲受け、多額の借財>又は第３９９条の１３第４項第１号及び第２号<重要な財産の処分及び譲受け、多額の借財>に掲げる事項の決定をする取締役会に出席することを要しない。この場合における第３６６条第１項本文＜取締役会の招集権者＞〈同及び第３６８条＜取締役会の招集手続＞の規定の適用については、第３６６条第１項本文中「各取締役」とあるのは「各特別取締役（第３７３条第１項に規定する特別取締役をいう。第３６８条において同じ。）」と、第３６８条第１項中「定款」とあるのは「取締役会」と、「各取締役」とあるのは「各特別取締役」と、同条第２項中「取締役（」とあるのは「特別取締役（」と、「取締役及び」とあるのは「特別取締役及び」とする。

Ⅲ　特別取締役の互選によって定められた者は、前項の取締役会の決議後、遅滞なく、当該決議の内容を特別取締役以外の取締役に報告しなければならない〈同。

Ⅳ　第３６６条＜取締役会の招集権者＞（第１項本文を除く。）、第３６７条＜株主による取締役会の招集請求＞、第３６９条第１項＜取締役会の決議＞、第３７０条＜取締役の決議の省略＞及び第３９９条の１４＜監査等委員会による取締役会の招集＞の規定は、第２項の取締役会については、適用しない。

【2項読替え】

前項の規定による特別取締役による議決の定めがある場合には、特別取締役以外の取締役は、第362条第4項第1号＜重要な財産の処分及び譲受け＞及び第2号＜多額の借財＞又は第399条の13第4項第1号＜監査等委員会設置会社における重要な財産の処分及び譲受け＞及び第2号＜監査等委員会設置会社における多額の借財＞に掲げる事項の決定をする取締役会に出席することを要しない。この場合においては、取締役会は、各特別取締役（第373条第1項に規定する特別取締役をいう。第368条において同じ。）が招集する。

取締役会を招集する者は、取締役会の日の1週間（これを下回る期間を取締役会で定めた場合にあっては、その期間）前までに、各特別取締役（監査役設置会社にあっては、各特別取締役及び各監査役）に対してその通知を発しなければならない。ただし、取締役会は、特別取締役（監査役設置会社にあっては、特別取締役及び監査役）の全員の同意があるときは、招集の手続を経ることなく開催することができる。

[趣旨]経営の基本的意思決定の機動性を図るため、特別取締役により議決し、それを取締役会決議とする制度を認めた。

【関連条文】911 Ⅲ㉑［設立の登記事項］

■第6節　会計参与

《注　釈》

◆　会計参与の意義

会計参与とは、公認会計士又は税理士の資格を有する者が就く（333）会社の任意設置機関であって（326 Ⅱ）、取締役と共同して計算書類等を作成する権限を有するものをいう。

第３７４条　（会計参与の権限）

Ⅰ　会計参与は、取締役と共同して、計算書類（第４３５条第２項に規定する計算書類をいう。以下この章において同じ。）及びその附属明細書、臨時計算書類（第４４１条第１項に規定する臨時計算書類をいう。以下この章において同じ。）並びに連結計算書類（第４４４条第１項に規定する連結計算書類をいう。第３９６条第１項において同じ。）を作成する〈書〉。この場合において、会計参与は、法務省令で定めるところにより、会計参与報告を作成しなければならない。

Ⅱ　会計参与は、いつでも、次に掲げるものの閲覧及び謄写をし、又は取締役及び支配人その他の使用人に対して会計に関する報告を求めることができる。

①　会計帳簿又はこれに関する資料が書面をもって作成されているときは、当該書面

②　会計帳簿又はこれに関する資料が電磁的記録をもって作成されているときは、当該電磁的記録に記録された事項を法務省令で定める方法により表示したもの

Ⅲ　会計参与は、その職務を行うため必要があるときは、会計参与設置会社の子会社に対して会計に関する報告を求め、又は会計参与設置会社若しくはその子会社の業務及び財産の状況の調査をすることができる。

Ⅳ　前項の子会社は、正当な理由があるときは、同項の報告又は調査を拒むことができる。

Ⅴ　会計参与は、その職務を行うに当たっては、第３３３条第３項第２号＜業務の停止の処分を受け、その停止の期間を経過しない者＞又は第３号＜税理士法により税理士業務を行うことができない者＞に掲げる者を使用してはならない。

Ⅵ　指名委員会等設置会社における第１項及び第２項の規定の適用については、第１項中「取締役」とあるのは「執行役」と、第２項中「取締役及び」とあるのは「執行役及び取締役並びに」とする〈書〉。

［趣旨］ 1項後段において作成が義務付けられる会計参与報告は、計算書類の共同作成に関して会計参与にその作成が義務付けられる資料で、株主・債権者に対する情報提供を目的とするものである。

《注　釈》

・「共同して」（Ⅰ前段）作成するとは、取締役（執行役）と会計参与の意見が一致しない限りは、計算書類が法律上作成され得ない（監査役、会計監査人や株主総会等へ提出できない）ことを指す。

【関連条文】 規102、226

第３７５条　（会計参与の報告義務）

Ⅰ　会計参与は、その職務を行うに際して取締役の職務の執行に関し不正の行為又は法令若しくは定款に違反する重大な事実があることを発見したときは、遅滞なく、これを株主（監査役設置会社にあっては、監査役）に報告しなければならない〈同〉。

Ⅱ　監査役会設置会社における前項の規定の適用については、同項中「株主（監査役設置会社にあっては、監査役）」とあるのは、「監査役会」とする。

Ⅲ　監査等委員会設置会社における第１項の規定の適用については、同項中「株主

（監査役設置会社にあっては、監査役）」とあるのは、「監査等委員会」とする。

Ⅳ　指名委員会等設置会社における第1項の規定の適用については、同項中「取締役」とあるのは「執行役又は取締役」と、「株主（監査役設置会社にあっては、監査役）」とあるのは「監査委員会」とする。

【2項読替え】

監査役会設置会社においては、会計参与は、その職務を行うに際して取締役の職務の執行に関し不正の行為又は法令若しくは定款に違反する重大な事実があることを発見したときは、遅滞なく、これを監査役会に報告しなければならない。

【3項読替え】

監査等委員会設置会社においては、会計参与は、その職務を行うに際して取締役の職務の執行に関し不正の行為又は法令若しくは定款に違反する重大な事実があることを発見したときは、遅滞なく、これを監査等委員会に報告しなければならない。

【4項読替え】

指名委員会等設置会社においては、会計参与は、その職務を行うに際して執行役又は取締役の職務の執行に関し不正の行為又は法令若しくは定款に違反する重大な事実があることを発見したときは、遅滞なく、これを監査委員会に報告しなければならない。

第３７６条　（取締役会への出席）

Ⅰ　取締役会設置会社の会計参与（会計参与が監査法人又は税理士法人である場合にあっては、その職務を行うべき社員。以下この条において同じ。）は、第４３６条第３項＜計算書類等の取締役会の承認＞、第４４１条第３項＜臨時計算書類の取締役会の承認＞又は第４４４条第５項＜連結計算書類の取締役会の承認＞の承認をする取締役会に出席しなければならない。この場合において、会計参与は、必要があると認めるときは、意見を述べなければならない。

Ⅱ　会計参与設置会社において、前項の取締役会を招集する者は、当該取締役会の日の1週間（これを下回る期間を定款で定めた場合にあっては、その期間）前までに、各会計参与に対してその通知を発しなければならない。

Ⅲ　会計参与設置会社において、第３６８条第２項＜取締役会の招集手続の省略＞の規定により第1項の取締役会を招集の手続を経ることなく開催するときは、会計参与の全員の同意を得なければならない。

[趣旨] 取締役会における計算書類の承認に際し、計算書類の内容につき議論がなされることが想定される。そのため、会計参与の取締役会への出席義務を定めた。

第３７７条　（株主総会における意見の陳述）

Ⅰ　第３７４条第1項＜会計参与の権限＞に規定する書類の作成に関する事項について会計参与が取締役と意見を異にするときは、会計参与（会計参与が監査法人又は税理士法人である場合にあっては、その職務を行うべき社員）は、株主総会において意見を述べることができる。

Ⅱ　指名委員会等設置会社における前項の規定の適用については、同項中「取締役」とあるのは、「執行役」とする。

第３７８条 （会計参与による計算書類等の備置き等）

Ⅰ 会計参与は、次の各号に掲げるものを、当該各号に定める期間、法務省令で定めるところにより、当該会計参与が定めた場所に備え置かなければならない〈書。

① 各事業年度に係る計算書類及びその附属明細書並びに会計参与報告 定時株主総会の日の１週間（取締役会設置会社にあっては、２週間）前の日（第３１９条第１項の場合にあっては、同項の提案があった日）から５年間〈書

② 臨時計算書類及び会計参与報告 臨時計算書類を作成した日から５年間

Ⅱ 会計参与設置会社の株主及び債権者は、会計参与設置会社の営業時間内（会計参与が請求に応ずることが困難な場合として法務省令で定める場合を除く。）は、いつでも、会計参与に対し、次に掲げる請求をすることができる。ただし、第２号又は第４号に掲げる請求をするには、当該会計参与の定めた費用を支払わなければならない。

① 前項各号に掲げるものが書面をもって作成されているときは、当該書面の閲覧の請求

② 前号の書面の謄本又は抄本の交付の請求

③ 前項各号に掲げるものが電磁的記録をもって作成されているときは、当該電磁的記録に記録された事項を法務省令で定める方法により表示したものの閲覧の請求

④ 前号の電磁的記録に記録された事項を電磁的方法であって会計参与の定めたものにより提供することの請求又はその事項を記載した書面の交付の請求

Ⅲ 会計参与設置会社の親会社社員は、その権利を行使するため必要があるときは、裁判所の許可を得て、当該会計参与設置会社の第１項各号に掲げるものについて前項各号に掲げる請求をすることができる。ただし、同項第２号又は第４号に掲げる請求をするには、当該会計参与の定めた費用を支払わなければならない。

【関連条文】規 103〈書、104、226

第３７９条 （会計参与の報酬等）

Ⅰ 会計参与の報酬等は、定款にその額を定めていないときは、株主総会の決議によって定める。

Ⅱ 会計参与が２人以上ある場合において、各会計参与の報酬等について定款の定め又は株主総会の決議がないときは、当該報酬等は、前項の報酬等の範囲内において、会計参与の協議によって定める。

Ⅲ 会計参与（会計参与が監査法人又は税理士法人である場合にあっては、その職務を行うべき社員）は、株主総会において、会計参与の報酬等について意見を述べることができる。

第３８０条 （費用等の請求）

会計参与がその職務の執行について会計参与設置会社に対して次に掲げる請求をしたときは、当該会計参与設置会社は、当該請求に係る費用又は債務が当該会計参与の職務の執行に必要でないことを証明した場合を除き、これを拒むことができない。

① 費用の前払の請求

② 支出した費用及び支出の日以後におけるその利息の償還の請求

③ 負担した債務の債権者に対する弁済（当該債務が弁済期にない場合にあっては、相当の担保の提供）の請求

[趣旨]経済的身分保障を図るとともに、独立・公正に職務を果たさせる点にある。
【関連条文】387［監査役の報酬］、388［監査役の費用等の請求］

■第７節　監査役

《概　説》

一　監査役の意義

監査役とは、取締役の職務執行の監査をするための、株式会社の機関をいう。公開会社又は会計監査人設置会社（監査等委員会設置会社及び指名委員会等設置会社を除く）にとっては、必要的機関である（327 Ⅱ Ⅲ）。

二　監査役に代わる株主の監査

監査役が業務監査権限を有さない株式会社（指名委員会等設置会社を除く）におけるガバナンスについては、株主が直接、業務執行を監督することができるようにしている。具体的には、以下の措置を講じている。

① 株主は、裁判所の許可を得ることなく、取締役会の議事録を閲覧することができる（371 Ⅱ）。
② 株主は、一定の場合には自ら取締役会を招集することができる（367 Ⅰ Ⅲ）。
③ 株主は、自己の請求又は招集により開催された取締役会について、これに出席し、意見を述べることができる（367 Ⅳ）。
④ 定款に基づく取締役の過半数の同意等による取締役等の責任の一部免除制度は、適用しない（426 Ⅰ）。
⑤ 取締役は、会社に著しい損害を及ぼすおそれのある事実を発見した場合には、監査役に代わり、株主にこれを報告しなければならない（357）。
⑥ 株主による取締役の違法行為差止請求権の行使要件につき、監査役が同請求権を行使する場合の行使要件と同様の要件に緩和している（360）。

<取締役と監査役の比較>

	取締役	監査役
選任	株主総会の普通決議（341）（＊）	株主総会の普通決議（341）（＊）
解任	株主総会の普通決議（341）（＊） 累積投票により選任された場合、特別決議（342、309 Ⅱ⑦）	株主総会の特別決議（343 Ⅳ、309 Ⅱ⑦） 意見陳述権あり（345 Ⅰ Ⅳ）
任期	332条の図表<任期の整理>参照　⇒p.265	
会社との関係	委任関係（330）	委任関係（330）
利益相反規定	あり（356 Ⅰ②③）	なし
報酬等の決定	定款又は株主総会決議（361 Ⅰ） →お手盛り防止のため	定款又は株主総会決議（387 Ⅰ） →独立性維持のため
会社・第三者に対する責任	原則として過失責任（423、429） （ただし428、120 Ⅳ）	過失責任（423、429）

	取締役	監査役
員数	取締役会設置会社では３人以上（331 Ⅴ）	１人以上 ただし、監査役会設置会社では３人以上・そのうち半数以上は社外監査役（335 Ⅲ）

＊ 309条１項に対して定足数や決議要件を緩和できる度合いを制限している。

第３８１条 （監査役の権限）

Ⅰ 監査役は、取締役（会計参与設置会社にあっては、取締役及び会計参与）の職務の執行を監査する書。この場合において、監査役は、法務省令で定めるところにより、監査報告を作成しなければならない予。

Ⅱ 監査役は、いつでも、取締役及び会計参与並びに支配人その他の使用人に対して事業の報告を求め、又は監査役設置会社の業務及び財産の状況の調査をすることができる予。

Ⅲ 監査役は、その職務を行うため必要があるときは、監査役設置会社の子会社に対して事業の報告を求め、又はその子会社の業務及び財産の状況の調査をすることができる司。

Ⅳ 前項の子会社は、正当な理由があるときは、同項の報告又は調査を拒むことができる司。

［趣旨］取締役は受任者にすぎないことや取締役同士の馴れ合いの危険からすれば、取締役会による監督の実効性は疑問であるし、会社経営に関心をもたない株主の傾向からは、株主総会ないし個々の株主による監督も機能しないおそれがある。そこで、業務執行系統から独立性を有する者を常時取締役の職務執行の監査を行う機関として、監査役制度が設けられた。３項の趣旨は、粉飾決算等の違法行為に子会社を利用した事例が少なくなく、また、親会社が持株会社である場合には子会社側の情報提供が不可欠であることなどから、監査役に子会社調査権を認めた点にある。

《注 釈》

◆ 業務監査権限の範囲

監査役の業務監査権は、適法性監査にとどまり、妥当性監査には及ばない。

→このように解しても、「著しく不当」（382）な業務執行は善管注意義務違反を生じ（330、民644）、法令違反となるから、不都合はない

<監査役会設置会社か否かによる監査役の比較>

	監査役会設置会社	監査役会設置会社でない監査役設置会社
員数	３名以上（335 Ⅲ）	１名以上
社外監査役	半数以上必要（335 Ⅲ）	不要

	監査役会設置会社	監査役会設置会社でない監査役設置会社
常勤監査役	監査役会の決議で選定しなければならない（390 Ⅲ）	不要
監査役会	監査役全員で組織される（390 Ⅰ）	

＜監査役の権限の整理＞

<table>
<tr><th colspan="2" rowspan="2"></th><th rowspan="2">監査役会設置会社</th><th colspan="2">監査役会非設置会社</th></tr>
<tr><th></th><th>389条1項の場合</th></tr>
<tr><td colspan="2">権限一般</td><td colspan="2">業務監査・会計監査（381）</td><td>定款で会計監査権限に限定できる</td></tr>
<tr><td rowspan="4">調査・報告</td><td>取締役及び支配人その他の使用人に対する調査・報告請求権</td><td colspan="2">事業の報告請求権（381 Ⅱ）
会社の業務・財産状況の調査権（381 Ⅱ）</td><td>会計に関するものに限り、同様の権限（389 Ⅳ）</td></tr>
<tr><td>取締役が負う報告義務</td><td>会社に著しい損害を及ぼす事実を発見したときは、直ちに監査役会に報告する義務を負う（357 Ⅰ Ⅱ）</td><td>会社に著しい損害を及ぼす事実を発見したときは、直ちに監査役に報告する義務を負う（357 Ⅰ）</td><td></td></tr>
<tr><td>会計監査人に対する報告請求権</td><td colspan="2">職務の遂行に必要のあるときは報告を求めることができる（397 Ⅱ）</td><td></td></tr>
<tr><td>親子会社の監査役の子会社に対する権限</td><td colspan="2">親会社の監査役は、その職務を行うため必要あるときは、子会社に対して、事業の報告を求め、又は子会社の業務及び財産の状況を調査することができる（381 Ⅲ）</td><td>会計に関するものに限り、同様の権限（389 Ⅴ）</td></tr>
<tr><td colspan="2">取締役・取締役会に対する権利義務</td><td colspan="2">・取締役が不正の行為をするか又はそのおそれがあるとき、法令又は定款違反の事実・著しく不当な事実があるときは、取締役・取締役会へ報告する義務を負う（382）
・取締役会への出席、意見陳述義務（383 Ⅰ）
・取締役会の招集権（383 Ⅱ Ⅲ Ⅳ）</td><td>なし（389 Ⅶ）</td></tr>
</table>

<table>
<tr><th colspan="2" rowspan="2"></th><th rowspan="2">監査役会設置会社</th><th colspan="2">監査役会非設置会社</th></tr>
<tr><th></th><th>389条1項の場合</th></tr>
<tr><td colspan="2" rowspan="4">株主総会との関係</td><td colspan="2">取締役が株主総会に提出する議案等を調査し、これに法令・定款違反、著しく不当な事項があれば株主総会にその調査結果を報告することを要する（報告義務、384）</td><td>取締役が株主総会に提出しようとする会計の書類について、調査、報告する（389 Ⅲ）</td></tr>
<tr><td colspan="3">監査役の選任又は解任に対する意見陳述権（345 Ⅳ Ⅰ）</td></tr>
<tr><td colspan="3">正当な理由なくして解任されたとき、会社に対する損害賠償請求ができる（339 Ⅱ）</td></tr>
<tr><td colspan="3">報酬についての意見陳述権（387 Ⅲ）</td></tr>
<tr><td colspan="2">監査役会との関係</td><td>監査役は、監査役会の求めがあるときは、いつでもその職務の執行状況を監査役会に報告しなければならない（390 Ⅳ）</td><td colspan="2"></td></tr>
<tr><td colspan="2">監査費用の会社に対する求償権</td><td colspan="3">あり（388）</td></tr>
<tr><td rowspan="3">是正権</td><td>取締役の行為の差止請求権</td><td colspan="2">あり（385 Ⅰ）</td><td>なし（389 Ⅶ）</td></tr>
<tr><td>各種訴えの提起権</td><td colspan="2">あり（828 Ⅱ）</td><td>なし</td></tr>
<tr><td>会社・取締役間の訴えの代表権</td><td colspan="2">あり（386）</td><td>なし（389 Ⅶ）</td></tr>
</table>

第３８２条　（取締役への報告義務）

監査役は、取締役が不正の行為をし、若しくは当該行為をするおそれがあると認めるとき、又は法令若しくは定款に違反する事実若しくは著しく不当な事実があると認めるときは、遅滞なく、その旨を取締役（取締役会設置会社にあって、取締役会）に報告しなければならない〈司予〉。

［趣旨］取締役会等による業務監督権限を実効的なものとする趣旨である。

第３８３条　（取締役会への出席義務等）

Ⅰ　監査役は、取締役会に出席し、必要があると認めるときは、意見を述べなければならない〈予〉。ただし、監査役が２人以上ある場合において、第３７３条第１項＜特別取締役による取締役会の決議＞の規定による特別取締役による議決の定めがあるときは、監査役の互選によって、監査役の中から特に同条第２項＜特別取締役以外の取締役の取締役会への不出席＞の取締役会に出席する監査役を定めることができる。

Ⅱ　監査役は、前条に規定する場合において、必要があると認めるときは、取締役

（第３６６条第１項ただし書に規定する場合にあっては、招集権者）に対し、取締役会の招集を請求することができる〈書。
Ⅲ　前項の規定による請求があった日から５日以内に、その請求があった日から２週間以内の日を取締役会の日とする取締役会の招集の通知が発せられない場合は、その請求をした監査役は、取締役会を招集することができる〈書。
Ⅳ　前２項の規定は、第３７３条第２項<特別取締役以外の取締役の取締役会への不出席>の取締役会については、適用しない。

［趣旨］監査の実効性を確保するため、監査役に取締役会に出席して意見を述べる義務や招集権を認めたものである。

《注　釈》

・特別取締役による取締役会についても、原則として、全監査役が出席義務を負う（383 Ⅰただし書参照）〈司。

第３８４条　（株主総会に対する報告義務）

監査役は、取締役が株主総会に提出しようとする議案、書類その他法務省令で定めるものを調査しなければならない。この場合において、法令若しくは定款に違反し、又は著しく不当な事項があると認めるときは、その調査の結果を株主総会に報告しなければならない。

【関連条文】規 106

第３８５条　（監査役による取締役の行為の差止め）〈司H24

Ⅰ　監査役は、取締役が監査役設置会社の目的の範囲外の行為その他法令若しくは定款に違反する行為をし、又はこれらの行為をするおそれがある場合において、当該行為によって当該監査役設置会社に著しい損害が生ずるおそれがあるときは、当該取締役に対し、当該行為をやめることを請求することができる〈予書。
Ⅱ　前項の場合において、裁判所が仮処分をもって同項の取締役に対し、その行為をやめることを命ずるときは、担保を立てさせないものとする。

［趣旨］取締役の違法行為等を阻止して、会社に損害が生ずることを事前に防止するために、監査役に差止請求権を認めたものである。

【関連条文】360［株主による取締役の行為の差止め］、407［監査委員による執行役等の行為の差止め］、422［株主による執行役の行為の差止め］

第３８６条　（監査役設置会社と取締役との間の訴えにおける会社の代表等）

Ⅰ　第３４９条第４項<代表取締役の権限>、第３５３条<株式会社と取締役との間の訴えにおける会社の代表>及び第３６４条<取締役会設置会社と取締役との間の訴えにおける会社の代表>の規定にかかわらず、次の各号に掲げる場合には、当該各号の訴えについては、監査役が監査役設置会社を代表する。
①　監査役設置会社が取締役（取締役であった者を含む。以下この条において同じ。）に対し、又は取締役が監査役設置会社に対して訴えを提起する場合〈予
②　株式交換等完全親会社（第８４９条第２項第１号に規定する株式交換等完全親会社をいう。次項第３号において同じ。）である監査役設置会社がその株式交換等

完全子会社（第８４７条の２第１項に規定する株式交換等完全子会社をいう。次項第３号において同じ。）の取締役、執行役（執行役であった者を含む。以下この条において同じ。）又は清算人（清算人であった者を含む。以下この条において同じ。）の責任（第８４７条の２第１項各号に掲げる行為の効力が生じた時までにその原因となった事実が生じたものに限る。）を追及する訴えを提起する場合

③　最終完全親会社等（第８４７条の３第１項に規定する最終完全親会社等をいう。次項第４号において同じ。）である監査役設置会社がその完全子会社等（同条第２項第２号に規定する完全子会社等をいい、同条第３項の規定により当該完全子会社等とみなされるものを含む。次項第４号において同じ。）である株式会社の取締役、執行役又は清算人に対して特定責任追及の訴え（同条第１項に規定する特定責任追及の訴えをいう。）を提起する場合

Ⅱ　第３４９条第４項＜代表取締役の権限＞の規定にかかわらず、次に掲げる場合には、監査役が監査役設置会社を代表する。

①　監査役設置会社が第８４７条第１項＜責任追及等の訴えの提起の請求＞、第８４７条の２第１項若しくは第３項＜最終完全親会社等の株主による特定責任追及の訴えの提起の請求＞（同条第４項及び第５項において準用する場合を含む。）又は第８４７条の３第１項＜最終完全親会社等の株主による特定責任追及の訴えの提起の請求＞の規定による請求（取締役の責任を追及する訴えの提起の請求に限る。）を受ける場合〈同

②　監査役設置会社が第８４９条第４項＜責任追及等の訴えを提起したときの株式会社への訴訟告知＞の訴訟告知（取締役の責任を追及する訴えに係るものに限る。）並びに第８５０条第２項＜和解の内容の通知、催告＞の規定による通知及び催告（取締役の責任を追及する訴えに係る訴訟における和解に関するものに限る。）を受ける場合

③　株式交換等完全親会社である監査役設置会社が第８４７条第１項＜責任追及等の訴えの提起の請求＞の規定による請求（前項第２号に規定する訴えの提起の請求に限る。）をする場合又は第８４９条第６項の規定による通知（その株式交換等完全子会社の取締役、執行役又は清算人の責任を追及する訴えに係るものに限る。）を受ける場合

④　最終完全親会社等である監査役設置会社が第８４７条第１項＜責任追及等の訴えの提起の請求＞の規定による請求（前項第３号に規定する特定責任追及の訴えの提起の請求に限る。）をする場合又は第８４９条第７項の規定による通知（その完全子会社等である株式会社の取締役、執行役又は清算人の責任を追及する訴えに係るものに限る。）を受ける場合

［趣旨］会社と取締役の間の訴えについては、取締役間の馴れ合いを防止するために、監査役が会社を代表するものとした。

《注　釈》

・取締役又は執行役の責任を追及する訴えであって、監査役、監査等委員又は監査委員が会社を代表すべき場合（386 Ⅰ①、399の7 Ⅰ②、408 Ⅰ②）、株主の提訴請求を受ける者も、監査役等となる（386 Ⅱ①、399の7 Ⅴ①、408 Ⅴ①）。

→株主が誤って、会社の代表者として代表取締役等を記載した提訴請求書を会社に送付した場合であっても、監査役等がその記載内容を正確に認識した上で提訴の是非を自ら判断する機会があったといえるときには、適法な提訴請求書が送付されていたのと同視できるため、当該提訴請求は適法となる（最判平21.3.31・百選A 24事件参照）

第３８７条　（監査役の報酬等）

Ⅰ　監査役の報酬等は、定款にその額を定めていないときは、株主総会の決議によって定める。

Ⅱ　監査役が２人以上ある場合において、各監査役の報酬等について定款の定め又は株主総会の決議がないときは、当該報酬等は、前項の報酬等の範囲内において、監査役の協議によって定める〈司予書〉。

Ⅲ　監査役は、株主総会において、監査役の報酬等について意見を述べることができる。

［趣旨］監査役の報酬等は、定款にその額を定めていないときは、株主総会の決議で定めなければならないとすることで、監査役の地位の独立性を報酬等の面からも確保することにある。

<監査役の独立性を担保するための制度>

監査役についての制度	①　任期の最短期（４年）の法定（336 Ⅰ）　cf. 332 Ⅰただし書 ②　監査役の選任・解任・辞任について株主総会における意見陳述権（345 Ⅰ Ⅳ）、監査役の選任に関する監査役の同意権（343 Ⅰ） ③　報酬等 　報酬等は、定款又は株主総会の決議で決定される（387 Ⅰ） 　監査役が複数いる場合で、報酬等の額が定められたときは、各自の報酬等は監査役の協議で定める（387 Ⅱ） 　監査役は監査役の報酬等について意見を述べることができる（387 Ⅲ） ④　兼任禁止 　会社若しくはその子会社の取締役、支配人、その他の使用人、又は子会社の会計参与・執行役を兼ねることができない（335 Ⅱ） ⑤　監査費用 　会社が監査役の職務執行に不必要なことを立証しない限り、費用等の請求を拒むことができない（388）
監査役会についての制度	①　監査役の員数を３人以上とし、半数以上は、社外監査役とする（335 Ⅲ） ②　監査役全員で組織する（390 Ⅰ） ③　常勤監査役を定める（390 Ⅲ）

《注　釈》

・監査役の協議（387 Ⅱ）とは、全員一致の決定をいうため、過半数の一致では不十分である〈予〉。

【関連条文】361［取締役の報酬］

第３８８条　（費用等の請求）

監査役がその職務の執行について監査役設置会社（監査役の監査の範囲を会計に関するものに限定する旨の定款の定めがある株式会社を含む。）に対して次に掲げる請求をしたときは、当該監査役設置会社は、当該請求に係る費用又は債務が当該監査役の職務の執行に必要でないことを証明した場合を除き、これを拒むことができない。
① 費用の前払の請求
② 支出した費用及び支出の日以後におけるその利息の償還の請求
③ 負担した債務の債権者に対する弁済（当該債務が弁済期にない場合にあっては、相当の担保の提供）の請求

［趣旨］監査を行うためには当然に費用を要し、監査役としては会社に対してこれを請求できなければ充実した監査を期待できない。しかし、その費用の支払を取締役の判断に委ねると、監査役の独立性が損なわれるおそれがあるので、このような弊害を防止するものである。

第３８９条（定款の定めによる監査範囲の限定）

Ⅰ 公開会社でない株式会社（監査役会設置会社及び会計監査人設置会社を除く〈書〉。）は、第３８１条第１項＜監査役の権限＞の規定にかかわらず、その監査役の監査の範囲を会計に関するものに限定する旨を定款で定めることができる。

Ⅱ 前項の規定による定款の定めがある株式会社の監査役は、法務省令で定めるところにより、監査報告を作成しなければならない。

Ⅲ 前項の監査役は、取締役が株主総会に提出しようとする会計に関する議案、書類その他の法務省令で定めるものを調査し、その調査の結果を株主総会に報告しなければならない。

Ⅳ 第２項の監査役は、いつでも、次に掲げるものの閲覧及び謄写をし、又は取締役及び会計参与並びに支配人その他の使用人に対して会計に関する報告を求めることができる。
① 会計帳簿又はこれに関する資料が書面をもって作成されているときは、当該書面
② 会計帳簿又はこれに関する資料が電磁的記録をもって作成されているときは、当該電磁的記録に記録された事項を法務省令で定める方法により表示したもの

Ⅴ 第２項の監査役は、その職務を行うため必要があるときは、株式会社の子会社に対して会計に関する報告を求め、又は株式会社若しくはその子会社の業務及び財産の状況の調査をすることができる〈予〉。

Ⅵ 前項の子会社は、正当な理由があるときは、同項の規定による報告又は調査を拒むことができる。

Ⅶ 第３８１条から第３８６条まで＜業務監査権限の規定＞の規定は、第１項の規定による定款の定めがある株式会社については、適用しない〈書〉。

［趣旨］会社法では、中小企業におけるコーポレート・ガバナンスの強化を図る観点から、資本金及び負債総額、機関設計のいかんにかかわらず、原則として、監査役は、業務監査権限を有することとしている。もっとも、会計監査権限のみを有する監査役制度が従来多くの中小企業において利用されてきた現状に鑑み、本条で、会計監査権限のみを有する監査役制度を定めた。ただし、本制度を定めた会社や監査役を置かない会社については、監査役の業務監査に代わる措置として、株主の監査権限を強化する仕組みを採用している。

《注　釈》

◆　会計限定監査役の監査の範囲

判例（最判令3.7.19・令3重判7事件）は、監査役による計算書類等の監査（436 Ⅰ）は、計算書類等につき、「取締役等から独立した地位にある監査役に担わせることによって、会社の財産及び損益の状況に関する情報……が適正に表示されていることを一定の範囲で担保し、その信頼性を高めるために実施されるもの」であるから、「監査役は、会計帳簿の内容が正確であることを当然の前提として計算書類等の監査を行ってよいものではない。監査役は、会計帳簿が信頼性を欠くものであることが明らかでなくとも、計算書類等が会社の財産及び損益の状況を全ての重要な点において適正に表示しているかどうかを確認するため、会計帳簿の作成状況等につき取締役等に報告を求め、又はその基礎資料を確かめるなどすべき場合があるというべきである……以上のことは会計限定監査役についても異なるものではない」とした上で、会計限定監査役は、「計算書類等に表示された情報が会計帳簿の内容に合致していることを確認しさえすれば、常にその任務を尽くしたといえるものではない」とした。

【関連条文】 2⑨［監査役設置会社ではなくなる］、規107、108、226

■第8節　監査役会

《概　説》

◆　監査役会

監査役会とは、監査役で構成される合議制の機関をいう。

→監査役会を設け、各個人ではなく集合体とすることで、経営陣に対する発言力の強化を図ったものである。また、監査役の員数増員及び社外監査役の法定に伴い、監査役会によって監査役間での役割分担・情報の共有が図られ、組織的・効率的な監査が行われることも期待できる

第1款　権限等

《概　説》

◆　監査役会の権限と監査役の権限の関係

1　監査役会の権限一般

⑴　監査報告の作成に関連する権限（390）

⑵　取締役（357）、会計参与（375）、会計監査人（397 Ⅰ Ⅲ）から報告を受ける権限

⑶　会計監査人の選任・不再任・解任に関連する権限（344 Ⅲ、340 Ⅰ Ⅳ）

2　監査報告の作成

監査役会は、計算書類及び事業報告並びにこれらの附属明細書、臨時計算書類の監査報告を作成する（390 Ⅱ①）。

他方、監査役も監査報告を作成しなければならないこととされている（381 Ⅰ後段）。そこで、両者の関係が問題となるが、監査役会の監査報告は、各監査役が作成した監査報告に基づいて作成すべきものとされている（規130 Ⅰ、

計規123）ため、監査役会設置会社においても、各監査役は監査報告を作成しなければならない〈予〉。

3　監査役個々の権限　⇒p.315

4　監査役の独任制との関係

監査役会が設置されている会社であっても、各監査役は、独立して監査権限を行使することができる（監査役の独任制、390Ⅱ柱書ただし書）〈司〉。

→監査役会の決定（390Ⅱ①～③）は、取締役の違法行為の差止請求権（385）、取締役等の責任追及等の訴えの提起権（386、847）及び業務財産状況調査権（381ⅡⅢ）等の各監査役の権限の行使を妨げることはできない（390Ⅱ柱書ただし書）〈司H24〉

→391条は、各監査役に監査役会の招集権限を与える趣旨の規定であるため、取締役会のように、招集権限を制限し、招集権者を限定すること（366Ⅰただし書）は認められない〈予〉

第390条

Ⅰ　監査役会は、すべての監査役で組織する。

Ⅱ　監査役会は、次に掲げる職務を行う。ただし、第3号の決定は、監査役の権限の行使を妨げることはできない〈司共〉。

①　監査報告の作成〈予〉

②　常勤の監査役の選定及び解職

③　監査の方針、監査役会設置会社の業務及び財産の状況の調査の方法その他の監査役の職務の執行に関する事項の決定〈共〉

Ⅲ　監査役会は、監査役の中から常勤の監査役を選定しなければならない〈予書〉。

Ⅳ　監査役は、監査役会の求めがあるときは、いつでもその職務の執行の状況を監査役会に報告しなければならない。

[趣旨]監査役会は、すべての監査役により組織される機関である（390Ⅰ）。監査役会は、監査役による情報交換、協議、決議の場であり、直接的な監査の主体はあくまで各監査役である。監査役会の決定によって各監査役の権限行使を妨げることはできず（同Ⅱ柱書ただし書）、監査役会制度の下でも監査役の独任性が維持されている。3項の趣旨は、監査役の独立性は重要であるものの、非常勤の監査役だけでは監査機能が弱められるおそれもあることから、監査役の中から常勤監査役を置くことで監査機能を強化する点にある。

【関連条文】335Ⅲ［監査役会設置会社における監査役の員数・資格］、395［監査役会への報告の省略］

第2款　運営

第391条（招集権者）

監査役会は、各監査役が招集する〈予書〉。

第392条（招集手続）

Ⅰ　監査役会を招集するには、監査役は、監査役会の日の１週間（これを下回る期間を定款で定めた場合にあっては、その期間）前までに、各監査役に対してその通知を発しなければならない。

Ⅱ　前項の規定にかかわらず、監査役会は、監査役の全員の同意があるときは、招集の手続を経ることなく開催することができる〈書〉。

第393条（監査役会の決議）

Ⅰ　監査役会の決議は、監査役の過半数をもって行う〈共予書〉。

Ⅱ　監査役会の議事については、法務省令で定めるところにより、議事録を作成し、議事録が書面をもって作成されているときは、出席した監査役は、これに署名し、又は記名押印しなければならない。

Ⅲ　前項の議事録が電磁的記録をもって作成されている場合における当該電磁的記録に記録された事項については、法務省令で定める署名又は記名押印に代わる措置をとらなければならない。

Ⅳ　監査役会の決議に参加した監査役であって第２項の議事録に異議をとどめないものは、その決議に賛成したものと推定する〈書〉。

【関連条文】規 109、225

第394条（議事録）

Ⅰ　監査役会設置会社は、監査役会の日から１０年間、前条第２項の議事録をその本店に備え置かなければならない。

Ⅱ　監査役会設置会社の株主は、その権利を行使するため必要があるときは、裁判所の許可を得て、次に掲げる請求をすることができる〈司書〉。

① 前項の議事録が書面をもって作成されているときは、当該書面の閲覧又は謄写の請求

② 前項の議事録が電磁的記録をもって作成されているときは、当該電磁的記録に記録された事項を法務省令で定める方法により表示したものの閲覧又は謄写の請求

Ⅲ　前項の規定は、監査役会設置会社の債権者が役員の責任を追及するため必要があるとき及び親会社社員がその権利を行使するため必要があるときについて準用する。

Ⅳ　裁判所は、第２項（前項において準用する場合を含む。以下この項において同じ。）の請求に係る閲覧又は謄写をすることにより、当該監査役会設置会社又はその親会社若しくは子会社に著しい損害を及ぼすおそれがあると認めるときは、第２項の許可をすることができない。

【関連条文】規 226

第395条（監査役会への報告の省略）

取締役、会計参与、監査役又は会計監査人が監査役の全員に対して監査役会に報告すべき事項を通知したときは、当該事項を監査役会へ報告することを要しない〈司〉。

《注　釈》

・監査役会は、取締役会とは異なり（370）、決議の省略は認められていない〈司予〉。もっとも、報告の省略は、本条により認められている。

＜株主総会・取締役会・監査役会の比較＞〈司〉

	株主総会	取締役会	監査役会
決議要件	原則：出席した株主の過半数（309 Ⅰ） 例外：特別決議（309 Ⅱ） 特殊決議（309 Ⅲ、Ⅳ）	出席した取締役の過半数（369 Ⅰ）	監査役の過半数（393Ⅰ）
決議の省略	○（319） 株主全員の同意	○（370）（＊1） 取締役全員の同意 （要定款規定）	
報告の省略	○（320） 株主全員への通知 株主全員の同意	○（372）（＊2） 取締役全員への通知	○（395） 監査役全員への通知

＊1　もっとも、監査役が異議を述べたときは省略できない。
＊2　3か月に1回の取締役会への報告は省略できない（372 Ⅱ、363 Ⅱ）。

■第9節　会計監査人

《概　説》

一　会計監査人の意義

会計監査人とは、計算書類等の監査（会計監査）をする者をいう。

大会社、監査等委員会設置会社及び、指名委員会等設置会社では会計監査人を置かねばならないが（327 Ⅴ、328）、それ以外ではその設置は会社の任意に委ねられる（326 Ⅱ）。

二　監査役の職務との関係

会計監査の点で、会計監査人の職務は、監査役の職務と重複しているともいえる。しかし、会社法は、会計監査は第一次的には会計監査人がこれを行い、監査役がこれを事後審判する仕組みを採用している。しかも、両者は、主従の関係にあるわけではなく、監査役は内部監査を、会計監査人は外部監査を行う点で異なるものの、相互に補い合って当該会社に関する充実した監査を目指している。

第396条（会計監査人の権限等）

Ⅰ　会計監査人は、次章の定めるところにより、株式会社の計算書類及びその附属明細書、臨時計算書類並びに連結計算書類を監査する。この場合において、会計監査人は、法務省令で定めるところにより、会計監査報告を作成しなければならない。

Ⅱ　会計監査人は、いつでも、次に掲げるものの閲覧及び謄写をし、又は取締役及び会計参与並びに支配人その他の使用人に対し、会計に関する報告を求めることができる〈予〉。

①　会計帳簿又はこれに関する資料が書面をもって作成されているときは、当該書面

② 会計帳簿又はこれに関する資料が電磁的記録をもって作成されているときは、当該電磁的記録に記録された事項を法務省令で定める方法により表示したもの

Ⅲ 会計監査人は、その職務を行うため必要があるときは、会計監査人設置会社の子会社に対して会計に関する報告を求め、又は会計監査人設置会社若しくはその子会社の業務及び財産の状況の調査をすることができる〈予。

Ⅳ 前項の子会社は、正当な理由があるときは、同項の報告又は調査を拒むことができる。

Ⅴ 会計監査人は、その職務を行うに当たっては、次のいずれかに該当する者を使用してはならない。

① 第３３７条第３項第１号又は第２号＜会計監査人となることができない者＞に掲げる者

② 会計監査人設置会社又はその子会社の取締役、会計参与、監査役若しくは執行役又は支配人その他の使用人である者〈書

③ 会計監査人設置会社又はその子会社から公認会計士又は監査法人の業務以外の業務により継続的な報酬を受けている者

Ⅵ 指名委員会等設置会社における第２項の規定の適用については、同項中「取締役」とあるのは、「執行役、取締役」とする。

【関連条文】規 110、226

第３９７条 （監査役に対する報告）

Ⅰ 会計監査人は、その職務を行うに際して取締役の職務の執行に関し不正の行為又は法令若しくは定款に違反する重大な事実があることを発見したときは、遅滞なく、これを監査役に報告しなければならない〈共書。

Ⅱ 監査役は、その職務を行うため必要があるときは、会計監査人に対し、その監査に関する報告を求めることができる〈予。

Ⅲ 監査役会設置会社における第１項の規定の適用については、同項中「監査役」とあるのは、「監査役会」とする〈予書。

Ⅳ 監査等委員会設置会社における第１項及び第２項の規定の適用については、第１項中「監査役」とあるのは「監査等委員会」と、第２項中「監査役」とあるのは「監査等委員会が選定した監査等委員」とする。

Ⅴ 指名委員会等設置会社における第1項及び第2項の規定の適用については、第1項中「取締役」とあるのは「執行役又は取締役」と、「監査役」とあるのは「監査委員会」と、第2項中「監査役」とあるのは「監査委員会が選定した監査委員会の委員」とする。

【3項読替え】

Ⅰ 監査役会設置会社においては、会計監査人は、その職務を行うに際して取締役の職務の執行に関し不正の行為又は法令若しくは定款に違反する重大な事実があることを発見したときは、遅滞なく、これを監査役会に報告しなければならない。

【4項読替え】

Ⅰ 監査等委員会設置会社においては、会計監査人は、その職務を行うに際して取締役の職務の執行に関し不正の行為又は法令若しくは定款に違反する重大な事実があることを発見したときは、遅滞なく、これを監査等委員会に報告しなければならない。

Ⅱ　監査等委員会設置会社においては、監査等委員会が選定した監査等委員は、その職務を行うため必要があるときは、会計監査人に対し、その監査に関する報告を求めることができる。

【5項読替え】

Ⅰ　指名委員会等設置会社においては、会計監査人は、その職務を行うに際して執行役又は取締役の職務の執行に関し不正の行為又は法令若しくは定款に違反する重大な事実があることを発見したときは、遅滞なく、これを監査委員会に報告しなければならない。

Ⅱ　指名委員会等設置会社においては、監査委員会が選定した監査委員会の委員は、その職務を行うため必要があるときは、会計監査人に対し、その監査に関する報告を求めることができる。

第３９８条　（定時株主総会における会計監査人の意見の陳述）

Ⅰ　第３９６条第１項＜会計監査人による計算書類等の監査、会計監査報告の作成＞に規定する書類が法令又は定款に適合するかどうかについて会計監査人が監査役と意見を異にするときは、会計監査人（会計監査人が監査法人である場合にあっては、その職務を行うべき社員。次項において同じ。）は、定時株主総会に出席して意見を述べることができる〈書。

Ⅱ　定時株主総会において会計監査人の出席を求める決議があったときは、会計監査人は、定時株主総会に出席して意見を述べなければならない〈司予。

Ⅲ　監査役会設置会社における第１項の規定の適用については、同項中「監査役」とあるのは、「監査役会又は監査役」とする。

Ⅳ　監査等委員会設置会社における第１項の規定の適用については、同項中「監査役」とあるのは、「監査等委員会又は監査等委員」とする。

Ⅴ　指名委員会等設置会社における第１項の規定の適用については、同項中「監査役」とあるのは、「監査委員会又はその委員」とする。

【3項読替え】

監査役会設置会社においては、第396条第1項に規定する書類が法令又は定款に適合するかどうかについて会計監査人が監査役会又は監査役と意見を異にするときは、会計監査人（会計監査人が監査法人である場合にあっては、その職務を行うべき社員。次項において同じ。）は、定時株主総会に出席して意見を述べることができる。

【4項読替え】

監査等委員会設置会社においては、第396条第1項＜会計監査人による計算書類等の監査、会計監査報告の作成＞に規定する書類が法令又は定款に適合するかどうかについて会計監査人が監査等委員会又は監査等委員と意見を異にするときは、会計監査人（会計監査人が監査法人である場合にあっては、その職務を行うべき社員。次項において同じ。）は、定時株主総会に出席して意見を述べることができる。

【5項読替え】

指名委員会等設置会社においては、第396条第1項＜会計監査人による計算書類等の監査、会計監査報告の作成＞に規定する書類が法令又は定款に適合するかどうかについて会計監査人が監査委員会又はその委員と意見を異にするときは、会計監査人（会計監査人が監査法人である場合にあっては、その職務を行うべき社員。次項において同じ。）は、定時株主総会に出席して意見を述べることができる。

第399条　（会計監査人の報酬等の決定に関する監査役の関与）

Ⅰ　取締役は、会計監査人又は一時会計監査人の職務を行うべき者の報酬等を定める場合には、監査役（監査役が２人以上ある場合にあっては、その過半数）の同意を得なければならない〈共書〉。

Ⅱ　監査役会設置会社における前項の規定の適用については、同項中「監査役（監査役が２人以上ある場合にあっては、その過半数）」とあるのは、「監査役会」とする〈同書〉。

Ⅲ　監査等委員会設置会社における第１項の規定の適用については、同項中「監査役（監査役が２人以上ある場合にあっては、その過半数）」とあるのは、「監査等委員会」とする。

Ⅳ　指名委員会等設置会社における第１項の規定の適用については、同項中「監査役（監査役が２人以上ある場合にあっては、その過半数）」とあるのは、「監査委員会」とする。

【２項読替え】

監査役会設置会社においては、取締役は、会計監査人又は一時会計監査人の職務を行うべき者の報酬等を定める場合には、監査役会の同意を得なければならない。

【３項読替え】

監査等委員会設置会社においては、取締役は、会計監査人又は一時会計監査人の職務を行うべき者の報酬等を定める場合には、監査等委員会の同意を得なければならない。

【４項読替え】

指名委員会等設置会社においては、取締役は、会計監査人又は一時会計監査人の職務を行うべき者の報酬等を定める場合には、監査委員会の同意を得なければならない。

［趣旨］会計監査人の独立性を強化するため、監査役などの同意を得なければならないものとした。

【関連条文】361［取締役の報酬等］、387［監査役の報酬等］

■第９節の２　監査等委員会

《概　説》

◆　**監査等委員会・監査等委員**

1　意義

監査等委員会とは、３人以上の監査等委員である取締役から構成される委員会であり、その過半数は、社外取締役でなければならない（331 Ⅵ）。

2　機関設計

取締役会及び会計監査人を置かなければならず（327 Ⅰ③、Ⅴ）、監査役及び指名委員会等は置くことができない（327 ⅣⅥ）。

3　選任・解任

監査等委員である取締役の選任は、株主総会の決議によるが（329 Ⅰ、

341)、監査等委員である取締役とそれ以外の取締役とは区別して選任される(329 Ⅱ)。解任は、株主総会の特別決議による（309 Ⅱ⑦）。

なお、監査等委員会は、監査役会と異なり（390 Ⅲ）、常勤の監査等委員を選定する必要はない（規121 ⑩イ参照）〈予〉。

4　権限・義務

(1)　監査等委員会の権限・義務

主要な権利・義務については、以下のものがある。

① 監査等委員である取締役の選任議案への同意（344の2 Ⅰ）
② 監査等委員である取締役の選任の議題・議案提出請求（同Ⅱ）
③ 取締役の職務執行の監査及び監査報告の作成（399の2 Ⅲ①）
④ 会計監査人の選任及び解任並びに不再任に関する議案の決定（同②）
⑤ 監査等委員である取締役以外の取締役の選解任、辞任及び報酬等に対する意見陳述（342の2 Ⅳ、361 Ⅵ）に関する監査等委員会の意見決定（399の2 Ⅲ③）
⑥ 監査等委員会で選定された監査等委員が行う⑤に基づく意見陳述（342の2 Ⅳ、361 Ⅵ）

※⑤⑥について、監査等委員会が意見陳述権を行使することで同委員会が指名委員会や報酬委員会に準じる権能を営むことを期待されており、純然たる監査機関にとどまるものでないことを意味する（399の2 Ⅲ各号）

(2)　監査等委員の権限・義務

主要な権利・義務については、以下のものがある。

① 取締役会への報告義務（399の4）
② 株主総会への報告義務（399の5）
③ 取締役の行為の差止め権限（399の6）
④ 監査等委員である取締役の選解任、辞任に関する意見陳述（342の2 Ⅰ）
⑤ 監査等委員である取締役の辞任の際の理由陳述等（同Ⅱ）
⑥ 監査等委員である取締役の報酬等への意見陳述（361 Ⅴ）
⑦ 取締役たる地位に基づく意思決定及び職務執行の監督（348等）

<監査役会・監査委員会・監査等委員会の比較>

	監査役会	監査委員会	監査等委員会
構成員	監査役	取締役	監査等委員である取締役
員数	3人以上（335 Ⅲ）	3人以上（400 Ⅰ）	3人以上（331 Ⅵ）
構成	半数以上が社外監査役（335 Ⅲ）	過半数が社外取締役（400 Ⅲ）	過半数が社外取締役（331 Ⅵ）
任期	332条の図表＜任期の整理＞参照　⇒p.265		

	監査役会	監査委員会	監査等委員会
選任方法	株主総会の普通決議（329 Ⅰ、341）	取締役会の決議（400 Ⅱ）	株主総会の普通決議（329 Ⅱ、341）
解任方法	株主総会の特別決議（309 Ⅱ⑦、343 Ⅳ）	取締役会の決議（401 Ⅰ）	株主総会の特別決議（309 Ⅱ⑦、344の2Ⅲ）
選任議案の同意 選任議題・議案提出請求	あり 同意（343 Ⅲ、Ⅰ） 提出請求（同Ⅲ、Ⅱ）	なし	あり 同意（344の2Ⅰ） 提出請求（同Ⅱ）
選解任、辞任の意見陳述 辞任の際の理由陳述等	あり 意見陳述（345 Ⅳ、Ⅰ） 理由陳述（同Ⅳ、Ⅱ）	なし	あり＊ 意見陳述（342の2Ⅰ） 理由陳述（同Ⅱ）
報酬等への意見陳述	あり （387 Ⅲ）	なし	あり＊ （361 Ⅴ）

＊　監査等委員でない取締役の選解任、辞任及び報酬等の意見は、監査等委員会が決定し（399の2Ⅲ）、監査等委員会が選定する監査等委員が株主総会で意見を述べることになっている（342の2Ⅳ、361 Ⅵ）。

第1款　権限等

第３９９条の２　（監査等委員会の権限等）

Ⅰ　監査等委員会は、全ての監査等委員で組織する。

Ⅱ　監査等委員は、取締役でなければならない予。

Ⅲ　監査等委員会は、次に掲げる職務を行う。

①　取締役（会計参与設置会社にあっては、取締役及び会計参与）の職務の執行の監査及び監査報告の作成

②　株主総会に提出する会計監査人の選任及び解任並びに会計監査人を再任しないことに関する議案の内容の決定予

③　第３４２条の２第４項＜監査等委員である取締役以外の取締役の選任等についての監査等委員会の意見陳述＞及び第３６１条第６項＜監査等委員である取締役以外の取締役の報酬等についての監査等委員会の意見陳述＞に規定する監査等委員会の意見の決定

Ⅳ　監査等委員がその職務の執行（監査等委員会の職務の執行に関するものに限る。以下この項において同じ。）について監査等委員会設置会社に対して次に掲げる請求をしたときは、当該監査等委員会設置会社は、当該請求に係る費用又は債務が当該監査等委員の職務の執行に必要でないことを証明した場合を除き、これを拒むことができない。

①　費用の前払の請求

②　支出をした費用及び支出の日以後におけるその利息の償還の請求

③　負担した債務の債権者に対する弁済（当該債務が弁済期にない場合にあっては、相当の担保の提供）の請求

第399条の3（監査等委員会による調査）

Ⅰ　監査等委員会が選定する監査等委員は、いつでも、取締役（会計参与設置会社にあっては、取締役及び会計参与）及び支配人その他の使用人に対し、その職務の執行に関する事項の報告を求め、又は監査等委員会設置会社の業務及び財産の状況の調査をすることができる〈予書〉。

Ⅱ　監査等委員会が選定する監査等委員は、監査等委員会の職務を執行するため必要があるときは、監査等委員会設置会社の子会社に対して事業の報告を求め、又はその子会社の業務及び財産の状況の調査をすることができる。

Ⅲ　前項の子会社は、正当な理由があるときは、同項の報告又は調査を拒むことができる。

Ⅳ　第1項及び第2項の監査等委員は、当該各項の報告の徴収又は調査に関する事項についての監査等委員会の決議があるときは、これに従わなければならない。

第399条の4（取締役会への報告義務）〈書〉

監査等委員は、取締役が不正の行為をし、若しくは当該行為をするおそれがあると認めるとき、又は法令若しくは定款に違反する事実若しくは著しく不当な事実があると認めるときは、遅滞なく、その旨を取締役会に報告しなければならない。

［趣旨］本条は、監査等委員に対して、取締役の不正行為等を発見した場合の取締役会への報告義務を課す規定であり、指名委員会等設置会社の監査委員に課せられる報告義務（406）と同趣旨の規定である。

《注　釈》

◆　取締役の不正行為等の取締役会への報告義務

監査等委員は、①取締役が不正行為をしたとき、もしくは不正行為をするおそれがあると認めるとき、又は②法令・定款に違反する事実もしくは著しく不当な事実があると認めるときは、遅滞なく、その旨を取締役会に報告しなければならない。

本条の報告義務は、会議体である監査等委員会ではなく、個々の監査等委員に課された義務である。報告義務が個々の監査等委員に課されている理由は、報告に緊急性を有する場合が多いためである。

上記①の取締役の不正行為には、法令・定款に違反する行為（取締役の善管注意義務・忠実義務などの一般的な義務に違反する場合を含む）、法令・定款に背反しないが社会的に不当な行為、取締役として対処すべき事項があるのに何もしないことが該当すると解されている。

上記②の法令には、会社法のみならずあらゆる法令が含まれる。著しく不当な事実には、法令・定款違反ではないが、そのことを決定すること・行うことが妥当ではないことや、法令・定款に違反する事実とは別に、会社経営の健全性及び公平性確保の見地からみて、取締役（会）の意思決定又は行為が不当であって、かつ、受任者としての取締役の裁量権の範囲を超えているため、著しいと認められる場合が該当すると解されている。

第３９９条の５　（株主総会に対する報告義務）

監査等委員は、取締役が株主総会に提出しようとする議案、書類その他法務省令で定めるものについて法令若しくは定款に違反し、又は著しく不当な事項があると認めるときは、その旨を株主総会に報告しなければならない。

第３９９条の６　（監査等委員による取締役の行為の差止め）

Ⅰ　監査等委員は、取締役が監査等委員会設置会社の目的の範囲外の行為その他法令若しくは定款に違反する行為をし、又はこれらの行為をするおそれがある場合において、当該行為によって当該監査等委員会設置会社に著しい損害が生ずるおそれがあるときは、当該取締役に対し、当該行為をやめることを請求することができる〈予書〉。

Ⅱ　前項の場合において、裁判所が仮処分をもって同項の取締役に対し、その行為をやめることを命ずるときは、担保を立てさせないものとする。

第３９９条の７　（監査等委員会設置会社と取締役との間の訴えにおける会社の代表等）

Ⅰ　第３４９条第４項<代表取締役の権限>、第３５３条<株式会社と取締役との間の訴えにおける会社の代表>及び第３６４条<取締役会設置会社と取締役との間の訴えにおける会社の代表>の規定にかかわらず、監査等委員会設置会社が取締役（取締役であった者を含む。以下この条において同じ。）に対し、又は取締役が監査等委員会設置会社に対して訴えを提起する場合には、当該訴えについては、次の各号に掲げる場合の区分に応じ、当該各号に定める者が監査等委員会設置会社を代表する。

① 監査等委員が当該訴えに係る訴訟の当事者である場合　取締役会が定める者（株主総会が当該訴えについて監査等委員会設置会社を代表する者を定めた場合にあっては、その者）

② 前号に掲げる場合以外の場合　監査等委員会が選定する監査等委員

Ⅱ　前項の規定にかかわらず、取締役が監査等委員会設置会社に対して訴えを提起する場合には、監査等委員（当該訴えを提起する者であるものを除く。）に対してされた訴状の送達は、当該監査等委員会設置会社に対して効力を有する。

Ⅲ　第３４９条第４項<代表取締役の権限>、第３５３条<株式会社と取締役との間の訴えにおける会社の代表>及び第３６４条<取締役会設置会社と取締役との間の訴えにおける会社の代表>の規定にかかわらず、次の各号に掲げる株式会社が監査等委員会設置会社である場合において、当該各号に定める訴えを提起するときは、当該訴えについては、監査等委員会が選定する監査等委員が当該監査等委員会設置会社を代表する。

① 株式交換等完全親会社（第８４９条第２項第１号に規定する株式交換等完全親会社をいう。次項第１号及び第５項第３号において同じ。）　その株式交換等完全子会社（第８４７条の２第１項に規定する株式交換等完全子会社をいう。第５項第３号において同じ。）の取締役、執行役（執行役であった者を含む。以下この条において同じ。）又は清算人（清算人であった者を含む。以下この条において同じ。）の責任（第８４７条の２第１項各号に掲げる行為の効力が生じた時までにその原因となった事実が生じたものに限る。）を追及する訴え

株式会社

② 最終完全親会社等（第８４７条の３第１項に規定する最終完全親会社等をいう。次項第２号及び第５項第４号において同じ。） その完全子会社等（同条第２項第２号に規定する完全子会社等をいい、同条第３項の規定により当該完全子会社等とみなされるものを含む。第５項第４号において同じ。）である株式会社の取締役、執行役又は清算人に対する特定責任追及の訴え（同条第１項に規定する特定責任追及の訴えをいう。）

Ⅳ 第３４９条第４項<代表取締役の権限>の規定にかかわらず、次の各号に掲げる株式会社が監査等委員会設置会社である場合において、当該各号に定める請求をするときは、監査等委員会が選定する監査等委員が当該監査等委員会設置会社を代表する。

① 株式交換等完全親会社 第８４７条第１項<株主による責任追及等の訴えの提起の請求>の規定による請求（前項第１号に規定する訴えの提起の請求に限る。）

② 最終完全親会社等 第８４７条第１項<株主による責任追及等の訴えの提起の請求>の規定による請求（前項第２号に規定する特定責任追及の訴えの提起の請求に限る。）

Ⅴ 第３４９条第４項の規定にかかわらず、次に掲げる場合には、監査等委員が監査等委員会設置会社を代表する。

① 監査等委員会設置会社が第８４７条第１項<株主による責任追及等の訴えの提起の請求>、第８４７条の２第１項若しくは第３項<旧株主による責任追及等の訴えの提起の請求>（同条第４項及び第５項において準用する場合を含む。）又は第８４７条の３第１項<最終完全親会社等の株主による特定責任追及の訴えの提起の請求>の規定による請求（取締役の責任を追及する訴えの提起の請求に限る。）を受ける場合（当該監査等委員が当該訴えに係る訴訟の相手方となる場合を除く。）

② 監査等委員会設置会社が第８４９条第４項<責任追及等の訴えを提起したときの株式会社への訴訟告知>の訴訟告知（取締役の責任を追及する訴えに係るものに限る。）並びに第８５０条第２項<和解の内容の通知・催告>の規定による通知及び催告（取締役の責任を追及する訴えに係る訴訟における和解に関するものに限る。）を受ける場合（当該監査等委員がこれらの訴えに係る訴訟の当事者である場合を除く。）

③ 株式交換等完全親会社である監査等委員会設置会社が第８４９条第６項<責任追及等の訴えを提起したときの株式交換等完全親会社への訴訟告知>の規定による通知（その株式交換等完全子会社の取締役、執行役又は清算人の責任を追及する訴えに係るものに限る。）を受ける場合

④ 最終完全親会社等である監査等委員会設置会社が第８４９条第７項<責任追及等の訴えを提起したときの最終完全親会社等への訴訟告知>の規定による通知（その完全子会社等である株式会社の取締役、執行役又は清算人の責任を追及する訴えに係るものに限る。）を受ける場合

第2款　運営

第399条の8　（招集権者）

監査等委員会は、各監査等委員が招集する。

第399条の9　（招集手続等）

Ⅰ　監査等委員会を招集するには、監査等委員は、監査等委員会の日の１週間（これを下回る期間を定款で定めた場合にあっては、その期間）前までに、各監査等委員に対してその通知を発しなければならない。

Ⅱ　前項の規定にかかわらず、監査等委員会は、監査等委員の全員の同意があるときは、招集の手続を経ることなく開催することができる。

Ⅲ　取締役（会計参与設置会社にあっては、取締役及び会計参与）は、監査等委員会の要求があったときは、監査等委員会に出席し、監査等委員会が求めた事項について説明をしなければならない。

第399条の10　（監査等委員会の決議）

Ⅰ　監査等委員会の決議は、議決に加わることができる監査等委員の過半数が出席し、その過半数をもって行う。

Ⅱ　前項の決議について特別の利害関係を有する監査等委員は、議決に加わることができない。

Ⅲ　監査等委員会の議事については、法務省令で定めるところにより、議事録を作成し、議事録が書面をもって作成されているときは、出席した監査等委員は、これに署名し、又は記名押印しなければならない。

Ⅳ　前項の議事録が電磁的記録をもって作成されている場合における当該電磁的記録に記録された事項については、法務省令で定める署名又は記名押印に代わる措置をとらなければならない。

Ⅴ　監査等委員会の決議に参加した監査等委員であって第３項の議事録に異議をとどめないものは、その決議に賛成したものと推定する。

第399条の11　（議事録）

Ⅰ　監査等委員会設置会社は、監査等委員会の日から１０年間、前条第３項の議事録をその本店に備え置かなければならない。

Ⅱ　監査等委員会設置会社の株主は、その権利を行使するため必要があるときは、裁判所の許可を得て、次に掲げる請求をすることができる。

①　前項の議事録が書面をもって作成されているときは、当該書面の閲覧又は謄写の請求

②　前項の議事録が電磁的記録をもって作成されているときは、当該電磁的記録に記録された事項を法務省令で定める方法により表示したものの閲覧又は謄写の請求

Ⅲ　前項の規定は、監査等委員会設置会社の債権者が取締役又は会計参与の責任を追及するため必要があるとき及び親会社社員がその権利を行使するため必要があるときについて準用する。

Ⅳ　裁判所は、第２項（前項において準用する場合を含む。以下この項において同

じ。）の請求に係る閲覧又は謄写をすることにより、当該監査等委員会設置会社又はその親会社若しくは子会社に著しい損害を及ぼすおそれがあると認めるときは、第２項の許可をすることができない。

第３９９条の１２　（監査等委員会への報告の省略）

取締役、会計参与又は会計監査人が監査等委員の全員に対して監査等委員会に報告すべき事項を通知したときは、当該事項を監査等委員会へ報告することを要しない。

第３款　監査等委員会設置会社の取締役会の権限等

第３９９条の１３　（監査等委員会設置会社の取締役会の権限）

Ⅰ　監査等委員会設置会社の取締役会は、第３６２条＜取締役会の権限等＞の規定にかかわらず、次に掲げる職務を行う。
①　次に掲げる事項その他監査等委員会設置会社の業務執行の決定
イ　経営の基本方針
ロ　監査等委員会の職務の執行のため必要なものとして法務省令で定める事項
ハ　取締役の職務の執行が法令及び定款に適合することを確保するための体制その他株式会社の業務並びに当該株式会社及びその子会社から成る企業集団の業務の適正を確保するために必要なものとして法務省令で定める体制の整備〈予〉
②　取締役の職務の執行の監督
③　代表取締役の選定及び解職
Ⅱ　監査等委員会設置会社の取締役会は、前項第１号イからハまでに掲げる事項を決定しなければならない〈予〉。
Ⅲ　監査等委員会設置会社の取締役会は、取締役（監査等委員である取締役を除く。）の中から代表取締役を選定しなければならない〈予〉。
Ⅳ　監査等委員会設置会社の取締役会は、次に掲げる事項その他の重要な業務執行の決定を取締役に委任することができない〈予〉。
①　重要な財産の処分及び譲受け
②　多額の借財
③　支配人その他の重要な使用人の選任及び解任
④　支店その他の重要な組織の設置、変更及び廃止
⑤　第６７６条第１号＜募集社債の総額＞に掲げる事項その他の社債を引き受ける者の募集に関する重要な事項として法務省令で定める事項
⑥　第４２６条第１項＜取締役等による免除に関する定款の定め＞の規定による定款の定めに基づく第４２３条第１項＜役員等の株式会社に対する損害賠償責任＞の責任の免除
Ⅴ　前項の規定にかかわらず、監査等委員会設置会社の取締役の過半数が社外取締役である場合には、当該監査等委員会設置会社の取締役会は、その決議によって、重要な業務執行の決定を取締役に委任することができる〈書〉。ただし、次に掲げる事項については、この限りでない〈予〉。
①　第１３６条＜譲渡制限株式の株主からの承認の請求＞又は第１３７条第１項＜譲渡制限株式取得者からの承認の請求＞の決定及び第１４０条第４項＜株式会

社による指定買取人の指定＞の規定による指定

② 第１６５条第３項＜市場取引等による自己株式の取得＞において読み替えて適用する第１５６条第１項各号＜自己株式の取得に関する事項の決定＞に掲げる事項の決定

③ 第２６２条＜新株予約権者からの承認の請求＞又は第２６３条第１項＜新株予約権取得者からの承認の請求＞の決定

④ 第２９８条第１項各号＜株主総会の招集の決定＞に掲げる事項の決定〈予

⑤ 株主総会に提出する議案（会計監査人の選任及び解任並びに会計監査人を再任しないことに関するものを除く。）の内容の決定

⑥ 第３４８条の２第１項＜業務の執行の社外取締役への委託＞の規定による委託

⑦ 第３６１条第７項＜社外取締役の設置が義務付けられている株式会社の取締役会による報酬等の決定方針の決定＞の規定による同項の事項の決定

⑧ 第３６５条第１項＜競業及び取締役会設置会社との取引等の制限＞において読み替えて適用する第３５６条第１項＜競業及び利益相反取引の制限＞の承認

⑨ 第３６６条第１項ただし書＜取締役会を招集する取締役を定めたとき＞の規定による取締役会を招集する取締役の決定

⑩ 第３９９条の７第１項第１号＜監査等委員会設置会社と取締役との間の訴えにおける会社の代表＞の規定による監査等委員会設置会社を代表する者の決定

⑪ 前項第６号に掲げる事項

⑫ 補償契約（第４３０条の２第１項に規定する補償契約をいう。第４１６条第４項第１４号において同じ。）の内容の決定

⑬ 役員等賠償責任保険契約（第４３０条の３第１項に規定する役員等賠償責任保険契約をいう。第４１６条第４項第１５号において同じ。）の内容の決定

⑭ 第４３６条第３項＜計算書類等の取締役会の承認＞、第４４１条第３項＜臨時計算書類の取締役会の承認＞及び第４４４条第５項＜連結計算書類の取締役会の承認＞の承認

⑮ 第４５４条第５項＜取締役会設置会社における中間配当＞において読み替えて適用する同条第１項の規定により定めなければならないとされる事項の決定

⑯ 第４６７条第１項各号＜事業譲渡等の株主総会による承認＞に掲げる行為に係る契約（当該監査等委員会設置会社の株主総会の決議による承認を要しないものを除く。）の内容の決定

⑰ 合併契約（当該監査等委員会設置会社の株主総会の決議による承認を要しないものを除く。）の内容の決定

⑱ 吸収分割契約（当該監査等委員会設置会社の株主総会の決議による承認を要しないものを除く。）の内容の決定

⑲ 新設分割計画（当該監査等委員会設置会社の株主総会の決議による承認を要しないものを除く。）の内容の決定

⑳ 株式交換契約（当該監査等委員会設置会社の株主総会の決議による承認を要しないものを除く。）の内容の決定

㉑ 株式移転計画の内容の決定

㉒ 株式交付計画（当該監査等委員会設置会社の株主総会の決議による承認を要しないものを除く。）の内容の決定

Ⅵ　前２項の規定にかかわらず、監査等委員会設置会社は、取締役会の決議によって重要な業務執行（前項各号に掲げる事項を除く。）の決定の全部又は一部を取締役に委任することができる旨を定款で定めることができる〈予〉。

第３９９条の１４　（監査等委員会による取締役会の招集）

監査等委員会設置会社においては、招集権者の定めがある場合であっても、監査等委員会が選定する監査等委員は、取締役会を招集することができる〈予〉。

■第１０節　指名委員会等及び執行役

《概　説》

◆　指名委員会等設置会社

1　意義

指名委員会等設置会社とは、指名委員会、監査委員会及び報酬委員会を置く株式会社をいう（２⑫）。

2　制度趣旨

執行役に業務執行権限を大幅に委譲して経営の合理化・迅速化を図るとともに、取締役会による業務執行監督を強化するために、委員会制度を定めた。

＜指名委員会等設置会社の構造＞

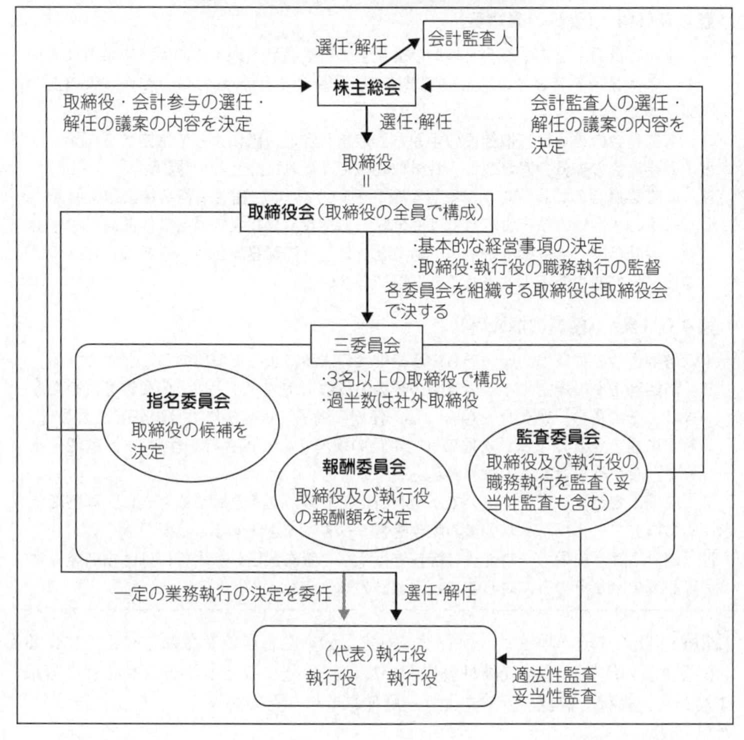

第１款　委員の選定、執行役の選任等

第４００条　（委員の選定等）

Ⅰ　指名委員会、監査委員会又は報酬委員会の各委員会（以下この条、次条及び第９１１条第３項第２３号ロにおいて単に「各委員会」という。）は、委員３人以上で組織する。
Ⅱ　各委員会の委員は、取締役の中から、取締役会の決議によって選定する〈司予〉。
Ⅲ　各委員会の委員の過半数は、社外取締役でなければならない〈予書〉。
Ⅳ　監査委員会の委員（以下「監査委員」という。）は、指名委員会等設置会社若しくはその子会社の執行役若しくは業務執行取締役又は指名委員会等設置会社の子会社の会計参与（会計参与が法人であるときは、その職務を行うべき社員）若しくは支配人その他の使用人を兼ねることができない〈司〉。

第４０１条　（委員の解職等）

Ⅰ　各委員会の委員は、いつでも、取締役会の決議によって解職することができる。
Ⅱ　前条第１項に規定する各委員会の委員の員数（定款で４人以上の員数を定めたときは、その員数）が欠けた場合には、任期の満了又は辞任により退任した委員は、新たに選定された委員（次項の一時委員の職務を行うべき者を含む。）が就任するまで、なお委員としての権利義務を有する。
Ⅲ　前項に規定する場合において、裁判所は、必要があると認めるときは、利害関係人の申立てにより、一時委員の職務を行うべき者を選任することができる。
Ⅳ　裁判所は、前項の一時委員の職務を行うべき者を選任した場合には、指名委員会等設置会社がその者に対して支払う報酬の額を定めることができる。

[趣旨] 400条3項の趣旨は、執行役に対する強い監督機能を発揮させる点にある。400条4項の趣旨は、監査委員会においては、監査する者と監査される者の分離、すなわち、執行と監督の分離をより一層推し進める点にある。

《注　釈》

・指名委員会等設置会社においては、監査委員の中に常勤監査役に相当する者を定めることは義務付けられていない（cf. 390 Ⅲ）。よって、監査委員全員を非常勤とすることも許される。

第４０２条　（執行役の選任等）

Ⅰ　指名委員会等設置会社には、１人又は２人以上の執行役を置かなければならない。
Ⅱ　執行役は、取締役会の決議によって選任する〈予書〉。
Ⅲ　指名委員会等設置会社と執行役との関係は、委任に関する規定に従う。
Ⅳ　第３３１条第１項及び第３３１条の２＜取締役の資格等＞の規定は、執行役について準用する〈予〉。
Ⅴ　株式会社は、執行役が株主でなければならない旨を定款で定めることができない。ただし、公開会社でない指名委員会等設置会社については、この限りでない。
Ⅵ　執行役は、取締役を兼ねることができる〈司予〉。

Ⅶ　執行役の任期は、選任後1年以内に終了する事業年度のうち最終のものに関する定時株主総会の終結後最初に招集される取締役会の終結の時までとする。ただし、定款によって、その任期を短縮することを妨げない。
Ⅷ　前項の規定にかかわらず、指名委員会等設置会社が指名委員会等を置く旨の定款の定めを廃止する定款の変更をした場合には、執行役の任期は、当該定款の変更の効力が生じた時に満了する。

《注　釈》

◆　執行役制度

1　意義

執行役とは、取締役会により委任された会社の業務執行を決定し、会社の業務を執行する者をいう（418）。指名委員会等設置会社においては、各委員会を置くとともに、必ず執行役を置かなければならない（402 Ⅰ）。

2　義務・責任

執行役と会社との関係は、取締役と同様、委任に関する規定に従う（402 Ⅲ）。そのため執行役は会社に対して善管注意義務を負い（民644）、かつ、忠実義務を負う（419 Ⅱ・355）。また、競業避止義務や利益相反取引に関する規制も執行役に準用される（419 Ⅱ・356）。

さらに、自己の職務執行の状況について取締役会に報告する義務（417 Ⅳ）、取締役会出席義務及び業務執行に関する説明義務（417 Ⅴ）も課されている。

そして、執行役がその任務を怠ったことにより会社に損害を生じさせたときは、その執行役は、会社に対して連帯して損害賠償責任を負い（423、430）、第三者に対してはその職務を行うにつき悪意又は重過失があったときに損害賠償責任を負う（429 Ⅰ）。

<取締役と執行役の比較>

	取締役	執行役
意義	取締役会設置会社 →取締役会の構成員 取締役会非設置会社 →業務執行（348 Ⅰ） 代表機関（代表取締役の定めがない場合　349 Ⅰ）	指名委員会等設置会社において、委任を受けた業務執行の決定と、業務執行を行う機関（418）
対会社関係	委任関係（330）	委任関係（402 Ⅲ）
選任・解任	株主総会決議（329 Ⅰ、339 Ⅰ、341）	取締役会決議（402 Ⅱ、403 Ⅰ）
任期	332条の図表<任期の整理>参照　⇒p.265	
報酬	定款又は株主総会決議（361）	報酬委員会決議（404 Ⅲ）

株式会社

	取締役	執行役
義務	監督義務（362 Ⅱ②、最判昭 48.5.22・百選 67 事件） 大会社におけるリスク管理体制構築義務（348 Ⅳ） 忠実義務（355） 利益相反取引の規制 （356 Ⅰ②③Ⅱ、365） 競業避止義務（356 Ⅰ①、365） 株主総会における説明義務（314） 取締役会に対する報告義務（363 Ⅱ） 株主等に対する報告義務（357）	忠実義務（419 Ⅱ、355） 利益相反取引の規制 （419 Ⅱ、356 Ⅰ②③Ⅱ、365 Ⅱ） 競業避止義務 （419 Ⅱ、356 Ⅰ①、365 Ⅱ） 株主総会における説明義務（314） 取締役会に対する報告・説明義務（417 ⅣⅤ） 監査委員に対する報告義務（419 Ⅰ） 委員会の要求による出席・説明義務（411 Ⅲ）

【関連条文】369［取締役会決議］、民 643 以下［委任］

第４０３条　（執行役の解任等）

Ⅰ　執行役は、いつでも、取締役会の決議によって解任することができる予。

Ⅱ　前項の規定により解任された執行役は、その解任について正当な理由がある場合を除き、指名委員会等設置会社に対し、解任によって生じた損害の賠償を請求することができる。

Ⅲ　第４０１条第２項から第４項まで＜各委員会の委員の員数が欠けた場合の措置＞の規定は、執行役が欠けた場合又は定款で定めた執行役の員数が欠けた場合について準用する。

第２款　指名委員会等の権限等

第４０４条　（委員会の権限等）

Ⅰ　指名委員会は、株主総会に提出する取締役（会計参与設置会社にあっては、取締役及び会計参与）の選任及び解任に関する議案の内容を決定する司。

Ⅱ　監査委員会は、次に掲げる職務を行う。

①　執行役等（執行役及び取締役をいい、会計参与設置会社にあっては、執行役、取締役及び会計参与をいう。以下この節において同じ。）の職務の執行の監査及び監査報告の作成

②　株主総会に提出する会計監査人の選任及び解任並びに会計監査人を再任しないことに関する議案の内容の決定予

Ⅲ　報酬委員会は、第３６１条第１項＜取締役の報酬等＞並びに第３７９条第１項及び第２項＜会計参与の報酬等＞の規定にかかわらず、執行役等の個人別の報酬等の内容を決定する予。執行役が指名委員会等設置会社の支配人その他の使用人を兼ねているときは、当該支配人その他の使用人の報酬等の内容についても、同様とする司書。

Ⅳ　委員がその職務の執行（当該委員が所属する指名委員会等の職務の執行に関するものに限る。以下この項において同じ。）について指名委員会等設置会社に対して次に掲げる請求をしたときは、当該指名委員会等設置会社は、当該請求に係る費用

又は債務が当該委員の職務の執行に必要でないことを証明した場合を除き、これを拒むことができない。
① 費用の前払の請求
② 支出をした費用及び支出の日以後におけるその利息の償還の請求
③ 負担した債務の債権者に対する弁済（当該債務が弁済期にない場合にあっては、相当の担保の提供）の請求

【趣旨】1項が指名委員会を置いたのは、取締役の選任及び解任に関する議案の決定権を指名委員会に委ねることによって、取締役人事について社外取締役によるコントロールを及ぼそうとしたからである。2項が監査委員会を置いたのは、取締役会の内部機関として取締役会と情報を共有し、適法性監査だけでなく妥当性監査をも行い、より充実した精緻な監査が行われることを目的としている。3項が報酬委員会を置いたのは、執行役によるお手盛りの弊害を防止し、会社や株主の利益を保護するためである。4項の趣旨は、監査役の場合と同様に（388）、経済的な負担に不安を感じることなく職務執行をさせる点にある。

株式会社

第405条 （監査委員会による調査）

Ⅰ 監査委員会が選定する監査委員は、いつでも、執行役等及び支配人その他の使用人に対し、その職務の執行に関する事項の報告を求め、又は指名委員会等設置会社の業務及び財産の状況の調査をすることができる〈同〉。
Ⅱ 監査委員会が選定する監査委員は、監査委員会の職務を執行するため必要があるときは、指名委員会等設置会社の子会社に対して事業の報告を求め、又はその子会社の業務及び財産の状況の調査をすることができる〈同〉。
Ⅲ 前項の子会社は、正当な理由があるときは、同項の報告又は調査を拒むことができる。
Ⅳ 第1項及び第2項の監査委員は、当該各項の報告の徴収又は調査に関する事項についての監査委員会の決議があるときは、これに従わなければならない。

第406条 （取締役会への報告義務）

監査委員は、執行役又は取締役が不正の行為をし、若しくは当該行為をするおそれがあると認めるとき、又は法令若しくは定款に違反する事実若しくは著しく不当な事実があると認めるときは、遅滞なく、その旨を取締役会に報告しなければならない〈予〉。

第407条 （監査委員による執行役等の行為の差止め）

Ⅰ 監査委員は、執行役又は取締役が指名委員会等設置会社の目的の範囲外の行為その他法令若しくは定款に違反する行為をし、又はこれらの行為をするおそれがある場合において、当該行為によって当該指名委員会等設置会社に著しい損害が生ずるおそれがあるときは、当該執行役又は取締役に対し、当該行為をやめることを請求することができる。
Ⅱ 前項の場合において、裁判所が仮処分をもって同項の執行役又は取締役に対し、その行為をやめることを命ずるときは、担保を立てさせないものとする。

【関連条文】360［株主による取締役の行為の差止め］、385［監査役による取締役の行為の差止め］、422［株主による執行役の行為の差止め］

第４０８条　（指名委員会等設置会社と執行役又は取締役との間の訴えにおける会社の代表等）

Ⅰ　第４２０条第３項＜代表執行役に関する準用規定＞において準用する第３４９条第４項＜代表取締役の権限＞の規定並びに第３５３条＜株式会社と取締役との間の訴えにおける会社の代表＞及び第３６４条＜取締役会設置会社と取締役との間の訴えにおける会社の代表＞の規定にかかわらず、指名委員会等設置会社が執行役（執行役であった者を含む。以下この条において同じ。）若しくは取締役（取締役であった者を含む。以下この条において同じ。）に対し、又は執行役若しくは取締役が指名委員会等設置会社に対して訴えを提起する場合には、当該訴えについては、次の各号に掲げる場合の区分に応じ、当該各号に定める者が指名委員会等設置会社を代表する。

① 監査委員が当該訴えに係る訴訟の当事者である場合　取締役会が定める者（株主総会が当該訴えについて指名委員会等設置会社を代表する者を定めた場合にあっては、その者）〈同

② 前号に掲げる場合以外の場合　監査委員会が選定する監査委員

Ⅱ　前項の規定にかかわらず、執行役又は取締役が指名委員会等設置会社に対して訴えを提起する場合には、監査委員（当該訴えを提起する者であるものを除く。）に対してされた訴状の送達は、当該指名委員会等設置会社に対して効力を有する。

Ⅲ　第４２０条第３項＜代表執行役に関する準用規定＞において準用する第３４９条第４項＜代表取締役の権限＞の規定並びに第３５３条＜株式会社と取締役との間の訴えにおける会社の代表＞及び第３６４条＜取締役会設置会社と取締役との間の訴えにおける会社の代表＞の規定にかかわらず、次の各号に掲げる株式会社が指名委員会等設置会社である場合において、当該各号に定める訴えを提起するときは、当該訴えについては、監査委員会が選定する監査委員が当該指名委員会等設置会社を代表する。

① 株式交換等完全親会社（第８４９条第２項第１号に規定する株式交換等完全親会社をいう。次項第１号及び第５項第３号において同じ。）　その株式交換等完全子会社（第８４７条の２第１項に規定する株式交換等完全子会社をいう。第５項第３号において同じ。）の取締役、執行役又は清算人（清算人であった者を含む。以下この条において同じ。）の責任（第８４７条の２第１項各号に掲げる行為の効力が生じた時までにその原因となった事実が生じたものに限る。）を追及する訴え

② 最終完全親会社等（第８４７条の３第１項に規定する最終完全親会社等をいう。次項第２号及び第５項第４号において同じ。）　その完全子会社等（同条第２項第２号に規定する完全子会社等をいい、同条第３項の規定により当該完全子会社等とみなされるものを含む。第５項第４号において同じ。）である株式会社の取締役、執行役又は清算人に対する特定責任追及の訴え（同条第１項に規定する特定責任追及の訴えをいう。）

Ⅳ　第４２０条第３項＜代表執行役に関する準用規定＞において準用する第３４９条

第４項<代表取締役の権限>の規定にかかわらず、次の各号に掲げる株式会社が指名委員会等設置会社である場合において、当該各号に定める請求をするときは、監査委員会が選定する監査委員が当該指名委員会等設置会社を代表する。
① 株式交換等完全親会社　第８４７条第１項<株主による責任追及等の訴えの提起の請求>の規定による請求（前項第１号に規定する訴えの提起の請求に限る。）
② 最終完全親会社等　第８４７条第１項<株主による責任追及等の訴えの提起の請求>の規定による請求（前項第２号に規定する特定責任追及の訴えの提起の請求に限る。）

Ⅴ　第４２０条第３項<代表執行役に関する準用規定>において準用する第３４９条第４項<代表取締役の権限>の規定にかかわらず、次に掲げる場合には、監査委員が指名委員会等設置会社を代表する。
① 指名委員会等設置会社が第８４７条第１項<株主による責任追及等の訴えの提起の請求>、第８４７条の２第１項若しくは第３項<旧株主による責任追及等の訴えの提起の請求>（同条第４項及び第５項において準用する場合を含む。）又は第８４７条の３第１項<最終完全親会社等の株主による特定責任追及の訴えの提起の請求>の規定による請求（執行役又は取締役の責任を追及する訴えの提起の請求に限る。）を受ける場合（当該監査委員が当該訴えに係る訴訟の相手方となる場合を除く。）
② 指名委員会等設置会社が第８４９条第４項<責任追及等の訴えを提起したときの株式会社への訴訟告知>の訴訟告知（執行役又は取締役の責任を追及する訴えに係るものに限る。）並びに第８５０条第２項<和解の内容の通知、催告>の規定による通知及び催告（執行役又は取締役の責任を追及する訴えに係る訴訟における和解に関するものに限る。）を受ける場合（当該監査委員がこれらの訴えに係る訴訟の当事者である場合を除く。）
③ 株式交換等完全親会社である指名委員会等設置会社が第８４９条第６項<責任追及等の訴えを提起したときの株式交換等完全親会社への訴訟告知>の規定による通知（その株式交換等完全子会社の取締役、執行役又は清算人の責任を追及する訴えに係るものに限る。）を受ける場合
④ 最終完全親会社等である指名委員会等設置会社が第８４９条第７項<責任追及等の訴えを提起したときの最終完全親会社等への訴訟告知>の規定による通知（その完全子会社等である株式会社の取締役、執行役又は清算人の責任を追及する訴えに係るものに限る。）を受ける場合

第４０９条　（報酬委員会による報酬の決定の方法等）

Ⅰ　報酬委員会は、執行役等の個人別の報酬等の内容に係る決定に関する方針を定めなければならない。

Ⅱ　報酬委員会は、第４０４条第３項<報酬委員会の権限等>の規定による決定をするには、前項の方針に従わなければならない。

Ⅲ　報酬委員会は、次の各号に掲げるものを執行役等の個人別の報酬等とする場合には、その内容として、当該各号に定める事項について決定しなければならない。ただし、会計参与の個人別の報酬等は、第１号に掲げるものでなければならない書。

株式会社

① 額が確定しているもの　個人別の額〈回〉
② 額が確定していないもの　個人別の具体的な算定方法
③ 当該株式会社の募集株式　当該募集株式の数（種類株式発行会社にあっては、募集株式の種類及び種類ごとの数）その他法務省令で定める事項
④ 当該株式会社の募集新株予約権　当該募集新株予約権の数その他法務省令で定める事項
⑤ 次のイ又はロに掲げるものと引換えにする払込みに充てるための金銭　当該イ又はロに定める事項
イ　当該株式会社の募集株式　執行役等が引き受ける当該募集株式の数（種類株式発行会社にあっては、募集株式の種類及び種類ごとの数）その他法務省令で定める事項
ロ　当該株式会社の募集新株予約権　執行役等が引き受ける当該募集新株予約権の数その他法務省令で定める事項
⑥ 金銭でないもの（当該株式会社の募集株式及び募集新株予約権を除く。）　個人別の具体的な内容

【関連条文】361［取締役の報酬等］

第３款　指名委員会等の運営

第４１０条（招集権者）

指名委員会等は、当該指名委員会等の各委員が招集する。

第４１１条（招集手続等）

Ⅰ　指名委員会等を招集するには、その委員は、指名委員会等の日の１週間（これを下回る期間を取締役会で定めた場合にあっては、その期間）前までに、当該指名委員会等の各委員に対してその通知を発しなければならない。
Ⅱ　前項の規定にかかわらず、指名委員会等は、当該指名委員会等の委員の全員の同意があるときは、招集の手続を経ることなく開催することができる。
Ⅲ　執行役等は、指名委員会等の要求があったときは、当該指名委員会等に出席し、当該指名委員会等が求めた事項について説明をしなければならない。

第４１２条（指名委員会等の決議）

Ⅰ　指名委員会等の決議は、議決に加わることができるその委員の過半数（これを上回る割合を取締役会で定めた場合にあっては、その割合以上）が出席し、その過半数（これを上回る割合を取締役会で定めた場合にあっては、その割合以上）をもって行う。
Ⅱ　前項の決議について特別の利害関係を有する委員は、議決に加わることができない。
Ⅲ　指名委員会等の議事については、法務省令で定めるところにより、議事録を作成し、議事録が書面をもって作成されているときは、出席した委員は、これに署名し、又は記名押印しなければならない。

Ⅳ　前項の議事録が電磁的記録をもって作成されている場合における当該電磁的記録に記録された事項については、法務省令で定める署名又は記名押印に代わる措置をとらなければならない。
Ⅴ　指名委員会等の決議に参加した委員であって第３項の議事録に異議をとどめないものは、その決議に賛成したものと推定する。

【関連条文】 規111、225

第４１３条　（議事録）

Ⅰ　指名委員会等設置会社は、指名委員会等の日から１０年間、前条第３項の議事録をその本店に備え置かなければならない。
Ⅱ　指名委員会等設置会社の取締役は、次に掲げるものの閲覧及び謄写をすることができる。
①　前項の議事録が書面をもって作成されているときは、当該書面
②　前項の議事録が電磁的記録をもって作成されているときは、当該電磁的記録に記録された事項を法務省令で定める方法により表示したもの
Ⅲ　指名委員会等設置会社の株主は、その権利を行使するため必要があるときは、裁判所の許可を得て、第１項の議事録について前項各号掲げるものの閲覧又は謄写の請求をすることができる〈同〉。
Ⅳ　前項の規定は、指名委員会等設置会社の債権者が委員の責任を追及するため必要があるとき及び親会社社員がその権利を行使するため必要があるときについて準用する〈同〉。
Ⅴ　裁判所は、第３項（前項において準用する場合を含む。以下この項において同じ。）の請求に係る閲覧又は謄写をすることにより、当該指名委員会等設置会社又はその親会社若しくは子会社に著しい損害を及ぼすおそれがあると認めるときは、第３項の許可をすることができない。

【関連条文】 規226

第４１４条　（指名委員会等への報告の省略）

執行役、取締役、会計参与又は会計監査人が委員の全員に対して指名委員会等に報告すべき事項を通知したときは、当該事項を指名委員会等へ報告することを要しない。

第４款　指名委員会等設置会社の取締役の権限等

第４１５条　（指名委員会等設置会社の取締役の権限）

指名委員会等設置会社の取締役は、この法律又はこの法律に基づく命令に別段の定めがある場合を除き、指名委員会等設置会社の業務を執行することができない。

【趣旨】 執行と監督を分離する点にある。

株式会社

第４１６条　（指名委員会等設置会社の取締役会の権限）

Ⅰ　指名委員会等設置会社の取締役会は、第３６２条＜取締役会の権限等＞の規定にかかわらず、次に掲げる職務を行う。

①　次に掲げる事項その他指名委員会等設置会社の業務執行の決定

イ　経営の基本方針

ロ　監査委員会の職務の執行のため必要なものとして法務省令で定める事項

ハ　執行役が２人以上ある場合における執行役の職務の分掌及び指揮命令の関係その他の執行役相互の関係に関する事項

ニ　次条第２項の規定による取締役会の招集の請求を受ける取締役

ホ　執行役の職務の執行が法令及び定款に適合することを確保するための体制その他株式会社の業務並びに当該株式会社及びその子会社から成る企業集団の業務の適正を確保するために必要なものとして法務省令で定める体制の整備〈予

②　執行役等の職務の執行の監督

Ⅱ　指名委員会等設置会社の取締役会は、前項第１号イからホまでに掲げる事項を決定しなければならない〈予。

Ⅲ　指名委員会等設置会社の取締役会は、第１項各号に掲げる職務の執行を取締役に委任することができない。

Ⅳ　指名委員会等設置会社の取締役会は、その決議によって、指名委員会等設置会社の業務執行の決定を執行役に委任することができる。ただし、次に掲げる事項については、この限りでない〈司予。

①　第１３６条＜譲渡制限株式の株主からの承認の請求＞又は第１３７条第１項＜譲渡制限株式取得者からの承認の請求＞の決定及び第１４０条第４項＜株式会社による指定買取人の指定＞の規定による指定

②　第１６５条第３項＜市場取引等による自己株式の取得＞において読み替えて適用する第１５６条第１項各号＜自己株式の取得に関する事項の決定＞に掲げる事項の決定

③　第２６２条＜新株予約権者からの承認の請求＞又は第２６３条第１項＜新株予約権取得者からの承認の請求＞の決定

④　第２９８条第１項各号＜株主総会の招集の決定＞に掲げる事項の決定

⑤　株主総会に提出する議案（取締役、会計参与及び会計監査人の選任及び解任並びに会計監査人を再任しないことに関するものを除く。）の内容の決定

⑥　第３４８条の２第２項＜業務の執行の社外取締役への委託＞の規定による委託

⑦　第３６５条第１項＜競業及び取締役会設置会社との取引等の制限＞において読み替えて適用する第３５６条第１項＜競業及び利益相反取引の制限＞（第４１９条第２項＜競業及び利益相反取引の制限等の執行役への準用＞において読み替えて準用する場合を含む。）の承認

⑧　第３６６条第１項ただし書＜取締役会を招集する取締役を定めたとき＞の規定による取締役会を招集する取締役の決定

⑨　第４００条第２項＜委員の選定＞の規定による委員の選定及び第４０１条第１項＜委員の解職＞の規定による委員の解職

⑩　第４０２条第２項＜執行役の選任＞の規定による執行役の選任及び第４０３条

第１項＜執行役の解任＞の規定による執行役の解任

⑪　第４０８条第１項第１号＜指名委員会等設置会社と執行役又は取締役との間の訴えにおける会社の代表等＞の規定による指名委員会等設置会社を代表する者の決定

⑫　第４２０条第１項前段＜代表執行役の選定＞の規定による代表執行役の選定及び同条第２項＜代表執行役の解職＞の規定による代表執行役の解職〈同

⑬　第４２６条第１項＜取締役等による免除に関する定款の定め＞の規定による定款の定めに基づく第４２３条第１項＜役員等の株式会社に対する損害賠償責任＞の責任の免除

⑭　補償契約の内容の決定

⑮　役員等賠償責任保険契約の内容の決定

⑯　第４３６条第３項＜計算書類等の取締役会の承認＞、第４４１条第３項＜臨時計算書類の取締役会の承認＞及び第４４４条第５項＜連結計算書類の取締役会の承認＞の承認

⑰　第４５４条第５項＜取締役会設置会社における中間配当＞において読み替えて適用する同条第１項＜剰余金の配当に関する株主総会決議事項＞の規定により定めなければならないとされる事項の決定

⑱　第４６７条第１項各号＜事業譲渡等の株主総会による承認＞に掲げる行為に係る契約（当該指名委員会等設置会社の株主総会の決議による承認を要しないものを除く。）の内容の決定

⑲　合併契約（当該指名委員会等設置会社の株主総会の決議による承認を要しないものを除く。）の内容の決定〈同

⑳　吸収分割契約（当該指名委員会等設置会社の株主総会の決議による承認を要しないものを除く。）の内容の決定

㉑　新設分割計画（当該指名委員会等設置会社の株主総会の決議による承認を要しないものを除く。）の内容の決定

㉒　株式交換契約（当該指名委員会等設置会社の株主総会の決議による承認を要しないものを除く。）の内容の決定〈同

㉓　株式移転計画の内容の決定

㉔　株式交付計画（当該指名委員会等設置会社の株主総会の決議による承認を要しないものを除く。）の内容の決定

【趣旨】指名委員会等設置会社の取締役会は、通常の株式会社の取締役会に比較して（362参照）、業務執行に関して決定しなければならない事項が限られており、その代わりに、執行役等の監督機能が図られるよう特化されている。たとえば、社債の発行については、指名委員会等設置会社以外の会社では、362条4項5号により取締役会の決議が必要になるが、指名委員会等設置会社では執行役にその決定を委任することができる〈同。

《注　釈》

・取締役の報酬の決定（404 Ⅲ）を執行役に委任することはできない〈同。

・株主総会に提出する会計監査人の解任に関する議案の内容の決定（404 Ⅱ②）を執行役に委任することはできない〈同。

株式会社

【関連条文】362［取締役会の権限等］、規112

第４１７条　（指名委員会等設置会社の取締役会の運営）

Ⅰ　指名委員会等設置会社においては、招集権者の定めがある場合であっても、指名委員会等がその委員の中から選定する者は、取締役会を招集することができる予。

Ⅱ　執行役は、前条第１項第１号ニ<取締役会の招集の請求を受ける取締役>の取締役に対し、取締役会の目的である事項を示して、取締役会の招集を請求することができる。この場合において、当該請求があった日から５日以内に、当該請求があった日から２週間以内の日を取締役会の日とする取締役会の招集の通知が発せられないときは、当該執行役は、取締役会を招集することができる。

Ⅲ　指名委員会等がその委員の中から選定する者は、遅滞なく、当該指名委員会等の職務の執行の状況を取締役会に報告しなければならない。

Ⅳ　執行役は、３箇月に１回以上、自己の職務の執行の状況を取締役会に報告しなければならない。この場合において、執行役は、代理人（他の執行役に限る。）により当該報告をすることができる。

Ⅴ　執行役は、取締役会の要求があったときは、取締役会に出席し、取締役会が求めた事項について説明をしなければならない。

【趣旨】１項の趣旨は、各委員会の監督機能を十全たらしめるようにするために、取締役会の招集を認めた点にある。２項は、必ずしも取締役ではない執行役がその業務をする際、取締役会の決議を必要とする場合が少なくないところ、かかる取締役会の機動的な開催を実現させる点にある。

第５款　執行役の権限等

第４１８条　（執行役の権限）

執行役は、次に掲げる職務を行う。

① 第４１６条第４項<業務執行の執行役への委任>の規定による取締役会の決議によって委任を受けた指名委員会等設置会社の業務の執行の決定

② 指名委員会等設置会社の業務の執行

［趣旨］執行役を置く趣旨は、会社の業務執行の基本的な経営戦略の決定権限のみを取締役会に残し、その他を執行役に委任し、また執行役に業務執行権限を与えることにより業務執行と監督を分離し、取締役会の監督機能の強化・業務執行の効率性向上を図ろうとした点にある。

第４１９条　（執行役の監査委員に対する報告義務等）

Ⅰ　執行役は、指名委員会等設置会社に著しい損害を及ぼすおそれのある事実を発見したときは、直ちに、当該事実を監査委員に報告しなければならない。

Ⅱ　第３５５条<取締役の忠実義務>、第３５６条<競業及び利益相反取引の制限>及び第３６５条第２項<競業及び取締役会設置会社との取引をした場合の取締役会への報告>の規定は、執行役について準用する。この場合において、第３５６条第１項中「株主総会」とあるのは「取締役会」と、第３６５条第２項中「取締役会設置会社においては、第３５６条第１項各号」とあるのは「第３５６条第１項各号」と読み替えるものとする〈予。
Ⅲ　第３５７条＜取締役の報告義務＞の規定は、指名委員会等設置会社については、適用しない。

【2項読替え】

第355条＜取締役の忠実義務＞、第356条＜競業及び利益相反取引の制限＞及び第365条第2項＜競業及び取締役会設置会社との取引をした場合の取締役会への報告＞の規定は、執行役について準用する。

この場合において、執行役は、次に掲げる場合には、取締役会において、当該取引につき重要な事実を開示し、その承認を受けなければならない。

①　執行役が自己又は第三者のために株式会社の事業の部類に属する取引をしようとするとき
②　執行役が自己又は第三者のために株式会社と取引をしようとするとき
③　株式会社が執行役の債務を保証することその他取締役以外の者との間において株式会社と当該取締役との利益が相反する取引をしようとするとき

また、第356条第1項各号＜競業及び利益相反取引＞の取引をした執行役は、当該取引後、遅滞なく、当該取引についての重要な事実を取締役会に報告しなければならない。

第４２０条　（代表執行役）

Ⅰ　取締役会は、執行役の中から代表執行役を選定しなければならない〈書。この場合において、執行役が１人のときは、その者が代表執行役に選定されたものとする〈同。
Ⅱ　代表執行役は、いつでも、取締役会の決議によって解職することができる。
Ⅲ　第３４９条第４項＜代表取締役の権限＞及び第５項＜代表取締役の権限に加えた制限の対抗＞の規定は代表執行役について、第３５２条＜取締役の職務を代行する者の権限＞の規定は民事保全法第５６条に規定する仮処分命令により選任された執行役又は代表執行役の職務を代行する者について、第４０１条第２項から第４項＜各委員会の委員の員数が欠けた場合の措置＞までの規定は代表執行役が欠けた場合又は定款で定めた代表執行役の員数が欠けた場合について、それぞれ準用する〈予。

《注　釈》

◆　代表執行役

1　意義

代表執行役とは、執行役の中から、代表権を有するものとして選定された者をいう(420 Ⅰ前段)。代表執行役の選定・解職は、取締役会の専権事項とされる。

指名委員会等設置会社では、執行役は業務執行権限を有するが、当然に会社を代表する権限を有するものではないので、会社を代表する権限を有する機関を別に定める必要がある。この点、会社を代表する行為自体が会社の業務執行であるから、会社の対内的業務執行権限を有する執行役の中から代表権を有するものが選定されることになる。

2　権限

代表執行役は、指名委員会等設置会社の業務に関する一切の裁判上又は裁判外の行為を行う権限を有する（420 Ⅲ、349 Ⅳ）。代表取締役の場合と同様に、代表執行役の権限に加えられた制限は善意の第三者に対抗できない（420 Ⅲ、349 Ⅴ）。

代表執行役は、取締役会がした意思決定や執行役が取締役会から委任されてした意思決定を受けて対外的に業務執行することになる。

第４２１条　（表見代表執行役）

指名委員会等設置会社は、代表執行役以外の執行役に社長、副社長その他指名委員会等設置会社を代表する権限を有するものと認められる名称を付した場合には、当該執行役がした行為について、善意の第三者に対してその責任を負う。

【趣旨】代表権が与えられていないにもかかわらず、代表権を有するものと認められる名称を付した執行役を代表執行役と信じた第三者の信頼を保護する点にある。

【関連条文】354［表見代表取締役］

第４２２条　（株主による執行役の行為の差止め）

Ⅰ　６箇月（これを下回る期間を定款で定めた場合にあっては、その期間）前から引き続き株式を有する株主は、執行役が指名委員会等設置会社の目的の範囲外の行為その他法令若しくは定款に違反する行為をし、又はこれらの行為をするおそれがある場合において、当該行為によって当該指名委員会等設置会社に回復することができない損害が生ずるおそれがあるときは、当該執行役に対し、当該行為をやめることを請求することができる。

Ⅱ　公開会社でない指名委員会等設置会社における前項の規定の適用については、同項中「６箇月（これを下回る期間を定款で定めた場合にあっては、その期間）前から引き続き株式を有する株主」とあるのは、「株主」とする。

【2項読替え】

公開会社でない指名委員会等設置会社において、株主は、執行役が指名委員会等設置会社の目的の範囲外の行為その他法令若しくは定款に違反する行為をし、又はこれらの行為をするおそれがある場合において、当該行為によって当該指名委員会等設置会社に回復することができない損害が生ずるおそれがあるときは、当該執行役に対し、当該行為をやめることを請求することができる。

【関連条文】360［株主による取締役の行為の差止め］、385［監査役による取締役の行為の差止め］、407［監査委員による執行役等の行為の差止め］

■第１１節　役員等の損害賠償責任

第４２３条（役員等の株式会社に対する損害賠償責任）〈司R4 司R5 予H25

Ⅰ　取締役、会計参与、監査役、執行役又は会計監査人（以下この章において「役員等」という。）は、その任務を怠ったときは、株式会社に対し、これによって生じた損害を賠償する責任を負う〈共。

Ⅱ　取締役又は執行役が第３５６条第１項＜競業及び利益相反取引の制限＞（第４１９条第２項において準用する場合を含む。以下この項において同じ。）の規定に違反して第３５６条第１項第１号＜競業取引の制限＞の取引をしたときは、当該取引によって取締役、執行役又は第三者が得た利益の額は、前項の損害の額と推定する〈予。

Ⅲ　第３５６条第１項第２号＜取締役が利益相反取引をする場合＞又は第３号＜取締役が間接取引により利益相反取引をする場合＞（これらの規定を第４１９条第２項において準用する場合を含む。）の取引によって株式会社に損害が生じたときは、次に掲げる取締役又は執行役は、その任務を怠ったものと推定する〈予。

①　第３５６条第１項＜競業及び利益相反取引の制限＞（第４１９条第２項において準用する場合を含む。）の取締役又は執行役〈予書

②　株式会社が当該取引をすることを決定した取締役又は執行役〈司

③　当該取引に関する取締役会の承認の決議に賛成した取締役（指名委員会等設置会社においては、当該取引が指名委員会等設置会社と取締役との間の取引又は指名委員会等設置会社と取締役との利益が相反する取引である場合に限る。）〈司予

Ⅳ　前項の規定は、第３５６条第１項第２号＜取締役が利益相反取引をする場合＞又は第３号＜取締役が間接取引により利益相反取引をする場合＞に掲げる場合において、同項の取締役（監査等委員であるものを除く。）が当該取引につき監査等委員会の承認を受けたときは、適用しない〈予。

[趣旨]取締役・執行役が任務懈怠により会社に損害を与えると債務不履行責任を負うこととなるが（民415）、かかる民法の規律のみでは、会社の利益保護としては不十分であることから、本条において任務懈怠責任が規定された。３項の趣旨は、一般に利益相反取引が類型的に会社に損害を及ぼすおそれのある行為であるところ、かかる取引が行われたことにより会社に損害が生じた場合に取締役等が任務を怠ったと推定することとして当該行為を慎重に行わせる点にある。

《注　釈》

一　要件

①　任務懈怠（「任務を怠った」（Ⅰ））

②　故意又は過失

③　会社の損害（Ⅰ）

④　①と③との間の因果関係（Ⅰ）

二　任務懈怠

１　意義

任務懈怠とは、会社に対する善管注意義務（330、民644）・忠実義務

株式会社

（355）に違反することをいう。また、取締役は、職務を行う際には「法令」を遵守しなければならず（355）、職務遂行に関して取締役が法令に違反した場合には、任務懈怠に当たると解されている。この「法令」には、会社を名宛人とするすべての法令が含まれる（最判平12.7.7・百選47事件）。

ex.　有利発行に関する株主総会の特別決議を経ないで著しく不公正な価額で新株発行を行った取締役は、法令違反行為を行ったものとして、会社法423条1項に基づき、会社に対して、公正な価額と発行価額との差額相当額の支払義務を負う（東京地判平24.3.15・平24重判8事件）

2　経営判断原則〈司〈司H18 司H19

⑴　業務執行の判断について、結果のみを事後的にみて任務懈怠の有無を評価することは、取締役の経営判断を萎縮させてしまうことになる。そこで、経営判断に関する任務懈怠の有無（善管注意義務違反の有無）は、当該行為がなされた当時における会社の状況及び会社を取り巻く社会、経済、文化等の情勢の下において、当該会社の属する業界における通常の経営者の有すべき知見及び経験を基準として、①経営判断の前提となる事実の認識に不注意な誤りがなかったか否か、②①の事実に基づく意思決定の過程・内容に不合理がなかったか否かという観点から、当該行為をすることが著しく不合理と評価されるか否かによって判断すべきであるとされる（東京地判平16.9.28・百選〔初版〕59事件等）。

判例は、事業再編計画の策定について、将来予測にわたる経営上の専門的判断に委ねられていると解されるから、子会社株主から株式を買い取るに際して、その決定の過程、内容に著しく不合理な点がない限り、取締役としての善管注意義務に違反するものではないとした（最判平22.7.15・百選48事件）。

⑵　銀行の取締役の善管注意義務

銀行の取締役の業務執行に関する判断については、一般の株式会社取締役と同様に経営判断原則が適用される余地があるが、融資業務に際して要求される銀行の取締役の注意義務の程度は一般の株式会社取締役の場合に比べ高い水準のものであり、経営判断原則が適用される余地もそれだけ限定的なものにとどまる（最決平21.11.9・平22重判〔刑法〕11事件）。

ex.1　劣悪で危機的な経営状態にある企業に対して追加融資を実行する旨の決裁をした取締役の判断に合理性が認められるのは、追加融資を実行した方が、追加融資分それ自体が回収不能となる危険性を考慮しても、全体の回収不能額を小さくすることができると判断することに合理性が認められる場合に限られる（最判平21.11.27・平22重判4事件）

ex.2　銀行が成長の可能性ありと合理的に判断される企業に対し、確実な担保がなくとも積極的に融資を行うことは、必ずしも不合理な判断ではないが、財務内容が極めて不透明である旨や借入金が過大で財務内容が良好とはいえない旨の報告がなされた場合には、融資決定をした取締役の判断は、銀行の取締役に一般的に期待される水準に照らし、著しく不合理なものといわざるを得ず、善管注意義務違反がある（最判平20.1.28・百選49事件）

3　信頼の原則

取締役が業務執行に際して弁護士等専門家の知見を信頼した場合には、当該専門家の能力を超えると疑われるような事情があった場合を除き、善管注意義務違反とはならない。また、他の取締役・使用人等からの情報等については、特に疑うべき事情がない限り、それを信頼すれば原則として善管注意義務（監視義務）違反とはならない（大阪地判令4.5.20・令4重判5事件）。

ex.　土壌環境基準値を大幅に超える六価クロムが検出された土壌埋め戻し材について、その開発、生産の担当でもなく、実行本部構成員でもない取締役は、担当取締役の職務行為が違法であると疑わせる特段の事情が存在しない限り、当該職務執行が適法であると信頼すれば足り、安全性の調査等の監視義務を負わない（大阪地判平24.6.29・平24重判6事件）

4　内部統制システム構築・運用義務の違反〈司H28

大会社、監査等委員会設置会社及び指名委員会等設置会社は、会社法上、内部統制システムに関する体制の整備を決定する義務（内部統制システムを構築するか否かを決定する義務）を負い（348 Ⅳ、362 Ⅴ、399の13 Ⅱ、416 Ⅱ）、これを怠った場合、各々の会社の取締役は法令違反行為として任務懈怠責任を負う。

そして、内部統制システムを構築する決定を行った場合、取締役会は内部統制システムの大綱を決定することを要し、業務執行取締役は大綱を踏まえ担当部門の具体的な内部統制システムを決定する義務を負う。各取締役は、代表取締役と業務執行取締役が内部統制システムを構築すべき義務を履行しているかを監視する義務を負う（大阪地判平12.9.20・百選〔初版〕60事件）。

また、各取締役は、構築された内部統制システムを適切に運用させるべき義務を負うが、当該内部統制システムが外形上問題なく機能している場合には、疑念を生ずべき特段の事情がない限り、各取締役に内部統制システム構築義務違反はない。

→通常想定される不正を防止しうる管理体制を整えていたにもかかわらず、想定しがたい方法による架空売上げが発生した場合、その発生を予見すべき特別な事情も見当たらず、監査法人も財務諸表につき適正意見を表明していたならば、取締役にリスク管理体制構築義務（内部統制システム構築義務）違反はない（最判平21.7.9・百選50事件）〈司H23

他方、内部統制システムを構築しないという決定を行った場合、これが直ちに取締役の任務懈怠責任に結び付くわけではないが、会社の性質・規模に応じ、別途、内部統制システムを構築しなかったことが取締役の任務懈怠に当たることはありうる。また、監査役も、取締役による任務懈怠行為を認識しているような場合には、取締役会に対して、内部統制システムを構築するよう勧告する義務を負い、これを怠った場合には監査役の任務懈怠に当たりうる。

→監査役は、代表取締役による任務懈怠行為の反復を十分に認識し、当該代表取締役が会社資金を不正に流出させるおそれがあることを予見できた場合、取締役会に対して、資金流出を防止するためのリスク管理体制を構築するよう勧告すべき義務を負う。また、監査役の再三の指摘にもかかわらずそれが受け入れられなかったことが繰り返されたことからすれば、取締役会に対して、当該代表取締役の解職及び取締役解任決議を目的事項とする臨時株主総会を招集することを勧告すべき義務も負う（大阪地判平25.12.26・平26重判3事件）

5　親会社取締役による子会社に対する監督義務〈予R2

子会社がその取締役や使用人のした違法行為等により損害を被れば、親会社も、その保有する子会社の株式の減価を通じて損害を被る。そして、親会社取締役は、子会社の業務を直接監督する法的権限は有しないものの、株式の保有を通じて親会社が子会社に対して有する影響力を行使することにより、子会社の業務を監督することは可能である。そこで、親会社取締役は、親会社に対する善管注意義務・忠実義務の一内容として、合理的な範囲で、子会社の業務を監督する義務を負う（福岡高判平24.4.13・百選51事件参照）。

6　その他

取締役及び監査役の会社に対する善管注意義務は、会社ひいては株主の共同の利益を図ることを目的とするものであるところ、ＭＢＯ（マネジメント・バイアウト。現在の経営者（取締役）が資金を出資し、対象会社を買収（株式取得）する取引をいう。）において、株主は、取締役が「企業価値を適正に反映した公正な買収価格で会社を買収し、ＭＢＯに際して実現される価値を含めて適正な企業価値の分配を受けることについて、共同の利益を有する」から、「取締役及び監査役は、善管注意義務の一環として、ＭＢＯに際し、公正な企業価値の移転を図らなければならない義務」（公正価値移転義務）を負い、ＭＢＯを行うこと自体が合理的な経営判断に基づいている場合でも、「企業価値を適正に反映しない買収価格により株主間の公正な企業価値の移転が損なわれたときは、取締役及び監査役に善管注意義務違反が認められる余地がある」（東京高判平25.4.17・百選52事件）。

三　消滅時効・遅延損害金の利率

任務懈怠責任の消滅時効期間や遅延損害金の利率については、民法166条1項及び同法404条が適用される（最判平20.1.28・平20重判5事件参照、最判平26.1.30・平26重判5事件参照）。

<役員等の会社に対する責任>

<table>
<tr><th colspan="2"></th><th>責任の性質</th><th>責任額</th><th>責任の免除（＊）</th></tr>
<tr><td rowspan="3">任務懈怠
（423 Ⅰ）</td><td>原則</td><td rowspan="2">過失責任</td><td>役員等の行為によって生じた会社の損害額</td><td rowspan="2">総株主の同意による免除（424）
善意・無重過失の場合における一部免除（425～427）</td></tr>
<tr><td>競業取引（365 Ⅰ ①、365）</td><td>取引によって取締役、執行役又は第三者が得た利益の額を損害額と推定（423 Ⅱ）</td></tr>
<tr><td>利益相反取引（356 Ⅰ ②③、365）</td><td>原則
過失責任（推定規定あり、423 Ⅲ）
例外
自己のために直接取引をした取締役又は執行役は無過失責任（428 Ⅰ）</td><td>利益相反取引によって生じた会社の損害額</td><td>原則
同上
例外
自己のために直接取引をした取締役又は執行役は全部免除のみ可（一部免除はなし。428 Ⅱ）</td></tr>
<tr><td colspan="2">株主権の行使に関する利益供与（120 Ⅳ）</td><td>原則
過失責任
（120 Ⅳただし書）
例外
利益供与をした取締役及び執行役は無過失責任（同かっこ書）</td><td>供与した利益の価額に相当する額</td><td>総株主の同意による免除（120 Ⅴ）</td></tr>
<tr><td colspan="2">現物出資財産等の不足額支払義務（213 Ⅰ、286 Ⅰ）</td><td>過失責任
（213 Ⅱ、286 Ⅱ）</td><td>不足額</td><td>免除を制限する規定なし</td></tr>
<tr><td colspan="2">仮装払込み責任（213の3 Ⅰ、286の3 Ⅰ）</td><td>原則
過失責任（213の3 Ⅰただし書、286の3 Ⅰただし書）
例外
出資の履行等を仮装した取締役及び執行役は無過失責任（213の3 Ⅰただし書かっこ書、286の3 Ⅰただし書かっこ書）</td><td>仮装した払込金額</td><td>免除を制限する規定なし</td></tr>
</table>

	責任の性質	責任額	責任の免除（＊）
剰余金配当等における分配可能額の超過（462 Ⅰ）	過失責任（462 Ⅱ）	交付を受けた金銭等の帳簿価額に相当する金銭	総株主の同意による分配可能額を限度とする免除（462 Ⅲ）
株式買取請求（116 Ⅰ、182の4 Ⅰ）に応じて自己株式を取得した場合の責任（464 Ⅰ）	過失責任（464 Ⅰただし書）	分配可能額を超過した額	総株主の同意による免除（464 Ⅱ）
期末の欠損てん補責任（465 Ⅰ）	過失責任（465 Ⅰただし書）	欠損額（交付した額が限度）	総株主の同意による免除（465 Ⅱ）

＊　旧株主による責任追及等の訴え（847の2）及び特定責任追及の訴え（847の3）の対象となる責任を免除するには、総株主の同意に加えて、適格旧株主の全員、最終完全親会社等の総株主の同意も得なければならない（847の2 Ⅸ、847の3 Ⅹ）。⇒p.632、634

【関連条文】330［株式会社と役員等との関係］、355［忠実義務］、430［役員等の連帯責任］、847［責任追及等の訴え］

第424条　（株式会社に対する損害賠償責任の免除）

前条第１項の責任は、総株主の同意がなければ、免除することができない〈司共予書〉。

［趣旨］会社法が取締役に課した重い責任を実効化するために、責任の免除をするためには、総株主の同意という厳格な手続を要求した〈司〉。

第425条　（責任の一部免除）〈予H30〉

Ⅰ　前条の規定にかかわらず、第４２３条第１項<役員等の株式会社に対する損害賠償責任>の責任は、当該役員等が職務を行うにつき善意でかつ重大な過失がないときは、賠償の責任を負う額から次に掲げる額の合計額（第４２７条第１項<責任限定契約>において「最低責任限度額」という。）を控除して得た額を限度として、株主総会（株式会社に最終完全親会社等（第８４７条の３第１項に規定する最終完全親会社等をいう。以下この節において同じ。）がある場合において、当該責任が特定責任（第８４７条の３第４項に規定する特定責任をいう。以下この節において同じ。）であるときにあっては、当該株式会社及び当該最終完全親会社等の株主総会。以下この条において同じ。）の決議によって免除することができる〈共書〉。

①　当該役員等がその在職中に株式会社から職務執行の対価として受け、又は受けるべき財産上の利益の１年間当たりの額に相当する額として法務省令で定める方法により算定される額に、次のイからハまでに掲げる役員等の区分に応じ、当該イからハまでに定める数を乗じて得た額

イ　代表取締役又は代表執行役　６

ロ　代表取締役以外の取締役（業務執行取締役等であるものに限る。）又は代表執行役以外の執行役　４

ハ　取締役（イ及びロに掲げるものを除く。）、会計参与、監査役又は会計監査人　２

② 当該役員等が当該株式会社の新株予約権を引き受けた場合（第238条第3項各号に掲げる場合に限る。）における当該新株予約権に関する財産上の利益に相当する額として法務省令で定める方法により算定される額

Ⅱ 前項の場合には、取締役（株式会社に最終完全親会社等がある場合において、同項の規定により免除しようとする責任が特定責任であるときにあっては、当該株式会社及び当該最終完全親会社等の取締役）は、同項の株主総会において次に掲げる事項を開示しなければならない。

① 責任の原因となった事実及び賠償の責任を負う額
② 前項の規定により免除することができる額の限度及びその算定の根拠
③ 責任を免除すべき理由及び免除額

Ⅲ 監査役設置会社、監査等委員会設置会社又は指名委員会等設置会社においては、取締役（これらの会社に最終完全親会社等がある場合において、第1項の規定により免除しようとする責任が特定責任であるときにあっては、当該会社及び当該最終完全親会社等の取締役）は、第423条第1項<役員等の株式会社に対する損害賠償責任>の責任の免除（取締役（監査等委員又は監査委員であるものを除く。）及び執行役の責任の免除に限る。）に関する議案を株主総会に提出するには、次の各号に掲げる株式会社の区分に応じ、当該各号に定める者の同意を得なければならない。

① 監査役設置会社　監査役（監査役が2人以上ある場合にあっては、各監査役）
共予
② 監査等委員会設置会社　各監査等委員
③ 指名委員会等設置会社　各監査委員

Ⅳ 第1項の決議があった場合において、株式会社が当該決議後に同項の役員等に対し退職慰労金その他の法務省令で定める財産上の利益を与えるときは、株主総会の承認を受けなければならない。当該役員等が同項第2号の新株予約権を当該決議後に行使し、又は譲渡するときも同様とする。

Ⅴ 第1項の決議があった場合において、当該役員等が前項の新株予約権を表示する新株予約権証券を所持するときは、当該役員等は、遅滞なく、当該新株予約権証券を株式会社に対し預託しなければならない。この場合において、当該役員等は、同項の譲渡について同項の承認を受けた後でなければ、当該新株予約権証券の返還を求めることができない。

［趣旨］任務懈怠責任（423Ⅰ）の免除に関する424条は、全部免除の要件として「総株主の同意」を求め、厳格な手続を規定している。そのため、経営者による経営の萎縮を招いたり、役員等の人材確保に支障を来し、ひいては会社の利益に反する結果となりうる。そこで、例外的に、善意・無重過失の役員等の責任を、株主総会の特別決議によって一部免除することを認め、経営の萎縮及び役員等の人材確保の困難を防止することを目的とする。

【関連条文】309Ⅱ⑧［株主総会の特別決議］、規113～115

株式会社

第４２６条　（取締役等による免除に関する定款の定め）

Ⅰ　第４２４条＜株式会社に対する損害賠償責任の免除＞の規定にかかわらず、監査役設置会社（取締役が２人以上ある場合に限る。）、監査等委員会設置会社又は指名委員会等設置会社は、第４２３条第１項＜役員等の株式会社に対する損害賠償責任＞の責任について、当該役員等が職務を行うにつき善意でかつ重大な過失がない場合において、責任の原因となった事実の内容、当該役員等の職務の執行の状況その他の事情を勘案して特に必要と認めるときは、前条第１項の規定により免除することができる額を限度として取締役（当該責任を負う取締役を除く。）の過半数の同意（取締役会設置会社にあっては、取締役会の決議）によって免除することができる旨を定款で定めることができる〈共〉。

Ⅱ　前条第３項の規定は、定款を変更して前項の規定による定款の定め（取締役（監査等委員又は監査委員であるものを除く。）及び執行役の責任を免除することができる旨の定めに限る。）を設ける議案を株主総会に提出する場合、同項の規定による定款の定めに基づく責任の免除（取締役（監査等委員又は監査委員であるものを除く。）及び執行役の責任の免除に限る。）についての取締役の同意を得る場合及び当該責任の免除に関する議案を取締役会に提出する場合について準用する。この場合において、同条第３項中「取締役（これらの会社に最終完全親会社等がある場合において、第１項の規定により免除しようとする責任が特定責任であるときにあっては、当該会社及び当該最終完全親会社等の取締役）」とあるのは、「取締役」と読み替えるものとする。

Ⅲ　第１項の規定による定款の定めに基づいて役員等の責任を免除する旨の同意（取締役会設置会社にあっては、取締役会の決議）を行ったときは、取締役は、遅滞なく、前条第２項各号に掲げる事項及び責任を免除することに異議がある場合には一定の期間内に当該異議を述べるべき旨を公告し、又は株主に通知しなければならない。ただし、当該期間は、１箇月を下ることができない。

Ⅳ　公開会社でない株式会社における前項の規定の適用については、同項中「公告し、又は株主に通知し」とあるのは、「株主に通知し」とする。

Ⅴ　株式会社に最終完全親会社等がある場合において、第３項の規定による公告又は通知（特定責任の免除に係るものに限る。）がされたときは、当該最終完全親会社等の取締役は、遅滞なく、前条第２項各号に掲げる事項及び責任を免除することに異議がある場合には一定の期間内に当該異議を述べるべき旨を公告し、又は株主に通知しなければならない。ただし、当該期間は、１箇月を下ることができない。

Ⅵ　公開会社でない最終完全親会社等における前項の規定の適用については、同項中「公告し、又は株主に通知し」とあるのは、「株主に通知し」とする。

Ⅶ　総株主（第３項の責任を負う役員等であるものを除く。）の議決権の１００分の３（これを下回る割合を定款で定めた場合にあっては、その割合）以上の議決権を有する株主が同項の期間内に同項の異議を述べたとき（株式会社に最終完全親会社等がある場合において、第１項の規定による定款の定めに基づき免除しようとする責任が特定責任であるときにあっては、当該株式会社の総株主（第３項の責任を負う役員等であるものを除く。）の議決権の１００分の３（これを下回る割合を定款で定めた場合にあっては、その割合）以上の議決権を有する株主又は当該最終完全親会社等の総株主（第３項の責任を負う役員等であるものを除く。）の議決権の１００分の３（これを下回る割合を定款で定めた場合にあっては、その割合）以上の議決権を有する株主が第３項又は第５項の期間内に当該各項の異議を述べたとき）は、株式会社は、第１項の規定による定款の定めに基づく免除をしてはならない。

Ⅷ　前条第４項及び第５項の規定は、第１項の規定による定款の定めに基づき責任を免除した場合について準用する。

【2項読替え】

定款を変更して前項の規定による定款の定め（取締役（監査等委員又は監査委員であるものを除く。）及び執行役の責任を免除することができる旨の定めに限る。）を設ける議案を株主総会に提出する場合、同項の規定による定款の定めに基づく責任の免除（取締役（監査等委員又は監査委員であるものを除く。）及び執行役の責任の免除に限る。）についての取締役の同意を得る場合及び当該責任の免除に関する議案を取締役会に提出する場合には、監査役設置会社、監査等委員会設置会社又は指名委員会等設置会社においては、取締役は、次の各号に掲げる株式会社の区分に応じ、当該各号に定める者の同意を得なければならない。

①　監査役設置会社　監査役（監査役が２人以上ある場合にあっては、各監査役）
②　監査等委員会設置会社　各監査等委員
③　指名委員会等設置会社　各監査委員

【4項読替え】

公開会社でない株式会社においては、第１項の規定による定款の定めに基づいて役員等の責任を免除する旨の同意（取締役会設置会社にあっては、取締役会の決議）を行ったときは、取締役は、遅滞なく、前条第２項各号に掲げる事項及び責任を免除することに異議がある場合には一定の期間内に当該異議を述べるべき旨を株主に通知しなければならない。ただし、当該期間は、１箇月を下ることができない。

【6項読替え】

公開会社でない最終完全親会社等がある場合において、第３項の規定による公告又は通知（特定責任の免除に係るものに限る。）がされたときは、当該最終完全親会社等の取締役は、遅滞なく、前条第２項各号に掲げる事項及び責任を免除することに異議がある場合には一定の期間内に当該異議を述べるべき旨を株主に通知しなければならない。ただし、当該期間は、１箇月を下ることができない。

［趣旨］426条１項は、425条の場合と異なり、責任を発生させる取締役の行為がなされる前に、定款で、取締役又は取締役会に免責権限を授権するものである。これは、機動的な免責を可能にし、業務執行の萎縮を回避するものである。

第４２７条　（責任限定契約）　予H30

Ⅰ　第４２４条<株式会社に対する損害賠償責任の免除>の規定にかかわらず、株式会社は、取締役（業務執行取締役等であるものを除く。）、会計参与、監査役又は会計監査人（以下この条及び第９１１条第３項第２５号において「非業務執行取締役等」という。）の第４２３条第１項<役員等の株式会社に対する損害賠償責任>の責任について、当該非業務執行取締役等が職務を行うにつき善意でかつ重大な過失

株式会社

がないときは、定款で定めた額の範囲内であらかじめ株式会社が定めた額と最低責任限度額とのいずれか高い額を限度とする旨の契約を非業務執行取締役等と締結することができる旨を定款で定めることができる〈同〉。

Ⅱ　前項の契約を締結した非業務執行取締役等が当該株式会社の業務執行取締役等に就任したときは、当該契約は、将来に向かってその効力を失う。

Ⅲ　第４２５条第３項<監査役設置会社、監査等委員会設置会社又は指名委員会等設置会社における役員等の責任の免除に関する議案の株主総会への提出>の規定は、定款を変更して第１項の規定による定款の定め（同項に規定する取締役（監査等委員又は監査委員であるものを除く。）と契約を締結することができる旨の定めに限る。）を設ける議案を株主総会に提出する場合について準用する。この場合において、同条第３項中「取締役（これらの会社に最終完全親会社等がある場合において、第１項の規定により免除しようとする責任が特定責任であるときにあっては、当該会社及び当該最終完全親会社等の取締役)」とあるのは、「取締役」と読み替えるものとする。

Ⅳ　第１項の契約を締結した株式会社が、当該契約の相手方である非業務執行取締役等が任務を怠ったことにより損害を受けたことを知ったときは、その後最初に招集される株主総会（当該株式会社に最終完全親会社等がある場合において、当該損害が特定責任に係るものであるときにあっては、当該株式会社及び当該最終完全親会社等の株主総会）において次に掲げる事項を開示しなければならない。

① 第４２５条第２項第１号<責任の原因となった事実及び賠償の責任を負う額>及び第２号<免除することができる額の限度及び算定の根拠>に掲げる事項

② 当該契約の内容及び当該契約を締結した理由

③ 第４２３条第１項<役員等の株式会社に対する損害賠償責任>の損害のうち、当該非業務執行取締役等が賠償する責任を負わないとされた額

Ⅴ　第４２５条第４項<役員等の責任の免除の決議があった場合に役員等に財産上の利益を与えるとき>及び第５項<役員等の責任の免除の決議があった場合に新株予約権証券を所持するとき>の規定は、非業務執行取締役等が第１項の契約によって同項に規定する限度を超える部分について損害を賠償する責任を負わないとされた場合について準用する。

【3項読替え】

定款を変更して第１項の規定による定款の定め（同項に規定する取締役（監査等委員又は監査委員であるものを除く。）と契約を締結することができる旨の定めに限る。）を設ける議案を株主総会に提出する場合には、監査役設置会社、監査等委員会設置会社又は指名委員会等設置会社においては、取締役は、次の各号に掲げる株式会社の区分に応じ、当該各号に定める者の同意を得なければならない。

① 監査役設置会社　監査役（監査役が２人以上ある場合にあっては、各監査役）

② 監査等委員会設置会社　各監査等委員

③ 指名委員会等設置会社　各監査委員

[趣旨] 主に社外取締役の人材を確保するため、事前に契約で責任限度額を確定させることによって、賠償責任に関する不安を除去しようとするものである。

《注　釈》

・本条１項所定の「重大な過失」の意義について、裁判例（大阪高判平27.5.21・百選Ａ31事件）は、監査役の責任限定が問題となった事案において、「当該監査役の行為が、監査役としての任務懈怠に当たることを知るべきであるのに、著しく注意を欠いたためにそれを知らなかったことである」旨判示している。

第４２８条　（取締役が自己のためにした取引に関する特則） 予 予H30

Ⅰ　第３５６条第１項第２号＜取締役が利益相反取引をする場合＞（第４１９条第２項において準用する場合を含む。）の取引（自己のためにした取引に限る。）をした取締役又は執行役の第４２３条第１項＜役員等の株式会社に対する損害賠償責任＞の責任は、任務を怠ったことが当該取締役又は執行役の責めに帰することができない事由によるものであることをもって免れることができない 司予書。

Ⅱ　前３条＜責任一部免除、取締役等による免除に関する定款の定め、責任限定契約＞の規定は、前項の責任については、適用しない。

[趣旨] 自己のために取締役又は執行役が会社と利益相反取引をした場合には、その利益相反性が高いことから無過失責任としたものである 共。

第４２９条　（役員等の第三者に対する損害賠償責任） 司H20 司R5 予H25

Ⅰ　役員等がその職務を行うについて悪意又は重大な過失があったときは、当該役員等は、これによって第三者に生じた損害を賠償する責任を負う 共。

Ⅱ　次の各号に掲げる者が、当該各号に定める行為をしたときも、前項と同様とする。ただし、その者が当該行為をすることについて注意を怠らなかったことを証明したときは、この限りでない 予。

①　取締役及び執行役　次に掲げる行為

イ　株式、新株予約権、社債若しくは新株予約権付社債を引き受ける者の募集をする際に通知しなければならない重要な事項についての虚偽の通知又は当該募集のための当該株式会社の事業その他の事項に関する説明に用いた資料についての虚偽の記載若しくは記録

ロ　計算書類及び事業報告並びにこれらの附属明細書並びに臨時計算書類に記載し、又は記録すべき重要な事項についての虚偽の記載又は記録

ハ　虚偽の登記

ニ　虚偽の公告（第４４０条第３項に規定する措置を含む。）

②　会計参与　計算書類及びその附属明細書、臨時計算書類並びに会計参与報告に記載し、又は記録すべき重要な事項についての虚偽の記載又は記録

③　監査役、監査等委員及び監査委員　監査報告に記載し、又は記録すべき重要な事項についての虚偽の記載又は記録 予

④　会計監査人　会計監査報告に記載し、又は記録すべき重要な事項についての虚偽の記載又は記録

《注　釈》

一　429条1項の責任の本質

1　株式会社が経済社会において重要な地位を占め、しかも株式会社の活動は取締役の職務執行に依存することから、第三者を保護するため、取締役が悪意・重過失により会社に対する任務を懈怠し、第三者に損害が発生した場合には、直接損害（任務懈怠によって直接第三者に損害が生じた場合）か間接損害（任務懈怠によって会社に損害が生じ、ひいては第三者に損害が生じた場合）かを問わず、取締役に責任を負わせたものである（法定責任説、最大判昭44.11.26・百選66事件）〈司〈予H27。

2　法定責任説に立った場合の成立要件

①　任務懈怠

②　①について役員等の悪意又は重過失（Ⅰ）

③　第三者の損害（Ⅰ）

④　①と③との間の因果関係（Ⅰ）

二　429条1項の責任を負う「取締役」の範囲

1　代表権のない取締役

取締役会に上程されていない事項についても、取締役は監視義務を負い、これを懈怠すれば429条1項の責任を負う（最判昭48.5.22・百選67事件）。また、社外取締役も取締役であるから、前記監視義務を負う〈共予。

2　名目的取締役

名目的取締役（適法な選任決議はあるが、実際には取締役としての任務を遂行しなくてもよいという合意が会社とその取締役・執行役との間でなされている場合）も、429条1項の責任を負う（最判昭55.3.18）。

3　選任決議を欠く登記簿上の取締役

取締役就任登記につき承諾を与えた者は、908条2項類推適用により自己が取締役でないことを善意の第三者に対抗できず、その結果、429条1項の責任を免れない（最判昭47.6.15・商法百選8事件）〈予〈司H26 予R3。

4　退任登記未了の退任取締役

不実の登記を残存させることについて明示的に承諾を与えていたなどの特段の事情がある場合には、908条2項類推適用により、自己が取締役でないことを善意の第三者に対抗できない結果、429条1項による責任を免れない（最判昭62.4.16・百選68事件）〈司予。

5　事実上の取締役

(1)　株主総会による選任決議を経ておらず、かつ就任の登記もない者が、事実上の取締役として実際に職務を執行していた場合には、同人が行った対内的・対外的な業務執行行為は原則として有効とされ、同人には429条1項の責任が課せられるとする見解がある。

cf.　事実上の取締役について、423条1項の類推適用により、会社に対する責任を負わせることができるとする見解もある〈司H26

株式会社

(2) 事実上の取締役の要件については、その一例として、①取締役としての外観と、②取締役の職務の継続的執行の2つを具備することが挙げられている。

三 429条1項の「第三者」に株主が含まれるか

間接損害を受けた株主は「第三者」に含まれない（通説）〈司〈予H27。

∵① 会社が損害を回復すれば間接損害を受けた株主の損害も回復する

② 間接損害の事例において、代表訴訟の他に個々の株主に対する損害賠償責任も負うとすると、取締役は、会社及び株主に対して二重の責任を負うことになる（これを避けるため、取締役が株主に損害を賠償することで会社に対する責任が免責されるとすると、424条と矛盾する）

③ 債権者に劣後すべき株主が債権者に先んじて会社財産を取得する結果を招く上、株主相互間でも不平等を生ずる

→非公開会社において、違法行為をした取締役と支配株主が同一ないし一体であるような場合には、株主は民法709条に基づき、取締役に対して、例外的に損害賠償を請求することもできる（東京高判平17.1.18・百選〔第3版〕A22事件）

∵ 実質上、代表訴訟の遂行や勝訴判決の履行が困難であるなどその救済が期待できない場合も想定しうる

四 虚偽記載や虚偽の登記・公告に基づく責任（Ⅱ）

1 成立要件

①本条2項各号に列挙された役員等が、②本条2項各号記載の「行為」（不実開示行為）を行い、③これによって（因果関係）、④第三者に損害が生じた場合、⑤②について帰責事由が存在すれば、第三者に対して損害賠償責任を負う。第三者側は、①～④について証明責任を負うが、⑤については、役員等が無過失の証明責任を負う。

→情報開示の重要性から、1項よりも責任が強化されており、役員等は軽過失でも責任を負うとともに、過失の存否に関する証明責任が役員等側に転換されている〈司H22

2 責任を負う者の範囲（要件①）〈司H22

429条2項各号所定の書類に虚偽の記載（記録）をした者でなければ、本条2項の責任は負わない。

→裁判例（東京地判平19.11.28・百選69事件）は、各取締役が合議において決算上の数値を決定した場合は、共同して貸借対照表に虚偽の記載をしたと認定した

虚偽の記載等に関与しなかった取締役であっても、本条1項に基づく任務懈怠（監視義務違反）責任を負う可能性がある。

3 不実開示行為（要件②）

本条2項各号所定の「行為」とは、株式等を募集する際の通知、計算書類、監査報告等の「虚偽の記載」や虚偽の登記・公告を行う不実開示行為をいう。

「虚偽の記載」には、重要な事項の積極的な虚偽の記載のみならず、重要な事項の不記載も含まれる。また、「重要な事項」とは、会社と取引を行うか否か等の第三者の判断につき影響を及ぼすと認められる事項をいう。

五　損害賠償請求権の行使

1　遅延損害金は法定利率（民404）により算定される（最判平元.9.21参照）〈司〉。

2　第三者に過失がある場合、過失相殺（民722 II）できる（最判昭59.10.4）〈司予〉。

3　消滅時効期間は民法166条1項により5年（民166 I ①）又は10年（同②）である（最判昭49.12.17参照）。

第４３０条　（役員等の連帯責任）

役員等が株式会社又は第三者に生じた損害を賠償する責任を負う場合において、他の役員等も当該損害を賠償する責任を負うときは、これらの者は、連帯債務者とする〈予〉。

■第12節　補償契約及び役員等のために締結される保険契約

第４３０条の２　（補償契約）

I　株式会社が、役員等に対して次に掲げる費用等の全部又は一部を当該株式会社が補償することを約する契約（以下この条において「補償契約」という。）の内容の決定をするには、株主総会（取締役会設置会社にあっては、取締役会）の決議によらなければならない。

① 当該役員等が、その職務の執行に関し、法令の規定に違反したことが疑われ、又は責任の追及に係る請求を受けたことに対処するために支出する費用

② 当該役員等が、その職務の執行に関し、第三者に生じた損害を賠償する責任を負う場合における次に掲げる損失

イ　当該損害を当該役員等が賠償することにより生ずる損失

ロ　当該損害の賠償に関する紛争について当事者間に和解が成立したときは、当該役員等が当該和解に基づく金銭を支払うことにより生ずる損失

II　株式会社は、補償契約を締結している場合であっても、当該補償契約に基づき、次に掲げる費用等を補償することができない。

① 前項第１号に掲げる費用のうち通常要する費用の額を超える部分

② 当該株式会社が前項第２号の損害を賠償するとすれば当該役員等が当該株式会社に対して第４２３条第１項<役員等の株式会社に対する損害賠償責任>の責任を負う場合には、同号に掲げる損失のうち当該責任に係る部分

③ 役員等がその職務を行うにつき悪意又は重大な過失があったことにより前項第２号の責任を負う場合には、同号に掲げる損失の全部

III　補償契約に基づき第１項第１号に掲げる費用を補償した株式会社が、当該役員等が自己若しくは第三者の不正な利益を図り、又は当該株式会社に損害を加える目的で同号の職務を執行したことを知ったときは、当該役員等に対し、補償した金額に相当する金銭を返還することを請求することができる。

Ⅳ　取締役会設置会社においては、補償契約に基づく補償をした取締役及び当該補償を受けた取締役は、遅滞なく、当該補償についての重要な事実を取締役会に報告しなければならない。
Ⅴ　前項の規定は、執行役について準用する。この場合において、同項中「取締役会設置会社においては、補償契約」とあるのは、「補償契約」と読み替えるものとする。
Ⅵ　第３５６条第１項＜競業及び利益相反取引の制限＞及び第３６５条第２項＜競業及び取締役会設置会社との取引をした場合の取締役会への報告＞（これらの規定を第４１９条第２項において準用する場合を含む。）、第４２３条第３項＜任務懈怠の推定＞並びに第４２８条第１項＜自己のためにした利益相反取引の無過失責任＞の規定は、株式会社と取締役又は執行役との間の補償契約については、適用しない。
Ⅶ　民法第１０８条＜自己契約及び双方代理等＞の規定は、第１項の決議によってその内容が定められた前項の補償契約の締結については、適用しない。

【令元改正】現代の複雑化した経済社会において、取締役をはじめとする役員等は、その職務の執行に関連して民事上の責任のみならず刑事上・行政上の制裁を追及されるリスクを負っており、かかるリスクを回避しようとして過度に萎縮した経営判断・意思決定を行うおそれがある。また、責任追及のリスクがある中では、そもそも役員等になろうとする人材（主として社外取締役）を確保することも困難である。そこで、会社補償（会社が役員等に対して、その職務の執行に関して発生した費用や損失を補償すること）の制度の導入が求められるが、令和元年改正前会社法下では、会社補償に関する規定はなかった。

この点について、会社補償自体は、会社法330条及び民法650条（受任者による費用等の償還請求等）の解釈により運用することも可能であったが、会社補償の手続や補償が認められる範囲についての解釈が不明確であるという問題があった。また、仮に会社補償により取締役らが責任追及の費用・損失を負担することなく、会社が常にこれを負担することとなれば、逆に責任追及のリスクを顧みない無責任な経営判断（モラル・ハザード）を助長することになりかねず、役員等の責任や刑罰等を定める規定の趣旨も損なわれる上に、会社・役員等の間の利益が相反しうる（直接取引（356Ⅰ②）に該当しうる）ため、会社法の規制（356、423Ⅲ、428Ⅰ等）に抵触するおそれがあるという問題もあった。

そこで、令和元年改正会社法は、会社補償により生じる問題に対処するとともに、会社補償の手続や補償が認められる範囲を明確にして、会社補償が適切に運用されるように、補償契約に関する規定を新たに設けた。

［趣旨］①役員等が職務の執行に伴う責任追及のリスクを回避しようとして、過度に萎縮した経営判断・意思決定を行うことのないよう、適切なインセンティブを付与する点、②役員等として優秀な人材（主として社外取締役）を確保する点、③会社の費用負担によって適切な防御活動を行わせることにより、結果として、会社の損害の拡大防止に資する点にある。

《注 釈》

一 意義

補償契約とは、株式会社が、役員等（取締役、会計参与、監査役、執行役及び会計監査人）に対して、その職務執行に関して発生した一定の費用や損失の全部又は一部を補償することを約する契約をいう（430の2Ⅰ柱書）。

二 効果

1 費用・損失の補償

補償契約により、①防御費用（430の2Ⅰ①）、②損害賠償金（430の2Ⅰ②イ）、③和解金（430の2Ⅰ②ロ）が補償される。

(1) ①防御費用の補償について

(a) 補償契約により、「当該役員等が、その職務の執行に関し、法令の規定に違反したことが疑われ、又は責任の追及に係る請求を受けたことに対処するために支出する費用」（430の2Ⅰ①。防御費用や争訟費用と呼ばれている）が補償される。主に弁護士費用や訴訟費用が想定されている。

→役員等が善意・無重過失かどうかを問わず、また役員等が勝訴した場合かどうかを問わず補償される

∵ 防御費用の補償が必要となる訴訟等の進行過程では、会社側が役員等の悪意・重過失を判断することは困難であるし、補償を受けた役員等が適切な防御活動を行うことで会社の損害の拡大防止に資する

ただし、「通常要する費用」（防御費用として必要かつ十分な程度として社会通念上相当と認められる額、430の2Ⅱ①）の額を超える部分は補償の範囲外である。

(b) 防御費用を補償した株式会社が、役員等が自己若しくは第三者の不正な利益を図り、又は当該株式会社に損害を加える目的で職務を執行したことを知ったときは、当該役員等に対し、補償した金額に相当する金銭の返還を請求できる（430の2Ⅲ）。

∵ かかる場合にまで会社の費用で防御費用を賄うことは、役員等の職務の適正性を害する（モラル・ハザードにつながる）おそれがある

(2) ②損害賠償金・③和解金の補償について

(a) 補償契約により、「当該役員等が、その職務の執行に関し、第三者に生じた損害を賠償する責任を負う場合」における「当該損害を当該役員等が賠償することにより生ずる損失」（損害賠償金、430の2Ⅰ②イ）、及び「当該損害の賠償に関する紛争について当事者間に和解が成立したときは、当該役員等が当該和解に基づく金銭を支払うことにより生ずる損失」（和解金、430の2Ⅰ②ロ）が補償される。

(b) ただし、次に掲げる損失は補償の範囲外である。

① 株式会社が損害賠償金・和解金を賠償するとすれば当該役員等が株式会社に対して任務懈怠責任（423Ⅰ）を負う場合には、損害賠償

金・和解金のうち任務懈怠責任に係る部分（430の2Ⅱ②）

∵　免責制度（424～427）を経ずに事実上の免責効果が生じる会社補償を利用することは妥当でない

②　役員等がその職務を行うにつき悪意又は重過失であった場合には、損害賠償金・和解金の全部（430の2Ⅱ③）

∵　これらの補償の場面では、手続費用である防御費用の補償と異なり、裁判所の終局的な判断や和解の内容が示されているため、役員等の善意・無重過失を判断することが可能である上、このような場合にまで補償の対象に含めると、役員等の職務の適正性を害する（モラル・ハザードにつながる）おそれがある

→役員等がその職務を行うにつき悪意又は重過失であったことを要件とする429条1項の責任は、補償の対象とならない

⑶　上記①（防御費用）の補償と上記②③（損害賠償金・和解金）の補償の相違

ⓐ　上記①（防御費用）については、民事・刑事・行政の区別なく責任追及に対する弁護士費用等が補償の対象に含まれる。

他方、上記②③（損害賠償金・和解金）については、民事上のものに限られ、刑事上の罰金や行政上の課徴金等は補償の対象に含まれない。

∵　会社がこれらの損失も補償するとなると、罰金や課徴金の根拠となる各規定の趣旨が損なわれる

ⓑ　また、上記①（防御費用）については、役員等に対して責任を追及する主体が限定されていないため、第三者が役員等の責任を追及する場合に限られず、会社や株主が役員等の責任を追及する場合にも補償される。

他方、上記②③（損害賠償金・和解金）については、役員等に対して責任を追及する主体が「第三者」に限定されているため、役員等が会社に対して損害賠償責任を負う場合は補償の対象に含まれない。

∵　会社が役員等の会社に対する損害賠償責任も補償するとなると、免責制度（424～427）を経ずに事実上の免責効果を認めることとなり不当である

2　利益相反取引に関する規制等の適用除外

会社・役員等の間の補償契約は、利益相反取引（直接取引）に該当しない旨明確に定められている（430の2Ⅵ）。

∵　株主総会決議（取締役会決議）を要求することで実質的に利益相反取引に関する規制の要件も充足すると解されるし、仮に利益相反取引に関する規制が適用されるとすると、補償契約を締結することに躊躇してしまう

→利益相反取引に関する規制（356Ⅰ、365Ⅱ）、任務懈怠の推定規定（423Ⅲ）、無過失責任規定（428Ⅰ）といった諸規定は適用除外となっている

また、自己契約・双方代理に関する民法108条の適用も除外される（430の2Ⅶ）。

三 手続

1 補償契約の内容の決定

補償契約の内容を決定するには、株主総会決議（取締役会設置会社にあっては、取締役会決議）を要する（430の2Ⅰ柱書）。

→監査等委員会設置会社の取締役会は、取締役の過半数が社外取締役であっても、補償契約の内容の決定を取締役に委任できない（399の13Ⅴ⑫）。同様に、指名委員会等設置会社の取締役会も執行役に委任できない（416Ⅳ⑭）

∵ 補償契約の利益相反取引としての性質が完全に払拭されるわけではない

2 補償契約に基づく補償の実行

補償契約に基づく補償の実行をする際には、上記1の手続は不要である。

∵ 補償の実行は契約上の義務の履行にすぎない上、決議を得られず補償を受けられないおそれがあると役員等に対する萎縮効果につながる

＊ なお、補償契約の内容が任意的補償（補償するかどうかを会社が判断するという枠組み）である場合、補償するかどうかの判断は一種の業務執行であり、補償金額の規模等によっては、補償の実行が「重要な業務執行の決定」（362Ⅳ）に該当しうるため、そのときは取締役会決議が別途必要となる。

3 当該補償についての重要な事実の取締役会への報告

取締役会設置会社においては、補償契約に基づく補償をした取締役（執行役）及び当該補償を受けた取締役（執行役）は、遅滞なく、当該補償についての重要な事実を取締役会に報告しなければならない（430の2ⅣⅤ）。

∵ 補償契約が適正に実行されていることを確認するため

→同趣旨の規定である365条2項は適用除外となっている（430の2Ⅵ）

第430条の3 （役員等のために締結される保険契約）

Ⅰ 株式会社が、保険者との間で締結する保険契約のうち役員等がその職務の執行に関し責任を負うこと又は当該責任の追及に係る請求を受けることによって生ずることのある損害を保険者が塡補することを約するものであって、役員等を被保険者とするもの（当該保険契約を締結することにより被保険者である役員等の職務の執行の適正性が著しく損なわれるおそれがないものとして法務省令で定めるものを除く。第3項ただし書において「役員等賠償責任保険契約」という。）の内容の決定をするには、株主総会（取締役会設置会社にあっては、取締役会）の決議によらなければならない。

Ⅱ 第356条第1項<競業及び利益相反取引の制限>及び第365条第2項<競業及び取締役会設置会社との取引をした場合の取締役会への報告>（これらの規定を第419条第2項において準用する場合を含む。）並びに第423条第3項<任務懈怠の推定>の規定は、株式会社が保険者との間で締結する保険契約のうち役員等がその職務の執行に関し責任を負うこと又は当該責任の追及に係る請求を受けるこ

とによって生ずることのある損害を保険者が塡補することを約するものであって、取締役又は執行役を被保険者とするものの締結については、適用しない。
Ⅲ　民法第108条<自己契約及び双方代理等>の規定は、前項の保険契約の締結については、適用しない。ただし、当該契約が役員等賠償責任保険契約である場合には、第1項の決議によってその内容が定められたときに限る。

【令元改正】本条は、役員等賠償責任保険契約（D＆O［directors and officers］保険）について新たに明文の規定を設けるものである。D＆O保険とは、一般に、被保険者たる役員等に対して損害賠償請求がなされたことにより、役員等が被る損害を塡補する内容の株式会社と保険会社との間の契約をいう。

D＆O保険は、上場会社を中心に広く普及しており、会社補償と同様、役員等の適切なリスクテイクを促し、優秀な人材の確保に資する一方、会社代表者が自己を被保険者とするD＆O保険を保険会社との間で締結する行為は、間接取引（356Ⅰ③）に該当しうる上、保険契約の内容によっては役員等の職務の適正性を害する（モラル・ハザードにつながる）おそれ等が指摘されていた。

この点について、令和元年改正前会社法下では、D＆O保険に関する規定はなく、会社法上の位置付けが不明確である上、契約締結のために必要な手続等をめぐる解釈も確立していなかった。

そこで、令和元年改正会社法は、解釈上の疑義を払拭して法的安定性を高めるため、D＆O保険に関する規定を新たに設け、その内容や手続の適正を担保することとした。

《注　釈》

一　意義

役員等賠償責任保険契約（D＆O保険）とは、株式会社が、保険者との間で締結する保険契約のうち役員等がその職務の執行に関し責任を負うこと又は当該責任の追及に係る請求を受けることによって生ずることのある損害を保険者が塡補することを約するものであって、役員等を被保険者とするもの（法務省令で定めるものを除く）をいう（430の3Ⅰ）。

二　効果

1　損害の塡補

役員等賠償責任保険契約により、役員等が①その職務の執行に関し責任を負うことによって生ずることのある損害（損害賠償金・和解金）、②当該責任の追及に係る請求を受けることによって生ずることのある損害（防御費用）が塡補される（430の3Ⅰ）。

→対会社責任・対第三者責任にかかるものを問わない

＊　なお、補償契約に関する430条の2第2項各号（補償の範囲外となる費用・損失）のような明文はないが、一般的な保険約款においては、保険金の支払対象を制限する定めが置かれている。

2　利益相反取引に関する規制等の適用除外

役員等賠償責任保険契約（取締役・執行役を被保険者とするもの）は、利益相反取引（間接取引）に該当しない旨明確に定められている（430の3Ⅱ）。

→利益相反取引に関する規制（356Ⅰ、365Ⅱ）、任務懈怠の推定規定（423Ⅲ）は適用除外となっている

また、自己契約・双方代理に関する民法108条の適用も除外される（430の3Ⅲ）。

三　手続

役員等賠償責任保険契約の内容を決定するには、株主総会決議（取締役会設置会社にあっては、取締役会決議）を要する（430の3Ⅰ）。

→監査等委員会設置会社の取締役会は、取締役の過半数が社外取締役であっても、役員等賠償責任保険契約の内容の決定を取締役に委任できない（399の13Ⅴ⑬）。同様に、指名委員会等設置会社の取締役会も執行役に委任できない（416Ⅳ⑮）

∵　役員等賠償責任保険契約は、類型的に利益相反性が高く、職務の適正性に影響を与えるおそれがあるため、利益相反取引に準じたものとすることが相当と考えられた

・第5章・【計算等】

《概　説》

一　制度趣旨

会社法が株式会社の会計を規制する目的は、①株主と会社債権者への情報提供と②剰余金分配の規制の2つである。

二　株主の経理検査権

1　意義

株主の経理検査権とは、株主が会社の経理内容について情報を獲得するため計算書類等の情報開示を求める権利のことをいう。

2　経理検査権の内容

(1)　計算書類等の定時総会招集通知への添付（437）、本店・支店への備置き（442ⅠⅡ）、閲覧、交付請求（442Ⅲ）、貸借対照表等の公告の制度（440）

(2)　会計帳簿等の閲覧・謄写請求（433）

(3)　会社の業務・財産の状況を調査させるための検査役選任請求権（358）

■第1節　会計の原則

第431条

株式会社の会計は、一般に公正妥当と認められる企業会計の慣行に従うものとする。

《注　釈》

◆　判例

従前「公正なる会計慣行」として行われていた税法基準の考え方によったことは、これが資産査定通達等の示す方向性から逸脱するものであったとしても、資産査定が基準としての明確性に乏しかった事情の下では、直ちに違法であったということはできない（最判平20.7.18・百選72事件）。

【関連条文】計規3

第2節　会計帳簿等

第1款　会計帳簿

第432条　（会計帳簿の作成及び保存） 書

Ⅰ　株式会社は、法務省令で定めるところにより、適時に、正確な会計帳簿を作成しなければならない。

Ⅱ　株式会社は、会計帳簿の閉鎖の時から10年間、その会計帳簿及びその事業に関する重要な資料を保存しなければならない。

［趣旨］適時性を欠いた記帳は、人為的に数字を調整するなどの不正が行われる温床になりかねず、また、正確性については、会計帳簿及びこれに基づいて作成される計算書類の適正性を確保し、利害関係人を保護するため、本条1項が規定された。

【関連条文】計規4〜6

第433条　（会計帳簿の閲覧等の請求）

Ⅰ　総株主（株主総会において決議をすることができる事項の全部につき議決権を行使することができない株主を除く。）の議決権の１００分の３（これを下回る割合を定款で定めた場合にあっては、その割合）以上の議決権を有する株主又は発行済株式（自己株式を除く。）の１００分の３（これを下回る割合を定款で定めた場合にあっては、その割合）以上の数の株式を有する株主は、株式会社の営業時間内は、いつでも、次に掲げる請求をすることができる。この場合においては、当該請求の理由を明らかにしてしなければならない。

①　会計帳簿又はこれに関する資料が書面をもって作成されているときは、当該書面の閲覧又は謄写の請求

②　会計帳簿又はこれに関する資料が電磁的記録をもって作成されているときは、当該電磁的記録に記録された事項を法務省令で定める方法により表示したものの閲覧又は謄写の請求

Ⅱ　前項の請求があったときは、株式会社は、次のいずれかに該当すると認められる場合を除き、これを拒むことができない。

①　当該請求を行う株主（以下この項において「請求者」という。）がその権利の確保又は行使に関する調査以外の目的で請求を行ったとき。

②　請求者が当該株式会社の業務の遂行を妨げ、株主の共同の利益を害する目的で請求を行ったとき。

③　請求者が当該株式会社の業務と実質的に競争関係にある事業を営み、又はこれに従事するものであるとき。
④　請求者が会計帳簿又はこれに関する資料の閲覧又は謄写によって知り得た事実を利益を得て第三者に通報するため請求したとき。
⑤　請求者が、過去2年以内において、会計帳簿又はこれに関する資料の閲覧又は謄写によって知り得た事実を利益を得て第三者に通報したことがあるものであるとき。

Ⅲ　株式会社の親会社社員は、その権利を行使するため必要があるときは、裁判所の許可を得て、会計帳簿又はこれに関する資料について第1項各号に掲げる請求をすることができる。この場合においては、当該請求の理由を明らかにしてしなければならない。

Ⅳ　前項の親会社社員について第2項各号のいずれかに規定する事由があるときは、裁判所は、前項の許可をすることができない。

［趣旨］1項は、取締役等の業務執行を是正する前提として、株主が会社の業務・財産の状況を正確に知り、取締役等の不正行為の有無を調査できるようにする必要があることから、会計帳簿等の閲覧請求権を認めたものである。もっとも、これを無限定に認めれば、濫用のおそれや業務を阻害するおそれがあり、営業秘密の漏洩等の危険もあることから、少数株主権として規定された。

2項は、1項を踏まえつつ、会社の業務遂行を阻害するおそれ等を防止するため閲覧謄写請求を制限した。このうち、1号及び2号が一般的拒絶事由を定め、3号～5号はその一般的拒絶事由を敷衍して具体例を定めている。これらの拒絶事由は限定列挙であり、定款でこれら以外の事由を追加することはできないと解されている。

《注　釈》

一　明らかにすべき「理由」（Ⅰ柱書後段） 予H25

閲覧の請求をするには、請求の理由及び閲覧させるべき会計帳簿・資料の範囲を会社が認識・判断できるように、閲覧目的等が具体的に記載されねばならない（最判平2.11.8）。しかし、株主・親会社社員は、当該請求の理由を基礎付ける事実が客観的に存在することについての立証を要するわけではない（最判平16.7.1・百選73事件）予。

二　閲覧の対象となる会計帳簿・資料

「会計帳簿」とは、計算書類・付属明細書作成の基礎となる帳簿をいい、いわゆる日記帳・元帳・仕訳帳がこれに当たる。また、伝票も、仕訳帳を代用する場合にはこれに当たる。

会計の「資料」とは、会計帳簿作成の材料となった資料をいい、会計帳簿に含まれない伝票・受取証・契約書・信書等がこれに当たる。

（以上、横浜地判平3.4.19・百選A32事件参照）

三「権利の確保又は行使に関する調査以外の目的」（Ⅱ①） 司H30

1　該当する例

株主が会社との間で行われる「交渉を有利に運ぶための手段」として閲覧謄

写請求をした場合は、この拒絶事由に該当する（大阪地判平11.3.24）。

2　該当しない例

①　株主が会社に対して監督権限（360、847等）を行使するために閲覧謄写請求をした場合は、この拒絶事由に該当しない。

②　非公開会社の株主が他に株式を譲渡して対価を得ようとする場合において、「売却に備えた時価の算定のため」という理由を掲げて閲覧謄写請求をした場合は、この拒絶事由に該当しない（最判平16.7.1・百選73事件）。

∵　非公開会社では、指定買取人との価格交渉等に適切に対処するために、その有する株式の適正な価格を算定するのに必要な当該会社の資産状態等を示す会計帳簿等の閲覧等をすることが不可欠

四「実質的に競争関係にある事業」（Ⅱ③）司H30 予H25

1　意義

「実質的に競争関係にある事業」を営む場合とは、単に請求者の事業と相手方会社の事業とが競争関係にある場合に限られず、請求者（完全子会社）が親会社と一体的に事業を営んでいると評価できる場合で、当該親会社が相手方会社と競争関係にあるような場合も含む（東京地判平19.9.20・平19重判3事件）。

また、「競争関係」とは、現に競争関係にある場合のほか、近い将来において競争関係に立つ蓋然性が高い場合も含む（東京地判平19.9.20・平19重判3事件）。

2　主観的意図の要否（最決平21.1.15・百選74事件）予

株主による会計帳簿閲覧請求権の行使に対し、会社と競争関係にあることを理由に拒絶事由があるというためには、当該株主が会社と競争関係にある者であるとの客観的事実が認められれば足り、会計帳簿等から知りうる情報を自己の競業に利用するなどの主観的意図は不要である。

【関連条文】358Ⅰ［会社の財産状況調査のための検査役選任請求］、規226

第434条（会計帳簿の提出命令）

裁判所は、申立てにより又は職権で、訴訟の当事者に対し、会計帳簿の全部又は一部の提出を命ずることができる。

第2款　計算書類等

《注　釈》

◆　定義

1　計算書類：貸借対照表、損益計算書、株主資本等変動計算書、個別注記表（435Ⅱ、617Ⅱ、計規59Ⅰ）

2　貸借対照表：会社の一定の時点における財産状態を表す一覧表（計規72以下）

3　損益計算書：特定の事業年度におけるすべての収益とそのために要したす

株式会社

べての費用とを対比して、当該事業年度における純損益を明らかにした書面（計規87以下）

4　株主等資本変動計算書：会社法下で新たに導入された計算書類であり、特定の事業年度における純資産の部の各項目の増減を示す計算書類（計規96以下）

5　個別注記表：旧商法下において貸借対照表及び損益計算書に注記すべきものとされていた事項は、独立の計算書類である個別注記表に記載されることになった（計規97以下）。

6　事業報告：旧商法下において計算書類の1つであった営業報告書に相当するもの（規117以下）

第435条　（計算書類等の作成及び保存）

Ⅰ　株式会社は、法務省令で定めるところにより、その成立の日における貸借対照表を作成しなければならない。

Ⅱ　株式会社は、法務省令で定めるところにより、各事業年度に係る計算書類（貸借対照表、損益計算書その他株式会社の財産及び損益の状況を示すために必要かつ適当なものとして法務省令で定めるものをいう。以下この章において同じ。）及び事業報告並びにこれらの附属明細書を作成しなければならない。

Ⅲ　計算書類及び事業報告並びにこれらの附属明細書は、電磁的記録をもって作成することができる。

Ⅳ　株式会社は、計算書類を作成した時から１０年間、当該計算書類及びその附属明細書を保存しなければならない。

[趣旨]書類の作成・保存を義務付けることにより株主・債権者を保護する。

【関連条文】規117～128、計規57～59、72～119

第４３６条　（計算書類等の監査等）

Ⅰ　監査役設置会社（監査役の監査の範囲を会計に関するものに限定する旨の定款の定めがある株式会社を含み、会計監査人設置会社を除く。）においては、前条第２項の計算書類及び事業報告並びにこれらの附属明細書は、法務省令で定めるところにより、監査役の監査を受けなければならない〈司〉。

Ⅱ　会計監査人設置会社においては、次の各号に掲げるものは、法務省令で定めるところにより、当該各号に定める者の監査を受けなければならない〈司書〉。

①　前条第２項の計算書類及びその附属明細書　監査役（監査等委員会設置会社にあっては監査等委員会、指名委員会等設置会社にあっては監査委員会）及び会計監査人

②　前条第２項の事業報告及びその附属明細書　監査役（監査等委員会設置会社にあっては監査等委員会、指名委員会等設置会社にあっては監査委員会）

Ⅲ　取締役会設置会社においては、前条第２項の計算書類及び事業報告並びにこれらの附属明細書（第１項又は前項の規定の適用がある場合にあっては、第１項又は前項の監査を受けたもの）は、取締役会の承認を受けなければならない。

［趣旨］計算書類等の作成は重要な業務執行であることから、監査役の監査、取締役会の承認を要求した。２項の趣旨は、会計監査人設置会社において、会計監査人が計算書類の監査を行うことでその正確性を担保し、虚偽の計算書類が作成されることを防止することによって、債権者・株主を保護する点にある〈同。

《注　釈》

・取締役会設置会社においては、監査役・監査委員会及び会計監査人の監査が取締役会の承認に先行する。

【関連条文】規117、129～132、計規121～132

第４３７条　（計算書類等の株主への提供）〈同書

取締役会設置会社においては、取締役は、定時株主総会の招集の通知に際して、法務省令で定めるところにより、株主に対し、前条第３項の承認を受けた計算書類及び事業報告（同条第１項又は第２項の規定の適用がある場合にあっては、監査報告又は会計監査報告を含む。）を提供しなければならない。

【関連条文】規117、133、計規133

第４３８条　（計算書類等の定時株主総会への提出等）

Ⅰ　次の各号に掲げる株式会社においては、取締役は、当該各号に定める計算書類及び事業報告を定時株主総会に提出し、又は提供しなければならない〈書。

①　第４３６条第１項＜計算書類等の監査役の監査＞に規定する監査役設置会社（取締役会設置会社を除く。）　第４３６条第１項＜計算書類等の監査役の監査＞の監査を受けた計算書類及び事業報告

②　会計監査人設置会社（取締役会設置会社を除く。）　第４３６条第２項＜計算書類等の監査役・会計監査人等による監査＞の監査を受けた計算書類及び事業報告

③　取締役会設置会社　第４３６条第３項＜計算書類等の取締役会の承認＞の承認を受けた計算書類及び事業報告

④　前３号に掲げるもの以外の株式会社　第４３５条第２項＜計算書類等の作成＞の計算書類及び事業報告

Ⅱ　前項の規定により提出され、又は提供された計算書類は、定時株主総会の承認を受けなければならない。

Ⅲ　取締役は、第１項の規定により提出され、又は提供された事業報告の内容を定時株主総会に報告しなければならない〈書。

［趣旨］１つの会計事実については複数の会計処理が可能であるため、定時株主総会で当該会計処理が正当であることの承認を受けることが必要となる（438Ⅱ）。

第４３９条　（会計監査人設置会社の特則）

会計監査人設置会社については、第４３６条第３項＜計算書類等の取締役会の承認＞の承認を受けた計算書類が法令及び定款に従い株式会社の財産及び損益の状況を正しく表示しているものとして法務省令で定める要件に該当する場合には、前条第２項の規定は、適用しない。この場合においては、取締役は、当該計算書類の内容を定時

株主総会に報告しなければならない〈同〉。

[趣旨] 本条は、計算書類につき会計監査の専門家である会計監査人が会計監査報告の内容に無限定適正意見を付し、かつ、監査報告の内容として会計監査人の監査の方法又は結果を不相当とする意見が付されていない場合には〈同〉、取締役会の承認により計算関係書類が確定することを認め、その内容を株主総会で報告すれば足りるとするのが合理的であるという考え方に基づいている。

【関連条文】 計規 135

第440条 (計算書類の公告)

Ⅰ 株式会社は、法務省令で定めるところにより、定時株主総会の終結後遅滞なく、貸借対照表(大会社にあっては、貸借対照表及び損益計算書)を公告しなければならない〈書〉。

Ⅱ 前項の規定にかかわらず、その公告方法が第939条第1項第1号<官報に掲載する方法>又は第2号<時事に関する事項を掲載する日刊新聞紙に掲載する方法>に掲げる方法である株式会社は、前項に規定する貸借対照表の要旨を公告することで足りる。

Ⅲ 前項の株式会社は、法務省令で定めるところにより、定時株主総会の終結後遅滞なく、第1項に規定する貸借対照表の内容である情報を、定時株主総会の終結の日後5年を経過する日までの間、継続して電磁的方法により不特定多数の者が提供を受けることができる状態に置く措置をとることができる〈予〉。この場合においては、前2項の規定は、適用しない。

Ⅳ 金融商品取引法第24条第1項の規定により有価証券報告書を内閣総理大臣に提出しなければならない株式会社については、前3項の規定は、適用しない。

[趣旨] 株式会社では、①所有と経営の分離により株主が会社の財務状況を知ることは極めて困難であること、②株主有限責任(104)により会社財産のみが会社債権者にとって唯一の引当てとされていることから、株主、会社債権者が適正な行動をとり、リスクの回避を図るべく、計算書類の公告が重要な意味をもつ。

【関連条文】 計規 136〜148

第４４１条（臨時計算書類）

Ⅰ　株式会社は、最終事業年度の直後の事業年度に属する一定の日（以下この項において「臨時決算日」という。）における当該株式会社の財産の状況を把握するため、法務省令で定めるところにより、次に掲げるもの（以下「臨時計算書類」という。）を作成することができる。

①　臨時決算日における貸借対照表

②　臨時決算日の属する事業年度の初日から臨時決算日までの期間に係る損益計算書

Ⅱ　第４３６条第１項<計算書類等の監査役の監査>に規定する監査役設置会社又は会計監査人設置会社においては、臨時計算書類は、法務省令で定めるところにより、監査役又は会計監査人（監査等委員会設置会社にあっては監査等委員会及び会計監査人、指名委員会等設置会社にあっては監査委員会及び会計監査人）の監査を受けなければならない。

Ⅲ　取締役会設置会社においては、臨時計算書類（前項の規定の適用がある場合にあっては、同項の監査を受けたもの）は、取締役会の承認を受けなければならない。

Ⅳ　次の各号に掲げる株式会社においては、当該各号に定める臨時計算書類は、株主総会の承認を受けなければならない。ただし、臨時計算書類が法令及び定款に従い株式会社の財産及び損益の状況を正しく表示しているものとして法務省令で定める要件に該当する場合は、この限りでない。

①　第４３６条第１項<計算書類等の監査役の監査>に規定する監査役設置会社又は会計監査人設置会社（いずれも取締役会設置会社を除く。）　第２項の監査を受けた臨時計算書類

②　取締役会設置会社　前項の承認を受けた臨時計算書類

③　前２号に掲げるもの以外の株式会社　第１項の臨時計算書類

《注　釈》

◆　臨時計算書類

会社法が新しく導入した制度であり、株式会社は、各事業年度に係る計算書類以外に、事業年度中の一定の日を臨時決算日と定めて、臨時計算書類（臨時決算日における貸借対照表及び臨時決算日が属する事業年度の初日から臨時決算日までの期間に係る損益計算書）を作成することが認められる（441 Ⅰ）。

会社法においては、剰余金の配当を事業年度中に回数の制限なく行うことが可能となったため、剰余金の配当を行う前に臨時計算書類を作成すれば、分配可能額にその時までの期間損益等を反映させることができる点にこの書類を作成する意義がある。

【関連条文】461 Ⅱ［配当等の制限］、計規60

第４４２条 （計算書類等の備置き及び閲覧等）

Ⅰ 株式会社は、次の各号に掲げるもの（以下この条において「計算書類等」という。）を、当該各号に定める期間、その本店に備え置かなければならない〈同書。
① 各事業年度に係る計算書類及び事業報告並びにこれらの附属明細書（第４３６条第１項又は第２項の規定の適用がある場合にあっては、監査報告又は会計監査報告を含む。） 定時株主総会の日の１週間（取締役会設置会社にあっては、２週間）前の日（第３１９条第１項の場合にあっては、同項の提案があった日）から５年間〈書
② 臨時計算書類（前条第２項の規定の適用がある場合にあっては、監査報告又は会計監査報告を含む。） 臨時計算書類を作成した日から５年間

Ⅱ 株式会社は、次の各号に掲げる計算書類等の写しを、当該各号に定める期間、その支店に備え置かなければならない。ただし、計算書類等が電磁的記録で作成されている場合であって、支店における次項第３号及び第４号に掲げる請求に応じることを可能とするための措置として法務省令で定めるものをとっているときは、この限りでない。
① 前項第１号に掲げる計算書類等 定時株主総会の日の１週間（取締役会設置会社にあっては、２週間）前の日（第３１９条第１項の場合にあっては、同項の提案があった日）から３年間
② 前項第２号に掲げる計算書類等 同号の臨時計算書類を作成した日から３年間

Ⅲ 株主及び債権者は、株式会社の営業時間内は、いつでも、次に掲げる請求をすることができる〈書。ただし、第２号又は第４号に掲げる請求をするには、当該株式会社の定めた費用を支払わなければならない〈書。
① 計算書類等が書面をもって作成されているときは、当該書面又は当該書面の写しの閲覧の請求〈同
② 前号の書面の謄本又は抄本の交付の請求〈書
③ 計算書類等が電磁的記録をもって作成されているときは、当該電磁的記録に記録された事項を法務省令で定める方法により表示したものの閲覧の請求
④ 前号の電磁的記録に記録された事項を電磁的方法であって株式会社の定めたものにより提供することの請求又はその事項を記載した書面の交付の請求

Ⅳ 株式会社の親会社社員は、その権利を行使するため必要があるときは、裁判所の許可を得て、当該株式会社の計算書類等について前項各号に掲げる請求をすることができる〈書。ただし、同項第２号又は第４号に掲げる請求をするには、当該株式会社の定めた費用を支払わなければならない。

［趣旨］１項の趣旨は、計算書類を備え置き、閲覧に供することで債権者が経営を監視できるようにし、もって債権者を保護する点にある。

【関連条文】規 227、226

第４４３条 （計算書類等の提出命令）

裁判所は、申立てにより又は職権で、訴訟の当事者に対し、計算書類及びその附属明細書の全部又は一部の提出を命ずることができる。

第3款　連結計算書類

第444条

Ⅰ　会計監査人設置会社は、法務省令で定めるところにより、各事業年度に係る連結計算書類（当該会計監査人設置会社及びその子会社から成る企業集団の財産及び損益の状況を示すために必要かつ適当なものとして法務省令で定めるものをいう。以下同じ。）を作成することができる。

Ⅱ　連結計算書類は、電磁的記録をもって作成することができる。

Ⅲ　事業年度の末日において大会社であって金融商品取引法第２４条第１項の規定により有価証券報告書を内閣総理大臣に提出しなければならないものは、当該事業年度に係る連結計算書類を作成しなければならない。

Ⅳ　連結計算書類は、法務省令で定めるところにより、監査役（監査等委員会設置会社にあっては監査等委員会、指名委員会等設置会社にあっては監査委員会）及び会計監査人の監査を受けなければならない。

Ⅴ　会計監査人設置会社が取締役会設置会社である場合には、前項の監査を受けた連結計算書類は、取締役会の承認を受けなければならない。

Ⅵ　会計監査人設置会社が取締役会設置会社である場合には、取締役は、定時株主総会の招集の通知に際して、法務省令で定めるところにより、株主に対し、前項の承認を受けた連結計算書類を提供しなければならない。

Ⅶ　次の各号に掲げる会計監査人設置会社においては、取締役は、当該各号に定める連結計算書類を定時株主総会に提出し、又は提供しなければならない。この場合においては、当該各号に定める連結計算書類の内容及び第４項の監査の結果を定時株主総会に報告しなければならない。

①　取締役会設置会社である会計監査人設置会社　第５項の承認を受けた連結計算書類

②　前号に掲げるもの以外の会計監査人設置会社　第４項の監査を受けた連結計算書類

［趣旨］企業のグループ化に伴い企業グループ全体の財産及び損益に関する情報開示の重要性から認められた規定である。

《注　釈》

◆　連結計算書類

この制度は、情報提供の充実を図るために導入されたものであって、剰余金配当規制は従来通り単体の貸借対照表を基準とする。

→連結計算書類については、内容及び監査の結果を定時株主総会に報告すれば足り、その承認を受けることは要しない〈司

→定時株主総会の招集通知に際して、株主に対し、連結計算書類に係る会計監査報告・監査報告を提供することは、会社法上は要求されておらず、提供するか否かは、会社の判断に委ねられている（計規 134 Ⅱ）〈予

【関連条文】計規 61〜69、120、120 の 2、120 の 3、134

株式会社

第3節　資本金の額等

第1款　総則

《概　説》

一　資本金

1　意義

資本金とは、会社財産を確保するための基準となる一定の計算上の数額である。

2　資本金の額の算定（445）

3　資本金の額の公示

授権資本制度を採用した結果、資本金の額は定款記載事項ではなくなったが 司、資本金の額は登記（911 Ⅲ⑤）及び貸借対照表（440 Ⅰ、442）により公示される。なお、資本金は、貸借対照表上、純資産の部の株主資本の部に記載される（計規 73 Ⅰ③、同 76 Ⅰ①Ⅱ①）予。

4　資本金の額の減少

資本金の額の減少とは、資本金という一定の計算上の数額を減少することをいう（447）。

→資本不変の原則から、厳重な手続を履践した場合にのみ、資本金の額の減少が認められる

5　最低資本金

かつては、株式会社・有限会社の成立には最低資本金（株式会社は 1000 万円、有限会社は 300 万円）の規制があった。しかし、会社法はこの規制を撤廃しており、資本金が1円でも株式会社を設立することが可能である（445 Ⅰ参照）書。

二　準備金

1　意義

準備金とは、法が、資本金額に相当する会社財産に加えて準備金額に相当する会社財産を確保しない限り、剰余金の配当を許さないとすることによって、企業経営に起因する会社財産の変動に対するクッションの役割を果たすものである。

＊　準備金は単なる計算上の数額にすぎず、準備金の積立又は使用という概念は、現実に金銭を積立て又は使用することではなく、貸借対照表上の数値を増加又は減少させることである。

2　種類とその増減

(1)　種類

準備金には、①資本準備金と②利益準備金とがある。①資本準備金は、貸借対照表上、純資産の部の資本剰余金の部に、②利益準備金は利益剰余金の部に記載される。

剰余金の配当をする場合には、法務省令で定めるところにより、配当により減少する剰余金の額の 10 分の 1 を資本準備金又は利益準備金として積み

立てなければならない（445 Ⅳ）。

もっとも、剰余金の配当を行った日における準備金の額（資本準備金と利益準備金の合計額）が資本金の額の４分の１（基準資本金額、計規22 Ⅰ①参照）に達したときは、それ以上に準備金を増額する必要はない（445 Ⅳ、計規22 Ⅱ、23②）予。

(2)　準備金の額の減少

準備金は、欠損塡補に使用するだけでなく、原則、株主総会の普通決議により準備金を取り崩して使用することができ、さらに、旧商法下における資本の４分の１に相当する額という制限を撤廃し、準備金を全額減少することも認められた（448）。

cf.　分配可能額がマイナスである場合を「欠損」があるといい、その額を「欠損の額」という（309 Ⅱ⑨ロ、449 Ⅰ②）

三　任意積立金

任意積立金とは、定款又は株主総会の決議により自発的に積み立てられるものであって、利益準備金を積み立てた残余の利益を財源として積み立てる積立金のことをいう（452参照）。

第４４５条　（資本金の額及び準備金の額）司

Ⅰ　株式会社の資本金の額は、この法律に別段の定めがある場合を除き、設立又は株式の発行に際して株主となる者が当該株式会社に対して払込み又は給付をした財産の額とする予。

Ⅱ　前項の払込み又は給付に係る額の２分の１を超えない額は、資本金として計上しないことができる司書。

Ⅲ　前項の規定により資本金として計上しないこととした額は、資本準備金として計上しなければならない司予。

Ⅳ　剰余金の配当をする場合には、株式会社は、法務省令で定めるところにより、当該剰余金の配当により減少する剰余金の額に１０分の１を乗じて得た額を資本準備金又は利益準備金（以下「準備金」と総称する。）として計上しなければならない予。

Ⅴ　合併、吸収分割、新設分割、株式交換、株式移転又は株式交付に際して資本金又は準備金として計上すべき額については、法務省令で定める。

Ⅵ　定款又は株主総会の決議による第３６１条第１項第３号、第４号若しくは第５号ロ<取締役の報酬等のうち当該株式会社の募集株式・募集新株予約権の数の上限を定めた場合>に掲げる事項についての定め又は報酬委員会による第４０９条第３項第３号、第４号若しくは第５号ロ<執行役等の個人別の報酬等として当該株式会社の募集株式・募集新株予約権の数を定めた場合>に定める事項についての決定に基づく株式の発行により資本金又は準備金として計上すべき額については、法務省令で定める。

［趣旨］会社財産確保のための数額である資本金、準備金の額について規定するものである。４項は、剰余金の配当をする場合に一定額の準備金の計上（積立て）を義務付けるものであり、会社に一定の利益を留保することで後日の損失に備えよう

とする趣旨に基づく。

【関連条文】361Ⅰ③④⑤［取締役の報酬等のうち当該株式会社の募集株式・募集新株予約権の数の上限を定めた場合］、409Ⅲ③④⑤［執行役等の個人別の報酬等として当該株式会社の募集株式・募集新株予約権の数を定めた場合］、792［剰余金の配当等に関する特則］、911Ⅲ⑤［登記事項］

第４４６条 （剰余金の額）

株式会社の剰余金の額は、第１号から第４号までに掲げる額の合計額から第５号から第７号までに掲げる額の合計額を減じて得た額とする。

① 最終事業年度の末日におけるイ及びロに掲げる額の合計額からハからホまでに掲げる額の合計額を減じて得た額

イ 資産の額

ロ 自己株式の帳簿価額の合計額

ハ 負債の額

ニ 資本金及び準備金の額の合計額

ホ ハ及びニに掲げるもののほか、法務省令で定める各勘定科目に計上した額の合計額

② 最終事業年度の末日後に自己株式の処分をした場合における当該自己株式の対価の額から当該自己株式の帳簿価額を控除して得た額

③ 最終事業年度の末日後に資本金の額の減少をした場合における当該減少額（次条第１項第２号の額を除く。）

④ 最終事業年度の末日後に準備金の額の減少をした場合における当該減少額（第４４８条第１項第２号の額を除く。）

⑤ 最終事業年度の末日後に第１７８条第１項＜株式の消却＞の規定により自己株式の消却をした場合における当該自己株式の帳簿価額

⑥ 最終事業年度の末日後に剰余金の配当をした場合における次に掲げる額の合計額

イ 第４５４条第１項第１号＜配当財産の種類及び帳簿価額の総額＞の配当財産の帳簿価額の総額（同条第４項第１号に規定する金銭分配請求権を行使した株主に割り当てた当該配当財産の帳簿価額を除く。）

ロ 第４５４条第４項第１号＜株主に対して与える金銭分配請求権＞に規定する金銭分配請求権を行使した株主に交付した金銭の額の合計額

ハ 第４５６条＜基準株式数を定めた場合の処理＞に規定する基準未満株式の株主に支払った金銭の額の合計額

⑦ 前２号に掲げるもののほか、法務省令で定める各勘定科目に計上した額の合計額

［趣旨］分配可能額の算定基準となる剰余金の算定基準を定めるものである。

《注 釈》

・剰余金の額を算出するに当たって、最終事業年度後の剰余金の変動も含まれる〈同〉。

【関連条文】465Ⅰ⑩Ⅱ［欠損が生じた場合の責任］、計規149、150

第２款　資本金の額の減少等

第１目　資本金の額の減少等

第４４７条（資本金の額の減少）共

Ⅰ　株式会社は、資本金の額を減少することができる予。この場合においては、株主総会の決議によって、次に掲げる事項を定めなければならない。
①　減少する資本金の額
②　減少する資本金の額の全部又は一部を準備金とするときは、その旨及び準備金とする額
③　資本金の額の減少がその効力を生ずる日
Ⅱ　前項第１号の額は、同項第３号の日における資本金の額を超えてはならない。
Ⅲ　株式会社が株式の発行と同時に資本金の額を減少する場合において、当該資本金の額の減少の効力が生ずる日後の資本金の額が当該日前の資本金の額を下回らないときにおける第１項の規定の適用については、同項中「株主総会の決議」とあるのは、「取締役の決定（取締役会設置会社にあっては、取締役会の決議）」とする予。

【3項読替え】
株式会社が株式の発行と同時に資本金の額を減少する場合において、当該資本金の額の減少の効力が生ずる日後の資本金の額が当該日前の資本金の額を下回らないときは、取締役の決定（取締役会設置会社にあっては、取締役会の決議）によって、次に掲げる事項を定めなければならない。
①　減少する資本金の額
②　減少する資本金の額の全部又は一部を準備金とするときは、その旨及び準備金とする額
③　資本金の額の減少がその効力を生ずる日

［趣旨］資本金の額の減少には一部解散・清算の要素があり、株主の利益に重大な影響が及ぶため、会社にとって重要な決定として、１項は、原則として特別決議を要求している。２項については、①資本金の額には（マイナスとならない限度で）下限はなく、ゼロでも構わないという意味、②資本金の額の減少の決議をする時点における資本金の額ではなく、効力発生日における資本金の額を限度として資本金の額を減少することができるという意味がある。３項は、本条項所定の場合には、実質的には、株式の発行により増加する払込資本の計数の内訳を決定しているにすぎないので、株主総会の決議による必要はないことを定めている。

【関連条文】309Ⅱ⑨［株主総会の特別決議］、828Ⅰ⑤Ⅱ⑤［無効の訴え］、915・911Ⅲ⑤［変更登記］

第４４８条 （準備金の額の減少）司書

Ⅰ　株式会社は、準備金の額を減少することができる。この場合においては、株主総会の決議によって、次に掲げる事項を定めなければならない。
① 減少する準備金の額
② 減少する準備金の額の全部又は一部を資本金とするときは、その旨及び資本金とする額
③ 準備金の額の減少がその効力を生ずる日

Ⅱ　前項第１号の額は、同項第３号の日における準備金の額を超えてはならない。

Ⅲ　株式会社が株式の発行と同時に準備金の額を減少する場合において、当該準備金の額の減少の効力が生ずる日後の準備金の額が当該日前の準備金の額を下回らないときにおける第１項の規定の適用については、同項中「株主総会の決議」とあるのは、「取締役の決定（取締役会設置会社にあっては、取締役会の決議）」とする。

【3項読替え】
株式会社が株式の発行と同時に準備金の額を減少する場合において、当該準備金の額の減少の効力が生ずる日後の準備金の額が当該日前の準備金の額を下回らないときは、取締役の決定（取締役会設置会社にあっては、取締役会の決議）によって、次に掲げる事項を定めなければならない。
① 減少する準備金の額
② 減少する準備金の額の全部又は一部を資本金とするときは、その旨及び資本金とする額
③ 準備金の額の減少がその効力を生ずる日

《注　釈》

・準備金の減少には、資本金の場合と同様に、欠損填補目的のものと司、それ以外のものとがある。
・資本金と異なり、準備金については、登記及び形成訴訟としての無効の訴えの制度は存在しない（834⑤参照）司予。

【関連条文】459Ⅰ②［一定の場合には取締役会で定めることができる旨の定款記載事項］

第４４９条 （債権者の異議）司予

Ⅰ　株式会社が資本金又は準備金（以下この条において「資本金等」という。）の額を減少する場合（減少する準備金の額の全部を資本金とする場合を除く。）には、当該株式会社の債権者は、当該株式会社に対し、資本金等の額の減少について異議を述べることができる予。ただし、準備金の額のみを減少する場合であって、次のいずれにも該当するときは、この限りでない司共予書。
① 定時株主総会において前条第１項各号<準備金の額を減少する場合の株主総会決議事項>に掲げる事項を定めること。

② 前条第1項第1号＜減少する準備金の額＞の額が前号の定時株主総会の日（第439条前段＜計算書類等の承認における会計監査人設置会社の特則＞に規定する場合にあっては、第436条第3項＜計算書類等の取締役会の承認＞の承認があった日）における欠損の額として法務省令で定める方法により算定される額を超えないこと。

Ⅱ 前項の規定により株式会社の債権者が異議を述べることができる場合には、当該株式会社は、次に掲げる事項を官報に公告し、かつ、知れている債権者には、各別にこれを催告しなければならない【書】。ただし、第3号の期間は、1箇月を下ることができない。
① 当該資本金等の額の減少の内容
② 当該株式会社の計算書類に関する事項として法務省令で定めるもの
③ 債権者が一定の期間内に異議を述べることができる旨

Ⅲ 前項の規定にかかわらず、株式会社が同項の規定による公告を、官報のほか、第939条第1項＜会社の公告方法＞の規定による定款の定めに従い、同項第2号＜時事に関する事項を掲載する日刊新聞紙に掲載する方法＞又は第3号＜電子公告＞に掲げる公告方法によりするときは、前項の規定による各別の催告は、することを要しない【書】。

Ⅳ 債権者が第2項第3号の期間内に異議を述べなかったときは、当該債権者は、当該資本金等の額の減少について承認をしたものとみなす【予】。

Ⅴ 債権者が第2項第3号の期間内に異議を述べたときは、株式会社は、当該債権者に対し、弁済し、若しくは相当の担保を提供し、又は当該債権者に弁済を受けさせることを目的として信託会社等（信託会社及び信託業務を営む金融機関（金融機関の信託業務の兼営等に関する法律（昭和18年法律第43号）第1条第1項の認可を受けた金融機関をいう。）をいう。以下同じ。）に相当の財産を信託しなければならない。ただし、当該資本金等の額の減少をしても当該債権者を害するおそれがないときは、この限りでない。

Ⅵ 次の各号に掲げるものは、当該各号に定める日にその効力を生ずる。ただし、第2項から前項までの規定による手続が終了していないときは、この限りでない【予】。
① 資本金の額の減少　第447条第1項第3号＜資本金の額の減少が効力を生ずる日＞の日
② 準備金の額の減少　前条第1項第3号＜準備金の額の減少が効力を生ずる日＞の日

Ⅶ 株式会社は、前項各号に定める日前は、いつでも当該日を変更することができる。

［趣旨］1項本文かっこ書は、準備金よりも資本金の額を増加させた方が会社債権者にとって有利であることに基づいて規定されている。同項ただし書は、実質的には、会社からの財産の流出は生じないし、準備金の額が欠損填補のために減少することは、会社債権者も受忍すべきであることに基づいて規定されている。7項は、手続に予想外の時間がかかり、当初の効力発生より前に手続が終了しないような場合には、効力発生日を変更する必要があることを考慮して規定された。

《注　釈》

◆　判例

「知れている債権者」とは、債権者が誰であり、その債権がいかなる原因に基づくいかなる内容のものかの大体を会社が知っている債権者をいい、そのような者であれば、会社がその債権の存在を争い訴訟が係属中であっても、知れている債権者でないとは必ずしもいえない（大判昭7.4.30・百選75事件）。

【関連条文】計規151、152

第２目　資本金の額の増加等

第４５０条　（資本金の額の増加）

Ⅰ　株式会社は、剰余金の額を減少して、資本金の額を増加することができる予。この場合においては、次に掲げる事項を定めなければならない書。

① 減少する剰余金の額

② 資本金の額の増加がその効力を生ずる日

Ⅱ　前項各号に掲げる事項の決定は、株主総会の決議によらなければならない予書。

Ⅲ　第１項第１号の額は、同項第２号の日における剰余金の額を超えてはならない。

[趣旨]資本金の増加は単なる計算書類上の計数の変更にすぎず、会社財産には影響しないが、かかる増加は剰余金の処分に相当するものであることから株主総会の決議が要求されている。

第４５１条　（準備金の額の増加）

Ⅰ　株式会社は、剰余金の額を減少して、準備金の額を増加することができる。この場合においては、次に掲げる事項を定めなければならない。

① 減少する剰余金の額

② 準備金の額の増加がその効力を生ずる日

Ⅱ　前項各号に掲げる事項の決定は、株主総会の決議によらなければならない司予。

Ⅲ　第１項第１号の額は、同項第２号の日における剰余金の額を超えてはならない。

[趣旨]２項の趣旨は、本条所定の措置は剰余金・分配可能額を減少させる措置であるので、株主の意思を反映させようとした点にある。

第３目　剰余金についてのその他の処分

第４５２条

株式会社は、株主総会の決議によって、損失の処理、任意積立金の積立てその他の剰余金の処分（前目に定めるもの及び剰余金の配当その他株式会社の財産を処分するものを除く。）をすることができる。この場合においては、当該剰余金の処分の額その他の法務省令で定める事項を定めなければならない共。

[趣旨]本条により、実財産の流出を伴わずに、剰余金を構成する各科目の間の計数を変更することを、期日に何度も行うことを可能にしている。

【関連条文】459Ⅰ［一定の場合には取締役会で定めることができる旨の定款記載事項］、計規153

■第4節　剰余金の配当

第453条　（株主に対する剰余金の配当）

株式会社は、その株主（当該株式会社を除く。）に対し、剰余金の配当をすることができる〈司共書〉。

【趣旨】営利法人である会社は、対外的な営利活動によって得た利益を、その構成員（株主）に分配することをその本質とする（105Ⅱ）。

《注　釈》

◆　剰余金の役割

①　剰余金の額を減少させて資本金の額又は準備金の額を増加させる場合（450、451）において、減少させる額の限度を画する額としての意味（450Ⅲ、451Ⅲ）

②　分配可能額を算定する場合の意味（461Ⅱ①）

【関連条文】465Ⅰ⑩［欠損が生じた場合の責任］

第454条　（剰余金の配当に関する事項の決定）

Ⅰ　株式会社は、前条の規定による剰余金の配当をしようとするときは、その都度、株主総会の決議によって、次に掲げる事項を定めなければならない。

①　配当財産の種類（当該株式会社の株式等を除く〈予〉。）及び帳簿価額の総額

②　株主に対する配当財産の割当てに関する事項

③　当該剰余金の配当がその効力を生ずる日

Ⅱ　前項に規定する場合において、剰余金の配当について内容の異なる２以上の種類の株式を発行しているときは、株式会社は、当該種類の株式の内容に応じ、同項第２号に掲げる事項として、次に掲げる事項を定めることができる。

①　ある種類の株式の株主に対して配当財産の割当てをしないこととするときは、その旨及び当該株式の種類

②　前号に掲げる事項のほか、配当財産の割当てについて株式の種類ごとに異なる取扱いを行うこととするときは、その旨及び当該異なる取扱いの内容

Ⅲ　第１項第２号に掲げる事項についての定めは、株主（当該株式会社及び前項第１号の種類の株式の株主を除く。）の有する株式の数（前項第２号に掲げる事項についての定めがある場合にあっては、各種類の株式の数）に応じて配当財産を割り当てることを内容とするものでなければならない〈予〉。

Ⅳ　配当財産が金銭以外の財産であるときは、株式会社は、株主総会の決議によって、次に掲げる事項を定めることができる〈予〉。ただし、第１号の期間の末日は、第１項第３号の日以前の日でなければならない。

①　株主に対して金銭分配請求権（当該配当財産に代えて金銭を交付することを株式会社に対して請求する権利をいう。以下この章において同じ。）を与えるときは、その旨及び金銭分配請求権を行使することができる期間

② 一定の数未満の数の株式を有する株主に対して配当財産の割当てをしないこととするときは、その旨及びその数〈予書

Ⅴ 取締役会設置会社は、1事業年度の途中において1回に限り取締役会の決議によって剰余金の配当（配当財産が金銭であるものに限る。以下この項において「中間配当」という。）をすることができる旨を定款で定めることができる。この場合における中間配当についての第1項の規定の適用については、同項中「株主総会」とあるのは、「取締役会」とする〈共予。

【5項読替え】

取締役会設置会社は、1事業年度の途中において1回に限り取締役会の決議によって剰余金の配当（配当財産が金銭であるものに限る。以下この項において「中間配当」という。）をすることができる旨を定款で定めることができる。株式会社は、中間配当をしようとするときは、その都度、取締役会の決議によって、次に掲げる事項を定めなければならない。

① 配当財産の種類（当該株式会社の株式等を除く。）及び帳簿価額の総額
② 株主に対する配当財産の割当てに関する事項
③ 当該剰余金の配当がその効力を生ずる日

［趣旨］会社の利益を会社に留保するか、剰余金配当を受けるかについては、重大な利害関係を有する株主のコントロールを及ぼすことが適当であることから、原則として剰余金の配当に株主総会決議を必要としたものである。

《注　釈》

一　剰余金配当の要件

1　形式的要件（手続的要件）

株主総会の適法な剰余金配当議案の承認決議が必要とされている（454）。

⑴ 剰余金配当の決定

(a) 原則として、株主総会の普通決議によって、①配当財産の種類及び帳簿価額の総額、②株主に対する配当財産の割当てに関する事項、③剰余金配当の効力発生日を定める必要がある（454 Ⅰ）。

→配当財産の種類は金銭に限られないが、株式等（株式、社債、新株予約権。107 Ⅱ②ホ参照）は配当できない（454 Ⅰ①かっこ書）

(b) 例外として、金銭以外の財産を配当する場合（現物配当）で、株主に金銭分配請求権（454 Ⅳ①参照）を与えないときは、株主総会の特別決議を要する（454 Ⅳ、309 Ⅱ⑩）。また、一定の要件をみたす会社では、定款の定めにより、剰余金配当（金銭分配請求権を株主に与えない現物配当を除く）の決定権限を取締役会に与えることができる（459 Ⅰ④）。

⑵ 配当の標準

剰余金の配当は、株主平等の原則に従い、各株主の有する株式の数に応じてなされる（454 Ⅲ）〈予。ただし、優先株など異なる種類の株式に対しては、定款の定めに従い、格別の取扱いをすることができる（454 Ⅱ）。

2　実質的要件

剰余金を配当するためには、①～③の要件をみたさなければならない。

①　剰余金配当が分配可能額の範囲内であること（461）

②　会社の純資産額が300万円以上であること（458）

③　法令が要求する準備金を計上（積立て）すること（445 Ⅳ、計規22）

二　剰余金配当の回数・時期

1　剰余金配当の回数

会社は、剰余金配当の形式的要件（手続的要件）及び実質的要件をみたす限り、一事業年度中に、回数の制限なく剰余金配当を行うことができる。

→期末配当（事業年度末日を基準日とする剰余金配当）だけでなく、中間配当（一事業年度の途中において1回に限り取締役会の決議により行う剰余金の配当（配当財産が金銭であるものに限る。454 Ⅴ））や、四半期配当（3か月ごとの剰余金配当）なども可能である

2　剰余金配当の時期〈書〉

剰余金配当の時期については、一般的に、定款に基準日を定める（124 Ⅰ～Ⅲ）。もっとも、定款に定めた日以外にも、随時基準日を定めて公告し（124 Ⅲ）、その基準日株主に対して剰余金配当を行うことも可能である。

三　判例

1　株主の会社に対する剰余金配当請求権は、剰余金の配当に関する事項が株主総会又は取締役会の決議によって定められる前においては、株式から分離して、これを第三者に譲渡することはできない（大判大5.3.9）〈共〉。

2　剰余金の配当につき、効力発生日から5年を経過しても請求がないときはその支払義務を免れる旨の定款は、有効である（大判昭2.8.3）〈共〉。

【関連条文】459 Ⅰ④［一定の場合には取締役会で定めることができる旨の定款記載事項］、462 Ⅰ⑥ⅡⅢ［配当財産の帳簿価額が分配可能額を超える場合の責任］

第４５５条　（金銭分配請求権の行使）

Ⅰ　前条第４項第１号<株主に対して与える金銭分配請求権>に規定する場合には、株式会社は、同号の期間の末日の２０日前までに、株主に対し、同号に掲げる事項を通知しなければならない。

Ⅱ　株式会社は、金銭分配請求権を行使した株主に対し、当該株主が割当てを受けた配当財産に代えて、当該配当財産の価額に相当する金銭を支払わなければならない。この場合においては、次の各号に掲げる場合の区分に応じ、当該各号に定める額をもって当該配当財産の価額とする。

①　当該配当財産が市場価格のある財産である場合　当該配当財産の市場価格として法務省令で定める方法により算定される額

②　前号に掲げる場合以外の場合　株式会社の申立てより裁判所が定める額

【関連条文】計規154

株式会社

第４５６条　（基準株式数を定めた場合の処理）

第４５４条第４項第２号＜一定の数未満の数の株式を有する株主に対して配当財産の割当てをしないこととするとき＞の数（以下この条において「基準株式数」という。）を定めた場合には、株式会社は、基準株式数に満たない数の株式（以下この条において「基準未満株式」という。）を有する株主に対し、前条第２項後段の規定の例により基準株式数の株式を有する株主が割当てを受けた配当財産の価額として定めた額に当該基準未満株式の数の基準株式数に対する割合を乗じて得た額に相当する金銭を支払わなければならない。

第４５７条　（配当財産の交付の方法等）

Ⅰ　配当財産（第４５５条第２項＜金銭分配請求権の行使＞の規定により支払う金銭及び前条の規定により支払う金銭を含む。以下この条において同じ。）は、株主名簿に記載し、又は記録した株主（登録株式質権者を含む。以下この条において同じ。）の住所又は株主が株式会社に通知した場所（第３項において「住所等」という。）において、これを交付しなければならない。

Ⅱ　前項の規定による配当財産の交付に要する費用は、株式会社の負担とする。ただし、株主の責めに帰すべき事由によってその費用が増加したときは、その増加額は、株主の負担とする。

Ⅲ　前２項の規定は、日本に住所等を有しない株主にする配当財産の交付については適用しない。

第４５８条　（適用除外） 司書

第４５３条から前条まで＜剰余金配当についての規定＞の規定は、株式会社の純資産額が３００万円を下回る場合には、適用しない。

［趣旨］会社法制定時に設立段階の最低資本金制度を廃止する一方で、会社債権者保護の観点から、剰余金の配当等に制約を課したものである。すなわち、剰余金の配当等の局面に関する限り、300万円の最低資本金額が法定されているに等しい 同。

第５節　剰余金の配当等を決定する機関の特則

第４５９条　（剰余金の配当等を取締役会が決定する旨の定款の定め）

Ⅰ　会計監査人設置会社（取締役（監査等委員会設置会社にあっては、監査等委員である取締役以外の取締役）の任期の末日が選任後１年以内に終了する事業年度のうち最終のものに関する定時株主総会の終結の日後の日であるもの及び監査役設置会社であって監査役会設置会社でないものを除く。）は、次に掲げる事項を取締役会（第２号に掲げる事項については第４３６条第３項の取締役会に限る。）が定めることができる旨を定款で定めることができる 予。

①　第１６０条第１項＜特定の株主からの自己株式の取得＞の規定による決定をする場合以外の場合における第１５６条第１項各号＜自己株式の取得に関する事項の決定＞に掲げる事項

② 第449条第1項第2号＜準備金の額を減少する場合だが債権者が異議を述べられない場合＞に該当する場合における第448条第1項第1号＜減少する準備金の額＞及び第3号＜準備金の額の減少がその効力を生ずる日＞に掲げる事項

③ 第452条後段＜剰余金の処分の額その他の事項＞の事項

④ 第454条第1項各号＜剰余金の配当に関する株主総会決議事項＞及び同条第4項各号＜配当財産が金銭以外の財産である場合の決定事項＞に掲げる事項。ただし、配当財産が金銭以外の財産であり、かつ、株主に対して金銭分配請求権を与えないこととする場合を除く 共予書。

Ⅱ 前項の規定による定款の定めは、最終事業年度に係る計算書類が法令及び定款に従い株式会社の財産及び損益の状況を正しく表示しているものとして法務省令で定める要件に該当する場合に限り、その効力を有する。

Ⅲ 第1項の規定による定款の定めがある場合における第449条第1項第1号＜準備金の額を減少する場合だが債権者が異議を述べられない場合＞の規定の適用については、同号中「定時株主総会」とあるのは、「定時株主総会又は第436条第3項＜計書書類等の取締役会の承認＞の取締役会」とする。

【3項読替え】

第1項の規定による定款の定めがある場合において、株式会社が準備金の額のみを減少する場合であって、定時株主総会又は第436条第3項＜計算書類等の取締役会の承認＞の取締役会において第448条第1項各号＜減少する準備金の額等＞に掲げる事項を定めるときは、当該株式会社の債権者は、当該株式会社に対し、資本金等の額の減少について異議を述べることができない。

［趣旨］剰余金配当を行うに当たり、様々な事情を考慮した上での経営判断、また、確実かつタイムリーな配当を行う点にある。なお、取締役の任期が1年を超えない会社に限定されているのは、株主が取締役に対してコントロールを及ぼす機会を増やすことを通じて、適切な配当政策を図ろうとしていることによる。

【関連条文】計規155

第460条 （株主の権利の制限）

Ⅰ 前条第1項の規定による定款の定めがある場合には、株式会社は、同項各号に掲げる事項を株主総会の決議によっては定めない旨を定款で定めることができる 書。

Ⅱ 前項の規定による定款の定めは、最終事業年度に係る計算書類が法令及び定款に従い株式会社の財産及び損益の状況を正しく表示しているものとして法務省令で定める要件に該当する場合に限り、その効力を有する。

【関連条文】計規155

■第６節　剰余金の配当等に関する責任

《概　説》

◆　違法配当

1　意義

違法配当には、①形式的要件に瑕疵がある場合と、②実質的要件を欠く場合の２種類があるが、通常、違法配当という場合には、後者の実質的要件を欠く場合をいい、会社が分配可能額を超えて配当をすること（いわゆる蛸(たこ)配当）をいう。

2　違法配当の効果

財源規制に違反した剰余金の配当（財源規制に違反した自己株式の取得も同様の問題と考えられる）の効果については、有効説（立法担当官の見解）もあるものの、学説上は無効説が多数説といえる。

＜財源規制に違反した剰余金の配当等の効力＞ 司H23

	有効説	無効説
462条1項の意義	462条1項本文に記載した者に法定の特別責任を認めた規定	不当利得返還義務の特則を定めた規定（交付を受けた財産を返還させるのではなく、それに代えて金銭の支払義務を負わせる）
理由	①　463条1項は「当該行為がその効力を生ずる日」と規定しており、違法な配当等が有効であることを前提としている ②　財源規制に違反する自己株式取得がされた場合、これを無効とすれば、譲渡株主は会社に対して不当利得返還請求権を有することとなり、会社からの462条1項の支払請求に対して同時履行の抗弁権を主張することができる（民533類推）ため、流出財産の円滑な返還が妨げられる	①　分配可能額を超える剰余金の配当決議は、決議内容の法令違反（830Ⅱ）に当たり無効である ②　（有効説の理由②に対して）462条1項は、譲渡株主の不当利得返還請求による同時履行の抗弁権を排除する特別規定と解することができる
違法な自己株式取得がされた場合の法律関係	会社は、株主に対して462条1項の弁済責任の履行を請求できる。株主は、当該責任を履行すれば、会社に譲渡した株式の返還を請求することができる（民422類推）	会社は、株主に対して462条1項の弁済責任の履行を請求できる。株主は、会社に譲渡した株式について不当利得返還請求ができる（株主の同時履行の抗弁権は排除されうる）

＜違法配当における会社・株主・会社債権者の保護＞

	株主に対する責任追及	取締役（＊1）に対する責任追及	監査役に対する責任追及
会社による責任追及	配当財産の帳簿価額に相当する金銭の支払請求（462 Ⅰ）（返還義務を負う株主の範囲につき争いあり　⇒p.396）	配当財産の帳簿価額に相当する金銭の支払請求（462 Ⅰ）	任務解怠責任の追及（423 Ⅰ）
株主による責任追及		代表訴訟（847） 解任（339 Ⅰ、854） 損害賠償請求（429 Ⅰ Ⅱ①ロ）（多数説）	代表訴訟（847） 解任（339 Ⅰ、854） 損害賠償請求（429 Ⅰ Ⅱ③）（多数説）
債権者による責任追及	違法配当額の返還請求（463 Ⅱ）（＊2）	損害賠償請求（429 Ⅰ Ⅱ①ロ）	損害賠償請求（429 Ⅰ Ⅱ③）

＊1　業務執行者（462 Ⅰ、計規159）、株主総会等に剰余金分配議案を提案した取締役等（462 Ⅰ各号、計規160、161）。

＊2　会社債権者は直接株主に対して違法分配額を会社又は自分に返還することを請求できる（463 Ⅱ）。

第４６１条　（配当等の制限）

Ⅰ　次に掲げる行為により株主に対して交付する金銭等（当該株式会社の株式を除く。以下この節において同じ。）の帳簿価額の総額は、当該行為がその効力を生ずる日における分配可能額を超えてはならない 書。

①　第１３８条第１号ハ＜譲渡制限株式の株主からの買取請求＞又は第２号ハ＜譲渡制限株式の株式取得者からの買取請求＞の請求に応じて行う当該株式会社の株式の買取り 予

②　第１５６条第１項＜自己株式の取得に関する事項の決定＞の規定による決定に基づく当該株式会社の株式の取得（第１６３条＜子会社からの自己株式の取得＞に規定する場合又は第１６５条第１項＜市場取引等による自己株式の取得＞に規定する場合における当該株式会社による株式の取得に限る。）

③　第１５７条第１項＜自己株式の取得価格の決定＞の規定による決定に基づく当該株式会社の株式の取得

④　第１７３条第１項＜全部取得条項付種類株式の取得日＞の規定による当該株式会社の株式の取得

⑤　第１７６条第１項＜相続人等に対する売渡しの請求＞の規定による請求に基づく当該株式会社の株式の買取り

⑥　第１９７条第３項＜所在不明株主等の株式の会社による買取り＞の規定による当該株式会社の株式の買取り

⑦　第２３４条第４項＜１株未満の端数処理としての会社による買取り＞（第２３５条第２項において準用する場合を含む。）の規定による当該株式会社の株式の買取り

⑧　剰余金の配当 予

Ⅱ　前項に規定する「分配可能額」とは、第1号及び第2号に掲げる額の合計額から第3号から第6号までに掲げる額の合計額を減じて得た額をいう（以下この節において同じ。）。

①　剰余金の額

②　臨時計算書類につき第４４１条第４項＜臨時計算書類に対する株主総会の承認＞の承認（同項ただし書に規定する場合にあっては、同条第３項＜臨時計算書類の取締役会の承認＞の承認）を受けた場合における次に掲げる額

イ　第４４１条第１項第２号＜臨時決算日の属する事業年度の初日から臨時決算日までの期間＞の期間の利益の額として法務省令で定める各勘定科目に計上した額の合計額

ロ　第４４１条第１項第２号＜臨時決算日の属する事業年度の初日から臨時決算日までの期間＞の期間内に自己株式を処分した場合における当該自己株式の対価の額

③　自己株式の帳簿価額

④　最終事業年度の末日後に自己株式を処分した場合における当該自己株式の対価の額〈司

⑤　第２号に規定する場合における第４４１条第１項第２号＜臨時決算日の属する事業年度の初日から臨時決算日までの期間＞の期間の損失の額として法務省令で定める各勘定科目に計上した額の合計額

⑥　前３号に掲げるもののほか、法務省令で定める各勘定科目に計上した額の合計額

【趣旨】実質的には株主に対する払戻しとなる自己株式の有償取得や、剰余金の配当をなすに当たって、財源規制を課すことで、会社債権者保護を図る〈司。

【関連条文】計規 156～158

第４６２条　（剰余金の配当等に関する責任）〈司H23

Ⅰ　前条第１項の規定に違反して株式会社が同項各号に掲げる行為をした場合には、当該行為により金銭等の交付を受けた者並びに当該行為に関する職務を行った業務執行者（業務執行取締役（指名委員会等設置会社にあっては、執行役。以下この項において同じ。）その他当該業務執行取締役の行う業務の執行に職務上関与した者として法務省令で定めるものをいう。以下この節において同じ。）及び当該行為が次の各号に掲げるものである場合における当該各号に定める者は、当該株式会社に対し、連帯して、当該金銭等の交付を受けた者が交付を受けた金銭等の帳簿価額に相当する金銭を支払う義務を負う〈予書。

①　前条第１項第２号＜自己株式の取得＞に掲げる行為　次に掲げる者

イ　第１５６条第１項＜自己株式の取得に関する事項の決定＞の規定による決定に係る株主総会の決議があった場合（当該決議によって定められた同項第２号の金銭等の総額が当該決議の日における分配可能額を超える場合に限る。）における当該株主総会に係る総会議案提案取締役（当該株主総会に議案を提案した取締役として法務省令で定めるものをいう。以下この項において同じ。）

ロ　第１５６条第１項＜自己株式の取得に関する事項の決定＞の規定による決定に係る取締役会の決議があった場合（当該決議によって定められた同項第２号の金銭等の総額が当該決議の日における分配可能額を超える場合に限る。）に

おける当該取締役会に係る取締役会議案提案取締役（当該取締役会に議案を提案した取締役（指名委員会等設置会社にあっては、取締役又は執行役）として法務省令で定めるものをいう。以下この項において同じ。）

② 前条第１項第３号<自己株式の取得価格の決定に基づく株式の取得>に掲げる行為　次に掲げる者

イ　第１５７条第１項<自己株式の取得価格の決定>の規定による決定に係る株主総会の決議があった場合（当該決議によって定められた同項第３号の総額が当該決議の日における分配可能額を超える場合に限る。）における当該株主総会に係る総会議案提案取締役

ロ　第１５７条第１項<自己株式の取得価格の決定>の規定による決定に係る取締役会の決議があった場合（当該決議によって定められた同項第３号の総額が当該決議の日における分配可能額を超える場合に限る。）における当該取締役会に係る取締役会議案提案取締役

③ 前条第１項第４号<全部取得条項付種類株式の取得>に掲げる行為　第１７１条第１項<全部取得条項付種類株式の取得に関する決定>の株主総会（当該株主総会の決議によって定められた同項第１号に規定する取得対価の総額が当該決議の日における分配可能額を超える場合における当該株主総会に限る。）に係る総会議案提案取締役

④ 前条第１項第６号<所在不明株主等の株式の会社による買取り>に掲げる行為　次に掲げる者

イ　第１９７条第３項後段<所在不明株主等の株式を株式会社が買い取る場合の決定事項>の規定による決定に係る株主総会の決議があった場合（当該決議によって定められた同項第２号の総額が当該決議の日における分配可能額を超える場合に限る。）における当該株主総会に係る総会議案提案取締役

ロ　第１９７条第３項後段<所在不明株主等の株式を株式会社が買い取る場合の決定事項>の規定による決定に係る取締役会の決議があった場合（当該決議によって定められた同項第２号<株式の買取りと引換えに交付する金銭の総額>の総額が当該決議の日における分配可能額を超える場合に限る。）における当該取締役会に係る取締役会議案提案取締役

⑤ 前条第１項第７号<１株未満の端数処理時としての会社による買取り>に掲げる行為　次に掲げる者

イ　第２３４条第４項後段<１株未満の端数処理における株式を株式会社が買い取る場合の決定事項>（第２３５条第２項において準用する場合を含む。）の規定による決定に係る株主総会の決議があった場合（当該決議によって定められた第２３４条第４項第２号（第２３５条第２項において準用する場合を含む。）の総額が当該決議の日における分配可能額を超える場合に限る。）における当該株主総会に係る総会議案提案取締役

ロ　第２３４条第４項後段<１株未満の端数処理における株式を株式会社が買い取る場合の決定事項>（第２３５条第２項において準用する場合を含む。）の規定による決定に係る取締役会の決議があった場合（当該決議によって定められた第２３４条第４項第２号（第２３５条第２項において準用する場合を含む。）の総額が当該決議の日における分配可能額を超える場合に限る。）におけ

る当該取締役会に係る取締役会議案提案取締役

⑥　前条第１項第８号＜剰余金の配当＞に掲げる行為　次に掲げる者

イ　第４５４条第１項＜剰余金の配当に関する株主総会決議事項＞の規定による決定に係る株主総会の決議があった場合（当該決議によって定められた配当財産の帳簿価額が当該決議の日における分配可能額を超える場合に限る。）における当該株主総会に係る総会議案提案取締役

ロ　第４５４条第１項＜剰余金の配当に関する株主総会決議事項＞の規定による決定に係る取締役会の決議があった場合（当該決議によって定められた配当財産の帳簿価額が当該決議の日における分配可能額を超える場合に限る。）における当該取締役会に係る取締役会議案提案取締役

Ⅱ　前項の規定にかかわらず、業務執行者及び同項各号に定める者は、その職務を行うについて注意を怠らなかったことを証明したときは、同項の義務を負わない〈共〉。

Ⅲ　第１項の規定により業務執行者及び同項各号に定める者の負う義務は、免除することができない〈予〉。ただし、前条第１項各号＜配当等の制限＞に掲げる行為の時における分配可能額を限度として当該義務を免除することについて総株主の同意がある場合は、この限りでない〈書〉。

［趣旨］多数の株主にわずかな配当金について個々に支払請求することは、実効性が低いことから、業務執行者等に支払義務を負わせたものである。

【関連条文】計規 159～161

第４６３条　（株主に対する求償権の制限等）

Ⅰ　前条第１項に規定する場合において、株式会社が第４６１条第１項各号＜配当等の制限＞に掲げる行為により株主に対して交付した金銭等の帳簿価額の総額が当該行為がその効力を生じた日における分配可能額を超えることにつき善意の株主は、当該株主が交付を受けた金銭等について、前条第１項の金銭を支払った業務執行者及び同項各号に定める者からの求償の請求に応ずる義務を負わない。

Ⅱ　前条第１項に規定する場合には、株式会社の債権者は、同項の規定により義務を負う株主に対し、その交付を受けた金銭等の帳簿価額（当該額が当該債権者の株式会社に対して有する債権額を超える場合にあっては、当該債権額）に相当する金銭を支払わせることができる〈共書〉。

［趣旨］1項は、違法な剰余金の配当を行った業務執行取締役等の求償を制限することによって、善意の株主を保護したものである。2項は、債権者代位権（民 423）の特則としての意味を有し、自己への直接給付を請求することを認めた。

《注　釈》

◆　返還義務を負う株主の範囲

本条の規定する場合と異なり、会社又は会社債権者が返還を求める場合には、株主の善意・悪意を問わないとするのが多数説である。

第４６４条　（買取請求に応じて株式を取得した場合の責任）

Ⅰ　株式会社が第１１６条第１項＜反対株主の株式買取請求＞又は第１８２条の４第１項の規定による請求に応じて株式を取得する場合において、当該請求をした株主に対して支払った金銭の額が当該支払の日における分配可能額を超えるときは、当該株式の取得に関する職務を行った業務執行者は、株式会社に対し、連帯して、その超過額を支払う義務を負う。ただし、その者がその職務を行うについて注意を怠らなかったことを証明した場合は、この限りでない。

Ⅱ　前項の義務は、総株主の同意がなければ、免除することができない。

第４６５条　（欠損が生じた場合の責任）司H23

Ⅰ　株式会社が次の各号に掲げる行為をした場合において、当該行為をした日の属する事業年度（その事業年度の直前の事業年度が最終事業年度でないときは、その事業年度の直前の事業年度）に係る計算書類につき第４３８条第２項＜計算書類に対する定時株主総会の承認＞の承認（第４３９条前段に規定する場合にあっては、第４３６条第３項の承認）を受けた時における第４６１条第２項第３号＜自己株式の帳簿価額＞、第４号＜最終事業年度の末日後に自己株式を処分した場合における当該自己株式の対価の額＞及び第６号＜法務省令で定める各勘定科目に計上した額の合計額＞に掲げる額の合計額が同項第１号＜剰余金の額＞に掲げる額を超えるときは、当該各号に掲げる行為に関する職務を行った業務執行者は、当該株式会社に対し、連帯して、その超過額（当該超過額が当該各号に定める額を超える場合にあっては、当該各号に定める額）を支払う義務を負う予。ただし、当該業務執行者がその職務を行うについて注意を怠らなかったことを証明した場合は、この限りでない。

①　第１３８条第１号ハ＜譲渡制限株式の株主からの買取請求＞又は第２号ハ＜譲渡制限株式の株式取得者からの買取請求＞の請求に応じて行う当該株式会社の株式の買取り　当該株式の買取りにより株主に対して交付した金銭等の帳簿価額の総額

②　第１５６条第１項＜自己株式の取得に関する事項の決定＞の規定による決定に基づく当該株式会社の株式の取得（第１６３条に規定する場合又は第１６５条第１項に規定する場合における当該株式会社による株式の取得に限る。）　当該株式の取得により株主に対して交付した金銭等の帳簿価額の総額

③　第１５７条第１項＜自己株式の取得価格の決定＞の規定による決定に基づく当該株式会社の株式の取得　当該株式の取得により株主に対して交付した金銭等の帳簿価額の総額

④　第１６７条第１項＜取得請求権付株式の取得日＞の規定による当該株式会社の株式の取得　当該株式の取得により株主に対して交付した金銭等の帳簿価額の総額共

⑤　第１７０条第１項＜取得条項付株式の取得日＞の規定による当該株式会社の株式の取得　当該株式の取得により株主に対して交付した金銭等の帳簿価額の総額

⑥　第１７３条第１項＜全部取得条項付種類株式の取得日＞の規定による当該株式会社の株式の取得　当該株式の取得により株主に対して交付した金銭等の帳簿価額の総額

⑦　第１７６条第１項<相続人等に対する売渡しの請求>の規定による請求に基づく当該株式会社の株式の買取り　当該株式の買取りにより株主に対して交付した金銭等の帳簿価額の総額
⑧　第１９７条第３項<所在不明株主等の株式の会社による買取り>の規定による当該株式会社の株式の買取り　当該株式の買取りにより株主に対して交付した金銭等の帳簿価額の総額
⑨　次のイ又はロに掲げる規定による当該株式会社の株式の買取り　当該株式の買取りにより当該イ又はロに定める者に対して交付した金銭等の帳簿価額の総額
イ　第２３４条第４項<１株未満の端数処理としての会社による買取り>　同条第１項各号<端数に応じた代金を交付される者>に定める者
ロ　第２３５条第２項<株式の分割又は併合をすることにより生ずる端数の処理>において準用する第２３４条第４項<１株未満の端数処理としての会社による買取り>　株主
⑩　剰余金の配当（次のイからハまでに掲げるものを除く。）当該剰余金の配当についての第４４６条第６号イからハまで<配当財産の帳簿価額の総額、株主に対して与える金銭分配請求権を行使した株主に交付した金銭の額の合計額、基準未満株式の株主に支払った金銭の額の合計額>に掲げる額の合計額
イ　定時株主総会（第４３９条前段に規定する場合にあっては、定時株主総会又は第４３６条第３項の取締役会）において第４５４条第１項各号<剰余金の配当に関する株主総会決議事項>に掲げる事項を定める場合における剰余金の配当〈予書
ロ　第４４７条第１項各号<資本金の額の減少における株主総会決議事項>に掲げる事項を定めるための株主総会において第４５４条第１項各号<剰余金の配当に関する株主総会決議事項>に掲げる事項を定める場合（同項第１号の額（第４５６条の規定により基準未満株式の株主に支払う金銭があるときは、その額を合算した額）が第４４７条第１項第１号の額を超えない場合であって、同項第２号に掲げる事項についての定めがない場合に限る。）における剰余金の配当
ハ　第４４８条第１項各号<準備金の額を減少する場合の株主総会決議事項>に掲げる事項を定めるための株主総会において第４５４条第１項各号<剰余金の配当に関する株主総会決議事項>に掲げる事項を定める場合（同項第１号の額（第４５６条の規定により基準未満株式の株主に支払う金銭があるときは、その額を合算した額）が第４４８条第１項第１号の額を超えない場合であって、同項第２号に掲げる事項についての定めがない場合に限る。）における剰余金の配当
Ⅱ　前項の義務は、総株主の同意がなければ、免除することができない。

［趣旨］配当の事前規制に違反しない場合でも、期末に欠損が生じた場合に、業務執行者に填補責任を負わせることで、業務執行者に慎重な配当を行わせることにある。これによって、欠損が生じる可能性が減少し、結果的には、債権者の利益にも資することとなる。

・第6章・【定款の変更】

第466条 共

株式会社は、その成立後、株主総会の決議によって、定款を変更することができる。

[趣旨]会社の根本規則である定款の変更は、会社の基礎に根本的変動を生じさせるものであることから、定款の変更に株主総会の特別決議を要求した（309Ⅱ⑪）。

《注　釈》

一　手続

1　株主総会決議

(1)　定款の変更には、原則として株主総会の特別決議を要する（466、309Ⅱ⑪。なお、299Ⅳ、298Ⅰ⑤、規63⑦チ）。

(2)　特殊決議を要する場合

(a)　会社が発行する全部の株式を譲渡制限株式とする定款変更（309Ⅲ①）。

(b)　非公開会社において剰余金の配当等に関し、株主ごとに異なる扱いをする定款変更（309Ⅳ）。

(3)　種類株主総会の決議を要する場合

(a)　ある種類の株式を譲渡制限株式又は全部取得条項付種類株式とする定款変更（111Ⅱ、324Ⅱ①Ⅲ①）。

(b)　株式の種類の追加、株式の内容の変更、発行可能株式総数・発行可能種類株式総数の増加をする定款変更（322Ⅰ①）。

(4)　総株主又はある種類株主全員の同意を要する場合

(a)　総株主の同意を要する場合

ア　発行する全部の株式を取得条項付株式とする定款の定めを新設し、若しくは当該定款の定めを変更する場合（110）。

イ　特定の株主からの自己株式取得につき売主追加請求権を排除する定款の定めを新設し、若しくは当該定めを変更する場合（164Ⅱ）。

(b)　ある種類株主全員の同意を要する場合

ア　ある種類株式を取得条項付種類株式とし、若しくは当該定款を変更する場合（111Ⅰ）。

イ　ある種類株式を特定の株主から会社が自己株式取得するにつき売主追加請求権を排除する定款の定めを新設し、若しくは当該定めを変更する場合（164Ⅱ）。

ウ　ある種類株主に損害を及ぼすおそれがある322条1項各号所定の行為をするときに必要とされる種類株主総会決議を要しない旨の定款の定めをする場合（322Ⅳ）。

2　株式買取請求権・新株予約権買取請求権

会社がその発行する全部の株式を譲渡制限株式とする旨の定款変更をする場合には全部の株式について、ある種類の株式を譲渡制限株式とし、又は全部取得条項付種類株式とする旨の定款変更をする場合にはその種類株式・その種類株式を取得対価とする取得条項付株式及び取得請求権付株式について、それぞれ反対株主の株式買取請求権が認められている（116 Ⅰ①②Ⅱ）。

新株予約権買取請求についても同様である（118 Ⅰ）。

二　効力の発生

株主総会の決議により、当然に効力を生じる。

なお、書面としての定款を書き換えること、変更事項が登記事項であるときに変更登記をすること等は、定款変更の効力発生要件ではない。

・第7章・【事業の譲渡等】

第467条（事業譲渡等の承認等）

Ⅰ　株式会社は、次に掲げる行為をする場合には、当該行為がその効力を生ずる日（以下この章において「効力発生日」という。）の前日までに、株主総会の決議によって、当該行為に係る契約の承認を受けなければならない。

①　事業の全部の譲渡〈司

②　事業の重要な一部の譲渡（当該譲渡により譲り渡す資産の帳簿価額が当該株式会社の総資産額として法務省令で定める方法により算定される額の５分の１（これを下回る割合を定款で定めた場合にあっては、その割合）を超えないものを除く。）〈書

②の２　その子会社の株式又は持分の全部又は一部の譲渡（次のいずれにも該当する場合における譲渡に限る。）〈書〈予R2

イ　当該譲渡により譲り渡す株式又は持分の帳簿価額が当該株式会社の総資産額として法務省令で定める方法により算定される額の５分の１（これを下回る割合を定款で定めた場合にあっては、その割合）を超えるとき。

ロ　当該株式会社が、効力発生日において当該子会社の議決権の総数の過半数の議決権を有しないとき。

③　他の会社（外国会社その他の法人を含む。次条において同じ。）の事業の全部の譲受け〈司予書

④　事業の全部の賃貸、事業の全部の経営の委任、他人と事業上の損益の全部を共通にする契約その他これらに準ずる契約の締結、変更又は解約〈書

⑤　当該株式会社（第２５条第１項各号に掲げる方法により設立したものに限る。以下この号において同じ。）の成立後２年以内におけるその成立前から存在する財産であってその事業のために継続して使用するものの取得。ただし、イに掲げる額のロに掲げる額に対する割合が５分の１（これを下回る割合を当該株式会社の定款で定めた場合にあっては、その割合）を超えない場合を除く。

イ　当該財産の対価として交付する財産の帳簿価額の合計額

ロ　当該株式会社の純資産額として法務省令で定める方法により算定される額

Ⅱ　前項第３号に掲げる行為をする場合において、当該行為をする株式会社が譲り受ける資産に当該株式会社の株式が含まれるときは、取締役は、同項の株主総会において、当該株式に関する事項を説明しなければならない〈書。

[趣旨] 事業譲渡等は、取引法上の債権契約にすぎないものであるが、それがなされると株主に重大な影響が及ぶものであるから、株主保護の観点から、重要性の高いものについては株主総会の特別決議（309Ⅱ⑪）〈共〉を要求するものである。なお、平成26年会社法改正により、親会社による子会社株式の譲渡（467Ⅰ②の2）を行う場合についても、株主総会の特別決議を要する旨の規律が設けられた。これは、子会社の株式等を保有することで実現できた当該子会社の事業に対する支配権を失うことになれば、親会社が子会社の事業を譲渡したのと実質的に同様の影響を親会社に与えることになるため、事業譲渡と同じ規律を定めることで、当該会社の株主を保護しようとするものである。

《注　釈》

一　事業譲渡

1　意義〈司H18 司H27〉

商法15条以下にいう営業の譲渡と同一の意義であって、①一定の事業目的のため組織化され、有機的一体として機能する財産の全部又は重要な一部を譲渡し、②これによって、譲渡会社がその財産によって営んでいた事業的活動の全部又は重要な一部を譲受人に受け継がせ、③譲渡会社がその譲渡の限度に応じ法律上当然に21条に定める競業避止義務を負う結果を伴うものをいうと解している（最大判昭40.9.22・百選82事件）。 ⇒ p.16

→単なる事業用財産の譲渡は、たとえそれが譲渡会社に重大な影響を及ぼすようなものであっても、事業譲渡に当たらない〈予〉。

→事業の「重要な一部」か否かは、467条1項2号かっこ書（簡易の事業譲渡）に該当する譲渡か否かという量的な側面と、当該譲渡が譲渡会社の収益や事業活動に与える影響の重大性といった質的な側面を考慮して判断する〈司H18〉

→学説上は上記③の要件を不要とする見解が有力である

∵　競業避止義務を排除する特約を締結すれば事業譲渡に関する規律が及ばないという帰結は不都合である

2　効果

事業譲渡契約で定められた日に効力が発生する。事業に属する個々の資産については、不動産の登記や債権の対抗要件具備（民177、同467）など、個別に移転手続をする必要がある〈司予〉。また、譲渡会社の債務についても、譲受会社がこれを引き受けるには、個別に債権者の同意を得る必要がある〈予〉。このため、会社分割などと異なり、債権者異議手続は不要とされている〈予〉。

3　株主総会決議を欠く事業譲渡〈司H18 司H27〉

事業譲渡は無効である。また、事業譲渡の無効は、会社分割の無効のように、訴えによってのみ主張できる（828Ⅰ⑨）旨の規定がないから、いつでも誰でも主張できる〈予〉。このため、譲受会社も無効を主張できる（最判昭61.9.11・百選5事件）〈書〉。

株式会社

二　事後設立

1　意義

会社成立後２年以内に、成立前から存在する財産で事業のため継続して使用するものを会社の純資産額の５分の１を超える対価で取得する契約を締結する場合をいう（467 Ⅰ⑤）。

cf.　会社成立前から存在する事業用財産を取得する契約を、会社成立前に締結するのが財産引受（28②）であり、会社成立後に締結するのが事後設立である

2　規制

自由になすことを認めると、現物出資に関する規制を潜脱するおそれがあることから、株主総会の特別決議を要求した（467 Ⅰ⑤、309 Ⅱ⑪）。ただ、新設合併・新設分割・株式移転により設立された会社については、事後設立の規制は適用されない（467 Ⅰ⑤かっこ書）。

3　現物出資・財産引受に対する規制との違い

検査役の調査を要しない等の違いがある。　⇒ p.32

【関連条文】309 Ⅱ⑪［株主総会の特別決議］〈共、規134、135

第４６８条　（事業譲渡等の承認を要しない場合）

Ⅰ　前条の規定は、同条第１項第１号から第４号までに掲げる行為（以下この章において「事業譲渡等」という。）に係る契約の相手方が当該事業譲渡等をする株式会社の特別支配会社（ある株式会社の総株主の議決権の１０分の９（これを上回る割合を当該株式会社の定款で定めた場合にあっては、その割合）以上を他の会社及び当該他の会社が発行済株式の全部を有する株式会社その他これに準ずるものとして法務省令で定める法人が有している場合における当該他の会社をいう。以下同じ。）である場合には、適用しない〈司予書。

Ⅱ　前条の規定は、同条第１項第３号＜他の会社の事業の全部の譲受け＞に掲げる行為をする場合において、第１号に掲げる額の第２号に掲げる額に対する割合が５分の１（これを下回る割合を定款で定めた場合にあっては、その割合）を超えないときは、適用しない〈書。

①　当該他の会社の事業の全部の対価として交付する財産の帳簿価額の合計額

②　当該株式会社の純資産額として法務省令で定める方法により算定される額

Ⅲ　前項に規定する場合において、法務省令で定める数の株式（前条第１項の株主総会において議決権を行使することができるものに限る。）を有する株主が次条第３項の規定による通知又は同条第４項の公告の日から２週間以内に前条第１項第３号＜他の会社の事業の全部の譲受け＞に掲げる行為に反対する旨を当該行為をする株式会社に対し通知したときは、当該株式会社は、効力発生日の前日までに、株主総会の決議によって、当該行為に係る契約の承認を受けなければならない。

【趣旨】総会決議が不要であるのは、１項については、開催されても承認される可能性が高いためであり、２項については、譲受会社にとって影響が小さく基礎的変更といえないためである。

第469条（反対株主の株式買取請求）回

Ⅰ　事業譲渡等をする場合（次に掲げる場合を除く。）には、反対株主は、事業譲渡等をする株式会社に対し、自己の有する株式を公正な価格で買い取ることを請求することができる予。

①　第467条第1項第1号＜事業の全部の譲渡＞に掲げる行為をする場合において、同項の株主総会の決議と同時に第471条第3号＜株主総会の決議による解散＞の株主総会の決議がされたとき書。

②　前条第2項に規定する場合（同条第3項に規定する場合を除く。）

Ⅱ　前項に規定する「反対株主」とは、次の各号に掲げる場合における当該各号に定める株主をいう。

①　事業譲渡等をするために株主総会（種類株主総会を含む。）の決議を要する場合　次に掲げる株主

イ　当該株主総会に先立って当該事業譲渡等に反対する旨を当該株式会社に対し通知し、かつ、当該株主総会において当該事業譲渡等に反対した株主（当該株主総会において議決権を行使することができるものに限る。）

ロ　当該株主総会において議決権を行使することができない株主

②　前号に規定する場合以外の場合　全ての株主（前条第1項に規定する場合における当該特別支配会社を除く。）書

Ⅲ　事業譲渡等をしようとする株式会社は、効力発生日の20日前までに、その株主（前条第1項に規定する場合における当該特別支配会社を除く。）に対し、事業譲渡等をする旨（第467条第2項に規定する場合にあっては、同条第1項第3号に掲げる行為をする旨及び同条第2項の株式に関する事項）を通知しなければならない。

Ⅳ　次に掲げる場合には、前項の規定による通知は、公告をもってこれに代えることができる。

①　事業譲渡等をする株式会社が公開会社である場合

②　事業譲渡等をする株式会社が第467条第1項＜事業譲渡等の株主総会による承認＞の株主総会の決議によって事業譲渡等に係る契約の承認を受けた場合

Ⅴ　第1項の規定による請求（以下この章において「株式買取請求」という。）は、効力発生日の20日前の日から効力発生日の前日までの間に、その株式買取請求に係る株式の数（種類株式発行会社にあっては、株式の種類及び種類ごとの数）を明らかにしてしなければならない。

Ⅵ　株券が発行されている株式について株式買取請求をしようとするときは、当該株式の株主は、事業譲渡等をする株式会社に対し、当該株式に係る株券を提出しなければならない。ただし、当該株券について第223条＜株券喪失登録の請求＞の規定による請求をした者については、この限りでない。

Ⅶ　株式買取請求をした株主は、事業譲渡等をする株式会社の承諾を得た場合に限り、その株式買取請求を撤回することができる。

Ⅷ　事業譲渡等を中止したときは、株式買取請求は、その効力を失う。

Ⅸ　第133条＜株主の請求による株主名簿記載事項の記載又は記録＞の規定は、株式買取請求に係る株式については、適用しない。

株式会社

[趣旨] 資本多数決の原則と取締役・執行役の経営判断を前提としつつ、反対する少数株主の投下資本回収の途を確保して経済的救済を図るため、株式買取請求権を認めるものである。

《注　釈》

・事業譲渡をする場合において、譲渡会社の新株予約権者が、譲渡会社に対して、自己の有する新株予約権を買い取ることを請求することができる旨を認めた規定はない予。

【関連条文】 116［定款変更における反対株主の株式買取請求権］、182の4［株式併合における反対株主の株式買取請求権］、469［事業譲渡等における反対株主の株式買取請求権］、785・797・806［合併等における反対株主の株式買取請求権］、816の6［株式交付における反対株主の株式買取請求権］

第４７０条　（株式の価格の決定等）

Ⅰ　株式買取請求があった場合において、株式の価格の決定について、株主と事業譲渡等をする株式会社との間に協議が調ったときは、当該株式会社は、効力発生日から６０日以内にその支払をしなければならない。

Ⅱ　株式の価格の決定について、効力発生日から３０日以内に協議が調わないときは、株主又は前項の株式会社は、その期間の満了の日後３０日以内に、裁判所に対し、価格の決定の申立てをすることができる。

Ⅲ　前条第７項の規定にかかわらず、前項に規定する場合において、効力発生日から６０日以内に同項の申立てがないときは、その期間の満了後は、株主は、いつでも、株式買取請求を撤回することができる。

Ⅳ　第１項の株式会社は、裁判所の決定した価格に対する同項の期間の満了の日後の法定利率による利息をも支払わなければならない。

Ⅴ　第１項の株式会社は、株式の価格の決定があるまでは、株主に対し、当該株式会社が公正な価格と認める額を支払うことができる。

Ⅵ　株式買取請求に係る株式の買取りは、効力発生日に、その効力を生ずる。

Ⅶ　株券発行会社は、株券が発行されている株式について株式買取請求があったときは、株券と引換えに、その株式買取請求に係る株式の代金を支払わなければならない。

・第８章・【解散】

《概　説》

◆　解散

1　解散の意義

解散とは、会社の法人格の消滅を来すべき原因となる法律事実のことをいう。

→合併による解散の場合を除き（475①かっこ書参照）、会社の法人格は解散により直ちに消滅するのではなく、清算手続が結了した時に消滅する

2　解散原因

(1)　定款で定めた存続期間の満了（471①）

(2) 定款で定めた解散の事由の発生（471②）
(3) 株主総会の決議（471③）
(4) 合併（合併により当該株式会社が消滅する場合に限る。）（471④）
(5) 破産手続開始の決定（471⑤）
(6) 休眠会社のみなし解散（472）
(7) 解散命令（824Ⅰ）又は解散判決（833Ⅰ）による解散を命ずる裁判

3 解散の効果

(1) 清算手続の開始（475①）
(2) 解散の公示（926）
(3) 会社の継続

(a) 意義

会社の継続とは、解散後の清算株式会社が、将来に向かって存続中の会社に復帰することである。

(b) 要件

存続期間の満了（471①）、その他定款に定めた事由の発生（471②）、又は株主総会の決議（471③）により解散した場合には、株主総会の特別決議より、会社を継続することができる（473、309Ⅱ⑪）。

第４７１条 （解散の事由） 共

株式会社は、次に掲げる事由によって解散する。
① 定款で定めた存続期間の満了
② 定款で定めた解散の事由の発生
③ 株主総会の決議 司予
④ 合併（合併により当該株式会社が消滅する場合に限る。）予
⑤ 破産手続開始の決定
⑥ 第８２４条第１項<株主等の申立てによる裁判所の会社解散命令>又は第８３３条第１項<会社の解散の訴え>の規定による解散を命ずる裁判

【関連条文】 309Ⅱ⑪［株主総会特別決議］、475①［清算の開始原因］、926［解散の登記］

第４７２条 （休眠会社のみなし解散）

Ⅰ 休眠会社（株式会社であって、当該株式会社に関する登記が最後にあった日から１２年を経過したものをいう。以下この条において同じ。）は、法務大臣が休眠会社に対し２箇月以内に法務省令で定めるところによりその本店の所在地を管轄する登記所に事業を廃止していない旨の届出をすべき旨を官報に公告した場合において、その届出をしないときは、その２箇月の期間の満了の時に、解散したものとみなす。ただし、当該期間内に当該休眠会社に関する登記がされたときは、この限りでない。
Ⅱ 登記所は、前項の規定による公告があったときは、休眠会社に対し、その旨の通知を発しなければならない。

【関連条文】 規139

第４７３条　（株式会社の継続）

株式会社は、第４７１条第１号から第３号まで＜定款で定めた存続期間の満了等の株式会社の解散の事由＞に掲げる事由によって解散した場合（前条第１項の規定により解散したものとみなされた場合を含む。）には、次章の規定による清算が結了するまで（同項の規定により解散したものとみなされた場合にあっては、解散したものとみなされた後３年以内に限る〈書。）、株主総会の決議によって、株式会社を継続することができる〈司予書。

【関連条文】309 Ⅱ⑪［株主総会の特別決議］〈司、927［継続の登記］

第４７４条　（解散した株式会社の合併等の制限）

株式会社が解散した場合には、当該株式会社は、次に掲げる行為をすることができない。

①　合併（合併により当該株式会社が存続する場合に限る。）〈予書

②　吸収分割による他の会社がその事業に関して有する権利義務の全部又は一部の承継

・第９章・【清算】

《概　説》

◆　清算

1　意義

清算とは、会社の法人格消滅前に、解散した会社につき法律関係を整理し、会社財産を換価分配するための後始末をすることをいう。

株式会社の清算は、持分会社の場合と異なり、任意の方法で財産を処分する任意清算（668）は認められず、法定清算による。法定清算には、①通常清算と、②財産状態の不良な会社について裁判所の厳重な監督の下に行われる特別清算とがある。

2　清算中の会社

株式会社が解散したときは、合併及び破産手続開始決定の場合を除き、清算手続に入るが（475①）、会社は清算の目的の範囲内でなお存続するとみなされる（476）。

3　清算の終了

清算手続が進行して、会社債務の弁済・残余財産の分配が終了し、株主総会で決算報告書の承認（507 Ⅲ）がなされれば、清算は結了して、この承認の後、一定の期間内に清算結了の登記をすることを要する（929）。

4　特別清算

(1)　会社更生

会社更生とは、株式会社に関して、利害関係人の利益を調整しつつ、企業の維持更生を図ることを目的とする制度のことをいい、民事再生手続よりも強力な手続が認められている（会社更生法）。

(2)　民事再生手続

民事再生手続は、すべての法人及び個人が対象となり、債務者ないし経営者の事業経営・財産の管理処分権を維持しながら、債権者の法定多数の同意と裁判所の監督の下で、企業の再建を進めることを企図している（民事再生法）。

■第１節　総則

第１款　清算の開始

第４７５条　（清算の開始原因）

株式会社は、次に掲げる場合には、この章の定めるところにより、清算をしなければならない。

①　解散した場合（第４７１条第４号＜合併＞に掲げる事由によって解散した場合及び破産手続開始の決定により解散した場合であって当該破産手続が終了していない場合を除く〈同。）

②　設立の無効の訴えに係る請求を認容する判決が確定した場合〈同書

③　株式移転の無効の訴えに係る請求を認容する判決が確定した場合

第４７６条　（清算株式会社の能力）

前条の規定により清算をする株式会社（以下「清算株式会社」という。）は、清算の目的の範囲内において、清算が結了するまではなお存続するものとみなす〈予。

［趣旨］解散した会社も、合併の場合を除き、債権の回収や債務の弁済といった事後処理をする必要がある。

第2款　清算株式会社の機関

第１目　株主総会以外の機関の設置

第４７７条

Ⅰ　清算株式会社には、１人又は２人以上の清算人を置かなければならない。

Ⅱ　清算株式会社は、定款の定めによって、清算人会、監査役又は監査役会を置くことができる〈書。

Ⅲ　監査役会を置く旨の定款の定めがある清算株式会社は、清算人会を置かなければならない〈同。

Ⅳ　第４７５条各号に掲げる場合に該当することとなった時において公開会社又は大会社であった清算株式会社は、監査役を置かなければならない〈書。

Ⅴ　第４７５条各号に掲げる場合に該当することとなった時において監査等委員会設置会社であった清算株式会社であって、前項の規定の適用があるものにおいては、監査等委員である取締役が監査役となる〈書。

Ⅵ　第４７５条各号に掲げる場合に該当することとなった時において指名委員会等設置会社であった清算株式会社であって、第４項の規定の適用があるものにおいては、監査委員が監査役となる〈同。

Ⅶ　第４章第２節の規定は、清算株式会社については、適用しない〈書。

第２目　清算人の就任及び解任並びに監査役の退任

第４７８条　（清算人の就任）

Ⅰ　次に掲げる者は、清算株式会社の清算人となる。

①　取締役（次号又は第３号に掲げる者がある場合を除く。）〈予

②　定款で定める者

③　株主総会の決議によって選任された者

Ⅱ　前項の規定により清算人となる者がないときは、裁判所は、利害関係人の申立てにより、清算人を選任する〈予。

Ⅲ　前２項の規定にかかわらず、第４７１条第６号＜解散を命ずる裁判＞に掲げる事由によって解散した清算株式会社については、裁判所は、利害関係人若しくは法務大臣の申立てにより又は職権で、清算人を選任する〈書。

Ⅳ　第１項及び第２項の規定にかかわらず、第４７５条第２号又は第３号に掲げる場合に該当することとなった清算株式会社については、裁判所は、利害関係人の申立てにより、清算人を選任する。

Ⅴ　第４７５条各号に掲げる場合に該当することとなった時において監査等委員会設置会社であった清算株式会社における第１項第１号の規定の適用については、同号中「取締役」とあるのは、「監査等委員である取締役以外の取締役」とする。

Ⅵ　第４７５条各号に掲げる場合に該当することとなった時において指名委員会等設置会社であった清算株式会社における第１項第１号の規定の適用については、同号中「取締役」とあるのは、「監査委員以外の取締役」とする。

Ⅶ　第３３５条第３項の規定にかかわらず、第４７５条各号に掲げる場合に該当することとなった時において監査等委員会設置会社又は指名委員会等設置会社であった清算株式会社である監査役会設置会社においては、監査役は、３人以上で、そのうち半数以上は、次に掲げる要件のいずれにも該当するものでなければならない。

①　その就任の前１０年間当該監査等委員会設置会社若しくは指名委員会等設置会社又はその子会社の取締役（社外取締役を除く。）、会計参与（会計参与が法人であるときは、その職務を行うべき社員。次号において同じ。）若しくは執行役又は支配人その他の使用人であったことがないこと。

②　その就任の前１０年内のいずれかの時において当該監査等委員会設置会社若しくは指名委員会等設置会社又はその子会社の社外取締役又は監査役であったことがある者にあっては、当該社外取締役又は監査役への就任の前１０年間当該監査等委員会設置会社若しくは指名委員会等設置会社又はその子会社の取締役（社外取締役を除く。）、会計参与若しくは執行役又は支配人その他の使用人であったことがないこと。

③　第２条第１６号ハからホまでに掲げる要件

Ⅷ　第３３０条、第３３１条第１項及び第３３１条の２＜取締役の資格等＞の規定は清算人について、第３３１条第５項の規定は清算人会設置会社（清算人会を置く清算株式会社又はこの法律の規定により清算人会を置かなければならない清算株式会社をいう。以下同じ。）について、それぞれ準用する。この場合において、同項中「取締役は」とあるのは、「清算人は」と読み替えるものとする。

第４７９条　（清算人の解任）

Ⅰ　清算人（前条第２項から第４項までの規定により裁判所が選任したものを除く〈書〉。）は、いつでも、株主総会の決議によって解任することができる。

Ⅱ　重要な事由があるときは、裁判所は、次に掲げる株主の申立てにより、清算人を解任することができる。

①　総株主（次に掲げる株主を除く。）の議決権の１００分の３（これを下回る割合を定款で定めた場合にあっては、その割合）以上の議決権を６箇月（これを下回る期間を定款で定めた場合にあっては、その期間）前から引き続き有する株主（次に掲げる株主を除く。）

イ　清算人を解任する旨の議案について議決権を行使することができない株主

ロ　当該申立てに係る清算人である株主

②　発行済株式（次に掲げる株主の有する株式を除く。）の１００分の３（これを下回る割合を定款で定めた場合にあっては、その割合）以上の数の株式を６箇月（これを下回る期間を定款で定めた場合にあっては、その期間）前から引き続き有する株主（次に掲げる株主を除く。）

イ　当該清算株式会社である株主

ロ　当該申立てに係る清算人である株主

Ⅲ　公開会社でない清算株式会社における前項各号の規定の適用については、これらの規定中「６箇月（これを下回る期間を定款で定めた場合にあっては、その期間）前から引き続き有する」とあるのは、「有する」とする。

Ⅳ　第３４６条第１項から第３項までの規定は、清算人について準用する。

第４８０条 （監査役の退任）

Ⅰ 清算株式会社の監査役は、当該清算株式会社が次に掲げる定款の変更をした場合には、当該定款の変更の効力が生じた時に退任する。
① 監査役を置く旨の定款の定めを廃止する定款の変更
② 監査役の監査の範囲を会計に関するものに限定する旨の定款の定めを廃止する定款の変更

Ⅱ 第３３６条の規定は、清算株式会社の監査役については、適用しない書。

第３目 清算人の職務等

第４８１条 （清算人の職務）

清算人は、次に掲げる職務を行う。
① 現務の結了
② 債権の取立て及び債務の弁済同
③ 残余財産の分配

第４８２条 （業務の執行）

Ⅰ 清算人は、清算株式会社（清算人会設置会社を除く。以下この条において同じ。）の業務を執行する。

Ⅱ 清算人が２人以上ある場合には、清算株式会社の業務は、定款に別段の定めがある場合を除き、清算人の過半数をもって決定する。

Ⅲ 前項の場合には、清算人は、次に掲げる事項についての決定を各清算人に委任することができない。
① 支配人の選任及び解任
② 支店の設置、移転及び廃止
③ 第２９８条第１項各号（第３２５条において準用する場合を含む。）に掲げる事項
④ 清算人の職務の執行が法令及び定款に適合することを確保するための体制その他清算株式会社の業務の適正を確保するために必要なものとして法務省令で定める体制の整備

Ⅳ 第３５３条から第３５７条（第３項を除く。）まで、第３６０条並びに第３６１条第１項及び第４項の規定は、清算人（同条の規定については、第４７８条第２項から第４項までの規定により裁判所が選任したものを除く。）について準用する。この場合において、第３５３条中「第３４９条第４項」とあるのは「第４８３条第６項において準用する第３４９条第４項」と、第３５４条中「代表取締役」とあるのは「代表清算人（第４８３条第１項に規定する代表清算人をいう。）」と、第３６０条第３項中「監査役設置会社、監査等委員会設置会社又は指名委員会等設置会社」とあるのは「監査役設置会社」と読み替えるものとする。

【関連条文】 規140

第483条　(清算株式会社の代表)

Ⅰ　清算人は、清算株式会社を代表する。ただし、他に代表清算人（清算株式会社を代表する清算人をいう。以下同じ。）その他清算株式会社を代表する者を定めた場合は、この限りでない。

Ⅱ　前項本文の清算人が２人以上ある場合には、清算人は、各自、清算株式会社を代表する。

Ⅲ　清算株式会社（清算人会設置会社を除く。）は、定款、定款の定めに基づく清算人（第４７８条第２項から第４項までの規定により裁判所が選任したものを除く。以下この項において同じ。）の互選又は株主総会の決議によって、清算人の中から代表清算人を定めることができる。

Ⅳ　第４７８条第１項第１号の規定により取締役が清算人となる場合において、代表取締役を定めていたときは、当該代表取締役が代表清算人となる。

Ⅴ　裁判所は、第４７８条第２項から第４項までの規定により清算人を選任する場合には、その清算人の中から代表清算人を定めることができる。

Ⅵ　第３４９条第４項及び第５項並びに第３５１条の規定は代表清算人について、第３５２条の規定は民事保全法第５６条に規定する仮処分命令により選任された清算人又は代表清算人の職務を代行する者について、それぞれ準用する。

第484条　(清算株式会社についての破産手続の開始)

Ⅰ　清算株式会社の財産がその債務を完済するのに足りないことが明らかになったときは、清算人は、直ちに破産手続開始の申立てをしなければならない予。

Ⅱ　清算人は、清算株式会社が破産手続開始の決定を受けた場合において、破産管財人にその事務を引き継いだときは、その任務を終了したものとする。

Ⅲ　前項に規定する場合において、清算株式会社が既に債権者に支払い、又は株主に分配したものがあるときは、破産管財人は、これを取り戻すことができる。

第485条　(裁判所の選任する清算人の報酬)

裁判所は、第４７８条第２項から第４項までの規定により清算人を選任した場合には、清算株式会社が当該清算人に対して支払う報酬の額を定めることができる。

第486条　(清算人の清算株式会社に対する損害賠償責任)

Ⅰ　清算人は、その任務を怠ったときは、清算株式会社に対し、これによって生じた損害を賠償する責任を負う。

Ⅱ　清算人が第４８２条第４項において準用する第３５６条第１項の規定に違反して同項第１号の取引をしたときは、当該取引により清算人又は第三者が得た利益の額は、前項の損害の額と推定する。

Ⅲ　第４８２条第４項において準用する第３５６条第１項第２号又は第３号の取引によって清算株式会社に損害が生じたときは、次に掲げる清算人は、その任務を怠ったものと推定する。

①　第４８２条第４項において準用する第３５６条第１項の清算人

②　清算株式会社が当該取引をすることを決定した清算人

③　当該取引に関する清算人会の承認の決議に賛成した清算人

Ⅳ　第４２４条及び第４２８条第１項の規定は、清算人の第１項の責任について準用する。この場合において、同条第１項中「第３５６条第１項第２号（第４１９条第２項において準用する場合を含む。）」とあるのは、「第４８２条第４項において準用する第３５６条第１項第２号」と読み替えるものとする。

第４８７条　（清算人の第三者に対する損害賠償責任）

Ⅰ　清算人がその職務を行うについて悪意又は重大な過失があったときは、当該清算人は、これによって第三者に生じた損害を賠償する責任を負う。

Ⅱ　清算人が、次に掲げる行為をしたときも、前項と同様とする。ただし、当該清算人が当該行為をすることについて注意を怠らなかったことを証明したときは、この限りでない。

① 株式、新株予約権、社債若しくは新株予約権付社債を引き受ける者の募集をする際に通知しなければならない重要な事項についての虚偽の通知又は当該募集のための当該清算株式会社の事業その他の事項に関する説明に用いた資料についての虚偽の記載若しくは記録

② 第４９２条第１項に規定する財産目録等並びに第４９４条第１項の貸借対照表及び事務報告並びにこれらの附属明細書に記載し、又は記録すべき重要な事項についての虚偽の記載又は記録

③ 虚偽の登記

④ 虚偽の公告

第４８８条　（清算人及び監査役の連帯責任）

Ⅰ　清算人又は監査役が清算株式会社又は第三者に生じた損害を賠償する責任を負う場合において、他の清算人又は監査役も当該損害を賠償する責任を負うときは、これらの者は、連帯債務者とする。

Ⅱ　前項の場合には、第４３０条の規定は、適用しない。

第４目　清算人会

第４８９条　（清算人会の権限等）

Ⅰ　清算人会は、すべての清算人で組織する。
Ⅱ　清算人会は、次に掲げる職務を行う。
①　清算人会設置会社の業務執行の決定
②　清算人の職務の執行の監督
③　代表清算人の選定及び解職
Ⅲ　清算人会は、清算人の中から代表清算人を選定しなければならない。ただし、他に代表清算人があるときは、この限りでない。
Ⅳ　清算人会は、その選定した代表清算人及び第４８３条第４項の規定により代表清算人となった者を解職することができる。
Ⅴ　第４８３条第５項の規定により裁判所が代表清算人を定めたときは、清算人会は、代表清算人を選定し、又は解職することができない。
Ⅵ　清算人会は、次に掲げる事項その他の重要な業務執行の決定を清算人に委任することができない。
①　重要な財産の処分及び譲受け
②　多額の借財
③　支配人その他の重要な使用人の選任及び解任
④　支店その他の重要な組織の設置、変更及び廃止
⑤　第６７６条第１号に掲げる事項その他の社債を引き受ける者の募集に関する重要な事項として法務省令で定める事項
⑥　清算人の職務の執行が法令及び定款に適合することを確保するための体制その他清算株式会社の業務の適正を確保するために必要なものとして法務省令で定める体制の整備
Ⅶ　次に掲げる清算人は、清算人会設置会社の業務を執行する。
①　代表清算人
②　代表清算人以外の清算人であって、清算人会の決議によって清算人会設置会社の業務を執行する清算人として選定されたもの
Ⅷ　第３６３条第２項、第３６４条及び第３６５条の規定は、清算人会設置会社について準用する。この場合において、第３６３条第２項中「前項各号」とあるのは「第４８９条第７項各号」と、「取締役は」とあるのは「清算人は」と、「取締役会」とあるのは「清算人会」と、第３６４条中「第３５３条」とあるのは「第４８２条第４項において準用する第３５３条」と、「取締役会は」とあるのは「清算人会は」と、第３６５条第１項中「第３５６条」とあるのは「第４８２条第４項において準用する第３５６条」と、「取締役会」とあるのは「清算人会」と、同条第２項中「第３５６条第１項各号」とあるのは「第４８２条第４項において準用する第３５６条第１項各号」と、「取締役は」とあるのは「清算人は」と、「取締役会に」とあるのは「清算人会に」と読み替えるものとする。

【関連条文】規 141、142

株式会社

第４９０条　（清算人会の運営）

Ⅰ　清算人会は、各清算人が招集する。ただし、清算人会を招集する清算人を定款又は清算人会で定めたときは、その清算人が招集する。

Ⅱ　前項ただし書に規定する場合には、同項ただし書の規定により定められた清算人（以下この項において「招集権者」という。）以外の清算人は、招集権者に対し、清算人会の目的である事項を示して、清算人会の招集を請求することができる。

Ⅲ　前項の規定による請求があった日から５日以内に、その請求があった日から２週間以内の日を清算人会の日とする清算人会の招集の通知が発せられない場合には、その請求をした清算人は、清算人会を招集することができる。

Ⅳ　第３６７条及び第３６８条の規定は、清算人会設置会社における清算人会の招集について準用する。この場合において、第３６７条第１項中「監査役設置会社、監査等委員会設置会社及び指名委員会等設置会社」とあるのは「監査役設置会社」と、「取締役が」とあるのは「清算人が」と、同条第２項中「取締役（前条第１項ただし書に規定する場合にあっては、招集権者）」とあるのは「清算人（第４９０条第１項ただし書に規定する場合にあっては、同条第２項に規定する招集権者）」と、同条第３項及び第４項中「前条第３項」とあるのは「第４９０条第３項」と、第３６８条第１項中「各取締役」とあるのは「各清算人」と、同条第２項中「取締役（」とあるのは「清算人（」と、「取締役及び」とあるのは「清算人及び」と読み替えるものとする。

Ⅴ　第３６９条から第３７１条までの規定は、清算人会設置会社における清算人会の決議について準用する。この場合において、第３６９条第１項中「取締役の」とあるのは「清算人の」と、同条第２項中「取締役」とあるのは「清算人」と、同条第３項中「取締役及び」とあるのは「清算人及び」と、同条第５項中「取締役であって」とあるのは「清算人であって」と、第３７０条中「取締役が」とあるのは「清算人が」と、「取締役（」とあるのは「清算人（」と、第３７１条第３項中「監査役設置会社、監査等委員会設置会社又は指名委員会等設置会社」とあるのは「監査役設置会社」と、同条第４項中「役員又は執行役」とあるのは「清算人又は監査役」と読み替えるものとする。

Ⅵ　第３７２条第１項及び第２項の規定は、清算人会設置会社における清算人会への報告について準用する。この場合において、同条第１項中「取締役、会計参与、監査役又は会計監査人」とあるのは「清算人又は監査役」と、「取締役（」とあるのは「清算人（」と、「取締役及び」とあるのは「清算人及び」と、同条第２項中「第３６３条第２項」とあるのは「第４８９条第８項において準用する第３６３条第２項」と読み替えるものとする。

【関連条文】規 143

第５目　取締役等に関する規定の適用

第４９１条

清算株式会社については、第２章（第１５５条を除く。）、第３章、第４章第１節、第３３５条第２項、第３４３条第１項及び第２項、第３４５条第４項において準用する同条第３項、第３５９条、同章第７節及び第８節並びに第７章の規定中取締役、代表取締役、取締役会又は取締役会設置会社に関する規定は、それぞれ清算人、代表清算人、清算人会又は清算人会設置会社に関する規定として清算人、代表清算人、清算人会又は清算人会設置会社に適用があるものとする。

第３款　財産目録等

第４９２条　（財産目録等の作成等）

Ⅰ　清算人（清算人会設置会社にあっては、第４８９条第７項各号に掲げる清算人）は、その就任後遅滞なく、清算株式会社の財産の現況を調査し、法務省令で定めるところにより、第４７５条各号に掲げる場合に該当することとなった日における財産目録及び貸借対照表（以下この条及び次条において「財産目録等」という。）を作成しなければならない。

Ⅱ　清算人会設置会社においては、財産目録等は、清算人会の承認を受けなければならない。

Ⅲ　清算人は、財産目録等（前項の規定の適用がある場合にあっては、同項の承認を受けたもの）を株主総会に提出し、又は提供し、その承認を受けなければならない。

Ⅳ　清算株式会社は、財産目録等を作成した時からその本店の所在地における清算結了の登記の時までの間、当該財産目等を保存しなければならない。

【関連条文】規 144、145

第４９３条　（財産目録等の提出命令）

裁判所は、申立てにより又は職権で、訴訟の当事者に対し、財産目録等の全部又は一部の提出を命ずることができる。

第４９４条　（貸借対照表等の作成及び保存）

Ⅰ　清算株式会社は、法務省令で定めるところにより、各清算事務年度（第４７５条各号に掲げる場合に該当することとなった日の翌日又はその後毎年その日に応当する日（応当する日がない場合にあっては、その前日）から始まる各１年の期間をいう。）に係る貸借対照表及び事務報告並びにこれらの附属明細書を作成しなければならない。

Ⅱ　前項の貸借対照表及び事務報告並びにこれらの附属明細書は、電磁的記録をもって作成することができる。

Ⅲ　清算株式会社は、第１項の貸借対照表を作成した時からその本店の所在地における清算結了の登記の時までの間、当該貸借対照表及びその附属明細書を保存しなければならない。

【関連条文】規 146、147

第４９５条　（貸借対照表等の監査等）

Ⅰ　監査役設置会社（監査役の監査の範囲を会計に関するものに限定する旨の定款の定めがある株式会社を含む。）においては、前条第１項の貸借対照表及び事務報告並びにこれらの附属明細書は、法務省令で定めるところにより、監査役の監査を受けなければならない。

Ⅱ　清算人会設置会社においては、前条第１項の貸借対照表及び事務報告並びにこれらの附属明細書（前項の規定の適用がある場合にあっては、同項の監査を受けたもの）は、清算人会の承認を受けなければならない。

【関連条文】規 148

第４９６条　（貸借対照表等の備置き及び閲覧等）

Ⅰ　清算株式会社は、第４９４条第１項に規定する各清算事務年度に係る貸借対照表及び事務報告並びにこれらの附属明細書（前条第１項の規定の適用がある場合にあっては、監査報告を含む。以下この条において「貸借対照表等」という。）を、定時株主総会の日の１週間前の日（第３１９条第１項の場合にあっては、同項の提案があった日）からその本店の所在地における清算結了の登記の時までの間、その本店に備え置かなければならない。

Ⅱ　株主及び債権者は、清算株式会社の営業時間内は、いつでも、次に掲げる請求をすることができる。ただし、第２号又は第４号に掲げる請求をするには、当該清算株式会社の定めた費用を支払わなければならない。

①　貸借対照表等が書面をもって作成されているときは、当該書面の閲覧の請求

②　前号の書面の謄本又は抄本の交付の請求

③　貸借対照表等が電磁的記録をもって作成されているときは、当該電磁的記録に記録された事項を法務省令で定める方法により表示したものの閲覧の請求

④　前号の電磁的記録に記録された事項を電磁的方法であって清算株式会社の定めたものにより提供することの請求又はその事項を記載した書面の交付の請求

Ⅲ　清算株式会社の親会社社員は、その権利を行使するため必要があるときは、裁判所の許可を得て、当該清算株式会社の貸借対照表等について前項各号に掲げる請求をすることができる。ただし、同項第２号又は第４号に掲げる請求をするには、当該清算株式会社の定めた費用を支払わなければならない。

【関連条文】規 226

第４９７条　（貸借対照表等の定時株主総会への提出等）

Ⅰ　次の各号に掲げる清算株式会社においては、清算人は、当該各号に定める貸借対照表及び事務報告を定時株主総会に提出し、又は提供しなければならない。
　①　第４９５条第１項に規定する監査役設置会社（清算人会設置会社を除く。）　同項の監査を受けた貸借対照表及び事務報告
　②　清算人会設置会社　第４９５条第２項の承認を受けた貸借対照表及び事務報告
　③　前２号に掲げるもの以外の清算株式会社　第４９４条第１項の貸借対照表及び事務報告

Ⅱ　前項の規定により提出され、又は提供された貸借対照表は、定時株主総会の承認を受けなければならない。

Ⅲ　清算人は、第１項の規定により提出され、又は提供された事務報告の内容を定時株主総会に報告しなければならない。

第４９８条　（貸借対照表等の提出命令）

裁判所は、申立てにより又は職権で、訴訟の当事者に対し、第４９４条第１項の貸借対照表及びその附属明細書の全部又は一部の提出を命ずることができる。

第４款　債務の弁済等

第４９９条　（債権者に対する公告等）

Ⅰ　清算株式会社は、第４７５条各号に掲げる場合に該当することとなった後、遅滞なく、当該清算株式会社の債権者に対し、一定の期間内にその債権を申し出るべき旨を官報に公告し、かつ、知れている債権者には、各別にこれを催告しなければならない書。ただし、当該期間は、２箇月を下ることができない書。

Ⅱ　前項の規定による公告には、当該債権者が当該期間内に申出をしないときは清算から除斥される旨を付記しなければならない。

第５００条　（債務の弁済の制限）

Ⅰ　清算株式会社は、前条第１項の期間内は、債務の弁済をすることができない。この場合において、清算株式会社は、その債務の不履行によって生じた責任を免れることができない。

Ⅱ　前項の規定にかかわらず、清算株式会社は、前条第１項の期間内であっても、裁判所の許可を得て、少額の債権、清算株式会社の財産につき存する担保権によって担保される債権その他これを弁済しても他の債権者を害するおそれがない債権に係る債務について、その弁済をすることができる。この場合において、当該許可の申立ては、清算人が２人以上あるときは、その全員の同意によってしなければならない。

第５０１条　（条件付債権等に係る債務の弁済）

Ⅰ　清算株式会社は、条件付債権、存続期間が不確定な債権その他その額が不確定な債権に係る債務を弁済することができる。この場合においては、これらの債権を評

価させるため、裁判所に対し、鑑定人の選任の申立てをしなければならない。
Ⅱ　前項の場合には、清算株式会社は、同項の鑑定人の評価に従い同項の債権に係る債務を弁済しなければならない。
Ⅲ　第1項の鑑定人の選任の手続に関する費用は、清算株式会社の負担とする。当該鑑定人による鑑定のための呼出し及び質問に関する費用についても、同様とする。

第５０２条　（債務の弁済前における残余財産の分配の制限）

清算株式会社は、当該清算株式会社の債務を弁済した後でなければ、その財産を株主に分配することができない。ただし、その存否又は額について争いのある債権に係る債務についてその弁済をするために必要と認められる財産を留保した場合は、この限りでない。

[趣旨]債権者に対する弁済前に、株主に対して、残余財産を分配することを禁じたものであって、債権者を保護する趣旨である。

第５０３条　（清算からの除斥）

Ⅰ　清算株式会社の債権者（知れている債権者を除く。）であって第４９９条第１項の期間内にその債権の申出をしなかったものは、清算から除斥される。
Ⅱ　前項の規定により清算から除斥された債権者は、分配がされていない残余財産に対してのみ、弁済を請求することができる〈書〉。
Ⅲ　清算株式会社の残余財産を株主の一部に分配した場合には、当該株主の受けた分配と同一の割合の分配を当該株主以外の株主に対してするために必要な財産は、前項の残余財産から控除する。

第５款　残余財産の分配

第５０４条　（残余財産の分配に関する事項の決定）

Ⅰ　清算株式会社は、残余財産の分配をしようとするときは、清算人の決定（清算人会設置会社にあっては、清算人会の決議）によって、次に掲げる事項を定めなければならない。
　①　残余財産の種類
　②　株主に対する残余財産の割当てに関する事項
Ⅱ　前項に規定する場合において、残余財産の分配について内容の異なる２以上の種類の株式を発行しているときは、清算株式会社は、当該種類の株式の内容に応じ、同項第２号に掲げる事項として、次に掲げる事項を定めることができる。
　①　ある種類の株式の株主に対して残余財産の割当てをしないこととするときは、その旨及び当該株式の種類
　②　前号に掲げる事項のほか、残余財産の割当てについて株式の種類ごとに異なる取扱いを行うこととするときは、その旨及び当該異なる取扱いの内容
Ⅲ　第１項第２号に掲げる事項についての定めは、株主（当該清算株式会社及び前項第１号の種類の株式の株主を除く。）の有する株式の数（前項第２号に掲げる事項

についての定めがある場合にあっては、各種類の株式の数）に応じて残余財産を割り当てることを内容とするものでなければならない。

［趣旨］３項は、株主平等原則の現れである。また、３項のかっこ書は、自己株式に対して残余財産分配請求権を認めると残余財産の分配が無限に続くことになるので明文で否定したものである。　⇒ p.118

【関連条文】109 Ⅰ［株主平等原則］

第５０５条　（残余財産が金銭以外の財産である場合）

Ⅰ　株主は、残余財産が金銭以外の財産であるときは、金銭分配請求権（当該残余財産に代えて金銭を交付することを清算株式会社に対して請求する権利をいう。以下この条において同じ。）を有する。この場合において、清算株式会社は、清算人の決定（清算人会設置会社にあっては、清算人会の決議）によって、次に掲げる事項を定めなければならない。

①　金銭分配請求権を行使することができる期間

②　一定の数未満の数の株式を有する株主に対して残余財産の割当てをしないこととするときは、その旨及びその数

Ⅱ　前項に規定する場合には、清算株式会社は、同項第１号の期間の末日の２０日前までに、株主に対し、同号に掲げる事項を通知しなければならない。

Ⅲ　清算株式会社は、金銭分配請求権を行使した株主に対し、当該株主が割当てを受けた残余財産に代えて、当該残余財産の価額に相当する金銭を支払わなければならない。この場合においては、次の各号に掲げる場合の区分に応じ、当該各号に定める額をもって当該残余財産の価額とする。

①　当該残余財産が市場価格のある財産である場合　当該残余財産の市場価格として法務省令で定める方法により算定される額

②　前号に掲げる場合以外の場合　清算株式会社の申立てにより裁判所が定める額

《注　釈》

・解散前の株式会社と異なり、清算中の株式会社では、金銭分配請求権を株主総会の決議の下に置くことなく、当然に株主に付与している。その理由は、残余財産分配にあっては、その価額が大きくなり、株主による換金が難しくなることが想定されるためである。

【関連条文】規 149

第５０６条　（基準株式数を定めた場合の処理）

前条第１項第２号の数（以下この条において「基準株式数」という。）を定めた場合には、清算株式会社は、基準株式数に満たない数の株式（以下この条において「基準未満株式」という。）を有する株主に対し、前条第３項後段の規定の例により基準株式数の株式を有する株主が割当てを受けた残余財産の価額として定めた額に当該基準未満株式の数の基準株式数に対する割合を乗じて得た額に相当する金銭を支払わなければならない。

第６款　清算事務の終了等

第５０７条

Ⅰ　清算株式会社は、清算事務が終了したときは、遅滞なく、法務省令で定めるところにより、決算報告を作成しなければならない。

Ⅱ　清算人会設置会社においては、決算報告は、清算人会の承認を受けなければならない予。

Ⅲ　清算人は、決算報告（前項の規定の適用がある場合にあっては、同項の承認を受けたもの）を株主総会に提出し、又は提供し、その承認を受けなければならない予。

Ⅳ　前項の承認があったときは、任務を怠ったことによる清算人の損害賠償の責任は、免除されたものとみなす予。ただし、清算人の職務の執行に関し不正の行為があったときは、この限りでない。

【関連条文】規150

第７款　帳簿資料の保存

第５０８条

Ⅰ　清算人（清算人会設置会社にあっては、第４８９条第７項各号に掲げる清算人）は、清算株式会社の本店の所在地における清算結了の登記の時から１０年間、清算株式会社の帳簿並びにその事業及び清算に関する重要な資料（以下この条において「帳簿資料」という。）を保存しなければならない。

Ⅱ　裁判所は、利害関係人の申立てにより、前項の清算人に代わって帳簿資料を保存する者を選任することができる。この場合においては、同項の規定は、適用しない。

Ⅲ　前項の規定により選任された者は、清算株式会社の本店の所在地における清算結了の登記の時から１０年間、帳簿資料を保存しなければならない予。

Ⅳ　第２項の規定による選任の手続に関する費用は、清算株式会社の負担とする。

第８款　適用除外等

第５０９条

Ⅰ　次に掲げる規定は、清算株式会社については、適用しない。

①　第１５５条

②　第５章第２節第２款（第４３５条第４項、第４４０条第３項、第４４２条及び第４４３条を除く。）及び第３款並びに第３節から第５節まで書

③　第５編第４章及び第４章の２並びに同編第５章中株式交換、株式移転及び株式交付の手続に係る部分

Ⅱ　第２章第４節の２<特別支配株主の株式等売渡請求>の規定は、対象会社が清算株式会社である場合には、適用しない書。

Ⅲ　清算株式会社は、無償で取得する場合その他法務省令で定める場合に限り、当該清算株式会社の株式を取得することができる。

【関連条文】規151

■第2節　特別清算

第1款　特別清算の開始

第５１０条　（特別清算開始の原因）

裁判所は、清算株式会社に次に掲げる事由があると認めるときは、第５１４条の規定に基づき、申立てにより、当該清算株式会社に対し特別清算の開始を命ずる。

①　清算の遂行に著しい支障を来すべき事情があること。

②　債務超過（清算株式会社の財産がその債務を完済するのに足りない状態をいう。次条第２項において同じ。）の疑いがあること。

第５１１条　（特別清算開始の申立て）

Ⅰ　債権者、清算人、監査役又は株主は、特別清算開始の申立てをすることができる。

Ⅱ　清算株式会社に債務超過の疑いがあるときは、清算人は、特別清算開始の申立てをしなければならない。

第５１２条　（他の手続の中止命令等）

Ⅰ　裁判所は、特別清算開始の申立てがあった場合において、必要があると認めるときは、債権者、清算人、監査役若しくは株主の申立てにより又は職権で、特別清算開始の申立てにつき決定があるまでの間、次に掲げる手続又は処分の中止を命ずることができる。ただし、第１号に掲げる破産手続については破産手続開始の決定がされていない場合に限り、第２号に掲げる手続又は第３号に掲げる処分についてはその手続の申立人である債権者又はその処分を行う者に不当な損害を及ぼすおそれがない場合に限る。

①　清算株式会社についての破産手続

②　清算株式会社の財産に対して既にされている強制執行、仮差押え又は仮処分の手続（一般の先取特権その他一般の優先権がある債権に基づくものを除く。）

③　清算株式会社の財産に対して既にされている共助対象外国租税（租税条約等の実施に伴う所得税法、法人税法及び地方税法の特例等に関する法律（昭和４４年法律第４６号。第５１８条の２及び第５７１条第４項において「租税条約等実施特例法」という。）第１１条第１項に規定する共助対象外国租税をいう。以下同じ。）の請求権に基づき国税滞納処分の例によってする処分（第５１５条第１項において「外国租税滞納処分」という。）

Ⅱ　特別清算開始の申立てを却下する決定に対して第８９０条第５項の即時抗告がされたときも、前項と同様とする。

第５１３条　（特別清算開始の申立ての取下げの制限）

特別清算開始の申立てをした者は、特別清算開始の命令前に限り、当該申立てを取り下げることができる。この場合において、前条の規定による中止の命令、第５４０条第２項の規定による保全処分又は第５４１条第２項の規定による処分がされた後は、裁判所の許可を得なければならない。

第５１４条（特別清算開始の命令）

裁判所は、特別清算開始の申立てがあった場合において、特別清算開始の原因となる事由があると認めるときは、次のいずれかに該当する場合を除き、特別清算開始の命令をする。

① 特別清算の手続の費用の予納がないとき。
② 特別清算によっても清算を結了する見込みがないことが明らかであるとき。
③ 特別清算によることが債権者の一般の利益に反することが明らかであるとき。
④ 不当な目的で特別清算開始の申立てがされたとき、その他申立てが誠実にされたものでないとき。

第５１５条（他の手続の中止等）

Ⅰ 特別清算開始の命令があったときは、破産手続開始の申立て、清算株式会社の財産に対する強制執行、仮差押え、仮処分若しくは外国租税滞納処分又は財産開示手続（民事執行法（昭和５４年法律第４号）第１９７条第１項の申立てによるものに限る。以下この項において同じ。）若しくは第三者からの情報取得手続（同法第２０５条第１項第１号、第２０６条第１項又は第２０７条第１項の申立てによるものに限る。以下この項において同じ。）の申立てはすることができず、破産手続（破産手続開始の決定がされていないものに限る。）、清算株式会社の財産に対して既にされている強制執行、仮差押え及び仮処分の手続並びに外国租税滞納処分並びに財産開示手続及び第三者からの情報取得手続は中止する。ただし、一般の先取特権その他一般の優先権がある債権に基づく強制執行、仮差押え、仮処分又は財産開示手続若しくは第三者からの情報取得手続については、この限りでない。

Ⅱ 特別清算開始の命令が確定したときは、前項の規定により中止した手続又は処分は、特別清算の手続の関係においては、その効力を失う。

Ⅲ 特別清算開始の命令があったときは、清算株式会社の債権者の債権（一般の先取特権その他一般の優先権がある債権、特別清算の手続のために清算株式会社に対して生じた債権及び特別清算の手続に関する清算株式会社に対する費用請求権を除く。以下この節において「協定債権」という。）については、第９３８条第１項第２号又は第３号に規定する特別清算開始の取消しの登記又は特別清算終結の登記の日から２箇月を経過する日までの間は、時効は、完成しない。

第５１６条（担保権の実行の手続等の中止命令）

裁判所は、特別清算開始の命令があった場合において、債権者の一般の利益に適合し、かつ、担保権の実行の手続等（清算株式会社の財産につき存する担保権の実行の手続、企業担保権の実行の手続又は清算株式会社の財産に対して既にされている一般の先取特権その他一般の優先権がある債権に基づく強制執行の手続をいう。以下この条において同じ。）の申立人に不当な損害を及ぼすおそれがないものと認めるときは、清算人、監査役、債権者若しくは株主の申立てにより又は職権で、相当の期間を定めて、担保権の実行の手続等の中止を命ずることができる。

第５１７条（相殺の禁止）

Ⅰ 協定債権を有する債権者（以下この節において「協定債権者」という。）は、次に掲げる場合には、相殺をすることができない。
① 特別清算開始後に清算株式会社に対して債務を負担したとき。
② 支払不能（清算株式会社が、支払能力を欠くために、その債務のうち弁済期にあるものにつき、一般的かつ継続的に弁済することができない状態をいう。以下この款において同じ。）になった後に契約によって負担する債務を専ら協定債権をもってする相殺に供する目的で清算株式会社の財産の処分を内容とする契約を清算株式会社との間で締結し、又は清算株式会社に対して債務を負担する者の債務を引き受けることを内容とする契約を締結することにより清算株式会社に対して債務を負担した場合であって、当該契約の締結の当時、支払不能であったことを知っていたとき。
③ 支払の停止があった後に清算株式会社に対して債務を負担した場合であって、その負担の当時、支払の停止があったことを知っていたとき。ただし、当該支払の停止があった時において支払不能でなかったときは、この限りでない。
④ 特別清算開始の申立てがあった後に清算株式会社に対して債務を負担した場合であって、その負担の当時、特別清算開始の申立てがあったことを知っていたとき。
Ⅱ 前項第２号から第４号までの規定は、これらの規定に規定する債務の負担が次に掲げる原因のいずれかに基づく場合には、適用しない。
① 法定の原因
② 支払不能であったこと又は支払の停止若しくは特別清算開始の申立てがあったことを協定債権者が知った時より前に生じた原因
③ 特別清算開始の申立てがあった時より１年以上前に生じた原因

第５１８条

Ⅰ 清算株式会社に対して債務を負担する者は、次に掲げる場合には、相殺をすることができない。
① 特別清算開始後に他人の協定債権を取得したとき。
② 支払不能になった後に協定債権を取得した場合であって、その取得の当時、支払不能であったことを知っていたとき。
③ 支払の停止があった後に協定債権を取得した場合であって、その取得の当時、支払の停止があったことを知っていたとき。ただし、当該支払の停止があった時において支払不能でなかったときは、この限りでない。
④ 特別清算開始の申立てがあった後に協定債権を取得した場合であって、その取得の当時、特別清算開始の申立てがあったことを知っていたとき。
Ⅱ 前項第２号から第４号までの規定は、これらの規定に規定する協定債権の取得が次に掲げる原因のいずれかに基づく場合には、適用しない。
① 法定の原因
② 支払不能であったこと又は支払の停止若しくは特別清算開始の申立てがあったことを清算株式会社に対して債務を負担する者が知った時より前に生じた原因
③ 特別清算開始の申立てがあった時より１年以上前に生じた原因
④ 清算株式会社に対して債務を負担する者と清算株式会社との間の契約

第５１８条の２ （共助対象外国租税債権者の手続参加）

協定債権者は、共助対象外国租税の請求権をもって特別清算の手続に参加するには、租税条約等実施特例法第１１条第１項に規定する共助実施決定を得なければならない。

第２款 裁判所による監督及び調査

第５１９条 （裁判所による監督）

Ⅰ 特別清算開始の命令があったときは、清算株式会社の清算は、裁判所の監督に属する。

Ⅱ 裁判所は、必要があると認めるときは、清算株式会社の業務を監督する官庁に対し、当該清算株式会社の特別清算の手続について意見の陳述を求め、又は調査を嘱託することができる。

Ⅲ 前項の官庁は、裁判所に対し、当該清算株式会社の特別清算の手続について意見を述べることができる。

第５２０条 （裁判所による調査）

裁判所は、いつでも、清算株式会社に対し、清算事務及び財産の状況の報告を命じ、その他清算の監督上必要な調査をすることができる。

第５２１条 （裁判所への財産目録等の提出）

特別清算開始の命令があった場合には、清算株式会社は、第４９２条第３項の承認があった後遅滞なく、財産目録等（同項に規定する財産目録等をいう。以下この条において同じ。）を裁判所に提出しなければならない。ただし、財産目録等が電磁的記録をもって作成されているときは、当該電磁的記録に記録された事項を記載した書面を裁判所に提出しなければならない。

第５２２条 （調査命令）

Ⅰ 裁判所は、特別清算開始後において、清算株式会社の財産の状況を考慮して必要があると認めるときは、清算人、監査役、債権の申出をした債権者その他清算株式会社に知れている債権者の債権の総額の１０分の１以上に当たる債権を有する債権者若しくは総株主（株主総会において決議をすることができる事項の全部につき議決権を行使することができない株主を除く。）の議決権の１００分の３（これを下回る割合を定款で定めた場合にあっては、その割合）以上の議決権を６箇月（これを下回る期間を定款で定めた場合にあっては、その期間）前から引き続き有する株主若しくは発行済株式（自己株式を除く。）の１００分の３（これを下回る割合を定款で定めた場合にあっては、その割合）以上の数の株式を６箇月（これを下回る期間を定款で定めた場合にあっては、その期間）前から引き続き有する株主の申立てにより又は職権で、次に掲げる事項について、調査委員による調査を命ずる処分（第５３３条において「調査命令」という。）をすることができる。

① 特別清算開始に至った事情

② 清算株式会社の業務及び財産の状況

③　第540条第1項の規定による保全処分をする必要があるかどうか。
④　第542条第1項の規定による保全処分をする必要があるかどうか。
⑤　第545条第1項に規定する役員等責任査定決定をする必要があるかどうか。
⑥　その他特別清算に必要な事項で裁判所の指定するもの

Ⅱ　清算株式会社の財産につき担保権（特別の先取特権、質権、抵当権又はこの法律若しくは商法の規定による留置権に限る。）を有する債権者がその担保権の行使によって弁済を受けることができる債権の額は、前項の債権の額に算入しない。

Ⅲ　公開会社でない清算株式会社における第1項の規定の適用については、同項中「6箇月（これを下回る期間を定款で定めた場合にあっては、その期間）前から引続き有する」とあるのは、「有する」とする。

第3款　清算人

第523条（清算人の公平誠実義務）

特別清算が開始された場合には、清算人は、債権者、清算株式会社及び株主に対し、公平かつ誠実に清算事務を行う義務を負う。

第524条（清算人の解任等）

Ⅰ　裁判所は、清算人が清算事務を適切に行っていないとき、その他重要な事由があるときは、債権者若しくは株主の申立てにより又は職権で、清算人を解任することができる。

Ⅱ　清算人が欠けたときは、裁判所は、清算人を選任する。

Ⅲ　清算人がある場合においても、裁判所は、必要があると認めるときは、更に清算人を選任することができる。

第525条（清算人代理）

Ⅰ　清算人は、必要があるときは、その職務を行わせるため、自己の責任で1人又は2人以上の清算人代理を選任することができる。

Ⅱ　前項の清算人代理の選任については、裁判所の許可を得なければならない。

第526条（清算人の報酬等）

Ⅰ　清算人は、費用の前払及び裁判所が定める報酬を受けることができる。

Ⅱ　前項の規定は、清算人代理について準用する。

第4款　監督委員

第527条（監督委員の選任等）

Ⅰ　裁判所は、1人又は2人以上の監督委員を選任し、当該監督委員に対し、第535条第1項の許可に代わる同意をする権限を付与することができる。

Ⅱ　法人は、監督委員となることができる。

第５２８条　(監督委員に対する監督等)

Ⅰ　監督委員は、裁判所が監督する。

Ⅱ　裁判所は、監督委員が清算株式会社の業務及び財産の管理の監督を適切に行っていないとき、その他重要な事由があるときは、利害関係人の申立てにより又は職権で、監督委員を解任することができる。

第５２９条　(２人以上の監督委員の職務執行)

監督委員が２人以上あるときは、共同してその職務を行う。ただし、裁判所の許可を得て、それぞれ単独にその職務を行い、又は職務を分掌することができる。

第５３０条　(監督委員による調査等)

Ⅰ　監督委員は、いつでも、清算株式会社の清算人及び監査役並びに支配人その他の使用人に対し、事業の報告を求め、又は清算株式会社の業務及び財産の状況を調査することができる。

Ⅱ　監督委員は、その職務を行うため必要があるときは、清算株式会社の子会社に対し、事業の報告を求め、又はその子会社の業務及び財産の状況を調査することができる。

第５３１条　(監督委員の注意義務)

Ⅰ　監督委員は、善良な管理者の注意をもって、その職務を行わなければならない。

Ⅱ　監督委員が前項の注意を怠ったときは、その監督委員は、利害関係人に対し、連帯して損害を賠償する責任を負う。

第５３２条　(監督委員の報酬等)

Ⅰ　監督委員は、費用の前払及び裁判所が定める報酬を受けることができる。

Ⅱ　監督委員は、その選任後、清算株式会社に対する債権又は清算株式会社の株式を譲り受け、又は譲り渡すには、裁判所の許可を得なければならない。

Ⅲ　監督委員は、前項の許可を得ないで同項に規定する行為をしたときは費用及び報酬の支払を受けることができない。

第５款　調査委員

第５３３条　(調査委員の選任等)

裁判所は、調査命令をする場合には、当該調査命令において、１人又は２人以上の調査委員を選任し、調査委員が調査すべき事項及び裁判所に対して調査の結果の報告をすべき期間を定めなければならない。

第５３４条　(監督委員に関する規定の準用)

前款（第５２７条第１項及び第５２９条ただし書を除く。）の規定は、調査委員について準用する。

第６款　清算株式会社の行為の制限等

第５３５条（清算株式会社の行為の制限）

Ⅰ　特別清算開始の命令があった場合には、清算株式会社が次に掲げる行為をするには、裁判所の許可を得なければならない。ただし、第５２７条第１項の規定により監督委員が選任されているときは、これに代わる監督委員の同意を得なければならない。

①　財産の処分（次条第１項各号に掲げる行為を除く。）
②　借財
③　訴えの提起
④　和解又は仲裁合意（仲裁法（平成１５年法律第１３８号）第２条第１項に規定する仲裁合意をいう。）
⑤　権利の放棄
⑥　その他裁判所の指定する行為

Ⅱ　前項の規定にかかわらず、同項第１号から第５号までに掲げる行為については、次に掲げる場合には、同項の許可を要しない。

①　最高裁判所規則で定める額以下の価額を有するものに関するとき。
②　前号に掲げるもののほか、裁判所が前項の許可を要しないものとしたものに関するとき。

Ⅲ　第１項の許可又はこれに代わる監督委員の同意を得ないでした行為は、無効とする。ただし、これをもって善意の第三者に対抗することができない。

第５３６条（事業の譲渡の制限等）

Ⅰ　特別清算開始の命令があった場合には、清算株式会社が次に掲げる行為をするには、裁判所の許可を得なければならない。

①　事業の全部の譲渡
②　事業の重要な一部の譲渡（当該譲渡により譲り渡す資産の帳簿価額が当該清算株式会社の総資産額として法務省令で定める方法により算定される額の５分の１（これを下回る割合を定款で定めた場合にあっては、その割合）を超えないものを除く。）
③　その子会社の株式又は持分の全部又は一部の譲渡（次のいずれにも該当する場合における譲渡に限る。）
　イ　当該譲渡により譲り渡す株式又は持分の帳簿価額が当該清算株式会社の総資産額として法務省令で定める方法により算定される額の５分の１（これを下回る割合を定款で定めた場合にあっては、その割合）を超えるとき。
　ロ　当該清算株式会社が、当該譲渡がその効力を生ずる日において当該子会社の議決権の総数の過半数の議決権を有しないとき。

Ⅱ　前条第３項の規定は、前項の許可を得ないでした行為について準用する。

Ⅲ　第７章（第４６７条第１項第５号を除く。）の規定は、特別清算の場合には、適用しない。

【関連条文】規 152

株式会社

第５３７条 （債務の弁済の制限）

Ⅰ 特別清算開始の命令があった場合には、清算株式会社は、協定債権者に対して、その債権額の割合に応じて弁済をしなければならない。

Ⅱ 前項の規定にかかわらず、清算株式会社は、裁判所の許可を得て、少額の協定債権、清算株式会社の財産につき存する担保権によって担保される協定債権その他これを弁済しても他の債権者を害するおそれがない協定債権に係る債務について、債権額の割合を超えて弁済をすることができる。

第５３８条 （換価の方法）

Ⅰ 清算株式会社は、民事執行法その他強制執行の手続に関する法令の規定により、その財産の換価をすることができる。この場合においては、第５３５条第１項第１号の規定は、適用しない。

Ⅱ 清算株式会社は、民事執行法その他強制執行の手続に関する法令の規定により、第５２２条第２項に規定する担保権（以下この条及び次条において単に「担保権」という。）の目的である財産の換価をすることができる。この場合においては、当該担保権を有する者（以下この条及び次条において「担保権者」という。）は、その換価を拒むことができない。

Ⅲ 前２項の場合には、民事執行法第６３条及び第１２９条（これらの規定を同法その他強制執行の手続に関する法令において準用する場合を含む。）の規定は、適用しない。

Ⅳ 第２項の場合において、担保権者が受けるべき金額がまだ確定していないときは、清算株式会社は、代金を別に寄託しなければならない。この場合においては、担保権は、寄託された代金につき存する。

第５３９条 （担保権者が処分をすべき期間の指定）

Ⅰ 担保権者が法律に定められた方法によらないで担保権の目的である財産の処分をする権利を有するときは、裁判所は、清算株式会社の申立てにより、担保権者がその処分をすべき期間を定めることができる。

Ⅱ 担保権者は、前項の期間内に処分をしないときは、同項の権利を失う。

第７款 清算の監督上必要な処分等

第５４０条 （清算株式会社の財産に関する保全処分）

Ⅰ 裁判所は、特別清算開始の命令があった場合において、清算の監督上必要があると認めるときは、債権者、清算人、監査役若しくは株主の申立てにより又は職権で、清算株式会社の財産に関し、その財産の処分禁止の仮処分その他の必要な保全処分を命ずることができる。

Ⅱ 裁判所は、特別清算開始の申立てがあった時から当該申立てについての決定があるまでの間においても、必要があると認めるときは、債権者、清算人、監査役若しくは株主の申立てにより又は職権で、前項の規定による保全処分をすることができる。特別清算開始の申立てを却下する決定に対して第８９０条第５項の即時抗告がされたときも、同様とする。

Ⅲ　裁判所が前２項の規定により清算株式会社が債権者に対して弁済その他の債務を消滅させる行為をすることを禁止する旨の保全処分を命じた場合には、債権者は、特別清算の関係においては、当該保全処分に反してされた弁済その他の債務を消滅させる行為の効力を主張することができない。ただし、債権者が、その行為の当時、当該保全処分がされたことを知っていたときに限る。

第５４１条　（株主名簿の記載等の禁止）

Ⅰ　裁判所は、特別清算開始の命令があった場合において、清算の監督上必要があると認めるときは、債権者、清算人、監査役若しくは株主の申立てにより又は職権で、清算株式会社が株主名簿記載事項を株主名簿に記載し、又は記録することを禁止することができる。

Ⅱ　裁判所は、特別清算開始の申立てがあった時から当該申立てについての決定があるまでの間においても、必要があると認めるときは、債権者、清算人、監査役若しくは株主の申立てにより又は職権で、前項の規定による処分をすることができる。特別清算開始の申立てを却下する決定に対して第８９０条第５項の即時抗告がされたときも、同様とする。

第５４２条　（役員等の財産に対する保全処分）

Ⅰ　裁判所は、特別清算開始の命令があった場合において、清算の監督上必要があると認めるときは、清算株式会社の申立てにより又は職権で、発起人、設立時取締役、設立時監査役、第４２３条第１項に規定する役員等又は清算人（以下この款において「対象役員等」という。）の責任に基づく損害賠償請求権につき、当該対象役員等の財産に対する保全処分をすることができる。

Ⅱ　裁判所は、特別清算開始の申立てがあった時から当該申立てについての決定があるまでの間においても、緊急の必要があると認めるときは、清算株式会社の申立てにより又は職権で、前項の規定による保全処分をすることができる。特別清算開始の申立てを却下する決定に対して第８９０条第５項の即時抗告がされたときも、同様とする。

第５４３条　（役員等の責任の免除の禁止）

裁判所は、特別清算開始の命令があった場合において、清算の監督上必要があると認めるときは、債権者、清算人、監査役若しくは株主の申立てにより又は職権で、対象役員等の責任の免除の禁止の処分をすることができる。

第５４４条　（役員等の責任の免除の取消し）

Ⅰ　特別清算開始の命令があったときは、清算株式会社は、特別清算開始の申立てがあった後又はその前１年以内にした対象役員等の責任の免除を取り消すことができる。不正の目的によってした対象役員等の責任の免除についても、同様とする。

Ⅱ　前項の規定による取消権は、訴え又は抗弁によって、行使する。

Ⅲ　第１項の規定による取消権は、特別清算開始の命令があった日から２年を経過したときは、行使することができない。当該対象役員等の責任の免除の日から２０年を経過したときも、同様とする。

第５４５条（役員等責任査定決定）

Ⅰ　裁判所は、特別清算開始の命令があった場合において、必要があると認めるときは、清算株式会社の申立てにより又は職権で、対象役員等の責任に基づく損害賠償請求権の査定の裁判（以下この条において「役員等責任査定決定」という。）をすることができる。

Ⅱ　裁判所は、職権で役員等責任査定決定の手続を開始する場合には、その旨の決定をしなければならない。

Ⅲ　第１項の申立て又は前項の決定があったときは、時効の完成猶予及び更新に関しては、裁判上の請求があったものとみなす。

Ⅳ　役員等責任査定決定の手続（役員等責任査定決定があった後のものを除く。）は、特別清算が終了したときは、終了する。

第８款　債権者集会

第５４６条（債権者集会の招集）

Ⅰ　債権者集会は、特別清算の実行上必要がある場合には、いつでも、招集することができる。

Ⅱ　債権者集会は、次条第３項の規定により招集する場合を除き、清算株式会社が招集する。

第５４７条（債権者による招集の請求）

Ⅰ　債権の申出をした協定債権者その他清算株式会社に知れている協定債権者の協定債権の総額の１０分の１以上に当たる協定債権を有する協定債権者は、清算株式会社に対し、債権者集会の目的である事項及び招集の理由を示して、債権者集会の招集を請求することができる。

Ⅱ　清算株式会社の財産につき第５２２条第２項に規定する担保権を有する協定債権者がその担保権の行使によって弁済を受けることができる協定債権の額は、前項の協定債権の額に算入しない。

Ⅲ　次に掲げる場合には、第１項の規定による請求をした協定債権者は、裁判所の許可を得て、債権者集会を招集することができる。

①　第１項の規定による請求の後遅滞なく招集の手続が行われない場合

②　第１項の規定による請求があった日から６週間以内の日を債権者集会の日とする債権者集会の招集の通知が発せられない場合

第５４８条（債権者集会の招集等の決定）

Ⅰ　債権者集会を招集する者（以下この款において「招集者」という。）は、債権者集会を招集する場合には、次に掲げる事項を定めなければならない。

①　債権者集会の日時及び場所

②　債権者集会の目的である事項

③　債権者集会に出席しない協定債権者が電磁的方法によって議決権を行使することができることとするときは、その旨

④　前３号に掲げるもののほか、法務省令で定める事項

Ⅱ　清算株式会社が債権者集会を招集する場合には、当該清算株式会社は、各協定債権について債権者集会における議決権の行使の許否及びその額を定めなければならない。

Ⅲ　清算株式会社以外の者が債権者集会を招集する場合には、その招集者は、清算株式会社に対し、前項に規定する事項を定めることを請求しなければならない。この場合において、その請求があったときは、清算株式会社は、同項に規定する事項を定めなければならない。

Ⅳ　清算株式会社の財産につき第５２２条第２項に規定する担保権を有する協定債権者は、その担保権の行使によって弁済を受けることができる協定債権の額については、議決権を有しない。

Ⅴ　協定債権者は、共助対象外国租税の請求権については、議決権を有しない。

【関連条文】規 153

第５４９条　（債権者集会の招集の通知）

Ⅰ　債権者集会を招集するには、招集者は、債権者集会の日の２週間前までに、債権の申出をした協定債権者その他清算株式会社に知れている協定債権者及び清算株式会社に対して、書面をもってその通知を発しなければならない。

Ⅱ　招集者は、前項の書面による通知の発出に代えて、政令で定めるところにより、同項の通知を受けるべき者の承諾を得て、電磁的方法により通知を発することができる。この場合において、当該招集者は、同項の書面による通知を発したものとみなす。

Ⅲ　前２項の通知には、前条第１項各号に掲げる事項を記載し、又は記録しなければならない。

Ⅳ　前３項の規定は、債権の申出をした債権者その他清算株式会社に知れている債権者であって一般の先取特権その他一般の優先権がある債権、特別清算の手続のために清算株式会社に対して生じた債権又は特別清算の手続に関する清算株式会社に対する費用請求権を有するものについて準用する。

【関連条文】令２

第５５０条　（債権者集会参考書類及び議決権行使書面の交付等）

Ⅰ　招集者は、前条第１項の通知に際しては、法務省令で定めるところにより、債権の申出をした協定債権者その他清算株式会社に知れている協定債権者に対し、当該協定債権者が有する協定債権について第５４８条第２項又は第３項の規定により定められた事項及び議決権の行使について参考となるべき事項を記載した書類（次項において「債権者集会参考書類」という。）並びに協定債権者が議決権を行使するための書面（以下この款において「議決権行使書面」という。）を交付しなければならない。

株式会社

Ⅱ　招集者は、前条第２項の承諾をした協定債権者に対し同項の電磁的方法による通知を発するときは、前項の規定による債権者集会参考書類及び議決権行使書面の交付に代えて、これらの書類に記載すべき事項を電磁的方法により提供することができる。ただし、協定債権者の請求があったときは、これらの書類を当該協定権者に交付しなければならない。

【関連条文】規 154、155

第５５１条

Ⅰ　招集者は、第５４８条第１項第３号に掲げる事項を定めた場合には、第５４９条第２項の承諾をした協定債権者に対する電磁的方法による通知に際して、法務省令で定めるところにより、協定債権者に対し、議決権行使書面に記載すべき事項を当該電磁的方法により提供しなければならない。

Ⅱ　招集者は、第５４８条第１項第３号に掲げる事項を定めた場合において、第５４９条第２項の承諾をしていない協定債権者から債権者集会の日の１週間前までに議決権行使書面に記載すべき事項の電磁的方法による提供の請求があったときは、法務省令で定めるところにより、直ちに、当該協定債権者に対し、当該事項を電磁的方法により提供しなければならない。

第５５２条　（債権者集会の指揮等）

Ⅰ　債権者集会は、裁判所が指揮する。

Ⅱ　債権者集会を招集しようとするときは、招集者は、あらかじめ、第５４８条第１項各号に掲げる事項及び同条第２項又は第３項の規定により定められた事項を裁判所に届け出なければならない。

第５５３条　（異議を述べられた議決権の取扱い）

債権者集会において、第５４８条第２項又は第３項の規定により各協定債権について定められた事項について、当該協定債権を有する者又は他の協定債権者が異議を述べたときは、裁判所がこれを定める。

第５５４条　（債権者集会の決議）

Ⅰ　債権者集会において決議をする事項を可決するには、次に掲げる同意のいずれもがなければならない。

①　出席した議決権者（議決権を行使することができる協定債権者をいう。以下この款及び次款において同じ。）の過半数の同意

②　出席した議決権者の議決権の総額の２分の１を超える議決権を有する者の同意

Ⅱ　第５５８条第１項の規定によりその有する議決権の一部のみを前項の事項に同意するものとして行使した議決権者（その余の議決権を行使しなかったものを除く。）があるときの同項第１号の規定の適用については、当該議決権者１人につき、出席した議決権者の数に１を、同意をした議決権者の数に２分の１を、それぞれ加算するものとする。

Ⅲ　債権者集会は、第５４８条第１項第２号に掲げる事項以外の事項については、決議をすることができない。

第５５５条　（議決権の代理行使）

Ⅰ　協定債権者は、代理人によってその議決権を行使することができる。この場合においては、当該協定債権者又は代理人は、代理権を証明する書面を招集者に提出しなければならない。

Ⅱ　前項の代理権の授与は、債権者集会ごとにしなければならない。

Ⅲ　第１項の協定債権者又は代理人は、代理権を証明する書面の提出に代えて、政令で定めるところにより、招集者の承諾を得て、当該書面に記載すべき事項を電磁的方法により提供することができる。この場合において、当該協定債権者又は代理人は、当該書面を提出したものとみなす。

Ⅳ　協定債権者が第５４９条第２項の承諾をした者である場合には、招集者は、正当な理由がなければ、前項の承諾をすることを拒んではならない。

【関連条文】令１

第５５６条　（書面による議決権の行使）

Ⅰ　債権者集会に出席しない協定債権者は、書面によって議決権を行使することができる。

Ⅱ　書面による議決権の行使は、議決権行使書面に必要な事項を記載し、法務省令で定める時までに当該記載をした議決権行使書面を招集者に提出して行う。

Ⅲ　前項の規定により書面によって議決権を行使した議決権者は、第５５４条第１項及び第５６７条第１項の規定の適用については、債権者集会に出席したものとみなす。

【関連条文】規156

第５５７条　（電磁的方法による議決権の行使）

Ⅰ　電磁的方法による議決権の行使は、政令で定めるところにより、招集者の承諾を得て、法務省令で定める時までに議決権行使書面に記載すべき事項を、電磁的方法により当該招集者に提供して行う。

Ⅱ　協定債権者が第５４９条第２項の承諾をした者である場合には、招集者は、正当な理由がなければ、前項の承諾をすることを拒んではならない。

Ⅲ　第１項の規定により電磁的方法によって議決権を行使した議決権者は、第５５４条第１項及び第５６７条第１項の規定の適用については、債権者集会に出席したものとみなす。

【関連条文】令１、規157

第５５８条　（議決権の不統一行使）

Ⅰ　協定債権者は、その有する議決権を統一しないで行使することができる。この場合においては、債権者集会の日の３日前までに、招集者に対してその旨及びその理由を通知しなければならない。

Ⅱ　招集者は、前項の協定債権者が他人のために協定債権を有する者でないときは、当該協定債権者が同項の規定によりその有する議決権を統一しないで行使することを拒むことができる。

第５５９条　（担保権を有する債権者等の出席等）

債権者集会又は招集者は、次に掲げる債権者の出席を求め、その意見を聴くことができる。この場合において、債権者集会にあっては、これをする旨の決議を経なければならない。

①　第５２２条第２項に規定する担保権を有する債権者

②　一般の先取特権その他一般の優先権がある債権、特別清算の手続のために清算株式会社に対して生じた債権又は特別清算の手続に関する清算株式会社に対する費用請求権を有する債権者

第５６０条　（延期又は続行の決議）

債権者集会においてその延期又は続行について決議があった場合には、５４８条（第４項を除く。）及び第５４９条の規定は、適用しない。

第５６１条　（議事録）

債権者集会の議事については、招集者は、法務省令で定めるところにより、議事録を作成しなければならない。

【関連条文】規 158

第５６２条　（清算人の調査結果等の債権者集会に対する報告）

特別清算開始の命令があった場合において、第４９２条第１項に規定する清算人が清算株式会社の財産の現況についての調査を終了して財産目録等（同項に規定する財産目録等をいう。以下この条において同じ。）を作成したときは、清算株式会社は、遅滞なく、債権者集会を招集し、当該債権者集会に対して、清算株式会社の業務及び財産の状況の調査の結果並びに財産目録等の要旨を報告するとともに、清算の実行の方針及び見込みに関して意見を述べなければならない。ただし、債権者集会に対する報告及び意見の陳述以外の方法によりその報告すべき事項及び当該意見の内容を債権者に周知させることが適当であると認めるときは、この限りでない。

第９款　協定

第５６３条　（協定の申出）

清算株式会社は、債権者集会に対し、協定の申出をすることができる。

第５６４条　（協定の条項）

Ⅰ　協定においては、協定債権者の権利（第５２２条第２項に規定する担保権を除く。）の全部又は一部の変更に関する条項を定めなければならない。

Ⅱ　協定債権者の権利の全部又は一部を変更する条項においては、債務の減免、期限の猶予その他の権利の変更の一般的基準を定めなければならない。

第５６５条　（協定による権利の変更）

協定による権利の変更の内容は、協定債権者の間では平等でなければならない。ただし、不利益を受ける協定債権者の同意がある場合又は少額の協定債権について別段の定めをしても衡平を害しない場合その他協定債権者の間に差を設けても衡平を害しない場合は、この限りでない。

第５６６条　（担保権を有する債権者等の参加）

清算株式会社は、協定案の作成に当たり必要があると認めるときは、次に掲げる債権者の参加を求めることができる。

①　第５２２条第２項に規定する担保権を有する債権者
②　一般の先取特権その他一般の優先権がある債権を有する債権者

第５６７条　（協定の可決の要件）

Ⅰ　第５５４条第１項の規定にかかわらず、債権者集会において協定を可決するには、次に掲げる同意のいずれもがなければならない。
①　出席した議決権者の過半数の同意
②　議決権者の議決権の総額の３分の２以上の議決権を有する者の同意

Ⅱ　第５５４条第２項の規定は、前項第１号の規定の適用について準用する。

第５６８条　（協定の認可の申立て）

協定が可決されたときは、清算株式会社は、遅滞なく、裁判所に対し、協定の認可の申立てをしなければならない。

第５６９条　（協定の認可又は不認可の決定）

Ⅰ　前条の申立てがあった場合には、裁判所は、次項の場合を除き、協定の認可の決定をする。

Ⅱ　裁判所は、次のいずれかに該当する場合には、協定の不認可の決定をする。
①　特別清算の手続又は協定が法律の規定に違反し、かつ、その不備を補正することができないものであるとき。ただし、特別清算の手続が法律の規定に違反する場合において、当該違反の程度が軽微であるときは、この限りでない。
②　協定が遂行される見込みがないとき。
③　協定が不正の方法によって成立するに至ったとき。
④　協定が債権者の一般の利益に反するとき。

第５７０条　（協定の効力発生の時期）

協定は、認可の決定の確定により、その効力を生ずる。

第５７１条　（協定の効力範囲）

Ⅰ　協定は、清算株式会社及びすべての協定債権者のために、かつ、それらの者に対して効力を有する。

Ⅱ　協定は、第５２２条第２項に規定する債権者が有する同項に規定する担保権、協定債権者が清算株式会社の保証人その他清算株式会社と共に債務を負担する者に対して有する権利及び清算株式会社以外の者が協定債権者のために提供した担保に影響を及ぼさない。
Ⅲ　協定の認可の決定が確定したときは、協定債権者の権利は、協定の定めに従い、変更される。
Ⅳ　前項の規定にかかわらず、共助対象外国租税の請求権についての協定による権利の変更の効力は、租税条約等実施特例法第１１条第１項の規定による共助との関係においてのみ主張することができる。

第５７２条　（協定の内容の変更）

協定の実行上必要があるときは、協定の内容を変更することができる。この場合においては、第５６３条から前条までの規定を準用する。

第１０款　特別清算の終了

第５７３条　（特別清算終結の決定）

裁判所は、特別清算開始後、次に掲げる場合には、清算人、監査役、債権者、株主又は調査委員の申立てにより、特別清算終結の決定をする。
①　特別清算が結了したとき。
②　特別清算の必要がなくなったとき。

第５７４条　（破産手続開始の決定）

Ⅰ　裁判所は、特別清算開始後、次に掲げる場合において、清算株式会社に破産手続開始の原因となる事実があると認めるときは、職権で、破産法に従い、破産手続開始の決定をしなければならない。
①　協定の見込みがないとき。
②　協定の実行の見込みがないとき。
③　特別清算によることが債権者の一般の利益に反するとき。
Ⅱ　裁判所は、特別清算開始後、次に掲げる場合において、清算株式会社に破産手続開始の原因となる事実があると認めるときは、職権で、破産法に従い、破産手続開始の決定をすることができる。
①　協定が否決されたとき。
②　協定の不認可の決定が確定したとき。
Ⅲ　前２項の規定により破産手続開始の決定があった場合における破産法第７１条第１項第４号並びに第２項第２号及び第３号、第７２条第１項第４号並びに第２項第２号及び第３号、第１６０条（第１項第１号を除く。）、第１６２条（第１項第２号を除く。）、第１６３条第２項、第１６４条第１項（同条第２項において準用する場合を含む。）、第１６６条並びに第１６７条第２項（同法第１７０条第２項において準用する場合を含む。）の規定の適用については、次の各号に掲げる区分に応じ、当該各号に定める申立てがあった時に破産手続開始の申立てがあったものとみなす。

① 特別清算開始の申立ての前に特別清算開始の命令の確定によって効力を失った破産手続における破産手続開始の申立てがある場合　当該破産手続開始の申立て

② 前号に掲げる場合以外の場合　特別清算開始の申立て

Ⅳ 第１項又は第２項の規定により破産手続開始の決定があったときは、特別清算の手続のために清算株式会社に対して生じた債権及び特別清算の手続に関する清算株式会社に対する費用請求権は、財団債権とする。

第3編　持分会社

《概　説》

◆　株式会社・合名会社・合資会社・合同会社

会社法は、合名会社と合資会社に加えて、新たにすべての社員が有限責任社員である合同会社（日本版ＬＬＣ）を創設し、これら３つの種類の会社を「持分会社」という１つの類型に整理して、規整しなおした。

<各種会社の比較>

	株式会社（公開会社）	合名・合資会社	合同会社
社員の地位	均一的な細分化された割合的単位の形式をとる（株式）（持分複数主義）	各社員につき単一であり、その内容が出資の価額に応じて異なる（持分単一主義）	
社員の責任	間接有限責任（104）	直接無限責任（580Ⅰ）と（合資会社について）直接有限責任（580Ⅱ）	間接有限責任（578、580Ⅱ）
債権者の担保となる財産	出資財産のみ（104）	出資財産（576Ⅰ⑥）社員の財産（580）	出資財産のみ（578、580Ⅱ）
社員数	制限なし	制限なし（ただし合資会社は無限責任社員と有限責任社員双方必要（576Ⅲ））	制限なし
機関	所有と経営の分離（326Ⅰ、331Ⅱ、402Ⅴ）機関の分化	所有と経営の一致が原則（590）	
基本的事項の決定機関	株主総会（295Ⅱ）	総社員の過半数で業務決定するのが原則（590Ⅱ）	
業務執行決定機関	取締役会（362Ⅱ①）	同上	
業務執行及び代表機関	代表取締役（363Ⅰ①、349Ⅰ）	各社員（590Ⅰ、599ⅠⅡ）ただし定款又は社員の互選で代表者を定めることも可（599Ⅰただし書Ⅲ）	
監査機関	株主（360等）監査役（381以下）監査役会（390以下）	社員の監視権（592）	

・第1章・【設立】

《概　説》

持分会社においては、社員（法人を含む〈予〉）の氏名等が定款の記載・記録事項とされ（576 Ⅰ④）、かつ社員が原則として業務執行及び会社の代表権限を有するから（590、599）、定款の作成により社員が確定し、機関が具備されることになる。しかも、全額払込制が採られておらず、出資義務の履行は業務執行として請求されることになるから、定款の作成によって設立手続は完了する。⇒ p.26 参照

また、持分会社は、設立の無効原因及び設立の取消しの訴えにつき、株式会社との間で差異を有する。⇒ p.600

第５７５条　（定款の作成）

Ⅰ　合名会社、合資会社又は合同会社（以下「持分会社」と総称する。）を設立するには、その社員になろうとする者が定款を作成し、その全員がこれに署名し、又は記名押印しなければならない。

Ⅱ　前項の定款は、電磁的記録をもって作成することができる。この場合において、当該電磁的記録に記録された情報については、法務省令で定める署名又は記名押印に代わる措置をとらなければならない。

［趣旨］持分会社は社員相互の人的信頼関係を基礎とする会社形態であり、事業の根本規則である定款は、その信頼関係を反映させるものとすべきであるので、社員となる者全員で作成すべきことを規定する。

cf.　株式会社の場合（26、30）と異なり、定款について、公証人の認証を受ける必要はない〈予書〉

第５７６条　（定款の記載又は記録事項）

Ⅰ　持分会社の定款には、次に掲げる事項を記載し、又は記録しなければならない。

①　目的

②　商号

③　本店の所在地

④　社員の氏名又は名称及び住所〈予〉

⑤　社員が無限責任社員又は有限責任社員のいずれであるかの別〈予書〉

⑥　社員の出資の目的（有限責任社員にあっては、金銭等に限る〈予書〉。）及びその価額又は評価の標準〈共書〉

Ⅱ　設立しようとする持分会社が合名会社である場合には、前項第５号に掲げる事項として、その社員の全部を無限責任社員とする旨を記載し、又は記録しなければならない〈予〉。

Ⅲ　設立しようとする持分会社が合資会社である場合には、第１項第５号に掲げる事項として、その社員の一部を無限責任社員とし、その他の社員を有限責任社員とする旨を記載し、又は記録しなければならない。

持分会社

Ⅳ　設立しようとする持分会社が合同会社である場合には、第１項第５号に掲げる事項として、その社員の全部を有限責任社員とする旨を記載し、又は記録しなければならない〈予書〉。

第５７７条

前条に規定するもののほか、持分会社の定款には、この法律の規定により定款の定めがなければその効力を生じない事項及びその他の事項でこの法律の規定に違反しないものを記載し、又は記録することができる。

【関連条文】27、29［株式会社の場合］

第５７８条　（合同会社の設立時の出資の履行）

設立しようとする持分会社が合同会社である場合には、当該合同会社の社員になろうとする者は、定款の作成後、合同会社の設立の登記をする時までに、その出資に係る金銭の全額を払い込み、又はその出資に係る金銭以外の財産の全部を給付しなければならない。ただし、合同会社の社員になろうとする者全員の同意があるときは、登記、登録その他権利の設定又は移転を第三者に対抗するために必要な行為は、合同会社の成立後にすることを妨げない。

[趣旨]合同会社では、社員は間接有限責任しか負わない（576 Ⅳ）ので、会社財産確保のために、出資の全額払込みを規定した。

cf.　合名・合資会社では、必要に応じて出資を求めれば足りるので、設立時に出資しなくても会社の成立に影響はない〈予〉

第５７９条　（持分会社の成立）

持分会社は、その本店の所在地において設立の登記をすることによって成立する。

【関連条文】49［株式会社の場合］、912・913・914［合名・合資・合同会社の設立登記］

・第２章・【社員】

第１節　社員の責任等

第５８０条　（社員の責任）

Ⅰ　社員は、次に掲げる場合には、連帯して、持分会社の債務を弁済する責任を負う。

①　当該持分会社の財産をもってその債務を完済することができない場合〈予〉

②　当該持分会社の財産に対する強制執行がその効を奏しなかった場合（社員が、当該持分会社に弁済をする資力があり、かつ、強制執行が容易であることを証明した場合を除く。）〈司書〉

Ⅱ　有限責任社員は、その出資の価額（既に持分会社に対し履行した出資の価額を除く。）を限度として、持分会社の債務を弁済する責任を負う〈書〉。

持分会社

第５８１条　（社員の抗弁）

Ⅰ　社員が持分会社の債務を弁済する責任を負う場合には、社員は、持分会社が主張することができる抗弁をもって当該持分会社の債権者に対抗することができる〈共〉。

Ⅱ　前項に規定する場合において、持分会社がその債権者に対して相殺権、取消権又は解除権を有するときは、これらの権利の行使によって持分会社がその債務を免れるべき限度において、社員は、当該債権者に対して債務の履行を拒むことができる。

[趣旨]会社は法人とされている以上（3）、会社の債務は会社自身の債務であって社員の債務ではない。もっとも、法は人的会社たる持分会社の特質に基づき、持分会社が個人企業であり組合性を併有していることに鑑み、社員の保証的責任（二次的責任）を認めた（580 Ⅰ）。ここから、持分会社の社員の責任は、補充性及び従属性を有することとなる。そして、従属性の結果、社員は主たる債務者たる会社に属する抗弁を主張して請求を拒むことができることとなる（581）。

第５８２条　（社員の出資に係る責任）

Ⅰ　社員が金銭を出資の目的とした場合において、その出資をすることを怠ったときは、当該社員は、その利息を支払うほか、損害の賠償をしなければならない。

Ⅱ　社員が債権を出資の目的とした場合において、当該債権の債務者が弁済期に弁済をしなかったときは、当該社員は、その弁済をする責任を負う。この場合においては、当該社員は、その利息を支払うほか、損害の賠償をしなければならない。

第５８３条　（社員の責任を変更した場合の特則）

Ⅰ　有限責任社員が無限責任社員となった場合には、当該無限責任社員となった者は、その者が無限責任社員となる前に生じた持分会社の債務についても、無限責任社員としてこれを弁済する責任を負う〈予〉。

Ⅱ　有限責任社員（合同会社の社員を除く。）が出資の価額を減少した場合であっても、当該有限責任社員は、その旨の登記をする前に生じた持分会社の債務については、従前の責任の範囲内でこれを弁済する責任を負う。

Ⅲ　無限責任社員が有限責任社員となった場合であっても、当該有限責任社員となった者は、その旨の登記をする前に生じた持分会社の債務については、無限責任社員として当該債務を弁済する責任を負う。

Ⅳ　前２項の責任は、前２項の登記後２年以内に請求又は請求の予告をしない持分会社の債権者に対しては、当該登記後２年を経過した時に消滅する〈書〉。

第５８４条　（無限責任社員となることを許された未成年者の行為能力）

持分会社の無限責任社員となることを許された未成年者は、社員の資格に基づく行為に関しては、行為能力者とみなす。

持分会社

■第2節　持分の譲渡等

第585条　（持分の譲渡）回

Ⅰ　社員は、他の社員の全員の承諾がなければ、その持分の全部又は一部を他人に譲渡することができない司予書。

Ⅱ　前項の規定にかかわらず、業務を執行しない有限責任社員は、業務を執行する社員の全員の承諾があるときは、その持分の全部又は一部を他人に譲渡することができる予。

Ⅲ　第６３７条＜定款の変更＞の規定にかかわらず、業務を執行しない有限責任社員の持分の譲渡に伴い定款の変更を生ずるときは、その持分の譲渡による定款の変更は、業務を執行する社員の全員の同意によってすることができる。

Ⅳ　前３項の規定は、定款で別段の定めをすることを妨げない予書。

［趣旨］社員に特殊な人的関係があるのが通常なので、好ましくない者が会社経営に関わることを防止する趣旨に基づく。もっとも、有限責任社員の変動は、原則として、無限責任社員が負うべき責任の範囲に影響を与えないことから、業務執行社員の承諾があれば足りるとされている（585 Ⅱ）。

＜各種会社の投下資本の回収＞

		株式会社	合名会社	合資会社	合同会社
会社解散後	残余財産分配請求	可（504～506）	可（666）		
会社存続中	株式・持分の譲渡	原則自由（127）	他の社員全員の承諾が必要（585 Ⅰ）（＊）	原則：他の社員全員の承諾が必要（585 Ⅰ） 例外：業務執行しない有限責任社員は、業務執行社員全員の承諾で足りる（585 Ⅱ）（＊）	
	出資の払戻し	原則不可	出資の払戻し請求可（624） 退社に伴う持分の払戻し（611）に原則として制限なし		出資の払戻しに制限あり（632 以下） 退社に伴う持分の払戻しに制限あり（635、636）
	剰余金・利益配当	分配可能額による制限あり（461） 461 条違反の場合に一定の者に金銭支払義務あり（462）	制限なし	有限責任社員に対する利益配当に制限あり(623) 無限責任社員に対する利益配当に制限なし	利益配当に制限あり（628） 628 条違反の場合に一定の社員に金銭支払義務あり（629、630）

＊　定款で別段の定めが可能（585 Ⅳ）。

第５８６条　（持分の全部の譲渡をした社員の責任）

Ⅰ　持分の全部を他人に譲渡した社員は、その旨の登記をする前に生じた持分会社の債務について、従前の責任の範囲内でこれを弁済する責任を負う。

Ⅱ　前項の責任は、同項の登記後２年以内に請求又は請求の予告をしない持分会社の債権者に対しては、当該登記後２年を経過した時に消滅する。

第５８７条

Ⅰ　持分会社は、その持分の全部又は一部を譲り受けることができない〈書〉。

Ⅱ　持分会社が当該持分会社の持分を取得した場合には、当該持分は、当該持分会社がこれを取得した時に、消滅する〈予書〉。

《注　釈》

・合同会社については、各社員の氏名又は名称を登記すべきこととされていないため（914参照）、586条の適用はないと解されている〈書〉。

■第３節　誤認行為の責任

第５８８条　（無限責任社員であると誤認させる行為等をした有限責任社員の責任）

Ⅰ　合資会社の有限責任社員が自己を無限責任社員であると誤認させる行為をしたときは、当該有限責任社員は、その誤認に基づいて合資会社と取引をした者に対し、無限責任社員と同一の責任を負う。

Ⅱ　合資会社又は合同会社の有限責任社員がその責任の限度を誤認させる行為（前項の行為を除く。）をしたときは、当該有限責任社員は、その誤認に基づいて合資会社又は合同会社と取引をした者に対し、その誤認させた責任の範囲内で当該合資会社又は合同会社の債務を弁済する責任を負う〈予〉。

第５８９条　（社員であると誤認させる行為をした者の責任）

Ⅰ　合名会社又は合資会社の社員でない者が自己を無限責任社員であると誤認させる行為をしたときは、当該社員でない者は、その誤認に基づいて合名会社又は合資会社と取引をした者に対し、無限責任社員と同一の責任を負う。

Ⅱ　合資会社又は合同会社の社員でない者が自己を有限責任社員であると誤認させる行為をしたときは、当該社員でない者は、その誤認に基づいて合資会社又は合同会社と取引をした者に対し、その誤認させた責任の範囲内で当該合資会社又は合同会社の債務を弁済する責任を負う。

[趣旨] 本節の責任は、禁反言の法理に基づいて定められた。

・第3章・【管理】

第1節　総則

第590条（業務の執行）予

Ⅰ　社員は、定款に別段の定めがある場合を除き、持分会社の業務を執行する書。
Ⅱ　社員が2人以上ある場合には、持分会社の業務は、定款に別段の定めがある場合を除き、社員の過半数をもって決定する。
Ⅲ　前項の規定にかかわらず、持分会社の常務は、各社員が単独で行うことができる。ただし、その完了前に他の社員が異議を述べた場合は、この限りでない司。

【趣旨】持分会社は社員相互の人的信頼関係を基礎として、比較的少人数を予定する会社形態であり、社員は経営に関心がある。そこで、経営への参加を保障した（所有と経営の一致）。ただ、それぞれの会社の個別的事情に対応した経営を可能とすべき要請があり、また、定款は全員で作成されることから（575）、定款自治を広く許容している。さらに、法は、社員の責任と業務執行権等の所在との間に関連性を持たせることはせず、原則として、全社員に業務執行権を認めたうえで、定款でその制限を認めるという制度を採っている。
【関連条文】860［業務を執行する社員の業務執行権又は代表権の消滅の訴え］、民670Ⅴ司

第591条（業務を執行する社員を定款で定めた場合）

Ⅰ　業務を執行する社員を定款で定めた場合において、業務を執行する社員が2人以上あるときは、持分会社の業務は、定款に別段の定めがある場合を除き、業務を執行する社員の過半数をもって決定する。この場合における前条第3項の規定の適用については、同項中「社員」とあるのは、「業務を執行する社員」とする書。
Ⅱ　前項の規定にかかわらず、同項に規定する場合には、支配人の選任及び解任は、社員の過半数をもって決定する。ただし、定款で別段の定めをすることを妨げない。
Ⅲ　業務を執行する社員を定款で定めた場合において、その業務を執行する社員の全員が退社したときは、当該定款の定めは、その効力を失う。
Ⅳ　業務を執行する社員を定款で定めた場合には、その業務を執行する社員は、正当な事由がなければ、辞任することができない。
Ⅴ　前項の業務を執行する社員は、正当な事由がある場合に限り、他の社員の一致によって解任することができる。
Ⅵ　前2項の規定は、定款で別段の定めをすることを妨げない。

【1項読替え】
業務を執行する社員を定款で定めた場合において、業務を執行する社員が2人以上あるときは、持分会社の業務は、定款に別段の定めがある場合を除き、業務を執行する社員の過半数をもって決定する。この場合においては、持分会社の常務は、各業務を執行する社員が単独で行うことができる。ただし、その完了前に他の業務を執行する社員が異議を述べた場合は、この限りでない。

持分会社

第５９２条　（社員の持分会社の業務及び財産状況に関する調査）

Ⅰ　業務を執行する社員を定款で定めた場合には、各社員は、持分会社の業務を執行する権利を有しないときであっても、その業務及び財産の状況を調査することができる。

Ⅱ　前項の規定は、定款で別段の定めをすることを妨げない。ただし、定款によっても、社員が事業年度の終了時又は重要な事由があるときに同項の規定による調査をすることを制限する旨を定めることができない。

■第２節　業務を執行する社員

第５９３条　（業務を執行する社員と持分会社との関係）

Ⅰ　業務を執行する社員は、善良な管理者の注意をもって、その職務を行う義務を負う。

Ⅱ　業務を執行する社員は、法令及び定款を遵守し、持分会社のため忠実にその職務を行わなければならない。

Ⅲ　業務を執行する社員は、持分会社又は他の社員の請求があるときは、いつでもその職務の執行の状況を報告し、その職務が終了した後は、遅滞なくその経過及び結果を報告しなければならない。

Ⅳ　民法第６４６条から第６５０条＜受任者の権利・義務・責任＞までの規定は、業務を執行する社員と持分会社との関係について準用する〈書。この場合において、同法第６４６条第１項＜受任者による受取物の引渡し＞、第６４８条第２項＜受任者の報酬請求＞、第６４８条の２＜成果等に対する報酬＞、第６４９条＜受任者による費用の前払請求＞及び第６５０条＜受任者による費用等の償還請求等＞中「委任事務」とあるのは「その職務」と、同法第６４８条第３項＜受任者の履行割合に応じた報酬請求＞第１号中「委任事務」とあり、及び同項第２号中「委任」とあるのは「前項の職務」と読み替えるものとする〈書。

Ⅴ　前２項の規定は、定款で別段の定めをすることを妨げない。

［趣旨］業務執行社員と持分会社の関係は、取締役と株式会社の関係に類似する。そこで、委任関係に準じた規律を課した。

【関連条文】330、355、363Ⅱ［株式会社における役員と会社の関係］

第５９４条　（競業の禁止）〈予

Ⅰ　業務を執行する社員は、当該社員以外の社員の全員の承認を受けなければ、次に掲げる行為をしてはならない。ただし、定款に別段の定めがある場合は、この限りでない。

①　自己又は第三者のために持分会社の事業の部類に属する取引をすること。

②　持分会社の事業と同種の事業を目的とする会社の取締役、執行役又は業務を執行する社員となること。

Ⅱ　業務を執行する社員が前項の規定に違反して同項第１号に掲げる行為をしたときは、当該行為によって当該業務を執行する社員又は第三者が得た利益の額は、持分会社に生じた損害の額と推定する。

［趣旨］業務執行社員は、株式会社における取締役と同様、会社の顧客を奪い自己の利益を追求する危険があるので、これを防止する点にある。 ⇒p.286

【関連条文】356Ⅰ①・365［株式会社における競業避止義務規制］

第５９５条 （利益相反取引の制限）

Ⅰ 業務を執行する社員は、次に掲げる場合には、当該取引について当該社員以外の社員の過半数の承認を受けなければならない〈書〉。ただし、定款に別段の定めがある場合は、この限りでない〈書〉。

① 業務を執行する社員が自己又は第三者のために持分会社と取引をしようとするとき〈書〉。

② 持分会社が業務を執行する社員の債務を保証することその他社員でない者との間において持分会社と当該社員との利益が相反する取引をしようとするとき。

Ⅱ 民法第１０８条＜自己契約及び双方代理＞の規定は、前項の承認を受けた同項各号の取引については、適用しない。

［趣旨］業務執行社員は、株式会社における取締役と同様、会社の犠牲の下で自己の利益を追求する危険があるので、これを防止する点にある。株式会社と異なり、過失に関する立証責任の転換や免除の制限規定が設けられていないのは、定款自治が広く許容されているからである。

【関連条文】356Ⅰ②③・365［株式会社における利益相反取引の制限］

第５９６条 （業務を執行する社員の持分会社に対する損害賠償責任）

業務を執行する社員は、その任務を怠ったときは、持分会社に対し、連帯して、これによって生じた損害を賠償する責任を負う。

【関連条文】423［株式会社における役員等の会社に対する損害賠償責任］

第５９７条 （業務を執行する有限責任社員の第三者に対する損害賠償責任）

業務を執行する有限責任社員がその職務を行うについて悪意又は重大な過失があったときは、当該有限責任社員は、連帯して、これによって第三者に生じた損害を賠償する責任を負う。

［趣旨］社員が経営に携わるならば、所有と経営が一致するので、任務違背があれば第三者との関係では個人責任を負うべきとする趣旨に基づく。

【関連条文】429［株式会社における役員等の第三者に対する損害賠償責任］

第５９８条 （法人が業務を執行する社員である場合の特則）〈書〉

Ⅰ 法人が業務を執行する社員である場合〈書〉には、当該法人は、当該業務を執行する社員の職務を行うべき者を選任し、その者の氏名及び住所を他の社員に通知しなければならない。

Ⅱ 第５９３条から前条まで＜業務を執行する社員と持分会社との関係に関する規定＞の規定は、前項の規定により選任された社員の職務を行うべき者について準用する。

第５９９条　（持分会社の代表）

Ⅰ　業務を執行する社員は、持分会社を代表する。ただし、他に持分会社を代表する社員その他持分会社を代表する者を定めた場合は、この限りでない。

Ⅱ　前項本文の業務を執行する社員が２人以上ある場合には、業務を執行する社員は、各自、持分会社を代表する。

Ⅲ　持分会社は、定款又は定款の定めに基づく社員の互選によって、業務を執行する社員の中から持分会社を代表する社員を定めることができる。

Ⅳ　持分会社を代表する社員は、持分会社の業務に関する一切の裁判上又は裁判外の行為をする権限を有する。

Ⅴ　前項の権限に加えた制限は、善意の第三者に対抗することができない。

第６００条　（持分会社を代表する社員等の行為についての損害賠償責任）

持分会社は、持分会社を代表する社員その他の代表者がその職務を行うについて第三者に加えた損害を賠償する責任を負う。

第６０１条　（持分会社と社員との間の訴えにおける会社の代表）

第５９９条第４項<持分会社を代表する社員の権限>の規定にかかわらず、持分会社が社員に対し、又は社員が持分会社に対して訴えを提起する場合において、当該訴えについて持分会社を代表する者（当該社員を除く。）が存しないときは、当該社員以外の社員の過半数をもって、当該訴えについて持分会社を代表する者を定めることができる。

【趣旨】598条２項は、法人が業務を執行するといっても、その具体的な行為は、自然人を通じて行われることになるから、業務執行社員に関わる会社法上の義務を、法人そのもののみならず、その具体的な行為を行う自然人にも課さなければ、規制の実効性がなくなるおそれがあることに鑑み規定された。

《注　釈》

◆　業務を執行する社員の職務を行うべき者の資格（598 Ⅰ）書

法人である業務執行社員の職務を行うべき者（職務執行者）の資格については、特に制限はなく、当該法人の裁量に委ねられている。そのため、当該法人の役員や使用人の他、当該法人の使用人以外の第三者も職務執行者として選任することができる。

【関連条文】350、353、386、399の７、408［株式会社における規制］

第６０２条

第５９９条第１項<持分会社の代表>の規定にかかわらず、社員が持分会社に対して社員の責任を追及する訴えの提起を請求した場合において、持分会社が当該請求の日から６０日以内に当該訴えを提起しないときは、当該請求をした社員は、当該訴えについて持分会社を代表することができる書。ただし、当該訴えが当該社員若しくは第三者の不正な利益を図り又は当該持分会社に損害を加えることを目的とする場合は、この限りでない。

［趣旨］社員の行為によって生じた会社の損害を、業務執行社員の利益相反行為等の事由によって、適切に回復することができない状況において、訴訟によって回復しようとするものである。

《注　釈》

・株主代表訴訟（847）との違い

① 社員に代表訴訟提起権を与えることによって役員の業務執行の適正性を確保する目的はない。

② 原告となる者は、社員ではなく、持分会社自身であり、その訴訟追行にかかる代表権を社員が行使するにすぎない。

③ 訴訟費用について847条の4第1項のような特則がない。

【関連条文】847［株主代表訴訟］

■第3節　業務を執行する社員の職務を代行する者

第６０３条

Ⅰ　民事保全法第５６条に規定する仮処分命令により選任された業務を執行する社員又は持分会社を代表する社員の職務を代行する者は、仮処分命令に別段の定めがある場合を除き、持分会社の常務に属しない行為をするには、裁判所の許可を得なければならない。

Ⅱ　前項の規定に違反して行った業務を執行する社員又は持分会社を代表する社員の職務を代行する者の行為は、無効とする。ただし、持分会社は、これをもって善意の第三者に対抗することができない。

【関連条文】352［株式会社における職務代行制度］

・第４章・【社員の加入及び退社】

■第１節　社員の加入

第６０４条　（社員の加入）

Ⅰ　持分会社は、新たに社員を加入させることができる。

Ⅱ　持分会社の社員の加入は、当該社員に係る定款の変更をした時に、その効力を生ずる〈共予書〉。

Ⅲ　前項の規定にかかわらず、合同会社が新たに社員を加入させる場合において、新たに社員となろうとする者が同項の定款の変更をした時にその出資に係る払込み又は給付の全部又は一部を履行していないときは、その者は、当該払込み又は給付を完了した時に、合同会社の社員となる〈書〉。

［趣旨］２項は、持分会社においては社員の氏名・名称及び住所が定款記載事項であること（576）を踏まえて社員加入の効力発生時期を定めている〈共〉。３項は、合同会社では社員が間接有限責任しか負わない（576 Ⅳ）ので全額払込主義が採られていること（578）を踏まえて、社員加入の効力発生時期を定めている。

第６０５条（加入した社員の責任）

持分会社の成立後に加入した社員は、その加入前に生じた持分会社の債務についても、これを弁済する責任を負う〈予書。

■第２節　社員の退社

第６０６条（任意退社）

Ⅰ　持分会社の存続期間を定款で定めなかった場合又はある社員の終身の間持分会社が存続することを定款で定めた場合には、各社員は、事業年度の終了の時において退社をすることができる。この場合においては、各社員は、６箇月前までに持分会社に退社の予告をしなければならない〈書。

Ⅱ　前項の規定は、定款で別段の定めをすることを妨げない。

Ⅲ　前２項の規定にかかわらず、各社員は、やむを得ない事由があるときは、いつでも退社することができる〈予書。

［趣旨］１項は、持分会社においては、持分の譲渡が制限されていることから(585)、投下資本回収のために任意退社を認めている。３項は、定款を定めた時期ないし入社・設立の時期から著しく事情が変化した場合には、定款による制限を貫くことは酷であることから、いつでも退社できるとしている。

第６０７条（法定退社）

Ⅰ　社員は、前条、第６０９条第１項<持分の差押債権者による退社>、第６４２条第２項<持分会社の継続の同意をしなかった社員の退社>及び第８４５条<持分会社の設立の無効又は取消しの判決の効力>の場合のほか、次に掲げる事由によって退社する〈書。

①　定款で定めた事由の発生
②　総社員の同意
③　死亡〈書
④　合併（合併により当該法人である社員が消滅する場合に限る。）
⑤　破産手続開始の決定
⑥　解散（前２号に掲げる事由によるものを除く。）
⑦　後見開始の審判を受けたこと。
⑧　除名

Ⅱ　持分会社は、その社員が前項第５号から第７号までに掲げる事由の全部又は一部によっては退社しない旨を定めることができる〈書。

【関連条文】859［社員除名の訴え］

持分会社

第６０８条　（相続及び合併の場合の特則）

Ⅰ　持分会社は、その社員が死亡した場合又は合併により消滅した場合における当該社員の相続人その他の一般承継人が当該社員の持分を承継する旨を定款で定めることができる［予］。

Ⅱ　第６０４条第２項＜持分会社の社員の加入の効力発生時期＞の規定にかかわらず、前項の規定による定款の定めがある場合には、同項の一般承継人（社員以外のものに限る。）は、同項の持分を承継した時に、当該持分を有する社員となる。

Ⅲ　第１項の定款の定めがある場合には、持分会社は、同項の一般承継人が持分を承継した時に、当該一般承継人に係る定款の変更をしたものとみなす［予］。

Ⅳ　第１項の一般承継人（相続により持分を承継したものであって、出資に係る払込み又は給付の全部又は一部を履行していないものに限る。）が２人以上ある場合には、各一般承継人は、連帯して当該出資に係る払込み又は給付の履行をする責任を負う。

Ⅴ　第１項の一般承継人（相続により持分を承継したものに限る。）が２人以上ある場合には、各一般承継人は、承継した持分についての権利を行使する者１人を定めなければ、当該持分についての権利を行使することができない。ただし、持分会社が当該権利を行使することに同意した場合は、この限りでない。

第６０９条　（持分の差押債権者による退社）

Ⅰ　社員の持分を差し押さえた債権者は、事業年度の終了時において当該社員を退社させることができる。この場合においては、当該債権者は、６箇月前までに持分会社及び当該社員にその予告をしなければならない［書］。

Ⅱ　前項後段の予告は、同項の社員が、同項の債権者に対し、弁済し、又は相当の担保を提供したときは、その効力を失う［書］。

Ⅲ　第１項後段の予告をした同項の債権者は、裁判所に対し、持分の払戻しの請求権の保全に関し必要な処分をすることを申し立てることができる。

《注　釈》

◆　**判例**

社員の持分を差し押えた債権者のなす強制退社予告の効力は、差押えに対する強制執行停止決定によって左右されるものではない。また、「相当の担保を提供したとき」（Ⅱ）とは、差押債権者との間で、担保物権を設定し、又は保証契約を締結した場合をいい、差押債権者の承諾を伴わない担保物権設定又は保証契約締結の単なる申込みは、担保の供与には当たらない（最判昭49.12.20・百選76事件）。

第６１０条　（退社に伴う定款のみなし変更）

第６０６条＜任意退社＞、第６０７条第１項＜法定退社＞、前条第１項＜持分の差押債権者による退社＞又は第６４２条第２項＜持分会社の継続の同意をしなかった社員の退社＞の規定により社員が退社した場合（第８４５条の規定により社員が退社したものとみなされる場合を含む。）には、持分会社は、当該社員が退社した時に、当該社員に係る定款の定めを廃止する定款の変更をしたものとみなす。

第６１１条　（退社に伴う持分の払戻し）

Ⅰ　退社した社員は、その出資の種類を問わず、その持分の払戻しを受けることができる〈書〉。ただし、第６０８条第１項及び第２項<相続及び合併の場合の特則>の規定により当該社員の一般承継人が社員となった場合は、この限りでない。

Ⅱ　退社した社員と持分会社との間の計算は、退社の時における持分会社の財産の状況に従ってしなければならない。

Ⅲ　退社した社員の持分は、その出資の種類を問わず、金銭で払い戻すことができる〈書〉。

Ⅳ　退社の時にまだ完了していない事項については、その完了後に計算をすることができる。

Ⅴ　社員が除名により退社した場合における第２項及び前項の規定の適用については、これらの規定中「退社の時」とあるのは、「除名の訴えを提起した時」とする。

Ⅵ　前項に規定する場合には、持分会社は、除名の訴えを提起した日後の法定利率による利息をも支払わなければならない。

Ⅶ　社員の持分の差押えは、持分の払戻しを請求する権利に対しても、その効力を有する。

[趣旨]投下資本回収の手段として、退社による持分の払戻しを認めたものである(⇒ p.442)。これは、事業の結果を帰属させるべく、退社時の会社の財産状況を基準に計算し、また事業の継続が困難となることを防止する趣旨から金銭での払戻しができるとされる。なお、退社前に会社が負った債務についても一定期間請求できるので（612 Ⅱ）、会社債権者に不測の損害を生じさせることはない。

《注　釈》

◆　判例

1　合資会社の社員の金銭出資義務は、定款又は総社員の同意によりその履行期が定められていないときは、会社の請求によりはじめてその履行期が到来し、特定額の給付を目的とする金銭債務として具体化される。かかる金銭債務となる前の出資義務は社員たる地位と終始すべきものであり、社員が退社して社員たる地位を喪失するときは、出資義務も消滅する。この場合、退社社員の合資会社に対する持分払戻請求権は成立しない（最判昭 62.1.22・百選 77 事件）。

2　611 条２項の計算の結果、退社した社員が負担すべき損失の額が当該社員の出資の価額を超えるときには、定款に別段の定めがあるなどの特段の事情のない限り、当該社員は、当該会社に対してその超過額を支払わなければならない（最判令 2.9.3・百選 A14 事件）。

【関連条文】635 以下［合同会社における特則］

持分会社

第６１２条　（退社した社員の責任）

Ⅰ　退社した社員は、その登記をする前に生じた持分会社の債務について、従前の責任の範囲内でこれを弁済する責任を負う〈予書。

Ⅱ　前項の責任は、同項の登記後２年以内に請求又は請求の予告をしない持分会社の債権者に対しては、当該登記後２年を経過した時に消滅する。

第６１３条　（商号変更の請求）

持分会社がその商号中に退社した社員の氏若しくは氏名又は名称を用いているときは、当該退社した社員は、当該持分会社に対し、その氏若しくは氏名又は名称の使用をやめることを請求することができる〈書。

・第５章・【計算等】

■第１節　会計の原則

第６１４条

持分会社の会計は、一般に公正妥当と認められる企業会計の慣行に従うものとする。

【関連条文】431［株式会社における会計原則］

■第２節　会計帳簿

第６１５条　（会計帳簿の作成及び保存）

Ⅰ　持分会社は、法務省令で定めるところにより、適時に、正確な会計帳簿を作成しなければならない〈予。

Ⅱ　持分会社は、会計帳簿の閉鎖の時から１０年間、その会計帳簿及びその事業に関する重要な資料を保存しなければならない〈予書。

【関連条文】432［株式会社における規制］

第６１６条　（会計帳簿の提出命令）

裁判所は、申立てにより又は職権で、訴訟の当事者に対し、会計帳簿の全部又は一部の提出を命ずることができる。

【関連条文】434［株式会社における規制］

■第３節　計算書類

第６１７条　（計算書類の作成及び保存）

Ⅰ　持分会社は、法務省令で定めるところにより、その成立の日における貸借対照表を作成しなければならない。

Ⅱ　持分会社は、法務省令で定めるところにより、各事業年度に係る計算書類（貸借対照表その他持分会社の財産の状況を示すために必要かつ適切なものとして法務省令で定めるものをいう。以下この章において同じ。）を作成しなければならない〈予書〉。

Ⅲ　計算書類は、電磁的記録をもって作成することができる。

Ⅳ　持分会社は、計算書類を作成した時から１０年間、これを保存しなければならない〈予〉。

＜各種会社における会社債権者の保護＞

	合名・合資会社	合同会社	株式会社
総論	無限責任社員の存在（576 Ⅱ、Ⅲ） →会社財産流出防止の要請は低い	社員全員が有限責任（576Ⅳ）だが、他方で組合的性質をもつ →少数の債権者を予定、債権者保護の簡素化	社員全員が有限責任（104）で、社員や機関の流動性が高い →多数の債権者を予定、厳格な債権者保護の要請
会社財産状況の適切な開示〈予書〉	計算書類作成義務（617 Ⅱ）	計算書類作成義務（617 Ⅱ） 計算書類閲覧・謄写権（625）	計算書類等作成義務（435 Ⅱ） 計算書類等閲覧等権（442 Ⅲ） 計算書類の公告（440）
会社財産の流出防止〈書〉	特になし	財源規制（628）	出資の払戻しの禁止 減資等の場合の債権者保護手続（449 等） 純資産額が 300 万円以下の場合の剰余金の配当の禁止（458） 剰余金配当の財源規制（461）

【関連条文】435［株式会社における規制］

第６１８条　（計算書類の閲覧等）〈書〉

Ⅰ　持分会社の社員は、当該持分会社の営業時間内は、いつでも、次に掲げる請求をすることができる〈予書〉。

①　計算書類が書面をもって作成されているときは、当該書面の閲覧又は謄写の請求

②　計算書類が電磁的記録をもって作成されているときは、当該電磁的記録に記録された事項を法務省令で定める方法により表示したものの閲覧又は謄写の請求

Ⅱ　前項の規定は、定款で別段の定めをすることを妨げない。ただし、定款によっても、社員が事業年度の終了時に同項各号に掲げる請求をすることを制限する旨を定めることができない。

【関連条文】442［株式会社における規制］、規 226

第６１９条　（計算書類の提出命令）

裁判所は、申立てにより又は職権で、訴訟の当事者に対し、計算書類の全部又は一部の提出を命ずることができる。

【関連条文】443［株式会社における規制］

■第４節　資本金の額の減少

第６２０条

Ⅰ　持分会社は、損失のてん補のために、その資本金の額を減少することができる〈書〉。

Ⅱ　前項の規定により減少する資本金の額は、損失の額として法務省令で定める方法により算定される額を超えることができない。

【関連条文】447［株式会社における規制］、計規162

■第５節　利益の配当

第６２１条　（利益の配当）

Ⅰ　社員は、持分会社に対し、利益の配当を請求することができる〈司書〉。

Ⅱ　持分会社は、利益の配当を請求する方法その他の利益の配当に関する事項を定款で定めることができる。

Ⅲ　社員の持分の差押えは、利益の配当を請求する権利に対しても、その効力を有する。

【関連条文】453［株式会社における規制］、628［合同会社における特則］

第６２２条　（社員の損益分配の割合）

Ⅰ　損益分配の割合について定款の定めがないときは、その割合は、各社員の出資の価額に応じて定める。

Ⅱ　利益又は損失の一方についてのみ分配の割合についての定めを定款で定めたときは、その割合は、利益及び損失の分配に共通であるものと推定する〈書〉。

【関連条文】民674［組合の場合の規制］

第６２３条　（有限責任社員の利益の配当に関する責任）

Ⅰ　持分会社が利益の配当により有限責任社員に対して交付した金銭等の帳簿価額（以下この項において「配当額」という。）が当該利益の配当をする日における利益額（持分会社の利益の額として法務省令で定める方法により算定される額をいう。以下この章において同じ。）を超える場合には、当該利益の配当を受けた有限責任社員は、当該持分会社に対し、連帯して、当該配当額に相当する金銭を支払う義務を負う〈書〉。

Ⅱ　前項に規定する場合における同項の利益の配当を受けた有限責任社員についての第５８０条第２項＜有限責任社員の責任＞の規定の適用については、同項中「を限

持分会社

度として」とあるのは、「及び第６２３条第１項の配当額が同項の利益額を超過する額（同項の義務を履行した額を除く。）の合計額を限度して」とする。

[趣旨]有限責任しか負わない社員（576 Ⅳ）に利益を超える配当がなされると、会社債権者を害するので、債権者保護の見地より本条が設けられた。
【関連条文】465［株式会社における規制］、629［合同会社における特則］、計規163

■第６節　出資の払戻し

第６２４条

Ⅰ　社員は、持分会社に対し、既に出資として払込み又は給付をした金銭等の払戻し（以下この編において「出資の払戻し」という。）を請求することができる〈書。この場合において、当該金銭等が金銭以外の財産であるときは、当該財産の価額に相当する金銭の払戻しを請求することを妨げない。
Ⅱ　持分会社は、出資の払戻しを請求する方法その他の出資の払戻しに関する事項を定款で定めることができる〈予。
Ⅲ　社員の持分の差押えは、出資の払戻しを請求する権利に対しても、その効力を有する〈予。

[趣旨]合同会社を除く持分会社では無限責任社員が債権者に対して個人財産で責任を負う（580 Ⅰ）ので、社員に払戻請求権を認めた。この払戻請求権は持分権の現れなので持分の差押えの効力は、払戻請求権にも及ぶ。
【関連条文】632以下［合同会社における特則］

■第７節　合同会社の計算等に関する特則

第１款　計算書類の閲覧に関する特則

第６２５条

合同会社の債権者は、当該合同会社の営業時間内は、いつでも、その計算書類（作成した日から５年以内のものに限る。）について第６１８条第１項各号＜計算書類の閲覧等＞に掲げる請求をすることができる〈書。

第２款　資本金の額の減少に関する特則

第６２６条　（出資の払戻し又は持分の払戻しを行う場合の資本金の額の減少）

Ⅰ　合同会社は、第６２０条第１項＜損失てん補のための資本金の額の減少＞の場合のほか、出資の払戻し又は持分の払戻しのために、その資本金の額を減少することができる。
Ⅱ　前項の規定により出資の払戻しのために減少する資本金の額は、第６３２条第２項＜出資の払戻しの制限＞に規定する出資払戻額から出資の払戻しをする日における剰余金額を控除して得た額を超えてはならない。

Ⅲ　第１項の規定により持分の払戻しのために減少する資本金の額は、第６３５条第１項<持分の払戻しに対する債権者の異議>に規定する持分払戻額から持分の払戻しをする日における剰余金額を控除して得た額を超えてはならない。
Ⅳ　前２項に規定する「剰余金額」とは、第１号に掲げる額から第２号から第４号までに掲げる額の合計額を減じて得た額をいう（第４款及び第５款において同じ。）。
①　資産の額
②　負債の額
③　資本金の額
④　前２号に掲げるもののほか、法務省令で定める各勘定科目に計上した額の合計額

第６２７条　（債権者の異議）

Ⅰ　合同会社が資本金の額を減少する場合には、当該合同会社の債権者は、当該合同会社に対し、資本金の額の減少について異議を述べることができる書。
Ⅱ　前項に規定する場合には、合同会社は、次に掲げる事項を官報に公告し、かつ、知れている債権者には、各別にこれを催告しなければならない。ただし、第２号の期間は、１箇月を下ることができない予。
①　当該資本金の額の減少の内容
②　債権者が一定の期間内に異議を述べることができる旨
Ⅲ　前項の規定にかかわらず、合同会社が同項の規定による公告を、官報のほか、第９３９条第１項<会社の公告方法>の規定による定款の定めに従い、同項第２号<時事に関する事項を掲載する日刊新聞紙に掲載する方法>又は第３号<電子公告>に掲げる公告方法によりするときは、前項の規定による各別の催告は、することを要しない。
Ⅳ　債権者が第２項第２号の期間内に異議を述べなかったときは、当該債権者は、当該資本金の額の減少について承認をしたものとみなす。
Ⅴ　債権者が第２項第２号の期間内に異議を述べたときは、合同会社は、当該債権者に対し、弁済し、若しくは相当の担保を提供し、又は当該債権者に弁済を受けさせることを目的として信託会社等に相当の財産を信託しなければならない。ただし、当該資本金の額の減少をしても当該債権者を害するおそれがないときは、この限りでない。
Ⅵ　資本金の額の減少は、前各項の手続が終了した日に、その効力を生ずる。

第３款　利益の配当に関する特則

第６２８条　（利益の配当の制限）

合同会社は、利益の配当により社員に対して交付する金銭等の帳簿価額（以下この款において「配当額」という。）が当該利益の配当をする日における利益額を超える場合には、当該利益の配当をすることができない。この場合においては、合同会社は、第６２１条第１項<持分会社の利益の配当>の規定による請求を拒むことができる。

第６２９条　（利益の配当に関する責任）

Ⅰ　合同会社が前条の規定に違反して利益の配当をした場合には、当該利益の配当に関する業務を執行した社員は、当該合同会社に対し、当該利益の配当を受けた社員と連帯して、当該配当額に相当する金銭を支払う義務を負う。ただし、当該業務を執行した社員がその職務を行うについて注意を怠らなかったことを証明した場合は、この限りでない。

Ⅱ　前項の義務は、免除することができない。ただし、利益の配当をした日における利益額を限度として当該義務を免除することについて総社員の同意がある場合は、この限りでない。

第６３０条　（社員に対する求償権の制限等）

Ⅰ　前条第１項に規定する場合において、利益の配当を受けた社員は、配当額が利益の配当をした日における利益額を超えることにつき善意であるときは、当該配当額について、当該利益の配当に関する業務を執行した社員からの求償の請求に応ずる義務を負わない。

Ⅱ　前条第１項に規定する場合には、合同会社の債権者は、利益の配当を受けた社員に対し、配当額（当該配当額が当該債権者の合同会社に対して有する債権額を超える場合にあっては、当該債権額）に相当する金銭を支払わせることができる。

Ⅲ　第６２３条第２項<持分会社における有限責任社員の利益配当に関する責任>の規定は、合同会社の社員については、適用しない。

第６３１条　（欠損が生じた場合の責任）

Ⅰ　合同会社が利益の配当をした場合において、当該利益の配当をした日の属する事業年度の末日に欠損額（合同会社の欠損の額として法務省令で定める方法により算定される額をいう。以下この項において同じ。）が生じたときは、当該利益の配当に関する業務を執行した社員は、当該合同会社に対し、当該利益の配当を受けた社員と連帯して、その欠損額（当該欠損額が配当額を超えるときは、当該配当額）を支払う義務を負う。ただし、当該業務を執行した社員がその職務を行うについて注意を怠らなかったことを証明した場合は、この限りでない。

Ⅱ　前項の義務は、総社員の同意がなければ、免除することができない。

第４款　出資の払戻しに関する特則

第６３２条　（出資の払戻しの制限）

Ⅰ　第６２４条第１項<持分会社における出資の払戻し>の規定にかかわらず、合同会社の社員は、定款を変更してその出資の価額を減少する場合を除き、同項前段の規定による請求をすることができない共書。

Ⅱ　合同会社が出資の払戻しにより社員に対して交付する金銭等の帳簿価額（以下この款において「出資払戻額」という。）が、第６２４条第１項前段<持分会社における出資の払戻し>の規定による請求をした日における剰余金額（第６２６条第１項の資本金の額の減少をした場合にあっては、その減少をした後の剰余金額。以下

持分会社

この款において同じ。）又は前項の出資の価額を減少した額のいずれか少ない額を超える場合には、当該出資の払戻しをすることができない。この場合においては、合同会社は、第６２４条第１項前段＜持分会社における出資の払戻し＞の規定による請求を拒むことができる。

［趣旨］合同会社の社員は有限責任しか負わない（576 Ⅳ）ことから、債権者保護の見地から払戻請求権を否定した。

第６３３条 （出資の払戻しに関する社員の責任）

Ⅰ 合同会社が前条の規定に違反して出資の払戻しをした場合には、当該出資の払戻しに関する業務を執行した社員は、当該合同会社に対し、当該出資の払戻しを受けた社員と連帯して、当該出資払戻額に相当する金銭を支払う義務を負う。ただし、当該業務を執行した社員がその職務を行うについて注意を怠らなかったことを証明した場合は、この限りでない。

Ⅱ 前項の義務は、免除することができない。ただし、出資の払戻しをした日における剰余金額を限度として当該義務を免除することについて総社員の同意がある場合は、この限りでない。

第６３４条 （社員に対する求償権の制限等）

Ⅰ 前条第１項に規定する場合において、出資の払戻しを受けた社員は、出資払戻額が出資の払戻しをした日における剰余金額を超えることにつき善意であるときは、当該出資払戻額について、当該出資の払戻しに関する業務を執行した社員からの求償の請求に応ずる義務を負わない。

Ⅱ 前条第１項に規定する場合には、合同会社の債権者は、出資の払戻しを受けた社員に対し、出資払戻額（当該出資払戻額が当該債権者の合同会社に対して有する債権額を超える場合にあっては、当該債権額）に相当する金銭を支払わせることができる。

第５款 退社に伴う持分の払戻しに関する特則

第６３５条 （債権者の異議）

Ⅰ 合同会社が持分の払戻しにより社員に対して交付する金銭等の帳簿価額（以下この款において「持分払戻額」という。）が当該持分の払戻しをする日における剰余金額を超える場合には、当該合同会社の債権者は、当該合同会社に対し、持分の払戻しについて異議を述べることができる。

Ⅱ 前項に規定する場合には、合同会社は、次に掲げる事項を官報に公告し、かつ、知れている債権者には、各別にこれを催告しなければならない。ただし、第２号の期間は、１箇月（持分払戻額が当該合同会社の純資産額として法務省令で定める方法により算定される額を超える場合にあっては、２箇月）を下ることができない。

① 当該剰余金額を超える持分の払戻しの内容

② 債権者が一定の期間内に異議を述べることができる旨

Ⅲ　前項の規定にかかわらず、合同会社が同項の規定による公告を、官報のほか、第９３９条第１項＜会社の公告方法＞の規定による定款の定めに従い、同項第２号＜時事に関する事項を掲載する日刊新聞紙に掲載する方法＞又は第３号＜電子公告＞に掲げる公告方法によりするときは、前項の規定による各別の催告は、することを要しない。ただし、持分払戻額が当該合同会社の純資産額として法務省令で定める方法により算定される額を超える場合はこの限りでない。

Ⅳ　債権者が第２項第２号の期間内に異議を述べなかったときは、当該債権者は、当該持分の払戻しについて承認をしたものとみなす。

Ⅴ　債権者が第２項第２号の期間内に異議を述べたときは、合同会社は、当該債権者に対し、弁済し、若しくは相当の担保を提供し、又は当該債権者に弁済を受けさせることを目的として信託会社等に相当の財産を信託しなければならない。ただし、持分払戻額が当該合同会社の純資産額として法務省令で定める方法により算定される額を超えない場合において、当該持分の払戻しをしても当該債権者を害するおそれがないときは、この限りでない。

【関連条文】計規166

第６３６条　（業務を執行する社員の責任）

Ⅰ　合同会社が前条の規定に違反して持分の払戻しをした場合には、当該持分の払戻しに関する業務を執行した社員は、当該合同会社に対し、当該持分の払戻しを受けた社員と連帯して、当該持分払戻額に相当する金銭を支払う義務を負う。ただし、持分の払戻しに関する業務を執行した社員がその職務を行うについて注意を怠らなかったことを証明した場合は、この限りでない。

Ⅱ　前項の義務は、免除することができない。ただし、持分の払戻しをした時における剰余金額を限度として当該義務を免除することについて総社員の同意がある場合は、この限りでない。

・第６章・【定款の変更】

第６３７条　（定款の変更）〈同書

持分会社は、定款に別段の定めがある場合を除き、総社員の同意によって、定款の変更をすることができる。

［趣旨］持分会社において広く定款自治が認められる根拠は、定款の作成が社員全員で行われることにあるところ、定款の変更についても総社員の同意を要件とした。

【関連条文】466［株式会社における定款変更］

第６３８条　（定款の変更による持分会社の種類の変更）〈予

Ⅰ　合名会社は、次の各号に掲げる定款の変更をすることにより、当該各号に定める種類の持分会社となる〈書。

① 有限責任社員を加入させる定款の変更　合資会社
② その社員の一部を有限責任社員とする定款の変更　合資会社
③ その社員の全部を有限責任社員とする定款の変更　合同会社書

Ⅱ　合資会社は、次の各号に掲げる定款の変更をすることにより、当該各号に定める種類の持分会社となる。
① その社員の全部を無限責任社員とする定款の変更　合名会社
② その社員の全部を有限責任社員とする定款の変更　合同会社

Ⅲ　合同会社は、次の各号に掲げる定款の変更をすることにより、当該各号に定める種類の持分会社となる。
① その社員の全部を無限責任社員とする定款の変更　合名会社予
② 無限責任社員を加入させる定款の変更　合資会社
③ その社員の一部を無限責任社員とする定款の変更　合資会社

【関連条文】919［持分会社の種類の変更の登記］

第６３９条　（合資会社の社員の退社による定款のみなし変更）

Ⅰ　合資会社の有限責任社員が退社したことにより当該合資会社の社員が無限責任社員のみとなった場合には、当該合資会社は、合名会社となる定款の変更をしたものとみなす予。

Ⅱ　合資会社の無限責任社員が退社したことにより当該合資会社の社員が有限責任社員のみとなった場合には、当該合資会社は、合同会社となる定款の変更をしたものとみなす予。

第６４０条　（定款の変更時の出資の履行）

Ⅰ　第６３８条第１項第３号<合名会社がその社員の全部を有限責任社員とする旨の定款変更>又は第２項第２号<合資会社がその社員の全部を有限責任社員とする旨の定款変更>に掲げる定款の変更をする場合において、当該定款の変更をする持分会社の社員が当該定款の変更後の合同会社に対する出資に係る払込み又は給付の全部又は一部を履行していないときは、当該定款の変更は、当該払込み及び給付が完了した日に、その効力を生ずる。

Ⅱ　前条第２項の規定により合同会社となる定款の変更をしたものとみなされた場合において、社員がその出資に係る払込み又は給付の全部又は一部を履行していないときは、当該定款の変更をしたものとみなされた日から１箇月以内に、当該払込み又は給付を完了しなければならない。ただし、当該期間内に、合名会社又は合資会社となる定款の変更をした場合は、この限りでない。

・第７章・【解散】

第６４１条　（解散の事由）共

持分会社は、次に掲げる事由によって解散する。
① 定款で定めた存続期間の満了

② 定款で定めた解散の事由の発生
③ 総社員の同意
④ 社員が欠けたこと〈同書。
⑤ 合併（合併により当該持分会社が消滅する場合に限る。）
⑥ 破産手続開始の決定
⑦ 第８２４条第１項＜株主等の申立てによる裁判所の会社解散命令＞又は第８３３条第２項＜会社の解散の訴え＞の規定による解散を命ずる裁判

【関連条文】 471［株式会社における規制］、926［解散の登記］

第６４２条　（持分会社の継続）

Ⅰ　持分会社は、前条第１号から第３号まで＜定款で定めた存続期間の満了等の持分会社の解散事由＞に掲げる事由によって解散した場合には、次章の規定による清算が結了するまで、社員の全部又は一部の同意によって、持分会社を継続することができる。

Ⅱ　前項の場合には、持分会社を継続することについて同意しなかった社員は、持分会社が継続することとなった日に、退社する。

【関連条文】 473［株式会社における規制］、927［継続の登記］

第６４３条　（解散した持分会社の合併等の制限）

持分会社が解散した場合には、当該持分会社は、次に掲げる行為をすることができない。

① 合併（合併により当該持分会社が存続する場合に限る〈書。）
② 吸収分割による他の会社がその事業に関して有する権利義務の全部又は一部の承継

【関連条文】 474［株式会社における規制］

・第８章・【清算】

■第１節　清算の開始

第６４４条　（清算の開始原因）

持分会社は、次に掲げる場合には、この章の定めるところにより、清算をしなければならない。

① 解散した場合（第６４１条第５号＜合併＞に掲げる事由によって解散した場合及び破産手続開始の決定により解散した場合であって当該破産手続が終了していない場合を除く。）
② 設立の無効の訴えに係る請求を認容する判決が確定した場合
③ 設立の取消しの訴えに係る請求を認容する判決が確定した場合

第６４５条（清算持分会社の能力）

前条の規定により清算をする持分会社（以下「清算持分会社」という。）は、清算の目的の範囲内において、清算が結了するまではなお存続するものとみなす。

【関連条文】475、476［株式会社における規制］

■第２節　清算人

第６４６条（清算人の設置）

清算持分会社には、１人又は２人以上の清算人を置かなければならない。

第６４７条（清算人の就任）

Ⅰ　次に掲げる者は、清算持分会社の清算人となる。

①　業務を執行する社員（次号又は第３号に掲げる者がある場合を除く。）

②　定款で定める者

③　社員（業務を執行する社員を定款で定めた場合にあっては、その社員）の過半数の同意によって定める者

Ⅱ　前項の規定により清算人となる者がないときは、裁判所は、利害関係人の申立てにより、清算人を選任する。

Ⅲ　前２項の規定にかかわらず、第６４１条第４号又は第７号に掲げる事由によって解散した清算持分会社については、裁判所は、利害関係人若しくは法務大臣の申立てにより又は職権で、清算人を選任する。

Ⅳ　第１項及び第２項の規定にかかわらず、第６４４条第２号又は第３号に掲げる場合に該当することとなった清算持分会社については、裁判所は、利害関係人の申立てにより、清算人を選任する。

第６４８条（清算人の解任）

Ⅰ　清算人（前条第２項から第４項までの規定により裁判所が選任したものを除く。）は、いつでも、解任することができる。

Ⅱ　前項の規定による解任は、定款に別段の定めがある場合を除き、社員の過半数をもって決定する。

Ⅲ　重要な事由があるときは、裁判所は、社員その他利害関係人の申立てにより、清算人を解任することができる。

第６４９条（清算人の職務）

清算人は、次に掲げる職務を行う。

①　現務の結了

②　債権の取立て及び債務の弁済

③　残余財産の分配

第６５０条（業務の執行）

Ⅰ　清算人は、清算持分会社の業務を執行する。

Ⅱ　清算人が２人以上ある場合には、清算持分会社の業務は、定款に別段の定めがある場合を除き、清算人の過半数をもって決定する。
Ⅲ　前項の規定にかかわらず、社員が２人以上ある場合には、清算持分会社の事業の全部又は一部の譲渡は、社員の過半数をもって決定する。

第６５１条　（清算人清算持分会社との関係）

Ⅰ　清算持分会社と清算人との関係は、委任に関する規定に従う。
Ⅱ　第５９３条第２項、第５９４条及び第５９５条の規定は、清算人について準用する。この場合において、第５９４条第１項及び第５９５条第１項中「当該社員以外の社員」とあるのは、「社員（当該清算人が社員である場合にあっては、当該清算人以外の社員）」と読み替えるものとする。

第６５２条　（清算人の清算持分会社に対する損害賠償責任）

清算人は、その任務を怠ったときは、清算持分会社に対し、連帯して、これによって生じた損害を賠償する責任を負う。

第６５３条　（清算人の第三者に対する損害賠償責任）

清算人がその職務を行うについて悪意又は重大な過失があったときは、当該清算人は、連帯して、これによって第三者に生じた損害を賠償する責任を負う。

第６５４条　（法人が清算人である場合の特則）

Ⅰ　法人が清算人である場合には、当該法人は、当該清算人の職務を行うべき者を選任し、その者の氏名及び住所を社員に通知しなければならない。
Ⅱ　前３条の規定は、前項の規定により選任された清算人の職務を行うべき者について準用する。

第６５５条　（清算持分会社の代表）

Ⅰ　清算人は、清算持分会社を代表する。ただし、他に清算持分会社を代表する清算人その他清算持分会社を代表する者を定めた場合は、この限りでない。
Ⅱ　前項本文の清算人が２人以上ある場合には、清算人は、各自、清算持分会社を代表する。
Ⅲ　清算持分会社は、定款又は定款の定めに基づく清算人（第６４７条第２項から第４項までの規定により裁判所が選任したものを除く。以下この項において同じ。）の互選によって、清算人の中から清算持分会社を代表する清算人を定めることができる。
Ⅳ　第６４７条第１項第１号の規定により業務を執行する社員が清算人となる場合において、持分会社を代表する社員を定めていたときは、当該持分会社を代表する社員が清算持分会社を代表する清算人となる。
Ⅴ　裁判所は、第６４７条第２項から第４項までの規定により清算人を選任する場合には、その清算人の中から清算持分会社を代表する清算人を定めることができる。
Ⅵ　第５９９条第４項及び第５項の規定は清算持分会社を代表する清算人について、第６０３条の規定は民事保全法第５６条に規定する仮処分命令により選任された清算人又は清算持分会社を代表する清算人の職務を代行する者について、それぞれ準用する。

第６５６条　（清算持分会社についての破産手続の開始）

Ⅰ　清算持分会社の財産がその債務を完済するのに足りないことが明らかになったときは、清算人は、直ちに破産手続開始の申立てをしなければならない。
Ⅱ　清算人は、清算持分会社が破産手続開始の決定を受けた場合において、破産管財人にその事務を引き継いだときは、その任務を終了したものとする。
Ⅲ　前項に規定する場合において、清算持分会社が既に債権者に支払い、又は社員に分配したものがあるときは、破産管財人は、これを取り戻すことができる。

第６５７条　（裁判所の選任する清算人の報酬）

裁判所は、第６４７条第２項から第４項までの規定により清算人を選任した場合には、清算持分会社が当該清算人に対して支払う報酬の額を定めることができる。

■第３節　財産目録等

第６５８条　（財産目録等の作成等）

Ⅰ　清算人は、その就任後遅滞なく、清算持分会社の財産の現況を調査し、法務省令で定めるところにより、第６４４条各号に掲げる場合に該当することとなった日における財産目録及び貸借対照表（以下この節において「財産目録等」という。）を作成し、各社員にその内容を通知しなければならない。
Ⅱ　清算持分会社は、財産目録等を作成した時からその本店の所在地における清算結了の登記の時までの間、当該財産目録等を保存しなければならない。
Ⅲ　清算持分会社は、社員の請求により、毎月清算の状況を報告しなければならない。

【関連条文】492［株式会社における規制］

第６５９条　（財産目録等の提出命令）

裁判所は、申立てにより又は職権で、訴訟の当事者に対し、財産目録等の全部又は一部の提出を命ずることができる。

【関連条文】493［株式会社における規制］

■第４節　債務の弁済等

第６６０条　（債権者に対する公告等）

Ⅰ　清算持分会社（合同会社に限る。以下この項及び次条において同じ。）は、第６４４条各号に掲げる場合に該当することとなった後、遅滞なく、当該清算持分会社の債権者に対し、一定の期間内にその債権を申し出るべき旨を官報に公告し、かつ、知れている債権者には、各別にこれを催告しなければならない。ただし、当該期間は、２箇月を下ることができない。

Ⅱ　前項の規定による公告には、当該債権者が当該期間内に申出をしないときは清算から除斥される旨を付記しなければならない。

第６６１条（債務の弁済の制限）

Ⅰ　清算持分会社は、前条第１項の期間内は、債務の弁済をすることができない。この場合において、清算持分会社は、その債務の不履行によって生じた責任を免れることができない。

Ⅱ　前項の規定にかかわらず、清算持分会社は、前条第１項の期間内であっても、裁判所の許可を得て、少額の債権、清算持分会社の財産につき存する担保権によって担保される債権その他これを弁済しても他の債権者を害するおそれがない債権に係る債務について、その弁済をすることができる。この場合において、当該許可の申立ては、清算人が２人以上あるときは、その全員の同意によってしなければならない。

第６６２条（条件付債権等に係る債務の弁済）

Ⅰ　清算持分会社は、条件付債権、存続期間が不確定な債権その他その額が不確定な債権に係る債務を弁済することができる。この場合においては、これらの債権を評価させるため、裁判所に対し、鑑定人の選任の申立てをしなければならない。

Ⅱ　前項の場合には、清算持分会社は、同項の鑑定人の評価に従い同項の債権に係る債務を弁済しなければならない。

Ⅲ　第１項の鑑定人の選任の手続に関する費用は、清算持分会社の負担とする。当該鑑定人による鑑定のための呼出し及び質問に関する費用についても、同様とする。

第６６３条（出資の履行の請求）

清算持分会社に現存する財産がその債務を完済するのに足りない場合において、その出資の全部又は一部を履行していない社員があるときは、当該出資に係る定款の定めにかかわらず、当該清算持分会社は、当該社員に出資させることができる。

第６６４条（債務の弁済前における残余財産の分配の制限）

清算持分会社は、当該清算持分会社の債務を弁済した後でなければ、その財産を社員に分配することができない。ただし、その存否又は額について争いのある債権に係る債務についてその弁済をするために必要と認められる財産を留保した場合は、この限りでない。

第６６５条（清算からの除斥）

Ⅰ　清算持分会社（合同会社に限る。以下この条において同じ。）の債権者（知れている債権者を除く。）であって第６６０条第１項の期間内にその債権の申出をしなかったものは、清算から除斥される。

Ⅱ　前項の規定により清算から除斥された債権者は、分配がされていない残余財産に対してのみ、弁済を請求することができる。

Ⅲ　清算持分会社の残余財産を社員の一部に分配した場合には、当該社員の受けた分配と同一の割合の分配を当該社員以外の社員に対してするために必要な財産は、前項の残余財産から控除する。

■第５節　残余財産の分配

第６６６条　（残余財産の分配の割合）

残余財産の分配の割合について定款の定めがないときは、その割合は、各社員の出資の価額に応じて定める。

【関連条文】504～506［株式会社における規制］

■第６節　清算事務の終了等

第６６７条

Ⅰ　清算持分会社は、清算事務が終了したときは、遅滞なく、清算に係る計算をして、社員の承認を受けなければならない。

Ⅱ　社員が１箇月以内に前項の計算について異議を述べなかったときは、社員は、当該計算の承認をしたものとみなす。ただし、清算人の職務の執行に不正の行為があったときは、この限りでない。

【関連条文】507［株式会社における規制］

■第７節　任意清算

第６６８条　（財産の処分の方法） 共書

Ⅰ　持分会社（合名会社及び合資会社に限る。以下この節において同じ。）は、定款又は総社員の同意によって、当該持分会社が第６４１条第１号から第３号までに掲げる事由によって解散した場合における当該持分会社の財産の処分の方法を定めることができる。

Ⅱ　第２節から前節までの規定は、前項の財産の処分の方法を定めた持分会社については、適用しない。

第６６９条　（財産目録等の作成）

Ⅰ　前条第１項の財産の処分の方法を定めた持分会社が第６４１条第１号から第３号までに掲げる事由によって解散した場合には、清算持分会社（合名会社及び合資会社に限る。以下この節において同じ。）は、解散の日から２週間以内に、法務省令で定めるところにより、解散の日における財産目録及び貸借対照表を作成しなければならない。

Ⅱ　前条第１項の財産の処分の方法を定めていない持分会社が第６４１条第１号から第３号までに掲げる事由によって解散した場合において、解散後に同項の財産の処分の方法を定めたときは、清算持分会社は、当該財産の処分の方法を定めた日から２週間以内に、法務省令で定めるところにより、解散の日における財産目録及び貸借対照表を作成しなければならない。

第６７０条　（債権者の異議）

Ⅰ　持分会社が第６６８条第１項の財産の処分の方法を定めた場合には、その解散後の清算持分会社の債権者は、当該清算持分会社に対し、当該財産の処分の方法について異議を述べることができる。

Ⅱ　前項に規定する場合には、清算持分会社は、解散の日（前条第２項に規定する場合にあっては、当該財産の処分の方法を定めた日）から２週間以内に、次に掲げる事項を官報に公告し、かつ、知れている債権者には、各別にこれを催告しなければならない。ただし、第２号の期間は、１箇月を下ることができない。

①　第６６８条第１項の財産の処分の方法に従い清算をする旨

②　債権者が一定の期間内に異議を述べることができる旨

Ⅲ　前項の規定にかかわらず、清算持分会社が同項の規定による公告を、官報のほか、第９３９条第１項の規定による定款の定めに従い、同項第２号又は第３号に掲げる公告方法によりするときは、前項の規定による各別の催告は、することを要しない。

Ⅳ　債権者が第２項第２号の期間内に異議を述べなかったときは、当該債権者は、当該財産の処分の方法について承認をしたものとみなす。

Ⅴ　債権者が第２項第２号の期間内に異議を述べたときは、清算持分会社は、当該債権者に対し、弁済し、若しくは相当の担保を提供し、又は当該債権者に弁済を受けさせることを目的として信託会社等に相当の財産を信託しなければならない。

第６７１条　（持分の差押債権者の同意等）

Ⅰ　持分会社が第６６８条第１項の財産の処分の方法を定めた場合において、社員の持分を差し押さえた債権者があるときは、その解散後の清算持分会社がその財産の処分をするには、その債権者の同意を得なければならない。

Ⅱ　前項の清算持分会社が同項の規定に違反してその財産の処分をしたときは、社員の持分を差し押さえた債権者は、当該清算持分会社に対し、その持分に相当する金額の支払を請求することができる。

■第８節　帳簿資料の保存

第６７２条

Ⅰ　清算人（第６６８条第１項の財産の処分の方法を定めた場合にあっては、清算持分会社を代表する社員）は、清算持分会社の本店の所在地における清算結了の登記の時から１０年間、清算持分会社の帳簿並びにその事業及び清算に関する重要な資料（以下この条において「帳簿資料」という。）を保存しなければならない。

Ⅱ　前項の規定にかかわらず、定款で又は社員の過半数をもって帳簿資料を保存する者を定めた場合には、その者は、清算持分会社の本店の所在地における清算結了の登記の時から１０年間、帳簿資料を保存しなければならない。

Ⅲ　裁判所は、利害関係人の申立てにより、第１項の清算人又は前項の規定により帳簿資料を保存する者に代わって帳簿資料を保存する者を選任することができる〈書〉。この場合においては、前２項の規定は、適用しない。

Ⅳ　前項の規定により選任された者は、清算持分会社の本店の所在地における清算結了の登記の時から１０年間、帳簿資料を保存しなければならない。
Ⅴ　第３項の規定による選任の手続に関する費用は、清算持分会社の負担とする。

【関連条文】508［株式会社における規制］

■第９節　社員の責任の消滅時効

第６７３条

Ⅰ　第５８０条に規定する社員の責任は、清算持分会社の本店の所在地における解散の登記をした後５年以内に請求又は請求の予告をしない清算持分会社の債権者に対しては、その登記後５年を経過した時に消滅する。
Ⅱ　前項の期間の経過後であっても、社員に分配していない残余財産があるときは、清算持分会社の債権者は、清算持分会社に対して弁済を請求することができる。

■第１０節　適用除外等

第６７４条　（適用除外）

次に掲げる規定は、清算持分会社については、適用しない。
①　第４章第１節
②　第６０６条、第６０７条第１項（第３号及び第４号を除く。）及び第６０９条
③　第５章第３節（第６１７条第４項、第６１８条及び第６１９条を除く。）から第６節まで及び第７節第２款
④　第６３８条第１項第３号及び第２項第２号

第６７５条　（相続及び合併による退社の特則）

清算持分会社の社員が死亡した場合又は合併により消滅した場合には、第６０８条第１項の定款の定めがないときであっても、当該社員の相続人その他の一般承継人は、当該社員の持分を承継する。この場合においては、同条第４項及び第５項の規定を準用する。

持分会社

第4編　社債

《概　説》

一　はじめに

1　意義

社債とは、会社法の規定により会社が行う割当てにより発生するその会社を債務者とする金銭債権であって、676条各号に掲げる事項についての定めに従い償還されるものをいう（2㉓）。

なお、旧商法と異なり、会社法では、株式会社のみでなくすべての種類の会社が社債を発行することができる〈司予書〉。

また、社債も金銭の消費貸借によって生じる権利であるため、会社法に特別の規定がなければ、民法の規定が適用される。たとえば、消費貸借契約や金銭債権に関する民法の規定が適用される他、相殺（民505）の規定も適用され、社債も相殺の対象となる（最判平15.2.21・百選A 37事件）。

2　機能

社債は、会社の資金調達の手段の1つであり、多額かつ長期の資金調達を可能とするものである。

銀行等からの通常の借入方法では多額かつ長期の資金調達は難しい。また、募集株式の発行等による場合は、新たに割り当てられた株式にも配当を要するため、配当率の低下が生じたり、課税上不利であるという問題がある。そこで、会社法は社債の発行による資金調達を認めた。　⇒ p.153

3　利息制限法との関係

原則として、社債の利息の支払について利息制限法1条は適用されない（最判令3.1.26・令3重判8事件）。

∵　経済的弱者である債務者の窮迫に乗じて不当な高利の貸付けが行われることを防止するという利息制限法の趣旨は、社債について直ちに当てはまるものではなく、社債の利息を利息制限法1条によって制限することは、かえって会社法が会社の円滑な資金調達手段として社債制度を設けた趣旨に反する

もっとも、債権者が会社に金銭を貸し付けるに際し、社債の発行に仮託して、不当に高利を得る目的で当該会社に働きかけて社債を発行させるなど、「社債の発行が利息制限法の規制を潜脱することを企図して行われたものと認められるなどの特段の事情がある場合」には、利息制限法の趣旨が妥当するので、社債の利息の支払について利息制限法1条が適用される（最判令3.1.26・令3重判8事件）。

二　社債と株式の異同

<社債と株式の異同>

		株式	社債
共通点	資金調達の一方法 多数の区分的単位に分割され、その地位が非個性化されている 有価証券を発行することができる（214、676⑥） 権利移転要件（128 Ⅰ、146 Ⅱ、687、692）、対抗要件（130、147、688、693）、善意取得（131 Ⅱ、689 Ⅱ）について共通の規律に服する 会社の債権者に対して何ら責任を負わない		
相違点	意義	株式会社の社員たる地位	会社に対する金銭債権
	発行手続	原則として、株主総会が決定（199 Ⅱ、200 Ⅰ） ただし、公開会社の場合には取締役会が決定（201 Ⅰ）	取締役会非設置会社では取締役、取締役会設置会社では取締役会が決定する（348、362 Ⅳ⑤）
	効力発生の要件	払込期日に出資の履行（209 Ⅰ①）	募集社債の申込み（677）、及び割当て（678）予
	投下資本に対する収益の形態	剰余金配当請求権は、分配可能額が生じた場合にのみ、生じるにすぎない（461）	会社の利益の有無にかかわらず、確定額の利息の支払を受ける権利を有する（676③参照）
	投下資本の払戻方法	会社存立中は原則として出資の払戻しは行われず、株主は、払戻しを受けて退社することはできない	償還期限が到来すれば償還される（676④参照）
	会社解散時の権利	会社債権者に対する弁済がなされた後の残余財産の分配を受けうるにすぎない（502）	株主に先立ち、通常の会社債権者と同順位で会社財産から弁済を受けうる
	会社経営への参加権の有無	議決権（308 Ⅰ）や種々の監督是正権など、会社経営に参加する権利を有する	会社経営に参加する権利を有しない

三　社債と株式の接近化

1　社債的な性質を有する株式

(1)　非参加的累積的優先株式（108 Ⅰ①）

剰余金配当優先株式の一種であり、ある年度に優先配当がなされないと、次年度以降に優先権が繰り越されるものであって（累積的）、他方、利益が多くあがっても一定の額しか分配を受けられない（非参加的）ものである。

(2)　取得請求権付株式・取得条項付株式（108 Ⅰ⑤⑥）

(3)　議決権制限株式（108 Ⅰ③）

2　株式的性質を有する社債

株式的性質を有する社債としては、新株予約権付社債が挙げられる（2㉒）。

新株予約権付社債とは、新株予約権を付した社債をいう（2㉒）。特に、社債の償還期限を会社清算時とし、その際の償還の順位を一般債権者に劣後するものとし、社債の利率が会社の分配可能額に応じて変動するように設計された場合、非常に株式に近いものとなる〈司。

会社法の下では、新株予約権付社債については、原則として、新株予約権に関する規定と、社債に関する規定との両方が適用される。もっとも、発行手続は、募集新株予約権の発行手続による（248参照）。

新株予約権付社債は社債と新株予約権が不可分に結合したものであり、いずれか一方が消滅した場合を除き、新株予約権を社債から分離して譲渡すること及び社債を新株予約権から分離して譲渡することは禁止されている（254 Ⅱ Ⅲ）〈予。

新株予約権付社債（2㉒）に付された新株予約権の行使期間の終期は、当該新株予約権付社債の償還の期限と一致させる必要はないと解されている〈予。254条2項ただし書・267条2項ただし書の規定によれば、新株予約権付社債の社債が消滅した場合であっても、新株予約権はなお残存することが前提となっているため、社債が償還（元本の返済）により消滅しても、なお残存する新株予約権の行使期間の終期を償還の期限の経過後に定めることも可能ということになる。

新株予約権付社債権者は、会社の業績が低調な間は社債権者として安全な地位にとどまり、業績が好転すれば新株予約権に基づく予約権を行使して株主となり、より有利な地位を取得することができることになる。このように、新株予約権付社債は社債の堅実性と株式の投機性を併有したものであるといえ、この方法により会社はより容易かつ有利に資金調達ができる。

社債

・第1章・【総則】

第676条 （募集社債に関する事項の決定）

会社は、その発行する社債を引き受ける者の募集をしようとするときは、その都度、募集社債（当該募集に応じて当該社債の引受けの申込みをした者に対して割り当てる社債をいう。以下この編において同じ。）について次に掲げる事項を定めなければならない〈予。

① 募集社債の総額〈書
② 各募集社債の金額
③ 募集社債の利率
④ 募集社債の償還の方法及び期限
⑤ 利息支払の方法及び期限
⑥ 社債券を発行するときは、その旨〈書
⑦ 社債権者が第６９８条<記名式と無記名式との間の転換>の規定による請求の全部又は一部をすることができないこととするときは、その旨
⑦の2 社債管理者を定めないこととするときは、その旨

⑧　社債管理者が社債権者集会の決議によらずに第７０６条第１項第２号＜社債管理者のなす当該社債の全部についてする訴訟行為等＞に掲げる行為をすることができることとするときは、その旨

⑧の２　社債管理補助者を定めることとするときは、その旨

⑨　各募集社債の払込金額（各募集社債と引換えに払い込む金銭の額をいう。以下この章において同じ。）若しくはその最低金額又はこれらの算定方法

⑩　募集社債と引換えにする金銭の払込みの期日

⑪　一定の日までに募集社債の総額について割当てを受ける者を定めていない場合において、募集社債の全部を発行しないこととするときは、その旨及びその一定の日〈書

⑫　前各号に掲げるもののほか、法務省令で定める事項

《注　釈》

・社債はその総額が最終事業年度の末日における純資産額を超える場合であっても発行することができる〈同。

・社債権者は、払込金額の払込みをする債務と株式会社に対する債権とを相殺することができる〈書。　⇒ p.168（相殺の禁止）

【関連条文】 362 Ⅳ⑤

第６７７条　（募集社債の申込み）

Ⅰ　会社は、前条の募集に応じて募集社債の引受けの申込みをしようとする者に対し、次に掲げる事項を通知しなければならない。

①　会社の商号

②　当該募集に係る前条各号に掲げる事項

③　前２号に掲げるもののほか、法務省令で定める事項

Ⅱ　前条の募集に応じて募集社債の引受けの申込みをする者は、次に掲げる事項を記載した書面を会社に交付しなければならない。

①　申込みをする者の氏名又は名称及び住所

②　引き受けようとする募集社債の金額及び金額ごとの数

③　会社が前条第９号＜各募集社債の払込金額等＞の最低金額を定めたときは、希望する払込金額

Ⅲ　前項の申込みをする者は、同項の書面の交付に代えて、政令で定めるところにより、会社の承諾を得て、同項の書面に記載すべき事項を電磁的方法により提供することができる。この場合において、当該申込みをした者は、同項の書面を交付したものとみなす。

Ⅳ　第１項の規定は、会社が同項各号に掲げる事項を記載した金融商品取引法第２条第１０項に規定する目論見書を第１項の申込みをしようとする者に対して交付している場合その他募集社債の引受けの申込みをしようとする者の保護に欠けるおそれがないものとして法務省令で定める場合には、適用しない。

Ⅴ　会社は、第１項各号に掲げる事項について変更があったときは、直ちに、その旨及び当該変更があった事項を第２項の申込みをした者（以下この章において「申込者」という。）に通知しなければならない。

Ⅵ　会社が申込者に対してする通知又は催告は、第２項第１号の住所（当該申込者が

社債

別に通知又は催告を受ける場所又は連絡先を当該会社に通知した場合にあっては、その場所又は連絡先）にあてて発すれば足りる。

Ⅶ　前項の通知又は催告は、その通知又は催告が通常到達すべきであった時に、到達したものとみなす。

第６７８条　（募集社債の割当て）

Ⅰ　会社は、申込者の中から募集社債の割当てを受ける者を定め、かつ、その者に割り当てる募集社債の金額及び金額ごとの数を定めなければならない。この場合において、会社は、当該申込者に割り当てる募集社債の金額ごとの数を、前条第２項第２号＜引受けの申込みをする者が引き受けようとする募集社債の金額及び金額ごとの数＞の数よりも減少することができる。

Ⅱ　会社は、第６７６条第１０号＜募集社債と引換えにする金銭の払込みの期日＞の期日の前日までに、申込者に対し、当該申込者に割り当てる募集社債の金額及び金額ごとの数を通知しなければならない。

第６７９条　（募集社債の申込み及び割当てに関する特則）

前２条の規定は、募集社債を引き受けようとする者がその総額の引受けを行う契約を締結する場合には、適用しない。

第６８０条　（募集社債の社債権者） 〈予

次の各号に掲げる者は、当該各号に定める募集社債の社債権者となる。

①　申込者　会社の割り当てた募集社債

②　前条の契約により募集社債の総額を引き受けた者　その者が引き受けた募集社債 〈書

第６８１条　（社債原簿）

会社は、社債を発行した日以後遅滞なく、社債原簿を作成し、これに次に掲げる事項（以下この章において「社債原簿記載事項」という。）を記載し、又は記録しなければならない〈書。

①　第６７６条第３号から第８号の２まで＜募集社債の利率等＞に掲げる事項その他の社債の内容を特定するものとして法務省令で定める事項（以下この編において「種類」という。）

②　種類ごとの社債の総額及び各社債の金額

③　各社債と引換えに払い込まれた金銭の額及び払込みの日

④　社債権者（無記名社債（無記名式の社債券が発行されている社債をいう〈予。以下この編において同じ。）の社債権者を除く。）の氏名又は名称及び住所〈書

⑤　前号の社債権者が各社債を取得した日

⑥　社債券を発行したときは、社債券の番号、発行の日、社債券が記名式か、又は無記名式かの別及び無記名式の社債券の数

⑦　前各号に掲げるもののほか、法務省令で定める事項

第682条　(社債原簿記載事項を記載した書面の交付等)

Ⅰ　社債権者（無記名社債の社債権者を除く。）は、社債を発行した会社（以下この編において「社債発行会社」という。）に対し、当該社債権者についての社債原簿に記載され、若しくは記録された社債原簿記載事項を記載した書面の交付又は当該社債原簿記載事項を記録した電磁的記録の提供を請求することができる。
Ⅱ　前項の書面には、社債発行会社の代表者が署名し、又は記名押印しなければならない。
Ⅲ　第1項の電磁的記録には、社債発行会社の代表者が法務省令で定める署名又は記名押印に代わる措置をとらなければならない。
Ⅳ　前3項の規定は、当該社債について社債券を発行する旨の定めがある場合には、適用しない。

第683条　(社債原簿管理人) 書

会社は、社債原簿管理人（会社に代わって社債原簿の作成及び備置きその他の社債原簿に関する事務を行う者をいう。以下同じ。）を定め、当該事務を行うことを委託することができる。

第684条　(社債原簿の備置き及び閲覧等)

Ⅰ　社債発行会社は、社債原簿をその本店（社債原簿管理人がある場合にあっては、その営業所）に備え置かなければならない。
Ⅱ　社債権者その他の法務省令で定める者は、社債発行会社の営業時間内は、いつでも、次に掲げる請求をすることができる。この場合においては、当該請求の理由を明らかにしてしなければならない。
①　社債原簿が書面をもって作成されているときは、当該書面の閲覧又は謄写の請求
②　社債原簿が電磁的記録をもって作成されているときは、当該電磁的記録に記録された事項を法務省令で定める方法により表示したものの閲覧又は謄写の請求
Ⅲ　社債発行会社は、前項の請求があったときは、次のいずれかに該当する場合を除き、これを拒むことができない。
①　当該請求を行う者がその権利の確保又は行使に関する調査以外の目的で請求を行ったとき。
②　当該請求を行う者が社債原簿の閲覧又は謄写によって知り得た事実を利益を得て第三者に通報するため請求を行ったとき。
③　当該請求を行う者が、過去2年以内において、社債原簿の閲覧又は謄写によって知り得た事実を利益を得て第三者に通報したことがあるものであるとき。
Ⅳ　社債発行会社が株式会社である場合には、当該社債発行会社の親会社社員は、その権利を行使するため必要があるときは、裁判所の許可を得て、当該社債発行会社の社債原簿について第2項各号に掲げる請求をすることができる。この場合においては、当該請求の理由を明らかにしてしなければならない。
Ⅴ　前項の親会社社員について第3項各号のいずれかに規定する事由があるときは、裁判所は、前項の許可をすることができない。

[趣旨] 3項は、記名社債の場合には、社債権者の氏名等が社債原簿に記載されるため、いわゆる名簿屋などが社債原簿を閲覧し、その情報を売却する等の閲覧権の

濫用のおそれがあることから、閲覧拒否事由を定めている。

第685条　(社債権者に対する通知等)

Ⅰ　社債発行会社が社債権者に対してする通知又は催告は、社債原簿に記載し、又は記録した当該社債権者の住所（当該社債権者が別に通知又は催告を受ける場所又は連絡先を当該社債発行会社に通知した場合にあっては、その場所又は連絡先）にあてて発すれば足りる。

Ⅱ　前項の通知又は催告は、その通知又は催告が通常到達すべきであった時に、到達したものとみなす。

Ⅲ　社債が２以上の者の共有に属するときは、共有者は、社債発行会社が社債権者に対してする通知又は催告を受領する者１人を定め、当該社債発行会社に対し、その者の氏名又は名称を通知しなければならない。この場合においては、その者を社債権者とみなして、前２項の規定を適用する。

Ⅳ　前項の規定による共有者の通知がない場合には、社債発行会社が社債の共有者に対してする通知又は催告は、そのうちの１人に対してすれば足りる。

Ⅴ　前各項の規定は、第720条第1項<社債権者集会の招集の通知>の通知に際して社債権者に書面を交付し、又は当該書面に記載すべき事項を電磁的方法により提供する場合について準用する。この場合において、第２項中「到達したもの」とあるのは、「当該書面の交付又は当該事項の電磁的方法による提供があったもの」と読み替えるものとする。

第686条　(共有者による権利の行使)

社債が２以上の者の共有に属するときは、共有者は、当該社債についての権利を行使する者１人を定め、会社に対し、その者の氏名又は名称を通知しなければ、当該社債についての権利を行使することができない(同)。ただし、会社が当該権利を行使することに同意した場合は、この限りでない。

第687条　(社債券を発行する場合の社債の譲渡)

社債券を発行する旨の定めがある社債の譲渡は、当該社債に係る社債券を交付しなければ、その効力を生じない。

第688条　(社債の譲渡の対抗要件)

Ⅰ　社債の譲渡は、その社債を取得した者の氏名又は名称及び住所を社債原簿に記載し、又は記録しなければ、社債発行会社その他の第三者に対抗することができない。

Ⅱ　当該社債について社債券を発行する旨の定めがある場合における前項の規定の適用については、同項中「社債発行会社その他の第三者」とあるのは、「社債発行会社」とする。

Ⅲ　前２項の規定は、無記名社債については、適用しない(書)。

《注　釈》

・社債発行会社が、自己の社債を取得する手続や制限を定めた規定はなく、業務執行の一環として自己の社債を取得することができる(同)。

【関連条文】 130［株式譲渡の対抗要件］

社債

第６８９条　（権利の推定等）

Ⅰ　社債券の占有者は、当該社債券に係る社債についての権利を適法に有するものと推定する。
Ⅱ　社債券の交付を受けた者は、当該社債券に係る社債についての権利を取得する。ただし、その者に悪意又は重大な過失があるときは、この限りでない。

第６９０条　（社債権者の請求によらない社債原簿記載事項の記載又は記録）

Ⅰ　社債発行会社は、次の各号に掲げる場合には、当該各号の社債の社債権者に係る社債原簿記載事項を社債原簿に記載し、又は記録しなければならない。
　①　当該社債発行会社の社債を取得した場合
　②　当該社債発行会社が有する自己の社債を処分した場合
Ⅱ　前項の規定は、無記名社債については、適用しない。

第６９１条　（社債権者の請求による社債原簿記載事項の記載又は記録）

Ⅰ　社債を社債発行会社以外の者から取得した者（当該社債発行会社を除く。）は、当該社債発行会社に対し、当該社債に係る社債原簿記載事項を社債原簿に記載し、又は記録することを請求することができる。
Ⅱ　前項の規定による請求は、利害関係人の利益を害するおそれがないものとして法務省令で定める場合を除き、その取得した社債の社債権者として社債原簿に記載され、若しくは記録された者又はその相続人その他の一般承継人と共同してしなければならない。
Ⅲ　前２項の規定は、無記名社債については、適用しない。

社
債

第６９２条　（社債券を発行する場合の社債の質入れ）

社債券を発行する旨の定めがある社債の質入れは、当該社債に係る社債券を交付しなければ、その効力を生じない。

第６９３条　（社債の質入れの対抗要件）

Ⅰ　社債の質入れは、その質権者の氏名又は名称及び住所を社債原簿に記載し、又は記録しなければ、社債発行会社その他の第三者に対抗することができない。
Ⅱ　前項の規定にかかわらず、社債券を発行する旨の定めがある社債の質権者は、継続して当該社債に係る社債券を占有しなければ、その質権をもって社債発行会社その他の第三者に対抗することができない。

第６９４条　（質権に関する社債原簿の記載等）

Ⅰ　社債に質権を設定した者は、社債発行会社に対し、次に掲げる事項を社債原簿に記載し、又は記録することを請求することができる。
　①　質権者の氏名又は名称及び住所
　②　質権の目的である社債
Ⅱ　前項の規定は、社債券を発行する旨の定めがある場合には、適用しない書。

第６９５条　（質権に関する社債原簿の記載事項を記載した書面の交付等）

Ⅰ　前条第１項各号に掲げる事項が社債原簿に記載され、又は記録された質権者は、社債発行会社に対し、当該質権者についての社債原簿に記載され、若しくは記録された同項各号に掲げる事項を記載した書面の交付又は当該事項を記録した電磁的記録の提供を請求することができる。

Ⅱ　前項の書面には、社債発行会社の代表者が署名し、又は記名押印しなければならない。

Ⅲ　第１項の電磁的記録には、社債発行会社の代表者が法務省令で定める署名又は記名押印に代わる措置をとらなければならない。

第６９５条の２　（信託財産に属する社債についての対抗要件等）

Ⅰ　社債については、当該社債が信託財産に属する旨を社債原簿に記載し、又は記録しなければ、当該社債が信託財産に属することを、社債発行会社その他の第三者に対抗することができない。

Ⅱ　第６８１条第４号の社債権者は、その有する社債が信託財産に属するときは、社債発行会社に対し、その旨を社債原簿に記載し、又は記録することを請求することができる。

Ⅲ　社債原簿に前項の規定による記載又は記録がされた場合における第６８２条第１項及び第６９０条第１項の規定の適用については、第６８２条第１項中「記録された社債原簿記載事項」とあるのは「記録された社債原簿記載事項（当該社債権者の有する社債が信託財産に属する旨を含む。）」と、第６９０条第１項中「社債原簿記載事項」とあるのは「社債原簿記載事項（当該社債権者の有する社債が信託財産に属する旨を含む。）」とする。

Ⅳ　前３項の規定は、社債券を発行する旨の定めがある社債については、適用しない。

第６９６条　（社債券の発行）

社債発行会社は、社債券を発行する旨の定めがある社債を発行した日以後遅滞なく、当該社債に係る社債券を発行しなければならない。

《注　釈》

・会社が社債を発行する場合において、募集事項として社債券を発行する旨（676⑥）を定めていないときは、社債券を発行する必要はない回。

【関連条文】 215Ⅰ［株式の発行］

第６９７条　（社債券の記載事項）

Ⅰ　社債券には、次に掲げる事項及びその番号を記載し、社債発行会社の代表者がこれに署名し、又は記名押印しなければならない。

①　社債発行会社の商号
②　当該社債券に係る社債の金額
③　当該社債券に係る社債の種類

Ⅱ　社債券には、利札を付することができる。

第６９８条　（記名式と無記名式との間の転換）

社債券が発行されている社債の社債権者は、第６７６条第７号＜記名式と無記名式との間の転換の請求をすることができないとする旨＞に掲げる事項についての定めによりすることができないこととされている場合を除き、いつでも、その記名式の社債券を無記名式とし、又はその無記名式の社債券を記名式とすることを請求することができる。

第６９９条　（社債券の喪失）

Ⅰ　社債券は、非訟事件手続法第１００条に規定する公示催告手続によって無効とすることができる〈同〉。

Ⅱ　社債券を喪失した者は、非訟事件手続法第１０６条第１項に規定する除権決定を得た後でなければ、その再発行を請求することができない。

第７００条　（利札が欠けている場合における社債の償還）

Ⅰ　社債発行会社は、社債券が発行されている社債をその償還の期限前に償還する場合において、これに付された利札が欠けているときは、当該利札に表示される社債の利息の請求権の額を償還額から控除しなければならない。ただし、当該請求権が弁済期にある場合は、この限りでない。

Ⅱ　前項の利札の所持人は、いつでも、社債発行会社に対し、これと引換えに同項の規定により控除しなければならない額の支払を請求することができる。

第７０１条　（社債の償還請求権等の消滅時効）

Ⅰ　社債の償還請求権は、これを行使することができる時から１０年間行使しないときは、時効によって消滅する〈書〉。

Ⅱ　社債の利息の請求権及び前条第２項の規定による請求権は、これらを行使することができる時から５年間行使しないときは、時効によって消滅する。

・第２章・【社債管理者】

第７０２条　（社債管理者の設置）〈同書〉

会社は、社債を発行する場合には、社債管理者を定め、社債権者のために、弁済の受領、債権の保全その他の社債の管理を行うことを委託しなければならない。ただし、各社債の金額が１億円以上である場合その他社債権者の保護に欠けるおそれがないものとして法務省令で定める場合は、この限りでない。

［趣旨］社債権者の保護、法律関係を簡明にするため、社債発行会社は社債を発行する場合には、社債管理者を定めて、社債権者のために社債の管理を行うことを委託しなければならないとした。もっとも、社債権者が一定規模以上の資産を有し、会社と直接交渉できるような能力を有すると認められる場合には、社債管理者の設置を不要とした。

第７０３条　（社債管理者の資格）

社債管理者は、次に掲げる者でなければならない。

① 銀行〈書

② 信託会社

③ 前２号に掲げるもののほか、これらに準ずるものとして法務省令で定める者

第７０４条　（社債管理者の義務）

Ⅰ　社債管理者は、社債権者のために、公平かつ誠実に社債の管理を行わなければならない〈司。

Ⅱ　社債管理者は、社債権者に対し、善良な管理者の注意をもって社債の管理を行わなければならない〈書。

第７０５条　（社債管理者の権限等）

Ⅰ　社債管理者は、社債権者のために社債に係る債権の弁済を受け、又は社債に係る債権の実現を保全するために必要な一切の裁判上又は裁判外の行為をする権限を有する〈司書。

Ⅱ　社債管理者が前項の弁済を受けた場合には、社債権者は、その社債管理者に対し、社債の償還額及び利息の支払を請求することができる。この場合において、社債券を発行する旨の定めがあるときは、社債権者は、社債券と引換えに当該償還額の支払を、利札と引換えに当該利息の支払を請求しなければならない。

Ⅲ　前項前段の規定による請求権は、これを行使することができる時から１０年間行使しないときは、時効によって消滅する。

Ⅳ　社債管理者は、その管理の委託を受けた社債につき第１項の行為をするために必要があるときは、裁判所の許可を得て、社債発行会社の業務及び財産の状況を調査することができる〈書。

《注　釈》

◆　判例

社債管理者が存在しても、各社債権者が発行会社に対し元利金の支払請求をすることは妨げられない（大判昭3.11.28・百選81事件）。

第７０６条

Ⅰ　社債管理者は、社債権者集会の決議によらなければ、次に掲げる行為をしてはならない。ただし、第２号に掲げる行為については、第６７６条第８号<社債管理者が社債権者集会の決議によらずに社債の全部について訴訟行為できる旨の定め>に掲げる事項についての定めがあるときは、この限りでない。

① 当該社債の全部についてするその支払の猶予、その債務若しくはその債務の不履行によって生じた責任の免除又は和解（次号に掲げる行為を除く。）

② 当該社債の全部についてする訴訟行為又は破産手続、再生手続、更生手続若しくは特別清算に関する手続に属する行為（前条第１項の行為を除く。）

社債

Ⅱ　社債管理者は、前項ただし書の規定により社債権者集会の決議によらずに同項第2号に掲げる行為をしたときは、遅滞なく、その旨を公告し、かつ、知れている社債権者には、各別にこれを通知しなければならない。

Ⅲ　前項の規定による公告は、社債発行会社における公告の方法によりしなければならない。ただし、その方法が電子公告であるときは、その公告は、官報に掲載する方法でしなければならない。

Ⅳ　社債管理者は、その管理の委託を受けた社債につき第１項各号に掲げる行為をするために必要があるときは、裁判所の許可を得て、社債発行会社の業務及び財産の状況を調査することができる。

第７０７条　（特別代理人の選任）〈書

社債権者と社債管理者との利益が相反する場合において、社債権者のために裁判上又は裁判外の行為をする必要があるときは、裁判所は、社債権者集会の申立てにより、特別代理人を選任しなければならない。

第７０８条　（社債管理者等の行為の方式）

社債管理者又は前条の特別代理人が社債権者のために裁判上又は裁判外の行為をするときは、個別の社債権者を表示することを要しない。

第７０９条　（２以上の社債管理者がある場合の特則）

Ⅰ　２以上の社債管理者があるときは、これらの者が共同してその権限に属する行為をしなければならない。

Ⅱ　前項に規定する場合において、社債管理者が第７０５条第１項<社債管理者の権限等>の弁済を受けたときは、社債管理者は、社債権者に対し、連帯して、当該弁済の額を支払う義務を負う。

【令元改正】令和元年改正前において706条1項は、社債権者集会の決議（特別決議、724Ⅱ②参照）によらなければ、社債管理者は当該社債の全部についてする支払猶予、債務不履行によって生じた責任の免除又は和解（706Ⅰ①）を行うことができない旨規定していたところ、令和元年改正により、新たにこれに元本及び利息（元利金）の減免が追加された。令和元年改正前会社法においても、元利金の減免は「和解」（706Ⅰ①）として行うことが可能と解されていたものの、互譲が存在しないのではないかといった指摘がなされていた。そこで、解釈上の疑義を払拭して法的安定性を確保する観点から、元利金の減免に関して、社債権者集会に決議する権限があることを明確に示すこととされた。

[趣旨]706条1項ただし書の趣旨は、社債権者集会の決議を要しないとすることで、社債のデフォルト時などに迅速に社債管理者が訴訟手続等を行うことができるようにする点にある。

第７１０条 （社債管理者の責任）

Ⅰ 社債管理者は、この法律又は社債権者集会の決議に違反する行為をしたときは、社債権者に対し、連帯して、これによって生じた損害を賠償する責任を負う。

Ⅱ 社債管理者は、社債発行会社が社債の償還若しくは利息の支払を怠り、若しくは社債発行会社について支払の停止があった後又はその前３箇月以内に、次に掲げる行為をしたときは、社債権者に対し、損害を賠償する責任を負う。ただし、当該社債管理者が誠実にすべき社債の管理を怠らなかったこと又は当該損害が当該行為によって生じたものでないことを証明したときは、この限りでない。

① 当該社債管理者の債権に係る債務について社債発行会社から担保の供与又は債務の消滅に関する行為を受けること。

② 当該社債管理者と法務省令で定める特別の関係がある者に対して当該社債管理者の債権を譲り渡すこと（当該特別の関係がある者が当該債権に係る債務について社債発行会社から担保の供与又は債務の消滅に関する行為を受けた場合に限る。）。

③ 当該社債管理者が社債発行会社に対する債権を有する場合において、契約によって負担する債務を専ら当該債権をもってする相殺に供する目的で社債発行会社の財産の処分を内容とする契約を社債発行会社との間で締結し、又は社債発行会社に対して債務を負担する者の債務を引き受けることを内容とする契約を締結し、かつ、これにより社債発行会社に対し負担した債務と当該債権とを相殺すること。

④ 当該社債管理者が社債発行会社に対して債務を負担する場合において、社債発行会社に対する債権を譲り受け、かつ、当該債務と当該債権とを相殺すること。

[趣旨]本条は、社債発行会社がデフォルトに陥ったとき、社債発行会社に対して貸付債権等の債権を有する社債管理者と社債権者との利益相反が尖鋭化するような事態が生じうるため、立証責任の転換を図るなどして社債管理者の責任を強化した。

◆ **判例**

経済的窮境に陥った社債発行会社に実行された救済融資に対してなされた「担保の供与」（710 Ⅱ①）は、「誠実にすべき社債管理を怠らなかった」場合に当たりうる（名古屋高判平 21.5.28・百選 80 事件）。

第７１１条 （社債管理者の辞任）

Ⅰ 社債管理者は、社債発行会社及び社債権者集会の同意を得て辞任することができる。この場合において、他に社債管理者がないときは、当該社債管理者は、あらかじめ、事務を承継する社債管理者を定めなければならない書。

Ⅱ 前項の規定にかかわらず、社債管理者は、第７０２条＜社債管理者の設置＞の規定による委託に係る契約に定めた事由があるときは、辞任することができる。ただし、当該契約に事務を承継する社債管理者に関する定めがないときは、この限りでない。

Ⅲ 第１項の規定にかかわらず、社債管理者は、やむを得ない事由があるときは、裁判所の許可を得て、辞任することができる。

社債

第７１２条（社債管理者が辞任した場合の責任）

第７１０条第２項<社債管理者の利益相反行為に基づく責任>の規定は、社債発行会社が社債の償還若しくは利息の支払を怠り、若しくは社債発行会社について支払の停止があった後又はその前３箇月以内に前条第２項の規定により辞任した社債管理者について準用する。

第７１３条（社債管理者の解任）

裁判所は、社債管理者がその義務に違反したとき、その事務処理に不適任であるときその他正当な理由があるときは、社債発行会社又は社債権者集会の申立てにより、当該社債管理者を解任することができる。

第７１４条（社債管理者の事務の承継）

Ⅰ　社債管理者が次のいずれかに該当することとなった場合において、他に社債管理者がないときは、社債発行会社は、事務を承継する社債管理者を定め、社債権者のために、社債の管理を行うことを委託しなければならない。この場合においては、社債発行会社は、社債権者集会の同意を得るため、遅滞なく、これを招集し、かつ、その同意を得ることができなかったときは、その同意に代わる裁判所の許可の申立てをしなければならない。

①　第７０３条各号<社債管理者の資格>に掲げる者でなくなったとき。
②　第７１１条第３項<裁判所の許可に基づく社債管理者の辞任>の規定により辞任したとき。
③　前条の規定により解任されたとき。
④　解散したとき。

Ⅱ　社債発行会社は、前項前段に規定する場合において、同項各号のいずれかに該当することとなった日後２箇月以内に、同項後段の規定による招集をせず、又は同項後段の申立てをしなかったときは、当該社債の総額について期限の利益を喪失する。

Ⅲ　第１項前段に規定する場合において、やむを得ない事由があるときは、利害関係人は、裁判所に対し、事務を承継する社債管理者の選任の申立てをすることができる。

Ⅳ　社債発行会社は、第１項前段の規定により事務を承継する社債管理者を定めた場合（社債権者集会の同意を得た場合を除く。）又は前項の規定による事務を承継する社債管理者の選任があった場合には、遅滞なく、その旨を公告し、かつ、知れている社債権者には、各別にこれを通知しなければならない。

・第２章の２・【社債管理補助者】

第７１４条の２（社債管理補助者の設置）

会社は、第７０２条ただし書<社債管理者の設置が不要である場合>に規定する場合には、社債管理補助者を定め、社債権者のために、社債の管理の補助を行うことを委託することができる。ただし、当該社債が担保付社債である場合は、この限りでない。

第７１４条の３　（社債管理補助者の資格）

社債管理補助者は、第７０３条＜社債管理者の資格＞各号に掲げる者その他法務省令で定める者でなければならない。

第７１４条の４　（社債管理補助者の権限等）

Ⅰ　社債管理補助者は、社債権者のために次に掲げる行為をする権限を有する。
　①　破産手続参加、再生手続参加又は更生手続参加
　②　強制執行又は担保権の実行の手続における配当要求
　③　第４９９条第１項＜清算株式会社の債権者に対する公告等＞の期間内に債権の申出をすること。
Ⅱ　社債管理補助者は、第７１４条の２の規定による委託に係る契約に定める範囲内において、社債権者のために次に掲げる行為をする権限を有する。
　①　社債に係る債権の弁済を受けること。
　②　第７０５条第１項＜社債管理者の権限等＞の行為（前項各号及び前号に掲げる行為を除く。）
　③　第７０６条第１項各号＜社債管理者が社債権者集会決議によらなければ行うことができない行為＞に掲げる行為
　④　社債発行会社が社債の総額について期限の利益を喪失することとなる行為
Ⅲ　前項の場合において、社債管理補助者は、社債権者集会の決議によらなければ、次に掲げる行為をしてはならない。
　①　前項第２号に掲げる行為であって、次に掲げるもの
　　イ　当該社債の全部についてするその支払の請求
　　ロ　当該社債の全部に係る債権に基づく強制執行、仮差押え又は仮処分
　　ハ　当該社債の全部についてする訴訟行為又は破産手続、再生手続、更生手続若しくは特別清算に関する手続に属する行為（イ及びロに掲げる行為を除く。）
　②　前項第３号及び第４号に掲げる行為
Ⅳ　社債管理補助者は、第７１４条の２の規定による委託に係る契約に従い、社債の管理に関する事項を社債権者に報告し、又は社債権者がこれを知ることができるようにする措置をとらなければならない。
Ⅴ　第７０５条第２項＜社債管理者が社債に係る債権の弁済を受けた場合＞及び第３項＜社債の償還額及び利息の支払請求権の消滅時効＞の規定は、第２項第１号に掲げる行為をする権限を有する社債管理補助者について準用する。

第７１４条の５　（２以上の社債管理補助者がある場合の特則）

Ⅰ　２以上の社債管理補助者があるときは、社債管理補助者は、各自、その権限に属する行為をしなければならない。
Ⅱ　社債管理補助者が社債権者に生じた損害を賠償する責任を負う場合において、他の社債管理補助者も当該損害を賠償する責任を負うときは、これらの者は、連帯債務者とする。

第７１４条の６　（社債管理者等との関係）

第７０２条＜社債管理者の設置＞の規定による委託に係る契約又は担保付社債信託法（明治３８年法律第５２号）第２条第１項に規定する信託契約の効力が生じた場合には、第７１４条の２の規定による委託に係る契約は、終了する。

第７１４条の７　（社債管理者に関する規定の準用）

第７０４条＜社債管理者の義務＞、第７０７条＜特別代理人の選任＞、第７０８条＜社債管理者等の行為の方式＞、第７１０条第１項＜社債管理者の責任＞、第７１１条＜社債管理者の辞任＞、第７１３条＜社債管理者の解任＞及び第７１４条＜社債管理者の事務の承継＞の規定は、社債管理補助者について準用する。この場合において、第７０４条中「社債の管理」とあるのは「社債の管理の補助」と、同項中「社債権者に対し、連帯して」とあるのは「社債権者に対し」と、第７１１条第１項中「において、他に社債管理者がないときは」とあるのは「において」と、同条第２項中「第７０２条」とあるのは「第７１４条の２」と、第７１４条第１項中「において、他に社債管理者がないときは」とあるのは「には」と、「社債の管理」とあるのは「社債の管理の補助」と、「第７０３条各号に掲げる」とあるのは「第７１４条の３に規定する」と、「解散した」とあるのは「死亡し、又は解散した」と読み替えるものとする。

【令元改正】社債管理者の権限は広範である分責任が重く、社債管理者の義務やその資格要件も厳格であるため、適任者の確保が困難であること、社債管理者の設置コストも高いこと等を理由に、実務上、あえて社債管理者設置の例外（702ただし書参照）に該当するよう社債を設計し、社債管理者の設置を回避するケースが多かった。しかし、その結果、社債管理者を設置しないで発行された社債について債務不履行が生じ、社債権者に損失や混乱が生じるという事態が見受けられるようになった。そのため、社債管理者を設置しない場合であっても、社債の管理に関する最低限の事務を委託できる第三者の存在が望まれていた。これを受け、令和元年改正により、社債権者の保護の観点から、社債管理補助者制度が新たに設けられるに至った。

《注　釈》

一　意義

社債管理補助者とは、社債権者のために社債の管理を補助するための第三者として、社債発行会社の委託によって設置される機関をいう（714の２本文）。

二　社債管理者と社債管理補助者の相違

社債管理者と社債管理補助者は、いずれも社債発行会社が第三者に対して一定の事務を行うことを委託することによって設置される点で共通する。

一方、社債管理者制度は、社債管理者自らが社債権者のために社債の管理を行う制度であり、そのために必要な権限を包括的に有し、裁量の余地も広範であるのに対し、社債管理補助者制度は、あくまでも社債権者自身による社債の管理が前提となっており、それが円滑に行われるよう補助するにとどまるため、社債管理補助者の権限は限定的であり、裁量の余地も社債管理者に比べて狭くなっている。

<社債管理者と社債管理補助者の相違>

	社債管理者	社債管理補助者
設置	原則：設置義務あり（702本文） 例外：設置義務なし ＝各社債の金額が1億円以上である場合その他社債権者の保護に欠けるおそれがないものとして法務省令で定める場合（702ただし書）	社債管理者の設置義務がない場合（702ただし書）に任意で設置可能（714の2本文） →当該社債が担保付社債である場合は設置不可（714の2ただし書）
資格	銀行・信託会社・その他これらに準ずるものとして法務省令で定める者（703各号）	703条各号に掲げる者・その他法務省令で定める者（弁護士・弁護士法人が想定されている）（714の3）
義務	公平・誠実義務（704Ⅰ）、善管注意義務（704Ⅱ）	同じ（714の7・704）
権限	<法定権限> ①　社債管理者は、社債権者のために社債に係る債権の弁済を受け、又は社債に係る債権の実現を保全するために必要な一切の裁判上又は裁判外の行為をする権限を有する（705Ⅰ） →社債管理補助者の法定権限（714の4Ⅰ各号）及び約定権限①②は、社債管理者にとっては法定権限（705Ⅰ）である ②　706条1項各号の行為 →社債管理補助者の約定権限③も、社債管理者にとっては法定権限である ③　資本金等の額の減少、組織変更、会社分割、合併等について社債発行会社から催告を受ける権限を有する（740Ⅲ） <約定権限> →社債管理補助者の約定権限④は、社債管理者にとっても約定権限である	<法定権限> →714条の4第1項各号及び740条3項 <約定権限（限定列挙ではない）> ①　社債に係る債権の弁済を受ける権限（714の4Ⅱ①） ②　705条1項の行為（714の4Ⅰ各号及び前号を除く、714の4Ⅱ②） ③　706条1項各号の行為（714の4Ⅱ③） ④　社債発行会社が社債の総額について期限の利益を喪失することとなる行為（714の4Ⅱ④）

	社債管理者	社債管理補助者
社債権者集会の決議を要する行為	・法定権限②（706Ⅰ） →ただし、議決権を行使できる社債権者の全員の同意により、社債権者集会の決議の省略が可能（みなし決議制度、735の2参照）	①　約定権限②のうち、当該社債の全部についてする支払の請求（714の4Ⅲ①イ）、強制執行・仮差押え・仮処分（同ロ）、訴訟行為等（同ハ） ②　約定権限③④（714の4Ⅲ②） →社債管理補助者の辞任のみ、社債権者集会の決議の省略が可能（735の2Ⅰかっこ書、714の7・711Ⅰ）
責任	①　会社法又は社債権者集会の決議に違反する行為をした責任（710Ⅰ） ②　社債管理者の一定の利益相反行為に基づく責任等（710Ⅱ）	左記①の責任のみ（714の7・710Ⅰ）
特別代理人の選任	707	同じ（714の7・707）
行為の方式	708	同じ（714の7・708）
辞任・解任・事務の承継	711（辞任）・713（解任）・714（事務の承継） →社債管理者が辞任する場合において、他に社債管理者がないときは、あらかじめ、事務を承継する社債管理者を定めなければならない（711Ⅰ）	同じ（714の7・711、713、714） →社債管理者が辞任する場合と異なり、社債管理補助者が辞任する場合には、他に社債管理補助者があるかどうかにかかわらず、あらかじめ、事務を承継する社債管理補助者を定めなければならない（714の7・711Ⅰ後段）

社
債

三　2以上の社債管理補助者がある場合の特則

2以上の社債管理補助者があるときは、社債管理補助者は、各自、その権限に属する行為をしなければならない（714の5Ⅰ）。

→2以上の社債管理者がある場合（709Ⅰ参照。共同してその権限に属する行為をしなければならない）とは異なる規律となっている

∵　社債管理補助者の権限は限定的であり、裁量の余地も社債管理者に比べて狭いため、共同して権限を行使する実益に乏しい

→社債管理補助者が辞任する場合には、他に社債管理補助者があるかどうかにかかわらず、あらかじめ、事務を承継する社債管理補助者を定めなければならない（714の7・711Ⅰ後段）

∵　社債管理補助者は、各自がその権限に属する行為をする（714の5Ⅰ）

もっとも、社債管理補助者が社債権者に生じた損害を賠償する責任を負う場合において、他の社債管理補助者も当該損害を賠償する責任を負うときは、これらの者は、連帯債務者とされる（714の5Ⅱ）。

∵　社債権者保護の観点

四　社債管理者等との関係

社債管理者の設置に関する702条による委託契約の効力が生じ、社債管理者が定められた場合には、社債管理補助者との委託契約は終了する（714の6）。

・第3章・【社債権者集会】

《概　説》

＜株主総会と社債権者集会の比較＞

	株主総会	社債権者集会
共通点	①議決権の代理行使（310、725） ②書面又は電磁的方法による議決権行使（311、312、726、727） ③議決権の不統一行使（313、728） ④自己社債（自己株式）についての議決権の否定（308 Ⅱ、723 Ⅱ） ⑤延期・続行の決議（317、730） ⑥議事録の作成（318、731） ⑦参考書類・議決権行使書面の交付（301、302、721、722） ⑧賄賂罪（968 Ⅰ①③Ⅱ）	
決議事項	会社法に規定する事項及び組織、運営、管理その他株式会社に関する一切の事項（取締役会設置会社においては、会社法及び定款記載事項）（295 Ⅰ Ⅱ）	法律に規定がある事項の他、社債権者の利害に関する事項（716）
無記名証券の扱い	特に規制はない	議決権を行使するには招集者に対して提示を要する（723 Ⅲ）
特別決議の要件	原則として、議決権を行使することができる株主の議決権の過半数を有する株主が出席し、出席株主の議決権の３分の２以上の同意（309 Ⅱ）	議決権者の議決権の総額の５分の１以上で、かつ、出席議決権者の議決権の総額の３分の２以上の同意（724 Ⅱ）
決議の効力発生	決議は当然に効力を生じる	決議は当然に効力を生じず、裁判所の認可を要する（734 Ⅰ）
決議の取消し・無効	決議取消し又は不存在・無効確認の訴えがある（830、831）	決議取消し又は不存在・無効確認の訴えがない
議決権	原則として１株１議決権（308 Ⅰ）	その有する種類の社債の金額の合計額（未償還のみ）に応じる（723 Ⅰ）

第７１５条　（社債権者集会の構成）

社債権者は、社債の種類ごとに社債権者集会を組織する。

[趣旨]社債権者に共同の利益のために団体行動をとらせる趣旨である。

【関連条文】681①［社債の種類］

第７１６条　（社債権者集会の権限）書

社債権者集会は、この法律に規定する事項及び社債権者の利害に関する事項について決議をすることができる。

第７１７条　（社債権者集会の招集）

Ⅰ　社債権者集会は、必要がある場合には、いつでも、招集することができる書。

Ⅱ　社債権者集会は、次項又は次条第３項の規定により招集する場合を除き、社債発行会社又は社債管理者が招集する。

Ⅲ　次に掲げる場合には、社債管理補助者は、社債権者集会を招集することができる。

①　次条第１項の規定による請求があった場合

②　第７１４条の７において準用する第７１１条第１項<社債管理者の辞任>の社債権者集会の同意を得るため必要がある場合

第７１８条　（社債権者による招集の請求）

Ⅰ　ある種類の社債の総額（償還済みの額を除く。）の１０分の１以上に当たる社債を有する社債権者は、社債発行会社、社債管理者又は社債管理補助者に対し、社債権者集会の目的である事項及び招集の理由を示して、社債権者集会の招集を請求することができる。

Ⅱ　社債発行会社が有する自己の当該種類の社債の金額の合計額は、前項に規定する社債の総額に算入しない。

Ⅲ　次に掲げる場合には、第１項の規定による請求をした社債権者は、裁判所の許可を得て、社債権者集会を招集することができる。

①　第１項の規定による請求の後遅滞なく招集の手続が行われない場合

②　第１項の規定による請求があった日から８週間以内の日を社債権者集会の日とする社債権者集会の招集の通知が発せられない場合

Ⅳ　第１項の規定による請求又は前項の規定による招集をしようとする無記名社債の社債権者は、その社債券を社債発行会社、社債管理者又は社債管理補助者に提示しなければならない。

【令元改正】社債管理補助者は、社債権者による社債権者集会の決議等を通じた社債の管理を補助する者にすぎないため、主体的な社債権者集会の招集権を付与する必要性に乏しい。そこで、①少数社債権者から請求を受けた場合（717Ⅲ①、718Ⅰ）、及び②自らの辞任のために必要な場合（717Ⅲ②、714の7・711Ⅰ）に限り、社債権者集会を招集することができるものとされている。

《注　釈》

716条について、旧商法下では、法定事項以外の事項について決議をする場合には、事前に裁判所の許可を得る必要があった。しかし、①社債権者の利害に関する事項であれば広く決議対象とすべきであること、②裁判所の認可（734Ⅰ）の他に、二重に裁判所の関与を認める必要性が乏しいことから、この制度は廃止された。

社債

718条4項について、旧商法下では、無記名社債権者が議決権を行使するためには、社債券の供託を要求していたが、手続の煩雑等の弊害があったため、社債券の提示で足りることとした。

第719条　(社債権者集会の招集の決定)

社債権者集会を招集する者（以下この章において「招集者」という。）は、社債権者集会を招集する場合には、次に掲げる事項を定めなければならない。

①　社債権者集会の日時及び場所
②　社債権者集会の目的である事項
③　社債権者集会に出席しない社債権者が電磁的方法によって議決権を行使することができることとするときは、その旨
④　前3号に掲げるもののほか、法務省令で定める事項

【関連条文】 298［株主総会の招集の決定］、規172

第720条　(社債権者集会の招集の通知)

Ⅰ　社債権者集会を招集するには、招集者は、社債権者集会の日の2週間前までに、知れている社債権者及び社債発行会社並びに社債管理者又は社債管理補助者がある場合にあっては社債管理者又は社債管理補助者に対して、書面をもってその通知を発しなければならない。

Ⅱ　招集者は、前項の書面による通知の発出に代えて、政令で定めるところにより、同項の通知を受けるべき者の承諾を得て、電磁的方法により通知を発することができる。この場合において、当該招集者は、同項の書面による通知を発したものとみなす。

Ⅲ　前2項の通知には、前条各号＜社債権者集会を招集するに際して決定する事項＞に掲げる事項を記載し、又は記録しなければならない。

Ⅳ　社債発行会社が無記名式の社債券を発行している場合において、社債権者集会を招集するには、招集者は、社債権者集会の日の3週間前までに、社債権者集会を招集する旨及び前条各号に掲げる事項を公告しなければならない書。

Ⅴ　前項の規定による公告は、社債発行会社における公告の方法によりしなければならない。ただし、招集者が社債発行会社以外の者である場合において、その方法が電子公告であるときは、その公告は、官報に掲載する方法でしなければならない。

【関連条文】 299［株主総会の招集通知］

第721条　(社債権者集会参考書類及び議決権行使書面の交付等)

Ⅰ　招集者は、前条第1項の通知に際しては、法務省令で定めるところにより、知れている社債権者に対し、議決権の行使について参考となるべき事項を記載した書類（以下この条において「社債権者集会参考書類」という。）及び社債権者が議決権を行使するための書面（以下この章において「議決権行使書面」という。）を交付しなければならない。

Ⅱ　招集者は、前条第2項の承諾をした社債権者に対し同項の電磁的方法による通知を発するときは、前項の規定による社債権者集会参考書類及び議決権行使書面の交付に代えて、これらの書類に記載すべき事項を電磁的方法により提供することができる。ただし、社債権者の請求があったときは、これらの書類を当該社債権者に交

社債

付しなければならない。
Ⅲ　招集者は、前条第4項の規定による公告をした場合において、社債権者集会の日の1週間前までに無記名社債の社債権者の請求があったときは、直ちに、社債権者集会参考書類及び議決権行使書面を当該社債権者に交付しなければならない。
Ⅳ　招集者は、前項の規定による社債権者集会参考書類及び議決権行使書面の交付に代えて、政令で定めるところにより、社債権者の承諾を得て、これらの書類に記載すべき事項を電磁的方法により提供することができる。この場合において、当該招集者は、同項の規定によるこれらの書類の交付をしたものとみなす。

第722条

Ⅰ　招集者は、第719条第3号<社債権者が電磁的方法により議決権を行使できることとする旨の定め>に掲げる事項を定めた場合には、第720条第2項<電磁的方法による社債権者集会の招集の通知>の承諾をした社債権者に対する電磁的方法による通知に際して、法務省令で定めるところにより、社債権者に対し、議決権行使書面に記載すべき事項を当該電磁的方法により提供しなければならない。
Ⅱ　招集者は、第719条第3号<社債権者が電磁的方法により議決権を行使できることとする旨の定め>に掲げる事項を定めた場合において、第720条第2項<電磁的方法による社債権者集会の招集の通知>の承諾をしていない社債権者から社債権者集会の日の1週間前までに議決権行使書面に記載すべき事項の電磁的方法による提供の請求があったときは、法務省令で定めるところにより、直ちに、当該社債権者に対し、当該事項を電磁的方法により提供しなければならない。

第723条（議決権の額等）

Ⅰ　社債権者は、社債権者集会において、その有する当該種類の社債の金額の合計額（償還済みの額を除く。）に応じて、議決権を有する。
Ⅱ　前項の規定にかかわらず、社債発行会社は、その有する自己の社債については、議決権を有しない書。
Ⅲ　議決権を行使しようとする無記名社債の社債権者は、社債権者集会の日の1週間前までに、その社債券を招集者に提示しなければならない書。

【関連条文】308［株主の議決権］

第724条（社債権者集会の決議）同

Ⅰ　社債権者集会において決議をする事項を可決するには、出席した議決権者（議決権を行使することができる社債権者をいう。以下この章において同じ。）の議決権の総額の2分の1を超える議決権を有する者の同意がなければならない。
Ⅱ　前項の規定にかかわらず、社債権者集会において次に掲げる事項を可決するには、議決権者の議決権の総額の5分の1以上で、かつ、出席した議決権者の議決権の総額の3分の2以上の議決権を有する者の同意がなければならない。
①　第706条第1項各号<社債管理者が社債権者集会決議によらなければ行うことができない行為>に掲げる行為に関する事項書

② 第７０６条第１項＜社債管理者が社債権者集会決議によらなければ行うことができない行為＞、第７１４条の４第３項＜社債管理補助者が社債権者集会決議によらなければ行うことができない行為＞（同条第２項第３号に掲げる行為＜第７０６条第１項各号に掲げる行為＞に係る部分に限る。）、第７３６条第１項＜代表社債権者の選任等＞、第７３７条第１項ただし書＜社債権者集会の決議の執行＞及び第７３８条＜代表社債権者等の解任等＞の規定により社債権者集会の決議を必要とする事項

Ⅲ 社債権者集会は、第７１９条第２号＜社債権者集会の目的である事項＞に掲げる事項以外の事項については、決議をすることができない。

［趣旨］法は、２項で定足数要件を廃止したが、これは、社債がデフォルトに陥った場合、価値を大きく減少した社債では社債権者の多くが議決権行使のインセンティブを失い、社債権者集会の定足数をみたすことが困難となるとの考え方に基づく。

【関連条文】309［株主総会の決議］

第７２５条 （議決権の代理行使）

Ⅰ 社債権者は、代理人によってその議決権を行使することができる。この場合においては、当該社債権者又は代理人は、代理権を証明する書面を招集者に提出しなければならない。

Ⅱ 前項の代理権の授与は、社債権者集会ごとにしなければならない。

Ⅲ 第１項の社債権者又は代理人は、代理権を証明する書面の提出に代えて、政令で定めるところにより、招集者の承諾を得て、当該書面に記載すべき事項を電磁的方法により提供することができる。この場合において、当該社債権者又は代理人は、当該書面を提出したものとみなす。

Ⅳ 社債権者が第７２０条第２項＜電磁的方法による社債権者集会の招集の通知＞の承諾をした者である場合には、招集者は、正当な理由がなければ、前項の承諾をすることを拒んではならない。

【関連条文】310［株主総会における議決権の代理行使］

第７２６条 （書面による議決権の行使）

Ⅰ 社債権者集会に出席しない社債権者は、書面によって議決権を行使することができる〈書。

Ⅱ 書面による議決権の行使は、議決権行使書面に必要な事項を記載し、法務省令で定める時までに当該記載をした議決権行使書面を招集者に提出して行う。

Ⅲ 前項の規定により書面によって行使した議決権の額は、出席した議決権者の議決権の額に算入する。

【関連条文】311［株主総会における書面による議決権行使］、規175

第７２７条　(電磁的方法による議決権の行使)

Ⅰ　電磁的方法による議決権の行使は、政令で定めるところにより、招集者の承諾を得て、法務省令で定める時までに議決権行使書面に記載すべき事項を、電磁的方法により当該招集者に提供して行う。

Ⅱ　社債権者が第７２０条第２項<電磁的方法による社債権者集会の招集の通知>の承諾をした者である場合には、招集者は、正当な理由がなければ、前項の承諾をすることを拒んではならない。

Ⅲ　第１項の規定により電磁的方法によって行使した議決権の額は、出席した議決権者の議決権の額に算入する。

【関連条文】312［株主総会における電磁的方法による議決権行使］

第７２８条　(議決権の不統一行使)

Ⅰ　社債権者は、その有する議決権を統一しないで行使することができる。この場合においては、社債権者集会の日の３日前までに、招集者に対してその旨及びその理由を通知しなければならない。

Ⅱ　招集者は、前項の社債権者が他人のために社債を有する者でないときは、当該社債権者が同項の規定によりその有する議決権を統一しないで行使することを拒むことができる。

第７２９条　(社債発行会社の代表者の出席等)

Ⅰ　社債発行会社、社債管理者又は社債管理補助者は、その代表者若しくは代理人を社債権者集会に出席させ、又は書面により意見を述べることができる。ただし、社債管理者又は社債管理補助者にあっては、その社債権者集会が第７０７条<特別代理人の選任>（第７１４条の７において準用する場合を含む。）の特別代理人の選任について招集されたものであるときは、この限りでない。

Ⅱ　社債権者集会又は招集者は、必要があると認めるときは、社債発行会社に対し、その代表者又は代理人の出席を求めることができる。この場合において、社債権者集会にあっては、これをする旨の決議を経なければならない。

第７３０条　(延期又は続行の決議)

社債権者集会においてその延期又は続行について決議があった場合には、第７１９条<債権者集会の招集の決定>及び第７２０条<社債権者集会の招集の通知>の規定は、適用しない。

【関連条文】313［株主総会における議決権の不統一行使］、317［株主総会における延期又は続行の決議］

第７３１条　(議事録)

Ⅰ　社債権者集会の議事については、招集者は、法務省令で定めるところにより、議事録を作成しなければならない。

社債

Ⅱ　社債発行会社は、社債権者集会の日から１０年間、前項の議事録をその本店に備え置かなければならない。

Ⅲ　社債管理者、社債管理補助者及び社債権者は、社債発行会社の営業時間内は、いつでも、次に掲げる請求をすることができる。

①　第１項の議事録が書面をもって作成されているときは、当該書面の閲覧又は謄写の請求

②　第１項の議事録が電磁的記録をもって作成されているときは、当該電磁的記録に記録された事項を法務省令で定める方法により表示したものの閲覧又は謄写の請求

【関連条文】318［株主総会の議事録］、規177・226

第７３２条　（社債権者集会の決議の認可の申立て）

社債権者集会の決議があったときは、招集者は、当該決議があった日から１週間以内に、裁判所に対し、当該決議の認可の申立てをしなければならない。

第７３３条　（社債権者集会の決議の不認可）

裁判所は、次のいずれかに該当する場合には、社債権者集会の決議の認可をすることができない。

①　社債権者集会の招集の手続又はその決議の方法が法令又は第６７６条＜募集社債に関する事項の決定＞の募集のための当該社債発行会社の事業その他の事項に関する説明に用いた資料に記載され、若しくは記録された事項に違反するとき。

②　決議が不正の方法によって成立するに至ったとき。

③　決議が著しく不公正であるとき。

④　決議が社債権者の一般の利益に反するとき。

《注　釈》

社債権者集会の決議の方法が法令に違反し、又は著しく不公正なときであっても、社債権者は、訴えをもってその決議の取消しを請求することはできない司。

【関連条文】830・831［株主総会の瑕疵の是正］

第７３４条　（社債権者集会の決議の効力）

Ⅰ　社債権者集会の決議は、裁判所の認可を受けなければ、その効力を生じない司書。

Ⅱ　社債権者集会の決議は、当該種類の社債を有するすべての社債権者に対してその効力を有する。

第７３５条　（社債権者集会の決議の認可又は不認可の決定の公告）

社債発行会社は、社債権者集会の決議の認可又は不認可の決定があった場合には、遅滞なく、その旨を公告しなければならない。

第７３５条の２　（社債権者集会の決議の省略）

Ⅰ　社債発行会社、社債管理者、社債管理補助者又は社債権者が社債権者集会の目的である事項について（社債管理補助者にあっては、第７１４条の７において準用する第７１１条第１項<社債管理者の辞任>の社債権者集会の同意をすることについて）提案をした場合において、当該提案につき議決権者の全員が書面又は電磁的記録により同意の意思表示をしたときは、当該提案を可決する旨の社債権者集会の決議があったものとみなす。

Ⅱ　社債発行会社は、前項の規定により社債権者集会の決議があったものとみなされた日から１０年間、同項の書面又は電磁的記録をその本店に備え置かなければならない。

Ⅲ　社債管理者、社債管理補助者及び社債権者は、社債発行会社の営業時間内は、いつでも、次に掲げる請求をすることができる。

①　前項の書面の閲覧又は謄写の請求

②　前項の電磁的記録に記録された事項を法務省令で定める方法により表示したものの閲覧又は謄写の請求

Ⅳ　第１項の規定により社債権者集会の決議があったものとみなされる場合には、第７３２条から前条<社債権者集会の決議の認可の申立て・社債権者集会の決議の不認可・社債権者集会の決議の効力・社債権者集会の決議の認可又は不認可の決定の公告>まで（第７３４条第２項<社債権者集会の決議の効力はすべての社債権者に及ぶ>を除く。）の規定は、適用しない。

社
債

【令元改正】令和元年改正前会社法下では、社債権者集会の決議によらなければならない旨の規定（706Ⅰ等）の多くは強行規定であるため、たとえ全員の同意があっても社債権者集会の決議に代えることはできないと理解されてきた。しかし、社債権者の全員が同意している場合には、社債権者の保護に欠ける点がなく、社債権者集会の現実の開催や裁判所の認可の手続を義務付ける必然性もないことから、令和元年改正により、社債権者集会の決議を省略することができる旨の制度（みなし決議制度）が創設された。

《注　釈》

◆　みなし決議制度の概要

1　社債権者集会の決議を省略するためには、社債権者集会の招集権者（社債発行会社・社債管理者（717Ⅱ）、社債管理補助者（717Ⅲ）、社債権者（718Ⅰ））が社債権者集会の目的事項について提案し、当該提案につき議決権を行使できる社債権者の全員が、書面又は電磁的記録により同意の意思表示をすることが必要となる（735の2Ⅰ）。

→全員の同意により、当該提案を可決する旨の社債権者集会の決議があったものとみなされる（735の2Ⅰ）

＊　社債管理補助者が提案できる目的事項は、社債管理補助者の辞任についての同意に限られる（735の2Ⅰかっこ書、714の7・711Ⅰ）。

2　上記の手続により社債権者集会の決議があったものとみなされる場合、裁判所の認可は不要となり、当然に有効となる（735の2Ⅳ、732～734Ⅰ・735参照)。

→みなし決議の効力は、当該種類の社債を有するすべての社債権者に及ぶ（734条2項は適用除外されていない）ため、議決権を行使できない社債権者に対しても、みなし決議の効力が及ぶ

3　社債発行会社は、みなし決議があった日から10年間、上記同意の書面又は電磁的記録を本店に備え置く義務を負い（735の2Ⅱ)、社債管理者・社債管理補助者・社債権者は、上記同意の書面又は電磁的記録の閲覧謄写請求権を有する（同Ⅲ)。

∵　みなし決議があったことについて、後に社債を取得した者にも分かるようにするため

第７３６条　（代表社債権者の選任等）

Ⅰ　社債権者集会においては、その決議によって、当該種類の社債の総額（償還済みの額を除く。）の１０００分の１以上に当たる社債を有する社債権者の中から、１人又は２人以上の代表社債権者を選任し、これに社債権者集会において決議をする事項についての決定を委任することができる。

Ⅱ　第７１８条第２項＜自己の社債の不算入＞の規定は、前項に規定する社債の総額について準用する。

Ⅲ　代表社債権者が２人以上ある場合において、社債権者集会において別段の定めを行わなかったときは、第１項に規定する事項についての決定は、その過半数をもって行う。

第７３７条　（社債権者集会の決議の執行）

Ⅰ　社債権者集会の決議は、次の各号に掲げる場合の区分に応じ、当該各号に定める者が執行する。ただし、社債権者集会の決議によって別に社債権者集会の決議を執行する者を定めたときは、この限りでない。

①　社債管理者がある場合　社債管理者

②　社債管理補助者がある場合において、社債管理補助者の権限に属する行為に関する事項を可決する旨の社債権者集会の決議があったとき　社債管理補助者

③　前２号に掲げる場合以外の場合　代表社債権者

Ⅱ　第７０５条第１項から第３項まで＜社債管理者の権限等＞、第７０８条＜社債管理者等の行為の方式＞及び第７０９条＜２以上の社債管理者がある場合の特則＞の規定は、代表社債権者又は前項ただし書の規定により定められた社債権者集会の決議を執行する者（以下この章において「決議執行者」という。）が社債権者集会の決議を執行する場合について準用する。

第７３８条　（代表社債権者等の解任等）

社債権者集会においては、その決議によって、いつでも、代表社債権者若しくは決議執行者を解任し、又はこれらの者に委任した事項を変更することができる。

第７３９条　（社債の利息の支払等を怠ったことによる期限の利益の喪失）

Ⅰ　社債発行会社が社債の利息の支払を怠ったとき、又は定期に社債の一部を償還しなければならない場合においてその償還を怠ったときは、社債権者集会の決議に基づき、当該決議を執行する者は、社債発行会社に対し、一定の期間内にその弁済をしなければならない旨及び当該期間内にその弁済をしないときは当該社債の総額について期限の利益を喪失する旨を書面により通知することができる。ただし、当該期間は、２箇月を下ることができない。

Ⅱ　前項の決議を執行する者は、同項の規定による書面による通知に代えて、政令で定めるところにより、社債発行会社の承諾を得て、同項の規定により通知する事項を電磁的方法により提供することができる。この場合において、当該決議を執行する者は、当該書面による通知をしたものとみなす。

Ⅲ　社債発行会社は、第１項の期間内に同項の弁済をしなかったときは、当該社債の総額について期限の利益を喪失する。

第７４０条　（債権者の異議手続の特則）

Ⅰ　第４４９条＜資本金等の額の減少における債権者異議＞、第６２７条＜合同会社が資本金の額を減少する場合における債権者の異議＞、第６３５条＜持分の払戻しにおける債権者異議＞、第６７０条＜持分会社の任意清算における債権者の異議＞、第７７９条＜株式会社が組織変更をする場合における債権者の異議＞（第７８１条第２項において準用する場合を含む。）、第７８９条＜吸収合併等における債権者異議＞（第７９３条第２項において準用する場合を含む。）、第７９９条＜吸収合併等をする場合における存続株式会社等に対する債権者の異議＞（第８０２条第２項において準用する場合を含む。）、第８１０条＜新設合併等における債権者異議＞（第８１３条第２項において準用する場合を含む。）又は第８１６条の８＜株式交付における債権者異議＞の規定により社債権者が異議を述べるには、社債権者集会の決議によらなければならない。この場合においては、裁判所は、利害関係人の申立てにより、社債権者のために異議を述べることができる期間を伸長することができる予。

Ⅱ　前項の規定にかかわらず、社債管理者は、社債権者のために、異議を述べることができる。ただし、第７０２条＜社債管理者の設置＞の規定による委託に係る契約に別段の定めがある場合は、この限りでない。

Ⅲ　社債発行会社における第４４９条第２項＜資本金等の額の減少における債権者異議のための公告・催告＞、第６２７条第２項＜合同会社資本金減少時の債権者異議のための公告・催告＞、第６３５条第２項＜持分の払戻しにおける債権者異議のための公告・催告＞、第６７０条第２項＜持分会社の任意清算における債権者異議のための公告・催告＞、第７７９条第２項＜組織変更をする株式会社の公告・催告＞（第７８１条第２項において準用する場合を含む。以下この項において同じ。）、第７８９条第２項＜吸収合併等における債権者異議のための公告・催告＞（第７９３条第２項において準用する場合を含む。以下この項において同じ。）、第７９９条第２項＜持分会社の吸収合併等における債権者異議のための公告・催告＞（第８０２

条第２項において準用する場合を含む。以下この項において同じ。)、第８１０条第２項<株式会社が新設合併等をするに際して債権者が消滅株式会社等に対して異議を述べることができる場合の公告・催告>（第８１３条第２項において準用する場合を含む。以下この項において同じ。）及び第８１６条の８第２項<株式交付における債権者異議のための公告・催告>の規定の適用については、第４４９条第２項、第６２７条第２項、第６３５条第２項、第６７０条第２項、第７７９条第２項、第７９９条第２項及び第８１６条の８第２項中「知れている債権者」とあるのは「知れている債権者（社債管理者又は社債管理補助者がある場合にあっては、当該社債管理者又は社債管理補助者を含む。)」と、第７８９条第２項及び第８１０条第２項中「知れている債権者（同項の規定により異議を述べることができるものに限る。)」とあるのは「知れている債権者（同項の規定により異議を述べることができるものに限り、社債管理者又は社債管理補助者がある場合にあっては当該社債管理者又は社債管理補助者を含む。)」とする。

[趣旨] 1項は、社債に関する債権者保護手続における異議権については社債権者集会の決議によるとして、社債権者集会の権限を定めている。しかし、2項においては、社債権者のための異議の申立てを容易にし、債権者の利益を図るために、社債管理者も社債権者のために異議を述べることができるとし、さらに、3項では、かかる異議を述べる機会を保障するために、債権者保護手続（449等）をとる場合には、会社は社債管理者に対しても催告すべきとしている。

第７４１条　（社債管理者等の報酬等）

Ⅰ　社債管理者、社債管理補助者、代表社債権者又は決議執行者に対して与えるべき報酬、その事務処理のために要する費用及びその支出の日以後における利息並びにその事務処理のために自己の過失なくして受けた損害の賠償額は、社債発行会社との契約に定めがある場合を除き、裁判所の許可を得て、社債発行会社の負担とすることができる。

Ⅱ　前項の許可の申立ては、社債管理者、社債管理補助者、代表社債権者又は決議執行者がする。

Ⅲ　社債管理者、社債管理補助者、代表社債権者又は決議執行者は、第１項の報酬、費用及び利息並びに損害の賠償額に関し、第７０５条第１項<社債管理者の権限等>（第７３７条第２項において準用する場合を含む。）又は第７１４条の４第２項第１号の弁済を受けた額について、社債権者に先立って弁済を受ける権利を有する。

第７４２条　（社債権者集会等の費用の負担）

Ⅰ　社債権者集会に関する費用は、社債発行会社の負担とする。

Ⅱ　第７３２条<社債権者集会の決議の認可の申立て>の申立てに関する費用は、社債発行会社の負担とする。ただし、裁判所は、社債発行会社その他利害関係人の申立てにより又は職権で、当該費用の全部又は一部について、招集者その他利害関係人の中から別に負担者を定めることができる。

第5編　組織変更、合併、会社分割、株式交換、株式移転及び株式交付

《概　説》

＜組織再編の整理＞

	事業譲渡	合併		分割		株式交換	株式移転	株式交付	組織変更
		吸収合併	新設合併	吸収分割	新設分割				
対象	事業	消滅会社	消滅会社	事業	事業	株式	株式	株式	—
契約・計画の法定	なし	あり							
事前開示	不要 〈書〉	必要							
株主総会特別決議	必要（一定の場合には要件が加重される　⇒ p.555 参照）（＊1） →簡易手続・略式手続による場合、原則として株主総会特別決議による承認を要しない								総株主（又は総社員）の同意
簡易手続	譲受会社のみあり（＊2）	存続会社のみあり	なし	あり（＊3）	分割会社のみあり（＊3）	完全親会社のみあり	なし	株式交付親会社のみあり	なし
略式手続（＊4）	あり	あり	なし 〈予〉	あり	なし	あり	なし	なし（＊5）	なし
株式買取請求権	あり →簡易手続における存続会社等の株主及び略式手続における特別支配会社にはない								なし
債権者保護手続	なし	あり		あり（＊6）		原則なし（＊7）			あり
効力発生時期	契約で定めた効力発生日	契約で定めた効力発生日	設立登記の日 〈書〉	契約で定めた効力発生日	設立登記の日 〈書〉	契約で定めた効力発生日	設立登記の日 〈書〉	計画で定めた効力発生日	計画で定めた効力発生日
事後開示	不要 〈書〉	必要							不要
差止請求	なし 〈書〉	あり（＊8）（＊9）							なし
無効の訴え	なし	あり							

＊1　株式交付子会社では、株主総会による承認は不要である（⇒ p.540 参照）。また、新設合併・新設分割・株式移転では、承認決議の時点で新設会社が存在しないため、

新設会社による株主総会決議の承認は問題とならない。
＊2　簡易事業譲受け（他の会社の事業の全部の譲受け（467Ⅰ③）を行う場合において、譲受けの対価の総額が譲受会社の純資産額の5分の1を超えない場合）を行う場合を意味する（468Ⅱ）。なお、簡易事業譲渡という手続は存在しない（譲渡する資産の帳簿価額が譲渡会社の総資産額の5分の1を超えない場合、「事業の重要な一部の譲渡」（467Ⅰ②）に該当しないため）。
＊3　吸収分割・新設分割では、合併や株式交換と異なり、分割会社の事業の「一部」を他の会社や新設会社に承継させることが可能であるため、分割会社においても簡易手続が存在する。
＊4　新設合併・新設分割・株式移転では、存続会社に相当する会社が新たに設立されることになるため、略式手続は用意されていない。
＊5　株式交付は、親子会社関係の創設を目的としており、既に特別支配関係がある会社間での利用は制度の想定外であるため、略式手続は用意されていない。　⇒p.540参照
＊6　いわゆる残存債権者は、債権者異議手続の対象とならない。ただし、残存債権者を害する会社分割（詐害的会社分割）がなされた場合には、承継会社に対して直接に債務の履行を請求することができる（759Ⅳ、764Ⅳ）。また、各別の催告を受けなかった債権者に対する連帯債務（759ⅡⅢ、764ⅡⅢ）の特則が設けられている。
⇒p.521参照
＊7　新株予約権付社債権者は、債権者異議手続の対象となる（789Ⅰ③、810Ⅰ③）。また、株式交換完全子会社・株式交付子会社の株主に対して、株式交換完全親株式会社の株式・株式交付親会社の株式以外の金銭等を対価として交付する場合等も、債権者異議手続の対象となる（799Ⅰ③、816の8Ⅰ）。
＊8　簡易手続による場合には差止請求をすることができない。（784の2ただし書、796の2ただし書、805の2ただし書）。
＊9　株式交付子会社の株主は、差止請求をすることができない（816の5参照）。

・第1章・【組織変更】

《概　説》

◆　意義

組織変更とは、株式会社がその組織を変更することにより合名会社、合資会社又は合同会社となること、及び合名会社、合資会社又は合同会社がその組織を変更することにより株式会社となることをいう（2㉖）。

なお、合名会社・合資会社・合同会社間での変更は、「持分会社の種類」（638、639）の変更にすぎず、組織変更には当たらない共。

《注　釈》

・債務超過である会社であっても、組織変更をすることは可能である。

■第1節　通則

第743条（組織変更計画の作成）

会社は、組織変更をすることができる。この場合においては、組織変更計画を作成しなければならない共。

組織変更等

■第２節　株式会社の組織変更

第７４４条　（株式会社の組織変更計画）

Ⅰ　株式会社が組織変更をする場合には、当該株式会社は、組織変更計画において、次に掲げる事項を定めなければならない。

① 組織変更後の持分会社（以下この編において「組織変更後持分会社」という。）が合名会社、合資会社又は合同会社のいずれであるかの別

② 組織変更後持分会社の目的、商号及び本店の所在地

③ 組織変更後持分会社の社員についての次に掲げる事項

イ　当該社員の氏名又は名称及び住所

ロ　当該社員が無限責任社員又は有限責任社員のいずれであるかの別

ハ　当該社員の出資の価額

④ 前２号に掲げるもののほか、組織変更後持分会社の定款で定める事項

⑤ 組織変更後持分会社が組織変更に際して組織変更をする株式会社の株主に対してその株式に代わる金銭等（組織変更後持分会社の持分を除く。以下この号及び次号において同じ。）を交付するときは、当該金銭等についての次に掲げる事項

イ　当該金銭等が組織変更後持分会社の社債であるときは、当該社債の種類（第１０７条第２項第２号ロに規定する社債の種類をいう。以下この編において同じ。）及び種類ごとの各社債の金額の合計額又はその算定方法

ロ　当該金銭等が組織変更後持分会社の社債以外の財産であるときは、当該財産の内容及び数若しくは額又はこれらの算定方法

⑥ 前号に規定する場合には、組織変更をする株式会社の株主（組織変更をする株式会社を除く。）に対する同号の金銭等の割当てに関する事項

⑦ 組織変更をする株式会社が新株予約権を発行しているときは、組織変更後持分会社が組織変更に際して当該新株予約権の新株予約権者に対して交付する当該新株予約権に代わる金銭の額又はその算定方法

⑧ 前号に規定する場合には、組織変更をする株式会社の新株予約権の新株予約権者に対する同号の金銭の割当てに関する事項

⑨ 組織変更がその効力を生ずる日（以下この章において「効力発生日」という。）

Ⅱ　組織変更後持分会社が合名会社であるときは、前項第３号ロに掲げる事項として、その社員の全部を無限責任社員とする旨を定めなければならない。

Ⅲ　組織変更後持分会社が合資会社であるときは、第１項第３号ロに掲げる事項として、その社員の一部を無限責任社員とし、その他の社員を有限責任社員とする旨を定めなければならない。

Ⅳ　組織変更後持分会社が合同会社であるときは、第１項第３号ロに掲げる事項として、その社員の全部を有限責任社員とする旨を定めなければならない。

《注　釈》

・株式会社から持分会社への組織変更をする場合には、各株主に対して交付する持分や金銭等の内容については、その有する株式数に応じて平等に定める必要はない。
　∵　744条には、749条３項等に相当する規定が置かれていない

【関連条文】828 Ⅰ⑥［組織変更無効の訴え］、920［組織変更の登記］

第７４５条　（株式会社の組織変更の効力の発生等）

Ⅰ　組織変更をする株式会社は、効力発生日に、持分会社となる。

Ⅱ　組織変更をする株式会社は、効力発生日に、前条第１項第２号から第４号まで＜組織変更後持分会社の目的等＞に掲げる事項についての定めに従い、当該事項に係る定款の変更をしたものとみなす。

Ⅲ　組織変更をする株式会社の株主は、効力発生日に、前条第１項第３号＜組織変更後持分会社の社員についての事項＞に掲げる事項についての定めに従い、組織変更後持分会社の社員となる。

Ⅳ　前条第１項第５号イ＜組織変更する株式会社の株主に対する社債の交付＞に掲げる事項についての定めがある場合には、組織変更をする株式会社の株主は、効力発生日に、同項第６号＜組織変更する持分会社の株主に対する社債の交付＞に掲げる事項についての定めに従い、同項第５号イの社債の社債権者となる。

Ⅴ　組織変更をする株式会社の新株予約権は、効力発生日に、消滅する。

Ⅵ　前各項の規定は、第７７９条＜株式会社が組織変更をする場合における債権者の異議＞の規定による手続が終了していない場合又は組織変更を中止した場合には、適用しない。

■第3節　持分会社の組織変更

第７４６条　（持分会社の組織変更計画）

Ⅰ　持分会社が組織変更をする場合には、当該持分会社は、組織変更計画において、次に掲げる事項を定めなければならない。

①　組織変更後の株式会社（以下この条において「組織変更後株式会社」という。）の目的、商号、本店の所在地及び発行可能株式総数

②　前号に掲げるもののほか、組織変更後株式会社の定款で定める事項

③　組織変更後株式会社の取締役の氏名

④　次のイからハまでに掲げる場合の区分に応じ、当該イからハまでに定める事項

イ　組織変更後株式会社が会計参与設置会社である場合　組織変更後株式会社の会計参与の氏名又は名称

ロ　組織変更後株式会社が監査役設置会社（監査役の監査の範囲を会計に関するものに限定する旨の定款の定めがある株式会社を含む。）である場合　組織変更後株式会社の監査役の氏名

ハ　組織変更後株式会社が会計監査人設置会社である場合　組織変更後株式会社の会計監査人の氏名又は名称

⑤　組織変更をする持分会社の社員が組織変更に際して取得する組織変更後株式会社の株式の数（種類株式発行会社にあっては、株式の種類及び種類ごとの数）又はその数の算定方法

⑥　組織変更をする持分会社の社員に対する前号の株式の割当てに関する事項

⑦　組織変更後株式会社が組織変更に際して組織変更をする持分会社の社員に対してその持分に代わる金銭等（組織変更後株式会社の株式を除く。以下この号及び次号において同じ。）を交付するときは、当該金銭等についての次に掲げる事項

イ　当該金銭等が組織変更後株式会社の社債（新株予約権付社債についてのものを除く。）であるときは、当該社債の種類及び種類ごとの各社債の金額の合計額又はその算定方法

ロ　当該金銭等が組織変更後株式会社の新株予約権（新株予約権付社債に付されたものを除く。）であるときは、当該新株予約権の内容及び数又はその算定方法

ハ　当該金銭等が組織変更後株式会社の新株予約権付社債であるときは、当該新株予約権付社債についてのイに規定する事項及び当該新株予約権付社債に付された新株予約権についてのロに規定する事項

ニ　当該金銭等が組織変更後株式会社の社債等（社債及び新株予約権をいう。以下この編において同じ。）以外の財産であるときは、当該財産の内容及び数若しくは額又はこれらの算定方法

⑧　前号に規定する場合には、組織変更をする持分会社の社員に対する同号の金銭等の割当てに関する事項

⑨　効力発生日

Ⅱ　組織変更後株式会社が監査等委員会設置会社である場合には、前項第3号に掲げる事項は、監査等委員である取締役とそれ以外の取締役とを区別して定めなければならない。

第747条　（持分会社の組織変更の効力の発生等）

Ⅰ　組織変更をする持分会社は、効力発生日に、株式会社となる。

Ⅱ　組織変更をする持分会社は、効力発生日に、前条第1項第1号及び第2号<組織変更後株式会社の目的等>に掲げる事項についての定めに従い、当該事項に係る定款の変更をしたものとみなす。

Ⅲ　組織変更をする持分会社の社員は、効力発生日に、前条第1項第6号<組織変更をする持分会社の社員に対する株式の割当てに関する事項>に掲げる事項についての定めに従い、同項第5号<組織変更する持分会社の社員が組織変更に際して取得する組織変更後株式会社の株式の数>の株式の株主となる。

Ⅳ　次の各号に掲げる場合には、組織変更をする持分会社の社員は、効力発生日に、前条第1項第8号<金銭等の割り当てについて>に掲げる事項についての定めに従い、当該各号に定める者となる。

①　前条第1項第7号イ<組織変更する持分会社の株主に対する社債の交付>に掲げる事項についての定めがある場合　同号イの社債の社債権者

②　前条第1項第7号ロ<組織変更する持分会社の株主に対する新株予約権の交付>に掲げる事項についての定めがある場合　同号ロの新株予約権の新株予約権者

③　前条第1項第7号ハ<組織変更する持分会社の社員に対する新株予約権付社債の交付>に掲げる事項についての定めがある場合　同号ハの新株予約権付社債についての社債の社債権者及び当該新株予約権付社債に付された新株予約権の新株予約権者

Ⅴ　前各項の規定は、第781条第2項<持分会社が組織変更する場合における債権者の異議>において準用する第779条<株式会社が組織変更をする場合における債権者の異議>（第2項第2号を除く。）の規定による手続が終了していない場合又は組織変更を中止した場合には、適用しない。

・第２章・【合併】

《概　説》

一　はじめに

1　意義

２個以上の会社が契約により法定の手続に従って一会社に合同すること（人格合一説）。

cf.　従来、合併の法的性質については、人格合一説（当事会社が合体する組織法上の特別の契約であると解する見解）と、現物出資説（消滅会社がすべての財産を現物出資し、存続会社が増資をし、又は新設会社を設立させると解する見解）の対立があった。しかし、どちらの見解に立っても、具体的問題の解決に差異は生じないと現在では理解されている。

2　合併の目的

経済的メリットとしては、①管理費用の節減、②販売力の強化、③二重投資の回避、④市場占拠率の拡大、⑤資金調達力の増大、⑥技術開発力の強化、⑦合併消滅会社の技術力の活用等が挙げられる。

3　合併の種類

吸収合併：会社が他の会社とする合併であって、合併により消滅する会社の権利義務の全部を合併後存続する会社に承継させるもの（2㉗）

新設合併：２以上の会社がする合併であって、合併により消滅する会社の権利義務の全部を合併により設立する会社に承継させるもの（2㉘）

4　当事会社

⑴　合併は、すべての種類の会社の間で認められる（748）。

⑵　吸収合併においては、株式会社・持分会社のどちらでも存続会社となることができる。

新設合併においても、株式会社・持分会社のどちらでも新設会社とすることができる。

5　対価の柔軟化

⑴　吸収合併、吸収分割及び株式交換においては、消滅会社等の株主に対して、存続会社等の株式を交付せず、金銭その他の財産を交付することが認められる（749 Ⅰ②、751 Ⅰ③、758④、760⑤、768 Ⅰ②、770 Ⅰ③）〈司書〉。これを対価の柔軟化といい、企業買収の容易化が趣旨である（合併等対価を全く交付しないことも認められる〈書〉）。

他方、新設型再編では、設立会社に株主がいないと困ること、及び、設立会社は成立したばかりであり、対価として交付すべき財産を他に有しないと考えられること、また、組織変更も、あくまで会社がその同一性を維持しながら変更するという性質を有することから、対価の柔軟化を認めていない。

⑵　三角合併

対価の柔軟化により、吸収合併消滅会社の株主に吸収合併存続会社の親会社の株式を交付する形式をとる、三角合併が可能になった。

これにより、たとえば、外国企業が日本で子会社を設立し、外国親会社の株式を対価として日本の子会社を他の日本企業と吸収合併させることができ、外国企業が日本企業を現金なしで容易に子会社化することができる。

二　手続

以下、消滅会社、存続会社及び新設会社がともに株式会社の場合を挙げる。

1　合併契約の締結（748、749、753）
2　事前の開示（782、794、803）
3　株主総会による承認（783、795、804、309 Ⅱ⑫）
4　反対株主の株式買取請求権（785、797、806）
5　債権者保護手続（789、799、810）
6　合併の効力発生（750、754）
7　事後の開示（801、815）
8　登記（921、922）

三　合併の効果

1　当事会社の一部又は全部の解散

吸収合併の場合においては、吸収合併存続会社を除くすべての当事会社が、効力発生と同時に解散する（471④）。新設合併の場合においては、すべての当事会社が効力発生と同時に解散し、新会社が設立される（471④）。なお、清算は行われない（475①）。

2　消滅会社の株主に対する合併対価の交付

⑴　吸収合併の場合、消滅会社の株主は、合併契約の定めに従い、合併対価を受け取る。この合併対価は、金銭等（金銭その他の財産をいう。151参照）であればよく、必ずしも存続会社の株式である必要はない。そのため、消滅会社の株主は、当然に存続会社に株主として承継されるわけではない。

なお、消滅会社の株主に交付する対価は、原則として、その株主の有する株式の数に応じたものでなければならない（749 Ⅲ、753 Ⅳ Ⅴ）。すなわち、存続会社は、消滅会社の株主に対し、株主平等原則（109 Ⅰ）に従って、合併対価を交付しなければならない。

→消滅会社の株主Aには甲種種類株式1株を、同社の株主Bには乙種種類株式1株をそれぞれ交付することは、たとえ甲種種類株式と乙種種類株式の価値が等しい場合であっても許されない書

⑵　他方、新設合併の場合、その合併対価は、設立会社の発行する株式・社債等に限られる（753 Ⅰ⑥～⑨）書。そのため、消滅会社の株主は、新設合併設立会社の株主・社債権者等となる（754 Ⅱ Ⅲ）。

3　権利義務の包括承継

合併により、吸収合併存続会社は吸収合併消滅会社の権利義務を、新設合併設立会社は新設合併消滅会社の権利義務を、包括的に承継する（750 Ⅰ、752 Ⅰ、754 Ⅰ、756 Ⅰ）司。

四　合併と事業譲渡

<合併と事業譲渡の比較>

	合併	事業譲渡
定義	2つ以上の会社が契約により1つの会社に合体すること〈共	①一定の事業目的のため組織化され、有機的一体として機能する財産の全部又は重要な一部を譲渡し、②これによって、譲渡会社がその財産によって営んでいた事業的活動の全部又はその重要な一部を譲受人に受け継がせ、③譲渡会社がその譲渡の限度に応じ法律上当然に競業避止義務を伴うもの（最大判昭40.9.22・百選82事件）〈共
法的性質	組織法上の契約	一般私法上の債権契約
契約の効力、各個の財産の移転手続・対抗要件	当然かつ包括的承継〈司予 個別の移転手続・対抗要件不要	個別の移転手続・対抗要件必要〈司予
特約による一部除外の可否	不可（大判大6.9.26）	可
社員（株主）の承継と清算手続の要否	吸収合併：社員（株主）は対価の種類によっては承継されない 新設合併：社員（株主）は株主・社債権者等になる 消滅会社の清算手続は不要（475①かっこ書）	社員（株主）は承継されない 事業全部が譲渡されたとしても解散するには清算手続は必要〈司
株主保護手続	株主総会の特別決議ないし特殊決議 （783Ⅰ、795Ⅰ、804Ⅰ、309Ⅱ⑫Ⅲ②③） 反対株主の株式買取請求権（785、797、806） 株主の差止請求（784の2、796の2、805の2）	株主総会の特別決議 （467Ⅰ①～②の2、309Ⅱ⑪） 反対株主の株式買取請求権（469）
債権者保護手続	異議申立ての機会 （789、799、810）	異議申立ての機会はないが、一定の場合に譲受会社に対して債務の履行等を請求できる（22～23の2）〈書
無効の場合の法的処理	必ず訴えによる（828Ⅰ⑦⑧）〈共	民法の一般原則による〈共

組織変更等

《その他》

◆ 判例

企業買収の基本合意書中に他との協議禁止条項がある場合において、協議禁止条項に法的拘束力が認められるとしても、保全の必要性（民保23 II）が認められない場合には、協議差止めの仮処分は認められない（最決平16.8.30・百選94事件）。

■第1節　通則

第748条　（合併契約の締結）

会社は、他の会社と合併をすることができる。この場合においては、合併をする会社は、合併契約を締結しなければならない〈書〉。

■第2節　吸収合併

第1款　株式会社が存続する吸収合併

第749条　（株式会社が存続する吸収合併契約）

I　会社が吸収合併をする場合において、吸収合併後存続する会社（以下この編において「吸収合併存続会社」という。）が株式会社であるときは、吸収合併契約において、次に掲げる事項を定めなければならない〈予〉。

①　株式会社である吸収合併存続会社（以下この編において「吸収合併存続株式会社」という。）及び吸収合併により消滅する会社（以下この編において「吸収合併消滅会社」という。）の商号及び住所

②　吸収合併存続株式会社が吸収合併に際して株式会社である吸収合併消滅会社（以下この編において「吸収合併消滅株式会社」という。）の株主又は持分会社である吸収合併消滅会社（以下この編において「吸収合併消滅持分会社」という。）の社員に対してその株式又は持分に代わる金銭等を交付するときは、当該金銭等についての次に掲げる事項〈司共予書〉

イ　当該金銭等が吸収合併存続株式会社の株式であるときは、当該株式の数（種類株式発行会社にあっては、株式の種類及び種類ごとの数）又はその数の算定方法並びに当該吸収合併存続株式会社の資本金及び準備金の額に関する事項

ロ　当該金銭等が吸収合併存続株式会社の社債（新株予約権付社債についてのものを除く。）であるときは、当該社債の種類及び種類ごとの各社債の金額の合計額又はその算定方法

ハ　当該金銭等が吸収合併存続株式会社の新株予約権（新株予約権付社債に付されたものを除く。）であるときは、当該新株予約権の内容及び数又はその算定方法

ニ　当該金銭等が吸収合併存続株式会社の新株予約権付社債であるときは、当該新株予約権付社債についてのロに規定する事項及び当該新株予約権付社債に付された新株予約権についてのハに規定する事項

ホ　当該金銭等が吸収合併存続株式会社の株式等以外の財産であるときは、当該財産の内容及び数若しくは額又はこれらの算定方法

③　前号に規定する場合には、吸収合併消滅株式会社の株主（吸収合併消滅株式会社及び吸収合併存続株式会社を除く。）又は吸収合併消滅持分会社の社員（吸収合併存続株式会社を除く。）に対する同号の金銭等の割当てに関する事項〈同共

④　吸収合併消滅株式会社が新株予約権を発行しているときは、吸収合併存続株式会社が吸収合併に際して当該新株予約権の新株予約権者に対して交付する当該新株予約権に代わる当該吸収合併存続株式会社の新株予約権又は金銭についての次に掲げる事項〈同共書

イ　当該吸収合併消滅株式会社の新株予約権の新株予約権者に対して吸収合併存続株式会社の新株予約権を交付するときは、当該新株予約権の内容及び数又はその算定方法

ロ　イに規定する場合において、イの吸収合併消滅株式会社の新株予約権が新株予約権付社債に付された新株予約権であるときは、吸収合併存続株式会社が当該新株予約権付社債についての社債に係る債務を承継する旨並びにその承継に係る社債の種類及び種類ごとの各社債の金額の合計額又はその算定方法

ハ　当該吸収合併消滅株式会社の新株予約権の新株予約権者に対して金銭を交付するときは、当該金銭の額又はその算定方法

⑤　前号に規定する場合には、吸収合併消滅株式会社の新株予約権の新株予約権者に対する同号の吸収合併存続株式会社の新株予約権又は金銭の割当てに関する事項

⑥　吸収合併がその効力を生ずる日（以下この節において「効力発生日」という。）

Ⅱ　前項に規定する場合において、吸収合併消滅株式会社が種類株式発行会社であるときは、吸収合併存続株式会社及び吸収合併消滅株式会社は、吸収合併消滅株式会社の発行する種類の株式の内容に応じ、同項第３号に掲げる事項として次に掲げる事項を定めることができる。

①　ある種類の株式の株主に対して金銭等の割当てをしないこととするときは、その旨及び当該株式の種類

②　前号に掲げる事項のほか、金銭等の割当てについて株式の種類ごとに異なる取扱いを行うこととするときは、その旨及び当該異なる取扱いの内容

Ⅲ　第１項に規定する場合には、同項第３号に掲げる事項についての定めは、吸収合併消滅株式会社の株主（吸収合併消滅株式会社及び吸収合併存続株式会社並びに前項第１号の種類の株式の株主を除く〈共。）の有する株式の数（前項第２号に掲げる事項についての定めがある場合にあっては、各種類の株式の数）に応じて金銭等を交付することを内容とするものでなければならない。

【関連条文】 828 Ⅰ⑦［吸収合併無効の訴え］、921［吸収合併の登記］

第７５０条　（株式会社が存続する吸収合併の効力の発生等）

Ⅰ　吸収合併存続株式会社は、効力発生日に、吸収合併消滅会社の権利義務を承継する〈同共。

Ⅱ　吸収合併消滅会社の吸収合併による解散は、吸収合併の登記の後でなければ、これをもって第三者に対抗することができない〈共予書。

組織変更等

Ⅲ　次の各号に掲げる場合には、吸収合併消滅株式会社の株主又は吸収合併消滅持分会社の社員は、効力発生日に、前条第１項第３号＜金銭等の割当てに関する事項＞に掲げる事項についての定めに従い、当該各号に定める者となる共。
　①　前条第１項第２号イ＜吸収合併消滅会社の株主等に対する株式の交付＞に掲げる事項についての定めがある場合　同号イの株式の株主
　②　前条第１項第２号ロ＜吸収合併存続株式会社の社債を交付する場合＞に掲げる事項についての定めがある場合　同号ロの社債の社債権者
　③　前条第１項第２号ハ＜吸収合併存続株式会社の新株予約権を交付する場合＞に掲げる事項についての定めがある場合　同号ハの新株予約権の新株予約権者
　④　前条第１項第２号ニ＜吸収合併存続株式会社の新株予約権付社債を交付する場合＞に掲げる事項についての定めがある場合　同号ニの新株予約権付社債についての社債の社債権者及び当該新株予約権付社債に付された新株予約権の新株予約権者
Ⅳ　吸収合併消滅株式会社の新株予約権は、効力発生日に、消滅する。
Ⅴ　前条第１項第４号イ＜吸収合併消滅会社の新株予約権者に対して吸収合併存続会社の新株予約権を交付する場合＞に規定する場合には、吸収合併消滅株式会社の新株予約権の新株予約権者は、効力発生日に、同項第５号＜吸収合併存続会社の新株予約権等の割当てに関する事項＞に掲げる事項についての定めに従い、同項第４号イの吸収合併存続株式会社の新株予約権の新株予約権者となる。
Ⅵ　前各項の規定は、第７８９条＜吸収合併等における債権者異議＞（第１項第３号及び第２項第３号を除き、第７９３条第２項において準用する場合を含む。）若しくは第７９９条＜吸収合併等をする場合における存続株式会社等に対する債権者の異議＞の規定による手続が終了していない場合又は吸収合併を中止した場合には、適用しない書。

［趣旨］吸収合併の場合、合併の登記前の一定の日においてその効力が発生することとすると、効力発生日から合併の登記がされるまでの間、登記上は、消滅会社がなお存在し、消滅会社の代表取締役であった者が依然として消滅会社の代表権を有する虚偽の外観が存在することになる。したがって、このような場合、法律関係が不明確になるおそれが生じうるので、２項はかかる弊害を防止するものである。

第２款　持分会社が存続する吸収合併

第７５１条　（持分会社が存続する吸収合併契約）

Ⅰ　会社が吸収合併をする場合において、吸収合併存続会社が持分会社であるときは、吸収合併契約において、次に掲げる事項を定めなければならない。
　①　持分会社である吸収合併存続会社（以下この節において「吸収合併存続持分会社」という。）及び吸収合併消滅会社の商号及び住所
　②　吸収合併消滅株式会社の株主又は吸収合併消滅持分会社の社員が吸収合併に際して吸収合併存続持分会社の社員となるときは、次のイからハまでに掲げる吸収合併存続持分会社の区分に応じ、当該イからハまでに定める事項
　　イ　合名会社　当該社員の氏名又は名称及び住所並びに出資の価額

ロ　合資会社　当該社員の氏名又は名称及び住所、当該社員が無限責任社員又は有限責任社員のいずれであるかの別並びに当該社員の出資の価額

ハ　合同会社　当該社員の氏名又は名称及び住所並びに出資の価額

③　吸収合併存続持分会社が吸収合併に際して吸収合併消滅株式会社の株主又は吸収合併消滅持分会社の社員に対してその株式又は持分に代わる金銭等（吸収合併存続持分会社の持分を除く。）を交付するときは、当該金銭等についての次に掲げる事項

イ　当該金銭等が吸収合併存続持分会社の社債であるときは、当該社債の種類及び種類ごとの各社債の金額の合計額又はその算定方法

ロ　当該金銭等が吸収合併存続持分会社の社債以外の財産であるときは、当該財産の内容及び数若しくは額又はこれらの算定方法

④　前号に規定する場合には、吸収合併消滅株式会社の株主（吸収合併消滅株式会社及び吸収合併存続持分会社を除く。）又は吸収合併消滅持分会社の社員（吸収合併存続持分会社を除く。）に対する同号の金銭等の割当てに関する事項

⑤　吸収合併消滅株式会社が新株予約権を発行しているときは、吸収合併存続持分会社が吸収合併に際して当該新株予約権の新株予約権者に対して交付する当該新株予約権に代わる金銭の額又はその算定方法

⑥　前号に規定する場合には、吸収合併消滅株式会社の新株予約権の新株予約権者に対する同号の金銭の割当てに関する事項

⑦　効力発生日

Ⅱ　前項に規定する場合において、吸収合併消滅株式会社が種類株式発行会社であるときは、吸収合併存続持分会社及び吸収合併消滅株式会社は、吸収合併消滅株式会社の発行する種類の株式の内容に応じ、同項第４号に掲げる事項として次に掲げる事項を定めることができる。

①　ある種類の株式の株主に対して金銭等の割当てをしないこととするときは、その旨及び当該株式の種類

②　前号に掲げる事項のほか、金銭等の割当てについて株式の種類ごとに異なる取扱いを行うこととするときは、その旨及び当該異なる取扱いの内容

Ⅲ　第１項に規定する場合には、同項第４号に掲げる事項についての定めは、吸収合併消滅株式会社の株主（吸収合併消滅株式会社及び吸収合併存続持分会社並びに前項第１号の種類の株式の株主を除く。）の有する株式の数（前項第２号に掲げる事項についての定めがある場合にあっては、各種類の株式の数）に応じて金銭等を交付することを内容とするものでなければならない。

第752条　（持分会社が存続する吸収合併の効力の発生等）

Ⅰ　吸収合併存続持分会社は、効力発生日に、吸収合併消滅会社の権利義務を承継する〈書〉。

Ⅱ　吸収合併消滅会社の吸収合併による解散は、吸収合併の登記の後でなければ、これをもって第三者に対抗することができない。

Ⅲ　前条第１項第２号＜吸収合併消滅会社の株主等が吸収合併存続持分会社の社員となるとき＞に規定する場合には、吸収合併消滅株式会社の株主又は吸収合併消滅持分会社の社員は、効力発生日に、同号に掲げる事項についての定めに従い、吸収合併存続持分会社の社員となる。この場合においては、吸収合併存続持分会社は、効力発生日に、同号の社員に係る定款の変更をしたものとみなす。

Ⅳ　前条第１項第３号イ＜吸収合併存続持分会社の社債を交付する場合＞に掲げる事項についての定めがある場合には、吸収合併消滅株式会社の株主又は吸収合併消滅持分会社の社員は、効力発生日に、同項第４号＜吸収合併消滅会社の株主等に対する金銭等の交付＞に掲げる事項についての定めに従い、同項第３号イ＜吸収合併存続持分会社の社債を交付する場合＞の社債の社債権者となる。

Ⅴ　吸収合併消滅株式会社の新株予約権は、効力発生日に、消滅する書。

Ⅵ　前各項の規定は、第７８９条＜吸収合併等における債権者異議＞（第１項第３号及び第２項第３号を除き、第７９３条第２項において準用する場合を含む。）若しくは第８０２条第２項＜持分会社が吸収合併等をする場合における存続会社等に対する債権者の異議等＞において準用する第７９９条＜吸収合併等をする場合における存続株式会社等に対する債権者の異議＞（第２項第３号を除く。）の規定による手続が終了していない場合又は吸収合併を中止した場合には、適用しない。

■第３節　新設合併

第１款　株式会社を設立する新設合併

第７５３条　（株式会社を設立する新設合併契約）

Ⅰ　２以上の会社が新設合併をする場合において、新設合併により設立する会社（以下この編において「新設合併設立会社」という。）が株式会社であるときは、新設合併契約において、次に掲げる事項を定めなければならない。

①　新設合併により消滅する会社（以下この編において「新設合併消滅会社」という。）の商号及び住所

②　株式会社である新設合併設立会社（以下この編において「新設合併設立株式会社」という。）の目的、商号、本店の所在地及び発行可能株式総数

③　前号に掲げるもののほか、新設合併設立株式会社の定款で定める事項

④　新設合併設立株式会社の設立時取締役の氏名

⑤　次のイからハまでに掲げる場合の区分に応じ、当該イからハまでに定める事項

イ　新設合併設立株式会社が会計参与設置会社である場合　新設合併設立株式会社の設立時会計参与の氏名又は名称

ロ　新設合併設立株式会社が監査役設置会社（監査役の監査の範囲を会計に関するものに限定する旨の定款の定めがある株式会社を含む。）である場合　新設合併設立株式会社の設立時監査役の氏名

ハ　新設合併設立株式会社が会計監査人設置会社である場合　新設合併設立株式会社の設立時会計監査人の氏名又は名称

⑥　新設合併設立株式会社が新設合併に際して株式会社である新設合併消滅会社（以下この編において「新設合併消滅株式会社」という。）の株主又は持分会社である新設合併消滅会社（以下この編において「新設合併消滅持分会社」という。）の社員に対して交付するその株式又は持分に代わる当該新設合併設立株式会社の株式の数（種類株式発行会社にあっては、株式の種類及び種類ごとの数）又はその数の算定方法並びに当該新設合併設立株式会社の資本金及び準備金の額に関する事項〈同

⑦　新設合併消滅株式会社の株主（新設合併消滅株式会社を除く。）又は新設合併消滅持分会社の社員に対する前号の株式の割当てに関する事項

⑧　新設合併設立株式会社が新設合併に際して新設合併消滅株式会社の株主又は新設合併消滅持分会社の社員に対してその株式又は持分に代わる当該新設合併設立株式会社の社債等を交付するときは、当該社債等についての次に掲げる事項

イ　当該社債等が新設合併設立株式会社の社債（新株予約権付社債についてのものを除く。）であるときは、当該社債の種類及び種類ごとの各社債の金額の合計額又はその算定方法

ロ　当該社債等が新設合併設立株式会社の新株予約権（新株予約権付社債に付されたものを除く。）であるときは、当該新株予約権の内容及び数又はその算定方法

ハ　当該社債等が新設合併設立株式会社の新株予約権付社債であるときは、当該新株予約権付社債についてのイに規定する事項及び当該新株予約権付社債に付された新株予約権についてのロに規定する事項

⑨　前号に規定する場合には、新設合併消滅株式会社の株主（新設合併消滅株式会社を除く。）又は新設合併消滅持分会社の社員に対する同号の社債等の割当てに関する事項

⑩　新設合併消滅株式会社が新株予約権を発行しているときは、新設合併設立株式会社が新設合併に際して当該新株予約権の新株予約権者に対して交付する当該新株予約権に代わる当該新設合併設立株式会社の新株予約権又は金銭についての次に掲げる事項

イ　当該新設合併消滅株式会社の新株予約権の新株予約権者に対して新設合併設立株式会社の新株予約権を交付するときは、当該新株予約権の内容及び数又はその算定方法

ロ　イに規定する場合において、イの新設合併消滅株式会社の新株予約権が新株予約権付社債に付された新株予約権であるときは、新設合併設立株式会社が当該新株予約権付社債についての社債に係る債務を承継する旨並びにその承継に係る社債の種類及び種類ごとの各社債の金額の合計額又はその算定方法

ハ　当該新設合併消滅株式会社の新株予約権の新株予約権者に対して金銭を交付するときは、当該金銭の額又はその算定方法

⑪　前号に規定する場合には、新設合併消滅株式会社の新株予約権の新株予約権者に対する同号の新設合併設立株式会社の新株予約権又は金銭の割当てに関する事項

Ⅱ　新設合併設立株式会社が監査等委員会設置会社である場合には、前項第４号に掲げる事項は、設立時監査等委員である設立時取締役とそれ以外の設立時取締役とを区別して定めなければならない。

Ⅲ　第１項に規定する場合において、新設合併消滅株式会社の全部又は一部が種類株式発行会社であるときは、新設合併消滅会社は、新設合併消滅株式会社の発行する種類の株式の内容に応じ、同項第７号に掲げる事項（新設合併消滅株式会社の株主に係る事項に限る。次項において同じ。）として次に掲げる事項を定めることができる。

①　ある種類の株式の株主に対して新設合併設立株式会社の株式の割当てをしないこととするときは、その旨及び当該株式の種類

②　前号に掲げる事項のほか、新設合併設立株式会社の株式の割当てについて株式の種類ごとに異なる取扱いを行うこととするときは、その旨及び当該異なる取扱いの内容

Ⅳ　第１項に規定する場合には、同項第７号に掲げる事項についての定めは、新設合併消滅株式会社の株主（新設合併消滅会社及び前項第１号の種類の株式の株主を除く。）の有する株式の数（前項第２号に掲げる事項についての定めがある場合にあっては、各種類の株式の数）に応じて新設合併設立株式会社の株式を交付することを内容とするものでなければならない。

Ⅴ　前２項の規定は、第１項第９号に掲げる事項について準用する。この場合において、前２項中「新設合併設立株式会社の株式」とあるのは、「新設合併設立株式会社の社債等」と読み替えるものとする。

【5項読替え】

前２項の規定は第１項第９号に掲げる事項について準用する。この場合、以下のように読み替える。

Ⅲ　第１項に規定する場合において、新設合併消滅株式会社の全部又は一部が種類株式発行会社であるときは、新設合併消滅会社は、新設合併消滅株式会社の発行する種類の株式の内容に応じ、同項第９号に掲げる事項（新設合併消滅株式会社の株主に係る事項に限る。次項において同じ。）として次に掲げる事項を定めることができる。

①　ある種類の株式の株主に対して新設合併設立株式会社の社債等の割当てをしないこととするときは、その旨及び当該株式の種類

②　前号に掲げる事項のほか、新設合併設立株式会社の社債等の割当てについて株式の種類ごとに異なる取扱いを行うこととするときは、その旨及び当該異なる取扱いの内容

Ⅳ　第１項に規定する場合には、同項第７号に掲げる事項についての定めは、新設合併消滅株式会社の株主（新設合併消滅会社及び前項第１号の種類の株式の株主を除く。）の有する株式の数（前項第２号に掲げる事項についての定めがある場合にあっては、各種類の株式の数）に応じて新設合併設立株式会社の社債等を交付することを内容とするものでなければならない。

【関連条文】828 Ⅰ⑧［新設合併無効の訴え］、922［新設合併の登記］

第７５４条　（株式会社を設立する新設合併の効力の発生等）

Ⅰ　新設合併設立株式会社は、その成立の日に、新設合併消滅会社の権利義務を承継する 共書。

Ⅱ　前条第１項に規定する場合には、新設合併消滅株式会社の株主又は新設合併消滅持分会社の社員は、新設合併設立株式会社の成立の日に、同項第７号＜新設合併消滅株式会社の株主又は新設合併消滅持分会社の社員に対する株式の割当てに関する事項＞に掲げる事項についての定めに従い、同項第６号＜新設合併消滅株式会社の株主又は新設合併消滅持分会社の社員に対して交付する新設合併設立会社の株式等＞の株式の株主となる。

Ⅲ　次の各号に掲げる場合には、新設合併消滅株式会社の株主又は新設合併消滅持分会社の社員は、新設合併設立株式会社の成立の日に、前条第１項第９号＜新設合併消滅株式会社の株主又は新設合併消滅持分会社の社員に対する社債等の割当てに関する事項＞に掲げる事項についての定めに従い、当該各号に定める者となる。

①　前条第１項第８号イ＜新設合併設立株式会社の社債を交付する場合＞に掲げる事項についての定めがある場合　同号イの社債の社債権者

②　前条第１項第８号ロ＜新設合併設立株式会社の新株予約権を交付する場合＞に掲げる事項についての定めがある場合　同号ロの新株予約権の新株予約権者

③　前条第1項第8号ハ＜新設合併設立株式会社の新株予約権付社債を交付する場合＞に掲げる事項についての定めがある場合　同号ハの新株予約権付社債についての社債の社債権者及び当該新株予約権付社債に付された新株予約権の新株予約権者

Ⅳ　新設合併消滅株式会社の新株予約権は、新設合併設立株式会社の成立の日に、消滅する。

Ⅴ　前条第１項第１０号イ＜新設合併設立株式会社が新設合併消滅株式会社の新株予約権者に交付する新設合併設立株式会社の新株予約権の内容等＞に規定する場合には、新設合併消滅株式会社の新株予約権の新株予約権者は、新設合併設立株式会社の成立の日に、同項第１１号＜新設合併設立株式会社の新株予約権等の割当てに関する事項＞に掲げる事項についての定めに従い、同項第１０号イ＜新設合併設立株式会社が新設合併消滅株式会社の新株予約権者に交付する新設合併設立株式会社の新株予約権の内容等＞の新設合併設立株式会社の新株予約権の新株予約権者となる。

第２款　持分会社を設立する新設合併

第７５５条　（持分会社を設立する新設合併契約）

Ⅰ　２以上の会社が新設合併をする場合において、新設合併設立会社が持分会社であるときは、新設合併契約において、次に掲げる事項を定めなければならない 予。

①　新設合併消滅会社の商号及び住所

②　持分会社である新設合併設立会社（以下この編において「新設合併設立持分会社」という。）が合名会社、合資会社又は合同会社のいずれであるかの別

③　新設合併設立持分会社の目的、商号及び本店の所在地

④　新設合併設立持分会社の社員についての次に掲げる事項

イ　当該社員の氏名又は名称及び住所

ロ　当該社員が無限責任社員又は有限責任社員のいずれであるかの別
ハ　当該社員の出資の価額
⑤　前２号に掲げるもののほか、新設合併設立持分会社の定款で定める事項
⑥　新設合併設立持分会社が新設合併に際して新設合併消滅株式会社の株主又は新設合併消滅持分会社の社員に対してその株式又は持分に代わる当該新設合併設立持分会社の社債を交付するときは、当該社債の種類及び種類ごとの各社債の金額の合計額又はその算定方法
⑦　前号に規定する場合には、新設合併消滅株式会社の株主（新設合併消滅株式会社を除く。）又は新設合併消滅持分会社の社員に対する同号の社債の割当てに関する事項
⑧　新設合併消滅株式会社が新株予約権を発行しているときは、新設合併設立持分会社が新設合併に際して当該新株予約権の新株予約権者に対して交付する当該新株予約権に代わる金銭の額又はその算定方法
⑨　前号に規定する場合には、新設合併消滅株式会社の新株予約権の新株予約権者に対する同号の金銭の割当てに関する事項

Ⅱ　新設合併設立持分会社が合名会社であるときは、前項第４号ロに掲げる事項として、その社員の全部を無限責任社員とする旨を定めなければならない。
Ⅲ　新設合併設立持分会社が合資会社であるときは、第１項第４号ロに掲げる事項として、その社員の一部を無限責任社員とし、その他の社員を有限責任社員とする旨を定めなければならない。
Ⅳ　新設合併設立持分会社が合同会社であるときは、第１項第４号ロに掲げる事項として、その社員の全部を有限責任社員とする旨を定めなければならない。

第７５６条　（持分会社を設立する新設合併の効力の発生等）

Ⅰ　新設合併設立持分会社は、その成立の日に、新設合併消滅会社の権利義務を承継する。
Ⅱ　前条第１項に規定する場合には、新設合併消滅株式会社の株主又は新設合併消滅持分会社の社員は、新設合併設立持分会社の成立の日に、同項第４号＜新設合併設立持分会社の社員についての決定事項＞に掲げる事項についての定めに従い、当該新設合併設立持分会社の社員となる。
Ⅲ　前条第１項第６号＜新設合併設立持分会社の社債を交付する場合＞に掲げる事項についての定めがある場合には、新設合併消滅株式会社の株主又は新設合併消滅持分会社の社員は、新設合併設立持分会社の成立の日に、同項第７号＜新設合併消滅会社の株主又は社員に対する新設合併設立持分会社の社債の割当て事項＞に掲げる事項についての定めに従い、同項第６号＜新設合併持分会社の社債を交付する場合＞の社債の社債権者となる。
Ⅳ　新設合併消滅株式会社の新株予約権は、新設合併設立持分会社の成立の日に、消滅する。

組織変更等

・第３章・【会社分割】

《概　説》

◆　会社分割

1　意義

会社分割とは、株式会社又は合同会社が事業に関して有する権利義務の全部又は一部を分割後、承継会社又は新設会社に承継させることをいう。

⑴　吸収分割

株式会社又は合同会社がその事業に関して有する権利義務の全部又は一部を分割後他の会社に承継させる会社分割をいう（２㉙）。

⑵　新設分割

１又は２以上の株式会社又は合同会社がその事業に関して有する権利義務の全部又は一部を分割により設立する会社に承継させる会社分割をいう（２㉚）。

2　合併と会社分割との異同 予R元

合併と会社分割は、両者ともに組織再編の一形態とされている点で同様である。もっとも、とくに会社分割による譲渡制限株式の承継をめぐり、合併と同様に、会社分割も「一般承継」（134④等）と解してもよいのかが問題となる。

この点、合併の場合は、被承認会社が消滅しているため、仮に合併による譲渡制限株式の承継について譲渡等承認手続（136以下）を要求し、その譲渡制限株式の発行会社がその承継を承認しない場合、誰が株主としての権利を行使するのかという問題が生じる。これに対し、会社分割による譲渡制限株式の承継の場合は、その譲渡制限株式の発行会社がその承継を承認しないときであっても、分割会社が株主としての権利を行使することになる以上、特に問題は生じない。

また、会社分割により譲渡制限株式を承継した承継会社等が、発行会社の他の株主にとって好ましくない者であるおそれは、通常の譲渡制限株式の譲渡と同様に存在する。

したがって、会社分割による譲渡制限株式の承継は、合併と同様に「一般承継」（134④）と解すべきではないとする見解が有力に主張されている。

3　当事会社

⑴　分割会社となることができるのは、株式会社・合同会社のみである（757かっこ書、762Ⅰ）。

∵　合名会社や合資会社においては、無限責任社員が会社債務の連帯債務者や連帯保証人と同様の地位にあることから、合名会社・合資会社が吸収分割・新設分割における分割会社となることを認めると、会社債権者への不利益や権利関係の複雑化をもたらす

⑵　承継会社・新設会社には、全ての会社がなることができる（760、765）。

∵　合名会社・合資会社を承継会社・新設会社とする吸収分割・新設分割

を行っても、会社債権者の不利益は特段生じない

4　手続

合併の場合と同様である。

＊　以下、分割会社・承継会社・新設会社がともに株式会社の場合を挙げる。

(1)　吸収分割契約の締結（757）、又は新設分割計画の作成（762）

(2)　事前の開示（782、794、803）

(3)　株主総会による承認（783、795、804、309 Ⅱ⑫）

(4)　反対株主の株式買取請求権（785、797、806）

(5)　債権者保護手続　⇒ p.520 参照

(a)　債権者異議手続（789、799、810）

(b)　各別の催告を受けなかった債権者に対する連帯債務（759 Ⅱ Ⅲ、764 Ⅱ Ⅲ）

(c)　残存債権者の保護（①～③の方法は併存する）書

①　詐害的会社分割に対する残存債権者の直接請求権（759 Ⅳ、764 Ⅳ）

②　詐害行為取消権（民 424）

新設分割が詐害行為取消権行使の対象となることを否定する明文の規定はなく、会社法上の債権者保護手続の対象とならない債権者については詐害行為取消権による保護の必要性があり、また、詐害行為取消権の行使は会社分割による株式会社の設立の効力に何ら影響を及ぼさないから、かかる債権者は、民法 424 条により、詐害行為取消権を行使して新設分割を取り消すことができる（最判平 24.10.12・百選 91 事件）。

③　その他の方法

分割会社の破産管財人による否認権行使（破産 160 以下、民再 127 以下）、法人格否認の法理、22 条 1 項類推適用（最判平 20.6.10・百選 A 40 事件）

(6)　分割の効力発生（759、764）

(7)　事後の開示（791、801、811、815）

(8)　登記（923、924）

5　効果

(1)　分割会社が、承継会社・新設会社の株主・社債権者等となる（759 Ⅷ Ⅸ、761 Ⅷ Ⅸ、764 Ⅷ Ⅸ、766 Ⅷ Ⅸ）。

(2)　承継会社・新設会社が、吸収分割契約・新設分割計画に従って、分割会社の権利義務を承継する（759 Ⅰ、761 Ⅰ、764 Ⅰ、766 Ⅰ）。なお、事業譲渡と異なり、分割会社が競業避止義務を負う旨の規定は存在しない（21 参照）予。

(3)　会社分割において、労働契約承継法 3 条により労働契約が承継される労働者であっても、同法 5 条所定の労働者との協議が全く行われなかったときや、協議の際の分割会社からの説明や協議の内容が著しく不十分で同条が協議を求めた趣旨に反するときは、労働者は労働契約承継の効力を争うことが

できる（最判平22.7.12・百選92事件）。

6　人的分割について〈書〉

人的分割とは、承継会社が分割会社の株主に対して分割に際して発行する新株を割り当てることをいう。

会社法制定以前は、この人的分割における規定が存在していたが、会社法の下では、このような規定は存在しない。これは、人的分割を認めないというわけではなく、分割会社は、吸収分割契約又は新設分割計画の定めにより、分割の効力発生と同時に、分割の対価として受けた承継会社又は設立会社の株式を、剰余金の分配又は全部取得条項付種類株式の取得の対価として株主に交付することができる（758⑧、763Ⅰ⑫）。この場合は、債権者異議手続（789Ⅰ②、810Ⅰ②）を経る必要があるが、分配可能額規制の適用は受けず、かつ利益準備金の計上を要しない（792、812）。以上のような法的仕組みを利用することで、実質的には人的分割を行うことが可能となっている。

7　会社分割と対抗問題

会社分割の登記（923、924）をしたとしても、それによって承継会社・設立会社が会社分割による権利の取得を第三者に対抗できるわけではなく、当該権利の種類に応じた対抗要件を備える必要がある（民177、178、467等）。たとえば、吸収分割契約の定めによって承継会社が承継するものとしている不動産を、会社分割後に分割会社が第三者に譲渡した場合には、不動産の二重譲渡と同様の関係となり（民177）、承継会社と第三者との間の優劣は、当該不動産についての所有権移転登記の先後によって決まる〈共〉。

■第1節　吸収分割

第1款　通則

第757条（吸収分割契約の締結）

会社（株式会社又は合同会社に限る。）は、吸収分割をすることができる。この場合においては、当該会社がその事業に関して有する権利義務の全部又は一部を当該会社から承継する会社（以下この編において「吸収分割承継会社」という。）との間で、吸収分割契約を締結しなければならない。

【関連条文】 828Ⅰ⑨［吸収分割無効の訴え］、923［吸収分割の登記］

第2款　株式会社に権利義務を承継させる吸収分割

第758条（株式会社に権利義務を承継させる吸収分割契約）

会社が吸収分割をする場合において、吸収分割承継会社が株式会社であるときは、吸収分割契約において、次に掲げる事項を定めなければならない。

①　吸収分割をする会社（以下この編において「吸収分割会社」という。）及び株式会社である吸収分割承継会社（以下この編において「吸収分割承継株式会社」という。）の商号及び住所

② 吸収分割承継株式会社が吸収分割により吸収分割会社から承継する資産、債務、雇用契約その他の権利義務（株式会社である吸収分割会社（以下この編において「吸収分割株式会社」という。）及び吸収分割承継株式会社の株式並びに吸収分割株式会社の新株予約権に係る義務を除く。）に関する事項
③ 吸収分割により吸収分割株式会社又は吸収分割承継株式会社の株式を吸収分割承継株式会社に承継させるときは、当該株式に関する事項
④ 吸収分割承継株式会社が吸収分割に際して吸収分割会社に対してその事業に関する権利義務の全部又は一部に代わる金銭等を交付するときは、当該金銭等についての次に掲げる事項
イ 当該金銭等が吸収分割承継株式会社の株式であるときは、当該株式の数（種類株式発行会社にあっては、株式の種類及び種類ごとの数）又はその数の算定方法並びに当該吸収分割承継株式会社の資本金及び準備金の額に関する事項
ロ 当該金銭等が吸収分割承継株式会社の社債（新株予約権付社債についてのものを除く。）であるときは、当該社債の種類及び種類ごとの各社債の金額の合計額又はその算定方法
ハ 当該金銭等が吸収分割承継株式会社の新株予約権（新株予約権付社債に付されたものを除く。）であるときは、当該新株予約権の内容及び数又はその算定方法
ニ 当該金銭等が吸収分割承継株式会社の新株予約権付社債であるときは、当該新株予約権付社債についてのロに規定する事項及び当該新株予約権付社債に付された新株予約権についてのハに規定する事項
ホ 当該金銭等が吸収分割承継株式会社の株式等以外の財産であるときは、当該財産の内容及び数若しくは額又はこれらの算定方法
⑤ 吸収分割承継株式会社が吸収分割に際して吸収分割株式会社の新株予約権の新株予約権者に対して当該新株予約権に代わる当該吸収分割承継株式会社の新株予約権を交付するときは、当該新株予約権についての次に掲げる事項予
イ 当該吸収分割承継株式会社の新株予約権の交付を受ける吸収分割株式会社の新株予約権の新株予約権者の有する新株予約権（以下この編において「吸収分割契約新株予約権」という。）の内容
ロ 吸収分割契約新株予約権の新株予約権者に対して交付する吸収分割承継株式会社の新株予約権の内容及び数又はその算定方法
ハ 吸収分割契約新株予約権が新株予約権付社債に付された新株予約権であるときは、吸収分割承継株式会社が当該新株予約権付社債についての社債に係る債務を承継する旨並びにその承継に係る社債の種類及び種類ごとの各社債の金額の合計額又はその算定方法
⑥ 前号に規定する場合には、吸収分割契約新株予約権の新株予約権者に対する同号の吸収分割承継株式会社の新株予約権の割当てに関する事項
⑦ 吸収分割がその効力を生ずる日（以下この節において「効力発生日」という。）
⑧ 吸収分割株式会社が効力発生日に次に掲げる行為をするときは、その旨
イ 第１７１条第１項＜全部取得条項付種類株式の取得に関する決定＞の規定による株式の取得（同項第１号に規定する取得対価が吸収分割承継株式会社の株式（吸収分割株式会社が吸収分割をする前から有するものを除き、吸収分割承継株式会社の株式に準ずるものとして法務省令で定めるものを含む。ロにおい

て同じ。）のみであるものに限る。）
ロ　剰余金の配当（配当財産が吸収分割承継株式会社の株式のみであるものに限る。）

【関連条文】 規178

第７５９条　（株式会社に権利義務を承継させる吸収分割の効力の発生等）

Ⅰ　吸収分割承継株式会社は、効力発生日に、吸収分割契約の定めに従い、吸収分割会社の権利義務を承継する。

Ⅱ　前項の規定にかかわらず、第７８９条第１項第２号＜株式会社が吸収分割をする場合の債権者の異議＞（第７９３条第２項において準用する場合を含む。次項において同じ。）の規定により異議を述べることができる吸収分割会社の債権者であって、第７８９条第２項＜吸収合併等における債権者異議のための公告・催告＞（第３号を除き、第７９３条第２項において準用する場合を含む。次項において同じ。）の各別の催告を受けなかったもの（第７８９条第３項（第７９３条第２項において準用する場合を含む。）に規定する場合にあっては、不法行為によって生じた債務の債権者であるものに限る。次項において同じ。）は、吸収分割契約において吸収分割後に吸収分割会社に対して債務の履行を請求することができないものとされているときであっても、吸収分割会社に対して、吸収分割会社が効力発生日に有していた財産の価額を限度として、当該債務の履行を請求することができる書。

Ⅲ　第１項の規定にかかわらず、第７８９条第１項第２号＜株式会社が吸収分割をする場合の債権者の異議＞の規定により異議を述べることができる吸収分割会社の債権者であって、同条第２項＜株式会社における吸収合併消滅会社等の債権者の異議を述べることができる場合の公告・催告＞の各別の催告を受けなかったものは、吸収分割契約において吸収分割後に吸収分割承継株式会社に対して債務の履行を請求することができないものとされているときであっても、吸収分割承継株式会社に対して、承継した財産の価額を限度として、当該債務の履行を請求することができる。

Ⅳ　第１項の規定にかかわらず、吸収分割会社が吸収分割承継株式会社に承継されない債務の債権者（以下この条において「残存債権者」という。）を害することを知って吸収分割をした場合には、残存債権者は、吸収分割承継株式会社に対して、承継した財産の価額を限度として、当該債務の履行を請求することができる。ただし、吸収分割承継株式会社が吸収分割の効力が生じた時において残存債権者を害することを知らなかったときは、この限りでない予書。

Ⅴ　前項の規定は、前条第８号に掲げる事項についての定めがある場合には、適用しない。

Ⅵ　吸収分割承継株式会社が第４項の規定により同項の債務を履行する責任を負う場合には、当該責任は、吸収分割会社が残存債権者を害することを知って吸収分割をしたことを知った時から２年以内に請求又は請求の予告をしない残存債権者に対しては、その期間を経過した時に消滅する。効力発生日から１０年を経過したときも、同様とする。

Ⅶ　吸収分割会社について破産手続開始の決定、再生手続開始の決定又は更生手続開始の決定があったときは、残存債権者は、吸収分割承継株式会社に対して第４項の規定による請求をする権利を行使することができない。

Ⅷ　次の各号に掲げる場合には、吸収分割会社は、効力発生日に、吸収分割契約の定めに従い、当該各号に定める者となる。
　①　前条第４号イ＜吸収分割会社に対して吸収分割承継株式会社の株式を交付するとき＞に掲げる事項についての定めがある場合　同号イの株式の株主
　②　前条第４号ロ＜吸収分割会社に対して吸収分割承継株式会社の社債を交付するとき＞に掲げる事項についての定めがある場合　同号ロの社債の社債権者
　③　前条第４号ハ＜吸収分割会社に対して吸収分割承継株式会社の新株予約権を交付するとき＞に掲げる事項についての定めがある場合　同号ハの新株予約権の新株予約権者
　④　前条第４号ニ＜吸収分割会社に対して吸収分割承継株式会社の新株予約権付社債を交付するとき＞に掲げる事項についての定めがある場合　同号ニの新株予約権付社債についての社債の社債権者及び当該新株予約権付社債に付された新株予約権の新株予約権者

Ⅸ　前条第５号＜吸収分割株式会社の新株予約権者に対する新株予約権の交付＞に規定する場合には、効力発生日に、吸収分割契約新株予約権は、消滅し、当該吸収分割契約新株予約権の新株予約権者は、同条第６号＜吸収分割承継株式会社の新株予約権の割当てに関する事項＞に掲げる事項についての定めに従い、同条第５号ロ＜吸収分割株式会社の新株予約権者に交付する新株予約権の内容等＞の吸収分割承継株式会社の新株予約権の新株予約権者となる予。

Ⅹ　前各項の規定は、第７８９条＜吸収合併等をする場合における消滅株式会社等に対する債権者の異議＞（第１項第３号及び第２項第３号を除き、第７９３条第２項において準用する場合を含む。）若しくは第７９９条＜吸収合併等をする場合における存続株式会社等に対する債権者の異議＞の規定による手続が終了していない場合又は吸収分割を中止した場合には、適用しない。

《注　釈》

◆　会社分割における債権者保護手続

　会社分割は、分割会社の権利義務の全部又は一部を承継会社又は新設会社に承継させることを目的とする会社の行為である（2㉙㉚、759 Ⅰ、764 Ⅰ）。この点、経営不振に陥った分割会社が、不採算事業に関する権利義務のみ（あるいは逆に優良事業に関する権利義務のみ）を分割して承継会社又は新設会社に承継させることで、債権者が不利益を被るおそれがある。

　そこで、会社法は、以下の３つの規律を明文で設けて、債権者の保護を図っている。

　①　債権者異議手続（789、799、810）
　②　各別の催告を受けなかった債権者に対する連帯債務（759 Ⅱ Ⅲ、764 Ⅱ Ⅲ）
　③　詐害的会社分割に対する残存債権者の直接請求権（759 Ⅳ、764 Ⅳ）

1　①債権者異議手続（789、799、810）

　異議を述べることができる債権者は、以下の者である。なお、債権者異議手続の具体的な内容は、合併の場合と同様である。

⑴　分割会社の債権者のうち、会社分割後に分割会社に対して債務の履行を請求することができなくなる者（789Ⅰ②、810Ⅰ②）。

∵　分割会社の債務を承継会社・新設会社が免責的に承継する場合、債権者の利益に与える影響が大きい

→残存債権者（会社分割がされた後も分割会社に対して債務の履行を請求することができる債権者）は異議を述べることができない（次の⑵を除く）

⑵　分割会社が、分割対価として受けた承継会社・新設会社の株式を株主に交付する場合（人的分割を行う場合）における、分割会社の債権者（789Ⅰ②かっこ書・758⑧、810Ⅰ②かっこ書・763Ⅰ⑫）。

∵　分割対価を株主に分配することにより分割会社の資産が減少するため、残存債権者を保護する必要がある

⑶　承継会社の債権者（799Ⅰ②）

∵　承継会社は、分割会社の権利義務を承継する点で、合併における存続会社と類似の立場に立つ

2　②各別の催告を受けなかった債権者に対する連帯債務（759ⅡⅢ、764ⅡⅢ）

会社分割に異議を述べることができる分割会社の債権者（上記1⑴⑵）であって、各別の催告を受けなかったものは、吸収分割契約・新設分割計画において会社分割後に分割会社に対して債務の履行を請求することができないものとされている場合であっても、分割会社に対して、分割会社が会社分割の効力発生日に有していた財産の価額を限度として、当該債務の履行を請求することができる（759Ⅱ、764Ⅱ）。

同様に、会社分割に異議を述べることができる分割会社の債権者（上記1⑴⑵）であって、各別の催告を受けなかったものは、吸収分割契約・新設分割計画において会社分割後に承継会社・新設会社に対して債務の履行を請求することができないものとされている場合であっても、承継会社・新設会社に対して、承継した財産の価額を限度として、当該債務の履行を請求することができる（759Ⅲ、764Ⅲ）。

∵　債権者が債権者異議手続を利用するには会社分割が行われることを知っておく必要があるが、官報公告ではその周知性が不十分であるから、各別の催告を受けなかった債権者を保護するために、会社分割の当事会社に所定の限度額の範囲内で連帯債務を負わせている

もっとも、官報公告のほか、定款で定められた公告方法によって公告（いわゆるダブル公告）を行う場合には、一定の周知性が認められるから、各別の催告をすることを要しないこととされている（789Ⅲ、810Ⅲ）。この場合には、各別の催告を受けなくても債権者は債権者異議手続を利用できるはずであるから、連帯債務の追及を認める必要はない。ただし、不法行為債権者については、各別の催告を省略することができないため、連帯債務の追及をすることが認められている（759ⅡⅢ、764ⅡⅢ）。

3　③詐害的会社分割に対する残存債権者の直接請求権（759 Ⅳ、764 Ⅳ）

残存債権者は、上記1(1)で述べたとおり、原則として異議を述べることができない。しかし、近年、詐害的会社分割（分割会社が残存債権者を害することを知って会社分割をする場合）が頻発したことから、残存債権者を保護するために、詐害的会社分割に対する残存債権者の直接請求権が規定されている（759 Ⅳ、764 Ⅳ）。すなわち、詐害的会社分割がなされた場合、残存債権者は、承継会社又は新設会社に対して、承継した財産の価額を限度として、当該債務の履行を請求することができる。

ただし、吸収分割において、承継会社が効力発生時に残存債権者を害することを知らなかったときは、この限りでない（759 Ⅳただし書）。

また、残存債権者であっても、人的分割が行われる場合の債権者（上記1(2)参照、789 Ⅰ②かっこ書・758⑧、810 Ⅰ②かっこ書・763 Ⅰ⑫）は、債権者異議手続により保護されるため、直接請求権を有しない（759 Ⅴ、764 Ⅴ）。

なお、直接請求権を行使できる期間については、詐害行為取消権の期間制限（民426）と同様の規律に服する（759 Ⅵ、764 Ⅵ）。

＊　詐害行為取消権（民424以下）との関係

上記③は、詐害的会社分割そのものを有効としつつ、残存債権者に直接請求権を付与して残存債権者を保護するものである。他方、詐害行為取消権は、総債権者の責任財産を保全するための権利であり、両者は趣旨や効果を異にする。したがって、残存債権者としては、上記③の権利と詐害行為取消権のいずれをも行使することができると解されている。

【関連条文】23の2［詐害事業譲渡に係る譲受会社に対する債務の履行の請求］、761［持分会社に権利義務を承継させる吸収分割の効力の発生等］、764［株式会社を設立する新設分割の効力の発生等］、766［持分会社を設立する新設分割の効力の発生等］

第３款　持分会社に権利義務を承継させる吸収分割

第７６０条　（持分会社に権利義務を承継させる吸収分割契約）書

会社が吸収分割をする場合において、吸収分割承継会社が持分会社であるときは、吸収分割契約において、次に掲げる事項を定めなければならない。

①　吸収分割会社及び持分会社である吸収分割承継会社（以下この節において「吸収分割承継持分会社」という。）の商号及び住所

②　吸収分割承継持分会社が吸収分割により吸収分割会社から承継する資産、債務、雇用契約その他の権利義務（吸収分割株式会社の株式及び新株予約権に係る義務を除く。）に関する事項

③　吸収分割により吸収分割株式会社の株式を吸収分割承継持分会社に承継させるときは、当該株式に関する事項

④　吸収分割会社が吸収分割に際して吸収分割承継持分会社の社員となるときは、次のイからハまでに掲げる吸収分割承継持分会社の区分に応じ、当該イからハま

でに定める事項

イ　合名会社　当該社員の氏名又は名称及び住所並びに出資の価額

ロ　合資会社　当該社員の氏名又は名称及び住所、当該社員が無限責任社員又は有限責任社員のいずれであるかの別並びに当該社員の出資の価額

ハ　合同会社　当該社員の氏名又は名称及び住所並びに出資の価額

⑤　吸収分割承継持分会社が吸収分割に際して吸収分割会社に対してその事業に関する権利義務の全部又は一部に代わる金銭等（吸収分割承継持分会社の持分を除く。）を交付するときは、当該金銭等についての次に掲げる事項

イ　当該金銭等が吸収分割承継持分会社の社債であるときは、当該社債の種類及び種類ごとの各社債の金額の合計額又はその算定方法

ロ　当該金銭等が吸収分割承継持分会社の社債以外の財産であるときは、当該財産の内容及び数若しくは額又はこれらの算定方法

⑥　効力発生日

⑦　吸収分割株式会社が効力発生日に次に掲げる行為をするときは、その旨

イ　第１７１条第１項<全部取得条項付種類株式の取得に関する決定>の規定による株式の取得（同項第１号に規定する取得対価が吸収分割承継持分会社の持分（吸収分割株式会社が吸収分割をする前から有するものを除き、吸収分割承継持分会社の持分に準ずるものとして法務省令で定めるものを含む。ロにおいて同じ。）のみであるものに限る。）

ロ　剰余金の配当(配当財産が吸収分割承継持分会社の持分のみであるものに限る。)

第７６１条　（持分会社に権利義務を承継させる吸収分割の効力の発生等）

Ⅰ　吸収分割承継持分会社は、効力発生日に、吸収分割契約の定めに従い、吸収分割会社の権利義務を承継する。

Ⅱ　前項の規定にかかわらず、第７８９条第１項第２号<株式会社が吸収分割をする場合の債権者の異議>（第７９３条第２項において準用する場合を含む。次項において同じ。）の規定により異議を述べることができる吸収分割会社の債権者であって、第７８９条第２項<吸収合併等における債権者異議のための公告・催告>（第３号を除き、第７９３条第２項において準用する場合を含む。次項において同じ。）の各別の催告を受けなかったもの（第７８９条第３項（第７９３条第２項において準用する場合を含む。）に規定する場合にあっては、不法行為によって生じた債務の債権者であるものに限る。次項において同じ。）は、吸収分割契約において吸収分割後に吸収分割会社に対して債務の履行を請求することができないものとされているときであっても、吸収分割会社に対して、吸収分割会社が効力発生日に有していた財産の価額を限度として、当該債務の履行を請求することができる。

Ⅲ　第１項の規定にかかわらず、第７８９条第１項第２号<株式会社の吸収分割をする場合の債権者の異議>の規定により異議を述べることができる吸収分割会社の債権者であって同条第２項<吸収合併等における債権者異議のための公告・催告>の各別の催告を受けなかったものは、吸収分割契約において吸収分割後に吸収分割承継持分会社に対して債務の履行を請求することができないものとされているときであっても、吸収分割承継持分会社に対して、承継した財産の価額を限度として、当該債務の履行を請求することができる。

Ⅳ　第１項の規定にかかわらず、吸収分割会社が吸収分割承継持分会社に承継されない債務の債権者（以下この条において「残存債権者」という。）を害することを知って吸収分割をした場合には、残存債権者は、吸収分割承継持分会社に対して、承継した財産の価額を限度として、当該債務の履行を請求することができる。ただし、吸収分割承継持分会社が吸収分割の効力が生じた時において残存債権者を害することを知らなかったときは、この限りでない。
Ⅴ　前項の規定は、前条第７号に掲げる事項についての定めがある場合には、適用しない。
Ⅵ　吸収分割承継持分会社が第４項の規定により同項の債務を履行する責任を負う場合には、当該責任は、吸収分割会社が残存債権者を害することを知って吸収分割をしたことを知った時から２年以内に請求又は請求の予告をしない残存債権者に対しては、その期間を経過した時に消滅する。効力発生日から１０年を経過したときも、同様とする。
Ⅶ　吸収分割会社について破産手続開始の決定、再生手続開始の決定又は更生手続開始の決定があったときは、残存債権者は、吸収分割承継持分会社に対して第４項の規定による請求をする権利を行使することができない。
Ⅷ　前条第４号＜吸収分割会社が吸収分割に際して吸収分割承継持分会社の社員となるとき＞に規定する場合には、吸収分割会社は、効力発生日に、同号に掲げる事項についての定めに従い、吸収分割承継持分会社の社員となる。この場合においては、吸収分割承継持分会社は、効力発生日に、同号の社員に係る定款の変更をしたものとみなす。
Ⅸ　前条第５号イ＜吸収分割承継持分会社が吸収分割会社に社債を交付するとき＞に掲げる事項についての定めがある場合には、吸収分割会社は、効力発生日に、吸収分割契約の定めに従い、同号イの社債の社債権者となる。
Ⅹ　前各項の規定は、第７８９条＜吸収合併等における債権者異議＞（第１項第３号及び第２項第３号を除き、第７９３条第２項において準用する場合を含む。）若しくは第８０２条第２項＜持分会社が吸収合併等をする場合における存続会社等に対する債権者の異議等＞において準用する第７９９条＜吸収合併等をする場合における存続株式会社等に対する債権者の異議＞（第２項第３号を除く。）の規定による手続が終了していない場合又は吸収分割を中止した場合には、適用しない。

■第２節　新設分割

第１款　通則

第７６２条　（新設分割計画の作成）

Ⅰ　１又は２以上の株式会社又は合同会社は、新設分割をすることができる。この場合においては、新設分割計画を作成しなければならない。
Ⅱ　２以上の株式会社又は合同会社が共同して新設分割をする場合には、当該２以上の株式会社又は合同会社は、共同して新設分割計画を作成しなければならない。

【関連条文】828 Ⅰ⑩［新設分割無効の訴え］、924［新設分割の登記］

第２款　株式会社を設立する新設分割

第７６３条　（株式会社を設立する新設分割計画）

Ⅰ　１又は２以上の株式会社又は合同会社が新設分割をする場合において、新設分割により設立する会社（以下この編において「新設分割設立会社」という。）が株式会社であるときは、新設分割計画において、次に掲げる事項を定めなければならない。

① 株式会社である新設分割設立会社（以下この編において「新設分割設立株式会社」という。）の目的、商号、本店の所在地及び発行可能株式総数

② 前号に掲げるもののほか、新設分割設立株式会社の定款で定める事項

③ 新設分割設立株式会社の設立時取締役の氏名

④ 次のイからハまでに掲げる場合の区分に応じ、当該イからハまでに定める事項

イ　新設分割設立株式会社が会計参与設置会社である場合　新設分割設立株式会社の設立時会計参与の氏名又は名称

ロ　新設分割設立株式会社が監査役設置会社（監査役の監査の範囲を会計に関するものに限定する旨の定款の定めがある株式会社を含む。）である場合　新設分割設立株式会社の設立時監査役の氏名

ハ　新設分割設立株式会社が会計監査人設置会社である場合　新設分割設立株式会社の設立時会計監査人の氏名又は名称

⑤ 新設分割設立株式会社が新設分割により新設分割をする会社（以下この編において「新設分割会社」という。）から承継する資産、債務、雇用契約その他の権利義務（株式会社である新設分割会社（以下この編において「新設分割株式会社」という。）の株式及び新株予約権に係る義務を除く。）に関する事項

⑥ 新設分割設立株式会社が新設分割に際して新設分割会社に対して交付するその事業に関する権利義務の全部又は一部に代わる当該新設分割設立株式会社の株式の数（種類株式発行会社にあっては、株式の種類及び種類ごとの数）又はその数の算定方法並びに当該新設分割設立株式会社の資本金及び準備金の額に関する事項書

⑦ ２以上の株式会社又は合同会社が共同して新設分割をするときは、新設分割会社に対する前号の株式の割当てに関する事項

⑧ 新設分割設立株式会社が新設分割に際して新設分割会社に対してその事業に関する権利義務の全部又は一部に代わる当該新設分割設立株式会社の社債等を交付するときは、当該社債等についての次に掲げる事項

イ　当該社債等が新設分割設立株式会社の社債（新株予約権付社債についてのものを除く。）であるときは、当該社債の種類及び種類ごとの各社債の金額の合計額又はその算定方法

ロ　当該社債等が新設分割設立株式会社の新株予約権（新株予約権付社債に付されたものを除く。）であるときは、当該新株予約権の内容及び数又はその算定方法

ハ　当該社債等が新設分割設立株式会社の新株予約権付社債であるときは、当該新株予約権付社債についてのイに規定する事項及び当該新株予約権付社債に付された新株予約権についてのロに規定する事項

⑨　前号に規定する場合において、２以上の株式会社又は合同会社が共同して新設分割をするときは、新設分割会社に対する同号の社債等の割当てに関する事項

⑩　新設分割設立株式会社が新設分割に際して新設分割株式会社の新株予約権の新株予約権者に対して当該新株予約権に代わる当該新設分割設立株式会社の新株予約権を交付するときは、当該新株予約権についての次に掲げる事項

イ　当該新設分割設立株式会社の新株予約権の交付を受ける新設分割株式会社の新株予約権の新株予約権者の有する新株予約権（以下この編において「新設分割計画新株予約権」という。）の内容

ロ　新設分割計画新株予約権の新株予約権者に対して交付する新設分割設立株式会社の新株予約権の内容及び数又はその算定方法

ハ　新設分割計画新株予約権が新株予約権付社債に付された新株予約権であるときは、新設分割設立株式会社が当該新株予約権付社債についての社債に係る債務を承継する旨並びにその承継に係る社債の種類及び種類ごとの各社債の金額の合計額又はその算定方法

⑪　前号に規定する場合には、新設分割計画新株予約権の新株予約権者に対する同号の新設分割設立株式会社の新株予約権の割当てに関する事項

⑫　新設分割株式会社が新設分割設立株式会社の成立の日に次に掲げる行為をするときは、その旨

イ　第１７１条第１項＜全部取得条項付種類株式の取得に関する決定＞の規定による株式の取得（同項第１号に規定する取得対価が新設分割設立株式会社の株式（これに準ずるものとして法務省令で定めるものを含む。ロにおいて同じ。）のみであるものに限る。）

ロ　剰余金の配当（配当財産が新設分割設立株式会社の株式のみであるものに限る。）

Ⅱ　新設分割設立株式会社が監査等委員会設置会社である場合には、前項第３号に掲げる事項は、設立時監査等委員である設立時取締役とそれ以外の設立時取締役とを区別して定めなければならない。

第７６４条　（株式会社を設立する新設分割の効力の発生等）

Ⅰ　新設分割設立株式会社は、その成立の日に、新設分割計画の定めに従い、新設分割会社の権利義務を承継する。

Ⅱ　前項の規定にかかわらず、第８１０条第１項第２号＜株式会社における新設分割をする場合の債権者の異議＞（第８１３条第２項において準用する場合を含む。次項において同じ。）の規定により異議を述べることができる新設分割会社の債権者であって、第８１０条第２項＜新設合併等における債権者異議のための公告・催告＞（第３号を除き、第８１３条第２項において準用する場合を含む。次項において同じ。）の各別の催告を受けなかったもの（第８１０条第３項（第８１３条第２項において準用する場合を含む。）に規定する場合にあっては、不法行為によって生じた債務の債権者であるものに限る。次項において同じ。）は、新設分割計画において新設分割後に新設分割会社に対して債務の履行を請求することができないものとされているときであっても、新設分割会社に対して、新設分割会社が新設分割

設立株式会社の成立の日に有していた財産の価額を限度として、当該債務の履行を請求することができる。

Ⅲ　第１項の規定にかかわらず、第８１０条第１項第２号<株式会社における新設分割をする場合の債権者の異議>の規定により異議を述べることができる新設分割会社の債権者であって、同条第２項<新設合併等における債権者異議のための公告・催告>の各別の催告を受けなかったものは、新設分割計画において新設分割後に新設分割設立株式会社に対して債務の履行を請求することができないものとされているときであっても、新設分割設立株式会社に対して、承継した財産の価額を限度として、当該債務の履行を請求することができる。

Ⅳ　第１項の規定にかかわらず、新設分割会社が新設分割設立株式会社に承継されない債務の債権者（以下この条において「残存債権者」という。）を害することを知って新設分割をした場合には、残存債権者は、新設分割設立株式会社に対して、承継した財産の価額を限度として、当該債務の履行を請求することができる。

Ⅴ　前項の規定は、前条第１項第１２号に掲げる事項についての定めがある場合には、適用しない。

Ⅵ　新設分割設立株式会社が第４項の規定により同項の債務を履行する責任を負う場合には、当該責任は、新設分割会社が残存債権者を害することを知って新設分割をしたことを知った時から２年以内に請求又は請求の予告をしない残存債権者に対しては、その期間を経過した時に消滅する。新設分割設立株式会社の成立の日から１０年を経過したときも、同様とする。

Ⅶ　新設分割会社について破産手続開始の決定、再生手続開始の決定又は更生手続開始の決定があったときは、残存債権者は、新設分割設立株式会社に対して第４項の規定による請求をする権利を行使することができない。

Ⅷ　前条第１項に規定する場合には、新設分割会社は、新設分割設立株式会社の成立の日に、新設分割計画の定めに従い、同項第６号の株式の株主となる。

Ⅸ　次の各号に掲げる場合には、新設分割会社は、新設分割設立株式会社の成立の日に、新設分割計画の定めに従い、当該各号に定める者となる。

①　前条第１項第８号イに掲げる事項についての定めがある場合　同号イの社債の社債権者

②　前条第１項第８号ロに掲げる事項についての定めがある場合　同号ロの新株予約権の新株予約権者

③　前条第１項第８号ハに掲げる事項についての定めがある場合　同号ハの新株予約権付社債についての社債の社債権者及び当該新株予約権付社債に付された新株予約権の新株予約権者

Ⅹ　２以上の株式会社又は合同会社が共同して新設分割をする場合における前２項の規定の適用については、第８項中「新設分割計画の定め」とあるのは「同項第７号に掲げる事項についての定め」と、前項中「新設分割計画の定め」とあるのは「前条第１項第９号に掲げる事項についての定め」とする。

Ⅺ　前条第１項第１０号に規定する場合には、新設分割設立株式会社の成立の日に、新設分割計画新株予約権は、消滅し、当該新設分割計画新株予約権の新株予約権者は、同項第１１号に掲げる事項についての定めに従い、同項第１０号ロの新設分割設立株式会社の新株予約権の新株予約権者となる。

第３款　持分会社を設立する新設分割

第７６５条　（持分会社を設立する新設分割計画）

Ⅰ　１又は２以上の株式会社又は合同会社が新設分割をする場合において、新設分割設立会社が持分会社であるときは、新設分割計画において、次に掲げる事項を定めなければならない。

①　持分会社である新設分割設立会社（以下この編において「新設分割設立持分会社」という。）が合名会社、合資会社又は合同会社のいずれであるかの別

②　新設分割設立持分会社の目的、商号及び本店の所在地

③　新設分割設立持分会社の社員についての次に掲げる事項

イ　当該社員の名称及び住所

ロ　当該社員が無限責任社員又は有限責任社員のいずれであるかの別

ハ　当該社員の出資の価額

④　前２号に掲げるもののほか、新設分割設立持分会社の定款で定める事項

⑤　新設分割設立持分会社が新設分割により新設分割会社から承継する資産、債務、雇用契約その他の権利義務（新設分割株式会社の株式及び新株予約権に係る義務を除く。）に関する事項

⑥　新設分割設立持分会社が新設分割に際して新設分割会社に対してその事業に関する権利義務の全部又は一部に代わる当該新設分割設立持分会社の社債を交付するときは、当該社債の種類及び種類ごとの各社債の金額の合計額又はその算定方法

⑦　前号に規定する場合において、２以上の株式会社又は合同会社が共同して新設分割をするときは、新設分割会社に対する同号の社債の割当てに関する事項

⑧　新設分割株式会社が新設分割設立持分会社の成立の日に次に掲げる行為をするときは、その旨

イ　第１７１条第１項＜全部取得条項付種類株式の取得に関する決定＞の規定による株式の取得（同項第１号に規定する取得対価が新設分割設立持分会社の持分（これに準ずるものとして法務省令で定めるものを含む。ロにおいて同じ。）のみであるものに限る。）

ロ　剰余金の配当（配当財産が新設分割設立持分会社の持分のみであるものに限る。）

Ⅱ　新設分割設立持分会社が合名会社であるときは、前項第３号ロに掲げる事項として、その社員の全部を無限責任社員とする旨を定めなければならない。

Ⅲ　新設分割設立持分会社が合資会社であるときは、第１項第３号ロに掲げる事項として、その社員の一部を無限責任社員とし、その他の社員を有限責任社員とする旨を定めなければならない。

Ⅳ　新設分割設立持分会社が合同会社であるときは、第１項第３号ロに掲げる事項として、その社員の全部を有限責任社員とする旨を定めなければならない。

第766条　（持分会社を設立する新設分割の効力の発生等）

Ⅰ　新設分割設立持分会社は、その成立の日に、新設分割計画の定めに従い、新設分割会社の権利義務を承継する。

Ⅱ　前項の規定にかかわらず、第８１０条第１項第２号<株式会社における新設分割をする場合の債権者の異議>（第８１３条第２項において準用する場合を含む。次項において同じ。）の規定により異議を述べることができる新設分割会社の債権者であって、第８１０条第２項<新設合併等における債権者異議のための公告・催告>（第３号を除き、第８１３条第２項において準用する場合を含む。次項において同じ。）の各別の催告を受けなかったもの（第８１０条第３項（第８１３条第２項において準用する場合を含む。）に規定する場合にあっては、不法行為によって生じた債務の債権者であるものに限る。次項において同じ。）は、新設分割計画において新設分割後に新設分割会社に対して債務の履行を請求することができないものとされているときであっても、新設分割会社に対して、新設分割会社が新設分割設立持分会社の成立の日に有していた財産の価額を限度として、当該債務の履行を請求することができる。

Ⅲ　第１項の規定にかかわらず、第８１０条第１項第２号<株式会社における新設分割をする場合の債権者の異議>の規定により異議を述べることができる新設分割会社の債権者であって、同条第２項<新設合併等における債権者異議のための公告・催告>の各別の催告を受けなかったものは、新設分割計画において新設分割後に新設分割設立持分会社に対して債務の履行を請求することができないものとされているときであっても、新設分割設立持分会社に対して、承継した財産の価額を限度として、当該債務の履行を請求することができる。

Ⅳ　第１項の規定にかかわらず、新設分割会社が新設分割設立持分会社に承継されない債務の債権者（以下この条において「残存債権者」という。）を害することを知って新設分割をした場合には、残存債権者は、新設分割設立持分会社に対して、承継した財産の価額を限度として、当該債務の履行を請求することができる。

Ⅴ　前項の規定は、前条第１項第８号に掲げる事項についての定めがある場合には、適用しない。

Ⅵ　新設分割設立持分会社が第４項の規定により同項の債務を履行する責任を負う場合には、当該責任は、新設分割会社が残存債権者を害することを知って新設分割をしたことを知った時から２年以内に請求又は請求の予告をしない残存債権者に対しては、その期間を経過した時に消滅する。新設分割設立持分会社の成立の日から１０年を経過したときも、同様とする。

Ⅶ　新設分割会社について破産手続開始の決定、再生手続開始の決定又は更生手続開始の決定があったときは、残存債権者は、新設分割設立持分会社に対して第４項の規定による請求をする権利を行使することができない。

Ⅷ　前条第１項に規定する場合には、新設分割会社は、新設分割設立持分会社の成立の日に、同項第３号<新設分割設立持分会社の社員の名称等>に掲げる事項についての定めに従い、当該新設分割設立持分会社の社員となる。

Ⅸ　前条第１項第６号<新設分割設立持分会社が新設分割会社に新設分割設立持分会社の社債を交付するとき>に掲げる事項についての定めがある場合には、新設分割会社は、新設分割設立持分会社の成立の日に、新設分割計画の定めに従い、同号の社債の社債権者となる。
Ⅹ　２以上の株式会社又は合同会社が共同して新設分割をする場合における前項の規定の適用については、同項中「新設分割計画の定めに従い、同号」とあるのは、「同項第７号に掲げる事項についての定めに従い、同項第６号」とする。

・第４章・【株式交換及び株式移転】

■第１節　株式交換

《概　説》

◆　株式交換

１　意義

株式交換とは、株式会社がその発行済株式の全部を他の株式会社又は合同会社に取得させることをいう（２㉛）。

既存の複数の会社の間に完全親子会社関係を創設するものである。

２　当事会社

株式交換における完全親会社となる会社になることができるのは、株式会社・合同会社のみである（767かっこ書）予。

cf.　合名会社・合資会社が完全親会社となることができないのは、吸収分割・新設分割の場合と異なり、その実益がないからである

株式交換における完全子会社となる会社になることができるのは、株式会社のみである。

３　手続

＊　完全親会社となる会社が株式会社の場合について述べる。

⑴　株式交換契約の締結（767）
⑵　事前の開示（782、794）
⑶　株主総会による承認（783、795、309 Ⅱ⑫）
⑷　反対株主の株式買取請求権等（785、797）
⑸　株式交換の効力発生（769）
⑹　事後の開示（791、801）
⑺　登記（915）

４　効果

⑴　完全親会社となる会社が、完全子会社となる会社の発行済株式の全部を取得する（769 Ⅰ Ⅱ）。
⑵　完全子会社となる会社の株主は、完全親会社となる会社の株主、社債権者、新株予約権者になる（769 Ⅲ）。

5　債権者保護手続について

株式交換は、原則として、いずれの当事会社においても債権者保護手続は不要である。

∵　合併や会社分割と異なり、会社が負う債務が他の会社に移転することはなく、かつ、対価として交付する財産も原則として完全親会社となる会社の株式であることから、完全親会社となる会社からの実質的な財産の流出もなく、各当事会社の債権者を害することはない

cf. 789 I③、799 I③

第1款　通則

第767条（株式交換契約の締結）

株式会社は、株式交換をすることができる。この場合においては、当該株式会社の発行済株式の全部を取得する会社（株式会社又は合同会社に限る〈書〉。以下この編において「株式交換完全親会社」という。）との間で、株式交換契約を締結しなければならない〈予〉。

【関連条文】 828 I⑪［株式会社の株式交換無効の訴え］、915［変更登記］

第2款　株式会社に発行済株式を取得させる株式交換

第768条（株式会社に発行済株式を取得させる株式交換契約）

I　株式会社が株式交換をする場合において、株式交換完全親会社が株式会社であるときは、株式交換契約において、次に掲げる事項を定めなければならない。

①　株式交換をする株式会社（以下この編において「株式交換完全子会社」という。）及び株式会社である株式交換完全親会社（以下この編において「株式交換完全親株式会社」という。）の商号及び住所

②　株式交換完全親株式会社が株式交換に際して株式交換完全子会社の株主に対してその株式に代わる金銭等を交付するときは、当該金銭等についての次に掲げる事項〈予〉

イ　当該金銭等が株式交換完全親株式会社の株式であるときは、当該株式の数（種類株式発行会社にあっては、株式の種類及び種類ごとの数）又はその数の算定方法並びに当該株式交換完全親株式会社の資本金及び準備金の額に関する事項

ロ　当該金銭等が株式交換完全親株式会社の社債（新株予約権付社債についてのものを除く。）であるときは、当該社債の種類及び種類ごとの各社債の金額の合計額又はその算定方法

ハ　当該金銭等が株式交換完全親株式会社の新株予約権（新株予約権付社債に付されたものを除く。）であるときは、当該新株予約権の内容及び数又はその算定方法

ニ　当該金銭等が株式交換完全親株式会社の新株予約権付社債であるときは、当該新株予約権付社債についてのロに規定する事項及び当該新株予約権付社債に付された新株予約権についてのハに規定する事項

ホ　当該金銭等が株式交換完全親株式会社の株式等以外の財産であるときは、当該財産の内容及び数若しくは額又はこれらの算定方法

③　前号に規定する場合には、株式交換完全子会社の株主（株式交換完全親株式会社を除く。）に対する同号の金銭等の割当てに関する事項
④　株式交換完全親株式会社が株式交換に際して株式交換完全子会社の新株予約権の新株予約権者に対して当該新株予約権に代わる当該株式交換完全親株式会社の新株予約権を交付するときは、当該新株予約権についての次に掲げる事項〈予
イ　当該株式交換完全親株式会社の新株予約権の交付を受ける株式交換完全子会社の新株予約権の新株予約権者の有する新株予約権（以下この編において「株式交換契約新株予約権」という。）の内容
ロ　株式交換契約新株予約権の新株予約権者に対して交付する株式交換完全親株式会社の新株予約権の内容及び数又はその算定方法
ハ　株式交換契約新株予約権が新株予約権付社債に付された新株予約権であるときは、株式交換完全親株式会社が当該新株予約権付社債についての社債に係る債務を承継する旨並びにその承継に係る社債の種類及び種類ごとの各社債の金額の合計額又はその算定方法
⑤　前号に規定する場合には、株式交換契約新株予約権の新株予約権者に対する同号の株式交換完全親株式会社の新株予約権の割当てに関する事項
⑥　株式交換がその効力を生ずる日（以下この節において「効力発生日」という。）

Ⅱ　前項に規定する場合において、株式交換完全子会社が種類株式発行会社であるときは、株式交換完全子会社及び株式交換完全親株式会社は、株式交換完全子会社の発行する種類の株式の内容に応じ、同項第３号に掲げる事項として次に掲げる事項を定めることができる。
①　ある種類の株式の株主に対して金銭等の割当てをしないこととするときは、その旨及び当該株式の種類〈同
②　前号に掲げる事項のほか、金銭等の割当てについて株式の種類ごとに異なる取扱いを行うこととするときは、その旨及び当該異なる取扱いの内容

Ⅲ　第１項に規定する場合には、同項第３号に掲げる事項についての定めは、株式交換完全子会社の株主（株式交換完全親株式会社及び前項第１号の種類の株式の株主を除く。）の有する株式の数（前項第２号に掲げる事項についての定めがある場合にあっては、各種類の株式の数）に応じて金銭等を交付することを内容とするものでなければならない。

第７６９条　（株式会社に発行済株式を取得させる株式交換の効力の発生等）

Ⅰ　株式交換完全親株式会社は、効力発生日に、株式交換完全子会社の発行済株式（株式交換完全親株式会社の有する株式交換完全子会社の株式を除く。）の全部を取得する。

Ⅱ　前項の場合には、株式交換完全親株式会社が株式交換完全子会社の株式（譲渡制限株式に限り、当該株式交換完全親株式会社が効力発生日前から有するものを除く。）を取得したことについて、当該株式交換完全子会社が第１３７条第１項＜譲渡制限株式取得者からの承認の請求＞の承認をしたものとみなす。

Ⅲ　次の各号に掲げる場合には、株式交換完全子会社の株主は、効力発生日に、前条第１項第３号＜金銭等の割当てに関する事項＞に掲げる事項についての定めに従い、当該各号に定める者となる〈共。

① 前条第1項第2号イ<株式交換の対価としての株式交換完全親会社の株式の交付>に掲げる事項についての定めがある場合　同号イの株式の株主
② 前条第1項第2号ロ<株式交換の対価としての株式交換完全親会社の社債の交付>に掲げる事項についての定めがある場合　同号ロの社債の社債権者
③ 前条第1項第2号ハ<株式交換の対価としての株式交換完全親会社の新株予約権の交付>に掲げる事項についての定めがある場合　同号ハの新株予約権の新株予約権者
④ 前条第1項第2号ニ<株式交換の対価としての株式交換完全親会社の新株予約権付社債の交付>に掲げる事項についての定めがある場合　同号ニの新株予約権付社債についての社債の社債権者及び当該新株予約権付社債に付された新株予約権の新株予約権者

Ⅳ 前条第1項第4号<株式交換完全子会社の新株予約権者に対する株式交換完全親株式会社の新株予約権の交付>に規定する場合には、効力発生日に、株式交換契約新株予約権は、消滅し、当該株式交換契約新株予約権の新株予約権者は、同項第5号<株式交換完全親株式会社の新株予約権の割当てに関する事項>に掲げる事項についての定めに従い、同項第4号ロ<株式交換完全親株式会社が株式交換完全子会社の新株予約権者に交付する株式交換完全親株式会社の新株予約権の内容等>の株式交換完全親株式会社の新株予約権の新株予約権者となる。

Ⅴ 前条第1項第4号ハ<株式交換契約新株予約権が新株予約権付社債に付された新株予約権であるとき>に規定する場合には、株式交換完全親株式会社は、効力発生日に、同号ハの新株予約権付社債についての社債に係る債務を承継する。

Ⅵ 前各項の規定は、第７８９条<吸収合併等における債権者異議>若しくは第７９９条<吸収合併等をする場合における存続株式会社等に対する債権者の異議>の規定による手続が終了していない場合又は株式交換を中止した場合には、適用しない。

第３款　合同会社に発行済株式を取得させる株式交換

第７７０条　（合同会社に発行済株式を取得させる株式交換契約）

Ⅰ 株式会社が株式交換をする場合において、株式交換完全親会社が合同会社であるときは、株式交換契約において、次に掲げる事項を定めなければならない。
① 株式交換完全子会社及び合同会社である株式交換完全親会社（以下この編において「株式交換完全親合同会社」という。）の商号及び住所
② 株式交換完全子会社の株主が株式交換に際して株式交換完全親合同会社の社員となるときは、当該社員の氏名又は名称及び住所並びに出資の価額
③ 株式交換完全親合同会社が株式交換に際して株式交換完全子会社の株主に対してその株式に代わる金銭等（株式交換完全親合同会社の持分を除く。）を交付するときは、当該金銭等についての次に掲げる事項
イ 当該金銭等が当該株式交換完全親合同会社の社債であるときは、当該社債の種類及び種類ごとの各社債の金額の合計額又はその算定方法
ロ 当該金銭等が当該株式交換完全親合同会社の社債以外の財産であるときは、当該財産の内容及び数若しくは額又はこれらの算定方法

組織変更等

④　前号に規定する場合には、株式交換完全子会社の株主（株式交換完全親合同会社を除く。）に対する同号の金銭等の割当てに関する事項
⑤　効力発生日

Ⅱ　前項に規定する場合において、株式交換完全子会社が種類株式発行会社であるときは、株式交換完全子会社及び株式交換完全親合同会社は、株式交換完全子会社の発行する種類の株式の内容に応じ、同項第４号に掲げる事項として次に掲げる事項を定めることができる。
①　ある種類の株式の株主に対して金銭等の割当てをしないこととするときは、その旨及び当該株式の種類
②　前号に掲げる事項のほか、金銭等の割当てについて株式の種類ごとに異なる取扱いを行うこととするときは、その旨及び当該異なる取扱いの内容

Ⅲ　第１項に規定する場合には、同項第４号に掲げる事項についての定めは、株式交換完全子会社の株主（株式交換完全親合同会社及び前項第１号の種類の株式の株主を除く。）の有する株式の数（前項第２号に掲げる事項についての定めがある場合にあっては、各種類の株式の数）に応じて金銭等を交付することを内容とするものでなければならない。

第７７１条　（合同会社に発行済株式を取得させる株式交換の効力の発生等）

Ⅰ　株式交換完全親合同会社は、効力発生日に、株式交換完全子会社の発行済株式（株式交換完全親合同会社の有する株式交換完全子会社の株式を除く。）の全部を取得する。

Ⅱ　前項の場合には、株式交換完全親合同会社が株式交換完全子会社の株式（譲渡制限株式に限り、当該株式交換完全親合同会社が効力発生日前から有するものを除く。）を取得したことについて、当該株式交換完全子会社が第１３７条第１項＜譲渡制限株式を取得した株式取得者からの承認の請求＞の承認をしたものとみなす。

Ⅲ　前条第１項第２号＜株式交換完全子会社の株主が株式交換完全親合同会社の社員となるとき＞に規定する場合には、株式交換完全子会社の株主は、効力発生日に、同号に掲げる事項についての定めに従い、株式交換完全親合同会社の社員となる。この場合においては、株式交換完全親合同会社は、効力発生日に、同号の社員に係る定款の変更をしたものとみなす。

Ⅳ　前条第１項第３号イ＜株式交換完全親合同会社が株式交換子会社の株主に社債を交付するとき＞に掲げる事項についての定めがある場合には、株式交換完全子会社の株主は、効力発生日に、同項第４号＜株式交換完全子会社に対する金銭等の割当てに関する事項＞に掲げる事項についての定めに従い、同項第３号イの社債の社債権者となる。

Ⅴ　前各項の規定は、第８０２条第２項＜持分会社が吸収合併等をする場合における存続会社等に対する債権者の異議等＞において準用する第７９９条＜吸収合併等をする場合における存続株式会社等に対する債権者の異議＞（第２項第３号を除く。）の規定による手続が終了していない場合又は株式交換を中止した場合には、適用しない。

■第2節　株式移転

《概　説》

◆　株式移転

1　意義

株式移転とは、1又は2以上の株式会社がその発行済株式の全部を新たに設立する株式会社に取得させることをいう（2㉜）予。

会社が単独で又は共同して、完全親会社を設立する制度である。

2　当事会社

株式移転における完全親会社となる新設会社になることができるのは、株式会社のみである（772、773）。

∵　合同会社が完全親会社となることができないのは、仮にそれを認めたとしても、株主全員の合意を必要とすべきことになるうえ、合同会社には現物出資についての検査役の調査の手続が存在しないなど、結局、株主全員が完全子会社となる会社を現物出資して合同会社を設立する従来の手続と差異はなく、あえて別の制度として創設する必要がないためである（cf. 株式交換）

3　手続

⑴　株式移転計画の作成（772）

⑵　事前の開示（803）

⑶　株主総会による承認（804、309Ⅱ⑫）

⑷　反対株主の株式買取請求権等（806）

⑸　株式移転の効力発生（774）

⑹　事後の開示（811、815）

⑺　登記（925）

4　効果

⑴　株式移転により設立される完全親会社は、完全子会社となる会社の発行済株式の全部を取得する（774Ⅰ）。

⑵　完全子会社となる会社の株主は、株式移転により設立される会社の株主、社債権者、新株予約権者になる（774ⅡⅢ）。

第772条　（株式移転計画の作成）

Ⅰ　1又は2以上の株式会社は、株式移転をすることができる。この場合においては、株式移転計画を作成しなければならない予。

Ⅱ　2以上の株式会社が共同して株式移転をする場合には、当該2以上の株式会社は、共同して株式移転計画を作成しなければならない。

第773条　（株式移転計画）

Ⅰ　1又は2以上の株式会社が株式移転をする場合には、株式移転計画において、次に掲げる事項を定めなければならない。

①　株式移転により設立する株式会社（以下この編において「株式移転設立完全親会社」という。）の目的、商号、本店の所在地及び発行可能株式総数

組織変更等

② 前号に掲げるもののほか、株式移転設立完全親会社の定款で定める事項
③ 株式移転設立完全親会社の設立時取締役の氏名
④ 次のイからハまでに掲げる場合の区分に応じ、当該イからハまでに定める事項
イ 株式移転設立完全親会社が会計参与設置会社である場合　株式移転設立完全親会社の設立時会計参与の氏名又は名称
ロ 株式移転設立完全親会社が監査役設置会社（監査役の監査の範囲を会計に関するものに限定する旨の定款の定めがある株式会社を含む。）である場合　株式移転設立完全親会社の設立時監査役の氏名
ハ 株式移転設立完全親会社が会計監査人設置会社である場合　株式移転設立完全親会社の設立時会計監査人の氏名又は名称
⑤ 株式移転設立完全親会社が株式移転に際して株式移転をする株式会社（以下この編において「株式移転完全子会社」という。）の株主に対して交付するその株式に代わる当該株式移転設立完全親会社の株式の数（種類株式発行会社にあっては、株式の種類及び種類ごとの数）又はその数の算定方法並びに当該株式移転設立完全親会社の資本金及び準備金の額に関する事項〈予書
⑥ 株式移転完全子会社の株主に対する前号の株式の割当てに関する事項
⑦ 株式移転設立完全親会社が株式移転に際して株式移転完全子会社の株主に対してその株式に代わる当該株式移転設立完全親会社の社債等を交付するときは、当該社債等についての次に掲げる事項
イ 当該社債等が株式移転設立完全親会社の社債（新株予約権付社債についてのものを除く。）であるときは、当該社債の種類及び種類ごとの各社債の金額の合計額又はその算定方法
ロ 当該社債等が株式移転設立完全親会社の新株予約権（新株予約権付社債に付されたものを除く。）であるときは、当該新株予約権の内容及び数又はその算定方法
ハ 当該社債等が株式移転設立完全親会社の新株予約権付社債であるときは、当該新株予約権付社債についてのイに規定する事項及び当該新株予約権付社債に付された新株予約権についてのロに規定する事項
⑧ 前号に規定する場合には、株式移転完全子会社の株主に対する同号の社債等の割当てに関する事項
⑨ 株式移転設立完全親会社が株式移転に際して株式移転完全子会社の新株予約権の新株予約権者に対して当該新株予約権に代わる当該株式移転設立完全親会社の新株予約権を交付するときは、当該新株予約権についての次に掲げる事項
イ 当該株式移転設立完全親会社の新株予約権の交付を受ける株式移転完全子会社の新株予約権の新株予約権者の有する新株予約権（以下この編において「株式移転計画新株予約権」という。）の内容
ロ 株式移転計画新株予約権の新株予約権者に対して交付する株式移転設立完全親会社の新株予約権の内容及び数又はその算定方法
ハ 株式移転計画新株予約権が新株予約権付社債に付された新株予約権であるときは、株式移転設立完全親会社が当該新株予約権付社債についての社債に係る債務を承継する旨並びにその承継に係る社債の種類及び種類ごとの各社債の金額の合計額又はその算定方法

⑩　前号に規定する場合には、株式移転計画新株予約権の新株予約権者に対する同号の株式移転設立完全親会社の新株予約権の割当てに関する事項

Ⅱ　株式移転設立完全親会社が監査等委員会設置会社である場合には、前項第３号に掲げる事項は、設立時監査等委員である設立時取締役とそれ以外の設立時取締役とを区別して定めなければならない。

Ⅲ　第１項に規定する場合において、株式移転完全子会社が種類株式発行会社であるときは、株式移転完全子会社は、その発行する種類の株式の内容に応じ、同項第６号に掲げる事項として次に掲げる事項を定めることができる。

①　ある種類の株式の株主に対して株式移転設立完全親会社の株式の割当てをしないこととするときは、その旨及び当該株式の種類

②　前号に掲げる事項のほか、株式移転設立完全親会社の株式の割当てについて株式の種類ごとに異なる取扱いを行うこととするときは、その旨及び当該異なる取扱いの内容

Ⅳ　第１項に規定する場合には、同項第６号に掲げる事項についての定めは、株式移転完全子会社の株主（前項第１号の種類の株式の株主を除く。）の有する株式の数（前項第２号に掲げる事項についての定めがある場合にあっては、各種類の株式の数）に応じて株式移転設立完全親会社の株式を交付することを内容とするものでなければならない。

Ⅴ　前２項の規定は、第１項第８号に掲げる事項について準用する。この場合において、前２項中「株式移転設立完全親会社の株式」とあるのは、「株式移転設立完全親会社の社債等」と読み替えるものとする。

【関連条文】 828 Ⅰ⑫［株式会社の株式移転無効の訴え］、925［株式移転の登記］

第７７４条　（株式移転の効力の発生等）

Ⅰ　株式移転設立完全親会社は、その成立の日に、株式移転完全子会社の発行済株式の全部を取得する。

Ⅱ　株式移転完全子会社の株主は、株式移転設立完全親会社の成立の日に、前条第１項第６号<株式移転完全子会社の株主に対する株式の割当てに関する事項>に掲げる事項についての定めに従い、同項第５号<株式移転設立完全親会社が株式移転完全子会社の株主に対して交付する株式の数等>の株式の株主となる。

Ⅲ　次の各号に掲げる場合には、株式移転完全子会社の株主は、株式移転設立完全親会社の成立の日に、前条第１項第８号<社債等の割当てに関する事項>に掲げる事項についての定めに従い、当該各号に定める者となる。

①　前条第１項第７号イ<株式移転の対価としての社債の交付>に掲げる事項についての定めがある場合　同号イの社債の社債権者

②　前条第１項第７号ロ<株式移転の対価としての新株予約権の交付>に掲げる事項についての定めがある場合　同号ロの新株予約権の新株予約権者

③　前条第１項第７号ハ<株式移転の対価としての新株予約権付社債の交付>に掲げる事項についての定めがある場合　同号ハの新株予約権付社債についての社債の社債権者及び当該新株予約権付社債に付された新株予約権の新株予約権者

組織変更等

Ⅳ　前条第１項第９号<株式移転完全子会社の新株予約権者に対する株式移転完全親株式会社の新株予約権の交付>に規定する場合には、株式移転設立完全親会社の成立の日に、株式移転計画新株予約権は、消滅し、当該株式移転計画新株予約権の新株予約権者は、同項第１０号<株式移転設立完全親会社の新株予約権の割当てに関する事項>に掲げる事項についての定めに従い、同項第９号ロの株式移転設立完全親会社の新株予約権の新株予約権者となる。

Ⅴ　前条第１項第９号ハ<株式移転設立完全親会社が新株予約権付社債についての社債に係る債務を承継する旨等>に規定する場合には、株式移転設立完全親会社は、その成立の日に、同号ハの新株予約権付社債についての社債に係る債務を承継する。

・第４章の２・【株式交付】

《概　説》

◆　株式交付

1　意義・趣旨

株式交付とは、株式会社が他の株式会社をその子会社とするために当該他の株式会社の株式を譲り受け、当該株式の譲渡人に対して当該株式の対価として当該株式会社の株式を交付することをいう（2㉜の2）。

令和元年改正前会社法において、自社の株式を対価として他の会社を子会社としようとする場合、株式交換（2㉛、767）を利用することがあり得るが、株式交換は当該他の会社の発行済株式の全てを取得しなければならないため、当該他の会社を完全子会社とすることまで企図しない場合には、株式交換を用いることができない。また、当該他の会社の株式を現物出資財産として募集株式の発行等（199Ⅰ）の手続を利用する方法もあり得るが、①原則として検査役の調査（207）が必要であるため、時間とコストがかかり、②引受人等が財産価額填補責任（212、213）を負う可能性もある上に、③有利発行の規制（199ⅡⅢ、201Ⅰ）の適用を受けるおそれもあることから、実務上ほとんど利用されていなかった。

そこで、令和元年改正により、自社株式を対価とした容易な親子会社関係の創設を可能にする新たな組織再編類型として、株式交付の制度が創設された。

→株式交付を利用する場合には、検査役の調査や募集株式の引受人等の財産価額填補責任・有利発行に関する規律の適用を受けない一方、部分的な株式交換としての側面から、株式交換と同様の規律の適用を受ける

＊　株式交付は、自社株式を対価とした円滑な親子会社関係の創設を目的としているため、対価となるのは必ず「当該株式会社の株式」（2㉜の2）であり、株式交付親会社のさらに親会社の株式を対価として交付する三角合併のような場合や、株式交換の場合のように無対価で行うこと、金銭のみを交付することは想定されていない。

組織変更等

→自社株式と併せて、新株予約権・社債・金銭等を対価とすることは可能（774の3Ⅰ⑤）

<株式交換と株式交付の相違>

	株式交換	株式交付
親会社となる会社の種類	株式会社又は合同会社（2㉛）	株式会社のみ（2㉜の2、774の3Ⅰ①）
当事会社	株式交換完全親会社と株式交換完全子会社	株式交付親会社のみ （株式交付子会社は当事会社とならず、株式交付子会社の株主が当事者となる）
対価	株式交換完全親会社の株式を全く交付せず、それ以外の金銭等のみを交付することが可能（768Ⅰ②）	株式交付親会社の株式を全く交付しないことはできず（774の3Ⅰ③）、金銭のみを交付することはできない →株式と併せて金銭等を交付することは可能（774の3Ⅰ⑤）
子会社による親会社の株式の取得の可否	株式交換完全親会社は、株式交換完全子会社の株主に対して交付する限度で、株式交付完全親会社の親会社である株式会社の株式の取得が可能（800Ⅰ）	株式交付親会社は、株式交付に際して対価として交付するために株式交付親会社の親会社である株式会社の株式を取得することはできない

2　2つの側面

株式交付は、親子会社関係の創設を目的とした組織再編行為（部分的な株式交換）としての側面を有する。

他方、株式交付は、株式交換（対象会社の全株主から強制的に株式を取得して完全子会社化する制度）と異なり、株式交付子会社の一部の株主から任意でその株式を個別に譲り受ける制度にすぎないという側面もある。そのため、株式交付によって株式交付子会社の株主の株式が株式交付親会社に強制的に移転することはない。

→株式交付子会社の株主には、株式交付に応じず株式交付子会社に留まる自由が保障されている

3　当事会社

株式交換は、株式交換完全親会社と株式交換完全子会社双方による組織法上の行為であるが、株式交付は、株式交付子会社の一部の株主から任意でその株式を個別に譲り受ける制度にすぎないという側面から、株式交付親会社の行為のみが組織法上の行為と整理されており、株式交付子会社は当事会社とはならない。

株式交付親会社及び株式交付子会社となることができるのは、「株式会社」のみである（2㉜の2）。そのため、持分会社・外国会社は、対象会社から除外される。

また、既に子会社となっている株式会社も対象会社から除外される。

∵　株式交付は親子会社関係の創設を目的としている

したがって、株式交付制度を利用して既に子会社となっている株式会社の株式を買い増すことはできない。また、既に特別支配関係がある会社間での利用も制度の想定外であるため、略式手続は用意されていない。

なお、「株式会社」であっても、清算会社になると株式交付親会社となることはできない（509 Ⅰ③）。

4　手続

(1)　株式交付親会社における手続

①　株式交付計画の作成（774の2後段）

②　事前の開示（816の2）

③　株主総会による承認（816の3、309 Ⅱ⑫）

→簡易手続による株式交付では、原則として株主総会による承認は不要（816の4 Ⅰ）

*　株式交付子会社では、株主総会による承認は不要である。

∵　株式交付は、株式交付子会社の一部の株主から任意でその株式を個別に譲り受ける制度にすぎない

④　反対株主の株式買取請求権（816の6、816の7）

→簡易手続による株式交付では、株式買取請求権は認められない（816の6 Ⅰただし書）

*　株式交付子会社の株主に株式買取請求権は認められていない。

∵　株式交換（対象会社の全株主から強制的に株式を取得して完全子会社化する制度）と異なり、株式の譲渡を望まない株式交付子会社の株主には、その株式交付子会社に留まる自由が保障されている

⑤　債権者保護手続（816の8）

→原則として不要（例外として、株式交付親会社の株式以外の金銭等を対価として交付する場合（816の8 Ⅰ参照）には必要）

∵　株式交付の場合、株式交付子会社の株式の一部が株式交付親会社の株式と交換される効果しか生じないので、株式交付親会社の債権者の利益が害されるおそれがない

⑥　株式交付の効力発生（774の11）

⑦　事後の開示（816の10）

*　会社法上、株式交付子会社において必要な手続は規定されていない（例外的に、株式交付子会社の株式が譲渡制限株式である場合には、株式交付子会社において譲渡承認手続（136以下）が必要となる）。

(2)　株式交付親会社と株式交付子会社の株主との間の手続

株式交付は、株式交付子会社の一部の株主から任意でその株式を個別に譲り受ける制度であるから、株式交付親会社は、以下の手続（774の4～774の11）を経て、株式交付子会社の株主との間で個別の合意に基づき株式を

取得する必要がある。

① 譲渡しの申込みをしようとする者への一定の事項の通知（774の4 Ⅰ）

② 譲渡しの申込みをする者による株式交付親会社に対する書面の交付（774の4Ⅱ。なお、株式交付親会社の承諾があれば、書面の交付に代わる電磁的方法による提供も可能（同Ⅲ））

③ 割当ての決定・通知（774の5ⅠⅡ）

→申込者の中から株式交付親会社が株式交付子会社の株式を譲り受ける者を定めた上で、その者に割り当てる株式交付親会社が譲り受ける株式交付子会社の株式の数を定め、その数を通知する

→募集株式の発行等の場合（204Ⅰ）と同様、割当ての仕方は、原則として株式交付親会社が自由に決定できる

→総数譲受け（株式交付子会社の株式を譲り渡そうとする者が、株式交付親会社が株式交付に際して譲り受ける株式交付子会社の株式の総数の譲渡しを行う契約を締結する場合）の場合には、①～③に関する774条の4及び774条の5は適用されない（774の6）

∵ 特定の者との契約により株式交付子会社の株式の譲渡が行われるため、申込み・割当てに関する手続を経る必要がない

④ 譲渡人による給付（774の7）

→申込者は、③の通知を受けた株式交付子会社の株式の数について、株式交付子会社の株式の譲渡人となり（774の7Ⅰ①）、効力発生日にその株式の給付義務を負う（774の7Ⅱ）

* 申込期日（774の3Ⅰ⑩）において申込者が譲渡しの申込みをした株式交付子会社の株式の総数が株式交付計画で定めた下限（774の3Ⅰ②）の数に満たない場合には、上記③・④に関する774条の5及び774条の7は適用されない（774の10）。

* 上記②・③及び総数譲受け（774の6）の契約に係る意思表示については、民法93条1項ただし書及び民法94条1項の規定は適用されない（774の8Ⅰ）。また、譲渡人は、株式交付親会社の株主となった日から1年を経過した後、又はその株式について権利を行使した後は、錯誤（民95）、詐欺・強迫（民96）を理由として株式交付子会社の株式の譲渡しの取消しをすることができない（774の8Ⅱ）。

∵ 株式交付手続やその後の法律関係の安定を確保するため、211条（募集株式の引受けの無効又は取消しの制限）と同様の規律が定められている

5 効果

(1) 株式交付親会社は、効力発生日（774の3Ⅰ⑪）に、譲渡人から給付を受けた株式交付子会社の株式を取得し（774の11Ⅰ）、株式交付子会社を子会社とする。

⑵　株式交付子会社の株式を譲渡した株主は、効力発生日（774の3Ⅰ⑪）に、株式交付親会社の株主になる（774の11Ⅱ）。

なお、譲渡人以外の株式交付子会社の株主は、株式交付後も株式交付子会社の株主のままである。また、各当事会社の権利義務は変動しない。

⑶　以下の場合には、株式交付の効力は発生しない。

①　効力発生日に債権者保護手続（816の8）が終了していない場合（774の11Ⅴ①）

②　株式交付親会社が株式交付を中止した場合（774の11Ⅴ②）

③　効力発生日において株式交付親会社が株式交付子会社の株式の譲渡人から譲り受けることとなった株式交付子会社の株式の総数が、株式交付計画において定めた下限（774の3Ⅰ②）の数に満たない場合（774の11Ⅴ③）

④　効力発生日において株式交付親会社の株式の株主となる者がない場合（774の11Ⅴ④）

→上記①～④のいずれかに該当し、株式交付の効力が発生しないこととなった場合、株式交付親会社は、譲渡人に対して、遅滞なく、株式交付をしない旨の通知をしなければならず（774の11Ⅵ前段）、既に給付を受けた株式交付子会社の株式等があるときは、遅滞なく、これらを譲渡人に返還しなければならない（同後段）

第７７４条の２　（株式交付計画の作成）

株式会社は、株式交付をすることができる。この場合においては、株式交付計画を作成しなければならない。

第７７４条の３　（株式交付計画）

Ⅰ　株式会社が株式交付をする場合には、株式交付計画において、次に掲げる事項を定めなければならない。

①　株式交付子会社（株式交付親会社（株式交付をする株式会社をいう。以下同じ。）が株式交付に際して譲り受ける株式を発行する株式会社をいう。以下同じ。）の商号及び住所

②　株式交付親会社が株式交付に際して譲り受ける株式交付子会社の株式の数（株式交付子会社が種類株式発行会社である場合にあっては、株式の種類及び種類ごとの数）の下限

③　株式交付親会社が株式交付に際して株式交付子会社の株式の譲渡人に対して当該株式の対価として交付する株式交付親会社の株式の数（種類株式発行会社にあっては、株式の種類及び種類ごとの数）又はその数の算定方法並びに当該株式交付親会社の資本金及び準備金の額に関する事項

④　株式交付子会社の株式の譲渡人に対する前号の株式交付親会社の株式の割当てに関する事項

⑤　株式交付親会社が株式交付に際して株式交付子会社の株式の譲渡人に対して当該株式の対価として金銭等（株式交付親会社の株式を除く。以下この号及び次号

において同じ。）を交付するときは、当該金銭等についての次に掲げる事項
イ　当該金銭等が株式交付親会社の社債（新株予約権付社債についてのものを除く。）であるときは、当該社債の種類及び種類ごとの各社債の金額の合計額又はその算定方法
ロ　当該金銭等が株式交付親会社の新株予約権（新株予約権付社債に付されたものを除く。）であるときは、当該新株予約権の内容及び数又はその算定方法
ハ　当該金銭等が株式交付親会社の新株予約権付社債であるときは、当該新株予約権付社債についてのイに規定する事項及び当該新株予約権付社債に付された新株予約権についてのロに規定する事項
ニ　当該金銭等が株式交付親会社の社債及び新株予約権以外の財産であるときは、当該財産の内容及び数若しくは額又はこれらの算定方法
⑥　前号に規定する場合には、株式交付子会社の株式の譲渡人に対する同号の金銭等の割当てに関する事項
⑦　株式交付親会社が株式交付に際して株式交付子会社の株式と併せて株式交付子会社の新株予約権（新株予約権付社債に付されたものを除く。）又は新株予約権付社債（以下「新株予約権等」と総称する。）を譲り受けるときは、当該新株予約権等の内容及び数又はその算定方法
⑧　前号に規定する場合において、株式交付親会社が株式交付に際して株式交付子会社の新株予約権等の譲渡人に対して当該新株予約権等の対価として金銭等を交付するときは、当該金銭等についての次に掲げる事項
イ　当該金銭等が株式交付親会社の株式であるときは、当該株式の数（種類株式発行会社にあっては、株式の種類及び種類ごとの数）又はその数の算定方法並びに当該株式交付親会社の資本金及び準備金の額に関する事項
ロ　当該金銭等が株式交付親会社の社債（新株予約権付社債についてのものを除く。）であるときは、当該社債の種類及び種類ごとの各社債の金額の合計額又はその算定方法
ハ　当該金銭等が株式交付親会社の新株予約権（新株予約権付社債に付されたものを除く。）であるときは、当該新株予約権の内容及び数又はその算定方法
ニ　当該金銭等が株式交付親会社の新株予約権付社債であるときは、当該新株予約権付社債についてのロに規定する事項及び当該新株予約権付社債に付された新株予約権についてのハに規定する事項
ホ　当該金銭等が株式交付親会社の株式等以外の財産であるときは、当該財産の内容及び数若しくは額又はこれらの算定方法
⑨　前号に規定する場合には、株式交付子会社の新株予約権等の譲渡人に対する同号の金銭等の割当てに関する事項
⑩　株式交付子会社の株式及び新株予約権等の譲渡しの申込みの期日
⑪　株式交付がその効力を生ずる日（以下この章において「効力発生日」という。）

Ⅱ　前項に規定する場合には、同項第2号<株式交付親会社が株式交付に際して譲り受ける株式交付子会社の株式の数の下限>に掲げる事項についての定めは、株式交付子会社が効力発生日において株式交付親会社の子会社となる数を内容とするものでなければならない。

Ⅲ　第1項に規定する場合において、株式交付子会社が種類株式発行会社であるときは、株式交付親会社は、株式交付子会社の発行する種類の株式の内容に応じ、同項第4号に掲げる事項として次に掲げる事項を定めることができる。
　①　ある種類の株式の譲渡人に対して株式交付親会社の株式の割当てをしないこととするときは、その旨及び当該株式の種類
　②　前号に掲げる事項のほか、株式交付親会社の株式の割当てについて株式の種類ごとに異なる取扱いを行うこととするときは、その旨及び当該異なる取扱いの内容
Ⅳ　第1項に規定する場合には、同項第4号に掲げる事項についての定めは、株式交付子会社の株式の譲渡人（前項第1号の種類の株式の譲渡人を除く。）が株式交付親会社に譲り渡す株式交付子会社の株式の数（前項第2号に掲げる事項についての定めがある場合にあっては、各種類の株式の数）に応じて株式交付親会社の株式を交付することを内容とするものでなければならない。
Ⅴ　前2項の規定は、第1項第6号に掲げる事項について準用する。この場合において、前2項中「株式交付親会社の株式」とあるのは、「金銭等（株式交付親会社の株式を除く。）」と読み替えるものとする。

[趣旨]株式交付により株式交付親会社と株式交付子会社との間に親子会社関係が創設されることから、株式交付は、部分的な株式交換として組織再編行為と同様の法的性質を有している。そのため、株式交付親会社の株主及び債権者の保護を図るために、株式交付親会社は、株式交換の手続と類似した手続を行う必要がある。そこで、まず株式交付親会社は、株式交付計画を作成しなければならないとされる。

《注　釈》

◆　株式交付計画

1　委任の可否

監査等委員会設置会社の取締役会は、取締役の過半数が社外取締役であっても、株式交付計画の内容の決定を取締役に委任できない（399の13Ⅴ㉒）。同様に、指名委員会等設置会社の取締役会も執行役に委任できない（416Ⅳ㉔）。

∵　株式交付計画の内容の決定は、他の組織再編行為と同様、重要な業務執行である

2　株式交付計画の内容

①　株式交付子会社の商号・住所（774の3Ⅰ①）

②　譲り受ける株式交付子会社の株式数の下限（774の3Ⅰ②）

→株式交付子会社が効力発生日において株式交付親会社の子会社となる数を内容とするものでなければならない（774の3Ⅱ）

③　対価として交付する株式交付親会社株式の数又はその数の算定方法、並びに株式交付親会社の資本金・準備金の額に関する事項（774の3Ⅰ③）

④　株式交付親会社の株式の割当てに関する事項（774の3Ⅰ④）

→譲渡人が株式交付親会社に譲り渡す株式交付子会社の株式の数に応じて株式交付親会社の株式を交付することを内容とするものでなければならない（774の3Ⅳ）

組織変更等

⑤ 対価として「金銭等」を交付する場合、その金銭等についての具体的内容や金銭等の割当てに関する事項（774の3Ⅰ⑤⑥）

⑥ 株式交付子会社の新株予約権等を譲り受ける場合の定め（774の3Ⅰ⑦⑧⑨）

⑦ 申込期日（774の3Ⅰ⑩）

⑧ 効力発生日（774の3Ⅰ⑪）

→事後に効力発生日を変更することも可能（816の9Ⅰ）。変更後の効力発生日は、当初の効力発生日から3か月以内の日でなければならない（同Ⅱ）。なお、効力発生日の変更と同時に、上記⑦申込期日（774の3Ⅰ⑩）を変更することも可能（同Ⅴ）

第774条の4 （株式交付子会社の株式の譲渡しの申込み）

Ⅰ 株式交付親会社は、株式交付子会社の株式の譲渡しの申込みをしようとする者に対し、次に掲げる事項を通知しなければならない。

① 株式交付親会社の商号

② 株式交付計画の内容

③ 前2号に掲げるもののほか、法務省令で定める事項

Ⅱ 株式交付子会社の株式の譲渡しの申込みをする者は、前条第1項第10号<譲渡しの申込み>の期日までに、次に掲げる事項を記載した書面を株式交付親会社に交付しなければならない。

① 申込みをする者の氏名又は名称及び住所

② 譲り渡そうとする株式交付子会社の株式の数（株式交付子会社が種類株式発行会社である場合にあっては、株式の種類及び種類ごとの数）

Ⅲ 前項の申込みをする者は、同項の書面の交付に代えて、政令で定めるところにより、株式交付親会社の承諾を得て、同項の書面に記載すべき事項を電磁的方法により提供することができる。この場合において、当該申込みをした者は、同項の書面を交付したものとみなす。

Ⅳ 第1項の規定は、株式交付親会社が同項各号に掲げる事項を記載した金融商品取引法第2条第10項に規定する目論見書を第1項の申込みをしようとする者に対して交付している場合その他株式交付子会社の株式の譲渡しの申込みをしようとする者の保護に欠けるおそれがないものとして法務省令で定める場合には、適用しない。

Ⅴ 株式交付親会社は、第1項各号に掲げる事項について変更があったとき（第816条の9第1項の規定により効力発生日を変更したとき及び同条第5項の規定により前条第1項第10号の期日を変更したときを含む。）は、直ちに、その旨及び当該変更があった事項を第2項の申込みをした者（以下この章において「申込者」という。）に通知しなければならない。

Ⅵ 株式交付親会社が申込者に対してする通知又は催告は、第2項第1号の住所（当該申込者が別に通知又は催告を受ける場所又は連絡先を当該株式交付親会社に通知した場合にあっては、その場所又は連絡先）に宛てて発すれば足りる。

Ⅶ 前項の通知又は催告は、その通知又は催告が通常到達すべきであった時に、到達したものとみなす。

組織変更等

第７７４条の５　（株式交付親会社が譲り受ける株式交付子会社の株式の割当て）

Ⅰ　株式交付親会社は、申込者の中から当該株式交付親会社が株式交付子会社の株式を譲り受ける者を定め、かつ、その者に割り当てる当該株式交付親会社が譲り受ける株式交付子会社の株式の数（株式交付子会社が種類株式発行会社である場合にあっては、株式の種類ごとの数。以下この条において同じ。）を定めなければならない。この場合において、株式交付親会社は、申込者に割り当てる当該株式の数の合計が第７７４条の３第１項第２号の下限の数を下回らない範囲内で、当該株式の数を、前条第２項第２号の数よりも減少することができる。

Ⅱ　株式交付親会社は、効力発生日の前日までに、申込者に対し、当該申込者から当該株式交付親会社が譲り受ける株式交付子会社の株式の数を通知しなければならない。

第７７４条の６　（株式交付子会社の株式の譲渡しの申込み及び株式交付親会社が譲り受ける株式交付子会社の株式の割当てに関する特則）

前２条の規定は、株式交付子会社の株式を譲り渡そうとする者が、株式交付親会社が株式交付に際して譲り受ける株式交付子会社の株式の総数の譲渡しを行う契約を締結する場合には、適用しない。

第７７４条の７　（株式交付子会社の株式の譲渡し）

Ⅰ　次の各号に掲げる者は、当該各号に定める株式交付子会社の株式の数について株式交付における株式交付子会社の株式の譲渡人となる。

①　申込者　第７７４条の５第２項<株式交付子会社の株式の割当て>の規定により通知を受けた株式交付子会社の株式の数

②　前条の契約により株式交付親会社が株式交付に際して譲り受ける株式交付子会社の株式の総数を譲り渡すことを約した者　その者が譲り渡すことを約した株式交付子会社の株式の数

Ⅱ　前項各号の規定により株式交付子会社の株式の譲渡人となった者は、効力発生日に、それぞれ当該各号に定める数の株式交付子会社の株式を株式交付親会社に給付しなければならない。

第７７４条の８　（株式交付子会社の株式の譲渡しの無効又は取消しの制限）

Ⅰ　民法第９３条第１項ただし書<心裡留保>及び第９４条第１項<虚偽表示>の規定は、第７７４条の４第２項の申込み、第７７４条の５第１項の規定による割当て及び第７７４条の６の契約に係る意思表示については、適用しない。

Ⅱ　株式交付における株式交付子会社の株式の譲渡人は、第７７４条の１１第２項の規定により株式交付親会社の株式の株主となった日から１年を経過した後又はその株式について権利を行使した後は、錯誤、詐欺又は強迫を理由として株式交付子会社の株式の譲渡しの取消しをすることができない。

第７７４条の９　（株式交付子会社の株式の譲渡しに関する規定の準用）

第７７４条の４から前条までの規定は、第７７４条の３第１項第７号に規定する場合における株式交付子会社の新株予約権等の譲渡しについて準用する。この場合において、第７７４条の４第２項第２号中「数（株式交付子会社が種類株式発行会社であ

組織変更等

る場合にあっては、株式の種類及び種類ごとの数)」とあるのは「内容及び数」と、第７７４条の５第１項中「数（株式交付子会社が種類株式発行会社である場合にあっては、株式の種類ごとの数。以下この条において同じ。)」とあるのは「数」と、「申込者に割り当てる当該株式の数の合計が第７７４条の３第１項第２号の下限の数を下回らない範囲内で、当該株式」とあるのは「当該新株予約権等」と、前条第２項中「第７７４条の１１第２項」とあるのは「第７７４条の１１第４項第１号」と読み替えるものとする。

第７７４条の１０　（申込みがあった株式交付子会社の株式の数が下限の数に満たない場合）

第７７４条の５<株式交付親会社が譲り受ける株式交付子会社の株式の割当て>及び第７７４条の７<株式交付子会社の株式の譲渡し>（第１項第２号に係る部分を除く。）（これらの規定を前条において準用する場合を含む。）の規定は、第７７４条の３第１項第１０号<譲渡しの申込み>の期日において、申込者が譲渡しの申込みをした株式交付子会社の株式の総数が同項第２号の下限の数に満たない場合には、適用しない。この場合においては、株式交付親会社は、申込者に対し、遅滞なく、株式交付をしない旨を通知しなければならない。

第７７４条の１１　（株式交付の効力の発生等）

Ⅰ　株式交付親会社は、効力発生日に、第７７４条の７第２項（第７７４条の９において準用する場合を含む。）の規定による給付を受けた株式交付子会社の株式及び新株予約権等を譲り受ける。

Ⅱ　第７７４条の７第２項の規定による給付をした株式交付子会社の株式の譲渡人は、効力発生日に、第７７４条の３第１項第４号に掲げる事項についての定めに従い、同項第３号の株式交付親会社の株式の株主となる。

Ⅲ　次の各号に掲げる場合には、第７７４条の７第２項の規定による給付をした株式交付子会社の株式の譲渡人は、効力発生日に、第７７４条の３第１項第６号に掲げる事項についての定めに従い、当該各号に定める者となる。

①　第７７４条の３第１項第５号イに掲げる事項についての定めがある場合　同号イの社債の社債権者

②　第７７４条の３第１項第５号ロに掲げる事項についての定めがある場合　同号ロの新株予約権の新株予約権者

③　第７７４条の３第１項第５号ハに掲げる事項についての定めがある場合　同号ハの新株予約権付社債についての社債の社債権者及び当該新株予約権付社債に付された新株予約権の新株予約権者

Ⅳ　次の各号に掲げる場合には、第７７４条の９において準用する第７７４条の７第２項の規定による給付をした株式交付子会社の新株予約権等の譲渡人は、効力発生日に、第７７４条の３第１項第９号に掲げる事項についての定めに従い、当該各号に定める者となる。

①　第７７４条の３第１項第８号イに掲げる事項についての定めがある場合　同号イの株式の株主

② 第７７４条の３第１項第８号ロに掲げる事項についての定めがある場合　同号ロの社債の社債権者
③ 第７７４条の３第１項第８号ハに掲げる事項についての定めがある場合　同号ハの新株予約権の新株予約権者
④ 第７７４条の３第１項第８号ニに掲げる事項についての定めがある場合　同号ニの新株予約権付社債についての社債の社債権者及び当該新株予約権付社債に付された新株予約権の新株予約権者

Ⅴ 前各項の規定は、次に掲げる場合には、適用しない。
① 効力発生日において第８１６条の８<債権者異議手続>の規定による手続が終了していない場合
② 株式交付を中止した場合
③ 効力発生日において株式交付親会社が第７７４条の７第２項の規定による給付を受けた株式交付子会社の株式の総数が第７７４条の３第１項第２号の下限の数に満たない場合
④ 効力発生日において第２項の規定により第７７４条の３第１項第３号の株式交付親会社の株式の株主となる者がない場合

Ⅵ 前項各号に掲げる場合には、株式交付親会社は、第７７４条の７第１項各号（第７７４条の９において準用する場合を含む。）に掲げる者に対し、遅滞なく、株式交付をしない旨を通知しなければならない。この場合において、第７７４条の７第２項（第７７４条の９において準用する場合を含む。）の規定による給付を受けた株式交付子会社の株式又は新株予約権等があるときは、株式交付親会社は、遅滞なく、これらをその譲渡人に返還しなければならない。

・第５章・【組織変更、合併、会社分割、株式交換、株式移転及び株式交付の手続】

組織変更等

《概　説》

法は、組織再編行為における主要な手続である株主総会の決議、株式買取請求・新株予約権買取請求の手続、債権者保護手続等の手続について、時間的な先後関係を定めず、並行的に行うこととしている。もっとも、これらの手続はいずれも、組織再編行為の効力が発生するまでに終了する必要がある。

■第１節　組織変更の手続

第１款　株式会社の手続

第７７５条　（組織変更計画に関する書面等の備置き及び閲覧等）

Ⅰ　組織変更をする株式会社は、組織変更計画備置開始日から組織変更がその効力を生ずる日（以下この節において「効力発生日」という。）までの間、組織変更計画の内容その他法務省令で定める事項を記載し、又は記録した書面又は電磁的記録をその本店に備え置かなければならない。

Ⅱ　前項に規定する「組織変更計画備置開始日」とは、次に掲げる日のいずれか早い日をいう。

①　組織変更計画について組織変更をする株式会社の総株主の同意を得た日
②　組織変更をする株式会社が新株予約権を発行しているときは、第７７７条第３項＜新株予約権者への組織変更をする旨の通知＞の規定による通知の日又は同条第４項＜組織変更をする旨の通知に代わる公告＞の公告の日のいずれか早い日
③　第７７９条第２項＜組織変更をする株式会社の公告・催告＞の規定による公告の日又は同項の規定による催告の日のいずれか早い日

Ⅲ　組織変更をする株式会社の株主及び債権者は、当該株式会社に対して、その営業時間内は、いつでも、次に掲げる請求をすることができる。ただし、第２号又は第４号に掲げる請求をするには、当該株式会社の定めた費用を支払わなければならない。
①　第１項の書面の閲覧の請求
②　第１項の書面の謄本又は抄本の交付の請求
③　第１項の電磁的記録に記録された事項を法務省令で定める方法により表示したものの閲覧の請求
④　第１項の電磁的記録に記録された事項を電磁的方法であって株式会社の定めたものにより提供することの請求又はその事項を記載した書面の交付の請求

【関連条文】規 180、226

第７７６条　（株式会社の組織変更計画の承認等）

Ⅰ　組織変更をする株式会社は、効力発生日の前日までに、組織変更計画について当該株式会社の総株主の同意を得なければならない。
Ⅱ　組織変更をする株式会社は、効力発生日の２０日前までに、その登録株式質権者及び登録新株予約権質権者に対し、組織変更をする旨を通知しなければならない。
Ⅲ　前項の規定による通知は、公告をもってこれに代えることができる。

第７７７条　（新株予約権買取請求）

Ⅰ　株式会社が組織変更をする場合には、組織変更をする株式会社の新株予約権の新株予約権者は、当該株式会社に対し、自己の有する新株予約権を公正な価格で買い取ることを請求することができる。
Ⅱ　新株予約権付社債に付された新株予約権の新株予約権者は、前項の規定による請求（以下この款において「新株予約権買取請求」という。）をするときは、併せて、新株予約権付社債についての社債を買い取ることを請求しなければならない。ただし、当該新株予約権付社債に付された新株予約権について別段の定めがある場合は、この限りでない。
Ⅲ　組織変更をしようとする株式会社は、効力発生日の２０日前までに、その新株予約権の新株予約権者に対し、組織変更をする旨を通知しなければならない。
Ⅳ　前項の規定による通知は、公告をもってこれに代えることができる。
Ⅴ　新株予約権買取請求は、効力発生日の２０日前の日から効力発生日の前日までの間に、その新株予約権買取請求に係る新株予約権の内容及び数を明らかにしてしなければならない。
Ⅵ　新株予約権証券が発行されている新株予約権について新株予約権買取請求をしようとするときは、当該新株予約権の新株予約権者は、組織変更をする株式会社に対し、その新株予約権証券を提出しなければならない。ただし、当該新株予約権証券

について非訟事件手続法第１１４条に規定する公示催告の申立てをした者については、この限りでない。

Ⅶ　新株予約権付社債券が発行されている新株予約権付社債に付された新株予約権について新株予約権買取請求をしようとするときは、当該新株予約権の新株予約権者は、組織変更をする株式会社に対し、その新株予約権付社債券を提出しなければならない。ただし、当該新株予約権付社債券について非訟事件手続法第１１４条に規定する公示催告の申立てをした者については、この限りでない。

Ⅷ　新株予約権買取請求をした新株予約権者は、組織変更をする株式会社の承諾を得た場合に限り、その新株予約権買取請求を撤回することができる。

Ⅸ　組織変更を中止したときは、新株予約権買取請求は、その効力を失う。

Ⅹ　第２６０条の規定は、新株予約権買取請求に係る新株予約権については、適用しない。

第７７８条　（新株予約権の価格の決定等）

Ⅰ　新株予約権買取請求があった場合において、新株予約権（当該新株予約権が新株予約権付社債に付されたものである場合において、当該新株予約権付社債についての社債の買取りの請求があったときは、当該社債を含む。以下この条において同じ。）の価格の決定について、新株予約権者と組織変更をする株式会社（効力発生日後にあっては、組織変更後持分会社。以下この条において同じ。）との間に協議が調ったときは、当該株式会社は、効力発生日から６０日以内にその支払をしなければならない。

Ⅱ　新株予約権の価格の決定について、効力発生日から３０日以内に協議が調わないときは、新株予約権者又は組織変更後持分会社は、その期間の満了の日後３０日以内に、裁判所に対し、価格の決定の申立てをすることができる。

Ⅲ　前条第８項の規定にかかわらず、前項に規定する場合において、効力発生日から６０日以内に同項の申立てがないときは、その期間の満了後は、新株予約権者は、いつでも、新株予約権買取請求を撤回することができる。

Ⅳ　組織変更後持分会社は、裁判所の決定した価格に対する第１項の期間の満了の日後の法定利率による利息をも支払わなければならない。

Ⅴ　組織変更をする株式会社は、新株予約権の価格の決定があるまでは、新株予約権者に対し、当該株式会社が公正な価格と認める額を支払うことができる。

Ⅵ　新株予約権買取請求に係る新株予約権の買取りは、効力発生日に、その効力を生ずる。

Ⅶ　組織変更をする株式会社は、新株予約権証券が発行されている新株予約権について新株予約権買取請求があったときは、新株予約権証券と引換えに、その新株予約権買取請求に係る新株予約権の代金を支払わなければならない。

Ⅷ　組織変更をする株式会社は、新株予約権付社債券が発行されている新株予約権付社債に付された新株予約権について新株予約権買取請求があったときは、新株予約権付社債券と引換えに、その新株予約権買取請求に係る新株予約権の代金を支払わなければならない。

第７７９条　（債権者の異議）

Ⅰ　組織変更をする株式会社の債権者は、当該株式会社に対し、組織変更について異議を述べることができる〈予書〉。

組織変更等

Ⅱ　組織変更をする株式会社は、次に掲げる事項を官報に公告し、かつ、知れている債権者には、各別にこれを催告しなければならない。ただし、第３号の期間は、１箇月を下ることができない。
①　組織変更をする旨
②　組織変更をする株式会社の計算書類（第435条第２項に規定する計算書類をいう。以下この章において同じ。）に関する事項として法務省令で定めるもの
③　債権者が一定の期間内に異議を述べることができる旨
Ⅲ　前項の規定にかかわらず、組織変更をする株式会社が同項の規定による公告を、官報のほか、第９３９条第１項<会社の公告方法>の規定による定款の定めに従い、同項第２号<時事に関する事項を掲載する日刊新聞紙に掲載する方法>又は第３号<電子公告>に掲げる公告方法によりするときは、前項の規定による各別の催告は、することを要しない。
Ⅳ　債権者が第２項第３号の期間内に異議を述べなかったときは、当該債権者は、当該組織変更について承認をしたものとみなす。
Ⅴ　債権者が第２項第３号の期間内に異議を述べたときは、組織変更をする株式会社は、当該債権者に対し、弁済し、若しくは相当の担保を提供し、又は当該債権者に弁済を受けさせることを目的として信託会社等に相当の財産を信託しなければならない。ただし、当該組織変更をしても当該債権者を害するおそれがないときは、この限りでない。

第７８０条　(組織変更の効力発生日の変更)

Ⅰ　組織変更をする株式会社は、効力発生日を変更することができる。
Ⅱ　前項の場合には、組織変更をする株式会社は、変更前の効力発生日（変更後の効力発生日が変更前の効力発生日前の日である場合にあっては、当該変更後の効力発生日）の前日までに、変更後の効力発生日を公告しなければならない。
Ⅲ　第１項の規定により効力発生日を変更したときは、変更後の効力発生日を効力発生日とみなして、この款及び第７４５条<株式会社の組織変更の効力の発生等>の規定を適用する。

第２款　持分会社の手続

第７８１条

Ⅰ　組織変更をする持分会社は、効力発生日の前日までに、組織変更計画について当該持分会社の総社員の同意を得なければならない。ただし、定款に別段の定めがある場合は、この限りでない。
Ⅱ　第７７９条<株式会社が組織変更をする場合における債権者の異議>（第２項第２号を除く。）及び前条の規定は、組織変更をする持分会社について準用する。この場合において、第７７９条第３項中「組織変更をする株式会社」とあるのは「組織変更をする持分会社（合同会社に限る。）」と、前条第３項中「及び第７４５条」とあるのは「並びに第７４７条及び次条第１項」と読み替えるものとする。

■第２節　吸収合併等の手続

＜吸収型再編における手続の流れ＞

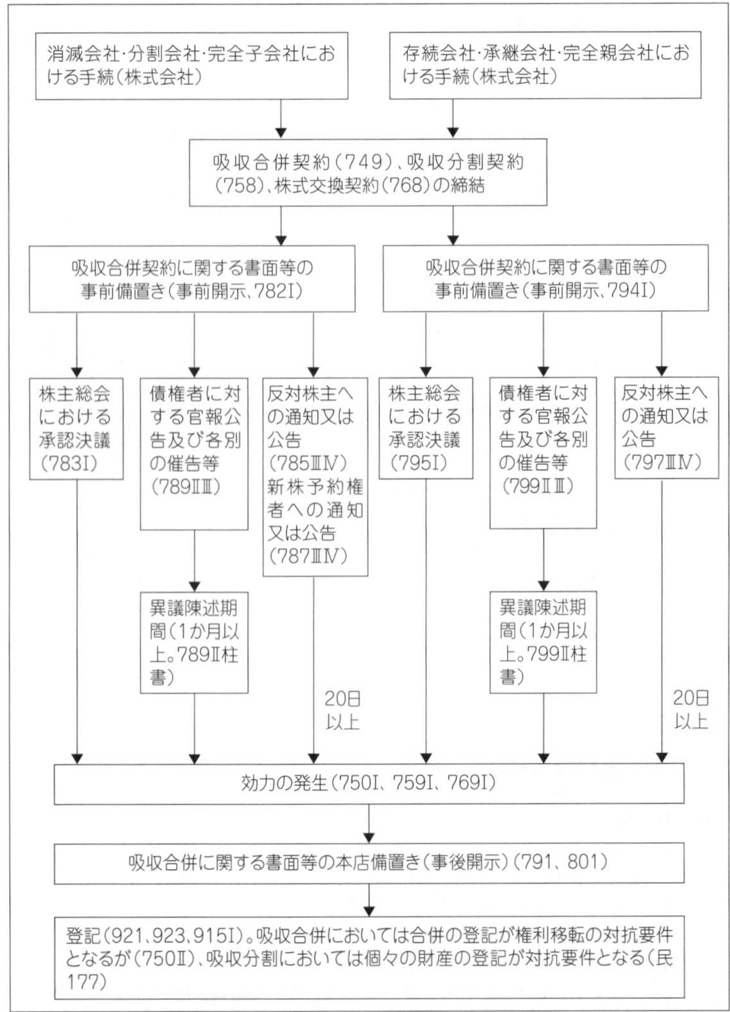
消滅会社・分割会社・完全子会社における手続（株式会社）
存続会社・承継会社・完全親会社における手続（株式会社）
吸収合併契約（749）、吸収分割契約（758）、株式交換契約（768）の締結
吸収合併契約に関する書面等の事前備置き（事前開示、782Ⅰ）
吸収合併契約に関する書面等の事前備置き（事前開示、794Ⅰ）
株主総会における承認決議（783Ⅰ）
債権者に対する官報公告及び各別の催告等（789ⅡⅢ）
反対株主への通知又は公告（785ⅢⅣ）新株予約権者への通知又は公告（787ⅢⅣ）
株主総会における承認決議（795Ⅰ）
債権者に対する官報公告及び各別の催告等（799ⅡⅢ）
反対株主への通知又は公告（797ⅢⅣ）
異議陳述期間（1か月以上。789Ⅱ柱書）
異議陳述期間（1か月以上。799Ⅱ柱書）
20日以上
20日以上
効力の発生（750Ⅰ、759Ⅰ、769Ⅰ）
吸収合併に関する書面等の本店備置き（事後開示）（791、801）
登記（921、923、915Ⅰ）。吸収合併においては合併の登記が権利移転の対抗要件となるが（750Ⅱ）、吸収分割においては個々の財産の登記が対抗要件となる（民177）

組織変更等

第１款　吸収合併消滅会社、吸収分割会社及び株式交換完全子会社の手続

第１目　株式会社の手続

第７８２条　（吸収合併契約等に関する書面等の備置き及び閲覧等）

Ⅰ　次の各号に掲げる株式会社（以下この目において「消滅株式会社等」という。）は、吸収合併契約等備置開始日から吸収合併、吸収分割又は株式交換（以下この節において「吸収合併等」という。）がその効力を生ずる日（以下この節において「効力発生日」という。）後６箇月を経過する日（吸収合併消滅株式会社にあっては、効力発生日）までの間、当該各号に定めるもの（以下この節において「吸収合併契約等」という。）の内容その他法務省令で定める事項を記載し、又は記録した書面又は電磁的記録をその本店に備え置かなければならない〈書。

①　吸収合併消滅株式会社　吸収合併契約

②　吸収分割株式会社　吸収分割契約

③　株式交換完全子会社　株式交換契約

Ⅱ　前項に規定する「吸収合併契約等備置開始日」とは、次に掲げる日のいずれか早い日をいう。

①　吸収合併契約等について株主総会（種類株主総会を含む。）の決議によってその承認を受けなければならないときは、当該株主総会の日の２週間前の日（第３１９条第１項の場合にあっては、同項の提案があった日）

②　第７８５条第３項＜消滅株式会社等の株主に対する吸収合併等をする旨等の通知＞の規定による通知を受けるべき株主があるときは、同項の規定による通知の日又は同条第４項＜消滅株式会社等の株主に対する吸収合併等をする旨等の通知に代わる公告＞の公告の日のいずれか早い日

③　第７８７条第３項＜消滅株式会社等の新株予約権者に対する吸収合併等をする旨等の通知＞の規定による通知を受けるべき新株予約権者があるときは、同項の規定による通知の日又は同条第４項＜通知に代わる公告＞の公告の日のいずれか早い日

④　第７８９条＜吸収合併等における債権者異議＞の規定による手続をしなければならないときは、同条第２項＜吸収合併等における債権者異議のための公告・催告＞の規定による公告の日又は同項の規定による催告の日のいずれか早い日

⑤　前各号に規定する場合以外の場合には、吸収分割契約又は株式交換契約の締結の日から２週間を経過した日

Ⅲ　消滅株式会社等の株主及び債権者（株式交換完全子会社にあっては、株主及び新株予約権者）は、消滅株式会社等に対して、その営業時間内は、いつでも、次に掲げる請求をすることができる。ただし、第２号又は第４号に掲げる請求をするには、当該消滅株式会社等の定めた費用を支払わなければならない。

①　第１項の書面の閲覧の請求

②　第１項の書面の謄本又は抄本の交付の請求

③　第１項の電磁的記録に記録された事項を法務省令で定める方法により表示したものの閲覧の請求

④　第１項の電磁的記録に記録された事項を電磁的方法であって消滅株式会社等の定めたものにより提供することの請求又はその事項を記載した書面の交付の請求

[趣旨] 株主が合併条件の公正等を判断し、また、会社債権者が合併に対し異議を述べるべきか否かを判断するための資料を提供する趣旨である〈予〉。

【関連条文】 309 Ⅱ⑫［株主総会の特別決議］

第７８３条　（吸収合併契約等の承認等）

Ⅰ　消滅株式会社等は、効力発生日の前日までに、株主総会の決議によって、吸収合併契約等の承認を受けなければならない〈司予〉。

Ⅱ　前項の規定にかかわらず、吸収合併消滅株式会社又は株式交換完全子会社が種類株式発行会社でない場合において、吸収合併消滅株式会社又は株式交換完全子会社の株主に対して交付する金銭等（以下この条及び次条第１項において「合併対価等」という。）の全部又は一部が持分等（持分会社の持分その他これに準ずるものとして法務省令で定めるものをいう。以下この条において同じ。）であるときは、吸収合併契約又は株式交換契約について吸収合併消滅株式会社又は株式交換完全子会社の総株主の同意を得なければならない〈書〉。

Ⅲ　吸収合併消滅株式会社又は株式交換完全子会社が種類株式発行会社である場合において、合併対価等の全部又は一部が譲渡制限株式等（譲渡制限株式その他これに準ずるものとして法務省令で定めるものをいう。以下この章において同じ。）であるときは、吸収合併又は株式交換は、当該譲渡制限株式等の割当てを受ける種類の株式（譲渡制限株式を除く。）の種類株主を構成員とする種類株主総会（当該種類株主に係る株式の種類が２以上ある場合にあっては、当該２以上の株式の種類別に区分された種類株主を構成員とする各種類株主総会）の決議がなければ、その効力を生じない。ただし、当該種類株主総会において議決権を行使することができる株主が存しない場合は、この限りでない。

Ⅳ　吸収合併消滅株式会社又は株式交換完全子会社が種類株式発行会社である場合において、合併対価等の全部又は一部が持分等であるときは、吸収合併又は株式交換は、当該持分等の割当てを受ける種類の株主の全員の同意がなければ、その効力を生じない。

Ⅴ　消滅株式会社等は、効力発生日の２０日前までに、その登録株式質権者（次条第２項に規定する場合における登録株式質権者を除く。）及び第７８７条第３項各号<消滅株式会社等の新株予約権者に対する吸収合併等をする旨等の通知>に定める新株予約権の登録新株予約権質権者に対し、吸収合併等をする旨を通知しなければならない。

Ⅵ　前項の規定による通知は、公告をもってこれに代えることができる。

[趣旨] 合併等は会社の組織運営の基本的な在り方に重大な変更をもたらすものであり、株主保護のためには、株主に決定権を与える必要があることから、１項では、合併契約等に株主総会による承認を要求した〈予〉。３項では、消滅会社等の株主に対して、組織再編行為前に有している株式よりも譲渡性が低い対価が交付される場合に、当該株主を保護するために、種類株主総会の決議等を定めた。

＜吸収合併・株式交換における株主総会決議＞

<table>
<tr><th colspan="3"></th><th>存続会社・
完全親会社の決議</th><th>消滅会社・
完全子会社の決議</th></tr>
<tr><td colspan="3">原則</td><td>特別決議
（795 Ⅰ、309 Ⅱ⑫）</td><td>特別決議
（783 Ⅰ、309 Ⅱ⑫）</td></tr>
<tr><td rowspan="3">例外（軽減）</td><td rowspan="2">略式手続</td><td>存続会社・完全親会社が特別支配会社</td><td>特別決議
（795 Ⅰ、309 Ⅱ⑫）</td><td>原則として不要
（784 Ⅰ）</td></tr>
<tr><td>消滅会社・完全子会社が特別支配会社</td><td>原則として不要
（796 Ⅰ）
説明（795 Ⅱ Ⅲ）も不要</td><td>特別決議
（783 Ⅰ、309 Ⅱ⑫）</td></tr>
<tr><td colspan="2">簡易手続</td><td>原則として不要
（796 Ⅱ本文）（＊1）</td><td>特別決議
（783 Ⅰ、309 Ⅱ⑫）</td></tr>
<tr><td rowspan="3">例外（加重）</td><td rowspan="2">消滅会社・
完全子会社の
要件が加重</td><td>消滅会社・完全子会社が公開会社で譲渡制限株式等を株式交換対価とする場合</td><td>特別決議
（795 Ⅰ、309 Ⅱ⑫）</td><td>特殊決議
（309 Ⅲ②）
（＊2）</td></tr>
<tr><td>消滅会社・完全子会社が、持分等を株式交換対価とする場合</td><td>特別決議
（795 Ⅰ、309 Ⅱ⑫）</td><td>交付を受ける株主全員の同意（783 Ⅱ Ⅳ）</td></tr>
<tr><td>存続会社・
完全親会社の
要件が加重</td><td>存続会社・完全親会社が種類株式発行会社で、かつ、譲渡制限株式を発行する際に当該譲渡制限株式の種類株主総会決議を不要とする定めなし</td><td>特別決議
（795 Ⅰ、309 Ⅱ⑫）
＋
当該譲渡制限株式の種類株主総会特別決議（795 Ⅳ、324 Ⅱ⑥）</td><td>特別決議
（783 Ⅰ、309 Ⅱ⑫）</td></tr>
</table>

＊1　省略できるのは株主総会決議であって、種類株主総会決議（795 Ⅳ）は省略できない。

＊2　ただし、消滅会社・子会社が種類株式発行会社である公開会社の場合は、種類株主総会の特殊決議（783 Ⅲ、324 Ⅲ②）。

<新設合併・株式移転における株主総会決議>

	新設合併設立会社・株式移転完全親会社が株主に対価として交付する、株式又は持分		新設合併消滅会社・株式移転完全子会社の総会決議の種類
原則	株式		特別決議（804 Ⅰ、309 Ⅱ⑫）
例外	譲渡制限株式等	新設合併消滅会社・株式移転完全子会社が種類株式発行会社の場合	特別決議（804 Ⅰ、309 Ⅱ⑫） ＋ 譲渡制限株式等の割当てを受ける種類株主総会の特殊決議（804 Ⅲ、324 Ⅲ②）
		新設合併消滅会社・株式移転完全子会社が公開会社の場合	特殊決議（309 Ⅲ③）
	持分等		総株主の同意（804 Ⅱ）

<会社分割の株主総会決議>

			吸収分割		新設分割	
			吸収分割承継会社	吸収分割会社	新設会社（＊）	新設分割会社
原則			特別決議（795 Ⅰ、309 Ⅱ⑫）	特別決議（783 Ⅰ、309 Ⅱ⑫）	―	特別決議（804 Ⅰ、309 Ⅱ⑫）
例外	略式手続	分割会社が特別支配会社	不要（796 Ⅰ）	特別決議（783 Ⅰ、309 Ⅱ⑫）	―	―
		承継・新設会社が特別支配会社	特別決議（795 Ⅰ、309 Ⅱ⑫）	不要（784 Ⅰ）	―	―
	簡易手続	分割会社が要件をみたす	特別決議（795 Ⅰ、309 Ⅱ⑫）	不要（784 Ⅱ）	―	不要（805）
		承継・新設会社が要件をみたす	不要（796 Ⅱ）	特別決議（783 Ⅰ、309 Ⅱ⑫）	―	―
		双方ともみたす	不要（796 Ⅱ）	不要（784 Ⅱ）	―	―

＊　新設分割の場合には、新設会社の総会決議はそもそも問題とならない。承認決議の時点において、新設会社が存在しないからである。その結果、新設分割は、新設分割会社の総会特別決議のみで足りる。また、新設会社が存在していない以上、特別支配会社は存在し得ず、略式手続は問題とならない。したがって、例外は、簡易分割で新設分割会社が要件をみたす場合だけになる。

【関連条文】309Ⅱ⑫［株主総会の特別決議］、同Ⅲ②［株主総会の特殊決議］、324Ⅲ②［種類株主総会の特殊決議］、795［存続会社の吸収合併契約等の承認等］、804［新設合併契約等の承認］

第７８４条　（吸収合併契約等の承認を要しない場合）

Ⅰ　前条第１項の規定は、吸収合併存続会社、吸収分割承継会社又は株式交換完全親会社（以下この目において「存続会社等」という。）が消滅株式会社等の特別支配会社である場合には、適用しない〈予書。ただし、吸収合併又は株式交換における合併対価等の全部又は一部が譲渡制限株式等である場合であって、消滅株式会社等が公開会社であり、かつ、種類株式発行会社でないときは、この限りでない〈予。

Ⅱ　前条の規定は、吸収分割により吸収分割承継会社に承継させる資産の帳簿価額の合計額が吸収分割株式会社の総資産額として法務省令で定める方法により算定される額の５分の１（これを下回る割合を吸収分割株式会社の定款で定めた場合にあっては、その割合）を超えない場合には、適用しない〈予。

【趣旨】1項の趣旨は、吸収合併、吸収分割又は株式交換の当事者が他方当事者の特別支配会社に当たる場合、被支配会社における承認決議の成立が確実視されるので、手続の簡素化の観点から被支配会社における株主総会決議を要しないとした点にある（略式手続）。２項の趣旨は、吸収分割において、分割会社の株主に及ぼす影響が小さい場合には、分割会社における株主総会決議を要しないとした点にある（簡易手続）。

【関連条文】468［事業譲渡等の承認を要しない場合］

第７８４条の２　（吸収合併等をやめることの請求）〈予〈予H25 予H28

次に掲げる場合において、消滅株式会社等の株主が不利益を受けるおそれがあるときは、消滅株式会社等の株主は、消滅株式会社等に対し、吸収合併等をやめることを請求することができる。ただし、前条第２項に規定する場合は、この限りでない。

①　当該吸収合併等が法令又は定款に違反する場合〈予

②　前条第１項本文に規定する場合において、第７４９条第１項第２号若しくは第３号＜吸収合併消滅会社の株主等に対する金銭等の交付＞、第７５１条第１項第３号若しくは第４号＜吸収合併消滅会社の株主等に対する金銭等の交付＞、第７５８条第４号＜吸収分割会社に対する金銭等の交付＞、第７６０条第４号若しくは第５号＜吸収分割会社に対する金銭等の交付＞、第７６８条第１項第２号若しくは第３号＜株式交換完全子会社の株主に対する金銭等の交付＞又は第７７０条第１項第３号若しくは第４号＜株式交換完全子会社の株主に対する金銭等の交付＞に掲げる事項が消滅株式会社等又は存続会社等の財産の状況その他の事情に照らして著しく不当であるとき〈書。

《注　釈》

◆　吸収合併等の差止請求（784の２、796の２）

1　はじめに

平成26年改正前会社法下では、略式組織再編についてのみ株主による差止請求が認められており、通常の組織再編に対する差止請求は認められていなかった。しかし、それでは少数株主を保護するための法的手段として不十分である。また、株主としては、組織再編の無効の訴えを提起することも可能であるが、事後的に組織再編の効力が否定されることで、法律関係が複雑・不安定になるおそれもあると指摘されていた。

そこで、少数株主の保護するための事前救済手段として、略式組織再編以外の組織再編等についても、株主による差止請求を認める規定（784の2、796の2、805の2）が設けられた〈予。

2　要件

①　次のア又はイの場合

ア　吸収合併等が法令又は定款に違反する場合（784の2①、796の2①）

イ　略式組織再編において吸収合併等の条件が著しく不当である場合（784の2②、796の2②）

②　消滅会社等の株主（784の2本文）又は存続会社等の株主（796の2本文）が不利益を受けるおそれがある

③　簡易吸収分割の場合でないこと

3　「法令……に違反」（784の2①）の意義

法令違反とは、会社が吸収合併等に適用される法令に違反することである。

→当事会社の取締役（執行役）の善管注意義務・忠実義務違反は、会社の法令違反とはいえないため、差止事由とはならない

【関連条文】796の2［吸収合併等をやめることの請求］、805の2［新設合併等をやめることの請求］

第785条（反対株主の株式買取請求）〈共〈予H25

Ⅰ　吸収合併等をする場合（次に掲げる場合を除く。）には、反対株主は、消滅株式会社等に対し、自己の有する株式を公正な価格で買い取ることを請求することができる〈司書。

①　第783条第2項<吸収合併消滅株式会社等の総株主の同意を必要とする場合>に規定する場合〈書

②　第784条第2項<簡易分割の場合>に規定する場合〈司予書

Ⅱ　前項に規定する「反対株主」とは、次の各号に掲げる場合における当該各号に定める株主（第783条第4項<持分等の割当てを受ける種類の株主の全員の同意を必要とする場合>に規定する場合における同項に規定する持分等の割当てを受ける株主を除く。）をいう。

①　吸収合併等をするために株主総会（種類株主総会を含む。）の決議を要する場合　次に掲げる株主

イ　当該株主総会に先立って当該吸収合併等に反対する旨を当該消滅株式会社等に対し通知し、かつ、当該株主総会において当該吸収合併等に反対した株主（当該株主総会において議決権を行使することができるものに限る。）〈予

ロ　当該株主総会において議決権を行使することができない株主〈司書

② 前号に規定する場合以外の場合　全ての株主（第７８４条第１項本文に規定する場合における当該特別支配会社を除く。）〈司

Ⅲ 消滅株式会社等は、効力発生日の２０日前までに、その株主（第７８３条第４項に規定する場合における同項に規定する持分等の割当てを受ける株主及び第７８４条第１項本文に規定する場合における当該特別支配会社を除く。）に対し、吸収合併等をする旨並びに存続会社等の商号及び住所を通知しなければならない。ただし、第１項各号に掲げる場合は、この限りでない〈書。

Ⅳ 次に掲げる場合には、前項の規定による通知は、公告をもってこれに代えることができる。

① 消滅株式会社等が公開会社である場合

② 消滅株式会社等が第７８３条第１項<吸収合併契約等の承認>の株主総会の決議によって吸収合併契約等の承認を受けた場合

Ⅴ 第１項の規定による請求（以下この目において「株式買取請求」という。）は、効力発生日の２０日前の日から効力発生日の前日までの間に、その株式買取請求に係る株式の数（種類株式発行会社にあっては、株式の種類及び種類ごとの数）を明らかにしてしなければならない。

Ⅵ 株券が発行されている株式について株式買取請求をしようとするときは、当該株式の株主は、消滅株式会社等に対し、当該株式に係る株券を提出しなければならない。ただし、当該株券について第２２３条<株券喪失登録の請求>の規定による請求をした者については、この限りでない。

Ⅶ 株式買取請求をした株主は、消滅株式会社等の承諾を得た場合に限り、その株式買取請求を撤回することができる〈司。

Ⅷ 吸収合併等を中止したときは、株式買取請求は、その効力を失う。

Ⅸ 第１３３条<株主の請求による株主名簿記載事項の記載又は記録>の規定は、株式買取請求に係る株式については、適用しない。

[趣旨] 1項で反対株主に株式買取請求権を認めたのは、合併等に反対する株主が会社に対し公正な価格で買い取ることを請求することにより、投下資本の回収を図るためである。もっとも、簡易手続（784 Ⅱ・785 Ⅰ②）をとる場合、反対株主の株式買取請求権は認められず、略式手続（784 Ⅰ・785 Ⅱ②）における特別支配会社にも株式買取請求権は認められない（⇒下記二参照）。7項では、投機的な株式買取請求権の行使の防止を図っており、これをより実効化するため、6項において株券の提出義務を規定し、9項において名義書換請求を禁止している。

《注　釈》

一 「公正な価格」の意義

合併等による企業価値の増加を適切に反映した公正な価格を意味すると解されている。

近時の裁判例において、裁判所は、吸収分割株式会社の反対株主による株式買取請求に係る「公正な価格」について、「裁判所による買取価格の決定は、『公正な価格』として裁判所が新たな価格を形成するものであり、法が価格決定の基準について格別規定していないことからすると、法は価格決定を、反対株主の買取請求権

組織変更等

制度の趣旨を踏まえた裁判所の合理的な裁量に委ねているものと解される」とした上で、完全子会社を吸収分割承継株式会社とする吸収分割に際しては、通常シナジーその他の企業価値の増加はそもそも生じないため、吸収分割株式会社の反対株主が株式買取請求をした場合における株式の「公正な価格」とは、組織再編により生じるシナジーその他の企業価値の増加分の公正な分配といった要素を加味することなく、「単に、本件吸収分割の契約を承認する株主総会の決議により、当該決議がなかったとしたら有していたであろう価格（『ナカリセバ価格』）を基礎として算定することとなる」と判示した（東京高決平22.7.7・平22重判7事件）。

最高裁も同様の判断を示し、「公正な価格」算定の基準日について、売買契約が成立したのと同様の法律関係が生じる時点であり、かつ、株主が会社から退出する意思を明示した時点である株式買取請求がなされた日を基準日とするとした（最決平23.4.19・百選84事件）司。また、株式交換の事案においても同様の判示がなされている（最決平23.4.26）予。

その後、株式移転によりシナジー効果その他の企業価値の増加が生じる事案では、株式移転後の企業価値が、割当比率に応じて株主に分配されることに照らすと、「公正な価格」とは、原則として、株式移転計画に定められていた株式移転比率が公正なものであったならば当該株式買取請求がされた日においてその株式が有していると認められる価格とした（最決平24.2.29・百選85事件）。

以上は、市場価格がある場合（上場会社）における「公正な価格」の意義等に関する判例法理を述べたものであるが、市場価格がない場合（非上場会社）における「公正な価格」の決定について、判例（最決平27.3.26・百選88事件）は、以下のとおり判示した。

すなわち、「非上場会社の株式の価格の算定については、様々な評価手法が存在するが、どのような場合にどの評価手法を用いるかについては、裁判所の合理的な裁量に委ねられていると解すべきである。しかしながら、一定の評価手法を合理的であるとして、当該評価手法により株式の価格の算定を行うこととした場合において、その評価手法の内容、性格等からして、考慮することが相当でないと認められる要素を考慮して価格を決定することは許されない」とした。

組織変更等

二　反対株主の株式買取請求権が認められない場合

①　総株主の同意を必要とする場合（783Ⅱ・785Ⅰ①、804Ⅱ・806Ⅰ①）の株主

∵　反対株主が存在しない

②　簡易手続（存続会社が交付する対価の額が当該会社の純資産額の20%以下の場合（796Ⅱ本文・797Ⅰただし書）、分割会社が会社分割によって承継させる資産の額が当該会社の総資産額の20%以下の場合（784Ⅱ・785Ⅰ②、805・806Ⅰ②））をとる場合の株主

∵　株主に及ぼす影響が軽微である

*　略式手続をとる場合の特別支配会社（株式会社の総株主の議決権の90%以上を有している会社。784Ⅰ・785Ⅱ②、796Ⅰ本文・797Ⅱ②）について

も、株式買取請求権が認められない。

∵　特別支配会社が反対株主になることは考えられない

→特別支配会社以外のすべての株主は株式買取請求権を行使できる（785 Ⅱ②、797 Ⅱ②参照）

【関連条文】116［定款変更における反対株主の株式買取請求権］、182の4［株式併合における反対株主の株式買取請求権］、469［事業譲渡等における反対株主の株式買取請求権］、797・806［合併等における反対株主の株式買取請求権］、816の6［株式交付における反対株主の株式買取請求権］

第786条　（株式の価格の決定等）

Ⅰ　株式買取請求があった場合において、株式の価格の決定について、株主と消滅株式会社等（吸収合併をする場合における効力発生日後にあっては、吸収合併存続会社。以下この条において同じ。）との間に協議が調ったときは、消滅株式会社等は、効力発生日から６０日以内にその支払をしなければならない。

Ⅱ　株式の価格の決定について、効力発生日から３０日以内に協議が調わないときは、株主又は消滅株式会社等は、その期間の満了の日後３０日以内に、裁判所に対し、価格の決定の申立てをすることができる〈同。

Ⅲ　前条第７項の規定にかかわらず、前項に規定する場合において、効力発生日から６０日以内に同項の申立てがないときは、その期間の満了後は、株主は、いつでも、株式買取請求を撤回することができる。

Ⅳ　消滅株式会社等は、裁判所の決定した価格に対する第１項の期間の満了の日後の法定利率による利息をも支払わなければならない〈同。

Ⅴ　消滅株式会社等は、株式の価格の決定があるまでは、株主に対し、当該消滅株式会社等が公正な価格と認める額を支払うことができる。

Ⅵ　株式買取請求に係る株式の買取りは、効力発生日に、その効力を生ずる〈同。

Ⅶ　株券発行会社は、株券が発行されている株式について株式買取請求があったときは、株券と引換えに、その株式買取請求に係る株式の代金を支払わなければならない。

第787条　（新株予約権買取請求）

Ⅰ　次の各号に掲げる行為をする場合には、当該各号に定める消滅株式会社等の新株予約権の新株予約権者は、消滅株式会社等に対し、自己の有する新株予約権を公正な価格で買い取ることを請求することができる。

①　吸収合併　第７４９条第１項第４号<吸収合併消滅会社の新株予約権者に対して吸収合併存続会社の新株予約権を交付する場合>又は第５号<吸収合併存続会社の新株予約権等の割当てに関する事項>に掲げる事項についての定めが第２３６条第１項第８号<合併等に際して交付する新株予約権等>の条件（同号イに関するものに限る。）に合致する新株予約権以外の新株予約権〈書

②　吸収分割（吸収分割承継会社が株式会社である場合に限る。）　次に掲げる新株予約権のうち、第７５８条第５号<吸収分割株式会社の新株予約権者に対する新株予約権の交付>又は第６号<吸収分割承継株式会社の新株予約権の割当てに関

組織変更等

する事項＞に掲げる事項についての定めが第２３６条第１項第８号＜合併等に際して交付する新株予約権等＞の条件（同号ロに関するものに限る。）に合致する新株予約権以外の新株予約権〈予

イ　吸収分割契約新株予約権

ロ　吸収分割契約新株予約権以外の新株予約権であって、吸収分割をする場合において当該新株予約権の新株予約権者に吸収分割承継株式会社の新株予約権を交付することとする旨の定めがあるもの

③　株式交換（株式交換完全親会社が株式会社である場合に限る。）　次に掲げる新株予約権のうち、第７６８条第１項第４号＜株式交換完全親株式会社が株式交換完全子会社の新株予約権者に交付する新株予約権＞又は第５号＜株式交換完全親株式会社の新株予約権の割当てに関する事項＞に掲げる事項についての定めが第２３６条第１項第８号＜合併等に際して交付する新株予約権等＞の条件（同号ニに関するものに限る。）に合致する新株予約権以外の新株予約権

イ　株式交換契約新株予約権

ロ　株式交換契約新株予約権以外の新株予約権であって、株式交換をする場合において当該新株予約権の新株予約権者に株式交換完全親株式会社の新株予約権を交付することとする旨の定めがあるもの

Ⅱ　新株予約権付社債に付された新株予約権の新株予約権者は、前項の規定による請求（以下この目において「新株予約権買取請求」という。）をするときは、併せて、新株予約権付社債についての社債を買い取ることを請求しなければならない。ただし、当該新株予約権付社債に付された新株予約権について別段の定めがある場合は、この限りでない。

Ⅲ　次の各号に掲げる消滅株式会社等は、効力発生日の２０日前までに、当該各号に定める新株予約権の新株予約権者に対し、吸収合併等をする旨並びに存続会社等の商号及び住所を通知しなければならない。

①　吸収合併消滅株式会社　全部の新株予約権〈書

②　吸収分割承継会社が株式会社である場合における吸収分割株式会社　次に掲げる新株予約権

イ　吸収分割契約新株予約権〈書

ロ　吸収分割契約新株予約権以外の新株予約権であって、吸収分割をする場合において当該新株予約権の新株予約権者に吸収分割承継株式会社の新株予約権を交付することとする旨の定めがあるもの

③　株式交換完全親会社が株式会社である場合における株式交換完全子会社　次に掲げる新株予約権

イ　株式交換契約新株予約権

ロ　株式交換契約新株予約権以外の新株予約権であって、株式交換をする場合において当該新株予約権の新株予約権者に株式交換完全親株式会社の新株予約権を交付することとする旨の定めがあるもの

Ⅳ　前項の規定による通知は、公告をもってこれに代えることができる。

Ⅴ　新株予約権買取請求は、効力発生日の２０日前の日から効力発生日の前日までの間に、その新株予約権買取請求に係る新株予約権の内容及び数を明らかにしてしなければならない。

Ⅵ　新株予約権証券が発行されている新株予約権について新株予約権買取請求をしようとするときは、当該新株予約権の新株予約権者は、消滅株式会社等に対し、その新株予約権証券を提出しなければならない。ただし、当該新株予約権証券について非訟事件手続法第１１４条に規定する公示催告の申立てをした者については、この限りでない。

Ⅶ　新株予約権付社債券が発行されている新株予約権付社債に付された新株予約権について新株予約権買取請求をしようとするときは、当該新株予約権の新株予約権者は、消滅株式会社等に対し、その新株予約権付社債券を提出しなければならない。ただし、当該新株予約権付社債券について非訟事件手続法第１１４条に規定する公示催告の申立てをした者については、この限りでない。

Ⅷ　新株予約権買取請求をした新株予約権者は、消滅株式会社等の承諾を得た場合に限り、その新株予約権買取請求を撤回することができる。

Ⅸ　吸収合併等を中止したときは、新株予約権買取請求は、その効力を失う。

Ⅹ　第２６０条<新株予約権者の請求による新株予約権原簿記載事項の記載又は記録>の規定は、新株予約権買取請求に係る新株予約権については、適用しない。

第７８８条　（新株予約権の価格の決定等）

Ⅰ　新株予約権買取請求があった場合において、新株予約権（当該新株予約権が新株予約権付社債に付されたものである場合において、当該新株予約権付社債についての社債の買取りの請求があったときは、当該社債を含む。以下この条において同じ。）の価格の決定について、新株予約権者と消滅株式会社等（吸収合併をする場合における効力発生日後にあっては、吸収合併存続会社。以下この条において同じ。）との間に協議が調ったときは、消滅株式会社等は、効力発生日から６０日以内にその支払をしなければならない。

Ⅱ　新株予約権の価格の決定について、効力発生日から３０日以内に協議が調わないときは、新株予約権者又は消滅株式会社等は、その期間の満了の日後３０日以内に、裁判所に対し、価格の決定の申立てをすることができる。

Ⅲ　前条第８項の規定にかかわらず、前項に規定する場合において、効力発生日から６０日以内に同項の申立てがないときは、その期間の満了後は、新株予約権者は、いつでも、新株予約権買取請求を撤回することができる。

Ⅳ　消滅株式会社等は、裁判所の決定した価格に対する第１項の期間の満了の日後の法定利率による利息をも支払わなければならない。

Ⅴ　消滅株式会社等は、新株予約権の価格の決定があるまでは、新株予約権者に対し、当該消滅株式会社等が公正な価格と認める額を支払うことができる。

Ⅵ　新株予約権買取請求に係る新株予約権の買取りは、効力発生日に、その効力を生ずる。

Ⅶ　消滅株式会社等は、新株予約権証券が発行されている新株予約権について新株予約権買取請求があったときは、新株予約権証券と引換えに、その新株予約権買取請求に係る新株予約権の代金を支払わなければならない。

Ⅷ　消滅株式会社等は、新株予約権付社債券が発行されている新株予約権付社債に付された新株予約権について新株予約権買取請求があったときは、新株予約権付社債券と引換えに、その新株予約権買取請求に係る新株予約権の代金を支払わなければならない。

第７８９条　（債権者の異議）

Ⅰ　次の各号に掲げる場合には、当該各号に定める債権者は、消滅株式会社等に対し、吸収合併等について異議を述べることができる。

①　吸収合併をする場合　吸収合併消滅株式会社の債権者

②　吸収分割をする場合　吸収分割後吸収分割株式会社に対して債務の履行（当該債務の保証人として吸収分割承継会社と連帯して負担する保証債務の履行を含む。）を請求することができない吸収分割株式会社の債権者（第７５８条第８号又は第７６０条第７号に掲げる事項についての定めがある場合＜人的分割の場合＞にあっては、吸収分割株式会社の債権者）〈司予書

③　株式交換契約新株予約権が新株予約権付社債に付された新株予約権である場合　当該新株予約権付社債についての社債権者〈予書

Ⅱ　前項の規定により消滅株式会社等の債権者の全部又は一部が異議を述べることができる場合には、消滅株式会社等は、次に掲げる事項を官報に公告し、かつ、知れている債権者（同項の規定により異議を述べることができるものに限る。）には、各別にこれを催告しなければならない〈書。ただし、第４号の期間は、１箇月を下ることができない〈予。

①　吸収合併等をする旨

②　存続会社等の商号及び住所

③　消滅株式会社等及び存続会社等（株式会社に限る。）の計算書類に関する事項として法務省令で定めるもの

④　債権者が一定の期間内に異議を述べることができる旨

Ⅲ　前項の規定にかかわらず、消滅株式会社等が同項の規定による公告を、官報のほか、第９３９条第１項＜会社の公告方法＞の規定による定款の定めに従い、同項第２号＜時事に関する事項を掲載する日刊新聞紙に掲載する方法＞又は第３号＜電子公告＞に掲げる公告方法によりするときは、前項の規定による各別の催告（吸収分割をする場合における不法行為によって生じた吸収分割株式会社の債務の債権者に対するものを除く。）は、することを要しない〈司書。

Ⅳ　債権者が第２項第４号の期間内に異議を述べなかったときは、当該債権者は、当該吸収合併等について承認をしたものとみなす。

Ⅴ　債権者が第２項第４号の期間内に異議を述べたときは、消滅株式会社等は、当該債権者に対し、弁済し、若しくは相当の担保を提供し、又は当該債権者に弁済を受けさせることを目的として信託会社等に相当の財産を信託しなければならない。ただし、当該吸収合併等をしても当該債権者を害するおそれがないときは、この限りでない。

第７９０条　（吸収合併等の効力発生日の変更）

Ⅰ　消滅株式会社等は、存続会社等との合意により、効力発生日を変更することができる。

Ⅱ　前項の場合には、消滅株式会社等は、変更前の効力発生日（変更後の効力発生日が変更前の効力発生日前の日である場合にあっては、当該変更後の効力発生日）の前日までに、変更後の効力発生日を公告しなければならない。

Ⅲ　第１項の規定により効力発生日を変更したときは、変更後の効力発生日を効力発生日とみなして、この節並びに第７５０条、第７５２条、第７５９条、第７６１条、第７６９条及び第７７１条の規定を適用する。

第７９１条　（吸収分割又は株式交換に関する書面等の備置き及び閲覧等）

Ⅰ　吸収分割株式会社又は株式交換完全子会社は、効力発生日後遅滞なく、吸収分割承継会社又は株式交換完全親会社と共同して、次の各号に掲げる区分に応じ、当該各号に定めるものを作成しなければならない。

① 吸収分割株式会社　吸収分割により吸収分割承継会社が承継した吸収分割株式会社の権利義務その他の吸収分割に関する事項として法務省令で定める事項を記載し、又は記録した書面又は電磁的記録〈予〉

② 株式交換完全子会社　株式交換により株式交換完全親会社が取得した株式交換完全子会社の株式の数その他の株式交換に関する事項として法務省令で定める事項を記載し、又は記録した書面又は電磁的記録

Ⅱ　吸収分割株式会社又は株式交換完全子会社は、効力発生日から６箇月間、前項各号の書面又は電磁的記録をその本店に備え置かなければならない。

Ⅲ　吸収分割株式会社の株主、債権者その他の利害関係人は、吸収分割株式会社に対して、その営業時間内は、いつでも、次に掲げる請求をすることができる。ただし、第２号又は第４号に掲げる請求をするには、当該吸収分割株式会社の定めた費用を支払わなければならない。

① 前項の書面の閲覧の請求

② 前項の書面の謄本又は抄本の交付の請求

③ 前項の電磁的記録に記録された事項を法務省令で定める方法により表示したものの閲覧の請求

④ 前項の電磁的記録に記録された事項を電磁的方法であって吸収分割株式会社の定めたものにより提供することの請求又はその事項を記載した書面の交付の請求

Ⅳ　前項の規定は、株式交換完全子会社について準用する。この場合において、同項中「吸収分割株式会社の株主、債権者その他の利害関係人」とあるのは、「効力発生日に株式交換完全子会社の株主又は新株予約者であった者」と読み替えるものとする。

【４項読替え】

前項の規定は、株式交換完全子会社について準用する。効力発生日に株式交換完全子会社の株主又は新株予約権者であった者は、株式交換完全子会社に対して、その営業時間内は、いつでも、次に掲げる請求をすることができる。ただし、第２号又は第４号に掲げる請求をするには、当該株式交換完全子会社の定めた費用を支払わなければならない。

① 第２項の書面の閲覧の請求

② 第２項の書面の謄本又は抄本の交付の請求

③ 第２項の電磁的記録に記録された事項を法務省令で定める方法により表示したものの閲覧の請求

④ 第２項の電磁的記録に記録された事項を電磁的方法であって株式交換完全子会社の定めたものにより提供することの請求又はその事項を記載した書面の交付の請求

【関連条文】 規189、190、226

第７９２条　（剰余金の配当等に関する特則）

第４４５条第４項＜剰余金の配当をする場合の準備金の計上（積立て）＞、第４５８条＜株式会社の純資産額が３００万円を下回る場合における剰余金の配当の禁止＞及び第２編第５章第６節＜分配可能額規制その他剰余金の配当等に関する責任＞の規定は、次に掲げる行為については、適用しない。

① 第７５８条第８号イ＜吸収分割株式会社による全部取得条項付種類株式の取得であって、取得対価が吸収分割承継株式会社の株式のみであるもの＞又は第７６０条第７号イ＜吸収分割株式会社による全部取得条項付種類株式の取得であって、取得対価が吸収分割承継持分会社の持分のみであるもの＞の株式の取得

② 第７５８条第８号ロ＜吸収分割株式会社による剰余金の配当であって、配当財産が吸収分割承継株式会社の株式のみであるもの＞又は第７６０条第７号ロ＜吸収分割株式会社による剰余金の配当であって、配当財産が吸収分割承継持分会社の持分のみであるもの＞の剰余金の配当〈書

[趣旨]本条は、いわゆる人的分割（分割会社が、分割対価として受けた承継会社・新設会社の株式等を、全部取得条項付種類株式の取得対価又は剰余金の配当として株主に交付する場合）を行う場合、①準備金の計上（積立て）に関する445条4項、②剰余金配当規制に関する458条、③分配可能額規制に関する461条等の適用を受けない旨規定する。もっとも、分割対価として受けた株式を株主に分配することによって分割会社の資産が減少するため、残存債権者を保護するべく、債権者異議手続（789Ⅰ②かっこ書参照）を経る必要がある。

【関連条文】445Ⅳ［剰余金の配当をする場合の準備金の計上（積立て）］、458［株式会社の純資産額が300万円を下回る場合における剰余金の配当の禁止］、461［配当等の制限］、758⑧・760⑦［人的分割を行う場合］、812［剰余金の配当等に関する特則］

第２目　持分会社の手続

第７９３条

Ⅰ　次に掲げる行為をする持分会社は、効力発生日の前日までに、吸収合併契約等について当該持分会社の総社員の同意を得なければならない。ただし、定款に別段の定めがある場合は、この限りでない。

① 吸収合併（吸収合併により当該持分会社が消滅する場合に限る。）

② 吸収分割（当該持分会社（合同会社に限る。）がその事業に関して有する権利義務の全部を他の会社に承継させる場合に限る。）

Ⅱ　第７８９条＜吸収合併等における債権者異議＞（第１項第３号及び第２項第３号を除く。）及び第７９０条＜吸収合併等の効力発生日の変更＞の規定は、吸収合併消滅持分会社又は合同会社である吸収分割会社（以下この節において「吸収分割合同会社」という。）について準用する。この場合において、第７８９条第１項第２号中「債権者（第７５８条第８号又は第７６０条第７号に掲げる事項についての定めがある場合にあっては、吸収分割株式会社の債権者）」とあるのは「債権者」と、

同条第３項中「消滅株式会社等」とあるのは「吸収合併消滅持分会社（吸収合併存続会社が株式会社又は合同会社である場合にあっては、合同会社に限る。）又は吸収分割合同会社」と読み替えるものとする。

第２款　吸収合併存続会社、吸収分割承継会社及び株式交換完全親会社の手続

第１目　株式会社の手続

第７９４条　（吸収合併契約等に関する書面等の備置き及び閲覧等）

Ⅰ　吸収合併存続株式会社、吸収分割承継株式会社又は株式交換完全親株式会社（以下この目において「存続株式会社等」という。）は、吸収合併契約等備置開始日から効力発生日後６箇月を経過する日までの間、吸収合併契約等の内容その他法務省令で定める事項を記載し、又は記録した書面又は電磁的記録をその本店に備え置かなければならない〈書〉。

Ⅱ　前項に規定する「吸収合併契約等備置開始日」とは、次に掲げる日のいずれか早い日をいう。

①　吸収合併契約等について株主総会（種類株主総会を含む。）の決議によってその承認を受けなければならないときは、当該株主総会の日の２週間前の日（第３１９条第１項の場合にあっては、同項の提案があった日）

②　第７９７条第３項＜存続株式会社等の株主に対する通知＞の規定による通知の日又は同条第４項＜存続株式会社等の株主に対する通知に代わる公告＞の公告の日のいずれか早い日

③　第７９９条＜吸収合併等をする場合における存続株式会社等に対する債権者の異議＞の規定による手続をしなければならないときは、同条第２項＜持分会社の吸収合併等における債権者異議のための公告・催告＞の規定による公告の日又は同項の規定による催告の日のいずれか早い日

Ⅲ　存続株式会社等の株主及び債権者（株式交換完全子会社の株主に対して交付する金銭等が株式交換完全親株式会社の株式その他これに準ずるものとして法務省令で定めるもののみである場合（第７６８条第１項第４号ハに規定する場合を除く。）にあっては、株主）は、存続株式会社等に対して、その営業時間内は、いつでも、次に掲げる請求をすることができる。ただし、第２号又は第４号に掲げる請求をするには、当該存続株式会社等の定めた費用を支払わなければならない。

①　第１項の書面の閲覧の請求

②　第１項の書面の謄本又は抄本の交付の請求

③　第１項の電磁的記録に記録された事項を法務省令で定める方法により表示したものの閲覧の請求

④　第１項の電磁的記録に記録された事項を電磁的方法であって存続株式会社等の定めたものにより提供することの請求又はその事項を記載した書面の交付の請求

[趣旨]株主が合併条件の公正等を判断し、また、会社債権者が合併に対し異議を述べるべきか否かを判断するための資料を提供する趣旨である〈子〉。

【関連条文】309 Ⅱ⑫［株主総会の特別決議］

第７９５条（吸収合併契約等の承認等）

Ⅰ　存続株式会社等は、効力発生日の前日までに、株主総会の決議によって、吸収合併契約等の承認を受けなければならない〈書〉。

Ⅱ　次に掲げる場合には、取締役は、前項の株主総会において、その旨を説明しなければならない。

①　吸収合併存続株式会社又は吸収分割承継株式会社が承継する吸収合併消滅会社又は吸収分割会社の債務の額として法務省令で定める額（次号において「承継債務額」という。）が吸収合併存続株式会社又は吸収分割承継株式会社が承継する吸収合併消滅会社又は吸収分割会社の資産の額として法務省令で定める額（同号において「承継資産額」という。）を超える場合〈予〉

②　吸収合併存続株式会社又は吸収分割承継株式会社が吸収合併消滅株式会社の株主、吸収合併消滅持分会社の社員又は吸収分割会社に対して交付する金銭等（吸収合併存続株式会社又は吸収分割承継株式会社の株式等を除く。）の帳簿価額が承継資産額から承継債務額を控除して得た額を超える場合〈予〉

③　株式交換完全親株式会社が株式交換完全子会社の株主に対して交付する金銭等（株式交換完全親株式会社の株式等を除く。）の帳簿価額が株式交換完全親株式会社が取得する株式交換完全子会社の株式の額として法務省令で定める額を超える場合

Ⅲ　承継する吸収合併消滅会社又は吸収分割会社の資産に吸収合併存続株式会社又は吸収分割承継株式会社の株式が含まれる場合には、取締役は、第１項の株主総会において、当該株式に関する事項を説明しなければならない〈書〉。

Ⅳ　存続株式会社等が種類株式発行会社である場合において、次の各号に掲げる場合には、吸収合併等は、当該各号に定める種類の株式（譲渡制限株式であって、第１９９条第４項の定款の定めがないものに限る〈書〉。）の種類株主を構成員とする種類株主総会（当該種類株主に係る株式の種類が２以上ある場合にあっては、当該２以上の株式の種類別に区分された種類株主を構成員とする各種類株主総会）の決議がなければ、その効力を生じない。ただし、当該種類株主総会において議決権を行使することができる株主が存しない場合は、この限りでない。

①　吸収合併消滅株式会社の株主又は吸収合併消滅持分会社の社員に対して交付する金銭等が吸収合併存続株式会社の株式である場合　第７４９条第１項第２号イ＜吸収合併消滅株式会社の株主又は吸収合併消滅持分会社の社員に対して吸収合併存続株式会社の株式を交付する場合＞の種類の株式

②　吸収分割会社に対して交付する金銭等が吸収分割承継株式会社の株式である場合　第７５８条第４号イ＜吸収分割会社に対して吸収分割承継株式会社の株式を交付するとき＞の種類の株式

③　株式交換完全子会社の株主に対して交付する金銭等が株式交換完全親株式会社の株式である場合　第７６８条第１項第２号イ＜株式交換の対価としての株式交換完全親株式会社の株式の交付＞の種類の株式

[趣旨]合併等は会社の組織運営の基本的な在り方に重大な変更をもたらすものであり、株主保護のためには、株主に決定権を与える必要があることから、合併契約等に株主総会による承認を要求した〈予〉。

【関連条文】 309Ⅱ⑫［株主総会の特別決議］、324Ⅱ⑥［種類株主総会の特別決議］

第796条（吸収合併契約等の承認を要しない場合等）

Ⅰ　前条第1項から第3項までの規定は、吸収合併消滅会社、吸収分割会社又は株式交換完全子会社（以下この目において「消滅会社等」という。）が存続株式会社等の特別支配会社である場合には、適用しない。ただし、吸収合併消滅株式会社若しくは株式交換完全子会社の株主、吸収合併消滅持分会社の社員又は吸収分割会社に対して交付する金銭等の全部又は一部が存続株式会社等の譲渡制限株式である場合であって、存続株式会社等が公開会社でないときは、この限りでない。

Ⅱ　前条第1項から第3項までの規定は、第1号に掲げる額の第2号に掲げる額に対する割合が5分の1（これを下回る割合を存続株式会社等の定款で定めた場合にあっては、その割合）を超えない場合には、適用しない予。ただし、同条第2項各号に掲げる場合又は前項ただし書に規定する場合は、この限りでない予。

① 次に掲げる額の合計額

イ　吸収合併消滅株式会社若しくは株式交換完全子会社の株主、吸収合併消滅持分会社の社員又は吸収分割会社（以下この号において「消滅会社等の株主等」という。）に対して交付する存続株式会社等の株式の数に1株当たり純資産額を乗じて得た額

ロ　消滅会社等の株主等に対して交付する存続株式会社等の社債、新株予約権又は新株予約権付社債の帳簿価額の合計額

ハ　消滅会社等の株主等に対して交付する存続株式会社等の株式等以外の財産の帳簿価額の合計額

② 存続株式会社等の純資産額として法務省令で定める方法により算定される額

Ⅲ　前項本文に規定する場合において、法務省令で定める数の株式（前条第1項の株主総会において議決権を行使することができるものに限る。）を有する株主が第797条第3項の規定による通知又は同条第4項の公告の日から2週間以内に吸収合併等に反対する旨を存続株式会社等に対し通知したときは、当該存続株式会社等は、効力発生日の前日までに、株主総会の決議によって、吸収合併契約等の承認を受けなければならない予。

［趣旨］ 1項の趣旨は、吸収合併、吸収分割又は株式交換の当事者が他方当事者の特別支配会社に当たる場合、被支配会社における承認決議の成立が確実視されるので、手続の簡素化の観点から被支配会社における株主総会決議を要しないとした点にある（略式手続）。2項の趣旨は、吸収合併、吸収分割又は株式交換において、存続会社、承継会社、完全親会社の株主に及ぼす影響が小さい場合には、当該会社における株主総会決議を要しないとした点にある（簡易手続）。

【関連条文】 468［事業譲渡等の承認を要しない場合］

組織変更等

第７９６条の２　（吸収合併等をやめることの請求）

次に掲げる場合において、存続株式会社等の株主が不利益を受けるおそれがあるときは、存続株式会社等の株主は、存続株式会社等に対し、吸収合併等をやめることを請求することができる書。ただし、前条第２項本文<吸収合併契約等の承認を要しない場合等>に規定する場合（第７９５条第２項各号に掲げる場合及び前条第１項ただし書又は第３項に規定する場合を除く。）は、この限りでない。

①　当該吸収合併等が法令又は定款に違反する場合書

②　前条第１項本文に規定する場合において、第７４９条第１項第２号若しくは第３号<吸収合併消滅会社の株主等に対する金銭等の交付>、第７５８条第４号<吸収分割会社に対する金銭等の交付>又は第７６８条第１項第２号若しくは第３号<株式交換完全子会社の株主に対する金銭等の交付>に掲げる事項が存続株式会社等又は消滅会社等の財産の状況その他の事情に照らして著しく不当であるとき。

【関連条文】784の２［吸収合併等をやめることの請求］、805の２［新設合併等をやめることの請求］

第７９７条　（反対株主の株式買取請求）

Ⅰ　吸収合併等をする場合には、反対株主は、存続株式会社等に対し、自己の有する株式を公正な価格で買い取ることを請求することができる司予書。ただし、第７９６条第２項本文<株主に及ぼす影響が小さい場合の吸収合併契約等の承認>に規定する場合（第７９５条第２項各号に掲げる場合及び第７９６条第１項ただし書又は第３項に規定する場合を除く。）は、この限りでない。

Ⅱ　前項に規定する「反対株主」とは、次の各号に掲げる場合における当該各号に定める株主をいう。

①　吸収合併等をするために株主総会（種類株主総会を含む。）の決議を要する場合　次に掲げる株主

イ　当該株主総会に先立って当該吸収合併等に反対する旨を当該存続株式会社等に対し通知し、かつ、当該株主総会において当該吸収合併等に反対した株主（当該株主総会において議決権を行使することができるものに限る。）予

ロ　当該株主総会において議決権を行使することができない株主同

②　前号に規定する場合以外の場合　全ての株主（第７９６条第１項本文に規定する場合における当該特別支配会社を除く。）同

Ⅲ　存続株式会社等は、効力発生日の２０日前までに、その株主（第７９６条第１項本文に規定する場合における当該特別支配会社を除く。）に対し、吸収合併等をする旨並びに消滅会社等の商号及び住所（第７９５条第３項に規定する場合にあっては、吸収合併等をする旨、消滅会社等の商号及び住所並びに同項の株式に関する事項）を通知しなければならない書。

Ⅳ　次に掲げる場合には、前項の規定による通知は、公告をもってこれに代えることができる書。

①　存続株式会社等が公開会社である場合

組織変更等

② 存続株式会社等が第７９５条第１項＜吸収合併契約等の承認＞の株主総会の決議によって吸収合併契約等の承認を受けた場合

Ⅴ 第１項の規定による請求（以下この目において「株式買取請求」という。）は、効力発生日の２０日前の日から効力発生日の前日までの間に、その株式買取請求に係る株式の数（種類株式発行会社にあっては、株式の種類及び種類ごとの数）を明らかにしてしなければならない。

Ⅵ 株券が発行されている株式について株式買取請求をしようとするときは、当該株式の株主は、存続株式会社等に対し、当該株式に係る株券を提出しなければならない。ただし、当該株券について第２２３条＜株券喪失登録の請求＞の規定による請求をした者については、この限りでない。

Ⅶ 株式買取請求をした株主は、存続株式会社等の承諾を得た場合に限り、その株式買取請求を撤回することができる〈同〉。

Ⅷ 吸収合併等を中止したときは、株式買取請求は、その効力を失う。

Ⅸ 第１３３条＜株主の請求による株主名簿記載事項の記載又は記録＞の規定は、株式買取請求に係る株式については、適用しない。

[趣旨] 1項の趣旨は、反対株主の投下資本の回収を図る点にある。もっとも、簡易手続（796 Ⅱ本文・797 Ⅰただし書）をとる場合、反対株主の株式買取請求権は認められず、略式手続（796 Ⅰ本文・797 Ⅱ②）における特別支配会社にも株式買取請求権は認められない（⇒ p.560）。7項では、投機的な株式買取請求権の行使の防止を図っており、これをより実効化するため、6項において株券の提出義務を規定し、9項において名義書換請求を禁止している。

【関連条文】 116［定款変更における反対株主の株式買取請求権］、182の4［株式併合における反対株主の株式買取請求権］、469［事業譲渡等における反対株主の株式買取請求権］、785・806［合併等における反対株主の株式買取請求権］、816の6［株式交付における反対株主の株式買取請求権］

第７９８条 （株式の価格の決定等）

Ⅰ 株式買取請求があった場合において、株式の価格の決定について、株主と存続株式会社等との間に協議が調ったときは、存続株式会社等は、効力発生日から６０日以内にその支払をしなければならない。

Ⅱ 株式の価格の決定について、効力発生日から３０日以内に協議が調わないときは、株主又は存続株式会社等は、その期間の満了の日後３０日以内に、裁判所に対し、価格の決定の申立てをすることができる。

Ⅲ 前条第７項の規定にかかわらず、前項に規定する場合において、効力発生日から６０日以内に同項の申立てがないときは、その期間の満了後は、株主は、いつでも、株式買取請求を撤回することができる。

Ⅳ 存続株式会社等は、裁判所の決定した価格に対する第１項の期間の満了の日後の法定利率による利息をも支払わなければならない。

Ⅴ 存続株式会社等は、株式の価格の決定があるまでは、株主に対し、当該存続株式会社等が公正な価格と認める額を支払うことができる。

Ⅵ　株式買取請求に係る株式の買取りは、効力発生日に、その効力を生ずる〈書。
Ⅶ　株券発行会社は、株券が発行されている株式について株式買取請求があったときは、株券と引換えに、その株式買取請求に係る株式の代金を支払わなければならない。

第７９９条　(債権者の異議)

Ⅰ　次の各号に掲げる場合には、当該各号に定める債権者は、存続株式会社等に対し、吸収合併等について異議を述べることができる〈同書。
①　吸収合併をする場合　吸収合併存続株式会社の債権者
②　吸収分割をする場合　吸収分割承継株式会社の債権者
③　株式交換をする場合において、株式交換完全子会社の株主に対して交付する金銭等が株式交換完全親株式会社の株式その他これに準ずるものとして法務省令で定めるもののみである場合以外の場合又は第７６８条第１項第４号ハ＜株式交換契約新株予約権が新株予約権付社債に付された新株予約権であるとき＞に規定する場合　株式交換完全親株式会社の債権者〈予書

Ⅱ　前項の規定により存続株式会社等の債権者が異議を述べることができる場合には、存続株式会社等は、次に掲げる事項を官報に公告し、かつ、知れている債権者には、各別にこれを催告しなければならない〈書。ただし、第４号の期間は、１箇月を下ることができない。
①　吸収合併等をする旨
②　消滅会社等の商号及び住所
③　存続株式会社等及び消滅会社等（株式会社に限る。）の計算書類に関する事項として法務省令で定めるもの
④　債権者が一定の期間内に異議を述べることができる旨

Ⅲ　前項の規定にかかわらず、存続株式会社等が同項の規定による公告を、官報のほか、第９３９条第１項＜会社の公告方法＞の規定による定款の定めに従い、同項第２号＜時事に関する事項を掲載する日刊新聞紙に掲載する方法＞又は第３号＜電子公告＞に掲げる公告方法によりするときは、前項の規定による各別の催告は、することを要しない。

Ⅳ　債権者が第２項第４号の期間内に異議を述べなかったときは、当該債権者は、当該吸収合併等について承認をしたものとみなす。

Ⅴ　債権者が第２項第４号の期間内に異議を述べたときは、存続株式会社等は、当該債権者に対し、弁済し、若しくは相当の担保を提供し、又は当該債権者に弁済を受けさせることを目的として信託会社等に相当の財産を信託しなければならない。ただし、当該吸収合併等をしても当該債権者を害するおそれがないときは、この限りでない。

第８００条　（消滅会社等の株主等に対して交付する金銭等が存続株式会社等の親会社株式である場合の特則）

Ⅰ　第１３５条第１項＜親会社株式の取得の禁止＞の規定にかかわらず、吸収合併消滅株式会社若しくは株式交換完全子会社の株主、吸収合併消滅持分会社の社員又は吸収分割会社（以下この項において「消滅会社等の株主等」という。）に対して交付する金銭等の全部又は一部が存続株式会社等の親会社株式（同条第１項に規定する親会社株式をいう。以下この条において同じ。）である場合には、当該存続株式会社等は、吸収合併等に際して消滅会社等の株主等に対して交付する当該親会社株式の総数を超えない範囲において当該親会社株式を取得することができる。

Ⅱ　第１３５条第３項＜子会社による親会社株式の処分＞の規定にかかわらず、前項の存続株式会社等は、効力発生日までの間は、存続株式会社等の親会社株式を保有することができる。ただし、吸収合併等を中止したときは、この限りでない。

第８０１条　（吸収合併等に関する書面等の備置き及び閲覧等）

Ⅰ　吸収合併存続株式会社は、効力発生日後遅滞なく、吸収合併により吸収合併存続株式会社が承継した吸収合併消滅会社の権利義務その他の吸収合併に関する事項として法務省令で定める事項を記載し、又は記録した書面又は電磁的記録を作成しなければならない。

Ⅱ　吸収分割承継株式会社（合同会社が吸収分割をする場合における当該吸収分割承継株式会社に限る。）は、効力発生日後遅滞なく、吸収分割合同会社と共同して、吸収分割により吸収分割承継株式会社が承継した吸収分割合同会社の権利義務その他の吸収分割に関する事項として法務省令で定める事項を記載し、又は記録した書面又は電磁的記録を作成しなければならない予。

Ⅲ　次の各号に掲げる存続株式会社等は、効力発生日から６箇月間、当該各号に定めるものをその本店に備え置かなければならない予。

① 吸収合併存続株式会社　第１項の書面又は電磁的記録
② 吸収分割承継株式会社　前項又は第７９１条第１項第１号＜吸収分割承継株式会社が承継した吸収分割株式会社の権利義務その他の吸収分割に関する事項を記載等した書面等＞の書面又は電磁的記録
③ 株式交換完全親株式会社　第７９１条第１項第２号＜株式交換完全親会社が取得した株式交換完全子会社の株式交換に関する事項を記載等した書面等＞の書面又は電磁的記録

Ⅳ　吸収合併存続株式会社の株主及び債権者は、吸収合併存続株式会社に対して、その営業時間内は、いつでも、次に掲げる請求をすることができる。ただし、第２号又は第４号に掲げる請求をするには、当該吸収合併存続株式会社の定めた費用を支払わなければならない。

① 前項第１号の書面の閲覧の請求
② 前項第１号の書面の謄本又は抄本の交付の請求
③ 前項第１号の電磁的記録に記録された事項を法務省令で定める方法により表示したものの閲覧の請求

④ 前項第1号の電磁的記録に記録された事項を電磁的方法であって吸収合併存続株式会社の定めたものにより提供することの請求又はその事項を記載した書面の交付の請求

Ⅴ 前項の規定は、吸収分割承継株式会社について準用する。この場合において、同項中「株主及び債権者」とあるのは「株主、債権者その他の利害関係人」と、同項各号中「前項第1号」とあるのは「前項第2号」と読み替えるものとする。

Ⅵ 第4項の規定は、株式交換完全親株式会社について準用する。この場合において、同項中「株主及び債権者」とあるのは「株主及び債権者（株式交換完全子会社の株主に対して交付する金銭等が株式交換完全親株式会社の株式その他これに準ずるものとして法務省令で定めるもののみである場合（第768条第1項第4号ハに規定する場合を除く。）にあっては、株式交換完全親株式会社の株主）」と、同項各号中「前項第1号」とあるのは「前項第3号」と読み替えるものとする。

【5項読替え】

吸収分割承継会社の株主、債権者その他の利害関係人は、吸収分割承継株式会社に対して、その営業時間内は、いつでも、次に掲げる請求をすることができる。ただし、第2号又は第4号に掲げる請求をするには、当該吸収合併存続株式会社の定めた費用を支払わなければならない。

① 第3項第2号の書面の閲覧の請求
② 第3項第2号の書面の謄本又は抄本の交付の請求
③ 第3項第2号の電磁的記録に記録された事項を法務省令で定める方法により表示したものの閲覧の請求
④ 第3項第2号の電磁的記録に記録された事項を電磁的方法であって吸収合併存続株式会社の定めたものにより提供することの請求又はその事項を記載した書面の交付の請求

【6項読替え】

株式交換完全親株式会社の株主及び債権者〔株式交換完全子会社の株主に対して交付する金銭等が株式交換完全親株式会社の株式その他これに準ずるものとして法務省令で定めるもののみである場合（第768条第1項第4号ハに規定する場合を除く。）にあっては、株式交換完全親株式会社の株主〕は、吸収合併存続株式会社に対して、その営業時間内は、いつでも、次に掲げる請求をすることができる。ただし、第2号又は第4号に掲げる請求をするには、当該吸収合併存続株式会社の定めた費用を支払わなければならない。

① 第3項第3号の書面の閲覧の請求
② 第3項第3号の書面の謄本又は抄本の交付の請求
③ 第3項第3号の電磁的記録に記録された事項を法務省令で定める方法により表示したものの閲覧の請求
④ 第3項第3号の電磁的記録に記録された事項を電磁的方法であって吸収合併存続株式会社の定めたものにより提供することの請求又はその事項を記載した書面の交付の請求

第２目　持分会社の手続

第８０２条

Ⅰ　次の各号に掲げる行為をする持分会社（以下この条において「存続持分会社等」という。）は、当該各号に定める場合には、効力発生日の前日までに、吸収合併契約等について存続持分会社等の総社員の同意を得なければならない。ただし、定款に別段の定めがある場合は、この限りでない。

①　吸収合併（吸収合併により当該持分会社が存続する場合に限る。）　第７５１条第１項第２号<吸収合併消滅会社の株主等が吸収合併存続持分会社の社員となるとき>に規定する場合

②　吸収分割による他の会社がその事業に関して有する権利義務の全部又は一部の承継　第７６０条第４号<吸収分割会社が吸収分割に際して吸収分割承継持分会社の社員となるとき>に規定する場合

③　株式交換による株式会社の発行済株式の全部の取得　第７７０条第１項第２号<株式交換完全子会社の株主が株式交換完全親合同会社の社員となるとき>に規定する場合

Ⅱ　第７９９条<吸収合併等をする場合における存続株式会社等に対する債権者の異議>（第２項第３号を除く。）及び第８００条<三角合併における親会社株式取得等の特則>の規定は、存続持分会社等について準用する。この場合において、第７９９条第１項第３号中「株式交換完全親株式会社の株式」とあるのは「株式交換完全親合同会社の持分」と、「場合又は第７６８条第１項第４号ハに規定する場合」とあるのは「場合」と読み替えるものとする。

組織変更等

■第3節　新設合併等の手続

<新設型再編における手続の流れ>

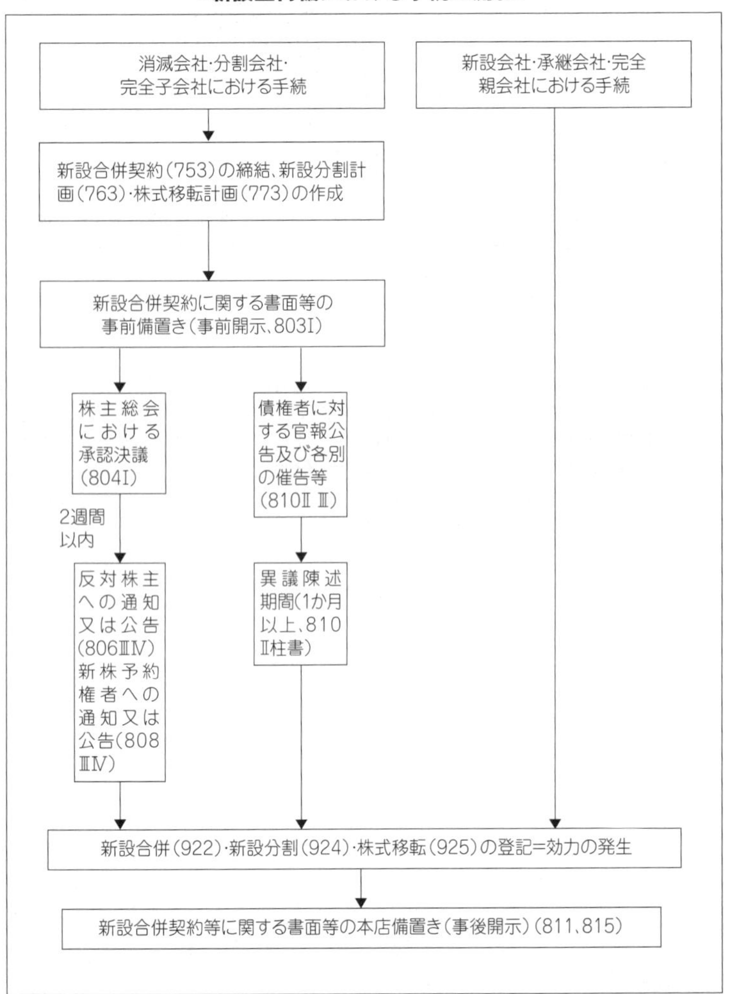

第１款　新設合併消滅会社、新設分割会社及び株式移転完全子会社の手続

第１目　株式会社の手続

第８０３条　（新設合併契約等に関する書面等の備置き及び閲覧等）

Ⅰ　次の各号に掲げる株式会社（以下この目において「消滅株式会社等」という。）は、新設合併契約等備置開始日から新設合併設立会社、新設分割設立会社又は株式移転設立完全親会社（以下この目において「設立会社」という。）の成立の日後６箇月を経過する日（新設合併消滅株式会社にあっては、新設合併設立会社の成立の日）までの間、当該各号に定めるもの（以下この節において「新設合併契約等」という。）の内容その他法務省令で定める事項を記載し、又は記録した書面又は電磁的記録をその本店に備え置かなければならない。

①　新設合併消滅株式会社　新設合併契約

②　新設分割株式会社　新設分割計画

③　株式移転完全子会社　株式移転計画

Ⅱ　前項に規定する「新設合併契約等備置開始日」とは、次に掲げる日のいずれか早い日をいう。

①　新設合併契約等について株主総会（種類株主総会を含む。）の決議によってその承認を受けなければならないときは、当該株主総会の日の２週間前の日（第３１９条第１項の場合にあっては、同項の提案があった日）

②　第８０６条第３項＜新設合併等にする旨等の通知＞の規定による通知を受けるべき株主があるときは、同項の規定による通知の日又は同条第４項＜通知に代わる公告＞の公告の日のいずれか早い日

③　第８０８条第３項＜新株合併等をする旨等の通知＞の規定による通知を受けるべき新株予約権者があるときは、同項の規定による通知の日又は同条第４項＜通知に代わる公告＞の公告の日のいずれか早い日

④　第８１０条＜新設合併等における債権者異議＞の規定による手続をしなければならないときは、同条第２項＜新設合併等における債権者異議のための公告・催告＞の規定による公告の日又は同項の規定による催告の日のいずれか早い日

⑤　前各号に規定する場合以外の場合には、新設分割計画の作成の日から２週間を経過した日

Ⅲ　消滅株式会社等の株主及び債権者（株式移転完全子会社にあっては、株主及び新株予約権者）は、消滅株式会社等に対して、その営業時間内は、いつでも、次に掲げる請求をすることができる。ただし、第２号又は第４号に掲げる請求をするには、当該消滅株式会社等の定めた費用を支払わなければならない。

①　第１項の書面の閲覧の請求

②　第１項の書面の謄本又は抄本の交付の請求

③　第１項の電磁的記録に記録された事項を法務省令で定める方法により表示したものの閲覧の請求

④　第１項の電磁的記録に記録された事項を電磁的方法であって消滅株式会社等の定めたものにより提供することの請求又はその事項を記載した書面の交付の請求

[趣旨] 株主が合併条件の公正等を判断し、また、会社債権者が合併に対し異議を述べるべきか否かを判断するための資料を提供する趣旨である。

【関連条文】 規204〜206、226

第804条 (新設合併契約等の承認)

Ⅰ 消滅株式会社等は、株主総会の決議によって、新設合併契約等の承認を受けなければならない同。

Ⅱ 前項の規定にかかわらず、新設合併設立会社が持分会社である場合には、新設合併契約について新設合併消滅株式会社の総株主の同意を得なければならない。

Ⅲ 新設合併消滅株式会社又は株式移転完全子会社が種類株式発行会社である場合において、新設合併消滅株式会社又は株式移転完全子会社の株主に対して交付する新設合併設立株式会社又は株式移転設立完全親会社の株式等の全部又は一部が譲渡制限株式等であるときは、当該新設合併又は株式移転は、当該譲渡制限株式等の割当てを受ける種類の株式(譲渡制限株式を除く。)の種類株主を構成員とする種類株主総会(当該種類株主に係る株式の種類が2以上ある場合にあっては、当該2以上の株式の種類別に区分された種類株主を構成員とする各種類株主総会)の決議がなければ、その効力を生じない。ただし、当該種類株主総会において議決権を行使することができる株主が存しない場合は、この限りでない。

Ⅳ 消滅株式会社等は、第1項の株主総会の決議の日(第2項に規定する場合にあっては、同項の総株主の同意を得た日)から2週間以内に、その登録株式質権者(次条に規定する場合における登録株式質権者を除く。)及び第808条第3項各号<新株合併等をする旨等の通知>に定める新株予約権の登録新株予約権質権者に対し、新設合併、新設分割又は株式移転(以下この節において「新設合併等」という。)をする旨を通知しなければならない。

Ⅴ 前項の規定による通知は、公告をもってこれに代えることができる。

【関連条文】 309Ⅲ③[株主総会の特殊決議]、324Ⅲ②[種類株主総会の特殊決議]

組織変更等

第805条 (新設分割計画の承認を要しない場合)

前条第1項の規定は、新設分割により新設分割設立会社に承継させる資産の帳簿価額の合計額が新設分割株式会社の総資産額として法務省令で定める方法により算定される額の5分の1(これを下回る割合を新設分割株式会社の定款で定めた場合にあっては、その割合)を超えない場合には、適用しない書。

[趣旨] 新設分割において、分割会社の株主に及ぼす影響が小さい場合には、分割会社における株主総会決議を要しないとした点にある(簡易手続)。

第805条の2 (新設合併等をやめることの請求)

新設合併等が法令又は定款に違反する場合において、消滅株式会社等の株主が不利益を受けるおそれがあるときは、消滅株式会社等の株主は、消滅株式会社等に対し、当該新設合併等をやめることを請求することができる。ただし、前条に規定する場合は、この限りでない。

《注　釈》

◆　新設合併等の差止請求（805の2）

1　はじめに

吸収合併等の差止請求と同様に、新設合併等についても、消滅会社等の株主による差止請求制度が設けられている。　⇒§784の2、§796の2

2　要件

①　新設合併等が法令又は定款に違反する場合（805の2本文）

②　消滅会社等の株主が不利益を受けるおそれがあること（同本文）

③　簡易新設分割の場合でないこと（同ただし書）

【関連条文】784の2・796の2［吸収合併等をやめることの請求］

第８０６条　（反対株主の株式買取請求）

Ⅰ　新設合併等をする場合（次に掲げる場合を除く。）には、反対株主は、消滅株式会社等に対し、自己の有する株式を公正な価格で買い取ることを請求することができる。

①　第８０４条第２項＜新設合併設立会社が持分会社の場合における新設合併消滅会社の総株主の同意＞に規定する場合

②　第８０５条＜簡易手続による場合＞に規定する場合

Ⅱ　前項に規定する「反対株主」とは、次に掲げる株主をいう。

①　第８０４条第１項＜新設合併契約等の承認＞の株主総会（新設合併等をするために種類株主総会の決議を要する場合にあっては、当該種類株主総会を含む。）に先立って当該新設合併等に反対する旨を当該消滅株式会社等に対し通知し、かつ、当該株主総会において当該新設合併等に反対した株主（当該株主総会において議決権を行使することができるものに限る。）

②　当該株主総会において議決権を行使することができない株主

Ⅲ　消滅株式会社等は、第８０４条第１項＜新設合併契約等の承認＞の株主総会の決議の日から２週間以内に、その株主に対し、新設合併等をする旨並びに他の新設合併消滅会社、新設分割会社又は株式移転完全子会社（以下この節において「消滅会社等」という。）及び設立会社の商号及び住所を通知しなければならない。ただし、第１項各号に掲げる場合は、この限りでない。

Ⅳ　前項の規定による通知は、公告をもってこれに代えることができる。

Ⅴ　第１項の規定による請求（以下この目において「株式買取請求」という。）は、第３項の規定による通知又は前項の公告をした日から２０日以内に、その株式買取請求に係る株式の数（種類株式発行会社にあっては、株式の種類及び種類ごとの数）を明らかにしてしなければならない。

Ⅵ　株券が発行されている株式について株式買取請求をしようとするときは、当該株式の株主は、消滅株式会社等に対し、当該株式に係る株券を提出しなければならない。ただし、当該株券について第２２３条＜株券喪失登録の請求＞の規定による請求をした者については、この限りでない。

Ⅶ　株式買取請求をした株主は、消滅株式会社等の承諾を得た場合に限り、その株式買取請求を撤回することができる。

Ⅷ　新設合併等を中止したときは、株式買取請求は、その効力を失う。

Ⅸ　第１３３条<株主の請求による株主名簿記載事項の記載又は記録>の規定は、株式買取請求に係る株式については、適用しない。

[趣旨] 1項の趣旨は、反対株主の投下資本の回収を図る点にある。もっとも、簡易手続（805・806 Ⅰ②）をとる場合、反対株主の株式買取請求権は認められない（⇒ p.560）。7項では、投機的な株式買取請求権の行使の防止を図っており、これをより実効化するため、6項において株券の提出義務を規定し、9項において名義書換請求を禁止している。

【関連条文】 116［定款変更における反対株主の株式買取請求権］、182の4［株式併合における反対株主の株式買取請求権］、469［事業譲渡等における反対株主の株式買取請求権］、785・797［合併等における反対株主の株式買取請求権］、816の6［株式交付における反対株主の株式買取請求権］

第８０７条　（株式の価格の決定等）

Ⅰ　株式買取請求があった場合において、株式の価格の決定について、株主と消滅株式会社等（新設合併をする場合における新設合併設立会社の成立の日後にあっては、新設合併設立会社。以下この条において同じ。）との間に協議が調ったときは、消滅株式会社等は、設立会社の成立の日から６０日以内にその支払をしなければならない。

Ⅱ　株式の価格の決定について、設立会社の成立の日から３０日以内に協議が調わないときは、株主又は消滅株式会社等は、その期間の満了の日後３０日以内に、裁判所に対し、価格の決定の申立てをすることができる。

Ⅲ　前条第７項の規定にかかわらず、前項に規定する場合において、設立会社の成立の日から６０日以内に同項の申立てがないときは、その期間の満了後は、株主は、いつでも、株式買取請求を撤回することができる。

Ⅳ　消滅株式会社等は、裁判所の決定した価格に対する第１項の期間の満了の日後の法定利率による利息をも支払わなければならない。

Ⅴ　消滅株式会社等は、株式の価格の決定があるまでは、株主に対し、当該消滅株式会社等が公正な価格と認める額を支払うことができる。

Ⅵ　株式買取請求に係る株式の買取りは、設立会社の成立の日に、その効力を生ずる。

Ⅶ　株券発行会社は、株券が発行されている株式について株式買取請求があったときは、株券と引換えに、その株式買取請求に係る株式の代金を支払わなければならない。

第８０８条　(新株予約権買取請求)

Ⅰ　次の各号に掲げる行為をする場合には、当該各号に定める消滅株式会社等の新株予約権の新株予約権者は、消滅株式会社等に対し、自己の有する新株予約権を公正な価格で買い取ることを請求することができる。

①　新設合併　第７５３条第１項第１０号＜新設合併消滅会社の新株予約権者に交付する新株予約権等＞又は第１１号＜新設合併設立株式会社の新株予約権等の割当てに関する事項＞に掲げる事項についての定めが第２３６条第１項第８号＜合併等に際して交付する新株予約権等＞の条件（同号イ＜合併の場合＞に関するものに限る。）に合致する新株予約権以外の新株予約権

②　新設分割（新設分割設立会社が株式会社である場合に限る。）　次に掲げる新株予約権のうち、第７６３条第１項第１０号＜新設分割株式会社の新株予約権者に対する新株予約権の交付＞又は第１１号＜新設分割設立会社の新株予約権の割当てに関する事項＞に掲げる事項についての定めが第２３６条第１項第８号＜合併等に際して交付する新株予約権等＞の条件（同号ハに関するものに限る。）に合致する新株予約権以外の新株予約権 書

イ　新設分割計画新株予約権

ロ　新設分割計画新株予約権以外の新株予約権であって、新設分割をする場合において当該新株予約権の新株予約権者に新設分割設立株式会社の新株予約権を交付することとする旨の定めがあるもの

③　株式移転　次に掲げる新株予約権のうち、第７７３条第１項第９号＜株式移転完全子会社の新株予約権者に対する株式移転完全親会社の新株予約権の交付＞又は第１０号＜株式移転設立完全親会社の新株予約権の割当てに関する事項＞に掲げる事項についての定めが第２３６条第１項第８号＜合併等に際して交付する新株予約権等＞の条件（同号ホに関するものに限る。）に合致する新株予約権以外の新株予約権

イ　株式移転計画新株予約権

ロ　株式移転計画新株予約権以外の新株予約権であって、株式移転をする場合において当該新株予約権の新株予約権者に株式移転設立完全親会社の新株予約権を交付することとする旨の定めがあるもの

Ⅱ　新株予約権付社債に付された新株予約権の新株予約権者は、前項の規定による請求（以下この目において「新株予約権買取請求」という。）をするときは、併せて、新株予約権付社債についての社債を買い取ることを請求しなければならない。ただし、当該新株予約権付社債に付された新株予約権について別段の定めがある場合は、この限りでない。

Ⅲ　次の各号に掲げる消滅株式会社等は、第８０４条第１項＜新設合併契約等の承認＞の株主総会の決議の日（同条第２項に規定する場合にあっては同項の総株主の同意を得た日、第８０５条に規定する場合にあっては新設分割計画の作成の日）から２週間以内に、当該各号に定める新株予約権の新株予約権者に対し、新設合併等をする旨並びに他の消滅会社等及び設立会社の商号及び住所を通知しなければならない。

① 新設合併消滅株式会社　全部の新株予約権
② 新設分割設立会社が株式会社である場合における新設分割株式会社　次に掲げる新株予約権
イ 新設分割計画新株予約権
ロ 新設分割計画新株予約権以外の新株予約権であって、新設分割をする場合において当該新株予約権の新株予約権者に新設分割設立株式会社の新株予約権を交付することとする旨の定めがあるもの
③ 株式移転完全子会社　次に掲げる新株予約権
イ 株式移転計画新株予約権
ロ 株式移転計画新株予約権以外の新株予約権であって、株式移転をする場合において当該新株予約権の新株予約権者に株式移転設立完全親会社の新株予約権を交付することとする旨の定めがあるもの

Ⅳ 前項の規定による通知は、公告をもってこれに代えることができる。

Ⅴ 新株予約権買取請求は、第３項の規定による通知又は前項の公告をした日から20日以内に、その新株予約権買取請求に係る新株予約権の内容及び数を明らかにしてしなければならない。

Ⅵ 新株予約権証券が発行されている新株予約権について新株予約権買取請求をしようとするときは、当該新株予約権の新株予約権者は、消滅株式会社等に対し、その新株予約権証券を提出しなければならない。ただし、当該新株予約権証券について非訟事件手続法第１１４条に規定する公示催告の申立てをした者については、この限りでない。

Ⅶ 新株予約権付社債券が発行されている新株予約権付社債に付された新株予約権について新株予約権買取請求をしようとするときは、当該新株予約権の新株予約権者は、消滅株式会社等に対し、その新株予約権付社債券を提出しなければならない。ただし、当該新株予約権付社債券について非訟事件手続法第１１４条に規定する公示催告の申立てをした者については、この限りでない。

Ⅷ 新株予約権買取請求をした新株予約権者は、消滅株式会社等の承諾を得た場合に限り、その新株予約権買取請求を撤回することができる。

Ⅸ 新設合併等を中止したときは、新株予約権買取請求は、その効力を失う。

Ⅹ 第２６０条<新株予約権者の請求による新株予約権原簿記載事項の記載又は記録>の規定は、新株予約権買取請求に係る新株予約権については、適用しない。

第８０９条 （新株予約権の価格の決定等）

Ⅰ 新株予約権買取請求があった場合において、新株予約権（当該新株予約権が新株予約権付社債に付されたものである場合において、当該新株予約権付社債についての社債の買取りの請求があったときは、当該社債を含む。以下この条において同じ。）の価格の決定について、新株予約権者と消滅株式会社等（新設合併をする場合における新設合併設立会社の成立の日後にあっては、新設合併設立会社。以下この条において同じ。）との間に協議が調ったときは、消滅株式会社等は、設立会社の成立の日から６０日以内にその支払をしなければならない。

Ⅱ　新株予約権の価格の決定について、設立会社の成立の日から３０日以内に協議が調わないときは、新株予約権者又は消滅株式会社等は、その期間の満了の日後３０日以内に、裁判所に対し、価格の決定の申立てをすることができる。
Ⅲ　前条第８項の規定にかかわらず、前項に規定する場合において、設立会社の成立の日から６０日以内に同項の申立てがないときは、その期間の満了後は、新株予約権者は、いつでも、新株予約権買取請求を撤回することができる。
Ⅳ　消滅株式会社等は、裁判所の決定した価格に対する第１項の期間の満了の日後の法定利率による利息をも支払わなければならない。
Ⅴ　消滅株式会社等は、新株予約権の価格の決定があるまでは、新株予約権者に対し、当該消滅株式会社等が公正な価格と認める額を支払うことができる。
Ⅵ　新株予約権買取請求に係る新株予約権の買取りは、設立会社の成立の日に、その効力を生ずる。
Ⅶ　消滅株式会社等は、新株予約権証券が発行されている新株予約権について新株予約権買取請求があったときは、新株予約権証券と引換えに、その新株予約権買取請求に係る新株予約権の代金を支払わなければならない。
Ⅷ　消滅株式会社等は、新株予約権付社債券が発行されている新株予約権付社債に付された新株予約権について新株予約権買取請求があったときは、新株予約権付社債券と引換えに、その新株予約権買取請求に係る新株予約権の代金を支払わなければならない。

第８１０条　（債権者の異議）

Ⅰ　次の各号に掲げる場合には、当該各号に定める債権者は、消滅株式会社等に対し、新設合併等について異議を述べることができる〈書。
①　新設合併をする場合　新設合併消滅株式会社の債権者〈予書
②　新設分割をする場合　新設分割後新設分割株式会社に対して債務の履行（当該債務の保証人として新設分割設立会社と連帯して負担する保証債務の履行を含む。）を請求することができない新設分割株式会社の債権者（第７６３条第１項第１２号又は第７６５条第１項第８号に掲げる事項についての定めがある場合＜人的分割の場合＞にあっては、新設分割株式会社の債権者）
③　株式移転計画新株予約権が新株予約権付社債に付された新株予約権である場合　当該新株予約権付社債についての社債権者〈書
Ⅱ　前項の規定により消滅株式会社等の債権者の全部又は一部が異議を述べることができる場合には、消滅株式会社等は、次に掲げる事項を官報に公告し、かつ、知れている債権者（同項の規定により異議を述べることができるものに限る。）には、各別にこれを催告しなければならない。ただし、第４号の期間は、１箇月を下ることができない。
①　新設合併等をする旨
②　他の消滅会社等及び設立会社の商号及び住所
③　消滅株式会社等の計算書類に関する事項として法務省令で定めるもの
④　債権者が一定の期間内に異議を述べることができる旨

Ⅲ　前項の規定にかかわらず、消滅株式会社等が同項の規定による公告を、官報のほか、第９３９条第１項<会社の公告方法>の規定による定款の定めに従い、同項第２号<時事に関する事項を掲載する日刊新聞紙に掲載する方法>又は第３号<電子公告>に掲げる公告方法によりするときは、前項の規定による各別の催告（新設分割をする場合における不法行為によって生じた新設分割株式会社の債務の債権者に対するものを除く。）は、することを要しない。
Ⅳ　債権者が第２項第４号の期間内に異議を述べなかったときは、当該債権者は、当該新設合併等について承認をしたものとみなす。
Ⅴ　債権者が第２項第４号の期間内に異議を述べたときは、消滅株式会社等は、当該債権者に対し、弁済し、若しくは相当の担保を提供し、又は当該債権者に弁済を受けさせることを目的として信託会社等に相当の財産を信託しなければならない。ただし、当該新設合併等をしても当該債権者を害するおそれがないときは、この限りでない 同。

第８１１条　（新設分割又は株式移転に関する書面等の備置き及び閲覧等）

Ⅰ　新設分割株式会社又は株式移転完全子会社は、新設分割設立会社又は株式移転設立完全親会社の成立の日後遅滞なく、新設分割設立会社又は株式移転設立完全親会社と共同して、次の各号に掲げる区分に応じ、当該各号に定めるものを作成しなければならない。
①　新設分割株式会社　新設分割により新設分割設立会社が承継した新設分割株式会社の権利義務その他の新設分割に関する事項として法務省令で定める事項を記載し、又は記録した書面又は電磁的記録
②　株式移転完全子会社　株式移転により株式移転設立完全親会社が取得した株式移転完全子会社の株式の数その他の株式移転に関する事項として法務省令で定める事項を記載し、又は記録した書面又は電磁的記録
Ⅱ　新設分割株式会社又は株式移転完全子会社は、新設分割設立会社又は株式移転設立完全親会社の成立の日から６箇月間、前項各号の書面又は電磁的記録をその本店に備え置かなければならない。
Ⅲ　新設分割株式会社の株主、債権者その他の利害関係人は、新設分割株式会社に対して、その営業時間内は、いつでも、次に掲げる請求をすることができる。ただし、第２号又は第４号に掲げる請求をするには、当該新設分割株式会社の定めた費用を支払わなければならない。
①　前項の書面の閲覧の請求
②　前項の書面の謄本又は抄本の交付の請求
③　前項の電磁的記録に記録された事項を法務省令で定める方法により表示したものの閲覧の請求
④　前項の電磁的記録に記録された事項を電磁的方法であって新設分割株式会社の定めたものにより提供することの請求又はその事項を記載した書面の交付の請求
Ⅳ　前項の規定は、株式移転完全子会社について準用する。この場合において、同項中「新設分割株式会社の株主、債権者その他の利害関係人」とあるのは、「株式移転設立完全親会社の成立の日に株式移転完全子会社の株主又は新株予約権者であった者」と読み替えるものとする。

【４項読替え】

株式移転設立完全親会社の成立の日に株式移転完全子会社の株主又は新株予約権者であった者は、株式移転完全子会社に対して、その営業時間内は、いつでも、次に掲げる請求をすることができる。ただし、第２号又は第４号に掲げる請求をするには、当該新設分割株式会社の定めた費用を支払わなければならない。

① 第２項の書面の閲覧の請求
② 第２項の書面の謄本又は抄本の交付の請求
③ 第２項の電磁的記録に記録された事項を法務省令で定める方法により表示したものの閲覧の請求
④ 第２項の電磁的記録に記録された事項を電磁的方法であって新設分割株式会社の定めたものにより提供することの請求又はその事項を記載した書面の交付の請求

第８１２条　（剰余金の配当等に関する特則）

第４４５条第４項＜剰余金の配当をする場合の準備金の計上（積立て）＞、第４５８条＜株式会社の純資産額が３００万円を下回る場合における剰余金の配当の禁止＞及び第２編第５章第６節＜分配可能額規制その他剰余金の配当等に関する責任＞の規定は、次に掲げる行為については、適用しない。

① 第７６３条第１項第１２号イ＜新設分割株式会社による全部取得条項付種類株式の取得であって、取得対価が新設分割設立株式会社の株式のみであるもの＞又は第７６５条第１項第８号イ＜新設分割株式会社による全部取得条項付種類株式の取得であって、取得対価が新設分割設立持分会社の持分のみであるもの＞の株式の取得
② 第７６３条第１項第１２号ロ＜新設分割株式会社による剰余金の配当であって、配当財産が新設分割設立株式会社の株式のみであるもの＞又は第７６５条第１項第８号ロ＜新設分割株式会社による剰余金の配当であって、配当財産が新設分割設立持分会社の持分のみであるもの＞の剰余金の配当〈書

[趣旨]本条は、792条と同様、いわゆる人的分割を行う場合の剰余金の配当等に関する特則を規定するものである。　⇒ p.566 参照

【関連条文】445 Ⅳ［剰余金の配当をする場合の準備金の計上（積立て）］、458［株式会社の純資産額が300万円を下回る場合における剰余金の配当の禁止］、461［配当等の制限］、763 Ⅰ⑫・765 Ⅰ⑧［人的分割を行う場合］、792［剰余金の配当等に関する特則］

第２目　持分会社の手続

第８１３条

Ⅰ　次に掲げる行為をする持分会社は、新設合併契約等について当該持分会社の総社員の同意を得なければならない。ただし、定款に別段の定めがある場合は、この限りでない。

① 新設合併
② 新設分割（当該持分会社（合同会社に限る。）がその事業に関して有する権利

義務の全部を他の会社に承継させる場合に限る。）

Ⅱ　第８１０条＜新設合併等における債権者異議＞（第１項第３号及び第２項第３号を除く。）の規定は、新設合併消滅持分会社又は合同会社である新設分割会社（以下この節において「新設分割合同会社」という。）について準用する。この場合において、同条第１項第２号中「債権者（第７６３条第１項第１２号又は第７６５条第１項第８号に掲げる事項についての定めがある場合にあっては、新設分割株式会社の債権者）」とあるのは「債権者」と、同条第３項中「消滅株式会社等」とあるのは「新設合併消滅持分会社（新設合併設立会社が株式会社又は合同会社である場合にあっては、合同会社に限る。）又は新設分割合同会社」と読み替えるものとする。

第２款　新設合併設立会社、新設分割設立会社及び株式移転設立完全親会社の手続

第１目　株式会社の手続

第８１４条　（株式会社の設立の特則）

Ⅰ　第２編第１章＜株式会社の設立＞（第２７条（第４号及び第５号を除く。）、第２９条、第３１条、第３７条第３項、第３９条、第６節及び第４９条を除く。）の規定は、新設合併設立株式会社、新設分割設立株式会社又は株式移転設立完全親会社（以下この目において「設立株式会社」という。）の設立については、適用しない同。

Ⅱ　設立株式会社の定款は、消滅会社等が作成する。

[趣旨]新設合併等によって公開会社を設立する場合、発行可能株式総数は、設立時発行株式数の４倍を超えてはならない旨の規制（いわゆる４倍規制）が設けられている（814Ⅰ）。　⇒§113Ⅲ、§180Ⅲ

第８１５条　（新設合併契約等に関する書面等の備置き及び閲覧等）

Ⅰ　新設合併設立株式会社は、その成立の日後遅滞なく、新設合併により新設合併設立株式会社が承継した新設合併消滅会社の権利義務その他の新設合併に関する事項として法務省令で定める事項を記載し、又は記録した書面又は電磁的記録を作成しなければならない。

Ⅱ　新設分割設立株式会社（１又は２以上の合同会社のみが新設分割をする場合における当該新設分割設立株式会社に限る。）は、その成立の日後遅滞なく、新設分割合同会社と共同して、新設分割により新設分割設立株式会社が承継した新設分割合同会社の権利義務その他の新設分割に関する事項として法務省令で定める事項を記載し、又は記録した書面又は電磁的記録を作成しなければならない。

Ⅲ　次の各号に掲げる設立株式会社は、その成立の日から６箇月間、当該各号に定めるものをその本店に備え置かなければならない。

①　新設合併設立株式会社　第１項の書面又は電磁的記録及び新設合併契約の内容その他法務省令で定める事項を記載し、又は記録した書面又は電磁的記録

②　新設分割設立株式会社　前項又は第８１１条第１項第１号＜新設分割株式会社が新設分割設立会社と共同して作成する新設分割に関する事項を記載等した書面等＞の書面又は電磁的記録

③　株式移転設立完全親会社　第８１１条第１項第２号＜株式移転完全子会社が株式移転設立完全親会社と共同して作成した株式移転に関する事項を記載等した書

面等>の書面又は電磁的記録

Ⅳ　新設合併設立株式会社の株主及び債権者は、新設合併設立株式会社に対して、その営業時間内は、いつでも、次に掲げる請求をすることができる。ただし、第2号又は第4号に掲げる請求をするには、当該新設合併設立株式会社の定めた費用を支払わなければならない。

①　前項第1号の書面の閲覧の請求

②　前項第1号の書面の謄本又は抄本の交付の請求

③　前項第1号の電磁的記録に記録された事項を法務省令で定める方法により表示したものの閲覧の請求

④　前項第1号の電磁的記録に記録された事項を電磁的方法であって新設合併設立株式会社の定めたものにより提供することの請求又はその事項を記載した書面の交付の請求

Ⅴ　前項の規定は、新設分割設立株式会社について準用する。この場合において、同項中「株主及び債権者」とあるのは「株主、債権者その他の利害関係人」と、同項各号中「前項第1号」とあるのは「前項第2号」と読み替えるものとする。

Ⅵ　第4項の規定は、株式移転設立完全親会社について準用する。この場合において、同項中「株主及び債権者」とあるのは「株主及び新株予約権者」と、同項各号中「前項第1号」とあるのは「前項第3号」と読み替えるものとする。

【5項読替え】

新設分割設立株式会社の株主、債権者その他の利害関係人は、新設分割設立株式会社に対して、その営業時間内は、いつでも、次に掲げる請求をすることができる。ただし、第2号又は第4号に掲げる請求をするには、当該新設分割設立株式会社の定めた費用を支払わなければならない。

①　第3項第2号の書面の閲覧の請求

②　第3項第2号の書面の謄本又は抄本の交付の請求

③　第3項第2号の電磁的記録に記録された事項を法務省令で定める方法により表示したものの閲覧の請求

④　第3項第2号の電磁的記録に記録された事項を電磁的方法であって新設合併設立株式会社の定めたものにより提供することの請求又はその事項を記載した書面の交付の請求

【6項読替え】

株式移転設立完全親会社の株主及び新株予約権者は、株式移転設立完全親会社に対して、その営業時間内は、いつでも、次に掲げる請求をすることができる。ただし、第2号又は第4号に掲げる請求をするには、当該株式移転設立完全親会社の定めた費用を支払わなければならない。

①　第3項第3号の書面の閲覧の請求

②　第3項第3号の書面の謄本又は抄本の交付の請求

③　第3項第3号の電磁的記録に記録された事項を法務省令で定める方法により表示したものの閲覧の請求

④　第3項第3号の電磁的記録に記録された事項を電磁的方法であって新設合併設立株式会社の定めたものにより提供することの請求又はその事項を記載した書面の交付の請求

[趣旨]株主が合併条件の公正等を判断し、また、会社債権者が合併に対し異議を述べるべきか否かを判断するための資料を提供する趣旨である。

第２目　持分会社の手続

第８１６条　(持分会社の設立の特則)

Ⅰ　第５７５条<持分会社の定款の作成>及び第５７８条<合同会社の設立時の出資の履行>の規定は、新設合併設立持分会社又は新設分割設立持分会社（次項において「設立持分会社」という。）の設立については、適用しない。

Ⅱ　設立持分会社の定款は、消滅会社等が作成する。

第４節　株式交付の手続

第８１６条の２　(株式交付計画に関する書面等の備置き及び閲覧等)

Ⅰ　株式交付親会社は、株式交付計画備置開始日から株式交付がその効力を生ずる日（以下この節において「効力発生日」という。）後６箇月を経過する日までの間、株式交付計画の内容その他法務省令で定める事項を記載し、又は記録した書面又は電磁的記録をその本店に備え置かなければならない。

Ⅱ　前項に規定する「株式交付計画備置開始日」とは、次に掲げる日のいずれか早い日をいう。

①　株式交付計画について株主総会（種類株主総会を含む。）の決議によってその承認を受けなければならないときは、当該株主総会の日の２週間前の日（第３１９条第１項<株主総会の決議の省略>の場合にあっては、同項の提案があった日）

②　第８１６条の６第３項<反対株主の株式買取請求>の規定による通知の日又は同条第４項の公告の日のいずれか早い日

③　第８１６条の８<債権者の異議>の規定による手続をしなければならないときは、同条第２項の規定による公告の日又は同項の規定による催告の日のいずれか早い日

Ⅲ　株式交付親会社の株主（株式交付に際して株式交付子会社の株式及び新株予約権等の譲渡人に対して交付する金銭等（株式交付親会社の株式を除く。）が株式交付親会社の株式に準ずるものとして法務省令で定めるもののみである場合以外の場合にあっては、株主及び債権者）は、株式交付親会社に対して、その営業時間内は、いつでも、次に掲げる請求をすることができる。ただし、第２号又は第４号に掲げる請求をするには、当該株式交付親会社の定めた費用を支払わなければならない。

①　第１項の書面の閲覧の請求

②　第１項の書面の謄本又は抄本の交付の請求

③　第１項の電磁的記録に記録された事項を法務省令で定める方法により表示したものの閲覧の請求

④　第１項の電磁的記録に記録された事項を電磁的方法であって株式交付親会社の定めたものにより提供することの請求又はその事項を記載した書面の交付の請求

組織変更等

第８１６条の３（株式交付計画の承認等）

Ⅰ　株式交付親会社は、効力発生日の前日までに、株主総会の決議によって、株式交付計画の承認を受けなければならない。

Ⅱ　株式交付親会社が株式交付子会社の株式及び新株予約権等の譲渡人に対して交付する金銭等（株式交付親会社の株式等を除く。）の帳簿価額が株式交付親会社が譲り受ける株式交付子会社の株式及び新株予約権等の額として法務省令で定める額を超える場合には、取締役は、前項の株主総会において、その旨を説明しなければならない。

Ⅲ　株式交付親会社が種類株式発行会社である場合において、次の各号に掲げるときは、株式交付は、当該各号に定める種類の株式（譲渡制限株式であって、第１９９条第４項<募集株式の種類が譲渡制限株式である場合に必要とされる種類株主総会特別決議>の定款の定めがないものに限る。）の種類株主を構成員とする種類株主総会（当該種類株主に係る株式の種類が２以上ある場合にあっては、当該２以上の株式の種類別に区分された種類株主を構成員とする各種類株主総会）の決議がなければ、その効力を生じない。ただし、当該種類株主総会において議決権を行使することができる株主が存しない場合は、この限りでない。

①　株式交付子会社の株式の譲渡人に対して交付する金銭等が株式交付親会社の株式であるとき　第７７４条の３第１項第３号の種類の株式

②　株式交付子会社の新株予約権等の譲渡人に対して交付する金銭等が株式交付親会社の株式であるとき　第７７４条の３第１項第８号イの種類の株式

第８１６条の４（株式交付計画の承認を要しない場合等）

Ⅰ　前条第１項及び第２項の規定は、第１号に掲げる額の第２号に掲げる額に対する割合が５分の１（これを下回る割合を株式交付親会社の定款で定めた場合にあっては、その割合）を超えない場合には、適用しない。ただし、同項に規定する場合又は株式交付親会社が公開会社でない場合は、この限りでない。

①　次に掲げる額の合計額

イ　株式交付子会社の株式及び新株予約権等の譲渡人に対して交付する株式交付親会社の株式の数に１株当たり純資産額を乗じて得た額

ロ　株式交付子会社の株式及び新株予約権等の譲渡人に対して交付する株式交付親会社の社債、新株予約権又は新株予約権付社債の帳簿価額の合計額

ハ　株式交付子会社の株式及び新株予約権等の譲渡人に対して交付する株式交付親会社の株式等以外の財産の帳簿価額の合計額

②　株式交付親会社の純資産額として法務省令で定める方法により算定される額

Ⅱ　前項本文に規定する場合において、法務省令で定める数の株式（前条第１項の株主総会において議決権を行使することができるものに限る。）を有する株主が第８１６条の６第３項<反対株主の株式買取請求>の規定による通知又は同条第４項の公告の日から２週間以内に株式交付に反対する旨を株式交付親会社に対し通知したときは、当該株式交付親会社は、効力発生日の前日までに、株主総会の決議によって、株式交付計画の承認を受けなければならない。

組織変更等

第８１６条の５　（株式交付をやめることの請求）

株式交付が法令又は定款に違反する場合において、株式交付親会社の株主が不利益を受けるおそれがあるときは、株式交付親会社の株主は、株式交付親会社に対し、株式交付をやめることを請求することができる。ただし、前条第１項本文＜簡易手続による株式交付＞に規定する場合（同項ただし書又は同条第２項に規定する場合を除く。）は、この限りでない。

第８１６条の６　（反対株主の株式買取請求）

Ⅰ　株式交付をする場合には、反対株主は、株式交付親会社に対し、自己の有する株式を公正な価格で買い取ることを請求することができる。ただし、第８１６条の４第１項本文＜簡易手続による株式交付＞に規定する場合（同項ただし書又は同条第２項に規定する場合を除く。）は、この限りでない。

Ⅱ　前項に規定する「反対株主」とは、次の各号に掲げる場合における当該各号に定める株主をいう。

①　株式交付をするために株主総会（種類株主総会を含む。）の決議を要する場合　次に掲げる株主

イ　当該株主総会に先立って当該株式交付に反対する旨を当該株式交付親会社に対し通知し、かつ、当該株主総会において当該株式交付に反対した株主（当該株主総会において議決権を行使することができるものに限る。）

ロ　当該株主総会において議決権を行使することができない株主

②　前号に掲げる場合以外の場合　全ての株主

Ⅲ　株式交付親会社は、効力発生日の２０日前までに、その株主に対し、株式交付をする旨並びに株式交付子会社の商号及び住所を通知しなければならない。

Ⅳ　次に掲げる場合には、前項の規定による通知は、公告をもってこれに代えることができる。

①　株式交付親会社が公開会社である場合

②　株式交付親会社が第８１６条の３第１項の株主総会の決議によって株式交付計画の承認を受けた場合

Ⅴ　第１項の規定による請求（以下この節において「株式買取請求」という。）は、効力発生日の２０日前の日から効力発生日の前日までの間に、その株式買取請求に係る株式の数（種類株式発行会社にあっては、株式の種類及び種類ごとの数）を明らかにしてしなければならない。

Ⅵ　株券が発行されている株式について株式買取請求をしようとするときは、当該株式の株主は、株式交付親会社に対し、当該株式に係る株券を提出しなければならない。ただし、当該株券について第２２３条＜株券喪失登録の請求＞の規定による請求をした者については、この限りでない。

Ⅶ　株式買取請求をした株主は、株式交付親会社の承諾を得た場合に限り、その株式買取請求を撤回することができる。

Ⅷ　株式交付を中止したときは、株式買取請求は、その効力を失う。

Ⅸ　第１３３条＜株主の請求による株主名簿記載事項の記載又は記録＞の規定は、株式買取請求に係る株式については、適用しない。

組織変更等

第８１６条の７　（株式の価格の決定等）

Ⅰ　株式買取請求があった場合において、株式の価格の決定について、株主と株式交付親会社との間に協議が調ったときは、株式交付親会社は、効力発生日から６０日以内にその支払をしなければならない。

Ⅱ　株式の価格の決定について、効力発生日から３０日以内に協議が調わないときは、株主又は株式交付親会社は、その期間の満了の日後３０日以内に、裁判所に対し、価格の決定の申立てをすることができる。

Ⅲ　前条第７項の規定にかかわらず、前項に規定する場合において、効力発生日から６０日以内に同項の申立てがないときは、その期間の満了後は、株主は、いつでも、株式買取請求を撤回することができる。

Ⅳ　株式交付親会社は、裁判所の決定した価格に対する第１項の期間の満了の日後の法定利率による利息をも支払わなければならない。

Ⅴ　株式交付親会社は、株式の価格の決定があるまでは、株主に対し、当該株式交付親会社が公正な価格と認める額を支払うことができる。

Ⅵ　株式買取請求に係る株式の買取りは、効力発生日に、その効力を生ずる。

Ⅶ　株券発行会社は、株券が発行されている株式について株式買取請求があったときは、株券と引換えに、その株式買取請求に係る株式の代金を支払わなければならない。

第８１６条の８　（債権者の異議）

Ⅰ　株式交付に際して株式交付子会社の株式及び新株予約権等の譲渡人に対して交付する金銭等（株式交付親会社の株式を除く。）が株式交付親会社の株式に準ずるものとして法務省令で定めるもののみである場合以外の場合には、株式交付親会社の債権者は、株式交付親会社に対し、株式交付について異議を述べることができる。

Ⅱ　前項の規定により株式交付親会社の債権者が異議を述べることができる場合には、株式交付親会社は、次に掲げる事項を官報に公告し、かつ、知れている債権者には、各別にこれを催告しなければならない。ただし、第４号の期間は、１箇月を下ることができない。

① 株式交付をする旨

② 株式交付子会社の商号及び住所

③ 株式交付親会社及び株式交付子会社の計算書類に関する事項として法務省令で定めるもの

④ 債権者が一定の期間内に異議を述べることができる旨

Ⅲ　前項の規定にかかわらず、株式交付親会社が同項の規定による公告を、官報のほか、第９３９条第１項<会社の公告方法>の規定による定款の定めに従い、同項第２号又は第３号に掲げる公告方法によりするときは、前項の規定による各別の催告は、することを要しない。

Ⅳ　債権者が第２項第４号の期間内に異議を述べなかったときは、当該債権者は、当該株式交付について承認をしたものとみなす。

Ⅴ　債権者が第２項第４号の期間内に異議を述べたときは、株式交付親会社は、当該債権者に対し、弁済し、若しくは相当の担保を提供し、又は当該債権者に弁済を受けさせることを目的として信託会社等に相当の財産を信託しなければならない。ただし、当該株式交付をしても当該債権者を害するおそれがないときは、この限りでない。

第８１６条の９ (株式交付の効力発生日の変更)

Ⅰ 株式交付親会社は、効力発生日を変更することができる。

Ⅱ 前項の規定による変更後の効力発生日は、株式交付計画において定めた当初の効力発生日から３箇月以内の日でなければならない。

Ⅲ 第１項の場合には、株式交付親会社は、変更前の効力発生日（変更後の効力発生日が変更前の効力発生日前の日である場合にあっては、当該変更後の効力発生日）の前日までに、変更後の効力発生日を公告しなければならない。

Ⅳ 第１項の規定により効力発生日を変更したときは、変更後の効力発生日を効力発生日とみなして、この節（第２項を除く。）及び前章（第７７４条の３第１項第１１号を除く。）の規定を適用する。

Ⅴ 株式交付親会社は、第１項の規定による効力発生日の変更をする場合には、当該変更と同時に第７７４条の３第１項第１０号<譲渡しの申込み>の期日を変更することができる。

Ⅵ 第３項及び第４項の規定は、前項の規定による第７７４条の３第１項第１０号<譲渡しの申込み>の期日の変更について準用する。この場合において、第４項中「この節（第２項を除く。）及び前章（第７７４条の３第１項第１１号を除く。）」とあるのは、「第７７４条の４、第７７４条の１０及び前項」と読み替えるものとする。

第８１６条の１０ (株式交付に関する書面等の備置き及び閲覧等)

Ⅰ 株式交付親会社は、効力発生日後遅滞なく、株式交付に際して株式交付親会社が譲り受けた株式交付子会社の株式の数その他の株式交付に関する事項として法務省令で定める事項を記載し、又は記録した書面又は電磁的記録を作成しなければならない。

Ⅱ 株式交付親会社は、効力発生日から６箇月間、前項の書面又は電磁的記録をその本店に備え置かなければならない。

Ⅲ 株式交付親会社の株主（株式交付に際して株式交付子会社の株式及び新株予約権等の譲渡人に対して交付する金銭等（株式交付親会社の株式を除く。）が株式交付親会社の株式に準ずるものとして法務省令で定めるもののみである場合以外の場合にあっては、株主及び債権者）は、株式交付親会社に対して、その営業時間内は、いつでも、次に掲げる請求をすることができる。ただし、第２号又は第４号に掲げる請求をするには、当該株式交付親会社の定めた費用を支払わなければならない。

① 前項の書面の閲覧の請求

② 前項の書面の謄本又は抄本の交付の請求

③ 前項の電磁的記録に記録された事項を法務省令で定める方法により表示したものの閲覧の請求

④ 前項の電磁的記録に記録された事項を電磁的方法であって株式交付親会社の定めたものにより提供することの請求又はその事項を記載した書面の交付の請求

第6編　外国会社

第８１７条　(外国会社の日本における代表者)

Ⅰ　外国会社は、日本において取引を継続してしようとするときは、日本における代表者を定めなければならない。この場合において、その日本における代表者のうち１人以上は、日本に住所を有する者でなければならない。

Ⅱ　外国会社の日本における代表者は、当該外国会社の日本における業務に関する一切の裁判上又は裁判外の行為をする権限を有する。

Ⅲ　前項の権限に加えた制限は、善意の第三者に対抗することができない。

Ⅳ　外国会社は、その日本における代表者がその職務を行うについて第三者に加えた損害を賠償する責任を負う。

【関連条文】 2②［外国会社］

第８１８条　(登記前の継続取引の禁止等)

Ⅰ　外国会社は、外国会社の登記をするまでは、日本において取引を継続してすることができない。

Ⅱ　前項の規定に違反して取引をした者は、相手方に対し、外国会社と連帯して、当該取引によって生じた債務を弁済する責任を負う。

第８１９条　(貸借対照表に相当するものの公告)

Ⅰ　外国会社の登記をした外国会社（日本における同種の会社又は最も類似する会社が株式会社であるものに限る。）は、法務省令で定めるところにより、第４３８条第２項の承認と同種の手続又はこれに類似する手続の終結後遅滞なく、貸借対照表に相当するものを日本において公告しなければならない。

Ⅱ　前項の規定にかかわらず、その公告方法が第９３９条第１項第１号又は第２号に掲げる方法である外国会社は、前項に規定する貸借対照表に相当するものの要旨を公告することで足りる。

Ⅲ　前項の外国会社は、法務省令で定めるところにより、第１項の手続の終結後遅滞なく、同項に規定する貸借対照表に相当するものの内容である情報を、当該手続の終結の日後５年を経過する日までの間、継続して電磁的方法により日本において不特定多数の者が提供を受けることができる状態に置く措置をとることができる。この場合においては、前２項の規定は、適用しない。

Ⅳ　金融商品取引法第２４条第１項の規定により有価証券報告書を内閣総理大臣に提出しなければならない外国会社については、前３項の規定は、適用しない。

第８２０条　(日本に住所を有する日本における代表者の退任)

Ⅰ　外国会社の登記をした外国会社は、日本における代表者（日本に住所を有するものに限る。）の全員が退任しようとするときは、当該外国会社の債権者に対し異議があれば一定の期間内にこれを述べることができる旨を官報に公告し、かつ、知れている債権者には、各別にこれを催告しなければならない。ただし、当該期間は、１箇月を下ることができない。

Ⅱ　債権者が前項の期間内に異議を述べたときは、同項の外国会社は、当該債権者に対し、弁済し、若しくは相当の担保を提供し、又は当該債権者に弁済を受けさせることを目的として信託会社等に相当の財産を信託しなければならない。ただし、同項の退任をしても当該債権者を害するおそれがないときは、この限りでない。

Ⅲ　第１項の退任は、前２項の手続が終了した後にその登記をすることによって、その効力を生ずる。

第８２１条　(擬似外国会社)

Ⅰ　日本に本店を置き、又は日本において事業を行うことを主たる目的とする外国会社は、日本において取引を継続してすることができない。

Ⅱ　前項の規定に違反して取引をした者は、相手方に対し、外国会社と連帯して、当該取引によって生じた債務を弁済する責任を負う。

第８２２条　(日本にある外国会社の財産についての清算)

Ⅰ　裁判所は、次に掲げる場合には、利害関係人の申立てにより又は職権で、日本にある外国会社の財産の全部について清算の開始を命ずることができる。

①　外国会社が第８２７条第１項の規定による命令を受けた場合

②　外国会社が日本において取引を継続してすることをやめた場合

Ⅱ　前項の場合には、裁判所は、清算人を選任する。

Ⅲ　第４７６条、第２編第９章第１節第２款、第４９２条、同節第４款及び第５０８条の規定並びに同章第２節（第５１０条、第５１１条及び第５１４条を除く。）の規定は、その性質上許されないものを除き、第１項の規定による日本にある外国会社の財産についての清算について準用する。

Ⅳ　第８２０条の規定は、外国会社が第１項の清算の開始を命じられた場合において、当該外国会社の日本における代表者（日本に住所を有するものに限る。）の全員が退任しようとするときは、適用しない。

第８２３条　(他の法律の適用関係)

外国会社は、他の法律の適用については、日本における同種の会社又は最も類似する会社とみなす。ただし、他の法律に別段の定めがあるときは、この限りでない。

第7編　雑則

・第1章・【会社の解散命令等】

■第1節　会社の解散命令

第８２４条　（会社の解散命令）

Ⅰ　裁判所は、次に掲げる場合において、公益を確保するため会社の存立を許すことができないと認めるときは、法務大臣又は株主、社員、債権者その他の利害関係人の申立てにより、会社の解散を命ずることができる。

①　会社の設立が不法な目的に基づいてされたとき。

②　会社が正当な理由がないのにその成立の日から１年以内にその事業を開始せず、又は引き続き１年以上その事業を休止したとき。

③　業務執行取締役、執行役又は業務を執行する社員が、法令若しくは定款で定める会社の権限を逸脱し若しくは濫用する行為又は刑罰法令に触れる行為をした場合において、法務大臣から書面による警告を受けたにもかかわらず、なお継続的に又は反覆して当該行為をしたとき。

Ⅱ　株主、社員、債権者その他の利害関係人が前項の申立てをしたときは、裁判所は、会社の申立てにより、同項の申立てをした者に対し、相当の担保を立てるべきことを命ずることができる。

Ⅲ　会社は、前項の規定による申立てをするには、第１項の申立てが悪意によるものであることを疎明しなければならない。

Ⅳ　民事訴訟法（平成８年法律第１０９号）第７５条第５項及び第７項並びに第７６条から第８０条までの規定は、第２項の規定により第１項の申立てについて立てるべき担保について準用する。

第８２５条　（会社の財産に関する保全処分）

Ⅰ　裁判所は、前条第１項の申立てがあった場合には、法務大臣若しくは株主、社員、債権者その他の利害関係人の申立てにより又は職権で、同項の申立てにつき決定があるまでの間、会社の財産に関し、管理人による管理を命ずる処分（次項において「管理命令」という。）その他の必要な保全処分を命ずることができる。

Ⅱ　裁判所は、管理命令をする場合には、当該管理命令において、管理人を選任しなければならない。

Ⅲ　裁判所は、法務大臣若しくは株主、社員、債権者その他の利害関係人の申立てにより又は職権で、前項の管理人を解任することができる。

Ⅳ　裁判所は、第２項の管理人を選任した場合には、会社が当該管理人に対して支払う報酬の額を定めることができる。

Ⅴ　第２項の管理人は、裁判所が監督する。

Ⅵ　裁判所は、第２項の管理人に対し、会社の財産の状況の報告をし、かつ、その管理の計算をすることを命ずることができる。
Ⅶ　民法第６４４条、第６４６条、第６４７条及び第６５０条の規定は、第２項の管理人について準用する。この場合において、同法第６４６条、第６４７条及び第６５０条中「委任者」とあるのは、「会社」と読み替えるものとする。

第８２６条　（官庁等の法務大臣に対する通知義務）

裁判所その他の官庁、検察官又は吏員は、その職務上第８２４条第１項の申立て又は同項第３号の警告をすべき事由があることを知ったときは、法務大臣にその旨を通知しなければならない。

■第２節　外国会社の取引継続禁止又は営業所閉鎖の命令

第８２７条

Ⅰ　裁判所は、次に掲げる場合には、法務大臣又は株主、社員、債権者その他の利害関係人の申立てにより、外国会社が日本において取引を継続してすることの禁止又はその日本に設けられた営業所の閉鎖を命ずることができる。
①　外国会社の事業が不法な目的に基づいて行われたとき。
②　外国会社が正当な理由がないのに外国会社の登記の日から１年以内にその事業を開始せず、又は引き続き１年以上その事業を休止したとき。
③　外国会社が正当な理由がないのに支払を停止したとき。
④　外国会社の日本における代表者その他その業務を執行する者が、法令で定める外国会社の権限を逸脱し若しくは濫用する行為又は刑罰法令に触れる行為をした場合において、法務大臣から書面による警告を受けたにもかかわらず、なお継続的に又は反覆して当該行為をしたとき。
Ⅱ　第８２４条第２項から第４項まで及び前２条の規定は、前項の場合について準用する。この場合において、第８２４条第２項中「前項」とあり、同条第３項及び第４項中「第１項」とあり、並びに第８２５条第１項中「前条第１項」とあるのは「第８２７条第１項」と、前条中「第８２４条第１項」とあるのは「次条第１項」と、「同項第３号」とあるのは「同項第４号」と読み替えるものとする。

・第2章・【訴訟】

■第1節　会社の組織に関する訴え

第828条（会社の組織に関する行為の無効の訴え）

Ⅰ　次の各号に掲げる行為の無効は、当該各号に定める期間に、訴えをもってのみ主張することができる。

①　会社の設立　会社の成立の日から2年以内〈司書

②　株式会社の成立後における株式の発行　株式の発行の効力が生じた日から6箇月以内（公開会社でない株式会社にあっては、株式の発行の効力が生じた日から1年以内）

③　自己株式の処分　自己株式の処分の効力が生じた日から6箇月以内（公開会社でない株式会社にあっては、自己株式の処分の効力が生じた日から1年以内）

④　新株予約権（当該新株予約権が新株予約権付社債に付されたものである場合にあっては、当該新株予約権付社債についての社債を含む。以下この章において同じ。）の発行　新株予約権の発行の効力が生じた日から6箇月以内（公開会社でない株式会社にあっては、新株予約権の発行の効力が生じた日から1年以内）

⑤　株式会社における資本金の額の減少　資本金の額の減少の効力が生じた日から6箇月以内〈共

⑥　会社の組織変更　組織変更の効力が生じた日から6箇月以内

⑦　会社の吸収合併　吸収合併の効力が生じた日から6箇月以内〈予書

⑧　会社の新設合併　新設合併の効力が生じた日から6箇月以内

⑨　会社の吸収分割　吸収分割の効力が生じた日から6箇月以内〈予書

⑩　会社の新設分割　新設分割の効力が生じた日から6箇月以内

⑪　株式会社の株式交換　株式交換の効力が生じた日から6箇月以内

⑫　株式会社の株式移転　株式移転の効力が生じた日から6箇月以内

⑬　株式会社の株式交付　株式交付の効力が生じた日から6箇月以内

Ⅱ　次の各号に掲げる行為の無効の訴えは、当該各号に定める者に限り、提起することができる。

①　前項第1号に掲げる行為　設立する株式会社の株主等（株主、取締役又は清算人（監査役設置会社にあっては株主、取締役、監査役又は清算人、指名委員会等設置会社にあっては株主、取締役、執行役又は清算人）をいう。以下この節において同じ。）又は設立する持分会社の社員等（社員又は清算人をいう。以下この項において同じ。）〈書

②　前項第2号に掲げる行為　当該株式会社の株主等

③　前項第3号に掲げる行為　当該株式会社の株主等

④　前項第4号に掲げる行為　当該株式会社の株主等又は新株予約権者〈予

⑤　前項第5号に掲げる行為　当該株式会社の株主等、破産管財人又は資本金の額の減少について承認をしなかった債権者〈予

⑥　前項第６号に掲げる行為　当該行為の効力が生じた日において組織変更をする会社の株主等若しくは社員等であった者又は組織変更後の会社の株主等、社員等、破産管財人若しくは組織変更について承認をしなかった債権者
⑦　前項第７号に掲げる行為　当該行為の効力が生じた日において吸収合併をする会社の株主等若しくは社員等であった者又は吸収合併後存続する会社の株主等、社員等、破産管財人若しくは吸収合併について承認をしなかった債権者〈書
⑧　前項第８号に掲げる行為　当該行為の効力が生じた日において新設合併をする会社の株主等若しくは社員等であった者又は新設合併により設立する会社の株主等、社員等、破産管財人若しくは新設合併について承認をしなかった債権者
⑨　前項第９号に掲げる行為　当該行為の効力が生じた日において吸収分割契約をした会社の株主等若しくは社員等であった者又は吸収分割契約をした会社の株主等、社員等、破産管財人若しくは吸収分割について承認をしなかった債権者
⑩　前項第１０号に掲げる行為　当該行為の効力が生じた日において新設分割をする会社の株主等若しくは社員等であった者又は新設分割をする会社若しくは新設分割により設立する会社の株主等、社員等、破産管財人若しくは新設分割について承認をしなかった債権者
⑪　前項第１１号に掲げる行為　当該行為の効力が生じた日において株式交換契約をした会社の株主等若しくは社員等であった者又は株式交換契約をした会社の株主等、社員等、破産管財人若しくは株式交換について承認をしなかった債権者〈司H20
⑫　前項第１２号に掲げる行為　当該行為の効力が生じた日において株式移転をする株式会社の株主等であった者又は株式移転により設立する株式会社の株主等、破産管財人若しくは株式移転について承認をしなかった債権者
⑬　前項第１３号に掲げる行為　当該行為の効力が生じた日において株式交付親会社の株主等であった者、株式交付に際して株式交付親会社に株式交付子会社の株式若しくは新株予約権等を譲り渡した者又は株式交付親会社の株主等、破産管財人若しくは株式交付について承認をしなかった債権者

[趣旨]会社の組織に関する事項につき瑕疵がある場合、これを一般原則に委ねることは、法的安定性を著しく反することになる。そこで、法律関係の画一的確定、法的安定性の確保の観点から、会社の組織に関する訴えという制度を設けたものである。

＜各種訴えの比較＞

	対世効	遡及効	主張方法	主張権者	提訴期間
設立無効の訴え（828 Ⅰ①）	あり（838）	なし・将来効（839）	訴えによる	設立する会社の株主等（＊）又は社員等（828 Ⅱ①）	会社成立の日から２年以内〈同
新株発行・自己株式の処分無効の訴え（828 Ⅰ②③）		なし・将来効（839）	訴えによる	会社の株主等（＊）（828 Ⅱ②③）	株式発行等の効力が生じた日から６か月以内（非公開会社は1年以内）
新株発行・自己株式の処分不存在確認の訴え（829 ①②）		あり（839反対解釈）	制限なし	制限なし	制限なし
資本金額減少無効の訴え（828 Ⅰ⑤）		なし・将来効（839）	訴えによる	会社の株主等（＊）、破産管財人、資本金額減少について承認をしなかった債権者（828 Ⅱ⑤）	資本金額減少の効力が生じた日から６か月以内
合併無効の訴え（828 Ⅰ⑦⑧）		なし・将来効（839）	訴えによる	会社の株主等（＊）、社員等、破産管財人、合併について承認をしなかった債権者（828 Ⅱ⑦⑧）	合併の効力が生じた日から６か月以内
株主総会決議取消しの訴え（831）		あり（839反対解釈）	訴えによる	株主等（＊）、その決議の取消しにより株主・取締役・監査役・清算人となる者	決議の日から３か月以内
株主総会決議不存在・無効確認の訴え（830）		あり（839反対解釈）	制限なし	制限なし	制限なし

＊　株主等とは株主・取締役・清算人・監査役・執行役を指す。

《注　釈》

一　設立無効の訴え（828 Ⅰ①）　⇒§475②

1　原告適格〈予〉

判例（大判昭7.5.20）は、会社の設立の無効の訴えについて、会社成立後に株主となった者にも原告適格を認めている。この判例の趣旨からすれば、各種無効の訴え（828 Ⅱ①～⑤）において、事後的に株式を取得した者であっても、原告適格が認められるものと考えられている。ただし、当該行為の効力発生時に株主であることが求められている828条2項6号以下の組織再編行為に係る無効の訴えについては、この限りでない。

2　設立の無効原因

無効原因は一般的に、設立手続に重大な瑕疵がある場合をいう。

⑴　客観的無効原因

客観的無効原因とは、設立が法の準則に違反する場合をいう。

ex.1　定款の絶対的記載又は記録事項の記載又は記録が欠けていること（27）

ex.2　定款に公証人の認証がないこと（30 Ⅰ）

ex.3　発起人全員の同意による設立時発行株式に関する事項の決定がないこと（32）

ex.4　創立総会の招集や創立総会における設立経過の調査報告がないこと（65、83、87）

ex.5　設立時発行株式の総数の引受け又は発行価額の金額の払込みに欠缺があり、出資財産額の最低額（27④）をみたさず、それが発起人等によって治癒されないこと（52、52の2、102の2、103 Ⅰ）

⑵　主観的無効原因

主観的無効原因とは、個々の設立参加者の設立行為が無効である場合をいう。

⑶　無効原因における株式会社と持分会社との差異

株式会社の場合、個々の株式の引受けが無効であり、又は取り消されても、その者が会社に参加しないのみで、設立自体はかかる人的理由による影響を受けない（主観的無効原因は存在しない）。もっとも、個々の株式引受けの無効・取消しにより株式の引受け・払込みに欠缺を生ぜしめ、それにより客観的無効原因を生ずる場合はありうる。そこで、法は株式申込み・引受けの無効・取消しの主張を制限し（51、102 Ⅴ Ⅵ）、主観的瑕疵による客観的無効原因の発生を防止しようとしている。

これに対して、社員間の人的信頼関係が重視される持分会社（合名会社・合資会社・合同会社）の場合には、主観的無効原因が存在する。

なお、持分会社の設立については、設立無効の訴え（828 Ⅰ①）の他、設立の取消しの訴え（832）が定められている。

3　会社の不存在

(1)　意義

設立手続の外形が存在せず、会社として実体を欠く場合をいう。

ex.　会社名義で事業を営むために設立登記を経たにとどまり、出資の払込みや創立総会の開催、取締役・監査役の選任等、会社の設立手続を全く欠いている場合

(2)　設立の無効との差異

設立の無効は、「株主等」又は「社員等」が、会社の成立の日から2年以内に、訴えにより、主張をすることができる（828 Ⅰ①、Ⅱ②）。

これに対し、会社の不存在は、一般原則により、誰でも、いつでも、方法を問わず、その不存在を主張することができる。

二　新株発行・自己株式の処分無効の訴え（828 Ⅰ②③）〈司H19 司R2

1　新株発行・自己株式処分の無効原因

新株発行・自己株式処分がすでに効力を生じて、会社が広く活動をはじめてしまったような場合に新株発行・自己株式処分を無効とすることは、新株主や第三者に不測の損害を与えるおそれがある。

そこで、無効原因とは新株の発行手続に重大な法令・定款違反がある場合に限定される。

2　具体的な無効原因

(1)　無効原因となるもの

(a)　定款所定の発行可能株式総数（113）を超える募集株式の発行等

(b)　定款の定めのない種類の株式（108）の発行等

(c)　定款に定められた割当てを受ける株主の権利を無視してされた発行等

ア　定款で株主に割当てを受ける権利が付与されている場合
→無効

イ　取締役会で付与された割当てを受ける権利を無視する発行
→この場合、取引安全を重視し無効原因とならないとする見解と、原則として少数株主の利益保護から無効原因となるが、僅少な一部が無視されたにすぎない場合には無効とはならず、取締役の損害賠償責任が生ずるにとどまるとする見解がある

(d)　募集株式の発行等の差止めに違反してなされた発行等
→無効（最判平5.12.16・百選99事件）〈予書　⇒§210

(e)　募集事項の通知・公告を欠く発行（公開会社）〈予〈予R5
→原則として無効原因となる。もっとも、判例（最判平9.1.28・百選24事件〈予、最判平10.7.17）は、差止事由（210①②参照）がないため差止請求の訴えを提起したとしても許容されないと認められる場合には、株主の利益が奪われたとはいえないから、無効原因に当たらないとする

＊　公開会社でない会社においては、募集事項の決定は株主総会決議によ

雑則

って行う必要があり、株主総会の招集通知によって情報開示がなされる(299)。そのため、募集事項の通知・公告は不要とされる。もっとも、公開会社でない会社であっても、株主割当ての方法による募集株式の発行がなされる場合には、定款の定めにより、募集株式の発行権限が株主総会から取締役（会）に移りうる（202 Ⅲ①②)。この場合、既存株主にとって、202条4項に基づく通知のみが当該発行について知りうる機会として保障されるものであるから、株主に対して差止めの機会を付与したといえない募集事項等の通知は、202条4項、210条の趣旨に反して違法であり、当該発行は無効となりうる（大阪高判平28.7.15・平28重判4事件)。

(f)　違法な新株予約権の行使による発行

非公開会社において、総会決議による委任がないにもかかわらず取締役会決議により新株予約権の行使条件を変更した場合、当該決議の効力は無効となる。そして、変更された条件に基づく新株予約権行使による新株発行は、既存株主の利益保護の観点から無効原因に当たるとした（最判平24.4.24・百選26事件）司H27。

(2)　無効原因とならないもの

(a)　著しく不公正な方法による発行等（不当な目的を達成する手段として募集株式の発行等が利用される場合）　⇒ p.170

→発行差止事由となるにとどまり、募集株式が発行等された後においては、取引安全のため、無効原因とならない（最判平6.7.14・百選100事件）予 司H19 司H25

(b)　著しく不公正な払込金額による発行

→取締役との通謀があった場合に関する212条は、募集株式の発行等自体は有効であることを前提としており、ましてや通謀がない場合にはなおさら有効と解してよい

(c)　手続違反の発行 司H19 司H23 司H25

公開会社において、代表取締役により取締役会決議を経ずにされた、自己を引受人とする不公正な発行（最判平6.7.14・百選100事件）予、株主総会決議を欠く発行等、さらに、株主総会特別決議を欠く第三者に対する有利発行等（最判昭46.7.16・百選22事件）予も、有効と解されている予H26。

(3)　出訴期間経過後に新たな無効事由を追加することの可否

新株発行の無効の訴えにおいて、会社法所定の出訴期間の経過後に新たな無効事由を追加して主張することは許されない（最判平6.7.18）共。

三　新株予約権の発行の無効の訴え（828 Ⅰ④）　⇒ §238以下

新株予約権の発行の無効事由は、募集株式の発行等の場合（828 Ⅰ②③）とほぼパラレルに考えられている。具体的には、募集事項の通知・公告（240 Ⅱ Ⅲ）を欠く場合、新株予約権発行差止仮処分に違反する場合、譲渡制限株式を目的とする新株予約権の発行において、株主総会・種類株主総会決議（238 Ⅱ Ⅳ、

241Ⅲ④、243Ⅱ、322Ⅰ⑤）が存在しない場合、株主割当てを受ける権利（241ⅠⅡ）を無視した場合が挙げられる。

四　資本金の額の減少無効の訴え（828Ⅰ⑤） ⇒§447

五　組織変更無効の訴え（828Ⅰ⑥） ⇒§743以下

六　合併無効の訴え（828Ⅰ⑦⑧） 予H28 ⇒§748以下

1　合併無効の訴えの意義・趣旨

合併無効を一般原則により処理するとすれば、法律関係の安定性を害することになるので、合併無効の訴えの制度を設け、訴えのみにより無効主張ができる（828Ⅰ⑦⑧）とするとともに、無効の主張期間・主張権者を制限して(828Ⅰ⑦⑧Ⅱ⑦⑧)、無効主張を可及的に制限している。

また、無効とされる場合の効果についても、第三者に対しても効力が生じるとして画一的な処理を定める（838）とともに、無効の遡及効を否定している(839)。

2　無効原因

無効原因については特に明文による定めがないため解釈によることになる。重大な手続違反が無効事由になると解される。具体的には、以下のものが無効原因として挙げられる。

(1)　合併契約書の不作成又は記載の不備、事前備置きの懈怠

(2)　株主総会における合併契約書承認決議に瑕疵がある場合

(3)　株式・新株予約権買取請求手続（785、797、806）が行われなかった場合

(4)　債権者保護手続（789、799、810）が行われなかった場合

(5)　合併比率の不公正 司H21

→①合併比率は多くの事情を勘案して種々の方式によって算定されうること、②合併契約の承認決議に反対した株主は株式買取請求権を行使できることに鑑みると、合併比率の不公正それ自体は合併の無効事由にならない（東京高判平2.1.31・百選89事件〔上告棄却（原審判決を支持）・最判平5.10.5〕）予。もっとも、特別利害関係人の議決権行使により著しく不当な条件で組織再編がされた場合には決議の取消事由となり、重大な手続違反として無効原因となる 予H25

cf.　合併比率の不公正と責任追及

①　存続会社の株主にとって不利な合併比率における吸収合併の場合

→対価が存続会社の株式であるとき、存続会社の株主は、役員等に対して、代表訴訟（847）によって任務懈怠責任（423）を追及できない（∵存続会社の財産が流出しているわけではないため、存続会社に損害が発生していない）。他方、存続会社の株主は、役員等に対して、429条1項に基づき、自己の保有株式の価値減少に係る損害の賠償を請求できるとされる

→対価が金銭であるとき、存続会社の株主は、役員等に対して、代表訴訟によって任務懈怠責任を追及できると解されている（∵存

続会社の財産が流出しているため、存続会社に損害が発生している）。ここで、存続会社の株主が429条1項の責任を追及できるかどうかは、間接損害事例の株主が429条1項所定の「第三者」に当たるかどうかによる　⇒p.363

② 消滅会社の株主にとって不利な合併比率における吸収合併の場合
→対価が存続会社の株式・金銭を問わず、消滅会社の株主は、役員等に対して、429条1項の責任を追及できる（東京地判平23.9.29・百選A 29事件参照）。他方、消滅会社に損害が生じているわけではないため、代表訴訟によって任務懈怠責任を追及できないと解されている

3　いわゆる動機の錯誤（民95Ⅰ②）と合併無効の訴え

合併契約の前提である事項に錯誤があり、錯誤取消しの主張を制限すれば存続会社の営業価値を著しく毀損する結果につながることは明らかであり、株主はもとより会社債権者にも重大な損害を発生させることになるときは、51条2項（特定の株主からの無効主張を制限する規定）を類推適用すべきではなく、合併契約の取消し主張は許される（名古屋地判平19.11.21・百選〔第3版〕92事件参照）。

七　会社分割の無効の訴え（828Ⅰ⑨⑩）　⇒§757以下

1　原告適格

新設分割無効の訴えの原告適格を有する「承認をしなかった債権者」（828Ⅰ⑩）とは、新設分割に異議を述べることができる債権者（810Ⅰ②）であり、それ以外の債権者については、新設分割無効の訴え以外の方法で個別に救済を受ける余地があるから、原告適格を有しない（東京高判平23.1.26・平23重判4事件）。

2　無効原因

会社分割の無効原因についても明文の定めはなく、重大な手続の瑕疵が無効原因になると解されている。具体的には、合併の無効原因(1)～(5)と同様の事由がある場合と、分割当事会社のうちいずれかに「債務の……履行の見込み」（803Ⅰ、規205⑦）がない場合（名古屋地判平16.10.29）が無効原因として挙げられる。

八　株式交換・株式移転無効の訴え（828Ⅰ⑪⑫）　⇒§767以下、§475③

1　株式交換・株式移転無効の訴えの意義・趣旨

違法な株式交換・株式移転を争う手段として、株式交換・株式移転の差止請求（784の2、796の2、805の2）の他、株式交換・株式移転の無効の訴え（828Ⅰ⑪⑫）が設けられている。

2　無効原因〈司H20

株式交換・株式移転の無効原因についても明文の定めはなく、重大な手続の瑕疵が無効原因になると解されている。具体的には、合併の無効原因(1)～(4)と同様の事由がある場合が無効原因として挙げられる。

なお、株式交換比率の不公正が株式交換の無効事由に当たるかについても、合併と同様に問題となる予H25。無効事由に当たるとする見解もある一方、株式買取請求権（785）による救済で足りるとして無効事由に当たらないとする見解もある。　⇒ p.603

裁判例（神戸地尼崎支判平27.2.6・平27重判10事件）は、株式交換契約についての備置書面等が備え置かれていなかったことは、株主等の利害関係人が本件株式交換の公正等を判断することを妨げ、株主の議決権行使等の権利行使に重大な支障を来すものであることを理由に、株式交換の無効原因になるとしている。

九　株式交付無効の訴え（828 Ⅰ⑬）

1　株式交付無効の訴えの意義・趣旨

株式交付は、親子会社関係の創設を目的とした組織再編行為（部分的な株式交換）としての側面を有するため、他の組織再編行為と同様、株式交付の無効は訴えをもってのみ主張することができる（828 Ⅰ柱書、同⑬）。

2　原告適格

株式交付は、株式交付子会社の一部の株主から任意でその株式を個別に譲り受ける制度であるから、原告適格が認められるのは、株式交付子会社の全株主ではなく、株式交付親会社に株式交付子会社の株式等を譲り渡した者に限られる（828 Ⅱ⑬）。

その他、株式交付の効力発生日において株式交付親会社の株主等であった者、株式交付親会社の株主等、破産管財人、株式交付について承認をしなかった債権者に原告適格が認められる（828 Ⅱ⑬）。

3　無効原因

株式交付の無効原因について明文の定めはない。一般的に、株式交付の無効原因は限定的に解釈されるべきであり、重大な手続の瑕疵が無効原因になると解されている。

なお、株式交付は、株式交付子会社の一部の株主から任意でその株式を個別に譲り受ける制度であるから、個別の株式交付子会社の株式の譲受けが、錯誤・詐欺・強迫などによって取り消されることもあり得る（774の8 Ⅱ参照）。この場合、直ちに株式交付全体が無効となることはないが、当該譲受けが無効となった結果、株式交付親会社が譲り受けた株式交付子会社の株式の数の総数が、株式交付計画で定めた「株式交付親会社が株式交付に際して譲り受ける株式交付子会社の株式の数……の下限」（774の3 Ⅰ②）の数に満たなくなった場合、株式交付全体の無効原因となる。

【関連条文】834①～⑫の2［被告］、835［管轄］、838・839［無効判決の効力］、968④［株主の権利行使に関する贈収賄罪］

第829条　（新株発行等の不存在の確認の訴え）回

次に掲げる行為については、当該行為が存在しないことの確認を、訴えをもって請求することができる。
① 株式会社の成立後における株式の発行
② 自己株式の処分
③ 新株予約権の発行

《注 釈》

一 新株発行・自己株式の処分不存在確認の訴え（829） 司H26

1 不存在事由

どのような場合に新株発行等が不存在となるか（不存在事由）については、一般的に、①新株発行等の外観（登記など）が存在するにもかかわらずその実体を伴わない場合（物理的不存在、最判平9.1.28・百選24事件、最判平15.3.27参照）や、②実体は存在するものの、手続的瑕疵が著しいため新株発行等がなされたと法的に評価できない場合（法的不存在）が不存在事由に当たると解されている。

具体的には、新株発行等の手続が全くなされていない場合のほか、代表権限を有しない者が新株発行をした場合（東京高判平15.1.30）や、出資の履行の払込み・給付がない場合（208 Ⅴ参照、東京高判平15.1.30）が不存在事由に当たるとされる。

2 当事者

提訴権者に限定はない。 cf. 無効の訴え（828 Ⅱ②③）

被告は、株式の発行等をした株式会社である（834⑬⑭）。

3 提訴期間

制限はない（最判平15.3.27）。

4 認容判決の効力

対世効がある（838）。なお、初めから不存在であることを確認する判決であるから、将来効を定める839条は適用されない。

二 新株予約権の発行の不存在確認の訴え（829③） ⇒ §238以下

【関連条文】834⑬～⑮［被告］、835［管轄］、838［対世効］、968 Ⅰ④［株主の権利行使に関する贈収賄罪］

第830条（株主総会等の決議の不存在又は無効の確認の訴え）

Ⅰ 株主総会若しくは種類株主総会又は創立総会若しくは種類創立総会（以下この節及び第937条第1項第1号トにおいて「株主総会等」という。）の決議については、決議が存在しないことの確認を、訴えをもって請求することができる。

Ⅱ 株主総会等の決議については、決議の内容が法令に違反することを理由として 共予、決議が無効であることの確認を、訴えをもって請求することができる。

［趣旨］株主総会の決議の手続又は内容に瑕疵がある場合、本来、その決議を一律に無効にすべきである。しかし、株主総会決議は多数の者の利害にも関係し、かつ、その決議を前提に多くの社団関係や取引関係が進展するものであることから、本条により、法律関係の画一的確定と法的安定性を図る点にある。

《注　釈》

◆　**株主総会決議不存在・無効確認の訴え（830）**

1　意義・内容

決議が存在しない場合又は決議の内容が法令に違反する場合には、不存在又は無効の確認を求める正当な利益がある限り、誰でも共、いつでも、不存在又は無効確認の訴えを提起することができる（830）。

訴えの性質を多数説のように確認訴訟と解すると、決議が存在しなかったり、内容が法令に違反する場合には、決議は当然に無効であり、その無効の主張は必ずしも830条の訴えによる必要はなく、いつでも何人でも、どのような方法によっても主張することができる。よって、確認の訴えの判決が確定する前であっても、その決議は当然に無効であり、決議取消しの訴えの場合のように判決確定まで有効と扱われることはない。

＜株主総会決議の瑕疵の比較＞

<table>
<tr><th colspan="3"></th><th>決議取消しの訴え（831 Ⅰ）</th><th>決議不存在確認の訴え（830 Ⅰ）</th><th>決議無効確認の訴え（830 Ⅱ）</th></tr>
<tr><td rowspan="6">取消し・無効原因</td><td rowspan="3">招集手続・決議方法</td><td>法令違反</td><td>○</td><td colspan="2" rowspan="3">×</td></tr>
<tr><td>定款違反</td><td>○</td></tr>
<tr><td>著しく不公平</td><td>○</td></tr>
<tr><td rowspan="2">決議内容</td><td>定款違反</td><td>○</td><td rowspan="2"></td><td>×</td></tr>
<tr><td>法令違反</td><td>×</td><td>○</td></tr>
<tr><td colspan="2">その他〈予</td><td>特別利害関係人が議決権を行使したため、著しく不当な決議がされたとき</td><td>決議の不存在（＊1）</td><td></td></tr>
<tr><td colspan="3">提訴権者</td><td>原則として株主・取締役・監査役（監査の範囲を会計事項に限定された者を除く）・執行役・清算人（831 Ⅰ）（＊2）</td><td colspan="2">利害関係人なら誰でも（＊2）</td></tr>
<tr><td colspan="3">提訴期間</td><td>決議の日より3か月以内（831 Ⅰ）</td><td colspan="2">いつでも可〈司</td></tr>
<tr><td colspan="2" rowspan="2">請求認容判決の効力</td><td>対世効</td><td colspan="3">○（838）</td></tr>
<tr><td>遡及効</td><td>○（勝訴判決確定により遡及）</td><td colspan="2">（はじめから不存在又は無効）</td></tr>
<tr><td colspan="3">裁判所の裁量棄却</td><td>招集手続又は決議方法の法令又は定款違反については可（831 Ⅱ）</td><td colspan="2">不可</td></tr>
<tr><td colspan="3">訴外の主張の可否</td><td>不可</td><td colspan="2">可</td></tr>
</table>

○：取消原因又は無効原因となる　×：ならない

＊1　手続的瑕疵が著しいために、決議が法律上存在すると認められない場合をいう（ex. 招集通知が全くないか、通知漏れが著しい場合等）。

＊2　提訴株主は、会社の請求による担保提供義務が課せられることがある（836 Ⅰ本文）。

＜株主総会決議の瑕疵を争う場合の訴訟選択＞

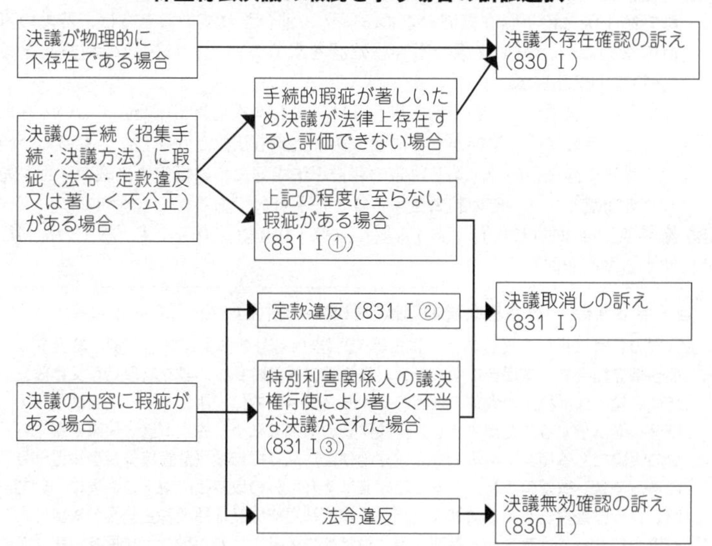

2　無効にならない例

ex.　動機・目的に公序良俗に反する違法があるにすぎない場合（最判昭35.1.12）

3　不存在の例

ex.1　株主総会の招集通知漏れの程度が著しい場合（株主たる代表取締役が９人の株主のうち、２人に口頭で招集を伝えただけでその２人が自分の実子の場合、最判昭33.10.3）

ex.2　取締役選任決議が不存在の場合に、その取締役が代表取締役に就任し株主総会を招集した場合（最判平2.4.17・百選39事件）〈同〉

＊　訴権の濫用

相当の代償を受けて自ら社員持分を譲渡し社員の地位を失った者が、譲渡について株主総会の承認を受けることが容易であったのにこれを得なかったという事情の下で、相当の年月を経てから株主総会決議の不存在を主張することは、正当な事由なく会社支配権の回復を図ろうとするものであり、訴権の濫用である（最判昭53.7.10・百選〔第３版〕42事件）。

4　訴えの利益

取締役を選任する株主総会決議（第１決議）の不存在確認を求める訴訟の係属中、第１決議で選任された取締役によって構成される取締役会の招集決定に基づいて同取締役会で選任された代表取締役が招集した株主総会において、新たに取締役を選任する株主総会決議（第２決議）がされた場合、第１決議が存在しないことを理由とする第2決議の不存在確認を求める訴えが提起されて第1決議の不存在確認を求める訴えに併合されているときは、特段の事情のない限り、第1決議の不存在確認を求める訴えには確認の利益がある（最判平11.3.25）〈予。

∵ 第1決議が不存在である場合には、いわゆる全員出席総会においてされたなどの特段の事情がない限り、第2決議も法律上存在しないものといわざるを得ないので、第2決議の存否を決するためには第1決議の存否が先決問題となり、その判断をすることが不可欠である

【関連条文】834⑯［被告］、835［管轄］、838［対世効］、968Ⅰ④［株主の権利行使に関する贈収賄罪］

雑則

第８３１条（株主総会等の決議の取消しの訴え）〈同

Ⅰ 次の各号に掲げる場合には、株主等〈共（当該各号の株主総会等が創立総会又は種類創立総会である場合にあっては、株主等、設立時株主、設立時取締役又は設立時監査役）は、株主総会等の決議の日から３箇月以内に、訴えをもって当該決議の取消しを請求することができる。当該決議の取消しにより株主（当該決議が創立総会の決議である場合にあっては、設立時株主）又は取締役（監査等委員会設置会社にあっては、監査等委員である取締役又はそれ以外の取締役。以下この項において同じ。）、監査役若しくは清算人（当該決議が株主総会又は種類株主総会の決議である場合にあっては第３４６条第１項<役員等に欠員を生じた場合の措置>（第４７９条第４項<役員等に欠員が生じた場合の規定の清算人への準用>において準用する場合を含む。）の規定により取締役、監査役又は清算人としての権利義務を有する者を含み、当該決議が創立総会又は種類創立総会の決議である場合にあっては設立時取締役（設立しようとする株式会社が監査等委員会設置会社である場合にあっては、設立時監査等委員である設立時取締役又はそれ以外の設立時取締役）又は設立時監査役を含む。）となる者も、同様とする〈同。

① 株主総会等の招集の手続又は決議の方法が法令若しくは定款に違反し〈司予、又は著しく不公正なとき。

② 株主総会等の決議の内容が定款に違反するとき。

③ 株主総会等の決議について特別の利害関係を有する者が議決権を行使したことによって、著しく不当な決議がされたとき〈共書。

Ⅱ 前項の訴えの提起があった場合において、株主総会等の招集の手続又は決議の方法が法令又は定款に違反するときであっても、裁判所は、その違反する事実が重大でなく、かつ、決議に影響を及ぼさないものであると認めるときは、同項の規定による請求を棄却することができる〈共予。

［趣旨］株主総会決議は多数の者の利害にも関係し、かつその決議を前提に多くの社団関係や取引関係が進展するものであることから、法律関係の画一的確定と法的安定性の確保を図る点にある。

《注　釈》

一　意義

株主総会決議取消しの訴えは、株主総会の決議を一応有効と扱いながら、判決の確定によって、決議の時に遡って無効とすることを目的とする形成訴訟である（831）。

判例（最判平28.3.4・百選35事件）は、取締役を解任する旨の議案を否決する株主総会決議の取消しの訴えの適法性が争われた事案において、「会社法は、会社の組織に関する訴えについての諸規定を置き（同法828条以下）、瑕疵のある株主総会等の決議についても、その決議の日から3箇月以内に限って訴えをもって取消しを請求できる旨規定して法律関係の早期安定を図り（同法831条）、併せて、当該訴えにおける被告、認容判決の効力が及ぶ者の範囲、判決の効力等も規定している（同法834条から839条まで）。このような規定は、株主総会等の決議によって、新たな法律関係が生ずることを前提とするもの」であり、「一般に、ある議案を否決する株主総会等の決議によって新たな法律関係が生ずることはないし、当該決議を取り消すことによって新たな法律関係が生ずるものでもないから、ある議案を否決する株主総会等の決議の取消しを請求する訴えは不適法であると解するのが相当である。このことは、当該議案が役員を解任する旨のものであった場合でも異なるものではない」とした予 司H24 司H30。

この判例は、否決の決議の取消しを求める訴えが適法か否かを、訴えの利益の有無という観点から個別に判断したものではなく、端的に、831条にいう「株主総会等の決議」、すなわち取消しを求める訴えの対象に否決の決議が含まれるか否かという観点から、これを否定したものと解されている予。

二　決議取消事由（Ⅰ）

1　招集の手続又は決議の方法が法令若しくは定款に違反し、又は著しく不公正なとき（①）

(1)　招集手続の法令違反

ex.1　招集通知を一部の株主に発しなかった場合（招集通知漏れ）
→招集通知漏れの程度が著しい場合は、不存在事由となる
⇒ p.609

ex.2　招集通知又は株主総会参考書類に記載すべき事項の不記載・不実記載（名古屋地判平28.9.30）

ex.3　招集通知の発送が法定の期限に遅れた場合（最判昭46.3.18・百選38事件）

ex.4　有効な取締役会決議を経ずに代表取締役が株主総会を招集した場合（前掲最判昭46.3.18・百選38事件）司

(2)　決議方法の法令違反

ex.1　説明義務違反（東京地判昭63.1.28）

ex.2　代理人の資格を株主に限る旨の定款の定めがある場合において、株主の代理人（非株主）の出席を拒絶した場合（札幌高判令元.7.12・令

2重判3事件等）

ex.3 出席株主の一部を会場に入れず、かつ、株主による議案の提出（動議）を無視した場合（最判昭58.6.7・百選37事件）

→感染症の拡大防止といった正当な理由がある場合において、株主総会への出席に関する事前登録制や人数制限を設けるなど、相当な範囲で株主の総会出席権に制限を加えることは可能とされる（静岡地沼津支決令4.6.27・令4重判2事件）

ex.4 監査役の意見陳述権（345 Ⅳ・同Ⅰ）の行使を不当に拒絶した場合（東京高判昭58.4.28）〈司H24

ex.5 定足数不足（最判昭35.3.15）〈予

ex.6 会社が利益供与をした株主による議決権の行使（東京地判平19.12.6・百選31事件）

ex.7 権利行使者の指定・通知を欠く準共有株式の権利行使（最判平27.2.19・百選11事件）〈予〈予H28

ex.8 取締役会設置会社において招集通知に記載のない議題について決議した場合（最判昭31.11.15）〈司

ex.9 株主の議案提出権（304）・議案要領通知請求権（305）を無視して、会社提案の議案のみを審議・可決した場合〈予〈予R5

∵ 株主提案が決議に係る議案と同一の議題についての代替的な議案を提案するものであった場合、その代替案を検討しなかった点で、会社提案の議案の決議にも瑕疵があるといえる

cf. 株主の議題提案権（303）を無視した場合には、特段の事情がない限り、他の議題に関する決議の瑕疵とはいえない（東京高判平23.9.27）

→ただし、両議題に密接な関連性があり、決議に係る議案を審議する上で株主が提案した議題を考慮することが必要・有益であるといった特段の事情がある場合には、決議に係る議案の取消事由となる

(3) 決議方法の定款違反

ex. 代理人の資格を株主に限る旨の定款の定めに反して非株主である代理人が株主総会に出席した場合（最判昭43.11.1・百選29事件）〈司書

(4) 決議方法が著しく不公正な場合

ex. 株主が出席困難な時刻・場所に株主総会を開催する場合（大阪高判昭30.2.24）

2 決議の内容が定款に違反するとき（②）

ex. 定款で定める取締役等の役員の員数を超えた選任決議〈司

なお、決議内容の法令違反は無効事由（830 Ⅱ）とされる一方、決議内容の定款違反は会社内部の規律の違反にすぎないため、無効事由ではなく取消事由とされている。

<株主総会決議の取消事由（831 Ⅰ①②に関するもの）>

	招集手続	決議方法	決議内容
法令違反	①　招集通知漏れ ②　招集通知等の記載不備 ③　招集通知期間の不足 ④　有効な取締役会決議を経ずに代表取締役が株主総会を招集した場合	（審議に関する瑕疵） ①　説明義務違反 ②　株主の代理人（非株主）の出席拒絶 ③　出席株主の一部の入場拒絶・株主の動議の無視 ④　監査役による意見陳述権の行使の不当拒絶 （議決に関する瑕疵） ⑤　定足数不足 ⑥　会社が利益供与した株主による議決権の行使 ⑦　権利行使者の指定・通知を欠く準共有株式の権利行使 ⑧　取締役会設置会社における招集通知記載事項以外の決議 ⑨　議案提出権・議案要領通知請求権の無視	無効事由（830 Ⅱ）
定款違反	定款に規定する招集手続に対する違反	代理人の資格を株主に限る旨の定款の定めに反して非株主である代理人が株主総会に出席した場合	定款で定める取締役等の役員の員数を超えた選任決議
著しく不公正	取締役会非設置会社において招集権者が総会の議題を一部の株主にのみ隠して教えない場合	株主が出席困難な時刻・場所に株主総会を開催する場合	

3　特別利害関係人の議決権行使による著しく不当な決議（③）司H18 司H23 司H25 司H29 予H25

特別利害関係人とは、問題となる議案の成立により他の株主と共通しない特殊な利益を獲得し、若しくは不利益を免れる株主をいう。

ex.1　取締役の報酬等を決定する決議（361）における株主兼取締役

ex.2　A社とB社（A社の株主）が合併する場合のA社での合併承認決議（783）におけるB社

株主総会における特別利害関係人は、取締役会における特別利害関係人（369 Ⅱ　⇒p.304）が議決権を行使できないのと異なり、株主総会に参加した上で議決権を行使すること自体は妨げられない。

∵　議決権を含む株主の権利は、基本的に株主自身の利益を守るためのものであるので、利害関係があるからといって直ちに権利の行使を禁止するわけにはいかない

もっとも、これにより著しく不当な決議がなされた場合には、会社ひいては他の株主の利益を保護するため、取消事由になる。

三　原告適格

1　株主

(1)　意義

① 株主（「株主等」。831Ⅰ柱書前段、828Ⅱ①）
→提訴時に株主名簿上の株主であれば足り、決議時に株主でなくてよい

② 当該株主総会決議により株主の地位を奪われた株主（831Ⅰ柱書後段）司H29
∵　当該株主は決議取消しにより株主の地位を回復する可能性を有する

(2)　議決権を有しない株主についての原告適格の有無

決議取消訴権は議決権があることを前提とする共益権であるから、議決権のない株主には原告適格が認められない通。

(3)　取消しに係る決議の議案に賛成した株主についての原告適格の有無

取消しに係る決議の議案に賛成する旨の議決権を行使した株主にも原告適格が認められる司共。

(4)　他の株主に対する招集手続の瑕疵と原告適格

自己の利益を害されていない株主であっても、他の株主に対する招集手続の瑕疵に基づいて、株主総会決議取消しの訴えを提起できる（最判昭42.9.28・百選33事件）予書司H24司H29司R3。
∵　決議取消しの訴えの趣旨は公正な決議の保持にあるから、公正な決議に利害関係を有する自己の利益を害されていない株主も提起できる

2　取締役・監査役・清算人・執行役

(1)　取締役・監査役・清算人・執行役（「株主等」。831Ⅰ柱書前段、828Ⅱ①）

→監査の範囲が会計事項に限定された監査役は除く
∵「株主等」に含まれる監査役には、監査の範囲が会計に関するものに限定されている監査役は含まれない（2⑨、389Ⅰ参照）

(2)　その効力を争おうとする株主総会決議を通じて取締役・監査役・清算人（346条1項所定の権利義務を有する取締役・監査役・清算人も含む）の地位を失った者（831Ⅰ柱書後段）司H24

∵　当該決議が取り消されることにより当該取締役の地位が回復できる
ex. 取締役解任決議（339Ⅰ）により解任された取締役司

四　被告適格

被告適格を有するのは、当該会社である（834⑰）。

五　訴えの手続

1　決議取消しの訴えは、決議の日から3か月以内に提起しなければならない（831Ⅰ）予。同期間内に提起された訴訟において、期間経過後に新たな取消事由を追加主張できない（最判昭51.12.24・百選34事件）司予書。

2　決議の無効確認を求める訴え（830Ⅱ）において、これが決議取消しの訴えの要件をみたすときは、たとえ決議取消しの主張が出訴期間経過後になされ

たとしても、決議無効確認訴訟の提起時から決議取消しの訴えが提起されていたものとして扱われる（最判昭54.11.16・百選40事件）予。

3　株主総会決議取消しの訴えが適法に提起された後に原告である株主につき株式の相続があった場合には、その相続人が原告の地位を承継する（最大判昭45.7.15・百選〔第3版〕13事件）司予。

4　取締役選任決議の取消しの訴えにおける被告は取締役ではなく当該会社である（834⑰）から、その決議で選任された取締役が被告である会社側に共同訴訟参加（民訴52）することはできない（最判昭36.11.24・百選〔初版〕49事件）。共同訴訟参加するには当事者適格（被告適格）が必要だからである。もっとも、被告である会社を補助するために共同訴訟的補助参加することは認められている（最判昭45.1.22）司予。

5　訴えは判決が確定するまでその全部又は一部を取り下げることができる（民訴261Ⅰ）。そして、株主総会決議取消しの訴えは類似必要的共同訴訟として共同訴訟人の1人が訴えを取り下げることも認められるから、株主総会決議取消しの訴えの取下げについては、総株主の同意がなくても取り下げることができる予。

六　認容判決の効力

対世効（838）、遡及効を有する（民121、会839反対解釈）。

＊　取締役選任決議が取り消された取締役と取引関係に入っていた第三者を保護するための法律構成

取締役に選任されていたが判決で取締役選任決議が取り消された者は、遡及的に取締役たる地位を失う。そこで、当該決議が有効であることを前提に、判決確定前に当該決議で取締役に選任されていた者と契約を締結していた第三者を保護するための法律構成が問題となる。

この点については、①当該決議で取締役に選任されていた者が、決議から判決確定まで取締役として行動した点に着目して、表見代表取締役に関する354条を類推適用し、会社に契約責任を負わせるという法律構成や、②当該決議で取締役に選任されていた者の就任登記が遡及的に不実登記になった点に着目して、不実の登記に関する908条2項を類推適用し、会社に契約責任を負わせるという法律構成があると解されている。

七　訴えの利益

1　はじめに

訴えの利益とは、特定の請求について本案判決をすることが、特定の紛争の解決にとって必要かつ有効・適切であることをいう。

株主総会決議取消しの訴えは、形成の訴えであり、原告適格（⇒p.614）が認められる者は訴えの利益を有するのが通常であるものの、その後の事情の変化によって訴えの利益を欠くことがあり得る（最判昭37.1.19）。

2　訴えの利益を欠くに至る場合

(1)　取締役を選任する株主総会決議（先行決議）の取消しの訴えの係属中に、

その決議に基づいて選任された取締役が全て任期満了によって退任し、その後の株主総会決議（後行決議）によって新たな取締役が選任されたときは、特段の事情のない限り、訴えの利益を欠くに至る（最判昭45.4.2・百選36事件）〈司予〈司R5。

∵ 新たに取締役を選任する後行決議の有効性が確定している以上、先行決議に基づく前任の取締役の選任が違法であったとしても、現任の取締役の地位が否定されることにはならない

→「特段の事情」が認められる場合（瑕疵の連鎖がある場合）については、後述する ⇒下記3⑴参照

⑵ 上記⑴の場合において、取消しの対象となる先行決議が従前の取締役全員を再任するものであり、かつ、その取締役の中から従前の代表取締役が再び代表取締役に選定された場合も、訴えの利益が否定される〈司R5。

∵ 先行決議が取り消されても、従前の取締役・代表取締役は、346条1項又は351条1項により取締役又は代表取締役としての権利義務を有することになるため、後の株主総会の招集手続に瑕疵がないこととなり（先行決議の瑕疵が連鎖するものとはいえず）、後行決議で選任された現任の取締役の地位が否定されることにはならない

⑶ 役員への退職慰労金贈呈決議の取消しの訴えが係属している間に、当該決議と同一内容で、かつ、当該決議が取り消された場合には当該決議時に遡って効力を生ずるとの再決議が有効に成立した場合には、訴えの利益が否定される（最判平4.10.29）〈予。

∵ 当該決議を取り消したとしても、後行の再決議の効力が生じる以上、もはや当該決議を取り消す実益はない

3 訴えの利益が認められる場合

⑴ 上記2⑴の判例にいう「特段の事情」の1つとして、先行決議の瑕疵が後行決議の効力にも影響を及ぼす場合（瑕疵の連鎖がある場合）が挙げられる。

取締役を選任する株主総会決議（先行決議）の取消しの訴えの係属中に、後行決議によって新たに取締役が選任された場合であっても、仮に先行決議が取り消されれば、後行決議を行った株主総会の招集手続に瑕疵があるとされる結果、後行決議で選任された現任の取締役の地位に影響が及ぶ場合には、先行決議の取消しを求める訴えの利益が認められる（最判令2.9.3・百選A14事件参照）〈司R5。

∵ 先行決議が取り消されると、先行決議に基づいて選任された取締役によって構成される取締役会による代表取締役の選定も遡って無効になるため、いわゆる全員出席総会においてされたなどの特段の事情がない限り、後行決議を行った株主総会の招集手続に瑕疵があることとなり、先行決議の瑕疵が連鎖するものといえる

→なお、上記判例は、先行決議の取消しの訴えに後行決議の効力を争う訴

えが併合されている場合には、後行決議の効力の先決問題として先行決議の取消しの可否を判断することが不可欠であることから、原則として先行決議の取消しを求める訴えの利益は消滅しない旨判示している

もっとも、上記判例の立場に立っても、先行決議の内容によっては、瑕疵の連鎖が否定される場合がある。　⇒上記2(2)参照

(2)　ある事業年度の計算書類承認決議（438 Ⅱ）の取消しの訴えが係属している間に、次期以降の計算書類承認決議がなされた場合であっても、再決議がされたなどの特別の事情がない限り、訴えの利益が失われることはない（最判昭58.6.7・百選37事件）〈司予〉。

∵　ある事業年度の計算書類承認決議が取り消されると、当該年度の計算書類等は未確定となるから、それを前提とする次期以降の計算書類等の記載内容も不確定なものとなる

八　裁量棄却（Ⅱ）〈司H25 司R3〉

1　意義

裁量棄却は、「招集の手続又は決議の方法が法令又は定款に違反するとき」でなければ認められない。このような手続的な瑕疵に限定されたのは、仮に決議をやり直しても同じ結果が予想されるためである。

「違反する事実が重大」かどうかは、招集手続・決議方法について定める法令・定款の規定によって保障される株主の利益が侵害されたか否かで判断される。

「決議に影響を及ぼさないもの」かどうかは、違法投票を除いても決議が有効に成立していたと認められるかどうかで判断される。基本的には、決議にどのように影響したのかを検証できない場合には、裁量棄却は認められるべきではない。

2　判例

(1)　事業譲渡等の議案の要領を招集通知に記載しなかった場合、裁量棄却できない（最判平7.3.9）。

(2)　取締役会決議（298 Ⅳ）に基づかないで招集され、しかも招集期間に足りない会日である12日前に通知がされた場合、裁量棄却できない（最判昭46.3.18・百選38事件）〈司予〉。

(3)　発行済株式総数1万株の会社で、2700株を有する株主に招集通知を出さず、また、招集通知の発送と株主総会までの期間が法定の期間より6日足りなかった場合に、裁量棄却を認めた（最判昭55.6.16）。

【関連条文】834⑰［被告］、835［管轄］、838［対世効］、968 Ⅰ④［株主の権利行使に関する贈収賄罪］

第８３２条　（持分会社の設立の取消しの訴え）

次の各号に掲げる場合には、当該各号に定める者は、持分会社の成立の日から２年以内に、訴えをもって持分会社の設立の取消しを請求することができる書。

① 社員が民法その他の法律の規定により設立に係る意思表示を取り消すことができるとき　当該社員書

② 社員がその債権者を害することを知って持分会社を設立したとき　当該債権者

［趣旨］人的信頼関係が強い持分会社では、設立において社員１人が欠けるのであれば、社員の意思に反するのが通常であることから、各社員の設立行為に瑕疵がある場合に、設立自体も取り消せるものとされた。なお、株式会社では、株主の個性や人的関係は重要ではないため、設立の取消しの訴えは認められていない。

【関連条文】834 ⑱⑲［被告］、838［対世効］

第８３３条　（会社の解散の訴え）

Ⅰ　次に掲げる場合において、やむを得ない事由があるときは、総株主（株主総会において決議をすることができる事項の全部につき議決権を行使することができない株主を除く。）の議決権の１０分の１（これを下回る割合を定款で定めた場合にあっては、その割合）以上の議決権を有する株主又は発行済株式（自己株式を除く。）の１０分の１（これを下回る割合を定款で定めた場合にあっては、その割合）以上の数の株式を有する株主は、訴えをもって株式会社の解散を請求することができる。

① 株式会社が業務の執行において著しく困難な状況に至り、当該株式会社に回復することができない損害が生じ、又は生ずるおそれがあるとき。

② 株式会社の財産の管理又は処分が著しく失当で、当該株式会社の存立を危うくするとき。

Ⅱ　やむを得ない事由がある場合には、持分会社の社員は、訴えをもって持分会社の解散を請求することができる。

《注　釈》

一　「やむを得ない事由」（Ⅰ本文）

（合名）会社の業務が一応困難なく行われているとしても、社員間に多数派と少数派の対立があり、業務の執行が多数派社員によって不公正かつ利己的に行われ、その結果少数派社員がいわれのない恒常的な不利益を被っているような場合には、これを打開する手段のない限り、「やむを得ない事由」があるものというべきである。この場合、打開の手段とは、諸般の事情を考慮して、解散を求める社員とこれに反対する社員の双方にとって公正かつ相当な手段であると認められるものでなければならない（最判昭 61.3.13・百選 79 事件）。

二　1項1号該当性

50 パーセントずつの議決権を有する二派の対立により、取締役の選任もできないような状況に陥っている場合は、業務執行において著しく困難な状況に至り、会社に回復困難な損害が生じるおそれがあるといえる（東京地判平元.7.18・百選〔第３版〕95 事件）。

【関連条文】834⑳㉑［被告］、838［対世効］、968Ⅰ④［株主の権利行使に関する贈収賄罪］

第８３４条 （被告）

次の各号に掲げる訴え（以下この節において「会社の組織に関する訴え」と総称する。）については、当該各号に定める者を被告とする。

① 会社の設立の無効の訴え　設立する会社
② 株式会社の成立後における株式の発行の無効の訴え（第８４０条第１項において「新株発行の無効の訴え」という。）　株式の発行をした株式会社
③ 自己株式の処分の無効の訴え　自己株式の処分をした株式会社 司
④ 新株予約権の発行の無効の訴え　新株予約権の発行をした株式会社
⑤ 株式会社における資本金の額の減少の無効の訴え　当該株式会社 司
⑥ 会社の組織変更の無効の訴え　組織変更後の会社
⑦ 会社の吸収合併の無効の訴え　吸収合併後存続する会社
⑧ 会社の新設合併の無効の訴え　新設合併により設立する会社 予書
⑨ 会社の吸収分割の無効の訴え　吸収分割契約をした会社
⑩ 会社の新設分割の無効の訴え　新設分割をする会社及び新設分割により設立する会社
⑪ 株式会社の株式交換の無効の訴え　株式交換契約をした会社
⑫ 株式会社の株式移転の無効の訴え　株式移転をする株式会社及び株式移転により設立する株式会社
⑫の２　株式会社の株式交付の無効の訴え　株式交付親会社
⑬ 株式会社の成立後における株式の発行が存在しないことの確認の訴え　株式の発行をした株式会社
⑭ 自己株式の処分が存在しないことの確認の訴え　自己株式の処分をした株式会社
⑮ 新株予約権の発行が存在しないことの確認の訴え　新株予約権の発行をした株式会社
⑯ 株主総会等の決議が存在しないこと又は株主総会等の決議の内容が法令に違反することを理由として当該決議が無効であることの確認の訴え　当該株式会社 予
⑰ 株主総会等の決議の取消しの訴え　当該株式会社 予
⑱ 第８３２条第１号<社員が設立に係る意思表示を取り消すことができるとき>の規定による持分会社の設立の取消しの訴え　当該持分会社
⑲ 第８３２条第２号<社員がその債権者を害することを知って持分会社を設立したとき>の規定による持分会社の設立の取消しの訴え　当該持分会社及び同号の社員
⑳ 株式会社の解散の訴え　当該株式会社
㉑ 持分会社の解散の訴え　当該持分会社

《注　釈》

◆ 判例

取締役選任決議の取消しの訴えにおける被告は取締役ではなく当該会社である（834⑰）から、その決議で選任された取締役が被告である会社側に共同訴訟

参加（民訴52）することはできない（最判昭36.11.24・百選〔初版〕49事件）。共同訴訟参加するには当事者適格（被告適格）が必要だからである。もっとも、被告である会社を補助するために共同訴訟的補助参加することは認められている（最判昭45.1.22）同予。

第８３５条（訴えの管轄及び移送）

Ⅰ　会社の組織に関する訴えは、被告となる会社の本店の所在地を管轄する地方裁判所の管轄に専属する予。

Ⅱ　前条第９号から第１２号まで＜会社の吸収分割、新設分割、株式会社の株式交換、株式移転の無効の訴え＞の規定により２以上の地方裁判所が管轄権を有するときは、当該各号に掲げる訴えは、先に訴えの提起があった地方裁判所が管轄する。

Ⅲ　前項の場合には、裁判所は、当該訴えに係る訴訟がその管轄に属する場合においても、著しい損害又は遅滞を避けるため必要があると認めるときは、申立てにより又は職権で、訴訟を他の管轄裁判所に移送することができる。

［趣旨］濫訴防止のために、会社の組織に関する訴えの管轄を規定する。

第８３６条（担保提供命令）

Ⅰ　会社の組織に関する訴えであって、株主又は設立時株主が提起することができるものについては、裁判所は、被告の申立てにより、当該会社の組織に関する訴えを提起した株主又は設立時株主に対し、相当の担保を立てるべきことを命ずることができる。ただし、当該株主が取締役、監査役、執行役若しくは清算人であるとき、又は当該設立時株主が設立時取締役若しくは設立時監査役であるときは、この限りでない。

Ⅱ　前項の規定は、会社の組織に関する訴えであって、債権者又は株式交付に際して株式交付親会社に株式交付子会社の株式若しくは新株予約権等を譲り渡した者が提起することができるものについて準用する。

Ⅲ　被告は、第１項（前項において準用する場合を含む。）の申立てをするには、原告の訴えの提起が悪意によるものであることを疎明しなければならない。

［趣旨］濫訴防止のために、裁判所による株主に対する担保提供命令について規定する。

【関連条文】828 Ⅱ⑤～⑪［債権者が提起できる訴え］、846［敗訴原告の損害賠償責任］

第８３７条（弁論等の必要的併合）

同一の請求を目的とする会社の組織に関する訴えに係る訴訟が数個同時に係属するときは、その弁論及び裁判は、併合してしなければならない。

《注　釈》

株主総会における取締役選任決議の取消しの訴えと、同じ株主総会における計算書類承認決議の取消しの訴えが同時に継続しても、「同一の請求を目的とする」ものではないため、その弁論及び裁判を併合する必要はない予。

第８３８条　（認容判決の効力が及ぶ者の範囲）

会社の組織に関する訴えに係る請求を認容する確定判決は、第三者に対してもその効力を有する〈司予。

［趣旨］会社の組織に関する訴えについては、法律関係の画一的確定、法的安定性が要求されることから、その認容判決がなされた場合に、第三者に対する判決効の拡張を認めるものである（対世効）〈共。

《注　釈》

◆　請求の認諾の制限

会社の設立の無効の訴えにおいては、被告が敗訴すると対世効が生じる(838)。したがって、処分権主義（訴訟の開始、審判対象の特定、訴訟の終了等につき当事者の主導権を認めてその処分に委ねる立法上の立場）が制限され、被告は請求の認諾をすることができない（名古屋地判平19.11.21・百選〔第3版〕92事件）〈予。

第８３９条　（無効又は取消しの判決の効力）〈司予書

会社の組織に関する訴え（第８３４条第１号から第１２号の２まで、第１８号及び１９号に掲げる訴えに限る。）に係る請求を認容する判決が確定したときは、当該判決において無効とされ、又は取り消された行為（当該行為によって会社が設立された場合にあっては当該設立を含み、当該行為に際して株式又は新株予約権が交付された場合にあっては当該株式又は新株予約権を含む。）は、将来に向かってその効力を失う。

［趣旨］法律関係の画一的確定、法的安定性を図るため、一定の訴えの認容判決の効力を将来効とした。

《注　釈》

・新株発行・自己株式処分・新株予約権発行の不存在確認の訴え、株主総会決議取消しの訴え、株主総会決議無効・不存在確認の訴えには将来効の規定は適用されず、遡及効が認められる。

第８４０条　（新株発行の無効判決の効力）

Ⅰ　新株発行の無効の訴えに係る請求を認容する判決が確定したときは、当該株式会社は、当該判決の確定時における当該株式に係る株主に対し、払込みを受けた金額又は給付を受けた財産の給付の時における価額に相当する金銭を支払わなければならない。この場合において、当該株式会社が株券発行会社であるときは、当該株式会社は、当該株主に対し、当該金銭の支払をするのと引換えに、当該株式に係る旧株券（前条の規定により効力を失った株式に係る株券をいう。以下この節において同じ。）を返還することを請求することができる。

Ⅱ　前項の金銭の金額が同項の判決が確定した時における会社財産の状況に照らして著しく不相当であるときは、裁判所は、同項前段の株式会社又は株主の申立てにより、当該金額の増減を命ずることができる。

Ⅲ　前項の申立ては、同項の判決が確定した日から６箇月以内にしなければならない。
Ⅳ　第１項前段に規定する場合には、同項前段の株式を目的とする質権は、同項の金銭について存在する。
Ⅴ　第１項前段に規定する場合には、前項の質権の登録株式質権者は、第１項前段の株式会社から同項の金銭を受領し、他の債権者に先立って自己の債権の弁済に充てることができる。
Ⅵ　前項の債権の弁済期が到来していないときは、同項の登録株式質権者は、第１項前段の株式会社に同項の金銭に相当する金額を供託させることができる。この場合において、質権は、その供託金について存在する。

第８４１条　（自己株式の処分の無効判決の効力）

Ⅰ　自己株式の処分の無効の訴えに係る請求を認容する判決が確定したときは、当該株式会社は、当該判決の確定時における当該自己株式に係る株主に対し、払込みを受けた金額又は給付を受けた財産の給付の時における価額に相当する金銭を支払わなければならない。この場合において、当該株式会社が株券発行会社であるときは、当該株式会社は、当該株主に対し、当該金銭の支払をするのと引換えに、当該自己株式に係る旧株券を返還することを請求することができる。
Ⅱ　前条第２項から第６項までの規定は、前項の場合について準用する。この場合において、同条第４項中「株式」とあるのは、「自己株式」と読み替えるものとする。

第８４２条　（新株予約権発行の無効判決の効力）

Ⅰ　新株予約権の発行の無効の訴えに係る請求を認容する判決が確定したときは、当該株式会社は、当該判決の確定時における当該新株予約権に係る新株予約権者に対し、払込みを受けた金額又は給付を受けた財産の給付の時における価額に相当する金銭を支払わなければならない。この場合において、当該新株予約権に係る新株予約権証券（当該新株予約権が新株予約権付社債に付されたものである場合にあっては、当該新株予約権付社債に係る新株予約権付社債券。以下この項において同じ。）を発行しているときは、当該株式会社は、当該新株予約権者に対し、当該金銭の支払をするのと引換えに、第８３９条＜無効又は取消しの判決の効力＞の規定により効力を失った新株予約権に係る新株予約権証券を返還することを請求することができる。
Ⅱ　第８４０条第２項から第６項まで＜新株発行の無効判決の効力に関する規定＞の規定は、前項の場合について準用する。この場合において、同条第２項中「株主」とあるのは「新株予約権者」と、同条第４項中「株式」とあるのは「新株予約権」と、同条第５及び第６項中「登録株式質権者」とあるのは「登録新株予約権質権者」と読み替えるものとする。

【２項読替え】

第 840 条第２項から第６項＜新株発行の無効判決の効力に関する規定＞の規定は、前項の場合について準用する。
Ⅱ　前項の金銭の金額が同項の判決が確定した時における会社財産の状況に照らして著しく不相当であるときは、裁判所は、同項前段の株式会社又は新株予約権者の申立てにより、当該金額の増減を命ずることができる。
Ⅲ　前項の申立ては、同項の判決が確定した日から6か月以内にしなければならない。
Ⅳ　第1項前段に規定する場合には、同項前段の新株予約権を目的とする質権は、同項の金銭について存在する。
Ⅴ　第1項前段に規定する場合には、前項の質権の登録新株予約権質権者は、第1項前段の株式会社から同項の金銭を受領し、他の債権者に先立って自己の債権の弁済に充てることができる。
Ⅵ　前項の債権の弁済期が到来していないときは、同項の登録新株予約権質権者は、第1項前段の株式会社に同項の金銭に相当する金額を供託させることができる。この場合において、質権は、その供託金について存在する。

第843条（合併又は会社分割の無効判決の効力）

Ⅰ　次の各号に掲げる行為の無効の訴えに係る請求を認容する判決が確定したときは、当該行為をした会社は、当該行為の効力が生じた日後に当該各号に定める会社が負担した債務について、連帯して弁済する責任を負う。
①　会社の吸収合併　吸収合併後存続する会社
②　会社の新設合併　新設合併により設立する会社
③　会社の吸収分割　吸収分割をする会社がその事業に関して有する権利義務の全部又は一部を当該会社から承継する会社
④　会社の新設分割　新設分割により設立する会社
Ⅱ　前項に規定する場合には、同項各号に掲げる行為の効力が生じた日後に当該各号に定める会社が取得した財産は、当該行為をした会社の共有に属する。ただし、同項第4号に掲げる行為を一の会社がした場合には、同号に定める会社が取得した財産は、当該行為をした一の会社に属する。
Ⅲ　第1項及び前項本文に規定する場合には、各会社の第1項の債務の負担部分及び前項本文の財産の共有持分は、各会社の協議によって定める。
Ⅳ　各会社の第1項の債務の負担部分又は第2項本文の財産の共有持分について、前項の協議が調わないときは、裁判所は、各会社の申立てにより、第1項各号に掲げる行為の効力が生じた時における各会社の財産の額その他一切の事情を考慮して、これを定める。

第844条（株式交換又は株式移転の無効判決の効力）

Ⅰ　株式会社の株式交換又は株式移転の無効の訴えに係る請求を認容する判決が確定した場合において、株式交換又は株式移転をする株式会社（以下この条において「旧完全子会社」という。）の発行済株式の全部を取得する株式会社（以下この条において「旧完全親会社」という。）が当該株式交換又は株式移転に際して当該旧完全親会社の株式（以下この条において「旧完全親会社株式」という。）を交付したときは、当該旧完全親会社は、当該判決の確定時における当該旧完全親会社株式に係る株主に対し、当該株式交換又は株式移転の際に当該旧完全親会社株式の交付を受けた者が有していた旧完全子会社の株式（以下この条において「旧完全子会社株式」という。）を交付しなければならない。この場合において、旧完全親会社が株券発行会社であるときは、当該旧完全親会社は、当該株主に対し、当該旧完全子会社株式を交付するのと引換えに、当該旧完全親会社株式に係る旧株券を返還することを請求することができる。

Ⅱ　前項前段に規定する場合には、旧完全親会社株式を目的とする質権は、旧完全子会社株式について存在する。

Ⅲ　前項の質権の質権者が登録株式質権者であるときは、旧完全親会社は、第１項の判決の確定後遅滞なく、旧完全子会社に対し、当該登録株式質権者についての第１４８条各号<株主名簿の記載等>に掲げる事項を通知しなければならない。

Ⅳ　前項の規定による通知を受けた旧完全子会社は、その株主名簿に同項の登録株式質権者の質権の目的である株式に係る株主名簿記載事項を記載し、又は記録した場合には、直ちに、当該株主名簿に当該登録株式質権者についての第１４８条各号<株主名簿の記載等>に掲げる事項を記載し、又は記録しなければならない。

Ⅴ　第３項に規定する場合において、同項の旧完全子会社が株券発行会社であるときは、旧完全親会社は、登録株式質権者に対し、第２項の旧完全子会社株式に係る株券を引き渡さなければならない。ただし、第１項前段の株主が旧完全子会社株式の交付を受けるために旧完全親会社株式に係る旧株券を提出しなければならない場合において、旧株券の提出があるまでの間は、この限りでない。

雑則

第８４４条の２　（株式交付の無効判決の効力）

Ⅰ　株式会社の株式交付の無効の訴えに係る請求を認容する判決が確定した場合において、株式交付親会社が当該株式交付に際して当該株式交付親会社の株式（以下この条において「旧株式交付親会社株式」という。）を交付したときは、当該株式交付親会社は、当該判決の確定時における当該旧株式交付親会社株式に係る株主に対し、当該株式交付の際に当該旧株式交付親会社株式の交付を受けた者から給付を受けた株式交付子会社の株式及び新株予約権等（以下この条において「旧株式交付子会社株式等」という。）を返還しなければならない。この場合において、株式交付親会社が株券発行会社であるときは、当該株式交付親会社は、当該株主に対し、当該旧株式交付子会社株式等を返還するのと引換えに、当該旧株式交付親会社株式に係る旧株券を返還することを請求することができる。

Ⅱ　前項前段に規定する場合には、旧株式交付親会社株式を目的とする質権は、旧株式交付子会社株式等について存在する。

第８４５条　（持分会社の設立の無効又は取消しの判決の効力）

持分会社の設立の無効又は取消しの訴えに係る請求を認容する判決が確定した場合において、その無効又は取消しの原因が一部の社員のみにあるときは、他の社員の全員の同意によって、当該持分会社を継続することができる。この場合においては、当該原因がある社員は、退社したものとみなす。

【関連条文】927［継続の登記］

第８４６条　（原告が敗訴した場合の損害賠償責任）

会社の組織に関する訴えを提起した原告が敗訴した場合において、原告に悪意又は重大な過失があったときは、原告は、被告に対し、連帯して損害を賠償する責任を負う。

■第１節の２　売渡株式等の取得の無効の訴え

第８４６条の２　（売渡株式等の取得の無効の訴え）

Ⅰ　株式等売渡請求に係る売渡株式等の全部の取得の無効は、取得日（第１７９条の２第１項第５号に規定する取得日をいう。以下この条において同じ。）から６箇月以内（対象会社が公開会社でない場合にあっては、当該取得日から１年以内）に、訴えをもってのみ主張することができる。

Ⅱ　前項の訴え（以下この節において「売渡株式等の取得の無効の訴え」という。）は、次に掲げる者に限り、提起することができる。

①　取得日において売渡株主（株式売渡請求に併せて新株予約権売渡請求がされた場合にあっては、売渡株主又は売渡新株予約権者。第８４６条の５第１項において同じ。）であった者

②　取得日において対象会社の取締役（監査役設置会社にあっては取締役又は監査役、指名委員会等設置会社にあっては取締役又は執行役。以下この号において同じ。）であった者又は対象会社の取締役若しくは清算人

第８４６条の３　（被告）

売渡株式等の取得の無効の訴えについては、特別支配株主を被告とする。

第８４６条の４　（訴えの管轄）

売渡株式等の取得の無効の訴えは、対象会社の本店の所在地を管轄する地方裁判所の管轄に専属する。

第８４６条の５　（担保提供命令）

Ⅰ　売渡株式等の取得の無効の訴えについては、裁判所は、被告の申立てにより、当該売渡株式等の取得の無効の訴えを提起した売渡株主に対し、相当の担保を立てるべきことを命ずることができる。ただし、当該売渡株主が対象会社の取締役、監査役、執行役又は清算人であるときは、この限りでない。

Ⅱ　被告は、前項の申立てをするには、原告の訴えの提起が悪意によるものであることを疎明しなければならない。

第８４６条の６　（弁論等の必要的併合）

同一の請求を目的とする売渡株式等の取得の無効の訴えに係る訴訟が数個同時に係属するときは、その弁論及び裁判は、併合してしなければならない。

第８４６条の７　（認容判決の効力が及ぶ者の範囲）

売渡株式等の取得の無効の訴えに係る請求を認容する確定判決は、第三者に対してもその効力を有する。

雑則

第８４６条の８　（無効の判決の効力）

売渡株式等の取得の無効の訴えに係る請求を認容する判決が確定したときは、当該判決において無効とされた売渡株式等の全部の取得は、将来に向かってその効力を失う。

第８４６条の９　（原告が敗訴した場合の損害賠償責任）

売渡株式等の取得の無効の訴えを提起した原告が敗訴した場合において、原告に悪意又は重大な過失があったときは、原告は、被告に対し、連帯して損害を賠償する責任を負う。

■第２節　株式会社における責任追及等の訴え

第８４７条　（株主による責任追及等の訴え）

Ⅰ　６箇月（これを下回る期間を定款で定めた場合にあっては、その期間）前から引き続き株式を有する株主〈共予（第１８９条第２項の定款の定めによりその権利を行使することができない単元未満株主を除く。）は、株式会社に対し、書面その他の法務省令で定める方法により、発起人〈書、設立時取締役〈予、設立時監査役、役員等〈司書（第４２３条第１項に規定する役員等をいう。）若しくは清算人（以下この節において「発起人等」という。）の責任を追及する訴え、第１０２条の２第１項<払込みを仮装した設立時募集株式の引受人の責任>、第２１２条第１項<不公正な払込金額で株式を引き受けた者等の責任>若しくは第２８５条第１項<不公正な払込金額で新株予約権を引き受けた者等の責任>の規定による支払を求める訴え、第１２０条第３項<株主の権利の行使に関して利益の供与をした場合の利益の返還>の利益の返還を求める訴え又は第２１３条の２第１項<出資の履行を仮装した募集株式の引受人の責任>若しくは第２８６条の２第１項<新株予約権に係る払込み等を仮装した新株予約権者の責任>の規定による支払若しくは給付を求める訴え（以下この節において「責任追及等の訴え」という。）の提起を請求することができる〈司。ただし、責任追及等の訴えが当該株主若しくは第三者の不正な利益を図り又は当該株式会社に損害を加えることを目的とする場合は、この限りでない。

Ⅱ　公開会社でない株式会社における前項の規定の適用については、同項中「６箇月（これを下回る期間を定款で定めた場合にあっては、その期間）前から引き続き株式を有する株主」とあるのは、「株主」とする。

Ⅲ　株式会社が第１項の規定による請求の日から６０日以内に責任追及等の訴えを提起しないときは、当該請求をした株主は、株式会社のために、責任追及等の訴えを提起することができる。

Ⅳ　株式会社は、第１項の規定による請求の日から６０日以内に責任追及等の訴えを提起しない場合において、当該請求をした株主又は同項の発起人等から請求を受けたときは、当該請求をした者に対し、遅滞なく、責任追及等の訴えを提起しない理由を書面その他の法務省令で定める方法により通知しなければならない〈予。

Ⅴ　第１項及び第３項の規定にかかわらず、同項の期間の経過により株式会社に回復することができない損害が生ずるおそれ〈同〉がある場合には、第１項の株主は、株式会社のために、直ちに責任追及等の訴えを提起することができる。ただし、同項ただし書に規定する場合は、この限りでない。

［趣旨］役員等の会社に対する責任は、本来会社自体が追及すべきであるが、役員等との同僚意識等による馴れ合いにより適切な責任追及がなされないおそれがあるため、株主自らが会社のために責任を追及する訴え（株主代表訴訟）を提起することを認めた。

【関連条文】423［役員等の株式会社に対する損害賠償責任］、規217、218

《注　釈》

一　提訴請求

取締役等の会社に対する責任を追及する訴訟は、本来、会社が提起すべきものであるから、株主は、すぐに株主代表訴訟を提起するのではなく、まず、会社に対して書面等により、取締役等の責任を追及する訴えを提起すべきことを請求する必要がある（提訴請求、847Ⅰ、847の２ⅠⅢ、847の３Ⅰ）。

もっとも、提訴請求後60日の期間の経過を待つことにより会社に回復することができない損害が生じるおそれがある場合（責任の消滅時効が成立する場合など）には、直ちに株主代表訴訟を提起できる（847Ⅴ）。

さらに、裁判例（東京高判平26.4.24・百選〔第３版〕A20事件）は、提訴請求が株主代表訴訟の要件とされている趣旨は、会社に対して訴えを提起するか否か検討する機会を与える点にあるところ、会社が訴えの提起の機会を放棄しているものとみられる場合には、提訴請求を欠く株主代表訴訟も不適法とはならない旨判示している。

二　代表訴訟の対象となる役員等

役員等（847Ⅰ、423Ⅰ）とは、任務懈怠をしたときに取締役であれば足り、株主代表訴訟で退任した取締役を被告とすることは許される〈司予〉。

三　代表訴訟の対象となる訴え及び「責任」の範囲〈司H26〉

１　代表訴訟の対象となる訴え

代表訴訟の対象となる訴えは、以下の４つである（847Ⅰ本文）〈予〉。

①　発起人等（発起人、設立時取締役、設立時監査役、役員等（取締役、会計参与、監査役、執行役、会計監査人をいう。423Ⅰかっこ書参照）、清算人）の責任を追及する訴え

②　出資の履行を仮装した募集株式の引受人等に支払・給付を求める訴え（102の２Ⅰ、213の２Ⅰ、286の２Ⅰ）

③　不公正な払込金額で株式・新株予約権を引き受けた者等に差額等の支払を求める訴え（212Ⅰ、285Ⅰ）

④　株主の権利の行使に関して利益供与を受けた者に利益の返還を求める訴え（120Ⅲ）

2 「責任」の範囲

(1) 「責任」には、取締役の地位に基づく責任のほか、取締役の会社に対する取引債務についての責任も含まれる（最判平21.3.10・百選64事件）予。

∵① 会社が取締役の責任追及を懈怠するおそれがあるのは、取締役の地位に基づく責任が追及される場合に限られない

② 会社との取引によって負担することになった債務についても、忠実義務（355）に基づき、会社に対して忠実に履行すべき義務を負う

→土地所有権に基づく所有権移転登記手続請求は、「取締役の地位に基づく責任を追及するものでも、取締役の会社に対する取引債務についての責任を追及するものでもない」が、会社と取締役の間の土地借用契約の終了に基づく所有権移転登記手続請求は、「取締役の会社に対する取引債務についての責任を追及するものということができる」（最判平21.3.10・百選64事件）

(2) 役員等であった者が退任後に会社に対して負担することになった債務についての責任は、「責任を追及する訴え」の「責任」に含まれない（東京高判平26.4.24・百選〔第3版〕A20事件）。

四 訴権の濫用防止

公開会社では、代表訴訟を提起できるのは、6か月（これを下回る期間を定款で定めた場合にあっては、その期間）前から引き続き株式を保有する株主に限られる（847Ⅰ本文）。

代表訴訟が株主や第三者の不正な利益を図り、又は会社に損害を加えることを目的とする場合には、提訴請求や提訴は認められない旨規定している（847Ⅰただし書、Ⅴただし書、847の2Ⅰただし書、Ⅲただし書、847の3Ⅰ①、Ⅸただし書き）。これは、訴権の濫用の一類型を明確化し、提訴請求や提訴の要件としたものである。もっとも、訴権の濫用は当該類型に限られない。なお、同じく訴権の濫用を防止する制度として、担保提供命令がある（847の4ⅡⅢ）。

五 不提訴理由の通知制度（847Ⅳ、847の2Ⅶ、847の3Ⅷ）

当該通知制度は、提訴請求をした株主等が会社に対して、調査の結果やそれを前提として結果的に不提訴とした会社の判断プロセスの開示を請求することを認めるものである。これにより、単なる役員間の馴れ合いにより提訴がされない事態が生じることを抑制すると同時に、株主等が代表訴訟を遂行するうえで必要な訴訟資料を充実させることを可能としている。

六 判決の効力

責任追及等の訴えは、第三者の訴訟担当の一事例であるから、責任追及等の訴えに係る確定判決の効力は、認容判決であっても棄却判決であっても、会社に対して及ぶ（民訴115Ⅰ②）司。

第847条の2（旧株主による責任追及等の訴え）

Ⅰ 次の各号に掲げる行為の効力が生じた日の6箇月（これを下回る期間を定款で定

めた場合にあっては、その期間）前から当該日まで引き続き株式会社の株主であった者（第１８９条第２項＜単元未満株式についての株主権の制限＞の定款の定めによりその権利を行使することができない単元未満株主であった者を除く。以下この条において「旧株主」という。）は、当該株式会社の株主でなくなった場合であっても、当該各号に定めるときは、当該株式会社（第２号に定める場合にあっては、同号の吸収合併後存続する株式会社。以下この節において「株式交換等完全子会社」という。）に対し、書面その他の法務省令で定める方法により、責任追及等の訴え（次の各号に掲げる行為の効力が生じた時までにその原因となった事実が生じた責任又は義務に係るものに限る。以下この条において同じ。）の提起を請求することができる。ただし、責任追及等の訴えが当該旧株主若しくは第三者の不正な利益を図り又は当該株式交換等完全子会社若しくは次の各号の完全親会社（特定の株式会社の発行済株式の全部を有する株式会社その他これと同等のものとして法務省令で定める株式会社をいう。以下この節において同じ。）に損害を加えることを目的とする場合は、この限りでない。

① 当該株式会社の株式交換又は株式移転　当該株式交換又は株式移転により当該株式会社の完全親会社の株式を取得し、引き続き当該株式を有するとき。

② 当該株式会社が吸収合併により消滅する会社となる吸収合併　当該吸収合併により、吸収合併後存続する株式会社の完全親会社の株式を取得し、引き続き当該株式を有するとき。

Ⅱ 公開会社でない株式会社における前項の規定の適用については、同項中「次の各号に掲げる行為の効力が生じた日の６箇月（これを下回る期間を定款で定めた場合にあっては、その期間）前から当該日まで引き続き」とあるのは、「次の各号に掲げる行為の効力が生じた日において」とする。

Ⅲ 旧株主は、第１項各号の完全親会社の株主でなくなった場合であっても、次に掲げるときは、株式交換等完全子会社に対し、書面その他の法務省令で定める方法により、責任追及等の訴えの提起を請求することができる。ただし、責任追及等の訴えが当該旧株主若しくは第三者の不正な利益を図り又は当該株式交換等完全子会社若しくは次の各号の株式を発行している株式会社に損害を加えることを目的とする場合は、この限りでない。

① 当該完全親会社の株式交換又は株式移転により当該完全親会社の完全親会社の株式を取得し、引き続き当該株式を有するとき。

② 当該完全親会社が合併により消滅する会社となる合併により、合併により設立する株式会社又は合併後存続する株式会社若しくはその完全親会社の株式を取得し、引き続き当該株式を有するとき。

Ⅳ 前項の規定は、同項第１号（この項又は次項において準用する場合を含む。以下この項において同じ。）に掲げる場合において、旧株主が同号の株式の株主でなくなったときについて準用する。

Ⅴ 第３項の規定は、同項第２号（前項又はこの項において準用する場合を含む。以下この項において同じ。）に掲げる場合において、旧株主が同号の株式の株主でなくなったときについて準用する。この場合において、第３項（前項又はこの項において準用する場合を含む。）中「当該完全親会社」とあるのは、「合併により設立する株式会社又は合併後存続する株式会社若しくはその完全親会社」と読み替えるものとする。

Ⅵ　株式交換等完全子会社が第１項又は第３項（前２項において準用する場合を含む。以下この条において同じ。）の規定による請求（以下この条において「提訴請求」という。）の日から６０日以内に責任追及等の訴えを提起しないときは、当該提訴請求をした旧株主は、株式交換等完全子会社のために、責任追及等の訴えを提起することができる。

Ⅶ　株式交換等完全子会社は、提訴請求の日から６０日以内に責任追及等の訴えを提起しない場合において、当該提訴請求をした旧株主又は当該提訴請求に係る責任追及等の訴えの被告となることとなる発起人等から請求を受けたときは、当該請求をした者に対し、遅滞なく、責任追及等の訴えを提起しない理由を書面その他の法務省令で定める方法により通知しなければならない。

Ⅷ　第１項、第３項及び第６項の規定にかかわらず、同項の期間の経過により株式交換等完全子会社に回復することができない損害が生ずるおそれがある場合には、提訴請求をすることができる旧株主は、株式交換等完全子会社のために、直ちに責任追及等の訴えを提起することができる。

Ⅸ　株式交換等完全子会社に係る適格旧株主（第１項本文又は第３項本文の規定によれば提訴請求をすることができることとなる旧株主をいう。以下この節において同じ。）がある場合において、第１項各号に掲げる行為の効力が生じた時までにその原因となった事実が生じた責任又は義務を免除するときにおける第５５条<発起人等の責任の免除>、第１０２条の２第２項<払込みを仮装した設立時募集株式の引受人の責任の免除>、第１０３条第３項<払込みの仮装に関与した発起人・設立時取締役の責任の免除>、第１２０条第５項<株主の権利の行使に関する利益の供与に対する取締役の責任の免除>、第２１３条の２第２項<出資の履行を仮装した募集株式の引受人の責任の免除>、第２８６条の２第２項、第４２４条<株式会社に対する損害賠償責任の免除>（第４８６条第４項において準用する場合を含む。）、第４６２条第３項ただし書、第４６４条第２項及び第４６５条第２項の規定の適用については、これらの規定中「総株主」とあるのは、「総株主及び第８４７条の２第９項に規定する適格旧株主の全員」とする。

【５項読替え】

第３項の規定は、同項第２号（前項又はこの項において準用する場合を含む。以下この項において同じ。）に掲げる場合において、旧株主が同号の株式の株主でなくなったときについて準用する。

Ⅲ　旧株主は、第１項各号の完全親会社の株主でなくなった場合であっても、次に掲げるときは、株式交換等完全子会社に対し、書面その他の法務省令で定める方法により、責任追及等の訴えの提起を請求することができる。ただし、責任追及等の訴えが当該旧株主若しくは第三者の不正な利益を図り又は当該株式交換等完全子会社若しくは次の各号の株式を発行している株式会社に損害を加えることを目的とする場合は、この限りでない。

①　合併により設立する株式会社又は合併後存続する株式会社若しくはその完全親会社の株式交換又は株式移転により当該完全親会社の完全親会社の株式を取得し、引き続き当該株式を有するとき。

雑則

② 合併により設立する株式会社又は合併後存続する株式会社若しくはその完全親会社が合併により消滅する会社となる合併により、合併により設立する株式会社又は合併後存続する株式会社若しくはその完全親会社の株式を取得し、引き続き当該株式を有するとき。

《注　釈》

◆ 旧株主による責任追及等の訴えの制度の新設（847の2）

1　はじめに

平成26年改正前会社法下においては、株主が責任追及等の訴えを提起する前に、株式交換、株式移転、吸収合併（以下、「株式交換等」という。）、又は新設合併が行われ、株主たる地位を失った場合、851条は適用されず、当該旧株主は責任追及等の訴えを提起することができなかった。しかし、旧株主は、任意に株式を失ったわけではなく、依然として完全親会社等の株主として利害関係も有していることから、責任追及等の訴え提起等を認める必要性が高い。そこで、平成26年改正により、株式交換等によって株主でなくなった者による責任追及等の訴えの制度が設けられた（847の2Ⅰ）。

2　要件

⑴　公開会社の場合（847の2Ⅰ）

① 株式交換、株式移転、吸収合併の効力発生日の6か月前から発生日まで引き続き株式会社の株主であった者（定款で権利行使が否定される単元未満株主は除く。以下「旧株主」という。）（同Ⅰ柱書）

② 次のア又はイの場合

ア　株式交換又は株式移転により当該株式会社の完全親会社の株式を取得し、引き続き当該株式を有するとき（同Ⅰ①）

イ　吸収合併により、吸収合併後存続する株式会社の完全親会社の株式を取得し、引き続き当該株式を有するとき（同Ⅰ②）

③ 株式交換、株式移転、吸収合併の効力が生じたときまでに、責任追及の原因となる事実が生じた責任又は義務に係るもの（同Ⅰ柱書）

④ 不正な利益を図り又は損害を加えることを目的とするものでないこと（同Ⅰただし書）

⑵　非公開会社の場合（847の2Ⅱ）

① 株式交換、株式移転、吸収合併の効力発生日において株式会社の株主であった者（定款で権利行使が否定される単元未満株主は除く。「旧株主」）（同Ⅱ・同Ⅰ柱書）

②～④は、⑴公開会社の場合と同じ。

⑶　完全親会社が株式交換等をした場合（847の2Ⅲ）

① 旧株主が完全親会社の株主でなくなった場合（同Ⅲ柱書）

② 次のア又はイの場合

ア　完全親会社の株式交換又は株式移転により、当該完全親会社の完全親

会社の株式を取得し、引き続き当該株式を有するとき（同Ⅲ①）

イ　完全親会社が合併により消滅する会社となる合併により、合併により設立する株式会社又は合併後存続する株式会社若しくはその完全親会社の株式を取得し、引き続き当該株式有するとき（同Ⅲ②）

③　不正な利益を図り又は損害を加えることを目的とするものでないこと（同Ⅲただし書）

3　役員等の責任の免除（847の2Ⅸ）

当該会社の株主全員、及び提訴請求をすることができる旧株主（適格旧株主という）全員の同意がなければ責任免除できない。

第８４７条の３（最終完全親会社等の株主による特定責任追及の訴え）

Ⅰ　６箇月（これを下回る期間を定款で定めた場合にあっては、その期間）前から引き続き株式会社の最終完全親会社等（当該株式会社の完全親会社等であって、その完全親会社等がないものをいう。以下この節において同じ。）の総株主（株主総会において決議をすることができる事項の全部につき議決権を行使することができない株主を除く。）の議決権の１００分の１（これを下回る割合を定款で定めた場合にあっては、その割合）以上の議決権を有する株主又は当該最終完全親会社等の発行済株式（自己株式を除く。）の１００分の１（これを下回る割合を定款で定めた場合にあっては、その割合）以上の数の株式を有する株主は、当該株式会社に対し、書面その他の法務省令で定める方法により、特定責任に係る責任追及等の訴え（以下この節において「特定責任追及の訴え」という。）の提起を請求することができる予書。ただし、次のいずれかに該当する場合は、この限りでない予。

①　特定責任追及の訴えが当該株主若しくは第三者の不正な利益を図り又は当該株式会社若しくは当該最終完全親会社等に損害を加えることを目的とする場合

②　当該特定責任の原因となった事実によって当該最終完全親会社等に損害が生じていない場合書

Ⅱ　前項に規定する「完全親会社等」とは、次に掲げる株式会社をいう。

①　完全親会社

②　株式会社の発行済株式の全部を他の株式会社及びその完全子会社等（株式会社がその株式又は持分の全部を有する法人をいう。以下この条及び第８４９条第３項において同じ。）又は他の株式会社の完全子会社等が有する場合における当該他の株式会社（完全親会社を除く。）

Ⅲ　前項第２号の場合において、同号の他の株式会社及びその完全子会社等又は同号の他の株式会社の完全子会社等が他の法人の株式又は持分の全部を有する場合における当該他の法人は、当該他の株式会社の完全子会社等とみなす。

Ⅳ　第１項に規定する「特定責任」とは、当該株式会社の発起人等の責任の原因となった事実が生じた日において最終完全親会社等及びその完全子会社等（前項の規定により当該完全子会社等とみなされるものを含む。次項及び第８４９条第３項において同じ。）における当該株式会社の株式の帳簿価額が当該最終完全親会社等の総資産額として法務省令で定める方法により算定される額の５分の１（これを下回る割合を定款で定めた場合にあっては、その割合）を超える場合における当該発起人等の責任をいう（第１０項及び同条第７項において同じ。）〈書。

Ⅴ　最終完全親会社等が、発起人等の責任の原因となった事実が生じた日において最終完全親会社等であった株式会社をその完全子会社等としたものである場合には、前項の規定の適用については、当該最終完全親会社等であった株式会社を同項の最終完全親会社等とみなす。

Ⅵ　公開会社でない最終完全親会社等における第１項の規定の適用については、同項中「６箇月（これを下回る期間を定款で定めた場合にあっては、その期間）前から引き続き株式会社」とあるのは、「株式会社」とする。

Ⅶ　株式会社が第１項の規定による請求の日から６０日以内に特定責任追及の訴えを提起しないときは、当該請求をした最終完全親会社等の株主は、株式会社のために、特定責任追及の訴えを提起することができる。

Ⅷ　株式会社は、第１項の規定による請求の日から６０日以内に特定責任追及の訴えを提起しない場合において、当該請求をした最終完全親会社等の株主又は当該請求に係る特定責任追及の訴えの被告となることとなる発起人等から請求を受けたときは、当該請求をした者に対し、遅滞なく、特定責任追及の訴えを提起しない理由を書面その他の法務省令で定める方法により通知しなければならない。

Ⅸ　第１項及び第７項の規定にかかわらず、同項の期間の経過により株式会社に回復することができない損害が生ずるおそれがある場合には、第１項に規定する株主は、株式会社のために、直ちに特定責任追及の訴えを提起することができる。ただし、同項ただし書に規定する場合は、この限りでない。

Ⅹ　株式会社に最終完全親会社等がある場合において、特定責任を免除するときにおける第５５条、第１０３条第３項、第１２０条第５項＜株主の権利の行使に関する利益の供与に対する取締役の責任の免除＞、第４２４条＜役員等の株式会社に対する損害賠償責任の免除＞（第４８６条第４項において準用する場合を含む。）、第４６２条第３項ただし書、第４６４条第２項＜買取請求に応じて株式を取得した場合の責任の免除＞及び第４６５条第２項＜欠損が生じた場合の責任の免除＞の規定の適用については、これらの規定中「総株主」とあるのは、「総株主及び株式会社の第８４７条の３第１項に規定する最終完全親会社等の総株主」とする。

《注　釈》

◆　最終完全親会社等の株主による特定責任追及の訴え（多重代表訴訟）（847の3）

1　はじめに

持株会社を頂点とする企業グループ等の場合、子会社取締役に対する責任追及等は、その唯一の株主である親会社が行うべきである。しかし、馴れ合いから親会社が責任追及等を懈怠し、親会社株主の利益が害されるおそれがある。

そこで、親会社株主の権限強化の一環として、親会社株主による子会社取締役等に対する特定責任追及の訴えの制度が設けられている（847の3）。

2　要件〈予R2

(1)　公開会社の場合（847の3Ⅰ）

①　次のア～ウに該当すること（同Ⅰ柱書）

雑則

ア　株式会社の最終完全親会社等（当該株式会社の完全親会社等であって、その完全親会社等がないものをいう。）の株主であり、
イ　最終完全親会社等の総株主の議決権の100分の1以上の議決権又は最終完全親会社等の発行済株式の100分の1以上の数の株式を、
ウ　6か月前から引き続き有する株主
②　不正な利益を図り又は損害を加える目的ではないこと（同Ⅰ①）
③　責任追及の対象行為により親会社等に損害が生じていること（同Ⅰ②）
④　発起人等（847参照）の責任の原因となった事実が生じた日において、最終完全親会社等及びその完全子会社等における当該株式会社の株式の帳簿価額が、当該最終完全親会社等の総資産額として法務省令で定める方法により算定される額の5分の1（定款で引下げ可）を超えること（同Ⅳ）

⑵　非公開会社の場合（847の3Ⅵ）
①　最終完全親会社等の総株主の議決権の100分の1以上の議決権又は最終完全親会社等の発行済株式の100分の1以上の数の株式を有する株主（同Ⅵ・Ⅰ柱書）
②～④は、⑴公開会社の場合と同じ。

3　責任の免除（847の3Ⅹ）予R2

特定責任を全部免除するためには、子会社の総株主、及び最終完全親会社等の総株主の同意が必要である（同Ⅹ）。なお、特定責任の一部免除の場合は、当該子会社の株主総会決議に加えて、最終完全親会社等の株主総会決議を要する（425Ⅰ柱書かっこ書）。

第847条の4　（責任追及等の訴えに係る訴訟費用等）

Ⅰ　第847条第3項若しくは第5項<株主による責任追及等の訴えの提起>、第847条の2第6項若しくは第8項<旧株主による責任追及等の訴えの提起の請求>又は前条第7項若しくは第9項の責任追及等の訴えは、訴訟の目的の価額の算定については、財産権上の請求でない請求に係る訴えとみなす。
Ⅱ　株主等（株主、適格旧株主又は最終完全親会社等の株主をいう。以下この節において同じ。）が責任追及等の訴えを提起したときは、裁判所は、被告の申立てにより、当該株主等に対し、相当の担保を立てるべきことを命ずることができる。
Ⅲ　被告が前項の申立てをするには、責任追及等の訴えの提起が悪意によるものであることを疎明しなければならない。

［趣旨］1項は、株主等による責任追及等の訴えについて、請求する損害賠償額に応じて訴訟費用が決まる仕組みにせず、一律定額にすることを可能にすることで、株主が本訴訟を提起しやすいものとしている。

《注　釈》

◆　**代表訴訟と担保の提供**（847の4ⅡⅢ）

「訴えの提起が悪意による」とは、請求に理由がなく、原告がそのことを知って訴えを提起した場合又は原告が株主代表訴訟の制度の趣旨を逸脱し、不当な

目的をもって被告を害することを知りながら訴えを提起した場合をいう（訴権の濫用防止）。そして、請求に理由がないとは、①原告が主張する事実をもってしては請求を理由あらしめることができない場合、②請求原因事実の立証の見込みが極めて少ない場合、③被告の抗弁が成立して請求が棄却される蓋然性が高い場合等をいう（東京高決平7.2.20・百選65事件）。

第８４８条　（訴えの管轄）

責任追及等の訴えは、株式会社又は株式交換等完全子会社（以下この節において「株式会社等」という。）の本店の所在地を管轄する地方裁判所の管轄に専属する〈司予。

第８４９条　（訴訟参加）

Ⅰ　株主等又は株式会社等は、共同訴訟人として、又は当事者の一方を補助するため、責任追及等の訴え（適格旧株主にあっては第８４７条の２第１項各号に掲げる行為の効力が生じた時までにその原因となった事実が生じた責任又は義務に係るものに限り、最終完全親会社等の株主にあっては特定責任追及の訴えに限る。）に係る訴訟に参加することができる〈同。ただし、不当に訴訟手続を遅延させることとなるとき、又は裁判所に対し過大な事務負担を及ぼすこととなるときは、この限りでない。

Ⅱ　次の各号に掲げる者は、株式会社等の株主でない場合であっても、当事者の一方を補助するため、当該各号に定める者が提起した責任追及等の訴えに係る訴訟に参加することができる。ただし、前項ただし書に規定するときは、この限りでない。

①　株式交換等完全親会社（第８４７条の２第１項各号に定める場合又は同条第３項第１号（同条第４項及び第５項において準用する場合を含む。以下この号において同じ。）若しくは第２号（同条第４項及び第５項において準用する場合を含む。以下この号において同じ。）に掲げる場合における株式交換等完全子会社の完全親会社（同条第１項各号に掲げる行為又は同条第３項第１号の株式交換若しくは株式移転若しくは同項第２号の合併の効力が生じた時においてその完全親会社があるものを除く。）であって、当該完全親会社の株式交換若しくは株式移転又は当該完全親会社が合併により消滅する会社となる合併によりその完全親会社となった株式会社がないものをいう。以下この条において同じ。）　適格旧株主

②　最終完全親会社等　当該最終完全親会社等の株主

Ⅲ　株式会社等、株式交換等完全親会社又は最終完全親会社等が、当該株式会社等、当該株式交換等完全親会社の株式交換等完全子会社又は当該最終完全親会社等の完全子会社等である株式会社の取締役（監査等委員及び監査委員を除く。）、執行役及び清算人並びにこれらの者であった者を補助するため、責任追及等の訴えに係る訴訟に参加するには、次の各号に掲げる株式会社の区分に応じ、当該各号に定める者の同意を得なければならない。

①　監査役設置会社　監査役（監査役が２人以上ある場合にあっては、各監査役）〈共

②　監査等委員会設置会社　各監査等委員

③　指名委員会等設置会社　各監査委員

Ⅳ　株主等は、責任追及等の訴えを提起したときは、遅滞なく、当該株式会社等に対し、訴訟告知をしなければならない〈書。

Ⅴ　株式会社等は、責任追及等の訴えを提起したとき、又は前項の訴訟告知を受けたときは、遅滞なく、その旨を公告し、又は株主に通知しなければならない[同]。

Ⅵ　株式会社等に株式交換等完全親会社がある場合であって、前項の責任追及等の訴え又は訴訟告知が第８４７条の２第１項各号＜旧株主による責任追及等の訴えの提起の請求＞に掲げる行為の効力が生じた時までにその原因となった事実が生じた責任又は義務に係るものであるときは、当該株式会社等は、前項の規定による公告又は通知のほか、当該株式交換等完全親会社に対し、遅滞なく、当該責任追及等の訴えを提起し、又は当該訴訟告知を受けた旨を通知しなければならない。

Ⅶ　株式会社等に最終完全親会社等がある場合であって、第５項の責任追及等の訴え又は訴訟告知が特定責任に係るものであるときは、当該株式会社等は、同項の規定による公告又は通知のほか、当該最終完全親会社等に対し、遅滞なく、当該責任追及等の訴えを提起し、又は当該訴訟告知を受けた旨を通知しなければならない。

Ⅷ　第６項の株式交換等完全親会社が株式交換等完全子会社の発行済株式の全部を有する場合における同項の規定及び前項の最終完全親会社等が株式会社の発行済株式の全部を有する場合における同項の規定の適用については、これらの規定中「のほか」とあるのは、「に代えて」とする。

Ⅸ　公開会社でない株式会社等における第５項から第７項までの規定の適用については、第５項中「公告し、又は株主に通知し」とあるのは「株主に通知し」と、第６項及び第７項中「公告又は通知」とあるのは「通知」とする。

Ⅹ　次の各号に掲げる場合には、当該各号に規定する株式会社は、遅滞なく、その旨を公告し、又は当該各号に定める者に通知しなければならない。

①　株式交換等完全親会社が第６項の規定による通知を受けた場合　適格旧株主

②　最終完全親会社等が第７項の規定による通知を受けた場合　当該最終完全親会社等の株主

Ⅺ　前項各号に規定する株式会社が公開会社でない場合における同項の規定の適用については、同項中「公告し、又は当該各号に定める者に通知し」とあるのは、「当該各号に定める者に通知し」とする。

【８項読替え】

Ⅵ　株式会社等に株式交換等完全親会社がある場合であって、株式交換等完全親会社が株式交換等完全子会社の発行済株式の全部を有する場合においては、前項の責任追及等の訴え又は訴訟告知が第847条の２第１項各号＜旧株主による責任追及等の訴えの提起の請求＞に掲げる行為の効力が生じた時までにその原因となった事実が生じた責任又は義務に係るものであるときは、当該株式会社等は、前項の規定による公告又は通知に代えて、当該株式交換等完全親会社に対し、遅滞なく、当該責任追及等の訴えを提起し、又は当該訴訟告知を受けた旨を通知しなければならない。

Ⅶ　株式会社等に最終完全親会社等がある場合であって、最終完全親会社等が株式会社の発行済株式の全部を有する場合においては、第５項の責任追及等の訴え又は訴訟告知が特定責任に係るものであるときは、当該株式会社等は、同項の規定による公告又は通知に代えて、当該最終完全親会社等に対し、遅滞なく、当該責任追及等の訴えを提起し、又は当該訴訟告知を受けた旨を通知しなければならない。

【9項読替え】
Ⅴ　公開会社でない株式会社等においては、株式会社等は、責任追及等の訴えを提起したとき、又は前項の訴訟告知を受けたときは、遅滞なく、その旨を株主に通知しなければならない。
Ⅵ　公開会社でない株式会社等においては、株式会社等に株式交換等完全親会社がある場合であって、前項の責任追及等の訴え又は訴訟告知が第847条の2第1項各号<旧株主による責任追及等の訴えの提起の請求>に掲げる行為の効力が生じた時までにその原因となった事実が生じた責任又は義務に係るものであるときは、当該株式会社等は、前項の規定による通知のほか、当該株式交換等完全親会社に対し、遅滞なく、当該責任追及等の訴えを提起し、又は当該訴訟告知を受けた旨を通知しなければならない。
Ⅶ　公開会社でない株式会社等においては、株式会社等に最終完全親会社等がある場合であって、第5項の責任追及等の訴え又は訴訟告知が特定責任に係るものであるときは、当該株式会社等は、同項の規定による通知のほか、当該最終完全親会社等に対し、遅滞なく、当該責任追及等の訴えを提起し、又は当該訴訟告知を受けた旨を通知しなければならない。

雑則

［趣旨］株主が被告たる取締役と馴れ合いで代表訴訟を遂行していくことも考えられるところ、株主が当該訴訟に敗訴する場合でも、判決の効力は会社に及び（法定訴訟担当、民訴115Ⅰ②)、その結果、他の株主は重ねて訴えを提起することができなくなる。そこで、このような弊害を防止すべく、1項で、訴訟参加を定めた。4項の趣旨は、判決の効力を受ける会社に参加の機会を保障する点にあり、5項の趣旨は、他の株主への参加の機会を保障する点にある〈予〉。

《注　釈》

◆　**訴訟参加**

本条は、株主・株式会社が、責任追及等の訴えに、共同訴訟参加ないし補助参加できる旨規定している。

この点、旧法下においても、「参加」することができるとは、共同訴訟参加を意味するとされ、また、判例は、株式会社は、特段の事情がない限り、取締役を補助するため訴訟に参加することができるとしていた（最判平13.1.30・百選A25事件）〈同〉。

これに対して会社法は、民事訴訟法42条及び52条の特則を設け、「法律上の利害関係」（民訴42）を有するか否かにかかわらず、株主・株式会社が、責任追及等の訴えに共同訴訟参加ないし補助参加できるとした。

第849条の2　（和解）

株式会社等が、当該株式会社等の取締役（監査等委員及び監査委員を除く。）、執行役及び清算人並びにこれらの者であった者の責任を追及する訴えに係る訴訟における和解をするには、次の各号に掲げる株式会社の区分に応じ、当該各号に定める者の同意を得なければならない。
①　監査役設置会社　監査役（監査役が2人以上ある場合にあっては、各監査役）
②　監査等委員会設置会社　各監査等委員

③ 指名委員会等設置会社 各監査委員

【令元改正】株式会社等が取締役等を補助するために責任追及訴訟に参加する場合や、取締役・執行役の責任の一部免除の議案を株主総会に提出する場合などについては、会社の判断の適正を確保するために、各監査役・各監査等委員・各監査委員の同意を得なければならない（849Ⅲ、425Ⅲ等）。この点、株式会社がその取締役・執行役の責任追及訴訟において和解する場合についても、同様に会社の判断の適正を確保するという趣旨が妥当するにもかかわらず、上記のような規定が置かれていなかったことから、令和元年改正により、これらの制度と同様の規律を新設し、和解手続の明確化を図った。

雑則

《注 釈》

・各監査役・各監査等委員・各監査委員の同意が必要な場合は、以下の通りである。
 ① 取締役（監査等委員及び監査委員を除く。以下同じ）・執行役（これらの者であった者も含む）等を補助するため、責任追及訴訟に参加する場合（849Ⅲ）
 ② 取締役・執行役の株式会社に対する損害賠償責任（423Ⅰ）の一部免除の議案を株主総会に提出する場合（425Ⅲ）
 ③ 取締役・執行役の責任について、取締役の過半数の同意又は取締役会の決議によって免除する旨の定款の定めを設ける議案を株主総会に提出する場合（426Ⅱ）
 ④ 上記③の定款の定めに基づき、取締役・執行役の責任の免除についての取締役の同意を得る場合又は当該責任の免除に関する議案を取締役会に提出する場合（426Ⅱ）
 ⑤ 株式会社等がその取締役・執行役（これらの者であった者も含む）等の責任追及訴訟において和解する場合（849の2）

第８５０条 共

Ⅰ 民事訴訟法第２６７条<和解調書等の確定判決と同一の効力>の規定は、株式会社等が責任追及等の訴えに係る訴訟における和解の当事者でない場合には、当該訴訟における訴訟の目的については、適用しない。ただし、当該株式会社等の承認がある場合は、この限りでない予。

Ⅱ 前項に規定する場合において、裁判所は、株式会社等に対し、和解の内容を通知し、かつ、当該和解に異議があるときは２週間以内に異議を述べるべき旨を催告しなければならない。

Ⅲ 株式会社等が前項の期間内に書面により異議を述べなかったときは、同項の規定による通知の内容で株主等が和解をすることを承認したものとみなす予。

Ⅳ 第５５条<発起人等の責任の免除>、第１０２条の２第２項、第１０３条第３項、第１２０条第５項<株主の権利の行使に関する利益の供与に対する取締役の責任の免除>、第２１３条の２第２項<出資の履行を仮装した募集株式の引受人の責任の免除>、第２８６条の２第２項<新株予約権に係る払込み等を仮装した新株予

約権者の責任の免除＞、第４２４条＜役員等の株式会社に対する損害賠償責任の免除＞（第４８６条第４項において準用する場合を含む。）、第４６２条第３項＜剰余金の配当等に関する責任の免除＞（同項ただし書に規定する分配可能額を超えない部分について負う義務に係る部分に限る。）、第４６４条第２項＜買取請求に応じて株式を取得した場合の責任の免除＞及び第４６５条第２項＜欠損が生じた場合の責任の免除＞の規定は、責任追及等の訴えに係る訴訟における和解をする場合には、適用しない。

［趣旨］株主代表訴訟について訴訟上の和解をする場合、通常、和解当事者は原告株主と被告取締役であり、会社はその当事者たる地位にはないが、この場合、会社や他の株主に不利益な和解が行われるおそれがある。そこで、１項により、会社が和解当事者ではない場合には、当該会社の承認を要求した。

第８５１条　（株主でなくなった者の訴訟追行）〈共

Ⅰ　責任追及等の訴えを提起した株主又は第８４９条第１項＜訴訟参加＞の規定により共同訴訟人として当該責任追及等の訴えに係る訴訟に参加した株主が当該訴訟の係属中に株主でなくなった場合であっても、次に掲げるときは、その者が、訴訟を追行することができる。

①　その者が当該株式会社の株式交換又は株式移転により当該株式会社の完全親会社の株式を取得したとき〈司予。

②　その者が当該株式会社が合併により消滅する会社となる合併により、合併により設立する株式会社又は合併後存続する株式会社若しくはその完全親会社の株式を取得したとき。

Ⅱ　前項の規定は、同項第１号（この項又は次項において準用する場合を含む。）に掲げる場合において、前項の株主が同項の訴訟の係属中に当該株式会社の完全親会社の株式の株主でなくなったときについて準用する。この場合において、同項（この項又は次項において準用する場合を含む。）中「当該株式会社」とあるのは、「当該完全親会社」と読み替えるものとする。

Ⅲ　第１項の規定は、同項第２号（前項又はこの項において準用する場合を含む。）に掲げる場合において、第１項の株主が同項の訴訟の係属中に合併により設立する株式会社又は合併後存続する株式会社若しくはその完全親会社の株式の株主でなくなったときについて準用する。この場合において、同項（前項又はこの項において準用する場合を含む。）中「当該株式会社」とあるのは、「合併により設立する株式会社又は合併後存続する株式会社若しくはその完全親会社」と読み替えるものとする。

【2項読替え】

前項の株主が同項の訴訟の係属中に当該株式会社の完全親会社の株式の株主でなくなった場合であっても、次に掲げるときは、その者が、訴訟を追行することができる。

①　その者が当該完全親会社の株式交換又は株式移転により当該完全親会社の完全親会社（特定の株式会社の発行済株式の全部を有する株式会社その他こと同等のものとして法務省令で定める株式会社をいう。以下この条において同じ。）の株式を取得したとき。

【3項読替え】
第1項の株主が同項の訴訟の係属中に合併により設立する株式会社又は合併後存続する株式会社若しくはその完全親会社の株式の株主でなくなった場合であっても、次に掲げるときは、その者が、訴訟を追行することができる。
② その者が合併により設立する株式会社又は合併後存続する株式会社若しくはその完全親会社が合併により消滅する会社となる合併により、合併により設立する株式会社又は合併後存続する株式会社若しくはその完全親会社の株式を取得したとき。

［趣旨］責任追及等の訴えに係る訴訟の係属中、原告が株主でなくなった場合には、原則として原告適格を失う。もっとも、株主の意思によらずに会社によって組織再編行為がなされる場合にまで原告適格を失わせるのは当該株主にとって酷であることから、本条で一定の場合に原告適格の存続を認めた。

第852条 (費用等の請求)

Ⅰ 責任追及等の訴えを提起した株主等が勝訴（一部勝訴を含む。）した場合において、当該責任追及等の訴えに係る訴訟に関し、必要な費用（訴訟費用を除く。）を支出したとき又は弁護士若しくは弁護士法人に報酬を支払うべきときは、当該株式会社等に対し、その費用の額の範囲内又はその報酬額の範囲内で相当と認められる額の支払を請求することができる。
Ⅱ 責任追及等の訴えを提起した株主等が敗訴した場合であっても、悪意があったときを除き、当該株主等は、当該株式会社等に対し、これによって生じた損害を賠償する義務を負わない。
Ⅲ 前２項の規定は、第８４９条第１項<訴訟参加>の規定により同項の訴訟に参加した株主等について準用する。

［趣旨］株主代表訴訟は会社のために提起するものであり、勝訴による利益が会社に帰属した場合には、その訴訟のために株主が支出した費用は、合理的な範囲で会社が負担すべきである。そこで、852条1項は、株主等が勝訴した場合において、当該訴訟に必要な費用を支出したとき等は、当該株式会社等に対し、その費用の額の範囲内又はその報酬額の範囲内で相当と認められる額の支払を請求することができるとした。

第853条 (再審の訴え)

Ⅰ 責任追及等の訴えが提起された場合において、原告及び被告が共謀して責任追及等の訴えに係る訴訟の目的である株式会社等の権利を害する目的をもって判決をさせたときは、次の各号に掲げる者は、当該各号に定める訴えに係る確定した終局判決に対し、再審の訴えをもって、不服を申し立てることができる。
① 株主又は株式会社等 責任追及等の訴え
② 適格旧株主 責任追及等の訴え（第８４７条の２第１項各号に掲げる行為の効力が生じた時までにその原因となった事実が生じた責任又は義務に係るものに限る。）
③ 最終完全親会社等の株主 特定責任追及の訴え

Ⅱ　前条の規定は、前項の再審の訴えについて準用する。

［趣旨］853条の趣旨は、株主代表訴訟においては、原告である株主と被告である役員等が共謀して、会社あるいは他の株主の利益を損なうおそれがあるので、かかる弊害を防止する点にある予。

第３節　株式会社の役員の解任の訴え

第８５４条　（株式会社の役員の解任の訴え）

Ⅰ　役員（第３２９条第１項に規定する役員をいう。以下この節において同じ。）の職務の執行に関し不正の行為又は法令若しくは定款に違反する重大な事実があったにもかかわらず、当該役員を解任する旨の議案が株主総会において否決されたとき又は当該役員を解任する旨の株主総会の決議が第３２３条＜種類株主総会の決議を必要とする旨の定めがある場合＞の規定によりその効力を生じないときは、次に掲げる株主は、当該株主総会の日から３０日以内に、訴えをもって当該役員の解任を請求することができる司書。

①　総株主（次に掲げる株主を除く。）の議決権の１００分の３（これを下回る割合を定款で定めた場合にあっては、その割合）以上の議決権を６箇月（これを下回る期間を定款で定めた場合にあっては、その期間）前から引き続き有する株主（次に掲げる株主を除く。）

イ　当該役員を解任する旨の議案について議決権を行使することができない株主

ロ　当該請求に係る役員である株主

②　発行済株式（次に掲げる株主の有する株式を除く。）の１００分の３（これを下回る割合を定款で定めた場合にあっては、その割合）以上の数の株式を６箇月（これを下回る期間を定款で定めた場合にあっては、その期間）前から引き続き有する株主（次に掲げる株主を除く。）

イ　当該株式会社である株主

ロ　当該請求に係る役員である株主

Ⅱ　公開会社でない株式会社における前項各号の規定の適用については、これらの規定中「６箇月（これを下回る期間を定款で定めた場合にあっては、その期間）前から引き続き有する」とあるのは、「有する」とする。

Ⅲ　第１０８条第１項第９号＜種類株主総会により取締役・監査役を選任できる株式＞に掲げる事項（取締役（監査等委員会設置会社にあっては、監査等委員である取締役又はそれ以外の取締役）に関するものに限る。）についての定めがある種類の株式を発行している場合における第１項の規定の適用については、同項中「株主総会」とあるのは、「株主総会（第３４７条第１項の規定により読み替えて適用する第３３９条第１項の種類株主総会を含む。）」とする。

Ⅳ　第１０８条第１項第９号＜種類株主総会により取締役等・監査役を選任できる株式＞に掲げる事項（監査役に関するものに限る。）についての定めがある種類の株式を発行している場合における第１項の規定の適用については、同項中「株主総会」とあるのは、「株主総会（第３４７条第２項の規定により読み替えて適用する第３３９条第１項の種類株主総会を含む。）」とする。

【3項読替え】

第108条第1項第9号＜種類株主総会により取締役・監査役を選任できる株式＞に掲げる事項（取締役（監査等委員会設置会社にあっては、監査等委員である取締役又はそれ以外の取締役）に関するものに限る。）についての定めがある種類の株式を発行している場合においては、役員（第329条第1項に規定する役員をいう。以下この節において同じ。）の職務の執行に関し不正の行為又は法令若しくは定款に違反する重大な事実があったにもかかわらず、当該役員を解任する旨の議案が株主総会において否決されたとき又は当該役員を解任する旨の株主総会（第347条第1項の規定により読み替えて適用する第339条第1項の種類株主総会を含む。）の決議が第323条＜種類株主総会の決議を必要とする旨の定めがある場合＞の規定によりその効力を生じないときは、次に掲げる株主は、当該株主総会の日から30日以内に、訴えをもって当該役員の解任を請求することができる。

① 総株主（次に掲げる株主を除く。）の議決権の100分の3（これを下回る割合を定款で定めた場合にあっては、その割合）以上の議決権を6か月（これを下回る期間を定款で定めた場合にあっては、その期間）前から引き続き有する株主（次に掲げる株主を除く。）
　イ　当該役員を解任する旨の議案について議決権を行使することができない株主
　ロ　当該請求に係る役員である株主

② 発行済株式（次に掲げる株主の有する株式を除く。）の100分の3（これを下回る割合を定款で定めた場合にあっては、その割合）以上の数の株式を6か月（これを下回る期間を定款で定めた場合にあっては、その期間）前から引き続き有する株主（次に掲げる株主を除く。）
　イ　当該株式会社である株主
　ロ　当該請求に係る役員である株主

【4項読替え】

第108条第1項第9号＜種類株主総会により取締役・監査役を選任できる株式＞に掲げる事項（監査役に関するものに限る。）についての定めがある種類の株式を発行している場合において、役員（第329条第1項に規定する役員をいう。以下この節において同じ。）の職務の執行に関し不正の行為又は法令若しくは定款に違反する重大な事実があったにもかかわらず、当該役員を解任する旨の議案が株主総会において否決されたとき又は当該役員を解任する旨の株主総会（第347条第2項の規定により読み替えて適用する第339条第1項の種類株主総会を含む。）の決議が第323条＜種類株主総会の決議を必要とする旨の定めがある場合＞の規定によりその効力を生じないときは、次に掲げる株主は、当該株主総会の日から30日以内に、訴えをもって当該役員の解任を請求することができる。

① 総株主（次に掲げる株主を除く。）の議決権の100分の3（これを下回る割合を定款で定めた場合にあっては、その割合）以上の議決権を6か月（これを下回る期間を定款で定めた場合にあっては、その期間）前から引き続き有する株主（次に掲げる株主を除く。）
　イ　当該役員を解任する旨の議案について議決権を行使することができない株主
　ロ　当該請求に係る役員である株主

② 発行済株式（次に掲げる株主の有する株式を除く。）の100分の3（これを下回る割合を定款で定めた場合にあっては、その割合）以上の数の株式を6か月（これを下回る期間を定款で定めた場合にあっては、その期間）前から引き続き有する株主（次に掲げる株主を除く。）
イ　当該株式会社である株主
ロ　当該請求に係る役員である株主

［趣旨］株主は、役員の解任を議題とする提案権を行使する等により、株主総会の普通決議（339 I）を経て、取締役を解任することができる。しかし、役員は、多数派株主によって選任された者であることが通常であり、解任議案は常に否決されかねない。そこで、一定の場合には、株主が訴えをもってその役員を解任できるものとして、少数株主の保護を図っている。

《注　釈》

一 「否決されたとき」（I柱書） 司H28

「否決されたとき」の意義については、欠席戦術などにより決議の成立が妨害される場合なども考慮し、「議題とされた解任の決議が成立しなかった場合」を意味し、定足数に達する株主の出席がないために流会となったような場合も含まれる 通。

二　判例

1　会社法854条1項柱書の取締役解任事由が「あったにもかかわらず」とは、当該役員解任議案が否決された後に当該役員について生じた不正行為又は法令若しくは定款に違反する重大な行為をもって取締役解任の訴えの解任事由とすることはできないが、当該役員解任議案が否決された時点までに生じた解任事由については、取締役解任の訴えの解任事由とすることができる(高松高決平18.11.27)。

2　346条1項に基づき退任後なお会社の役員としての権利義務を有する者の職務の執行に関し不正の行為又は法令若しくは定款に違反する重大な事実があった場合において、本条を適用又は類推適用して株主が訴えをもって当該役員権利義務者の解任請求をすることは許されない(最判平20.2.26・百選43事件) 予書。

∵① 854条は、単に「役員」と規定しており、役員権利義務者を含む旨規定していない

② 株主は、346条2項所定の仮役員の選任を申し立てることで同条1項により役員権利義務者の地位を失わせることができる

【関連条文】339［役員等の解任］

第８５５条（被告）

前条第１項の訴え（次条及び第９３７条第１項第１号ヌ＜株式会社の役員の解任の訴えにおける登記の嘱託＞において「株式会社の役員の解任の訴え」という。）については、当該株式会社及び前条第１項の役員を被告とする 司予。

《注　釈》

・その被告を誰にすべきか旧商法上、争いがあったが、判例は、取締役と会社の双方を被告にすべきとしていた（固有必要的共同訴訟）（最判平10.3.27）。会社法では、この場合、取締役と会社の双方を被告にすべきことが明文化された。

第８５６条（訴えの管轄）

株式会社の役員の解任の訴えは、当該株式会社の本店の所在地を管轄する地方裁判所の管轄に専属する。

■第４節　特別清算に関する訴え

第８５７条（役員等の責任の免除の取消しの訴えの管轄）

第５４４条第２項の訴えは、特別清算裁判所（第８８０条第１項に規定する特別清算裁判所をいう。次条第３項において同じ。）の管轄に専属する。

第８５８条（役員等責任査定決定に対する異議の訴え）

Ⅰ　役員等責任査定決定（第５４５条第１項に規定する役員等責任査定決定をいう。以下この条において同じ。）に不服がある者は、第８９９条第４項の規定による送達を受けた日から１箇月の不変期間内に、異議の訴えを提起することができる。

Ⅱ　前項の訴えは、これを提起する者が、対象役員等（第５４２条第１項に規定する対象役員等をいう。以下この項において同じ。）であるときは清算株式会社を、清算株式会社であるときは対象役員等を、それぞれ被告としなければならない。

Ⅲ　第１項の訴えは、特別清算裁判所の管轄に専属する。

Ⅳ　第１項の訴えについての判決においては、訴えを不適法として却下する場合を除き、役員等責任査定決定を認可し、変更し、又は取り消す。

Ⅴ　役員等責任査定決定を認可し、又は変更した判決は、強制執行に関しては、給付を命ずる判決と同一の効力を有する。

Ⅵ　役員等責任査定決定を認可し、又は変更した判決については、受訴裁判所は、民事訴訟法第２５９条第１項の定めるところにより、仮執行の宣言をすることができる。

■第５節　持分会社の社員の除名の訴え等

第８５９条（持分会社の社員の除名の訴え） 共

持分会社の社員（以下この条及び第８６１条第１号において「対象社員」という。）について次に掲げる事由があるときは、当該持分会社は、対象社員以外の社員の過半数の決議に基づき、訴えをもって対象社員の除名を請求することができる。

① 出資の義務を履行しないこと。

② 第５９４条第１項（第５９８条第２項において準用する場合を含む。）の規定に違反したこと。

③ 業務を執行するに当たって不正の行為をし、又は業務を執行する権利がないのに業務の執行に関与したこと。

④　持分会社を代表するに当たって不正の行為をし、又は代表権がないのに持分会社を代表して行為をしたこと。
⑤　前各号に掲げるもののほか、重要な義務を尽くさないこと。

第８６０条　（持分会社の業務を執行する社員の業務執行権又は代表権の消滅の訴え）

持分会社の業務を執行する社員（以下この条及び次条第２号において「対象業務執行社員」という。）について次に掲げる事由があるときは、当該持分会社は、対象業務執行社員以外の社員の過半数の決議に基づき、訴えをもって対象業務執行社員の業務を執行する権利又は代表権の消滅を請求することができる。
①　前条各号に掲げる事由があるとき。
②　持分会社の業務を執行し、又は持分会社を代表することに著しく不適任なとき。

第８６１条　（被告）

次の各号に掲げる訴えについては、当該各号に定める者を被告とする。
①　第８５９条の訴え（次条及び第９３７条第１項第１号ルにおいて「持分会社の社員の除名の訴え」という。）　対象社員
②　前条の訴え（次条及び第９３７条第１項第１号ヲにおいて「持分会社の業務を執行する社員の業務執行権又は代表権の消滅の訴え」という。）　対象業務執行社員

第８６２条　（訴えの管轄）

持分会社の社員の除名の訴え及び持分会社の業務を執行する社員の業務執行権又は代表権の消滅の訴えは、当該持分会社の本店の所在地を管轄する地方裁判所の管轄に専属する。

■第６節　清算持分会社の財産処分の取消しの訴え

第８６３条　（清算持分会社の財産処分の取消しの訴え）

Ⅰ　清算持分会社（合名会社及び合資会社に限る。以下この項において同じ。）が次の各号に掲げる行為をしたときは、当該各号に定める者は、訴えをもって当該行為の取消しを請求することができる。ただし、当該行為がその者を害しないものであるときは、この限りでない。
①　第６７０条の規定に違反して行った清算持分会社の財産の処分　清算持分会社の債権者
②　第６７１条第１項の規定に違反して行った清算持分会社の財産の処分　清算持分会社の社員の持分を差し押さえた債権者

Ⅱ　民法第４２４条第１項ただし書＜詐害行為取消請求＞、第４２４条の５＜転得者に対する詐害行為取消請求＞、第４２４条の７第２項＜訴訟告知＞及び第４２５条から第４２６条まで＜詐害行為取消権の行使の効果、詐害行為取消権の期間の制限＞の規定は、前項の場合について準用する。この場合において、同法第４２４条第１項ただし書中「その行為によって」とあるのは「会社法（平成１７年法律第８６

号）第８６３条第１項各号に掲げる行為によって」と、同法第４２４条の５第１号中「債務者」とあるのは「清算持分会社（会社法第６４５条に規定する清算持分会社をいい、合名会社及び合資会社に限る。以下同じ。）」と、同条第２号並びに同法第４２４条の７第２項及び第４２５条から第４２６条までの規定中「債務者」とあるのは「清算持分会社」と読み替えるものとする。

第８６４条 （被告）

前条第１項の訴えについては、同項各号に掲げる行為の相手方又は転得者を被告とする。

■第７節　社債発行会社の弁済等の取消しの訴え

第８６５条 （社債発行会社の弁済等の取消しの訴え）

Ⅰ　社債を発行した会社が社債権者に対してした弁済、社債権者との間でした和解その他の社債権者に対してし、又は社債権者との間でした行為が著しく不公正であるときは、社債管理者は、訴えをもって当該行為の取消しを請求することができる。

Ⅱ　前項の訴えは、社債管理者が同項の行為の取消しの原因となる事実を知った時から６箇月を経過したときは、提起することができない。同項の行為の時から１年を経過したときも、同様とする。

Ⅲ　第１項に規定する場合において、社債権者集会の決議があるときは、代表社債権者又は決議執行者（第７３７条第２項に規定する決議執行者をいう。）も、訴えをもって第１項の行為の取消しを請求することができる。ただし、同項の行為の時から１年を経過したときは、この限りでない。

Ⅳ　民法第４２４条第１項ただし書<詐害行為取消請求>、第４２４条の５<転得者に対する詐害行為取消請求>、第４２４条の７第２項<訴訟告知>及び第４２５条から第４２５条の４まで<詐害行為取消権の行使の効果>の規定は、第１項及び前項本文の場合について準用する。この場合において、同法第４２４条第１項ただし書中「その行為によって」とあるのは「会社法第８６５条第１項に規定する行為によって」と、「債権者を害すること」とあるのは「その行為が著しく不公正であること」と、同法第４２４条の５各号中「債権者を害すること」とあるのは「著しく不公正であること」と、同法第４２５条中「債権者」とあるのは「社債権者」と読み替えるものとする。

第８６６条 （被告）

前条第１項又は第３項の訴えについては、同条第１項の行為の相手方又は転得者を被告とする。

第８６７条 （訴えの管轄）

第８６５条第１項又は第３項の訴えは、社債を発行した会社の本店の所在地を管轄する地方裁判所の管轄に専属する。

・第3章・【非訟】

■第1節　総則

第868条（非訟事件の管轄）

Ⅰ　この法律の規定による非訟事件（次項から第6項までに規定する事件を除く。）は、会社の本店の所在地を管轄する地方裁判所の管轄に属する。

Ⅱ　親会社社員（会社である親会社の株主又は社員に限る。）によるこの法律の規定により株式会社が作成し、又は備え置いた書面又は電磁的記録についての次に掲げる閲覧等（閲覧、謄写、謄本若しくは抄本の交付、事項の提供又は事項を記載した書面の交付をいう。第870条第2項第1号において同じ。）の許可の申立てに係る事件は、当該株式会社の本店の所在地を管轄する地方裁判所の管轄に属する。

①　当該書面の閲覧若しくは謄写又はその謄本若しくは抄本の交付

②　当該電磁的記録に記録された事項を表示したものの閲覧若しくは謄写又は電磁的方法による当該事項の提供若しくは当該事項を記載した書面の交付

Ⅲ　第179条の8第1項<売買価格の決定の申立て>の規定による売渡株式等の売買価格の決定の申立てに係る事件は、対象会社の本店の所在地を管轄する地方裁判所の管轄に属する。

Ⅳ　第705条第4項及び第706条第4項の規定、第707条、第711条第3項、第713条並びに第714条第1項及び第3項（これらの規定を第714条の7において準用する場合を含む。）の規定並びに第718条第3項、第732条、第740条第1項及び第741条第1項の規定による裁判の申立てに係る事件は、社債を発行した会社の本店の所在地を管轄する地方裁判所の管轄に属する。

Ⅴ　第822条第1項の規定による外国会社の清算に係る事件並びに第827条第1項の規定による裁判及び同条第2項において準用する第825条第1項の規定による保全処分に係る事件は、当該外国会社の日本における営業所の所在地（日本に営業所を設けていない場合にあっては、日本における代表者の住所地）を管轄する地方裁判所の管轄に属する。

Ⅵ　第843条第4項の申立てに係る事件は、同条第1項各号に掲げる行為の無効の訴えの第1審の受訴裁判所の管轄に属する。

第869条（疎明）

この法律の規定による許可の申立てをする場合には、その原因となる事実を疎明しなければならない。

第870条（陳述の聴取）

Ⅰ　裁判所は、この法律の規定（第2編第9章第2節を除く。）による非訟事件についての裁判のうち、次の各号に掲げる裁判をする場合には、当該各号に定める者の陳述を聴かなければならない。ただし、不適法又は理由がないことが明らかであるとして申立てを却下する裁判をするときは、この限りでない。

①　第346条第2項、第351条第2項若しくは第401条第3項（第403条第3項及び第420条第3項において準用する場合を含む。）の規定により選任された一時取締役（監査等委員会設置会社にあっては、監査等委員である取締役

雑則

又はそれ以外の取締役)、会計参与、監査役、代表取締役、委員（指名委員会、監査委員会又は報酬委員会の委員をいう。第８７４条第１号において同じ。)、執行役若しくは代表執行役の職務を行うべき者、清算人、第４７９条第４項において準用する第３４６条第２項若しくは第４８３条第６項において準用する第３５１条第２項の規定により選任された一時清算人若しくは代表清算人の職務を行うべき者、検査役又は第８２５条第２項（第８２７条第２項において準用する場合を含む。）の管理人の報酬の額の決定　当該会社（第８２７条第２項において準用する第８２５条第２項の管理人の報酬の額の決定にあっては、当該外国会社）及び報酬を受ける者

② 清算人、社債管理者又は社債管理補助者の解任についての裁判　当該清算人、社債管理者又は社債管理補助者

③ 第３３条第７項の規定による裁判　設立時取締役、第２８条第１号の金銭以外の財産を出資する者及び同条第２号の譲渡人

④ 第２０７条第７項又は第２８４条第７項の規定による裁判　当該株式会社及び第１９９条第１項第３号又は第２３６条第１項第３号の規定により金銭以外の財産を出資する者

⑤ 第４５５条第２項第２号又は第５０５条第３項第２号の規定による裁判　当該株主

⑥ 第４５６条又は第５０６条の規定による裁判　当該株主

⑦ 第７３２条の規定による裁判　利害関係人

⑧ 第７４０条第１項の規定による申立てを認容する裁判　社債を発行した会社

⑨ 第７４１条第１項の許可の申立てについての裁判　社債を発行した会社

⑩ 第８２４条第１項の規定による裁判　当該会社

⑪ 第８２７条第１項の規定による裁判　当該外国会社

Ⅱ 裁判所は、次の各号に掲げる裁判をする場合には、審問の期日を開いて、申立人及び当該各号に定める者の陳述を聴かなければならない。ただし、不適法又は理由がないことが明らかであるとして申立てを却下する裁判をするときは、この限りでない。

① この法律の規定により株式会社が作成し、又は備え置いた書面又は電磁的記録についての閲覧等の許可の申立てについての裁判　当該株式会社

② 第１１７条第２項、第１１９条第２項、第１８２条の５第２項、第１９３条第２項（第１９４条第４項において準用する場合を含む。)、第４７０条第２項、第７７８条第２項、第７８６条第２項、第７８８条第２項、第７９８条第２項、第８０７条第２項、第８０９条第２項又は第８１６条の７第２項の規定による株式又は新株予約権（当該新株予約権が新株予約権付社債に付されたものである場合において、当該新株予約権付社債についての社債の買取りの請求があったときは、当該社債を含む。）の価格の決定　価格の決定の申立てをすることができる者（申立人を除く。)

③ 第１４４条第２項（同条第７項において準用する場合を含む。）又は第１７７条第２項の規定による株式の売買価格の決定　売買価格の決定の申立てをすることができる者（申立人を除く。)

④ 第１７２条第１項の規定による株式の価格の決定　当該株式会社

⑤　第１７９条の８第１項<売買価格の決定の申立て>の規定による売渡株式等の売買価格の決定　特別支配株主
⑥　第８４３条第４項の申立てについての裁判　同項に規定する行為をした会社

第８７０条の２　（申立書の写しの送付等）

Ⅰ　裁判所は、前条第２項各号に掲げる裁判の申立てがあったときは、当該各号に定める者に対し、申立書の写しを送付しなければならない。
Ⅱ　前項の規定により申立書の写しを送付することができない場合には、裁判長は、相当の期間を定め、その期間内に不備を補正すべきことを命じなければならない。申立書の写しの送付に必要な費用を予納しない場合も、同様とする。
Ⅲ　前項の場合において、申立人が不備を補正しないときは、裁判長は、命令で、申立書を却下しなければならない。
Ⅳ　前項の命令に対しては、即時抗告をすることができる。
Ⅴ　裁判所は、第１項の申立てがあった場合において、当該申立てについての裁判をするときは、相当の猶予期間を置いて、審理を終結する日を定め、申立人及び前条第２項各号に定める者に告知しなければならない。ただし、これらの者が立ち会うことができる期日においては、直ちに審理を終結する旨を宣言することができる。
Ⅵ　裁判所は、前項の規定により審理を終結したときは、裁判をする日を定め、これを同項の者に告知しなければならない。
Ⅶ　裁判所は、第１項の申立てが不適法であるとき、又は申立てに理由がないことが明らかなときは、同項及び前２項の規定にかかわらず、直ちに申立てを却下することができる。
Ⅷ　前項の規定は、前条第２項各号に掲げる裁判の申立てがあった裁判所が民事訴訟費用等に関する法律（昭和４６年法律第４０号）の規定に従い当該各号に定める者に対する期日の呼出しに必要な費用の予納を相当の期間を定めて申立人に命じた場合において、その予納がないときについて準用する。

第８７１条　（理由の付記）

この法律の規定による非訟事件についての裁判には、理由を付さなければならない。ただし、次に掲げる裁判については、この限りでない。
①　第８７０条第１項第１号に掲げる裁判
②　第８７４条各号に掲げる裁判

第８７２条　（即時抗告）

次の各号に掲げる裁判に対しては、当該各号に定める者に限り、即時抗告をすることができる。
①　第６０９条第３項又は第８２５条第１項（第８２７条第２項において準用する場合を含む。）の規定による保全処分についての裁判　利害関係人
②　第８４０条第２項（第８４１条第２項において準用する場合を含む。）の規定による申立てについての裁判　申立人、株主及び株式会社
③　第８４２条第２項において準用する第８４０条第２項の規定による申立てについての裁判　申立人、新株予約権者及び株式会社

④ 第８７０条第１項各号に掲げる裁判 申立人及び当該各号に定める者（同条第１号、第３号及び第４号に掲げる裁判にあっては、当該各号に定める者）
⑤ 第８７０条第２項各号に掲げる裁判 申立人及び当該各号に定める者

第８７２条の２ （抗告状の写しの送付等）

Ⅰ 裁判所は、第８７０条第２項各号に掲げる裁判に対する即時抗告があったときは、申立人及び当該各号に定める者（抗告人を除く。）に対し、抗告状の写しを送付しなければならない。この場合においては、第８７０条の２第２項及び第３項の規定を準用する。

Ⅱ 第８７０条の２第５項から第８項までの規定は、前項の即時抗告があった場合について準用する。

第８７３条 （原裁判の執行停止）

第８７２条の即時抗告は、執行停止の効力を有する。ただし、第８７０条第１項第１号から４号まで及び第８号に掲げる裁判に対するものについては、この限りでない。

第８７４条 （不服申立ての制限）

次に掲げる裁判に対しては、不服を申し立てることができない。

① 第８７０条第１項第１号に規定する一時取締役、会計参与、監査役、代表取締役、委員、執行役若しくは代表執行役の職務を行うべき者、清算人、代表清算人、清算持分会社を代表する清算人、同号に規定する一時清算人若しくは代表清算人の職務を行うべき者、検査役、第５０１条第１項（第８２２条第３項において準用する場合を含む。）若しくは第６６２条第１項の鑑定人、第５０８条第２項（第８２２条第３項において準用する場合を含む。）若しくは第６７２条第３項の帳簿資料の保存をする者、社債管理者若しくは社債管理補助者の特別代理人又は第７１４条第３項（第７１４条の７において準用する場合を含む。）の事務を承継する社債管理者若しくは社債管理補助者の選任又は選定の裁判
② 第８２５条第２項（第８２７条第２項において準用する場合を含む。）の管理人の選任又は解任についての裁判
③ 第８２５条第６項（第８２７条第２項において準用する場合を含む。）の規定による裁判
④ この法律の規定による許可の申立てを認容する裁判（第８７０条第１項第９号及び第２項第１号に掲げる裁判を除く。）

第８７５条 （非訟事件手続法の規定の適用除外）

この法律の規定による非訟事件については、非訟事件手続法第４０条及び第５７条第２項第２号の規定は、適用しない。

第８７６条 （最高裁判所規則）

この法律に定めるもののほか、この法律の規定による非訟事件の手続に関し必要な事項は、最高裁判所規則で定める。

■第2節　新株発行の無効判決後の払戻金増減の手続に関する特則

第８７７条　（審問等の必要的併合）

第８４０条第２項（第８４１条第２項及び第８４２条第２項において準用する場合を含む。）の申立てに係る事件が数個同時に係属するときは、審問及び裁判は、併合してしなければならない。

第８７８条　（裁判の効力）

Ⅰ　第８４０条第２項（第８４１条第２項において準用する場合を含む。）の申立てについての裁判は、総株主に対してその効力を生ずる。

Ⅱ　第８４２条第２項において準用する第８４０条第２項の申立てについての裁判は、総新株予約権者に対してその効力を生ずる。

■第3節　特別清算の手続に関する特則

第１款　通則

第８７９条　（特別清算事件の管轄）

Ⅰ　第８６８条第１項の規定にかかわらず、法人が株式会社の総株主（株主総会において決議をすることができる事項の全部につき議決権を行使することができない株主を除く。次項において同じ。）の議決権の過半数を有する場合には、当該法人（以下この条において「親法人」という。）について特別清算事件、破産事件、再生事件又は更生事件（以下この条において「特別清算事件等」という。）が係属しているときにおける当該株式会社についての特別清算開始の申立ては、親法人の特別清算事件等が係属している地方裁判所にもすることができる。

Ⅱ　前項に規定する株式会社又は親法人及び同項に規定する株式会社が他の株式会社の総株主の議決権の過半数を有する場合には、当該他の株式会社についての特別清算開始の申立ては、親法人の特別清算事件等が係属している地方裁判所にもすることができる。

Ⅲ　前２項の規定の適用については、第３０８条第１項の法務省令で定める株主は、その有する株式について、議決権を有するものとみなす。

Ⅳ　第８６８条第１項の規定にかかわらず、株式会社が最終事業年度について第４４４条の規定により当該株式会社及び他の株式会社に係る連結計算書類を作成し、かつ、当該株式会社の定時株主総会においてその内容が報告された場合には、当該株式会社について特別清算事件等が係属しているときにおける当該他の株式会社についての特別清算開始の申立ては、当該株式会社の特別清算事件等が係属している地方裁判所にもすることができる。

第８８０条　（特別清算開始後の通常清算事件の管轄及び移送）

Ⅰ　第８６８条第１項の規定にかかわらず、清算株式会社について特別清算開始の命令があったときは、当該清算株式会社についての第２編第９章第１節（第５０８条を除く。）の規定による申立てに係る事件（次項において「通常清算事件」という。）は、当該清算株式会社の特別清算事件が係属する地方裁判所（以下この節において「特別清算裁判所」という。）が管轄する。

Ⅱ　通常清算事件が係属する地方裁判所以外の地方裁判所に同一の清算株式会社について特別清算事件が係属し、かつ、特別清算開始の命令があった場合において、当該通常清算事件を処理するために相当と認めるときは、裁判所（通常清算事件を取り扱う１人の裁判官又は裁判官の合議体をいう。）は、職権で、当該通常清算事件を特別清算裁判所に移送することができる。

第８８１条　（疎明）

第２編第９章第２節（第５４７条第３項を除く。）の規定による許可の申立てについては、第８６９条の規定は、適用しない。

第８８２条　（理由の付記）

Ⅰ　特別清算の手続に関する決定で即時抗告をすることができるものには、理由を付さなければならない。ただし、第５２６条第１項（同条第２項において準用する場合を含む。）及び第５３２条第１項（第５３４条において準用する場合を含む。）の規定による決定については、この限りでない。

Ⅱ　特別清算の手続に関する決定については、第８７１条の規定は、適用しない。

第８８３条　（裁判書の送達）

この節の規定による裁判書の送達については、民事訴訟法第１編第５章第４節（第１０４条を除く。）の規定を準用する。

第８８４条　（不服申立て）

Ⅰ　特別清算の手続に関する裁判につき利害関係を有する者は、この節に特別の定めがある場合に限り、当該裁判に対し即時抗告をすることができる。

Ⅱ　前項の即時抗告は、この節に特別の定めがある場合を除き、執行停止の効力を有する。

第８８５条　（公告）

Ⅰ　この節の規定による公告は、官報に掲載してする。

Ⅱ　前項の公告は、掲載があった日の翌日に、その効力を生ずる。

第８８６条　（事件に関する文書の閲覧等）

Ⅰ　利害関係人は、裁判所書記官に対し、第２編第９章第２節若しくはこの節又は非訟事件手続法第２編（特別清算開始の命令があった場合にあっては、同章第１節若しくは第２節若しくは第１節（同章第１節の規定による申立てに係る事件に係る部分に限る。）若しくはこの節又は非訟事件手続法第２編）の規定（これらの規定において準用するこの法律その他の法律の規定を含む。）に基づき、裁判所に提出され、又は裁判所が作成した文書その他の物件（以下この条及び次条第１項において「文書等」という。）の閲覧を請求することができる。

Ⅱ　利害関係人は、裁判所書記官に対し、文書等の謄写、その正本、謄本若しくは抄本の交付又は事件に関する事項の証明書の交付を請求することができる。

Ⅲ　前項の規定は、文書等のうち録音テープ又はビデオテープ（これらに準ずる方法により一定の事項を記録した物を含む。）に関しては、適用しない。この場合において、これらの物について利害関係人の請求があるときは、裁判所書記官は、その複製を許さなければならない。

Ⅳ　前３項の規定にかかわらず、次の各号に掲げる者は、当該各号に定める命令、保全処分、処分又は裁判のいずれかがあるまでの間は、前３項の規定による請求をすることができない。ただし、当該者が特別清算開始の申立人である場合は、この限りでない。

①　清算株式会社以外の利害関係人　第５１２条の規定による中止の命令、第５４０条第２項の規定による保全処分、第５４１条第２項の規定による処分又は特別清算開始の申立てについての裁判

②　清算株式会社　特別清算開始の申立てに関する清算株式会社を呼び出す審問の期日の指定の裁判又は前号に定める命令、保全処分、処分若しくは裁判

Ⅴ　非訟事件手続法第３２条第１項から第４項までの規定は、特別清算の手続には適用しない。

第８８７条　（支障部分の閲覧等の制限）

Ⅰ　次に掲げる文書等について、利害関係人がその閲覧若しくは謄写、その正本、謄本若しくは抄本の交付又はその複製（以下この条において「閲覧等」という。）を行うことにより、清算株式会社の清算の遂行に著しい支障を生ずるおそれがある部分（以下この条において「支障部分」という。）があることにつき疎明があった場合には、裁判所は、当該文書等を提出した清算株式会社又は調査委員の申立てにより、支障部分の閲覧等の請求をすることができる者を、当該申立てをした者及び清算株式会社に限ることができる。

①　第５２０条の規定による報告又は第５２２条第１項に規定する調査の結果の報告に係る文書等

②　第５３５条第１項又は第５３６条第１項の許可を得るために裁判所に提出された文書等

Ⅱ　前項の申立てがあったときは、その申立てについての裁判が確定するまで、利害関係人（同項の申立てをした者及び清算株式会社を除く。次項において同じ。）は、支障部分の閲覧等の請求をすることができない。

Ⅲ　支障部分の閲覧等の請求をしようとする利害関係人は、特別清算裁判所に対し、第１項に規定する要件を欠くこと又はこれを欠くに至ったことを理由として、同項の規定による決定の取消しの申立てをすることができる。

Ⅳ　第１項の申立てを却下する決定及び前項の申立てについての裁判に対しては、即時抗告をすることができる。

Ⅴ　第１項の規定よる決定を取り消す決定は、確定しなければその効力を生じない。

第２款　特別清算の開始の手続に関する特則

第８８８条　（特別清算開始の申立て）

Ⅰ　債権者又は株主が特別清算開始の申立てをするときは、特別清算開始の原因となる事由を疎明しなければならない。

Ⅱ　債権者が特別清算開始の申立てをするときは、その有する債権の存在をも疎明しなければならない。

Ⅲ　特別清算開始の申立てをするときは、申立人は、第５１４条第１号に規定する特別清算の手続の費用として裁判所の定める金額を予納しなければならない。

Ⅳ　前項の費用の予納に関する決定に対しては、即時抗告をすることができる。

第８８９条　（他の手続の中止命令）

Ⅰ　裁判所は、第５１２条の規定による中止の命令を変更し、又は取り消すことができる。

Ⅱ　前項の中止の命令及び同項の規定による決定に対しては、即時抗告をすることができる。

Ⅲ　前項の即時抗告は、執行停止の効力を有しない。

Ⅳ　第２項に規定する裁判及び同項の即時抗告についての裁判があった場合には、その裁判書を当事者に送達しなければならない。

第８９０条　（特別清算開始の命令）

Ⅰ　裁判所は、特別清算開始の命令をしたときは、直ちに、その旨を公告し、かつ、特別清算開始の命令の裁判書を清算株式会社に送達しなければならない。

Ⅱ　特別清算開始の命令は、清算株式会社に対する裁判書の送達がされた時から、効力を生ずる。

Ⅲ　特別清算開始の命令があったときは、特別清算の手続の費用は、清算株式会社の負担とする。

Ⅳ　特別清算開始の命令に対しては、清算株式会社に限り、即時抗告をすることができる。

Ⅴ　特別清算開始の申立てを却下した裁判に対しては、申立人に限り、即時抗告をすることができる。

Ⅵ　特別清算開始の命令をした裁判所は、第４項の即時抗告があった場合において、当該命令を取り消す決定が確定したときは、直ちに、その旨を公告しなければならない。

第８９１条　（担保権の実行の手続等の中止命令）

Ⅰ　裁判所は、第５１６条の規定による中止の命令を発する場合には、同条に規定する担保権の実行の手続等の申立人の陳述を聴かなければならない。

Ⅱ　裁判所は、前項の中止の命令を変更し、又は取り消すことができる。

Ⅲ　第１項の中止の命令及び前項の規定による変更の決定に対しては、第１項の申立人に限り、即時抗告をすることができる。

Ⅳ　前項の即時抗告は、執行停止の効力を有しない。

Ⅴ　第３項に規定する裁判及び同項の即時抗告についての裁判があった場合には、その裁判書を当事者に送達しなければならない。

第３款　特別清算の実行の手続に関する特則

第８９２条　（調査命令）

Ⅰ　裁判所は、調査命令（第５２２条第１項に規定する調査命令をいう。次項において同じ。）を変更し、又は取り消すことができる。

Ⅱ　調査命令及び前項の規定による決定に対しては、即時抗告をすることができる。

Ⅲ　前項の即時抗告は、執行停止の効力を有しない。

Ⅳ　第２項に規定する裁判及び同項の即時抗告についての裁判があった場合には、その裁判書を当事者に送達しなければならない。

第８９３条　（清算人の解任及び報酬等）

Ⅰ　裁判所は、第５２４条第１項の規定により清算人を解任する場合には、当該清算人の陳述を聴かなければならない。

Ⅱ　第５２４条第１項の規定による解任の裁判に対しては、即時抗告をすることができる。

Ⅲ　前項の即時抗告は、執行停止の効力を有しない。

Ⅳ　第５２６条第１項（同条第２項において準用する場合を含む。）の規定による決定に対しては、即時抗告をすることができる。

第８９４条　（監督委員の解任及び報酬等）

Ⅰ　裁判所は、監督委員を解任する場合には、当該監督委員の陳述を聴かなければならない。

Ⅱ　第５３２条第１項の規定による決定に対しては、即時抗告をすることができる。

第８９５条　（調査委員の解任及び報酬等）

前条の規定は、調査委員について準用する。

第８９６条　（事業の譲渡の許可の申立て）

Ⅰ　清算人は、第５３６条第１項の許可の申立てをする場合には、知れている債権者の意見を聴き、その内容を裁判所に報告しなければならない。

Ⅱ　裁判所は、第５３６条第１項の許可をする場合には、労働組合等（清算株式会社の使用人その他の従業者の過半数で組織する労働組合があるときはその労働組合、清算株式会社の使用人その他の従業者の過半数で組織する労働組合がないときは清算株式会社の使用人その他の従業者の過半数を代表する者をいう。）の意見を聴かなければならない。

第８９７条　（担保権者が処分をすべき期間の指定）

Ⅰ　第５３９条第１項の申立てについての裁判に対しては、即時抗告をすることができる。

Ⅱ　前項の裁判及び同項の即時抗告についての裁判があった場合には、その裁判書を当事者に送達しなければならない。

第８９８条　（清算株式会社の財産に関する保全処分等）

Ⅰ　裁判所は、次に掲げる裁判を変更し、又は取り消すことができる。
①　第５４０条第１項又は第２項の規定による保全処分
②　第５４１条第１項又は第２項の規定による処分
③　第５４２条第１項又は第２項の規定による保全処分
④　第５４３条の規定による処分

Ⅱ　前項各号に掲げる裁判及び同項の規定による決定に対しては、即時抗告をすることができる。

Ⅲ　前項の即時抗告は、執行停止の効力を有しない。

Ⅳ　第２項に規定する裁判及び同項の即時抗告についての裁判があった場合には、その裁判書を当事者に送達しなければならない。

Ⅴ　裁判所は、第１項第２号に掲げる裁判をしたときは、直ちに、その旨を公告しなければならない。当該裁判を変更し、又は取り消す決定があったときも、同様とする。

第８９９条　（役員等責任査定決定）

Ⅰ　清算株式会社は、第５４５条第１項の申立てをするときは、その原因となる事実を疎明しなければならない。

Ⅱ　役員等責任査定決定（第５４５条第１項に規定する役員等責任査定決定をいう。以下この条において同じ。）及び前項の申立てを却下する決定には、理由を付さなければならない。

Ⅲ　裁判所は、前項に規定する裁判をする場合には、対象役員等（第５４２条第１項に規定する対象役員等をいう。）の陳述を聴かなければならない。

Ⅳ　役員等責任査定決定があった場合には、その裁判書を当事者に送達しなければならない。

Ⅴ　第８５８条第１項の訴えが、同項の期間内に提起されなかったとき、又は却下されたときは、役員等責任査定決定は、給付を命ずる確定判決と同一の効力を有する。

第９００条　（債権者集会の招集の許可の申立てについての裁判）

第５４７条第３項の許可の申立てを却下する決定に対しては、即時抗告をすることができる。

第９０１条　（協定の認可又は不認可の決定）

Ⅰ　利害関係人は、第５６８条の申立てに係る協定を認可すべきかどうかについて、意見を述べることができる。

Ⅱ　共助対象外国租税の請求権について、協定において減免その他権利に影響を及ぼす定めをする場合には、徴収の権限を有する者の意見を聴かなければならない。

Ⅲ　第５６９条第１項の協定の認可の決定をしたときは、裁判所は、直ちに、その旨を公告しなければならない。

Ⅳ　第５６８条の申立てについての裁判に対しては、即時抗告をすることができる。この場合において、前項の協定の認可の決定に対する即時抗告の期間は、同項の規定による公告が効力を生じた日から起算して２週間とする。
Ⅴ　前各項の規定は、第５７２条の規定により協定の内容を変更する場合について準用する。

第４款　特別清算の終了の手続に関する特則

第９０２条　（特別清算終結の申立てについての裁判）

Ⅰ　特別清算終結の決定をしたときは、裁判所は、直ちに、その旨を公告しなければならない。
Ⅱ　特別清算終結の申立てについての裁判に対しては、即時抗告をすることができる。この場合において、特別清算終結の決定に対する即時抗告の期間は、前項の規定による公告が効力を生じた日から起算して２週間とする。
Ⅲ　特別清算終結の決定は、確定しなければその効力を生じない。
Ⅳ　特別清算終結の決定をした裁判所は、第２項の即時抗告があった場合において、当該決定を取り消す定が確定したときは、直ちに、その旨を公告しなければならない。

■第４節　外国会社の清算の手続に関する特則

第９０３条　（特別清算の手続に関する規定の準用）

前節の規定は、その性質上許されないものを除き、第８２２条第１項の規定による日本にある外国会社の財産についての清算について準用する。

■第５節　会社の解散命令等の手続に関する特則

第９０４条　（法務大臣の関与）

Ⅰ　裁判所は、第８２４条第１項又は第８２７条第１項の申立てについての裁判をする場合には、法務大臣に対し、意見を求めなければならない。
Ⅱ　法務大臣は、裁判所が前項の申立てに係る事件について審問をするときは、当該審問に立ち会うことができる。
Ⅲ　裁判所は、法務大臣に対し、第１項の申立てに係る事件が係属したこと及び前項の審問の期日を通知しなければならない。
Ⅳ　第１項の申立てを却下する裁判に対しては、第８７２条第４号に定める者のほか、法務大臣も、即時抗告をすることができる。

第９０５条　（会社の財産に関する保全処分についての特則）

Ⅰ　裁判所が第８２５条第１項（第８２７条第２項において準用する場合を含む。）の保全処分をした場合には、非訟事件の手続費用は、会社又は外国会社の負担とする。当該保全処分について必要な費用も、同様とする。

Ⅱ　前項の保全処分又は第８２５条第１項（第８２７条第２項において準用する場合を含む。）の規定による申立てを却下する裁判に対して即時抗告があった場合において、抗告裁判所が当該即時抗告を理由があると認めて原裁判を取り消したときは、その抗告審における手続に要する裁判費用及び抗告人が負担した前審における手続に要する裁判費用は、会社又は外国会社の負担とする。

第９０６条

Ⅰ　利害関係人は、裁判所書記官に対し、第８２５条第６項（第８２７条第２項において準用する場合を含む。）の報告又は計算に関する資料の閲覧を請求することができる。
Ⅱ　利害関係人は、裁判所書記官に対し、前項の資料の謄写又はその正本、謄本若しくは抄本の交付を請求することができる。
Ⅲ　前項の規定は、第１項の資料のうち録音テープ又はビデオテープ（これらに準ずる方法により一定の事項を記録した物を含む。）に関しては、適用しない。この場合において、これらの物について利害関係人の請求があるときは、裁判所書記官は、その複製を許さなければならない。
Ⅳ　法務大臣は、裁判所書記官に対し、第１項の資料の閲覧を請求することができる。
Ⅴ　民事訴訟法第９１条第５項の規定は、第１項の資料について準用する。

・第4章・【登記】

第1節　総則

第907条（通則）

この法律の規定により登記すべき事項（第９３８条第３項の保全処分の登記に係る事項を除く。）は、当事者の申請又は裁判所書記官の嘱託により、商業登記法（昭和３８年法律第１２５号）の定めるところに従い、商業登記簿にこれを登記する。

第908条（登記の効力）

Ⅰ　この法律の規定により登記すべき事項は、登記の後でなければ、これをもって善意の第三者に対抗することができない〈共予〉。登記の後であっても、第三者が正当な事由によってその登記があることを知らなかったときは、同様とする〈共予〉。

Ⅱ　故意又は過失によって不実の事項を登記した者は、その事項が不実であることをもって善意の第三者に対抗することができない〈予書〉。

［趣旨］１項の趣旨は、会社の取引が大量かつ反復して行われ、不特定多数の利害関係人が存在することから、本条項の商業登記により会社と第三者の利害関係の調整を図る点にある。２項の趣旨は、禁反言又は権利外観法理の下、不実の登記によって不測の損害を受けうる第三者を保護し、かつ、商業登記制度の信頼を維持する点にある。

《注　釈》

◆　登記の効力

1　登記の一般的効力（Ⅰ）

⑴　消極的公示力（登記前における効力）

登記すべき事項は、それが成立し又は存在していても、登記をした後でなければ当事者はこれを善意の第三者に対抗することができない（908Ⅰ前段）。

→登記すべき事項について、登記官の過誤により当該登記がされなかった場合であっても、当該事項が登記されなかった以上、当該登記の申請者は、当該事項を善意の第三者に対抗することができない〈予〉

ただし、第三者の側から登記すべき事項にかかる事実を主張することは妨げられない〈司共〉。

なお、判例は、実体法上の取引行為でない民事訴訟において、誰が当事者たる会社を代表する権限を有するかを定めるに当たっては、908条1項の適用はない旨判示している（最判昭43.11.1・商法百選5事件）〈共〉。

⑵　積極的公示力（登記後における効力）　⇒p.698

登記すべき事項が成立し又は存在している場合に、それを登記した後は、当事者は善意の第三者に対しても登記事項を対抗することができる。

2　不実登記の効力（Ⅱ）　⇒p.363

【関連条文】911～938［登記事項］

第９０９条　（変更の登記及び消滅の登記）

この法律の規定により登記した事項に変更が生じ、又はその事項が消滅したときは、当事者は、遅滞なく、変更の登記又は消滅の登記をしなければならない。

第９１０条　（登記の期間）

この法律の規定により登記すべき事項のうち官庁の許可を要するものの登記の期間については、その許可書の到達した日から起算する。

■第２節　会社の登記

第９１１条　（株式会社の設立の登記）

Ⅰ　株式会社の設立の登記は、その本店の所在地において、次に掲げる日のいずれか遅い日から２週間以内にしなければならない。

①　第４６条第１項＜設立時取締役等による調査＞の規定による調査が終了した日（設立しようとする株式会社が指名委員会等設置会社である場合にあっては、設立時代表執行役が同条第３項の規定による通知を受けた日）

②　発起人が定めた日

Ⅱ　前項の規定にかかわらず、第５７条第１項＜設立時発行株式を引き受ける者の募集＞の募集をする場合には、前項の登記は、次に掲げる日のいずれか遅い日から２週間以内にしなければならない。

①　創立総会の終結の日

②　第８４条＜種類株主総会の決議を必要とする旨の定めがある場合＞の種類創立総会の決議をしたときは、当該決議の日

③　第９７条＜設立時発行株式の引受けの取消し＞の創立総会の決議をしたときは、当該決議の日から２週間を経過した日

④　第１００条第１項＜譲渡制限種類株式、全部取得条項付種類株式の創設＞の種類創立総会の決議をしたときは、当該決議の日から２週間を経過した日

⑤　第１０１条第１項＜設立時種類株主に損害を及ぼすおそれのある定款変更＞の種類創立総会の決議をしたときは、当該決議の日

Ⅲ　第１項の登記においては、次に掲げる事項を登記しなければならない〈予〉。

①　目的

②　商号

③　本店及び支店の所在場所

④　株式会社の存続期間又は解散の事由についての定款の定めがあるときは、その定め

⑤　資本金の額〈司予〉

⑥　発行可能株式総数〈予〉

⑦　発行する株式の内容（種類株式発行会社にあっては、発行可能種類株式総数及び発行する各種類の株式の内容）

⑧　単元株式数についての定款の定めがあるときは、その単元株式数〈予〉

⑨　発行済株式の総数並びにその種類及び種類ごとの数〈予〉

⑩　株券発行会社であるときは、その旨
⑪　株主名簿管理人を置いたときは、その氏名又は名称及び住所並びに営業所
⑫　新株予約権を発行したときは、次に掲げる事項
イ　新株予約権の数
ロ　第236条第1項第1号から第4号まで<新株予約権の目的である株式の数等>（ハに規定する場合にあっては、第2号を除く。）に掲げる事項
ハ　第236条第3項各号<取締役の報酬等として募集新株予約権を発行する場合>に掲げる事項を定めたときは、その定め
ニ　ロ及びハに掲げる事項のほか、新株予約権の行使の条件を定めたときは、その条件〈書
ホ　第236条第1項第7号<取得条項付新株予約権>及び第238条第1項第2号<募集新株予約権と引換えに金銭の払込みを要しないこととする場合にはその旨>に掲げる事項
ヘ　第238条第1項第3号に掲げる事項を定めたときは、募集新株予約権（同項に規定する募集新株予約権をいう。以下へにおいて同じ。）の払込金額（同号に規定する払込金額をいう。以下へにおいて同じ。）（同号に掲げる事項として募集新株予約権の払込金額の算定方法を定めた場合において、登記の申請の時までに募集新株予約権の払込金額が確定していないときは、当該算定方法）
⑫の2　第325条の2の規定による電子提供措置をとる旨の定款の定めがあるときは、その定め
⑬　取締役（監査等委員会設置会社の取締役を除く。）の氏名〈共
⑭　代表取締役の氏名及び住所（第23号に規定する場合を除く。）〈共予
⑮　取締役会設置会社であるときは、その旨〈共
⑯　会計参与設置会社であるときは、その旨並びに会計参与の氏名又は名称及び第378条第1項<会計参与による計算書類等の備置き場所>の場所
⑰　監査役設置会社（監査役の監査の範囲を会計に関するものに限定する旨の定款の定めがある株式会社を含む。）であるときは、その旨及び次に掲げる事項
イ　監査役の監査の範囲を会計に関するものに限定する旨の定款の定めがある株式会社であるときは、その旨
ロ　監査役の氏名
⑱　監査役会設置会社であるときは、その旨及び監査役のうち社外監査役であるものについて社外監査役である旨
⑲　会計監査人設置会社であるときは、その旨及び会計監査人の氏名又は名称〈予
⑳　第346条第4項<監査役による一時会計監査人の職務を行うべき者の選任>の規定により選任された一時会計監査人の職務を行うべき者を置いたときは、その氏名又は名称
㉑　第373条第1項<特別取締役による取締役会の決議>の規定による特別取締役による議決の定めがあるときは、次に掲げる事項
イ　第373条第1項<特別取締役による取締役会の決議>の規定による特別取締役による議決の定めがある旨
ロ　特別取締役の氏名
ハ　取締役のうち社外取締役であるものについて、社外取締役である旨

㉒　監査等委員会設置会社であるときは、その旨及び次に掲げる事項
　イ　監査等委員である取締役及びそれ以外の取締役の氏名
　ロ　取締役のうち社外取締役であるものについて、社外取締役である旨〈予書
　ハ　第３９９条の１３第６項＜監査等委員会設置会社の取締役会の権限＞の規定による重要な業務執行の決定の取締役への委任についての定款の定めがあるときは、その旨
㉓　指名委員会等設置会社であるときは、その旨及び次に掲げる事項
　イ　取締役のうち社外取締役であるものについて、社外取締役である旨
　ロ　各委員会の委員及び執行役の氏名
　ハ　代表執行役の氏名及び住所〈予
㉔　第４２６条第１項＜取締役等による免除に関する定款の定め＞の規定による取締役、会計参与、監査役、執行役又は会計監査人の責任の免除についての定款の定めがあるときは、その定め
㉕　第４２７条第１項＜責任限定契約＞の規定による非業務執行取締役等が負う責任の限度に関する契約の締結についての定款の定めがあるときは、その定め
㉖　第４４０条第３項＜電磁的方法による貸借対照表の内容である情報の提供＞の規定による措置をとることとするときは、同条第１項に規定する貸借対照表の内容である情報について不特定多数の者がその提供を受けるために必要な事項であって法務省令で定めるもの
㉗　第９３９条第１項＜会社の公告方法＞の規定による公告方法についての定款の定めがあるときは、その定め
㉘　前号の定款の定めが電子公告を公告方法とする旨のものであるときは、次に掲げる事項
　イ　電子公告により公告すべき内容である情報について不特定多数の者がその提供を受けるために必要な事項であって法務省令で定めるもの
　ロ　第９３９条第３項後段＜電子的公告による公告をすることができない場合の公告方法＞の規定による定款の定めがあるときは、その定め
㉙　第２７号の定款の定めがないときは、第９３９条第４項＜官報に掲載する方法とする場合＞の規定により官報に掲載する方法を公告方法とする旨

雑則

［趣旨］監査役設置会社が、監査役の監査の範囲を会計に関するものに限定する旨の定款の定めを設けている場合、その旨を登記事項とすることとされている（911 Ⅲ⑰イ）。これは、監査役の監査の範囲を会計に限定する旨の定款の定めがある会社は、監査役設置会社に含まれず（2⑨）、会社法上の規律が異なりうることから（386 Ⅱ①、349 Ⅳ参照）、登記上これを明確にする趣旨である。

【関連条文】49［株式会社の成立］、規220

第９１２条　（合名会社の設立の登記）

合名会社の設立の登記は、その本店の所在地において、次に掲げる事項を登記してしなければならない。

①　目的
②　商号
③　本店及び支店の所在場所
④　合名会社の存続期間又は解散の事由についての定款の定めがあるときは、その定め
⑤　社員の氏名又は名称及び住所〈予
⑥　合名会社を代表する社員の氏名又は名称（合名会社を代表しない社員がある場合に限る。）
⑦　合名会社を代表する社員が法人であるときは、当該社員の職務を行うべき者の氏名及び住所
⑧　第９３９条第１項<会社の公告方法>の規定による公告方法についての定款の定めがあるときは、その定め
⑨　前号の定款の定めが電子公告を公告方法とする旨のものであるときは、次に掲げる事項
イ　電子公告により公告すべき内容である情報について不特定多数の者がその提供を受けるために必要な事項であって法務省令で定めるもの
ロ　第９３９条第３項後段<電子的公告による公告をすることができない場合の公告方法>の規定による定款の定めがあるときは、その定め
⑩　第８号の定款の定めがないときは、第９３９条第４項<官報に掲する方法とする場合>の規定により官報に掲載する方法を公告方法とする旨

【関連条文】579［合名会社の成立］

第９１３条　（合資会社の設立の登記）

合資会社の設立の登記は、その本店の所在地において、次に掲げる事項を登記してしなければならない。

①　目的
②　商号
③　本店及び支店の所在場所
④　合資会社の存続期間又は解散の事由についての定款の定めがあるときは、その定め
⑤　社員の氏名又は名称及び住所
⑥　社員が有限責任社員又は無限責任社員のいずれであるかの別
⑦　有限責任社員の出資の目的及びその価額並びに既に履行した出資の価額
⑧　合資会社を代表する社員の氏名又は名称（合資会社を代表しない社員がある場合に限る。）
⑨　合資会社を代表する社員が法人であるときは、当該社員の職務を行うべき者の氏名及び住所

⑩　第９３９条第１項<会社の公告方法>の規定による公告方法についての定款の定めがあるときは、その定め
⑪　前号の定款の定めが電子公告を公告方法とする旨のものであるときは、次に掲げる事項
イ　電子公告により公告すべき内容である情報について不特定多数の者がその提供を受けるために必要な事項であって法務省令で定めるもの
ロ　第９３９条第３項後段<電子的公告による公告をすることができない場合の公告方法>の規定による定款の定めがあるときは、その定め
⑫　第１０号の定款の定めがないときは、第９３９条第４項<官報に掲する方法とする場合>の規定により官報に掲載する方法を公告方法とする旨

【関連条文】579［合資会社の成立］

第９１４条　（合同会社の設立の登記） 予

合同会社の設立の登記は、その本店の所在地において、次に掲げる事項を登記してしなければならない。
①　目的
②　商号
③　本店及び支店の所在場所
④　合同会社の存続期間又は解散の事由についての定款の定めがあるときは、その定め
⑤　資本金の額
⑥　合同会社の業務を執行する社員の氏名又は名称
⑦　合同会社を代表する社員の氏名又は名称及び住所
⑧　合同会社を代表する社員が法人であるときは、当該社員の職務を行うべき者の氏名及び住所
⑨　第９３９条第１項<会社の公告方法>の規定による公告方法についての定款の定めがあるときは、その定め
⑩　前号の定款の定めが電子公告を公告方法とする旨のものであるときは、次に掲げる事項
イ　電子公告により公告すべき内容である情報について不特定多数の者がその提供を受けるために必要な事項であって法務省令で定めるもの
ロ　第９３９条第３項後段<電子的公告による公告をすることができない場合の公告方法>の規定による定款の定めがあるときは、その定め
⑪　第９号の定款の定めがないときは、第９３９条第４項<官報に掲載する方法とする場合>の規定により官報に掲載する方法を公告方法とする旨

【関連条文】579［合同会社の成立］

第９１５条　（変更の登記）

Ⅰ　会社において第９１１条第３項各号＜株式会社の設立の登記＞又は前３条各号＜合名、合資、合同会社の設立の登記＞に掲げる事項に変更が生じたときは、２週間以内に、その本店の所在地において、変更の登記をしなければならない〈予書〉。

Ⅱ　前項の規定にかかわらず、第１９９条第１項第４号＜募集株式と引換えにする金銭の払込み又は金銭以外の財産の給付の期日又はその期間＞の期間を定めた場合における株式の発行による変更の登記は、当該期間の末日現在により、当該末日から２週間以内にすれば足りる。

Ⅲ　第１項の規定にかかわらず、次に掲げる事由による変更の登記は、毎月末日現在により、当該末日から２週間以内にすれば足りる。

①　新株予約権の行使

②　第１６６条第１項＜取得請求権付株式の取得の請求＞の規定による請求（株式の内容として第１０７条第２項第２号ハ＜取得請求権付株式の対価として新株予約権を交付する場合の定款の定め＞若しくはニ＜取得請求権付株式の対価として新株予約権付社債を交付する場合の定款の定め＞又は第１０８条第２項第５号ロ＜取得請求権付株式の対価として他の株式を交付する場合の定款の定め＞に掲げる事項についての定めがある場合に限る。）

第９１６条　（他の登記所の管轄区域内への本店の移転の登記）

会社がその本店を他の登記所の管轄区域内に移転したときは、２週間以内に、旧所在地においては移転の登記をし、新所在地においては次の各号に掲げる会社の区分に応じ当該各号に定める事項を登記しなければならない。

①　株式会社　第９１１条第３項各号に掲げる事項

②　合名会社　第９１２条各号に掲げる事項

③　合資会社　第９１３条各号に掲げる事項

④　合同会社　第９１４条各号に掲げる事項

第９１７条　（職務執行停止の仮処分等の登記）

次の各号に掲げる会社の区分に応じ、当該各号に定める者の職務の執行を停止し、若しくはその職務を代行する者を選任する仮処分命令又はその仮処分命令を変更し、若しくは取り消す決定がされたときは、その本店の所在地において、その登記をしなければならない。

①　株式会社　取締役（監査等委員会設置会社にあっては、監査等委員である取締役又はそれ以外の取締役）、会計参与、監査役、代表取締役、委員（指名委員会、監査委員会又は報酬委員会の委員をいう。）、執行役又は代表執行役

②　合名会社　社員

③　合資会社　社員

④　合同会社　業務を執行する社員

第９１８条　（支配人の登記）

会社が支配人を選任し、又はその代理権が消滅したときは、その本店の所在地において、その登記をしなければならない。

雑則

第９１９条　（持分会社の種類の変更の登記）

持分会社が第６３８条＜定款変更による持分会社の種類の変更＞の規定により他の種類の持分会社となったときは、同条に規定する定款の変更の効力が生じた日から２週間以内に、その本店の所在地において、種類の変更前の持分会社については解散の登記をし、種類の変更後の持分会社については設立の登記をしなければならない。

第９２０条　（組織変更の登記）

会社が組織変更をしたときは、その効力が生じた日から２週間以内に、その本店の所在地において、組織変更前の会社については解散の登記をし、組織変更後の会社については設立の登記をしなければならない。

第９２１条　（吸収合併の登記）

会社が吸収合併をしたときは、その効力が生じた日から２週間以内に、その本店の所在地において、吸収合併により消滅する会社については解散の登記をし、吸収合併後存続する会社については変更の登記をしなければならない。

第９２２条　（新設合併の登記）

Ⅰ　２以上の会社が新設合併をする場合において、新設合併により設立する会社が株式会社であるときは、次の各号に掲げる場合の区分に応じ、当該各号に定める日から２週間以内に、その本店の所在地において、新設合併により消滅する会社については解散の登記をし、新設合併により設立する会社については設立の登記をしなければならない。

①　新設合併により消滅する会社が株式会社のみである場合　次に掲げる日のいずれか遅い日

イ　第８０４条第１項＜新設合併契約等の承認＞の株主総会の決議の日

ロ　新設合併をするために種類株主総会の決議を要するときは、当該決議の日

ハ　第８０６条第３項＜新設合併等をする旨等の通知＞の規定による通知又は同条第４項＜通知に代わる公告＞の公告をした日から２０日を経過した日

ニ　新設合併により消滅する会社が新株予約権を発行しているときは、第８０８条第３項＜新株合併等をする旨等の通知＞の規定による通知又は同条第４項＜通知に代わる公告＞の公告をした日から２０日を経過した日

ホ　第８１０条＜新設合併等における債権者異議＞の規定による手続が終了した日

ヘ　新設合併により消滅する会社が合意により定めた日

②　新設合併により消滅する会社が持分会社のみである場合　次に掲げる日のいずれか遅い日

イ　第８１３条第１項＜持分会社が新設合併等をする場合の総社員の同意＞の総社員の同意を得た日（同項ただし書に規定する場合にあっては、定款の定めによる手続を終了した日）

ロ　第８１３条第２項＜持分会社の新設合併等における債権者異議＞において準用する第８１０条＜新設合併等における債権者異議＞の規定による手続が終了した日

ハ　新設合併により消滅する会社が合意により定めた日

③　新設合併により消滅する会社が株式会社及び持分会社である場合　前２号に定める日のいずれか遅い日

Ⅱ　２以上の会社が新設合併をする場合において、新設合併により設立する会社が持分会社であるときは、次の各号に掲げる場合の区分に応じ、当該各号に定める日から２週間以内に、その本店の所在地において、新設合併により消滅する会社については解散の登記をし、新設合併により設立する会社については設立の登記をしなければならない。

①　新設合併により消滅する会社が株式会社のみである場合　次に掲げる日のいずれか遅い日

イ　第８０４条第２項<新設合併設立会社が持分会社の場合における新設合併消滅会社の総株主の同意>の総株主の同意を得た日

ロ　新設合併により消滅する会社が新株予約権を発行しているときは、第８０８条第３項<新株合併等をする旨等の通知>の規定による通知又は同条第４項<通知に代わる公告>の公告をした日から２０日を経過した日

ハ　第８１０条<新設合併等における債権者異議>の規定による手続が終了した日

ニ　新設合併により消滅する会社が合意により定めた日

②　新設合併により消滅する会社が持分会社のみである場合　次に掲げる日のいずれか遅い日

イ　第８１３条第１項<持分会社が新設合併等をする場合の総社員の同意>の総社員の同意を得た日（同項ただし書に規定する場合にあっては、定款の定めによる手続を終了した日）

ロ　第８１３条第２項<持分会社の新設合併等における債権者異議>において準用する第８１０条<株式会社が新設合併等をする場合における消滅株式会社等の債権者に対する異議>の規定による手続が終了した日

ハ　新設合併により消滅する会社が合意により定めた日

③　新設合併により消滅する会社が株式会社及び持分会社である場合　前２号に定める日のいずれか遅い日

第９２３条　（吸収分割の登記）

会社が吸収分割をしたときは、その効力が生じた日から２週間以内に、その本店の所在地において、吸収分割をする会社及び当該会社がその事業に関して有する権利義務の全部又は一部を当該会社から承継する会社についての変更の登記をしなければならない〈書〉。

第９２４条　（新設分割の登記）

Ⅰ　１又は２以上の株式会社又は合同会社が新設分割をする場合において、新設分割により設立する会社が株式会社であるときは、次の各号に掲げる場合の区分に応じ、当該各号に定める日から２週間以内に、その本店の所在地において、新設分割をする会社については変更の登記をし、新設分割により設立する会社については設立の登記をしなければならない〈同〉。

雑則

①　新設分割をする会社が株式会社のみである場合　次に掲げる日のいずれか遅い日

イ　第８０５条＜新設分割計画の承認を要しない場合＞に規定する場合以外の場合には、第８０４条第１項＜新設合併契約等の承認＞の株主総会の決議の日

ロ　新設分割をするために種類株主総会の決議を要するときは、当該決議の日

ハ　第８０５条＜新設分割計画の承認を要しない場合＞に規定する場合以外の場合には、第８０６条第３項＜新設合併等をする旨等の通知＞の規定による通知又は同条第４項＜通知に代わる公告＞の公告をした日から２０日を経過した日

ニ　第８０８条第３項＜新設合併等をする旨等の通知＞の規定による通知を受けるべき新株予約権者があるときは、同項の規定による通知又は同条第４項＜消滅株式会社等の新株予約権者に対する新設合併をする旨等の通知に代わる公告＞の公告をした日から２０日を経過した日

ホ　第８１０条＜新設合併等における債権者異議＞の規定による手続をしなければならないときは、当該手続が終了した日

ヘ　新設分割をする株式会社が定めた日（２以上の株式会社が共同して新設分割をする場合にあっては、当該２以上の新設分割をする株式会社が合意により定めた日）

②　新設分割をする会社が合同会社のみである場合　次に掲げる日のいずれか遅い日

イ　第８１３条第１項＜持分会社が新設合併等をする場合の総社員の同意＞の総社員の同意を得た日（同項ただし書の場合にあっては、定款の定めによる手続を終了した日）

ロ　第８１３条第２項＜持分会社の新設合併等における債権者異議＞において準用する第８１０条＜新設合併等における債権者異議＞の規定による手続をしなければならないときは、当該手続が終了した日

ハ　新設分割をする合同会社が定めた日（２以上の合同会社が共同して新設分割をする場合にあっては、当該２以上の新設分割をする合同会社合意により定めた日）

③　新設分割をする会社が株式会社及び合同会社である場合　前２号に定める日のいずれか遅い日

Ⅱ　１又は２以上の株式会社又は合同会社が新設分割をする場合において、新設分割により設立する会社が持分会社であるときは、次の各号に掲げる場合の区分に応じ、当該各号に定める日から２週間以内に、その本店の所在地において、新設分割をする会社については変更の登記をし、新設分割により設立する会社については設立の登記をしなければならない。

①　新設分割をする会社が株式会社のみである場合　次に掲げる日のいずれか遅い日

イ　第８０５条＜新設分割計画の承認を要しない場合＞に規定する場合以外の場合には、第８０４条第１項＜新設合併契約等の承認＞の株主総会の決議の日

ロ　新設分割をするために種類株主総会の決議を要するときは、当該決議の日

ハ　第８０５条＜新設分割計画の承認を要しない場合＞に規定する場合以外の場合には、第８０６条第３項＜新設合併等をする旨等の通知＞の規定による通知又は同条第４項＜通知に代わる公告＞の公告をした日から２０日を経過した日

ニ　第８１０条<新設合併等における債権者異議>の規定による手続をしなければならないときは、当該手続が終了した日

ホ　新設分割をする株式会社が定めた日（２以上の株式会社が共同して新設分割をする場合にあっては、当該２以上の新設分割をする株式会社が合意により定めた日）

②　新設分割をする会社が合同会社のみである場合　次に掲げる日のいずれか遅い日

イ　第８１３条第１項<持分会社が新設合併等をする場合の総社員の同意>の総社員の同意を得た日（同項ただし書の場合にあっては、定款の定めによる手続を終了した日）

ロ　第８１３条第２項<持分会社の新設合併等における債権者異議>において準用する第８１０条<新設合併等における債権者異議>の規定による手続をしなければならないときは、当該手続が終了した日

ハ　新設分割をする合同会社が定めた日（２以上の合同会社が共同して新設分割をする場合にあっては、当該２以上の新設分割をする合同会社が合意により定めた日）

③　新設分割をする会社が株式会社及び合同会社である場合　前２号に定める日のいずれか遅い日

第９２５条　（株式移転の登記）

１又は２以上の株式会社が株式移転をする場合には、次に掲げる日のいずれか遅い日から２週間以内に、株式移転により設立する株式会社について、その本店の所在地において、設立の登記をしなければならない。

①　第８０４条第１項<新設合併契約等の承認>の株主総会の決議の日

②　株式移転をするために種類株主総会の決議を要するときは、当該決議の日

③　第８０６条第３項<新設合併等をする旨等の通知>の規定による通知又は同条第４項<通知に代わる公告>の公告をした日から２０日を経過した日

④　第８０８条第３項<新株合併等をする旨等の通知>の規定による通知を受けるべき新株予約権者があるときは、同項の規定による通知をした日又は同条第４項<通知に代わる公告>の公告をした日から２０日を経過した日

⑤　第８１０条<新設合併等における債権者異議>の規定による手続をしなければならないときは、当該手続が終了した日

⑥　株式移転をする株式会社が定めた日（２以上の株式会社が共同して株式移転をする場合にあっては、当該２以上の株式移転をする株式会社が合意により定めた日）

第９２６条　（解散の登記）

第４７１条第１号から第３号まで<定款で定めた存続期間の満了等の株式会社の解散事由>又は第６４１条第１号から第４号まで<定款で定めた存続期間の満了等の持分会社の解散事由>の規定により会社が解散したときは、２週間以内に、その本店の所在地において、解散の登記をしなければならない。

第９２７条　（継続の登記）

第４７３条、第６４２条第１項又は第８４５条の規定により会社が継続したときは、２週間以内に、その本店の所在地において、継続の登記をしなければならない。

第９２８条　（清算人の登記）

Ⅰ　第４７８条第１項第１号に掲げる者が清算株式会社の清算人となったときは、解散の日から２週間以内に、その本店の所在地において、次に掲げる事項を登記しなければならない。
①　清算人の氏名
②　代表清算人の氏名及び住所
③　清算株式会社が清算人会設置会社であるときは、その旨

Ⅱ　第６４７条第１項第１号に掲げる者が清算持分会社の清算人となったときは、解散の日から２週間以内に、その本店の所在地において、次に掲げる事項を登記しなければならない。
①　清算人の氏名又は名称及び住所
②　清算持分会社を代表する清算人の氏名又は名称（清算持分会社を代表しない清算人がある場合に限る。）
③　清算持分会社を代表する清算人が法人であるときは、清算人の職務を行うべき者の氏名及び住所

Ⅲ　清算人が選任されたときは、２週間以内に、その本店の所在地において、清算株式会社にあっては第１項各号に掲げる事項を、清算持分会社にあっては前項各号に掲げる事項を登記しなければならない。

Ⅳ　第９１５条第１項の規定は前３項の規定による登記について、第９１７条の規定は清算人、代表清算人又は清算持分会社を代表する清算人について、それぞれ準用する。

第９２９条　（清算結了の登記）

清算が結了したときは、次の各号に掲げる会社の区分に応じ、当該各号に定める日から２週間以内に、その本店の所在地において、清算結了の登記をしなければならない。
①　清算株式会社　第５０７条第３項の承認の日〈回〉
②　清算持分会社（合名会社及び合資会社に限る。）　第６６７条第１項の承認の日（第６６８条第１項の財産の処分の方法を定めた場合にあっては、その財産の処分を完了した日）
③　清算持分会社（合同会社に限る。）　第６６７条第１項の承認の日

第９３０条～第９３２条　削除

■第3節　外国会社の登記

第９３３条　（外国会社の登記）

Ⅰ　外国会社が第８１７条第１項の規定により初めて日本における代表者を定めたときは、３週間以内に、次の各号に掲げる場合の区分に応じ、当該各号に定める地において、外国会社の登記をしなければならない。

①　日本に営業所を設けていない場合　日本における代表者（日本に住所を有するものに限る。以下この節において同じ。）の住所地

②　日本に営業所を設けた場合　当該営業所の所在地

Ⅱ　外国会社の登記においては、日本における同種の会社又は最も類似する会社の種類に従い、第９１１条第３項各号又は第９１２条から第９１４条までの各号に掲げる事項を登記するほか、次に掲げる事項を登記しなければならない。

①　外国会社の設立の準拠法

②　日本における代表者の氏名及び住所

③　日本における同種の会社又は最も類似する会社が株式会社であるときは、第１号に規定する準拠法の規定による公告をする方法

④　前号に規定する場合において、第８１９条第３項に規定する措置をとることとするときは、同条第１項に規定する貸借対照表に相当するものの内容である情報について不特定多数の者がその提供を受けるために必要な事項であって法務省令で定めるもの

⑤　第９３９条第２項の規定による公告方法についての定めがあるときは、その定め

⑥　前号の定めが電子公告を公告方法とする旨のものであるときは、次に掲げる事項

イ　電子公告により公告すべき内容である情報について不特定多数の者がその提供を受けるために必要な事項であって法務省令で定めるもの

ロ　第９３９条第３項後段の規定による定めがあるときは、その定め

⑦　第５号の定めがないときは、第９３９条第４項の規定により官報に掲載する方法を公告方法とする旨

Ⅲ　外国会社が日本に設けた営業所に関する前項の規定の適用については、当該営業所を第９１１条第３項第３号、第９１２条第３号、第９１３条第３号又は第９１４条第３号に規定する支店とみなす。

Ⅳ　第９１５条及び第９１８条から第９２９条までの規定は、外国会社について準用する。この場合において、これらの規定中「２週間」とあるのは「３週間」と、「本店の所在地」とあるのは「日本における代表者（日本に住所を有するものに限る。）の住所地（日本に営業所を設けた外国会社にあっては、当該営業所の所在地）」と読み替えるものとする。

Ⅴ　前各項の規定により登記すべき事項が外国おいて生じたときは、登記の期間は、その通知が日本における代表者に到達した日から起算する。

【関連条文】規 220

雑則

第934条（日本における代表者の選任の登記等）

Ⅰ　日本に営業所を設けていない外国会社が外国会社の登記後に日本における代表者を新たに定めた場合（その住所地が登記がされた他の日本における代表者の住所地を管轄する登記所の管轄区域内にある場合を除く。）には、３週間以内に、その新たに定めた日本における代表者の住所地においても、外国会社の登記をしなければならない。

Ⅱ　日本に営業所を設けた外国会社が外国会社の登記後に日本に営業所を新たに設けた場合（その所在地が登記がされた他の営業所の所在地を管轄する登記所の管轄区域内にある場合を除く。）には、３週間以内に、その新たに設けた日本における営業所の所在地においても、外国会社の登記をしなければならない。

第935条（日本における代表者の住所の移転の登記等）

Ⅰ　日本に営業所を設けていない外国会社の日本における代表者が外国会社の登記後にその住所を他の登記所の管轄区域内に移転したときは、旧住所地においては３週間以内に移転の登記をし、新住所地においては４週間以内に外国会社の登記をしなければならない。ただし、登記がされた他の日本における代表者の住所地を管轄する登記所の管轄区域内に住所を移転したときは、新住所地においては、その住所を移転したことを登記すれば足りる。

Ⅱ　日本に営業所を設けた外国会社が外国会社の登記後に営業所を他の登記所の管轄区域内に移転したときは、旧所在地においては３週間以内に移転の登記をし、新所在地においては４週間以内に外国会社の登記をしなければならない。ただし、登記がされた他の営業所の所在地を管轄する登記所の管轄区域内に営業所を移転したときは、新所在地においては、その営業所を移転したことを登記すれば足りる。

第936条（日本における営業所の設置の登記等）

Ⅰ　日本に営業所を設けていない外国会社が外国会社の登記後に日本に営業所を設けたときは、日本における代表者の住所地においては３週間以内に営業所を設けたことを登記し、その営業所の所在地においては４週間以内に外国会社の登記をしなければならない。ただし、登記がされた日本における代表者の住所地を管轄する登記所の管轄区域内に営業所を設けたときは、その営業所を設けたことを登記すれば足りる。

Ⅱ　日本に営業所を設けた外国会社が外国会社の登記後にすべての営業所を閉鎖した場合には、その外国会社の日本における代表者の全員が退任しようとするときを除き、その営業所の所在地においては３週間以内に営業所を閉鎖したことを登記し、日本における代表者の住所地においては４週間以内に外国会社の登記をしなければならない。ただし、登記がされた営業所の所在地を管轄する登記所の管轄区域内に日本における代表者の住所地があるときは、すべての営業所を閉鎖したことを登記すれば足りる。

■第４節　登記の嘱託

第９３７条（裁判による登記の嘱託）

Ⅰ　次に掲げる場合には、裁判所書記官は、職権で、遅滞なく、会社の本店の所在地を管轄する登記所にその登記を嘱託しなければならない。

①　次に掲げる訴えに係る請求を認容する判決が確定したとき。

イ　会社の設立の無効の訴え

ロ　株式会社の成立後における株式の発行の無効の訴え

ハ　新株予約権（当該新株予約権が新株予約権付社債に付されたものである場合にあっては、当該新株予約権付社債についての社債を含む。以下この節において同じ。）の発行の無効の訴え

ニ　株式会社における資本金の額の減少の無効の訴え

ホ　株式会社の成立後における株式の発行が存在しないことの確認の訴え

ヘ　新株予約権の発行が存在しないことの確認の訴え

ト　株主総会等の決議した事項についての登記があった場合における次に掲げる訴え

⑴　株主総会等の決議が存在しないこと又は株主総会等の決議の内容が法令に違反することを理由として当該決議が無効であることの確認の訴え

⑵　株主総会等の決議の取消しの訴え

チ　持分会社の設立の取消しの訴え

リ　会社の解散の訴え

ヌ　株式会社の役員の解任の訴え

ル　持分会社の社員の除名の訴え

ヲ　持分会社の業務を執行する社員の業務執行権又は代表権の消滅の訴え

②　次に掲げる裁判があったとき。

イ　第３４６条第２項、第３５１条第２項又は第４０１条第３項（第４０３条第３項及び第４２０条第３項において準用する場合を含む。）の規定による一時取締役（監査等委員会設置会社にあっては、監査等委員である取締役又はそれ以外の取締役）、会計参与、監査役、代表取締役、委員（指名委員会、監査委員会又は報酬委員会の委員をいう。）、執行役又は代表執行役の職務を行うべき者の選任の裁判

ロ　第４７９条第４項において準用する第３４６条第２項又は第４８３条第６項において準用する第３５１条第２項の規定による一時清算人又は代表清算人の職務を行うべき者の選任の裁判（次条第２項第１号に規定する裁判を除く。）

ハ　イ又はロに掲げる裁判を取り消す裁判（次条第２項第２号に規定する裁判を除く。）

ニ　清算人又は代表清算人若しくは清算持分会社を代表する清算人の選任又は選定の裁判を取り消す裁判（次条第２項第３号に規定する裁判を除く。）

ホ　清算人の解任の裁判（次条第２項第４号に規定する裁判を除く。）

③　次に掲げる裁判が確定したとき。

イ　前号ホに掲げる裁判を取り消す裁判

ロ　第８２４条第１項の規定による会社の解散を命ずる裁判

雑則

Ⅱ　第８２７条第１項の規定による外国会社の日本における取引の継続の禁止又は営業所の閉鎖を命ずる裁判が確定したときは、裁判所書記官は、職権で、遅滞なく、次の各号に掲げる外国会社の区分に応じ、当該各号に定める地を管轄する登記所にその登記を嘱託しなければならない。

①　日本に営業所を設けていない外国会社　日本における代表者（日本に住所を有するものに限る。）の住所地

②　日本に営業所を設けている外国会社　当該営業所の所在地

Ⅲ　次の各号に掲げる訴えに係る請求を認容する判決が確定した場合には、裁判所書記官は、職権で、遅滞なく、各会社の本店の所在地を管轄する登記所に当該各号に定める登記を嘱託しなければならない。

①　会社の組織変更の無効の訴え　組織変更後の会社についての解散の登記及び組織変更をする会社についての回復の登記

②　会社の吸収合併の無効の訴え　吸収合併後存続する会社についての変更の登記及び吸収合併により消滅する会社についての回復の登記

③　会社の新設合併の無効の訴え　新設合併により設立する会社についての解散の登記及び新設合併により消滅する会社についての回復の登記

④　会社の吸収分割の無効の訴え　吸収分割をする会社及び当該会社がその事業に関して有する権利義務の全部又は一部を当該会社から承継する会社についての変更の登記

⑤　会社の新設分割の無効の訴え　新設分割をする会社についての変更の登記及び新設分割により設立する会社についての解散の登記

⑥　株式会社の株式交換の無効の訴え　株式交換をする株式会社（第７６８条第１項第４号に掲げる事項についての定めがある場合に限る。）及び株式交換をする株式会社の発行済株式の全部を取得する会社についての変更の登記

⑦　株式会社の株式移転の無効の訴え　株式移転をする株式会社（第７７３条第１項第９号に掲げる事項についての定めがある場合に限る。）についての変更の登記及び株式移転により設立する株式会社についての解散の登記

⑧　株式会社の株式交付の無効の訴え　株式交付親会社についての変更の登記

第９３８条　（特別清算に関する裁判による登記の嘱託）

Ⅰ　次の各号に掲げる場合には、裁判所書記官は、職権で、遅滞なく、清算株式会社の本店の所在地を管轄する登記所に当該各号に定める登記を嘱託しなければならない。

①　特別清算開始の命令があったとき　特別清算開始の登記

②　特別清算開始の命令取り消す決定が確定したとき　特別清算開始の取消しの登記

③　特別清算終結の決定が確定したとき　特別清算終結の登記

Ⅱ　次に掲げる場合には、裁判所書記官は、職権で、遅滞なく、清算株式会社の本店の所在地を管轄する登記所にその登記を嘱託しなければならない。

①　特別清算開始後における第４７９条第４項において準用する第３４６条第２項又は第４８３条第６項において準用する第３５１条第２項の規定による一時清算人又は代表清算人の職務を行うべき者の選任の裁判があったとき。

② 前号の裁判を取り消す裁判があったとき。
③ 特別清算開始後における清算人又は代表清算人の選任又は選定の裁判を取り消す裁判があったとき。
④ 特別清算開始後における清算人の解任の裁判があったとき。
⑤ 前号の裁判を取り消す裁判が確定したとき。

Ⅲ 次に掲げる場合には、裁判所書記官は、職権で、遅滞なく、当該保全処分の登記を嘱託しなければならない。
① 清算株式会社の財産に属する権利で登記されたものに関し第５４０条第１項又は第２項の規定による保全処分があったとき。
② 登記のある権利に関し第５４２条第１項又は第２項の規定による保全処分があったとき。

Ⅳ 前項の規定は、同項に規定する保全処分の変更若しくは取消しがあった場合又は当該保全処分が効力を失った場合について準用する。

Ⅴ 前２項の規定は、登録のある権利について準用する。

Ⅵ 前各項の規定は、その性質上許されないものを除き、第８２２条第１項の規定による日本にある外国会社の財産についての清算について準用する。

・第5章・【公告】

■第1節　総則

第９３９条　（会社の公告方法）

Ⅰ　会社は、公告方法として、次に掲げる方法のいずれかを定款で定めることができる〈司予〉。

①　官報に掲載する方法

②　時事に関する事項を掲載する日刊新聞紙に掲載する方法

③　電子公告〈書〉

Ⅱ　外国会社は、公告方法として、前項各号に掲げる方法のいずれかを定めることができる。

Ⅲ　会社又は外国会社が第１項第３号に掲げる方法を公告方法とする旨を定める場合には、電子公告を公告方法とする旨を定めれば足りる〈書〉。この場合においては、事故その他やむを得ない事由によって電子公告による公告をすることができない場合の公告方法として、同項第１号又は第２号に掲げる方法のいずれかを定めることができる〈司書〉。

Ⅳ　第１項又は第２項の規定による定めがない会社又は外国会社の公告方法は、第１項第１号の方法とする〈司〉。

第９４０条　（電子公告の公告期間等）

Ⅰ　株式会社又は持分会社が電子公告によりこの法律の規定による公告をする場合には、次の各号に掲げる公告の区分に応じ、当該各号に定める日までの間、継続して電子公告による公告をしなければならない。

①　この法律の規定により特定の日の一定の期間前に公告しなければならない場合における当該公告　当該特定の日

②　第４４０条第１項＜計算書類の公告＞の規定による公告　同項の定時株主総会の終結の日後５年を経過する日

③　公告に定める期間内に異議を述べることができる旨の公告　当該期間を経過する日

④　前３号に掲げる公告以外の公告　当該公告の開始後１箇月を経過する日

Ⅱ　外国会社が電子公告により第８１９条第１項＜貸借対照表に相当するものの公告＞の規定による公告をする場合には、同項の手続の終結の日後５年を経過する日までの間、継続して電子公告による公告をしなければならない。

Ⅲ　前２項の規定にかかわらず、これらの規定により電子公告による公告をしなければならない期間（以下この章において「公告期間」という。）中公告の中断（不特定多数の者が提供を受けることができる状態に置かれた情報がその状態に置かれないこととなったこと又はその情報がその状態に置かれた後改変されたことをいう。以下この項において同じ。）が生じた場合において、次のいずれにも該当するときは、その公告の中断は、当該公告の効力に影響を及ぼさない。

①　公告の中断が生ずることにつき会社が善意でかつ重大な過失がないこと又は会社に正当な事由があること。

② 公告の中断が生じた時間の合計が公告期間の１０分の１を超えないこと。
③ 会社が公告の中断が生じたことを知った後速やかにその旨、公告の中断が生じた時間及び公告の中断の内容を当該公告に付して公告したこと。

第２節 電子公告調査機関

第９４１条（電子公告調査）

この法律又は他の法律の規定による公告（第４４０条第１項の規定による公告を除く。以下この節において同じ。）を電子公告によりしようとする会社は、公告期間中、当該公告の内容である情報が不特定多数の者が提供を受けることができる状態に置かれているかどうかについて、法務省令で定めるところにより、法務大臣の登録を受けた者（以下この節において「調査機関」という。）に対し、調査を行うことを求めなければならない。

第９４２条（登録）

Ⅰ 前条の登録（以下この節において単に「登録」という。）は、同条の規定による調査（以下この節において「電子公告調査」という。）を行おうとする者の申請により行う。
Ⅱ 登録を受けようとする者は、実費を勘案して政令で定める額の手数料を納付しなければならない。

第９４３条（欠格事由）

次のいずれかに該当する者は、登録を受けることができない。
① この節の規定若しくは農業協同組合法（昭和２２年法律第１３２号）第９７条の４第５項、金融商品取引法第５０条の２第１０項及び第６６条の４０第６項、公認会計士法第３４条の２０第６項及び第３４条の２３第４項、消費生活協同組合法（昭和２３年法律第２００号）第２６条第６項、水産業協同組合法（昭和２３年法律第２４２号）第１２１条第５項、中小企業等協同組合法（昭和２４年法律第１８１号）第３３条第７項（輸出水産業の振興に関する法律（昭和２９年法律第１５４号）第２０条並びに中小企業団体の組織に関する法律（昭和３２年法律第１８５号）第５条の２３第３項及び第４７条第２項において準用する場合を含む。）、弁護士法（昭和２４年法律第２０５号）第３０条の２８第６項（同法第４３条第３項において準用する場合を含む。）、船主相互保険組合法（昭和２５年法律第１７７号）第５５条第３項、司法書士法（昭和２５年法律第１９７号）第４５条の２第６項、土地家屋調査士法（昭和２５年法律第２２８号）第４０条の２第６項、商品先物取引法（昭和２５年法律第２３９号）第１１条第９項、行政書士法（昭和２６年法律第４号）第１３条の２０の２第６項、投資信託及び投資法人に関する法律（昭和２６年法律第１９８号）第２５条第２項（同法第５９条において準用する場合を含む。）及び第１８６条の２第４項、税理士法第４８条の１９の２第６項（同法第４９条の１２第３項において準用する場合を含む。）、信用金庫法（昭和２６年法律第２３８号）第８７条の４第４項、輸出入取引法

雑則

（昭和２７年法律第２９９号）第１５条第６項（同法第１９条の６において準用する場合を含む。）、中小漁業融資保証法（昭和２７年法律第３４６号）第５５条第５項、労働金庫法（昭和２８年法律第２２７号）第９１条の４第４項、技術研究組合法（昭和３６年法律第８１号）第１６条第８項、農業信用保証保険法（昭和３６年法律第２０４号）第４８条の３第５項（同法第４８条の９第７項において準用する場合を含む。）、社会保険労務士法（昭和４３年法律第８９号）第２５条の２３の２第６項、森林組合法（昭和５３年法律第３６号）第８条の２第５項、銀行法第４９条の２第２項、保険業法（平成７年法律第１０５号）第６７条の２及び第２１７条第３項、資産の流動化に関する法律（平成１０年法律第１０５号）第１９４条第４項、弁理士法（平成１２年法律第４９号）第５３条の２第６項、農林中央金庫法（平成１３年法律第９３号）第９６条の２第４項、信託業法第５７条第６項、一般社団法人及び一般財団法人に関する法律第３３３条並びに資金決済に関する法律（平成２１年法律第５９号）第２０条第４項、第６１条第７項及び第６３条の２０第７項（以下この節において「電子公告関係規定」と総称する。）において準用する第９５５条第１項の規定又はこの節の規定に基づく命令に違反し、罰金以上の刑に処せられ、その執行を終わり、又は執行を受けることがなくなった日から２年を経過しない者

② 第９５４条の規定により登録を取り消され、その取消しの日から２年を経過しない者

③ 法人であって、その業務を行う理事等（理事、取締役、執行役、業務を執行する社員、監事若しくは監査役又はこれらに準ずる者をいう。第９４７条において同じ。）のうちに前２号のいずれかに該当する者があるもの

雑則

第９４４条（登録基準）

Ⅰ 法務大臣は、第９４２条第１項の規定により登録を申請した者が、次に掲げる要件のすべてに適合しているときは、その登録をしなければならない。この場合において、登録に関して必要な手続は、法務省令で定める。

① 電子公告調査に必要な電子計算機（入出力装置を含む。以下この号において同じ。）及びプログラム（電子計算機に対する指令であって、一の結果を得ることができるように組み合わされたものをいう。以下この号において同じ。）であって次に掲げる要件のすべてに適合するものを用いて電子公告調査を行うものであること。

イ 当該電子計算機及びプログラムが電子公告により公告されている情報をインターネットを利用して閲覧することができるものであること。

ロ 当該電子計算機若しくはその用に供する電磁的記録を損壊し、若しくは当該電子計算機に虚偽の情報若しくは不正な指令を与え、又はその他の方法により、当該電子計算機に使用目的に沿うべき動作をさせず、又は使用目的に反する動作をさせることを防ぐために必要な措置が講じられていること。

ハ 当該電子計算機及びプログラムがその電子公告調査を行う期間を通じて当該電子計算機に入力された情報及び指令並びにインターネットを利用して提供を受けた情報を保存する機能を有していること。

② 電子公告調査を適正に行うために必要な実施方法が定められていること。

Ⅱ　登録は、調査機関登録簿に次に掲げる事項を記載し、又は記録してするものとする。
①　登録年月日及び登録番号
②　登録を受けた者の氏名又は名称及び住所並びに法人にあっては、その代表者の氏名
③　登録を受けた者が電子公告調査を行う事業所の所在地

第９４５条　（登録の更新）

Ⅰ　登録は、３年を下らない政令で定める期間ごとにその更新を受けなければ、その期間の経過によって、その効力を失う。
Ⅱ　前３条の規定は、前項の登録の更新について準用する。

第９４６条　（調査の義務等）

Ⅰ　調査機関は、電子公告調査を行うことを求められたときは、正当な理由がある場合を除き、電子公告調査を行わなければならない。
Ⅱ　調査機関は、公正に、かつ、法務省令で定める方法により電子公告調査を行わなければならない。
Ⅲ　調査機関は、電子公告調査を行う場合には、法務省令で定めるところにより、電子公告調査を行うことを求めた者（以下この節において「調査委託者」という。）の商号その他の法務省令で定める事項を法務大臣に報告しなければならない。
Ⅳ　調査機関は、電子公告調査の後遅滞なく、調査委託者に対して、法務省令で定めるところにより、当該電子公告調査の結果を通知しなければならない。

第９４７条　（電子公告調査を行うことができない場合）

調査機関は、次に掲げる者の電子公告による公告又はその者若しくはその理事等が電子公告による公告に関与した場合として法務省令で定める場合における当該公告については、電子公告調査を行うことができない。
①　当該調査機関
②　当該調査機関が株式会社である場合における親株式会社（当該調査機関を子会社とする株式会社をいう。）
③　理事等又は職員（過去２年間にそのいずれかであった者を含む。次号において同じ。）が当該調査機関の理事等に占める割合が２分の１を超える法人
④　理事等又は職員のうちに当該調査機関（法人であるものを除く。）又は当該調査機関の代表権を有する理事等が含まれている法人

第９４８条　（事業所の変更の届出）

調査機関は、電子公告調査を行う事業所の所在地を変更しようとするときは、変更しようとする日の２週間前までに、法務大臣に届け出なければならない。

第９４９条　（業務規程）

Ⅰ　調査機関は、電子公告調査の業務に関する規程（次項において「業務規程」とい

雑則

う。）を定め、電子公告調査の業務の開始前に、法務大臣に届け出なければならない。これを変更しようとするときも、同様とする。
Ⅱ　業務規定には、電子公告調査の実施方法、電子公告調査に関する料金その他の法務省令で定める事項を定めておかなければならない。

第９５０条　（業務の休廃止）

調査機関は、電子公告調査の業務の全部又は一部を休止し、又は廃止しようとするときは、法務省令で定めるところにより、あらかじめ、その旨を法務大臣に届け出なければならない。

第９５１条　（財務諸表等の備置き及び閲覧等）

Ⅰ　調査機関は、毎事業年度経過後３箇月以内に、その事業年度の財産目録、貸借対照表及び損益計算書又は収支計算書並びに事業報告書（これらの作成に代えて電磁的記録の作成がされている場合における当該電磁的記録を含む。次項において「財務諸表等」という。）を作成し、５年間事業所に備え置かなければならない。
Ⅱ　調査委託者その他の利害関係人は、調査機関に対し、その業務時間内は、いつでも、次に掲げる請求をすることができる。ただし、第２号又は第４号に掲げる請求をするには、当該調査機関の定めた費用を支払わなければならない。
①　財務諸表等が書面をもって作成されているときは、当該書面の閲覧又は謄写の請求
②　前号の書面の謄本又は抄本の交付の請求
③　財務諸表等が電磁的記録をもって作成されているときは、当該電磁的記録に記録された事項を法務省令で定める方法により表示したものの閲覧又は謄写の請求
④　前号の電磁的記録に記録された事項を電磁的方法であって調査機関の定めたものにより提供することの請求又は当該事項を記載した書面の交付の請求

第９５２条　（適合命令）

法務大臣は、調査機関が第９４４条第１項各号のいずれかに適合しなくなったと認めるときは、その調査機関に対し、これらの規定に適合するため必要な措置をとるべきことを命ずることができる。

第９５３条　（改善命令）

法務大臣は、調査機関が第９４６条の規定に違反していると認めるときは、その調査機関に対し、電子公告調査を行うべきこと又は電子公告調査の方法その他の業務の方法の改善に関し必要な措置をとるべきことを命ずることができる。

第９５４条　（登録の取消し等）

法務大臣は、調査機関が次のいずれかに該当するときは、その登録を取り消し、又は期間を定めて電子公告調査の業務の全部若しくは一部の停止を命ずることができる。
①　第９４３条第１号又は第３号に該当するに至ったとき。
②　第９４７条（電子公告関係規定において準用する場合を含む。）から第９５０

条まで、第９５１条第１項又は次条第１項（電子公告関係規定において準用する場合を含む。）の規定に違反したとき。

③　正当な理由がないのに第９５１条第２項各号又は次条第２項各号（電子公告関係規定において準用する場合を含む。）の規定による請求を拒んだとき。

④　第９５２条又は前条（電子公告関係規定において準用する場合を含む。）の命令に違反したとき。

⑤　不正の手段により第９４１条の登録を受けたとき。

第９５５条　（調査記録簿等の記載等）

Ⅰ　調査機関は、法務省令で定めるところにより、調査記録又はこれに準ずるものとして法務省令で定めるもの（以下この条において「調査記録簿等」という。）を備え、電子公告調査に関し法務省令で定めるものを記載し、又は記録し、及び当該調査記録簿等を保存しなければならない。

Ⅱ　調査委託者その他の利害関係人は、調査機関に対し、その業務時間内は、いつでも、当該調査機関が前項又は次条第２項の規定により保存している調査記録簿等（利害関係がある部分に限る。）について、次に掲げる請求をすることができる。ただし、当該請求をするには、当該調査機関の定めた費用を支払わなければならない。

①　調査記録簿等が書面をもって作成されているときは、当該書面の写しの交付の請求

②　調査記録簿等が電磁的記録をもって作成されているときは、当該電磁的記録に記録された事項を電磁的方法であって調査機関の定めたものにより提供することの請求又は当該事項を記載した書面の交付の請求

第９５６条　（調査記録簿等の引継ぎ）

Ⅰ　調査機関は、電子公告調査の業務の全部の廃止をしようとするとき、又は第９５４条の規定により登録が取り消されたときは、その保存に係る前条第１項（電子公告関係規定において準用する場合を含む。）の調査記録簿等を他の調査機関に引き継がなければならない。

Ⅱ　前項の規定により同項の調査記録簿等の引継ぎを受けた調査機関は、法務省令で定めるところにより、その調査記録簿等を保存しなければならない。

第９５７条　（法務大臣による電子公告調査の業務の実施）

Ⅰ　法務大臣は、登録を受ける者がないとき、第９５０条の規定による電子公告調査の業務の全部又は一部の休止又は廃止の届出があったとき、第９５４条の規定により登録を取り消し、又は調査機関に対し電子公告調査の業務の全部若しくは一部の停止を命じたとき、調査機関が天災その他の事由によって電子公告調査の業務の全部又は一部を実施することが困難となったとき、その他必要があると認めるときは、当該電子公告調査の業務の全部又は一部を自ら行うことができる。

Ⅱ　法務大臣が前項の規定により電子公告調査の業務の全部又は一部を自ら行う場合における電子公告調査の業務の引継ぎその他の必要な事項については、法務省令で

雑則

定める。

Ⅲ　第１項の規定により法務大臣が行う電子公告調査を求める者は、実費を勘案して政令で定める額の手数料を納付しなければならない。

第９５８条　（報告及び検査）

Ⅰ　法務大臣は、この法律の施行に必要な限度において、調査機関に対し、その業務若しくは経理の状況に関し報告をさせ、又はその職員に、調査機関の事務所若しくは事業所に立ち入り、業務の状況若しくは帳簿、書類その他の物件を検査させることができる。

Ⅱ　前項の規定により職員が立入検査をする場合には、その身分を示す証明書を携帯し、関係人にこれを提示しなければならない。

Ⅲ　第１項の規定による立入検査の権限は、犯罪捜査のために認められたものと解釈してはならない。

第９５９条　（公示）

法務大臣は、次に掲げる場合には、その旨を官報に公示しなければならない。

①　登録をしたとき。

②　第９４５条第１項の規定により登録が効力を失ったことを確認したとき。

③　第９４８条又は第９５０条の届出があったとき。

④　第９５４条の規定により登録を取り消し、又は電子公告調査の業務の全部若しくは一部の停止を命じたとき。

⑤　第９５７条第１項の規定により法務大臣が電子公告調査の業務の全部若しくは一部を自ら行うものとするとき、又は自ら行っていた電子公告調査の業務の全部若しくは一部を行わないこととするとき。

第8編　罰則

第９６０条　（取締役等の特別背任罪）書

Ⅰ　次に掲げる者が、自己若しくは第三者の利益を図り又は株式会社に損害を加える目的で、その任務に背く行為をし、当該株式会社に財産上の損害を加えたときは、１０年以下の懲役若しくは１０００万円以下の罰金に処し、又はこれを併科する。

① 発起人
② 設立時取締役又は設立時監査役
③ 取締役、会計参与、監査役又は執行役
④ 民事保全法第５６条に規定する仮処分命令により選任された取締役、監査役又は執行役の職務を代行する者
⑤ 第３４６条第２項<裁判所による一時役員の選任>、第３５１条第２項<裁判所による一時代表取締役の選任>又は第４０１条第３項<裁判所による一時委員の選任>（第４０３条第３項及び第４２０条第３項において準用する場合を含む。）の規定により選任された一時取締役（監査等委員会設置会社にあっては、監査等委員である取締役又はそれ以外の取締役）、会計参与、監査役、代表取締役、委員（指名委員会、監査委員会又は報酬委員会の委員をいう。）、執行役又は代表執行役の職務を行うべき者
⑥ 支配人
⑦ 事業に関するある種類又は特定の事項の委任を受けた使用人
⑧ 検査役

Ⅱ　次に掲げる者が、自己若しくは第三者の利益を図り又は清算株式会社に損害を加える目的で、その任務に背く行為をし、当該清算株式会社に財産上の損害を加えたときも、前項と同様とする。

① 清算株式会社の清算人
② 民事保全法第５６条に規定する仮処分命令により選任された清算株式会社の清算人の職務を代行する者
③ 第４７９条第４項において準用する第３４６条第２項又は第４８３条第６項において準用する第３５１条第２項の規定により選任された一時清算人又は代表清算人の職務を行うべき者
④ 清算人代理
⑤ 監督委員
⑥ 調査委員

第９６１条　（代表社債権者等の特別背任罪）

代表社債権者又は決議執行者（第７３７条第２項に規定する決議執行者をいう。以下同じ。）が、自己若しくは第三者の利益を図り又は社債権者に損害を加える目的で、その任務に背く行為をし、社債権者に財産上の損害を加えたときは、５年以下の懲役若しくは５００万円以下の罰金に処し、又はこれを併科する。

第９６２条　（未遂罪）

前２条の罪の未遂は、罰する。

第９６３条　（会社財産を危うくする罪）

Ⅰ　第９６０条第１項第１号又は第２号＜発起人、設立時取締役又は設立時監査役＞に掲げる者が、第３４条第１項＜発起人の出資の履行＞若しくは第６３条第１項＜設立時募集株式の払込金額の払込み＞の規定による払込み若しくは給付について、又は第２８条各号＜変態設立事項＞に掲げる事項について、裁判所又は創立総会若しくは種類創立総会に対し、虚偽の申述を行い、又は事実を隠ぺいしたときは、５年以下の懲役若しくは５００万円以下の罰金に処し、又はこれを併科する。

Ⅱ　第９６０条第１項第３号から第５号＜取締役、会計参与、監査役又は執行役等＞までに掲げる者が、第１９９条第１項第３号＜現物出資である旨と当該財産の内容及び価額＞又は第２３６条第１項第３号＜新株予約権の行使時に出資される金銭以外の財産＞に掲げる事項について、裁判所又は株主総会若しくは種類株主総会に対し、虚偽の申述を行い、又は事実を隠ぺいしたときも、前項と同様とする。

Ⅲ　検査役が、第２８条各号＜変態設立事項＞、第１９９条第１項第３号＜現物出資である旨と当該財産の内容及び価額＞又は第２３６条第１項第３号＜新株予約権の行使時に出資される金銭以外の財産＞に掲げる事項について、裁判所に対し、虚偽の申述を行い、又は事実を隠ぺいしたときも、第１項と同様とする。

Ⅳ　第９４条第１項＜設立時取締役等が発起人である場合の調査＞の規定により選任された者が、第３４条第１項＜発起人の出資の履行＞若しくは第６３条第１項＜設立時募集株式の払込金額の払込み＞の規定による払込み若しくは給付について、又は第２８条各号＜変態設立事項＞に掲げる事項について、創立総会に対し、虚偽の申述を行い、又は事実を隠ぺいしたときも、第１項と同様とする。

Ⅴ　第９６０条第１項第３号から第７号＜取締役、会計参与、監査役又は執行役等＞までに掲げる者が、次のいずれかに該当する場合にも、第１項と同様とする。

①　何人の名義をもってするかを問わず、株式会社の計算において不正にその株式を取得したとき。

②　法令又は定款の規定に違反して、剰余金の配当をしたとき。

③　株式会社の目的の範囲外において、投機取引のために株式会社の財産を処分したとき。

第９６４条　（虚偽文書行使等の罪）

Ⅰ　次に掲げる者が、株式、新株予約権、社債又は新株予約権付社債を引き受ける者の募集をするに当たり、会社の事業その他の事項に関する説明を記載した資料若しくは当該募集の広告その他の当該募集に関する文書であって重要な事項について虚偽の記載のあるものを行使し、又はこれらの書類の作成に代えて電磁的記録の作成がされている場合における当該電磁的記録であって重要な事項について虚偽の記録のあるものをその募集の事務の用に供したときは、５年以下の懲役若しくは５００万円以下の罰金に処し、又はこれを併科する。

①　第９６０条第１項第１号から第７号まで＜発起人等＞に掲げる者
②　持分会社の業務を執行する社員
③　民事保全法第５６条に規定する仮処分命令により選任された持分会社の業務を執行する社員の職務を代行する者
④　株式、新株予約権、社債又は新株予約権付社債を引き受ける者の募集の委託を受けた者

Ⅱ　株式、新株予約権、社債又は新株予約権付社債の売出しを行う者が、その売出しに関する文書であって重要な事項について虚偽の記載のあるものを行使し、又は当該文書の作成に代えて電磁的記録の作成がされている場合における当該電磁的記録であって重要な事項について虚偽の記録のあるものをその売出しの事務の用に供したときも、前項と同様とする。

第９６５条　（預合いの罪）

第９６０条第１項第１号から第７号まで＜発起人等＞に掲げる者が、株式の発行に係る払込みを仮装するため預合いを行ったときは、５年以下の懲役若しくは５００万円以下の罰金に処し、又はこれを併科する。預合いに応じた者も、同様とする。

第９６６条　（株式の超過発行の罪）

次に掲げる者が、株式会社が発行することができる株式の総数を超えて株式を発行したときは、５年以下の懲役又は５００万円以下の罰金に処する。

①　発起人
②　設立時取締役又は設立時執行役
③　取締役、執行役又は清算株式会社の清算人
④　民事保全法第５６条に規定する仮処分命令により選任された取締役、執行役又は清算株式会社の清算人の職務を代行する者
⑤　第３４６条第２項＜裁判所による一時役員の選任＞（第４７９条第４項において準用する場合を含む。）又は第４０３条第３項＜執行役が欠けた場合における委員が欠けた場合の規定の準用＞において準用する第４０１条第３項＜裁判所による一時委員の選任＞の規定により選任された一時取締役（監査等委員会設置会社にあっては、監査等委員である取締役又はそれ以外の取締役）、執行役又は清算株式会社の清算人の職務を行うべき者

第９６７条　（取締役等の贈収賄罪）

Ⅰ　次に掲げる者が、その職務に関し、不正の請託を受けて、財産上の利益を収受し、又はその要求若しくは約束をしたときは、５年以下の懲役又は５００万円以下の罰金に処する。

①　第９６０条第１項各号＜発起人等＞又は第２項各号＜清算株式会社の清算人等＞に掲げる者
②　第９６１条＜代表社債権者等の特別背任罪＞に規定する者
③　会計監査人又は第３４６条第４項＜監査役による一時会計監査人の職務を行うべき者の選任＞の規定により選任された一時会計監査人の職務を行うべき者

Ⅱ　前項の利益を供与し、又はその申込み若しくは約束をした者は、３年以下の懲役又は３００万円以下の罰金に処する。

第９６８条　（株主等の権利の行使に関する贈収賄罪）

Ⅰ　次に掲げる事項に関し、不正の請託を受けて、財産上の利益を収受し、又はその要求若しくは約束をした者は、５年以下の懲役又は５００万円以下の罰金に処する。

① 株主総会若しくは種類株主総会、創立総会若しくは種類創立総会、社債権者集会又は債権者集会における発言又は議決権の行使

② 第２１０条＜募集株式の発行等の差止請求＞若しくは第２４７条＜募集新株予約権の発行の差止請求＞、第２９７条第１項若しくは第４項＜少数株主による株主総会の招集の請求＞、第３０３条第１項若しくは第２項＜株主の議題提案権＞、第３０４条＜株主の議案提出権＞、第３０５条第１項＜株主の議案の要領の通知請求権＞若しくは第３０６条第１項若しくは第２項＜株主総会の招集手続等に関する検査役の選任の申立て＞（これらの規定を第３２５条において準用する場合を含む。）、第３５８条第１項＜業務の執行に関する検査役の選任の申立て＞、第３６０条第１項若しくは第２項＜株主による取締役の行為の差止め＞（これらの規定を第４８２条第４項＜取締役に関する規定の清算人への準用＞において準用する場合を含む。）、第４２２条第１項若しくは第２項＜株主による執行役の行為の差止め＞、第４２６条第７項＜株主による責任の免除に対する異議＞、第４３３条第１項＜会計帳簿の閲覧等の請求＞若しくは第４７９条第２項＜株主の申立てにより裁判所がなす清算人の解任＞に規定する株主の権利の行使、第５１１条第１項＜特別清算開始の申立て＞若しくは第５２２条第１項＜裁判所による特別清算の調査命令＞に規定する株主若しくは債権者の権利の行使又は第５４７条第１項若しくは第３項＜特別清算における債権者集会の招集＞に規定する債権者の権利の行使

③ 社債の総額（償還済みの額を除く。）の１０分の１以上に当たる社債を有する社債権者の権利の行使

④ 第８２８条第１項＜会社の組織に関する行為の無効の訴え＞、第８２９条から第８３１条まで＜新株発行等の不存在の確認の訴え、株主総会等の決議の不存在又は無効の確認の訴え、株主総会等の決議の取消しの訴え＞、第８３３条第１項＜会社の解散の訴え＞、第８４７条第３項若しくは第５項＜会社の解散の訴え＞、第８４７条の２第６項若しくは第８項＜旧株主による責任追及等の訴えの提起＞、第８４７条の３第７項若しくは第９項＜最終完全親会社等の株主による特定責任追及の訴えの提起＞、第８５３条＜再審の訴え＞、第８５４条＜株式会社の役員の解任の訴え＞又は第８５８条＜役員等責任査定決定に対する異議の訴え＞に規定する訴えの提起（株主等（第８４７条の４第２項に規定する株主等をいう。次号において同じ。）、株式会社の債権者又は新株予約権若しくは新株予約権付社債を有する者がするものに限る。）

⑤ 第８４９条第１項＜訴訟参加＞の規定による株主等の訴訟参加

Ⅱ　前項の利益を供与し、又はその申込み若しくは約束をした者も、同項と同様とする。

《注　釈》

◆　判例

会社役員等が経営上の不正や失策の追及を免れるため、株主総会における公正な発言又は公正な議決権の行使を妨げることを株主に依頼してこれに財産上の利益を供与することは、「不正の請託」(968 Ⅰ) に該当する (最決昭 44.10.16・百選 102 事件)。

第９６９条　(没収及び追徴)

第９６７条第１項<取締役等の贈収賄罪>又は前条第１項の場合において、犯人の収受した利益は、没収する。その全部又は一部を没収することができないときは、その価額を追徴する。

第９７０条　(株主等の権利の行使に関する利益供与の罪)

Ⅰ　第９６０条第１項第３号から第６号までに掲げる者又はその他の株式会社の使用人が、株主の権利、当該株式会社に係る適格旧株主（第８４７条の２第９項<適格旧株主がいる場合における役員等の株式会社に対する損害賠償責任の免除>に規定する適格旧株主をいう。第３項において同じ。）の権利又は当該株式会社の最終完全親会社等（第８４７条の３第１項に規定する最終完全親会社等をいう。第３項において同じ。）の株主の権利の行使に関し、当該株式会社又はその子会社の計算において財産上の利益を供与したときは、３年以下の懲役又は３００万円以下の罰金に処する。

Ⅱ　情を知って、前項の利益の供与を受け、又は第三者にこれを供与させた者も、同項と同様とする。

Ⅲ　株主の権利、株式会社に係る適格旧株主の権利又は株式会社の最終完全親会社等の株主の権利の行使に関し、当該株式会社又はその子会社の計算において第１項の利益を自己又は第三者に供与することを同項に規定する者に要求した者も、同項と同様とする。

Ⅳ　前２項の罪を犯した者が、その実行について第１項に規定する者に対し威迫の行為をしたときは、５年以下の懲役又は５００万円以下の罰金に処する。

Ⅴ　前３項の罪を犯した者には、情状により、懲役及び罰金を併科することができる。

Ⅵ　第１項の罪を犯した者が自首したときは、その刑を減軽し、又は免除することができる。

【関連条文】120 [株主の権利の行使に関する利益の供与]

第９７１条　(国外犯)

Ⅰ　第９６０条から第９６３条まで、第９６５条、第９６６条、第９６７条第１項、第９６８条第１項及び前条第１項の罪は、日本国外においてこれらの罪を犯した者にも適用する。

Ⅱ　第９６７条第２項、第９６８条第２項及び前条第２項から第４項までの罪は、刑法（明治４０年法律第４５号）第２条の例に従う。

罰則

第９７２条　（法人における罰則の適用）

第９６０条、第９６１条、第９６３条から第９６６条まで、第９６７条第１項又は第９７０条第１項に規定する者が法人であるときは、これらの規定及び第９６２条の規定は、その行為をした取締役、執行役その他業務を執行する役員又は支配人に対してそれぞれ適用する。

第９７３条　（業務停止命令違反の罪）

第９５４条の規定による電子公告調査（第９４２条第１項に規定する電子公告調査をいう。以下同じ。）の業務の全部又は一部の停止の命令に違反した者は、１年以下の懲役若しくは１００万円以下の罰金に処し、又はこれを併科する。

第９７４条　（虚偽届出等の罪）

次のいずれかに該当する者は、３０万円以下の罰金に処する。

①　第９５０条の規定による届出をせず、又は虚偽の届出をした者

②　第９５５条第１項の規定に違反して、調査記録簿等（同項に規定する調査記録簿等をいう。以下この号において同じ。）に同項に規定する電子公告調査に関し法務省令で定めるものを記載せず、若しくは記録せず、若しくは虚偽の記載若しくは記録をし、又は同項若しくは第９５６条第２項の規定に違反して調査記録簿等を保存しなかった者

③　第９５８条第１項の規定による報告をせず、若しくは虚偽の報告をし、又は同項の規定による検査を拒み、妨げ、若しくは忌避した者

罰則

第９７５条　（両罰規定）

法人の代表者又は法人若しくは人の代理人、使用人その他の従業者が、その法人又は人の業務に関し、前２条の違反行為をしたときは、行為者を罰するほか、その法人又は人に対しても、各本条の罰金刑を科する。

第９７６条　（過料に処すべき行為）

発起人、設立時取締役、設立時監査役、設立時執行役、取締役、会計参与若しくはその職務を行うべき社員、監査役、執行役、会計監査人若しくはその職務を行うべき社員、清算人、清算人代理、持分会社の業務を執行する社員、民事保全法第５６条に規定する仮処分命令により選任された取締役、監査役、執行役、清算人若しくは持分会社の業務を執行する社員の職務を代行する者、第９６０条第１項第５号に規定する一時取締役、会計参与、監査役、代表取締役、委員、執行役若しくは代表執行役の職務を行うべき者、同条第２項第３号に規定する一時清算人若しくは代表清算人の職務を行うべき者、第９６７条第１項第３号に規定する一時会計監査人の職務を行うべき者、検査役、監督委員、調査委員、株主名簿管理人、社債原簿管理人、社債管理者、事務を承継する社債管理者、社債管理補助者、事務を承継する社債管理補助者、代表社債権者、決議執行者、外国会社の日本における代表者又は支配人は、次のいずれかに該当する場合には、１００万円以下の過料に処する。ただし、その行為について刑を科すべきときは、この限りでない。

① この法律の規定による登記をすることを怠ったとき。
② この法律の規定による公告若しくは通知をすることを怠ったとき、又は不正の公告若しくは通知をしたとき。
③ この法律の規定による開示をすることを怠ったとき。
④ この法律の規定に違反して、正当な理由がないのに、書類若しくは電磁的記録に記録された事項を法務省令で定める方法により表示したものの閲覧若しくは謄写又は書類の謄本若しくは抄本の交付、電磁的記録に記録された事項を電磁的方法により提供すること若しくはその事項を記載した書面の交付を拒んだとき。
⑤ この法律の規定による調査を妨げたとき。
⑥ 官庁、株主総会若しくは種類株主総会、創立総会若しくは種類創立総会、社債権者集会又は債権者集会に対し、虚偽の申述を行い、又は事実を隠蔽したとき。
⑦ 定款、株主名簿、株券喪失登録簿、新株予約権原簿、社債原簿、議事録、財産目録、会計帳簿、貸借対照表、損益計算書、事業報告、事務報告、第４３５条第２項若しくは第４９４条第１項の附属明細書、会計参与報告、監査報告、会計監査報告、決算報告又は第１２２条第１項、第１４９条第１項、第１７１条の２第１項、第１７３条の２第１項、第１７９条の５第１項、第１７９条の１０第１項、第１８２条の２第１項、第１８２条の６第１項、第２５０条第１項、第２７０条第１項、第６８２条第１項、第６９５条第１項、第７８２条第１項、第７９１条第１項、第７９４条第１項、第８０１条第１項若しくは第２項、第８０３条第１項、第８１１条第１項、第８１５条第１項若しくは第２項、第８１６条の２第１項若しくは第８１６条の１０第１項の書面若しくは電磁的記録に記載し、若しくは記録すべき事項を記載せず、若しくは記録せず、又は虚偽の記載若しくは記録をしたとき。
⑧ 第３１条第１項の規定、第７４条第６項、第７５条第３項、第７６条第４項、第８１条第２項若しくは第８２条第２項（これらの規定を第８６条において準用する場合を含む。）、第１２５条第１項、第１７１条の２第１項、第１７３条の２第２項、第１７９条の５第１項、第１７９条の１０第２項、第１８２条の２第１項、第１８２条の６第２項、第２３１条第１項若しくは第２５２条第１項、第３１０条第６項、第３１１条第３項、第３１２条第４項、第３１８条第２項若しくは第３項若しくは第３１９条第２項（これらの規定を第３２５条において準用する場合を含む。）、第３７１条第１項（第４９０条第５項において準用する場合を含む。）、第３７８条第１項、第３９４条第１項、第３９９条の１１第１項、第４１３条第１項、第４４２条第１項若しくは第２項、第４９６条第１項、第６８４条第１項、第７３１条第２項、第７８２条第１項、第７９１条第２項、第７９４条第１項、第８０１条第３項、第８０３条第１項、第８１１条第２項、第８１５条第３項、第８１６条の２第１項又は第８１６条の１０第２項の規定に違反して、帳簿又は書類若しくは電磁的記録を備え置かなかったとき。
⑨ 正当な理由がないのに、株主総会若しくは種類株主総会又は創立総会若しくは種類創立総会において、株主又は設立時株主の求めた事項について説明をしなかったとき。
⑩ 第１３５条第１項の規定に違反して株式を取得したとき、又は同条第３項の規定に違反して株式の処分をすることを怠ったとき。

罰則

⑪　第１７８条第１項又は第２項の規定に違反して、株式の消却をしたとき。
⑫　第１９７条第１項又は第２項の規定に違反して、株式の競売又は売却をしたとき。
⑬　株式、新株予約権又は社債の発行の日前に株券、新株予約権証券又は社債券を発行したとき。
⑭　第２１５条第１項、第２８８条第１項又は第６９６条の規定に違反して、遅滞なく、株券、新株予約権証券又は社債券を発行しなかったとき。
⑮　株券、新株予約権証券又は社債券に記載すべき事項を記載せず、又は虚偽の記載をしたとき。
⑯　第２２５条第４項、第２２６条第２項、第２２７条又は第２２９条第２項の規定に違反して、株券喪失登録を抹消しなかったとき。
⑰　第２３０条第１項の規定に違反して、株主名簿に記載し、又は記録したとき。
⑱　第２９６条第１項の規定又は第３０７条第１項第１号（第３２５条において準用する場合を含む。）若しくは第３５９条第１項第１号の規定による裁判所の命令に違反して、株主総会を招集しなかったとき。
⑱の２　第３０３条第１項又は第２項（これらの規定を第３２５条において準用する場合を含む。）の規定による請求があった場合において、その請求に係る事項を株主総会又は種類株主総会の目的としなかったとき。
⑲　第３２５条の３第１項（第３２５条の７において準用する場合を含む。）の規定に違反して、電子提供措置をとらなかったとき。
⑲の２　第３２７条の２の規定に違反して、社外取締役を選任しなかったとき。
⑲の３　第３３１条第６項の規定に違反して、社外取締役を監査等委員である取締役の過半数に選任しなかったとき。
⑳　第３３５条第３項の規定に違反して、社外監査役を監査役の半数以上に選任しなかったとき。
㉑　第３４３条第２項（第３４７条第２項の規定により読み替えて適用する場合を含む。）又は第３４４条の２第２項（第３４７条第１項の規定により読み替えて適用する場合を含む。）の規定による請求があった場合において、その請求に係る事項を株主総会若しくは種類株主総会の目的とせず、又はその請求に係る議案を株主総会若しくは種類株主総会に提出しなかったとき。
㉒　取締役（監査等委員会設置会社にあっては、監査等委員である取締役又はそれ以外の取締役）、会計参与、監査役、執行役又は会計監査人がこの法律又は定款で定めたその員数を欠くこととなった場合において、その選任（一時会計監査人の職務を行うべき者の選任を含む。）の手続をすることを怠ったとき。
㉓　第３６５条第２項（第４１９条第２項及び第４８９条第８項において準用する場合を含む。）又は第４３０条の２第４項（同条第５項において準用する場合を含む。）の規定に違反して、取締役会又は清算人会に報告せず、又は虚偽の報告をしたとき。
㉔　第３９０条第３項の規定に違反して、常勤の監査役を選定しなかったとき。
㉕　第４４５条第３項若しくは第４項の規定に違反して資本準備金若しくは準備金を計上せず、又は第４４８条の規定に違反して準備金の額の減少をしたとき。
㉖　第４４９条第２項若しくは第５項、第６２７条第２項若しくは第５項、第６３

5条第2項若しくは第5項、第670条第2項若しくは第5項、第779条第2項若しくは第5項（これらの規定を第781条第2項において準用する場合を含む。）、第789条第2項若しくは第5項（これらの規定を第793条第2項において準用する場合を含む。）、第799条第2項若しくは第5項（これらの規定を第802条第2項において準用する場合を含む。）、第810条第2項若しくは第5項（これらの規定を第813条第2項において準用する場合を含む。）、第816条の8第2項若しくは第5項又は第820条第1項若しくは第2項の規定に違反して、資本金若しくは準備金の額の減少、持分の払戻し、持分会社の財産の処分、組織変更、吸収合併、新設合併、吸収分割、新設分割、株式交換、株式移転、株式交付又は外国会社の日本における代表者の全員の退任をしたとき。

㉗　第484条第1項若しくは第656条第1項の規定に違反して破産手続開始の申立てを怠ったとき、又は第511条第2項の規定に違反して特別清算開始の申立てをすることを怠ったとき。

㉘　清算の結了を遅延させる目的で、第499条第1項、第660条第1項又は第670条第2項の期間を不当に定めたとき。

㉙　第500条第1項、第537条第1項又は第661条第1項の規定に違反して、債務の弁済をしたとき。

㉚　第502条又は第664条の規定に違反して、清算株式会社又は清算持分会社の財産を分配したとき。

㉛　第535条第1項又は第536条第1項の規定に違反したとき。

㉜　第540条第1項若しくは第2項又は第542条第1項若しくは第2項の規定による保全処分に違反したとき。

㉝　第702条の規定に違反して社債を発行し、又は第714条第1項（第714条の7において準用する場合を含む。）の規定に違反して事務を承継する社債管理者若しくは社債管理補助者を定めなかったとき。

㉞　第827条第1項の規定による裁判所の命令に違反したとき。

㉟　第941条の規定に違反して、電子公告調査を求めなかったとき書。

第977条

次のいずれかに該当する者は、100万円以下の過料に処する。

①　第946条第3項の規定に違反して、報告をせず、又は虚偽の報告をした者

②　第951条第1項の規定に違反して、財務諸表等（同項に規定する財務諸表等をいう。以下同じ。）を備え置かず、又は財務諸表等に記載し、若しくは記録すべき事項を記載せず、若しくは記録せず、若しくは虚偽の記載若しくは記録をした者

③　正当な理由がないのに、第951条第2項各号又は第955条第2項各号に掲げる請求を拒んだ者

第978条

次のいずれかに該当する者は、100万円以下の過料に処する。

①　第6条第3項の規定に違反して、他の種類の会社であると誤認されるおそれのある文字をその商号中に用いた者

② 第7条の規定に違反して、会社であると誤認されるおそれのある文字をその名称又は商号中に使用した者
③ 第8条第1項の規定に違反して、他の会社（外国会社を含む。）であると誤認されるおそれのある名称又は商号を使用した者

第979条

Ⅰ 会社の成立前に当該会社の名義を使用して事業をした者は、会社の設立の登録免許税の額に相当する過料に処する。
Ⅱ 第818条第1項又は第821条第1項の規定に違反して取引をした者も、前項と同様とする。

商法

第１編　総則

・第１章・【通則】

第１条　（趣旨等）

Ⅰ　商人の営業、商行為その他商事については、他の法律に特別の定めがあるものを除くほか、この法律の定めるところによる。

Ⅱ　商事に関し、この法律に定めがない事項については商慣習に従い、商慣習がないときは、民法（明治２９年法律第８９号）の定めるところによる〈共〉。

[趣旨] 商事について、本法が適用されることを示す（Ⅰ）とともに、その適用につき商法→商慣習→民法の順を定める。

《注　釈》

一　信義誠実の原則

信義誠実の原則は、契約法関係だけでなくすべての私法関係を支配する理念である。

二　商慣習

1　商慣習が法的確信にまで高まって商慣習法となった場合には、その存在及び内容について当事者は立証責任を負わない〈共〉。

2　判例（大判昭 5.3.4）の趣旨に照らせば、商慣習が商法上の強行規定に優先して適用される場合がある〈共〉。

第２条　（公法人の商行為）

公法人が行う商行為については、法令に別段の定めがある場合を除き、この法律の定めるところによる。

[趣旨] 市営地下鉄の旅客運送のように、公法人も営業行為を行うことがあるので、その範囲で本条の適用を認めたものである。

第３条　（一方的商行為）

Ⅰ　当事者の一方のために商行為となる行為については、この法律をその双方に適用する。

Ⅱ　当事者の一方が２人以上ある場合において、その１人のために商行為となる行為については、この法律をその全員に適用する。

・第２章・【商人】

第４条　（定義）

Ⅰ　この法律において「商人」とは、自己の名をもって商行為をすることを業とする者をいう。

Ⅱ　店舗その他これに類似する設備によって物品を販売することを業とする者又は鉱業を営む者は、商行為を行うことを業としない者であっても、これを商人とみなす。

《注　釈》

一　概説

１　商行為概念及び商人概念の必要性

商法は、商取引の円滑化や迅速性確保等の目的のため、民法と異なる内容の規定を設けている（512、513、514、522）。

そして、その適用範囲について、商行為と商人という２つの技術的概念を定め、そのいずれかを通して商法の適用が決定されることとしている。

２　商行為概念及び商人概念の定め方

501条、502条において商行為を列挙し、この商行為を業とする者を商人であるとしている（４Ⅰ）。他方、商法は、擬制商人（４Ⅱ）を定めて商行為概念を離れた商人概念を認めるとともに、商人概念から導き出される附属的商行為を認めている（503）。

＜商行為概念と商人概念＞

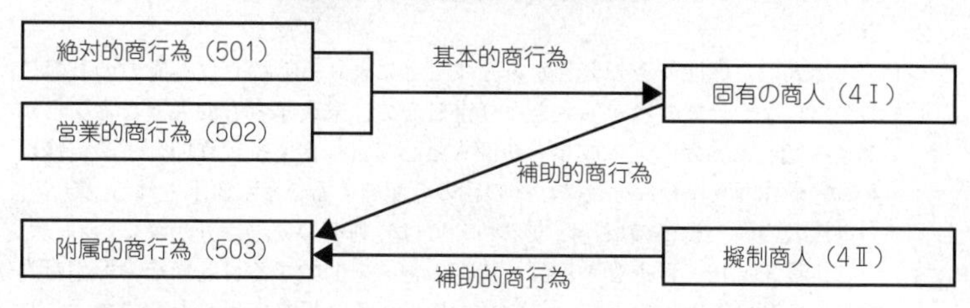

二　商人概念

１　固有の商人（Ⅰ）

(1)　意義

自己の名をもって商行為をすることを業とする者をいう。

(a)　「自己の名をもって」

法律上その行為から生ずる権利義務の帰属主体となることをいう。経済的損益の帰属を問わない。

(b)　「業とする者」

営利目的をもって同種の行為を反復継続することをいう。

(2) 具体例

ex.1 民事仲立人（宅地建物取引業者等）は同法502条11号にいう「仲立ちに関する行為」を営業とする者であるから、商人に当たる（最判昭44.6.26・百選34事件）司

ex.2 信用協同組合は商人に当たらない（最判昭48.10.5・百選3事件）司

→もっとも、中小企業等協同組合法が商法中の特定の条文を準用する旨を定めている場合の他は商法の適用が排除されると解すべきではなく、信用協同組合が商人たる組合員に貸付をするときは、503条、3条1項により、522条が適用される（最判昭48.10.5・百選3事件）

ex.3 信用金庫は商人に当たらない（最判昭63.10.18）司

2 擬制商人（Ⅱ）

(1) 意義

固定した商行為概念のみにより商人を定めるのでは、経済の進展により新たな事業形態が生じたとしてもそれに対応することができないという不都合が生じる。そこで、企業形態や経営形式に着眼して、固有の商人以外の一定の者を商人とみなすものとして商人概念を拡張した。

(2) 内容

店舗営業者、鉱業営業者

三 商人資格の取得時期

1 会社

設立時に商人資格を取得する（準則主義。会5、49）。

2 自然人

(1) 自然人は、商法4条の要件をみたすことにより、年齢や行為能力の有無にかかわりなく全ての者が商人となり得るので、未成年者も商人となることができる予。もっとも、未成年者が商人として自ら営業を行う場合、法定代理人の営業許可（民6）を受け、その旨の登記をすることが要求される（5）。

(2) 自然人の商人資格の取得時期については、判例の立場が分かれている。

最判昭33.6.19・百選2事件は、特定の営業を開始する目的でその準備行為をなした者は、その行為により営業を開始する意思を実現したもので、これにより商人資格を取得すると判示している。

他方、最判昭47.2.24は、営業意思が取引の相手方のみならずそれ以外の者からも客観的に認識可能となった時期に商人資格を取得すると判示する司。

四 商人資格の喪失時期

商人資格の喪失の時期は、営業目的行為の終了時ではなく、残務処理の終了時である（会社では清算結了時、自然人及び会社以外の法人は営業の廃止時）。残務処理附属的商行為となる。

第5条　（未成年者登記）

未成年者が前条の営業を行うときは、その登記をしなければならない〈同。

第6条　（後見人登記）

Ⅰ　後見人が被後見人のために第4条の営業を行うときは、その登記をしなければならない。

Ⅱ　後見人の代理権に加えた制限は、善意の第三者に対抗することができない。

第7条　（小商人）

第5条＜未成年者登記＞、前条＜後見登記＞、次章＜商業登記＞〈同、第１１条第２項＜商号登記権＞、第１５条第２項＜商号譲渡登記＞、第１７条第２項前段＜営業譲渡後に譲渡人の商号を譲受人が続用する場合の譲渡人が弁済責任を負わない旨の登記＞、第5章＜商業帳簿＞及び第２２条＜支配人の登記＞の規定は、小商人（商人のうち、法務省令で定めるその営業のために使用する財産の価額が法務省令で定める金額を超えないものをいう。）については、適用しない。

[趣旨]規模があまりに小さい者にまで商法の規定を全面的に適用すると不都合が生じるため、小商人には商業登記と一部の商号及び商業帳簿に関する規定は適用されない。

・第3章・【商業登記】

第8条　（通則）

この編の規定により登記すべき事項は、当事者の申請により、商業登記法（昭和３８年法律第１２５号）の定めるところに従い、商業登記簿にこれを登記する。

[趣旨]大量かつ反復・継続して商取引活動を行う商人の情報を一定限度開示し、取引の安全を守るとともに、企業内容の公開によって商人自身の信用の維持をも図った制度である。

《注　釈》

◆　登記手続

1　登記の申請

原則として、当事者が営業所所在地を管轄する登記所に申請することによりなされる（当事者申請主義。商8、商登1の3）。例外的に、会社法937条所定の場合には、裁判所書記官が登記所に嘱託して登記する。さらに、商号廃止・変更に関する利害関係人の申請、休眠会社の解散のように登記官が職権で登記する場合がある。

2　登記官の審査権

商業登記法24条は登記申請を却下できる事項を個別的に限定列挙している

ので、登記官の登記の申請の適否を審査する場合、登記官は、申請の形式上の適法性を審査する権限と職務を有するにとどまる（形式的審査主義）と解されている〈予〉。

第９条（登記の効力）

Ⅰ　この編の規定により登記すべき事項は、登記の後でなければ、これをもって善意の第三者に対抗することができない〈司予書〉。登記の後であっても、第三者が正当な事由によってその登記があることを知らなかったときは、同様とする〈司予〉。

Ⅱ　故意又は過失によって不実の事項を登記した者は、その事項が不実であることをもって善意の第三者に対抗することができない〈予〉。

[趣旨] 1項は商業登記の消極的公示力（前段）・積極的公示力（後段）を定める。この他に商業登記には事実上の推定力などがある。2項は、禁反言の原則から、不実登記に一定の効力を認め、善意の第三者にこれを対抗できないとした。

《注　釈》

一　消極的公示力（前段）

1　意義

登記すべき事項は、それが成立し又は存在していても、登記をした後でなければ当事者はこれを善意の第三者に対抗することができないという効力をいう。

2　適用範囲

取引の安全のための規定であるため、悪意の第三者に対する関係、当事者間、第三者から当事者に対する関係の場合には適用されない（ただし、商号譲渡だけは、善意悪意を問わず登記しなければ対抗できない、15Ⅱ）。さらに、本条は、登記を怠った者に対してその懈怠を理由に責任を課すものであるため、第三者間では問題とならない。

3　「善意」の意義

「善意」とは、第三者が取引の当時（法律上の利害関係を有するに至った時点）において、登記事項である当該事実を知らなかったことをいう（過失の有無は問わない）。第三者の悪意を主張する側がそれについての立証責任を負う。

二　積極的公示力（後段）

1　意義

登記すべき事項が成立し又は存在している場合に、それを登記した後は、当事者は善意の第三者に対しても登記事項を対抗することができるという効力をいう。ただし、第三者が「正当な事由」によりこれを知り得なかった場合は、当事者は当該第三者に対抗することができない。

2　商法９条１項後段・会社法908条１項後段にいう「正当な事由」の意義

「正当な事由」とは、交通の途絶、新聞の不到達、登記簿の滅失・汚損等による登記の閲覧を妨げる客観的障害をいい、病気、怪我、長期旅行等の第三者の主観的事情は考慮しないとするのが通説である。この点について判例は、代表取締役の突然の交替があった際に元の代表取締役から手形の振出がなされた事案において、かかる事情があっても登記簿の閲覧が可能な状態の下で日数を経過していれば「正当な事由」に当たらないと判断した（最判昭52.12.23・百選7事件）〈予〉。

3　表見代理との関係

9条1項が適用される場合において、表見代理の規定の適用があるかにつき、判例は否定する。

ex.　商人が支配人を解任し、その旨の登記をした後は、第三者が正当な事由によってその登記があることを知らなかったときでない限り、当該商人は善意の第三者に対しても解任を対抗することができ、解任された支配人が支配人と称して当該商人をなおも代理して第三者と契約を締結したとしても表見代理が成立する余地はない（最判昭49.3.22・百選6事件）〈司予〉

三　9条1項の適用範囲

1　取引行為のみに適用がある。それ自体が取引行為ではない民事訴訟において、誰が会社を代表するかを定めるに当たっては適用はない（最判昭43.11.1・百選5事件）。

2　9条は登記当事者が登記すべき事項をもって第三者に対抗しうべき場合を規定したのであるから、第三者間には適用はない。したがって、A社の清算人から動産を買い受けたXと第三者たるYとの関係では9条は適用されないので、YはA社の解散・清算人選任手続及びその登記の違法・無効を理由に当該売買契約の無効を主張することはできない（最判昭29.10.15・百選4事件）。

四　不実登記の効力

1　故意・過失により不実登記をした者は、善意の第三者にその不実を対抗できない。第三者が登記を信頼したのではない場合には保護されない。第三者が有過失でもよい。

2　本条が禁反言に基づく以上、かかる責任を負うのは、登記義務者であるのが原則である。しかし、退任取締役のように自ら登記義務者ではなくとも、不実の登記出現に加功又はこれと同視できる程度に関与している場合には本条が類推適用される場合がある。

⑴　9条2項が適用されるためには、登記が申請権者の申請に基づいてされたものであるか、そうでない場合にはこれと同視できる特段の事情を要する（最判昭55.9.11）〈司〉。

⑵　908条2項にいう不実の事項を登記した者とは当該登記を申請した商人を指すが、その登記事項が株式会社の取締役への就任であり、かつ、その就任の登記につき取締役とされた本人が承諾を与えたのであれば、同人もまた不実の登記の出現に加功したものというべく、同条を類推適用して、当該登記事項の不実なことをもって善意の第三者に対抗することができない（最判昭47.6.15・百選8事件）〈予〉。

⑶　取締役を辞任した者は、辞任したにもかかわらずなお積極的に取締役として対外的又は内部的な行為をあえてしたとか、登記申請権者である当該株

式会社の代表者に対し、辞任登記を申請しないで不実の登記を残存させることにつき明示的に承諾を与えていたなどの特段の事情のない限り、辞任登記が未了であることによりその者が取締役であると信じて株式会社と取引した第三者に対しても会社法429条1項に基づく損害賠償責任を負わない（最判昭63.1.26・総則商行為百選〔第5版〕10事件）〈司〉。

五　その他の効力

1　事実上の推定力

登記官には形式的審査権しかないので、商業登記には法律上の推定力は与えられない。もっとも、申請には添付書類・印鑑などが必要であり慎重な手続がとられるため、事実上の推定力は認められる。

2　その他

会社の設立登記のように登記によって法律関係が創設される効力（創設的効力）、会社法51条2項により登記により瑕疵を主張することができなくなり、瑕疵が治癒された扱いになる効力（補完的効力）、一定の法律効果の発生が登記と結び付けられている付随的効力などがある。

六　登記官の審査権限

登記官の審査権限は、形式審査についてのみ及ぶ。

→取締役、監査役の員数を欠くに至るかどうかは登記簿の記載に照らし容易に審査することができ、商業登記法24条その他同法の規定に徴すれば、「申請書等の資料のみによる限り」、登記官は審査権を有する（最判昭43.12.24・百選9事件）

第１０条　（変更の登記及び消滅の登記）

この編の規定により登記した事項に変更が生じ、又はその事項が消滅したときは、当事者は、遅滞なく、変更の登記又は消滅の登記をしなければならない〈予〉。

・第4章・【商号】

《概　説》

一　意義

商号とは、商人が営業上の活動において自己を表示するために使う名称をいう。小商人も商号を選定できるが（11Ⅱ）、登記はできない（7、11Ⅱ）。

なお、会社法制定により、会社における商号規制は会社法6条以下で規律されている。

二　法制度の概要

1　商号選定自由の原則　→11条1項

2　商号単一の原則

複数商号を使うと一般公衆の誤解を招くおそれがあるため、個人商人の1個の営業に対しては商号は1個に限られる（大判大13.6.13）〈司共予書〉。もっとも、会社は営業の数に限らず、名称が商号とされる（会6Ⅰ）。

第11条（商号の選定）

Ⅰ 商人（会社及び外国会社を除く。以下この編において同じ。）は、その氏、氏名その他の名称をもってその商号とすることができる〈予〉。

Ⅱ 商人は、その商号の登記をすることができる〈司共予〉。

《注 釈》

一 商号選定自由の原則

商人は、その氏、氏名その他の名称をもって商号とすることができる（Ⅰ）。

→商人は、自己の営業の実態にかかわらず、自由に商号を選定することができる〈共〉

二 商号選定自由の制限

1 会社の商号に関する制限

→会社は、その種類に応じて、商号中に合名会社、合資会社、株式会社又は合同会社の文字を使用しなければならず、他方、会社でない者はその商号中に会社であることを示すべき文字を使用することはできない（会6、7）〈司〉

2 不正の目的による商号使用の禁止（会8、商12Ⅰ）

3 商号単一の原則

(1) 商号は1個の営業につき1つでなければならないという原則である。

(2) 一般公衆の誤解を防ぎ、商人の商号選択の幅を不当に狭めないようにするため、商法上の明文はないが、認められている。

(3) 数個の営業を営む場合には、それに応じた数の商号を持つことが認められる。数個の営業所を有する場合には、その営業所ごとに別異の商号を持つことが認められる（大決大13.6.13）〈予〉。ただし、会社においてはその名称が商号となるので、商号は1つに限られる。

4 同一商号・同一場所の禁止

商号の登記は、①その商号が他人の既に登記した商号と同一であり、かつ、②その営業所（会社にあっては、本店）の所在場所が当該他人の商号の登記に係る営業所の所在場所と同一であるときは、することができない（商登法27条）〈司〉。

三 登記（Ⅱ）

個人商人は商号を登記するか否かは自由である〈書〉。この点、会社は商号は登記する必要がある（会911以下）。

第１２条　（他の商人と誤認させる名称等の使用の禁止）

Ⅰ　何人も、不正の目的をもって、他の商人であると誤認されるおそれのある名称又は商号を使用してはならない。

Ⅱ　前項の規定に違反する名称又は商号の使用によって営業上の利益を侵害され、又は侵害されるおそれがある商人は、その営業上の利益を侵害する者又は侵害するおそれがある者に対し、その侵害の停止又は予防を請求することができる〈書〉。

第１３条　（過料）

前条第１項の規定に違反した者は、１００万円以下の過料に処する。

《注　釈》

一　商号権（商号使用権、商号専用権）

1　何人も、不正の目的をもって他人の営業と誤認されるおそれのある商号を使用することはできない。

2　本条は営業主体を誤認させる標識の使用を禁止する趣旨であり、周知されているか現実に使用されているかは問わない〈書〉。

3　本条は小商人にも適用される（7参照）。

4　この他に、不正競争防止法３、４条も不正競争により営業上の利益を侵害する者に対する侵害の差止め及び損害賠償を認め、商号権を保護する規定を設けている。

二　主体

商人がその名称を商号として登記（11 Ⅱ）していない場合でも、商号権を行使することができる〈司共〉。

第１４条　（自己の商号の使用を他人に許諾した商人の責任）

自己の商号を使用して営業又は事業を行うことを他人に許諾した商人は、当該商人が当該営業を行うものと誤認して当該他人と取引をした者に対し、当該他人と連帯して、当該取引によって生じた債務を弁済する責任を負う〈予〉。

[趣旨]取引の安全の見地から、名義人である名板貸人を営業主であると誤信した第三者に対して、名板貸人に名板借人と連帯責任を負わせる。

《注　釈》

一　意義

名板貸とは、自己の氏名や商号を使用して営業をなすことを他人に許諾することをいう。商号選定自由の原則から、このような名板貸をすることも原則として自由と解される。

二　名板貸人の責任

名板貸人は、自己を営業主であると誤信して取引した相手方に対して、その取引により生じた債務につき名義借受人と連帯して弁済責任を負う〈共〉。

三　名板貸人の責任の要件

1　名義借受人が名板貸人から独立して営業又は事業を行うこと（外観の存在）

⑴　単に手形行為をなすについて商号使用を許諾した場合には、本条の問題ではない（最判昭42.6.6・手形百選12事件）予。

⑵　自己の名称を使用して営業をすることを許諾したところ、許諾を受けた者が当該営業をせず、当該営業と同種の営業のための手形取引にその名称を使用したときは、許諾者は、本条の類推適用により、手形債務につき責任を負う（最判昭55.7.15・百選11事件）。

⑶　全く同一の名称を使用する場合に限らず、付加的な名称を使用した場合にも、名板貸人の責任が認められる場合がある。

ex.　甲株式会社が「甲株式会社乙出張所」という商号の使用を許諾した場合

⑷　判例は、特段の事情のない限り、商号使用の許諾を受けた者の営業や事業がその許諾をした者の営業や事業と同種であることを要求する（最判昭43.6.13・百選13事件）予書。

2　商号使用の許諾をすること（帰責事由）

商号の使用を積極的に許諾した場合のみならず、黙示でも構わない。

商人が、営業としてする薬局の開設者として自己の商号を使用することを他人に許容し、当該他人が薬局開設の許可を申請した場合は、「自己の商号を使用して営業又は事業を行うことを他人に許諾した」場合に該当する（最判昭32.1.31）予。

3　第三者の誤認（相手方の信頼）

判例は、相手方の善意無重過失を求める（最判昭41.1.27・百選12事件）予。相手方に誤認がなかったこと及び重過失があったことの主張・立証責任は名板貸人が負う（最判昭43.6.13・百選13事件参照）。

四　名板貸人の責任の範囲

1　取引により生じた債務を原則とする。取引により直接生じた債務の他、その不履行による損害賠償債務等も含む。不法行為については、交通事故のような事実的不法行為に基づく損害賠償債務については否定されるが、取引行為に関連するもの（取引的不法行為）に限り名板貸人は責任を負うものと解される（最判昭52.12.23、最判昭58.1.25）予書。

2　テナント契約と名板貸人の責任

テナント契約は商号等の貸与を伴わないので、名板貸人の責任が直接問題となることはない。しかし、営業主体の混同を生じるおそれがあるため本条が類推適用されうる（最判平7.11.30・百選14事件）。

総則

<商法14条の責任・民法109条の責任・会社法354条の責任>

	商法14条	民法109条	会社法354条
	甲　名板貸人 A ―― 乙 名板借人　相手方	甲　本人 A ―― 乙 代理人　相手方	甲　株式会社 A ―― 乙 表見代表取締役　相手方
Aの効果意思	A自身のためにする意思	本人甲のためにする意思	甲のためにする意思
取引の効果帰属主体	A	甲	甲
外観	営業主が甲であるかのような外観	Aが甲の代理人であるかのような外観	Aが甲会社の代表取締役であるかのような外観
帰責性	甲がAに対して自己の名称を用いて営業をすることを許諾したこと	甲が乙に対してAに代理権を与えた旨を表示したこと	甲がAに対して、代表取締役と誤認するような名称を付与したこと
信頼	甲を営業主として誤信すること	Aに代理権があると信じること	Aが代表取締役であると誤信すること

第15条　（商号の譲渡）

Ⅰ　商人の商号は、営業とともにする場合又は営業を廃止する場合に限り、譲渡することができる〈司共予書。

Ⅱ　前項の規定による商号の譲渡は、登記をしなければ、第三者に対抗することができない〈司予書。

[趣旨] 商号の財産的価値を保護するため、譲渡・相続を認める必要性がある。他方、一般人の外観信頼への保護の必要性（取引の安全）もあり、限定的な場合に限り商号譲渡を認めた。

《注　釈》

一　商号の譲渡

商号は営業誤認という危険のない、営業とともに譲渡する場合又は営業を廃止する場合に限り、譲渡することができる。相続も同様である。

二　商号の譲渡と登記

商号は当事者の意思表示のみによって有効に譲渡できるが、登記しなければ第三者に対抗することができない。この場合の第三者は、その善意・悪意を問わない〈司。

第１６条 （営業譲渡人の競業の禁止）

Ⅰ 営業を譲渡した商人（以下この章において「譲渡人」という。）は、当事者の別段の意思表示がない限り、同一の市町村（東京都の特別区の存する区域及び地方自治法（昭和２２年法律第６７号）第２５２条の１９第１項の指定都市にあっては、区。以下同じ。）の区域内及びこれに隣接する市町村の区域内においては、その営業を譲渡した日から２０年間は、同一の営業を行ってはならない〈予〉。

Ⅱ 譲渡人が同一の営業を行わない旨の特約をした場合には、その特約は、その営業を譲渡した日から３０年の期間内に限り、その効力を有する〈司書〉。

Ⅲ 前２項の規定にかかわらず、譲渡人は、不正の競争の目的をもって同一の営業を行ってはならない。

《注 釈》

一 営業譲渡

1 要件

営業譲渡とは、①一定の営業目的のため組織化され、有機的一体として機能する財産（得意先関係などの経済的価値のある事実関係を含む）の全部又は重要な一部を譲渡し、②これによって、譲渡会社がその財産によって営んでいた営業的活動の全部又は重要な一部を譲受人に受け継がせ、③譲渡会社がその譲渡の限度に応じ法律上当然に16条の競業避止義務を負う結果を伴うものをいう（最大判昭40.9.22・百選15事件）〈予〉。物、債権債務、のれんその他の事実関係を移転することを要する。

2 効果

営業譲渡はあくまでも特定承継である。ゆえに、譲渡される営業により生じた債務について譲受人が免責的債務引受をすることに債権者が同意しない場合には、譲渡人は、依然として債権者に対して弁済する責任を負う。

cf. 組織の変更を伴わないところの企業主体の交代を意味するがごとき企業譲渡の場合においては、その際に付随的措置として労働者の他の企業部内への配置転換がなされる等の特段の事情のない限り、従前の労働契約関係は当然新企業主体に承継されたものと解する（大阪高判昭38.3.26・百選16事件）

二 競業避止義務

1 営業譲渡が行われた場合、原則として同一、隣接市区町村内において20年間の競業避止義務を負う（Ⅰ）。

2 これを特約より延長することは30年まで可能である（Ⅱ）。他方、縮減・免除することは制限がない〈予〉。

第１７条　（譲渡人の商号を使用した譲受人の責任等）

Ⅰ　営業を譲り受けた商人（以下この章において「譲受人」という。）が譲渡人の商号を引き続き使用する場合には、その譲受人も、譲渡人の営業によって生じた債務を弁済する責任を負う〈同。

Ⅱ　前項の規定は、営業を譲渡した後、遅滞なく、譲受人が譲渡人の債務を弁済する責任を負わない旨を登記した場合には、適用しない。営業を譲渡した後、遅滞なく、譲受人及び譲渡人から第三者に対しその旨の通知をした場合において、その通知を受けた第三者についても、同様とする〈同書。

Ⅲ　譲受人が第１項の規定により譲渡人の債務を弁済する責任を負う場合には、譲渡人の責任は、営業を譲渡した日後２年以内に請求又は請求の予告をしない債権者に対しては、その期間を経過した時に消滅する。

Ⅳ　第1項に規定する場合において、譲渡人の営業によって生じた債権について、その譲受人にした弁済は、弁済者が善意でかつ重大な過失がないときは、その効力を有する〈同。

［趣旨］譲受人が譲渡人の商号を続用する場合、営業の譲渡があるにもかかわらず、債権者から営業主体の交替を認識することは一般に困難であるから、譲受人のかかる外観を信頼した債権者を保護するために、譲受人に債務を弁済する責任を認めた〈判〈予。

《注　釈》

一　営業譲渡に絡む責任

1　商号続用

⑴　判例は、商号続用を厳格に判断する。

ex.　有限会社米安商店と合資会社新米安商店の間に商号続用はない（最判昭38.3.1・百選17事件）〈予

∵　「新」の字句は、取引通念上、新会社が旧会社の債務を承継しないことを示すための字句である

⑵　ゴルフ場の譲受会社が、譲渡会社の営業主体を示すと認められる名称を続用した場合には、商号を続用していなくても、従来の会員の利用を直ちに拒否するなどの特段の事情がない限り、本条が類推適用される（最判平16.2.20・百選18事件）〈予。

⑶　営業譲渡ではなく、現物出資の形態をとった場合についても本条が類推適用される（最判昭47.3.2・総則商行為百選〔第5版〕22事件）〈予。

⑷　預託金会員制のゴルフ場を経営していた会社（分割会社）が会社分割した場合、当該ゴルフ場の事業を承継した会社（承継会社）が従前のゴルフクラブの名称を引き続き使用しているならば、譲受会社が譲受後遅滞なく会員によるゴルフ場施設の優先利用を拒否したなどの特段の事情がない限り、22条1項の類推適用により、承継会社は預託金返還義務を負う（最判平20.6.10・百選19事件）〈予。

2 効果

(1) 譲受人は営業上の一切の債務について連帯債務を負う。譲り受けた財産の限度にとどまるものではない〈同〉。

(2) 不法行為による損害賠償請求権も含まれる。もっとも、譲受人は、譲渡人が主張することができた抗弁を主張することができる。

二 責任からの解放

1 営業譲受人は、商号の続用をやめなくとも、譲渡後遅滞なく譲渡人の債務について責任を負わない旨の登記をするか、譲渡後遅滞なく譲渡人及び譲受人から第三者に通知すれば、この責任を免れることができる（Ⅱ）。

2 譲渡人は、譲受人が責任を負う場合に、2年以内に債権者から請求又は請求の予告を受けない場合はその責任を免れる（Ⅲ）。

三 譲受人に対する弁済

営業譲渡がなされたからといって、債権債務も当然に移転するわけはない。しかし、商号続用がある場合に譲受人に対して善意無重過失でした弁済は有効な弁済となる。

第18条 （譲受人による債務の引受け）

Ⅰ 譲受人が譲渡人の商号を引き続き使用しない場合においても、譲渡人の営業によって生じた債務を引き受ける旨の広告をしたときは、譲渡人の債権者は、その譲受人に対して弁済の請求をすることができる〈予〉。

Ⅱ 譲受人が前項の規定により譲渡人の債務を弁済する責任を負う場合には、譲渡人の責任は、同項の広告があった日後2年以内に請求又は請求の予告をしない債権者に対しては、その期間を経過した時に消滅する〈同〉。

[趣旨]禁反言の原則から、債務引受の広告をしたときは、譲受人が商号続用しなくとも譲受人に請求できるとしたものである。

《注 釈》

一 要件

1 譲渡人の営業により生じた債務であること

2 譲受人が債務引受の広告をしたこと

(1) 「広告」とは、不特定多数の債権者に宛てた、譲受人が債務引受すると債権者が一般に信頼するものをいう。

ex. 「鉄道軌道業並びに沿線バス事業を……譲受ける」という広告は、本来の「広告」に当たる（最判昭 29.10.7）

(2) 旧3会社が営業を廃止し、新たに会社が設立されて、旧3会社と同一の業務を開始するという趣旨の書面が取引先に配布されたという事案における当該書面は、取引先に対する単なる挨拶状であって、旧3会社の債務を新会社が引き受ける趣旨は含まれていない（最判昭 36.10.13・百選 20 事件）。

二 効果

本条により譲受人が責任を負っても譲渡人が債務を免れるわけではない。2年以内

総則

に債権者が譲渡人に請求又は請求予告しなければ譲渡人はその責任を免れる（Ⅱ）。

<営業譲渡の効果>

		債権者に対する関係		債務者に対する関係
商号の続用がある場合	原則	譲渡人・譲受人が責任を負う	原則	譲渡人に弁済しない限り効力なし
	例外	①　免責の登記 ②　免責の通知	例外	債務者が善意・無重過失でなした譲受人に対する弁済は有効
商号の続用がない場合	原則	譲渡人が責任を負う	譲渡人に弁済しない限り効力なし	
	例外	債務引受の広告をした場合、譲受人も責任を負う		

第１８条の２　（詐害営業譲渡に係る譲受人に対する債務の履行の請求）

Ⅰ　譲渡人が譲受人に承継されない債務の債権者（以下この条において「残存債権者」という。）を害することを知って営業を譲渡した場合には、残存債権者は、その譲受人に対して、承継した財産の価額を限度として、当該債務の履行を請求することができる。ただし、その譲受人が営業の譲渡の効力が生じた時において残存債権者を害することを知らなかったときは、この限りでない予。

Ⅱ　譲受人が前項の規定により同項の債務を履行する責任を負う場合には、当該責任は、譲渡人が残存債権者を害することを知って営業を譲渡したことを知った時から２年以内に請求又は請求の予告をしない残存債権者に対しては、その期間を経過した時に消滅する。営業の譲渡の効力が生じた日から１０年を経過したときも、同様とする。

Ⅲ　譲渡人について破産手続開始の決定又は再生手続開始の決定があったときは、残存債権者は、譲受人に対して第１項の規定による請求をする権利を行使することができない。

・第５章・【商業帳簿】

第１９条　（商業帳簿）

Ⅰ　商人の会計は、一般に公正妥当と認められる会計の慣行に従うものとする。

Ⅱ　商人は、その営業のために使用する財産について、法務省令で定めるところにより、適時に司、正確な商業帳簿（会計帳簿及び貸借対照表をいう。以下この条において同じ。）を作成しなければならない予。

Ⅲ　商人は、帳簿閉鎖の時から１０年間、その商業帳簿及びその営業に関する重要な資料を保存しなければならない司。

Ⅳ　裁判所は、申立てにより又は職権で、訴訟の当事者に対し、商業帳簿の全部又は一部の提出を命ずることができる。

[趣旨] 商人が営業のためにしようする財産を明らかにするため、商業帳簿の作成が義務付けられる。

《注　釈》

一　内容

1　商業帳簿とは、会計帳簿と貸借対照表をいう〈同〉。商人は、これらを作成しなければならないが、これらを公告することは要しない〈予〉。

2　本条4項の商業帳簿とは、商人が商法上の義務として作成したものをいう（東京高決昭54.2.15・百選22事件）。

3　小商人には適用されない（7）。

二　効果

1　商人は、商業帳簿を10年間保存する義務を負う。これは商人資格を失っても同様である。

2　民事訴訟法220条は一般的に文書提出義務を定めているが、さらに商法19条4項は商業帳簿について当事者の申立てだけでなく職権をもって提出を命じることができることとしている。

3　手形取引の日から9日後に記載された帳簿であっても、自由心証により事実の認定をなすことができる（大判昭17.9.8・総則商行為百選〔第5版〕25事件）。

・第6章・【商業使用人】

《概　説》

商業使用人とは、企業の内部に取り込まれたうえで商人の営業活動を補助する者をいう。この点で企業の外部から補助する代理商・取次商・仲立人とは区別される。

<商人の補助者>

<table>
<tr><td rowspan="4">営業使用人</td><td>支配人</td><td rowspan="4">雇用</td><td rowspan="5">代理</td><td rowspan="6">特定の商人の補助者</td></tr>
<tr><td>特定事項の委任を受けた使用人</td></tr>
<tr><td>物品販売店舗の店員</td></tr>
<tr><td>その他の営業使用人</td></tr>
<tr><td rowspan="2">代理商</td><td>締約代理商</td><td rowspan="4">委任・準委任</td></tr>
<tr><td>媒介代理商</td><td rowspan="2">媒介</td></tr>
<tr><td colspan="2">仲立人</td><td rowspan="2">不特定の者の補助者</td></tr>
<tr><td colspan="2">問屋・運送取扱人
準問屋</td><td>取次</td></tr>
</table>

第20条　（支配人）

商人は、支配人を選任し、その営業所において、その営業を行わせることができる。

《注　釈》

一　支配人とは

1　支配人は、営業所単位で、商人に代わってその営業に関する一切の裁判上又は裁判外の行為をなす包括代理権（支配権）を有する商業支配人をいう。その名称は問わない通。

2　営業所とは、営業の本拠たる場所であり、「営業所」には、全営業を統括する主たる営業所たる本店と、これに従属しつつも一定範囲で独立性を有する支店との両概念が含まれる。　→支配人は本店に置くこともできる司

二　選任

営業主である商人又はその代理人が選任する（20）。選任は登記事項であり（22）、これを怠ると善意の第三者に対抗できない。なお、小商人には商業登記に関する規定の適用がない（7）ことから、小商人は支配人を選任できないとする見解もある。他方、小商人も支配人を選任できるものの登記をしなくてもよいと考える見解もある。

第21条　（支配人の代理権）

Ⅰ　支配人は、商人に代わってその営業に関する一切の裁判上又は裁判外の行為をする権限を有する予書。

Ⅱ　支配人は、他の使用人を選任し、又は解任することができる。

Ⅲ　支配人の代理権に加えた制限は、善意の第三者に対抗することができない。

《注　釈》

◆　代理権の範囲

1　支配人は、弁護士でなくとも、商人に代わってその営業に関する裁判上の行為をする権限を有する司。この点で表見支配人（24）司とは異なる。

2　支配人の代理権は、商行為の委任による代理権であり、本人の死亡によっては消滅しない（506）予書。

3　複数の支配人が代理権を共同で行使すべき旨の制限を設けたとしても、それを登記することはできない司。

4　代理権の範囲は、これを拡張することも縮減することも善意の第三者には対抗できない。

第22条　（支配人の登記）

商人が支配人を選任したときは、その登記をしなければならない。支配人の代理権の消滅についても、同様とする司予書。

《注　釈》

・支配人の選任・解任の登記の効力は善意の第三者に対する対抗要件にすぎない（9参照）から、選任した支配人の登記がされていない場合であっても、商人は取引の相手方に対して当該取引が有効であると主張することができる〈司予〉。

第23条　（支配人の競業の禁止）

Ⅰ　支配人は、商人の許可を受けなければ、次に掲げる行為をしてはならない〈書〉。
　①　自ら営業を行うこと。
　②　自己又は第三者のためにその商人の営業の部類に属する取引をすること。
　③　他の商人又は会社若しくは外国会社の使用人となること〈書〉。
　④　会社の取締役、執行役又は業務を執行する社員となること。

Ⅱ　支配人が前項の規定に違反して同項第2号に掲げる行為をしたときは、当該行為によって支配人又は第三者が得た利益の額は、商人に生じた損害の額と推定する〈予書〉。

[趣旨]支配人が広範な権限を有し、商人の営業機密に通じる地位にあることに鑑み、競業避止義務及び営業禁止義務を課して商人の損害を防止しようとした。

《注　釈》

◆　支配人の義務

1　営業禁止義務（精力分散防止義務、Ⅰ①③④）

支配人は、商人の許可を受けないで、自ら営業を行うことや他の商人の使用人となることができない〈司〉。

2　競業避止義務

支配人は、営業主の許諾がなければ営業主の営業の部類に属する取引をすることができない（Ⅰ②）。

支配人がその競業避止義務に違反して競業取引を行った場合には、営業主は支配人を解任できる他、支配人に対して損害賠償を請求できる。その際は支配人又は第三者の得た利益が商人に生じた損害と推定される（Ⅱ）。

第24条　（表見支配人）

商人の営業所の営業の主任者であることを示す名称を付した使用人は、当該営業所の営業に関し、一切の裁判外の行為をする権限を有するものとみなす。ただし、相手方が悪意であったときは、この限りでない〈司予書〉。

[趣旨]支配人の外観を有する者に対し、包括代理権を有する者であると信頼した第三者を保護する規定である。

《注　釈》

一　要件

1　商人の営業所の営業の主任者であることを示すべき名称を付した使用人

(1)「営業所」は営業所の実質を備えていなければならない（最判昭37.5.1・百選23事件）〈司〉。

(2)　表見支配人の成立に、支配人の選任登記までは必要でない〈司〉。

2　営業主の許諾・黙認

3　相手方が悪意ではない（24ただし書）

(1)　有過失・重過失の場合につき争いがある。

(2)　本条但書にいう相手方等いわゆる表見代理が成立しうる第三者は、当該取引の直接の相手方に限られるものであり、手形行為の場合の直接の相手方は、実質的な取引の相手方をいう（最判昭59.3.29・百選24事件）。

4　「営業に関し」の意義

営業に関する行為とは営業の目的たる行為のほか、営業のために必要な行為を含むものであり、営業に関する行為に当たるかどうかは、当該行為につき、その行為の性質・種類等を勘案し、客観的・抽象的に判断して決すべきである。信用金庫支店長の先日付自己宛小切手の振出しはこれに当たる（最判昭54.5.1・百選25事件）書。

二　効果

一切の裁判外の行為につき支配人と同一の権限を有するものとみなされる。もっとも、表見支配人が有するものとみなされる代理権の範囲は、当該営業所の営業の範囲内に限られる予。

∵　支配人の権限は当該営業所の権限を前提とするため

第２５条　（ある種類又は特定の事項の委任を受けた使用人） 書

Ⅰ　商人の営業に関するある種類又は特定の事項の委任を受けた使用人は、当該事項に関する一切の裁判外の行為をする権限を有する。

Ⅱ　前項の使用人の代理権に加えた制限は、善意の第三者に対抗することができない。

《注　釈》

・「商人の営業に関するある種類又は特定の事項の委任を受けた使用人」とは、一般に部長、課長、係長といった名称をもった使用人をいう。

・本条1項による代理権限を主張する者は、①当該使用人が営業主からその営業に関するある種類又は特定の事項の処理を委任されたものであること及び②当該行為が客観的にみて右事項の範囲内に属することを主張・立証しなければならないが、右事項につき代理権を授権されたことまでを主張・立証することを要しない（最判平2.2.22・百選26事件）。

第２６条　（物品の販売等を目的とする店舗の使用人） 予書

物品の販売等（販売、賃貸その他これらに類する行為をいう。以下この条において同じ。）を目的とする店舗の使用人は、その店舗に在る物品の販売等をする権限を有するものとみなす。ただし、相手方が悪意であったときは、この限りでない。

《注　釈》

・物品の販売等を目的とする店舗の使用人は、取引安全のため、その店舗にある物品の販売に関する権限を有するものとみなされる。

・ただし書の「悪意」とは販売代理権のないことについて知っていることをいう。

・第7章・【代理商】

《概　説》

一　意義

1　代理商とは、商業使用人ではなく、一定の商人のために平常その営業の部類に属する取引の代理又は媒介を行う者をいう。不特定多数の商人のための代理商はあり得ないが、継続的に複数の商人のために活動する代理商はありうる。また、同時に複数の商人の代理商となることもできる。なお、会社の代理商については会社法16～20条参照。

2　特徴

⑴　独立の商人である。　cf. 商業使用人

⑵　特定の商人のためにその営業を補助する。　cf. 仲立人、問屋　⇒p.738、740

⑶　媒介代理商又は締約代理商のいずれが本人と相手方との間の取引に関与した場合であっても、その法律効果は、代理商と相手方の間ではなく、本人と相手方との間に生ずる〈司〉。

3　種類

⑴　締約代理商：本人のための取引の代理をなす代理商（委任）

⑵　媒介代理商：本人のための取引の媒介をなす代理商（準委任）

二　代理商の権利義務

1　通知義務（27）

2　競業避止義務（28）

3　留置権（31）

4　通知を受ける権限（29）

三　その他

損害保険代理店であるA社が「X代理店A社代表者B」名義の普通預金口座をXのために保険料保管目的で開設したいわゆる専用口座に関する預金債権はAに帰属するとした（最判平15.2.21・総則商行為百選〔第5版〕32事件）。

第27条（通知義務）

代理商（商人のためにその平常の営業の部類に属する取引の代理又は媒介をする者で、その商人の使用人でないものをいう〈司予〉。以下この章において同じ。）は、取引の代理又は媒介をしたときは、遅滞なく、商人に対して、その旨の通知を発しなければならない〈予〉。

[趣旨] 代理商は、取引の代理をした場合においては、民法645条の特則として、商人の請求がなくとも当然に、遅滞なく、その旨の通知を発しなければならないとした。

第２８条　（代理商の競業の禁止）

Ⅰ　代理商は、商人の許可を受けなければ、次に掲げる行為をしてはならない。
　①　自己又は第三者のためにその商人の営業の部類に属する取引をすること。
　②　その商人の営業と同種の事業を行う会社の取締役、執行役又は業務を執行する社員となること。
Ⅱ　代理商が前項の規定に違反して同項第１号に掲げる行為をしたときは、当該行為によって代理商又は第三者が得た利益の額は、商人に生じた損害の額と推定する。

《注　釈》

・代理商は、競業避止義務を負い、商人と代理商の利益相反取引が禁止される。
・代理商は、独立の商人であることから、支配人と異なり営業禁止義務（精力分散防止義務）は負わず、商人の許可がなくとも、自ら営業を行うことができる 司。

第２９条　（通知を受ける権限）

　物品の販売又はその媒介の委託を受けた代理商は、第５２６条第２項＜売買目的物の契約内容の不適合の通知＞の通知その他売買に関する通知を受ける権限を有する 司。

[趣旨] 媒介代理商は代理権がないため、本来は売主の担保責任に関する通知等を代理商にすることができず、本人にしなければならないはずである。しかし、それではあまりに不都合なため、売買に関する通知のみついては受領代理権を与えた。

第３０条　（契約の解除）

Ⅰ　商人及び代理商は、契約の期間を定めなかったときは、２箇月前までに予告し 司、その契約を解除することができる。
Ⅱ　前項の規定にかかわらず、やむを得ない事由があるときは、商人及び代理商は、いつでもその契約を解除することができる。

[趣旨] 代理商は委任（媒介代理商は準委任）である以上、いつでも解約できるはずである（民651、653）。しかし、代理商の継続的信頼関係を保護するため、原則として２か月の予告期間を求めた。

第３１条　（代理商の留置権）

　代理商は、取引の代理又は媒介をしたことによって生じた債権の弁済期が到来しているときは、その弁済を受けるまでは、商人のために当該代理商が占有する物又は有価証券を留置することができる 予。ただし、当事者が別段の意思表示をしたときは、この限りでない 司予。

[趣旨] 代理商は、本人の継続的な関係、仲立業務の特質から、商人の所有となっていない物を第三者から得て商人のために占有することが少なくなく、民事留置権、商事留置権では代理商の債権を十分に保護できないおそれがある。そこで、代

理商に特別の留置権を認めた。

《注　釈》

◆　代理商（問屋）の留置権の特質

1　民法上の留置権（民295）と異なり、被担保債権と留置物との牽連性は要求されない。ただし、被担保債権が本人のために取引の代理・媒介によって生じたことが必要である。

2　商人間の留置権（521）と異なり、留置物の占有取得の原因が債務者との間における商行為によって自己の占有に帰したこと、留置物の所有権が債務者にあることという要件は課されてない予。

第32条～第500条　削除

第2編　商行為

《概　説》

一　意義

商行為とは、商法典及び商事特別法において商行為として掲げられたものをいう。

二　商行為であることの効果

1　絶対的商行為・営業的商行為の概念が商人の概念を導くという効果

2　民法に対する特則である商行為総則が適用されるという効果

(1)　趣旨

商取引の営利性・迅速性・反復継続性

(2)　商行為総則の分類

①　契約の成立に関する規定（507～510）

②　債務の履行・債権担保に関する規定（511、515、516 Ⅰ、520～522）

③　有価証券に関する規定（516 Ⅱ～519）

④　代理及び委任に関する規定（504～506）

⑤　営利性が重視された規定（512～514）

三　商行為の分類

1　絶対的商行為と相対的商行為

(1)　絶対的商行為

絶対的商行為とは、それが営業としてなされるか否かを問わず、商行為とされるものをいう（501 各号）。

(2)　相対的商行為

相対的商行為とは、一定の要件を具備した場合に商行為とされるものをいう。

→営業として反復されることにより商行為となる営業的商行為（502 各号）と、商人が営業のためにすることにより商行為となる附属的商行為（503）に分かれる

2　基本的商行為と補助的商行為

(1)　基本的商行為

商人概念の基礎をなす商行為、すなわち絶対的商行為及び営業的商行為をいう。

(2)　補助的商行為

商人概念から導かれる商行為、すなわち附属的商行為をいう。

<商行為の分類>

<table>
<tr><td rowspan="3">商行為</td><td colspan="2">絶対的商行為（501）</td><td rowspan="2">基本的商行為</td></tr>
<tr><td rowspan="2">相対的商行為</td><td>営業的商行為（502）</td></tr>
<tr><td>附属的商行為（503）</td><td>補助的商行為</td></tr>
</table>

3　一方的商行為と双方的商行為

(1)　一方的商行為

取引の一方の当事者にとってのみ商行為である取引をいう。

(2)　双方的商行為

取引の両当事者にとって商行為である取引をいう。

・第1章・【総則】

第501条　（絶対的商行為）

次に掲げる行為は、商行為とする。

①　利益を得て譲渡する意思をもってする動産、不動産若しくは有価証券の有償取得又はその取得したものの譲渡を目的とする行為〈予〉

②　他人から取得する動産又は有価証券の供給契約及びその履行のためにする有償取得を目的とする行為

③　取引所においてする取引

④　手形その他の商業証券に関する行為

《注　釈》

◆　**絶対的商行為**

1　定義

絶対的商行為とは、それが営業としてなされるか否かを問わずに商行為とされるものをいい、商法に規定されている絶対的商行為は次のとおりである。

2　投機購買及びその実行行為（①）

(1)　投機購買とは、利益を得て譲り渡す意思、すなわち将来有利に転売する意思で、動産・不動産又は有価証券の有償取得を目的とする行為であり、「その実行行為」とは、投機購買により買い入れたものを売却する行為をいう。すなわち、1号は動産・不動産又は有価証券を安く買って後で高く売る場合の、買入行為及び売却行為を指す。

(2)　取得物のそのままの転売だけでなく、加工又は原料として他の物品を製造し譲渡するものも含まれる(土から瓦への加工。大判昭4.9.28・百選27事件)。

3　投機売却及びその実行行為（②）

投機売却とは、将来有利に買い入れた物で履行する意思で、あらかじめ動産又は有価証券を売却するという供給契約をすることをいい、「その実行行為」

とは、投機売却における供給契約を履行するために目的物を買い入れることをいう。すなわち、2号は動産又は有価証券を高く売っておいて後で安く仕入れ、その差額を儲けようとする場合の供給契約をなす行為、及びその物の有償取得行為を指す。

4　取引所においてする取引（③）

取引所とは、代替性がある商品又は有価証券について、一定時期に一定の場所で一定の方式に従って大量的に取引がなされる場所をいい、そこでなされる取引は絶対的商行為とされる。

5　手形その他の商業証券に関する行為（④）

商業証券とは、広く商取引の対象となる有価証券を意味する。商業証券に関する行為とは、手形の振出し・裏書・保証・引受のように、証券上になされる行為を指し、証券を目的とする行為（たとえば売買など）は含まれない。

白地補充権授与の行為は本来の手形行為でないが、手形に関する行為（501④）に準ずるものとして522条が準用される（最判昭36.11.24・総則商行為百選〔第5版〕34事件）。

第502条（営業的商行為）

次に掲げる行為は、営業としてするときは、商行為とする。ただし、専ら賃金を得る目的で物を製造し、又は労務に従事する者の行為は、この限りでない。

① 賃貸する意思をもってする動産若しくは不動産の有償取得若しくは賃借又はその取得し若しくは賃借したものの賃貸を目的とする行為
② 他人のためにする製造又は加工に関する行為
③ 電気又はガスの供給に関する行為
④ 運送に関する行為
⑤ 作業又は労務の請負
⑥ 出版、印刷又は撮影に関する行為
⑦ 客の来集を目的とする場屋における取引
⑧ 両替その他の銀行取引
⑨ 保険
⑩ 寄託の引受け
⑪ 仲立ち又は取次ぎに関する行為〈予
⑫ 商行為の代理の引受け
⑬ 信託の引受け

《注　釈》

◆ 営業的商行為

1　定義

営業的商行為とは、営業として反復されることによって商行為となる行為である。商法は、専ら賃金を得る目的をもって物を製造し、又は労務に服する者の行為を除き（ただし書）、以下の各行為を営業的商行為としている。

2　投機貸借及びその実行行為（①）

投機貸借とは、他に賃貸する意思、すなわち将来有利に賃貸する意思で動産又は不動産の有償取得（買入れ）又は賃借を目的とする行為であって、「その実行行為」とは投機貸借により買入れ又は賃借したものを賃貸する行為をいう。すなわち、動産又は不動産を安く買入れ又は賃借して、後で高く賃貸する場合における、買入行為又は借入行為と賃貸行為を指す。

ex.　貸家業、貸衣装業、貸自動車業

3　他人のための製造又は加工に関する行為（②）

他人の計算において、製造又は加工を行うことを引き受け、これに対して報酬を受けることを約する行為をいう。

ex.　紡績業、機械等の注文生産業、洗濯業、精米業

4　電気又はガスの供給に関する行為（③）

電気又はガスを継続的に給付することを引き受けることをいう。

5　運送に関する行為（④）

運送という事実行為を引き受ける契約をいい、運送の対象（物、人）、場所（陸上、海上、空中）、手段（自動車、鉄道、船舶、航空機）を問わない。

6　作業又は労務の請負（⑤）

(1)　作業の請負とは不動産又は船舶に関する工事の請負契約をいう。

ex.　建設業、造船業

(2)　労務の請負とは人夫その他の労働者の供給を請け負う契約をいう。

ex.　労働者派遣業

7　出版、印刷又は撮影に関する行為（⑥）

出版に関する行為とは、文書図画を複製して発売又は頒布する行為をいう。

印刷に関する行為とは、機械力又は化学力による文書図画の複製を引き受ける行為をいう。

撮影に関する行為とは、撮影を引き受ける行為をいう。

8　客の来集を目的とする場屋の取引（⑦）

(1)　場屋取引とは、公衆の来集に適する人的・物的施設をなし、多数の客がこれを利用すべく出入りし、しかも客がある程度の時間そこにいる形で、その設備を利用させる行為をいう。

ex.　旅館同、飲食店、浴場、劇場、ボーリング場、パチンコ店

(2)　理髪業について、判例（大判昭12.11.26）は、「理髪業者ト客トノ間ニ唯理髪ナル請負若クハ労務ニ関スル契約存スルニ止リ所謂施設ノ利用ヲ目的トスル契約存スルコトナキニ因リ之ヲ目シテ右場屋ノ取引ト做スハ当ラス」として、理髪場は場屋の取引に当たらないとした。

(3)　旅館業を営む者が客を送迎することを引き受ける行為は、それ自体が無償であっても本条7号の商行為に当たる同。

9　両替その他の銀行取引（⑧）

銀行取引とは、金銭又は有価証券の転換を媒介する行為をいう。

単に与信行為として自己の資金で金銭を貸し付ける貸金業者〈司〉や動産質をとって自己の資金で貸付をする質屋営業者の行為〈司〉は、金銭の転換を媒介するものではないから、銀行取引には当たらないとするのが判例（最判昭30.9.27、最判昭50.6.27・百選28事件）・通説である。

10　保険（⑨）
保険とは、保険者が保険契約者から対価を受けて保険を引き受ける契約をいう。

11　寄託の引受（⑩）
寄託の引受とは、他人のために物の保管を引き受ける契約をいう。
ex.　倉庫業者、自動車駐車場経営者

12　仲立又は取次に関する行為（⑪）
(1)　仲立に関する行為とは、他人間の法律行為の媒介を引き受ける行為をいう。
ex.　媒介代理商、仲立人、民事仲立人（不動産売買の周旋など）
(2)　取次に関する行為とは、自己の名をもって他人の計算において法律行為をすることを引き受けることをいう。
ex.　問屋（証券会社など）、準問屋、運送取扱人
(3)　結婚の媒介を引き受ける行為は、営業としてするときは、本条11号の商行為となる〈司予〉。

13　商行為の代理の引受（⑫）
商行為の代理の引受とは、他人の委託に応じて委託者のために商行為となる行為の代理を引き受ける行為をいう。
ex.　締約代理商

第５０３条　（附属的商行為）

Ⅰ　商人がその営業のためにする行為は、商行為とする。
Ⅱ　商人の行為は、その営業のためにするものと推定する。

《注　釈》

・商人が使用人を雇用することは、附属的商行為と推定される（最判昭30.9.29、最判昭51.7.9）〈司〉。
・会社の行為は商行為と推定され、これを争う者において当該行為が当該会社の事業のためにするものでないこと、すなわち当該会社の事業と無関係であることの主張立証責任を負う（最判平20.2.22・百選29事件）〈共予〉。

第５０４条　（商行為の代理）

商行為の代理人が本人のためにすることを示さないでこれをした場合であっても、その行為は、本人に対してその効力を生ずる。ただし、相手方が、代理人が本人のためにすることを知らなかったときは、代理人に対して履行の請求をすることを妨げない〈司予〉。

[趣旨]商取引は大量的・集団的・反復的に行われるものであり、しかも営業主に代わる補助者によりなされることが多いため、いちいち顕名を要求していたのでは商取引の迅速性の要請を害するし、相手方としても特に顕名がなされなくても営業

主の存在と補助者による活動であることを認識している場合が多いことから顕名主義の例外が認められた（本文）。ただし、相手方が本人のためにすることを知らなかったときには、相手方が不測の損害を被るおそれがあるため、相手方は代理人に対しても請求できるとした（ただし書）。

《注　釈》

一　504条本文とただし書の関係

504条ただし書が代理人に対して履行の請求を妨げないとしている趣旨は、本人と相手方との間には、すでに同条本文の規定によって、代理に基づく法律関係が生じているのであるが、相手方において、代理人が本人のためにすることを知らなかったとき（過失により知らなかったときを除く）は、相手方保護のため、相手方と代理人との間にも右と同一の法律関係が生ずるものとし、相手方は、その選択に従い、本人との法律関係を否定し、代理人との法律関係を主張することを許容したものと解するのが相当であり、相手方が代理人との法律関係を主張したときは、本人は、もはや相手方に対し、右本人相手方間の法律関係の存在を主張することはできない（最大判昭43.4.24・百選30事件）〈予〉。

二　504条ただし書と相手方の過失

504条ただし書が適用されるためには、相手方が本人のためにすることにつき善意無過失を要求するのが判例（前掲最大判昭43.4.24・百選30事件）、多数説である〈予書〉。

∵　自らの過失によって本人のためにすることを知らなかった相手方までを保護する必要はないし、民法上も相手方に過失がある場合は本人に効果帰属するとされており（民100ただし書）、民法以上に相手方を保護する必要はない

三　504条ただし書と消滅時効

504条本文とただし書の関係について、選択的併存説（判例、多数説）を採ると、本人が相手方に対して履行請求の訴えを提起したが、その後相手方は代理人を選択し、しかもその時点においては代理人の債権の消滅時効期間が経過していたという事態が生じうる。このような場合に、代理人の債権が時効により消滅するとするのは妥当でないから、かかる不都合を回避するための法律構成が問題となる。この点については、本人の請求は、訴訟係属中、代理人の債権につき、催告に準じた時効中断［注：完成猶予］の効力を及ぼすものと解するのが判例（最判昭48.10.30・百選31事件）・通説である〈書〉。

第505条　（商行為の委任）〈書〉

商行為の受任者は、委任の本旨に反しない範囲内において、委任を受けていない行為をすることができる。

《注　釈》

・本条は、民法644条の趣旨を明確にした注意規定にすぎないと解するのが一般である。

第５０６条　（商行為の委任による代理権の消滅事由の特例） 共書

商行為の委任による代理権は、本人の死亡によっては、消滅しない。

[趣旨] 代理人により営業行為を行っている場合には、本人が死亡したとしても企業の営業活動をそのまま継続させるのが適切であるから、民法の例外を定めた。

第５０７条　（対話者間における契約の申込み）　削除

第５０８条　（隔地者間における契約の申込み）

Ⅰ　商人である隔地者の間において承諾の期間を定めないで契約の申込みを受けた者が相当の期間内に承諾の通知を発しなかったときは、その申込みは、その効力を失う 予。

Ⅱ　民法５２４条の規定は、前項の場合について準用する。

《注　釈》

・本条は、民法525条1項の規定の特則である。すなわち、商人間の場合には申込者の意思表示を待つまでもなく、期間経過だけで申込みの効力が失われるとする。507条と同様、本条が適用されるのは、当事者双方が商人である場合に限られる。

第５０９条　（契約の申込みを受けた者の諾否通知義務） 共予

Ⅰ　商人が平常取引をする者からその営業の部類に属する契約の申込みを受けたときは、遅滞なく、契約の申込みに対する諾否の通知を発しなければならない。

Ⅱ　商人が前項の通知を発することを怠ったときは、その商人は、同項の契約の申込みを承諾したものとみなす。

[趣旨] 民法上は、契約の申込みに対して黙示的にであれ承諾をしない限り契約は成立しないが、商人は平常取引をなす者からその営業の部類に属する契約の申込みを受けたときは、商取引の迅速性の観点から、遅滞なく諾否の通知を発することを要し、これを怠れば申込みを承諾したものとみなした（Ⅱ）。

《注　釈》

・本条が適用されるためには、申込みを受けた者が商人であれば足り、申込みをした者が商人である必要はない。

・判例（最判昭28.10.9・百選32事件）は、本条は商人が平常取引をする者からその営業の部類に属する契約の申込みを受けた場合に関するものであって、被告は原告と平常取引をするのでもなく、まして借地権放棄方の申込みが営業の部類に属するものと認めるべき事由はないから、本条2項に定める諾否の通知を懈怠した事実の主張は失当となる、とした原判決を是認した。

第５１０条　（契約の申込みを受けた者の物品保管義務）

商人がその営業の部類に属する契約の申込みを受けた場合において、その申込みとともに受け取った物品があるときは、その申込みを拒絶したときであっても、申込者の費用をもってその物品を保管しなければならない。ただし、その物品の価額がその費用を償うのに足りないとき、又は商人がその保管によって損害を受けるときは、この限りでない〈司予〉。

《注　釈》

・509条と同様、本条が適用されるためには、申込みを受けた者が商人であれば足りる。一方で、509条と異なり、本条の場合には平常の取引関係は要求されていない。

第５１１条　（多数当事者間の債務の連帯）

Ⅰ　数人の者がその一人又は全員のために商行為となる行為によって債務を負担したときは、その債務は、各自が連帯して負担する〈司書〉。

Ⅱ　保証人がある場合において、債務が主たる債務者の商行為によって生じたものであるとき、又は保証が商行為であるときは、主たる債務者及び保証人が各別の行為によって債務を負担したときであっても、その債務は、各自が連帯して負担する〈司予書〉。

[趣旨] 1項については、民法上は、別段の意思表示がない限り分割債務となるのが原則である（民427）が、数人の者がその1人又は全員のために商行為となる行為により債務を負担した場合には、債務者の責任を重くして信用を強化するため、その債務は連帯債務とした。2項については、民法上の保証人は、催告の抗弁権（民452）、検索の抗弁権（民453）、分別の利益（民456）を有するのが原則であるが、①主債務が主債務者の商行為により生じた場合、又は②保証が商行為となる場合には、債務の履行の確実化による債権者保護の強化、並びにこれによる取引の安全の実現及び企業金融の円滑化を図るため、保証債務を連帯保証となるものとした。

《注　釈》

一　多数債務者間の連帯（Ⅰ）

会社が結成した共同企業体がその事業のために第三者に対して負担した債務につき、共同企業体の構成員たる各会社は、商法511条1項により連帯債務を負う（最判平10.4.14・百選33事件）。

∵　会社が共同企業体を結成してその構成員として共同企業体の事業を行う行為は、会社の営業のためにする行為に他ならない

二　「保証が商行為であるとき」の意義

保証する行為が商行為であるときに限らず、保証させる行為が商行為である場合を含む〈判〉〈司〉。

ex.　銀行が、貸付に当たり非商人に保証人となってもらう場合

第５１２条　（報酬請求権）

商人がその営業の範囲内において他人のために行為をしたときは、相当な報酬を請求することができる〈予〉。

[趣旨]民法上は、委任・準委任・寄託などにより他人のためにある行為をしても、特約がなければ報酬の請求はできない。しかし、商人は営利を目的として行動する者であり、商人の行為は通常営利の目的でなされたものと考えられる。そこで、本条は、商人がその営業の範囲内において他人のためにある行為をしたときは、相当の報酬を請求することができることとした。

《注　釈》

・宅地建物取引業者が、買主からの委託によって土地の売買の媒介をした場合であって、売主からの委託によるものでなく、かつ、売主のためにする意思をもってしたものでないときには、当該売主に対し、相当な報酬を請求することができない（最判昭44.6.26・百選34事件）〈司〉。

第５１３条　（利息請求権）

Ⅰ　商人間において金銭の消費貸借をしたときは、貸主は、法定利息を請求することができる〈司予書〉。

Ⅱ　商人がその営業の範囲内において他人のために金銭の立替えをしたときは、その立替えの日以後の法定利息を請求することができる〈司〉。

[趣旨]民法上の消費貸借は、特約のない限り無利息である（民589Ⅰ）。商人は営利を目的として行動する者であるから、商人が無利息の消費貸借をすることは通常考えられない。そこで、本条1項が定められた。また、民法上は、立替えが委任又は寄託に基づく場合には利息の償還を請求することができる（民650Ⅰ、同665）が、事務管理の場合には請求することができない。しかし、商人は営利を目的として活動する者であるから、商人が金銭の立替えをしたときは法定利息分を取らせることが適当である。そこで、本条2項が定められた。

第５１４条　（商事法定利率）　削除

【平29改正】平成29年民法（債権関係）改正に伴い、本条は削除され、法定利率に関する改正民法404条に基づき、一元的に処理されることとなった。

第５１５条　（契約による質物の処分の禁止の適用除外）

民法第３４９条の規定は、商行為によって生じた債権を担保するために設定した質権については、適用しない〈予書〉。

[趣旨]民法上は、流質契約は禁止されている（民349）が、商人であれば、経済人として合理的に利害計算をする能力を有しているし、流質契約を許容する方が商人に金融の便宜が与えられ、商人にとって有利であるから、商行為により生じた債権

を担保するための質権については、流質契約が許容された。

第516条（債務の履行の場所）〈予〉

商行為によって生じた債務の履行をすべき場所がその行為の性質又は当事者の意思表示によって定まらないときは、特定物の引渡しはその行為の時にその物が存在した場所において、その他の債務の履行は債権者の現在の営業所（営業所がない場合にあっては、その住所）において、それぞれしなければならない。

[趣旨]本条により、民法484条1項と異なり、債権者の住所よりもまず、債権者の営業所が優先的に履行場所とされる。

第517条～第520条（指図債権等の証券の提示と履行遅滞、有価証券喪失の場合の権利行使方法、有価証券の譲渡方法及び善意取得、取引時間） 削除

第521条（商人間の留置権）

商人間〈司〉においてその双方のために商行為となる行為によって生じた債権が弁済期にあるときは、債権者は、その債権の弁済を受けるまで、その債務者との間における商行為によって自己の占有に属した債務者の所有する物又は有価証券を留置することができる〈予〉。ただし、当事者の別段の意思表示があるときは、この限りでない。

[趣旨]民法の原則によれば、被担保債権と留置目的物との間に個別的牽連性が要求される（民295）。しかし、商人間の商行為によって債務者所有の物又は有価証券の占有が取得された場合に、流動する商品について個別的に担保権を設定・変更することは煩雑であり商取引の迅速性の要請にそぐわない。また、取引に当たり担保設定を求めることは相手方への不信の表明ととられる。そこで、債権担保の強化のために、強力な法定担保権が規定された。

《注　釈》

一　総説

商法は、商人間における留置権について、民法上の留置権とは異なる内容の規定を置いている（本文）。また、この他にも代理商、問屋、運送取扱人、陸上及び海上の運送人の留置権について、特則を規定している（31、557、562、589）。一般に、これらを総称して広義の商事留置権といい、またそのうちの商人間の留置権のみを指して狭義の商事留置権という。

二　要件

1　被担保債権について

①　当事者双方が商人であること（本文）

②　当事者双方のために商行為たる行為によって生じたこと（本文）

③　弁済期が到来したこと（本文）

2　目的物について

(1)　債務者所有の物又は有価証券であること（本文）

→民法上の留置権のように、第三者の所有物を留置することはできない

(2)　債務者との間における商行為によりその目的物が債権者の占有に帰したこと（本文）予

→占有移転の原因行為は、債権者にとって商行為であることを要し、かつそれで足りるとする見解が有力である

(3)　被担保債権と物との関連性

→民法上の留置権と異なり、被担保債権と目的物との間の個別的関連性は必要なく、商人間の取引によって生じる債権一般と、その両者間の取引によって債権者が占有を取得する債務者の所有物一般という、一般的関連性があれば足りる

3　特約による排除

商人間の留置権は、当事者間の特約により排除することができる（ただし書）。

4　効力

効力については商法上特別の規定はないから、民法の一般規定による。

5　その他

不動産について商事留置権が成立するかどうかにつき、判例（最判平29.12.14・百選35事件）は、「不動産は、商法521条が商人間の留置権の目的物として定める『物』に当たる」として、不動産にも商事留置権が成立するとしている。

∵①　商事留置権の対象となる「物」について商法が何ら定義していない以上、民法の規定（民85、86 I II、295 I）が適用されることにより、「物」に不動産が含まれる

②　商法521条の趣旨は、商人間の双方的商行為によって生じた債権を担保するため、商行為によって債権者の占有に属した目的物につき特に留置権を認めた点にあるところ、不動産が商事留置権の目的物となり得るとの解釈は、かかる趣旨にかなう

<各種の留置権>

	被担保債権	目的物		
		対象	被担保債権と目的物との牽連性	目的物の所有者
民事留置権（民295）	その物に関して生じた債権	その物	必要	債務者所有に限定されない

	被担保債権	目的物		
		対象	被担保債権と目的物との牽連性	目的物の所有者
商人間の留置権（521）	商人間の双方的商行為によって生じた債権	債務者との間における商行為によって債権者が占有取得した物・有価証券	不要	債務者所有に限定される
代理商（31）・問屋（557・31）の留置権	取引の代理・媒介（代理商）又は物品の販売・買入（問屋）をなしたことによって生じた債権	本人・委託者のために占有する物・有価証券	不要	本人・委託者所有に限定されない
運送取扱人の留置権（562）	運送品に関して受け取るべき報酬・付随の費用・運送賃・その他の立替金	運送品の目的物	必要	債務者所有に限定されない
運送人の留置権（574）	運送品に関して受け取るべき運送賃・付随の費用・その他の立替金	運送品の目的物	必要	債務者所有に限定されない

第５２２条及び第５２３条（商事消滅時効、準商行為）削除

【平29改正】改正前商法522条は、「商行為によって生じた債権は、この法律に別段の定めがある場合を除き、5年間行使しないときは、時効によって消滅する。ただし、他の法令に5年間より短い時効期間の定めがあるときは、その定めるところによる。」と規定していた。しかし、平成29年民法（債権関係）改正に伴い、改正前商法522条は削除され、改正民法166条に基づいて処理されることとなった。

＜商行為法と民法の比較＞

	商　法	民　法
保証人	催告の抗弁権なし（∵当然に連帯保証、商511 Ⅱ）	催告の抗弁権あり（民452、453）
質　権	流質による清算が可能（商515）	流質の禁止（民349）
留置権	留置物と債権の牽連性不要（商521）	留置物と債権の牽連性必要（民295）
代理の方式	顕名不要（商504本文）	顕名必要（民99 Ⅰ）
代理権の消滅事由	本人が死亡しても代理権は不消滅（商506）	本人が死亡すると、代理権は消滅（民111 Ⅰ①）

・第2章・【売買】

《概　説》

商法の商事売買の規定は、商人間の、しかも当事者双方のために商行為である売買について規定された。民法の規定は通常は買主を保護するために置かれているが、商事売買の規定は商事売買の迅速な確定を図り、売主の利益を保護するためのものである。本章の規定はすべて任意規定である。

第５２４条　（売主による目的物の供託及び競売）

Ⅰ　商人間の売買において、買主がその目的物の受領を拒み、又はこれを受領することができないときは、売主は、その物を供託し、又は相当の期間を定めて催告をした後に競売に付することができる〈共予書〉。この場合において、売主がその物を供託し、又は競売に付したときは、遅滞なく、買主に対してその旨の通知を発しなければならない〈予〉。

Ⅱ　損傷その他の事由による価格の低落のおそれがある物は、前項の催告をしないで競売に付することができる〈書〉。

Ⅲ　前２項の規定により売買の目的物を競売に付したときは、売主は、その代価を供託しなければならない。ただし、その代価の全部又は一部を代金に充当することを妨げない。

《注　釈》

一　供託権

商人間の売買において、買主が目的物を受け取ることを拒み、又は受け取ることができないときは、売主は目的物を供託することができる（Ⅰ）。

民法上も、債権者の受領拒絶又は受領不能の場合に供託することができるとされており、民法との差異は供託の通知の点に限られる。すなわち、民法における供託の通知には到達主義が採られる（民495Ⅲ、同97Ⅰ）のに対し、商事売買における供託の通知には発信主義が採られる（524Ⅰ後段）から、通知の到達についての危険は買主が負担することになる。

二　自助売却権

商人間の売買においては、買主が目的物を受け取ることを拒み、又は受け取ることができないときは、売主は相当の期間を定めて受取を催告した後、目的物を競売することができる（Ⅰ）。この場合、売主は競売代金を供託することを要するが、その全部又は一部を代金に充当することができる（Ⅲ）。

商人間の売買において、買主がその目的物の受領を拒んだために売主が相当の期間を定めて催告した後に競売に付した場合において、売主が買主に対してその旨の通知を遅滞なく発しなかったときであっても、当該競売が無効となるものではなく、せいぜいそれによって買主に損害が生じた場合に売主の損害賠償責任が生ずるにとどまる〈司予〉。

第525条 (定期売買の履行遅滞による解除)

商人間の売買において、売買の性質又は当事者の意思表示により、特定の日時又は一定の期間内に履行をしなければ契約をした目的を達することができない場合において、当事者の一方が履行をしないでその時期を経過したときは、相手方は、直ちにその履行の請求をした場合を除き、契約の解除をしたものとみなす《同予書》。

[趣旨]民法の原則を貫くと、売主は履行を請求された場合に備えて解除されれば不要となる目的物を用意しておかなければならないという不都合が生じる。また、売買目的物の価格の騰落に応じて、買主が売主の危険において投機を試みうることから、売主を保護するため、意思表示がなくとも解除されたものとみなした。

《注　釈》

一　意義

民法の定期行為の場合、相手方が催告なしに解除しうるにとどまり(民542 I ④)、当然に解除されるわけではない。これに対して、本条は、確定期売買について、当事者の一方が履行をなさずにその時期を経過したときには、相手方が直ちにその履行を請求しない限り、その契約は解除されたものとみなされるものと定める。

二　判例

1　商人間の売買において、売主がお歳暮用商品である目的物を当該お歳暮の期間内に買主に引き渡さなかった場合には、たとえ売主が同時履行の抗弁権を行使して商品引渡債務を履行しなかったときであっても、買主は、当該売買契約の解除をしたものとみなされる《同》。

2　確定期売買においては、その不履行が債務者の責に帰すべき事由に基づくか否かを問わず、所定時期の経過という客観的事実によって売買契約は解除されたとみなされる(最判昭44.8.29・百選39事件)。

第526条 (買主による目的物の検査及び通知)《予H24》

I　商人間の売買において、買主は、その売買の目的物を受領したときは、遅滞なく、その物を検査しなければならない《予》。

II　前項に規定する場合において、買主は、同項の規定による検査により売買の目的物が種類、品質又は数量に関して契約の内容に適合しないことを発見したときは、直ちに売主に対してその旨の通知を発しなければ、その不適合を理由とする履行の追完の請求、代金の減額の請求、損害賠償の請求及び契約の解除をすることができない《予》。売買の目的物が種類又は品質に関して契約の内容に適合しないことを直ちに発見することができない場合において、買主が6箇月以内にその不適合を発見したときも、同様とする《同予書》。

III　前項の規定は、売買の目的物が種類、品質又は数量に関して契約の内容に適合しないことにつき売主が悪意であった場合には、適用しない《書》。

[趣旨]取引に関する法律関係の迅速な確定の要請から、買主に検査通知義務を課す

ことで、早期に契約内容の不適合を売主が知ることを可能とし、これらの義務の懈怠により追完請求等を行うことができないものとして、売主の保護を図った。

また、直ちに発見できない契約内容の不適合についても6か月の期間経過により上記権利の行使を制限して売主の保護を図っている。

《注　釈》

一　適用の対象となる売買

改正前民法下では、不特定物売買にも担保責任の規定が適用されるかについて解釈が分かれており、判例（最判昭35.12.2・総則商行為百選〔第5版〕51事件）は、不特定物売買にも商法526条の適用がある旨判示していた。

この点、改正民法下では、目的物が種類、品質又は数量に関して契約の内容に適合しないものであるときは、その目的物が特定物であると不特定物であるとを問わず、売主は債務不履行責任を負う（民562以下参照）。したがって、商事売買においても、改正民法と同様、当然に不特定物売買に対して商法526条の適用があるものと解されている。

二　義務の内容

1　検査義務

→商人間の売買において、買主が目的物を受け取ったときは、遅滞なくこれを検査することを要する

2　通知義務

→1の検査の結果、目的物が種類・品質又は数量に関して契約の内容に適合しないことを発見したとき、又は目的物に直ちに発見することができない契約内容の不適合（数量不足を除く）があった場合において、買主が6か月以内にその不適合を発見したときは、直ちに売主に対してその旨の通知を発することを要する

三　義務懈怠の効果

買主が検査・通知義務を怠った場合には、目的物の契約内容の不適合を理由とする追完請求、代金減額請求、損害賠償請求、契約の解除をすることができない（Ⅰ）。

→商法526条は、民法に基づく責任を追及するための前提要件を規定したにとどまり、検査・通知義務を履行した場合に買主が行使できる権利については、民法の一般原則（民562以下）による（最判平4.10.20・百選42事件）

共

第527条　（買主による目的物の保管及び供託）

Ⅰ　前条第1項に規定する場合においては、買主は、契約の解除をしたときであっても、売主の費用をもって売買の目的物を保管し、又は供託しなければならない。ただし、その物について滅失又は損傷のおそれがあるときは、裁判所の許可を得てその物を競売に付し、かつ、その代価を保管し、又は供託しなければならない。

Ⅱ　前項ただし書の許可に係る事件は、同項の売買の目的物の所在地を管轄する地方裁判所が管轄する。

Ⅲ　第1項の規定により買主が売買の目的物を競売に付したときは、遅滞なく、売主に対してその旨の通知を発しなければならない。
Ⅳ　前3項の規定は、売主及び買主の営業所（営業所がない場合にあっては、その住所）が同一の市町村の区域内にある場合には、適用しない予。

第528条　（同前）

前条の規定は、売主から買主に引き渡した物品が注文した物品と異なる場合における当該売主から買主に引き渡した物品及び売主から買主に引き渡した物品の数量が注文した数量を超過した場合における当該超過した部分の数量の物品について準用する。

[趣旨] 買主が契約を解除した場合、本来買主は原状回復義務を負うことになるはずである（民545Ⅰ本文）。しかし、売主としては直接転売先に送付することを望む場合もあるし、買主からの返送を待っていたのでは転売の商機を逸することもあることから、売主を保護するために買主に特別の義務を認めた。

《注　釈》

一　義務の内容

商人間の売買において、目的物に種類・品質又は数量に関する契約内容の不適合があったときに、買主がそれを理由に売買契約を解除した場合、買主は売主の指示があるまで商品の保管・供託を行うべき義務を負う（527Ⅰ本文）。また、目的物に滅失・毀損のおそれがあるときは、裁判所の許可を得て競売し、その代価を保管又は供託することを要する（527Ⅱ）。買主に渡された物品が注文した物品と異なるとき、又は注文した数量を超過しているときも同様である（528）。ただし、目的物を送り返す必要はない同。

二　例外

次の各場合には、買主は保管・供託・競売義務を負わない。

1　売主が悪意のとき（527は526を受けた規定であり、526Ⅲは売主が悪意の場合には同Ⅰは適用されないとしている）
2　売主と買主の営業所・住所が同一市町村内にあるとき（527Ⅲ）

<商事売買と民事売買との比較>

	商事売買	民事売買
適用範囲	商人間の売買	商人以外の者の間の売買 商人と商人以外の者の間の売買
供託と競売の関係	売主が選択	原則：供託 例外：競売
競売の際の裁判所の許可	不要（商524Ⅰ）	必要（民497柱書）

	商事売買	民事売買
確定期売買における解除の方法	催告も解除の意思表示も不要（履行期徒過により契約を解除したものとみなす）（商525）	催告は不要 解除の意思表示は必要 （民542Ⅰ④、540Ⅰ）
買主の検査・通知義務	あり（商526Ⅰ）	なし
買主の目的物供託義務	あり（商527、528）	なし

・第3章・【交互計算】

《概　説》

一　意義

1　定義

継続的取引をしている当事者間において、一定期間（交互計算期間）に生じる債権・債務につき、個々的に決済をせず、計算期間経過後に一括して決済し、残額についてのみ支払をする契約をいう。

2　趣旨

継続的取引関係にあって相互に債権を取得する当事者間において債権の発生の都度決済するのは、煩雑であり合理的でないから、簡易円滑な決済の実現のために、交互計算の制度が認められる。さらに、期間中に生じた債権・債務は、対当額の部分は相殺により決済されることになるから、お互いの債権が担保として機能することになる点で利便性の高い制度といえる。

二　交互計算不可分の原則

1　意義

交互計算契約の締結により、原則として一定期間内に発生した債権債務につき期末の一括相殺まで支払猶予の効果が生ずるとともに、そのような個々の債権債務については譲渡・差押えが禁止される。

→交互計算契約の当事者相互間では、当該債権債務のうち対等額については、他の債権者に優先して満足を得られる（交互計算の担保的機能）

2　判例

交互計算に組み入れられた各個の債権は交互計算の方法によってのみ決済されるものであるから、各別にこれを他人に譲渡することはできない。これは交互計算の下での取引の当然の結果である（大判昭11.3.11・百選64事件）〈同〉。

三　交互計算の類型

1　古典的交互計算：商法の規定する交互計算

2　段階的交互計算：期末の一括決済によるのでなく、債権・債務の発生段階ごとに自動的に相殺し、残額についての債権のみが存続するものとする方式の交互計算

第529条（交互計算）

交互計算は、商人間又は商人と商人でない者との間で平常取引をする場合において、一定の期間内の取引から生ずる債権及び債務の総額について相殺をし、その残額の支払をすることを約することによって、その効力を生ずる。

第530条（商業証券に係る債権債務に関する特則）

手形その他の商業証券から生じた債権及び債務を交互計算に組み入れた場合において、その商業証券の債務者が弁済をしないときは、当事者は、その債務に関する項目を交互計算から除外することができる。

第531条（交互計算の期間）

当事者が相殺をすべき期間を定めなかったときは、その期間は、6箇月とする。

第532条（交互計算の承認）

当事者は、債権及び債務の各項目を記載した計算書の承認をしたときは、当該各項目について異議を述べることができない。ただし、当該計算書の記載に錯誤又は脱漏があったときは、この限りでない。

第533条（残額についての利息請求権等）

Ⅰ　相殺によって生じた残額については、債権者は、計算の閉鎖の日以後の法定利息を請求することができる。
Ⅱ　前項の規定は、当該相殺に係る債権及び債務の各項目を交互計算に組み入れた日からこれに利息を付することを妨げない。

第534条（交互計算の解除）

各当事者は、いつでも交互計算の解除をすることができる。この場合において、交互計算の解除をしたときは、直ちに、計算を閉鎖して、残額の支払を請求することができる。

《注　釈》

一　当事者

商法上の交互計算契約においては、契約当事者のうち、少なくとも一方は商人であることを要し、かつ、当事者間に継続的取引関係があることを要する(529)。

二　目的となる債権・債務

交互計算の客体は、当事者が約定する一定の期間（交互計算期間）に当事者間の商行為たる取引自体から生じ、その期間内に弁済されるべき一切の債権・債務である。

次のような債権は、交互計算の客体から除外される。

①　金銭債権以外の債権
②　不法行為・不当利得・事務管理による債権、第三者から譲り受けた債権など、取引によって生じたものでない債権

商行為

③　取引によって生じたものであっても、消費貸借の予約による債権など、現実に履行することを要する債権

④　有価証券上の債権など、証券による特殊な権利行使を必要とする債権

⑤　担保付の債権（∵これを相殺の対象とすることは債権者の意思に反する）

三　効果

1　消極的効果

(1)　交互計算の不可分性

交互計算期間中に発生した債権・債務は、その独立性及び個性を喪失して、不可分な全体に融合し、期末における相殺により一括決済される。

(2)　第三者に対する対抗力

交互計算は商法上の1つの制度であることから、第三者に対してもその不可分性を対抗できるとするのが通説である。

2　積極的効果

交互計算期間が満了すると、交互計算に組み入れられた債権について一括相殺が行われ、残額債権へと更改される。

四　交互計算契約の終了

交互計算契約は、存続期間の満了及び契約の一般的終了原因（民541、542）により終了する他、当事者はいつでも交互計算契約を解除できる（534）。

なお、交互計算契約の終了と交互計算期間の終了は別のものであり、交互計算期間が終了しても、特約がない限りそれだけで交互計算契約が終了するわけではなく、残額債権から始まる新たな交互計算期間が開始する。

・第4章・【匿名組合】

《概　説》

一　定義

当事者の一方が相手方の営業のために出資をなし、その営業からの利益分配を期待する契約をいう。

二　経済的機能

匿名組合は、資本と人との結合を図るもので、実質的には共同企業である。そして、出資を行う匿名組合員は、営業上の取引について外部に現れず（536 Ⅱ）、出資は営業者の財産に帰属し（536 Ⅰ）、法律上は営業者のみの事業という形態をとる点に特色がある。このような特色から、出資を行い事業による利益の分配に預かりたいが、共同経営者として名前が出ることを嫌う者がいる場合に、その要請に応じることができる。

三　当事者

匿名組合は、営業者と匿名組合員との間の契約であり、民法上の組合のように多数の当事者が存在するわけではない。もっとも、営業者は、多数の匿名組合員と同一内容の匿名組合契約を締結することができる。

第５３５条　（匿名組合契約）

匿名組合契約は、当事者の一方が相手方の営業のために出資をし、その営業から生ずる利益を分配することを約することによって、その効力を生ずる〈予〉。

第５３６条　（匿名組合員の出資及び権利義務）

Ⅰ　匿名組合員の出資は、営業者の財産に属する〈司予書〉。
Ⅱ　匿名組合員は、金銭その他の財産のみをその出資の目的とすることができる〈司予書〉。
Ⅲ　匿名組合員は、営業者の業務を執行し、又は営業者を代表することができない〈予書〉。
Ⅳ　匿名組合員は、営業者の行為について、第三者に対して権利及び義務を有しない〈司予〉。

第５３７条　（自己の氏名等の使用を許諾した匿名組合員の責任）

匿名組合員は、自己の氏若しくは氏名を営業者の商号中に用いること又は自己の商号を営業者の商号として使用することを許諾したときは、その使用以後に生じた債務については、営業者と連帯してこれを弁済する責任を負う〈予〉。

第５３８条　（利益の配当の制限）

出資が損失によって減少したときは、その損失をてん補した後でなければ、匿名組合員は、利益の配当を請求することができない〈司〉。

第５３９条　（貸借対照表の閲覧等並びに業務及び財産状況に関する検査）

Ⅰ　匿名組合員は、営業年度の終了時において、営業者の営業時間内に、次に掲げる請求をし、又は営業者の業務及び財産の状況を検査することができる。
①　営業者の貸借対照表が書面をもって作成されているときは、当該書面の閲覧又は謄写の請求
②　営業者の貸借対照表が電磁的記録（電子的方式、磁気的方式その他人の知覚によっては認識することができない方式で作られる記録であって、電子計算機による情報処理の用に供されるもので法務省令で定めるものをいう。）をもって作成されているときは、当該電磁的記録に記録された事項を法務省令で定める方法により表示したものの閲覧又は謄写の請求
Ⅱ　匿名組合員は、重要な事由があるときは、いつでも、裁判所の許可を得て、営業者の業務及び財産の状況を検査することができる〈司書〉。
Ⅲ　前項の許可に係る事件は、営業者の営業所の所在地（営業所がない場合にあっては、営業者の住所地）を管轄する地方裁判所が管轄する。

第５４０条　（匿名組合契約の解除）

Ⅰ　匿名組合契約で匿名組合の存続期間を定めなかったとき、又はある当事者の終身の間匿名組合が存続すべきことを定めたときは、各当事者は、営業年度の終了時おいて、契約の解除をすることができる。ただし、６箇月前にその予告をしなければならない。
Ⅱ　匿名組合の存続期間を定めたか否かにかかわらず、やむを得ない事由があるときは、各当事者は、いつでも匿名組合契約の解除をすることができる。

第５４１条　（匿名組合契約の終了事由）

前条の場合のほか、匿名組合契約は、次に掲げる事由によって終了する。
①　匿名組合の目的である事業の成功又はその成功の不能
②　営業者の死亡又は営業者が後見開始の審判を受けたこと。
③　営業者又は匿名組合員が破産手続開始の決定を受けたこと書。

第５４２条　（匿名組合契約の終了に伴う出資の価額の返還）

匿名組合契約が終了したときは、営業者は、匿名組合員にその出資の価額を返還しなければならない。ただし、出資が損失によって減少したときは、その残額を返還すれば足りる。

《注　釈》

一　効力

1　内部関係

(1)　匿名組合員の出資義務

匿名組合員は、出資の義務を負う。この出資は、財産出資であることを要し、信用・労務による出資は認められない（536 Ⅱ）。

→この出資は、営業者の財産に帰属する（536 Ⅰ）

(2)　事業の運営

匿名組合においては、営業者のみがその事業運営に当たり、営業者は匿名組合員に対して、契約の定めに従い匿名組合員の出資を使用して営業を遂行する権利を有し、義務を負う（536 Ⅳ参照）。匿名組合員は、営業・財産の状況を検査する権利を有する（539）。

(3)　損益分配

営業者は、匿名組合員に対しその営業より生じた利益を分配すべき義務を負う（535 後段）。また、匿名組合は経済的には共同企業の一種であるから、匿名組合員は損失を分担するのが通常である。もっとも、利益の分配と異なり、損失の分担は匿名組合契約の要素ではない。

2　外部関係

(1)　匿名組合の営業は営業者の名において行われ、第三者に対しては営業者のみが権利義務を有し、匿名組合員は営業者の行為につき直接の権利義務を有しない（536 Ⅳ）。ただし、その氏又は氏名を営業者の商号中に用い、又はその商号を営業者の商号として用いることを許諾したときは、その使用以後になされた取引によって生じた債務について、営業者と連帯して責任を負う（537）。

(2)　匿名組合における営業者の法人格否認

レバレッジドリース契約においてはペーパーカンパニーがリース事業者となることは法技術的に当初から予定されている事柄であり、節税効果もペーパーカンパニーであるからこそ可能となるものであるから、匿名組合員の都合で営業者の法人格を否認することはできない（東京地判平 7.3.28・総則商行為百選〔第5版〕82事件)。

二　匿名組合契約の終了

1　当事者の意思による終了

(1)　存続期間の定めがない、又は当事者の終身の間存続すべきことを定めた。
→各当事者は営業年度の終了時に、6か月前の予告をして解除することができる

(2)　やむを得ない事由があるとき
→各当事者はいつでも解除することができる

2　当事者の意思によらない終了

(1)　匿名組合の目的である事業の成功又はその成功の不能

(2)　営業者の死亡又は営業者が後見開始の審判を受けたこと
∵　匿名組合員は、営業者の個人的な能力・信用に基づいて出資している
→匿名組合契約は、匿名組合員の死亡により終了することはない予
∵　匿名組合員は、営業者による営業から生ずる利益の分配を期待して出資する者にすぎない

(3)　営業者又は匿名組合員が破産手続開始決定を受けたこと

3　終了の効果

(1)　営業者は匿名組合員に出資の価額を返還しなければならない。

(2)　出資が損失によって減少したときはその残額を返還すれば足りる。

<法定代理・委任・組合・匿名組合の終了事由>

		死亡	破産手続	後見開始	その他
法定代理（民111）	委任者	○	×	×	――
	受任者	○	○	○	
委任（民653）	委任者	○	○	×	解約告知（民651）
	受任者	○	○	○	解約告知（民651）
組合（民679）	組合員	○	○	○	組合の目的である事業の成功又はその不能等（民682各号参照）
匿名組合（商541）	組合員	×	○	×	匿名組合の目的である事業の成功又はその不能（商541①）
	営業者	○	○	○	

・第5章・【仲立営業】

《概　説》

◆　意義

1　定義

仲立人とは、他人間の商行為の媒介をなすことを業とする者をいう（543）。

→自己が契約当事者となることなく、他人の間で商行為が成立することに尽力する者である

ex.　旅行業者

→仲立人が契約当事者となるものではなく、法律関係は当該他人間において成立する〈司書

2　仲立人と民事仲立人

仲立人が引き受ける媒介の対象となる行為は、他人間の商行為に限られる。これは、当事者の一方にとって商行為であれば足りる。

これに対して、当事者のいずれにとっても商行為とならない行為（非商人間の非投機的な不動産売買・貸借、婚姻〈書）の媒介を引き受けることを営業とする者は仲立人ではなく、民事仲立人といわれる。民事仲立人も商人である（502⑪）から、商行為法総則の規定などの商法の規定は適用されるが、仲立人ではないから仲立営業に関する規定（543以下）は当然には適用されない〈司。

→仲立人によって媒介される行為は、委託者又は相手方のいずれか一方にとって商行為であれば足りる

3　仲立契約

(1)　双方的仲立契約

受託者たる仲立人は委託者のために契約の成立に尽力すべき義務を負い、委託者は契約が成立したときは仲立人に報酬を支払うべき義務を負う双務的な仲立契約である。

→準委任の性質を有する

(2)　一方的仲立契約

仲立人は委託者のために契約の成立に尽力すべき義務を負わず、ただその尽力により契約が成立したときは、委託者は仲立人に報酬を支払う義務を負う片務的な仲立契約である。

→請負契約類似の特殊な契約である

第543条　（定義）

この章において「仲立人」とは、他人間の商行為の媒介をすることを業とする者をいう〈司。

第544条　（当事者のために給付を受けることの制限）

仲立人は、その媒介により成立させた行為について、当事者のために支払その他の給付を受けることができない。ただし、当事者の別段の意思表示又は別段の慣習があ

るときは、この限りでない〈司書。

第５４５条　（見本保管義務）

仲立人がその媒介に係る行為について見本を受け取ったときは、その行為が完了するまで、これを保管しなければならない〈司書。

第５４６条　（結約書の交付義務等）

Ⅰ　当事者間において媒介に係る行為が成立したときは、仲立人は、遅滞なく、次に掲げる事項を記載した書面（以下この章において「結約書」という。）を作成し、かつ、署名し、又は記名押印した後、これを各当事者に交付しなければならない〈書。
　①　各当事者の氏名又は名称
　②　当該行為の年月日及びその要領
Ⅱ　前項の場合においては、当事者が直ちに履行をすべきときを除き、仲立人は、各当事者に結約書に署名させ、又は記名押印させた後、これをその相手方に交付しなければならない。
Ⅲ　前２項の場合において、当事者の一方が結約書を受領せず、又はこれに署名若しくは記名押印をしないときは、仲立人は、遅滞なく、相手方に対してその旨の通知を発しなければならない。

第５４７条　（帳簿記載義務等）

Ⅰ　仲立人は、その帳簿に前条第１項各号に掲げる事項を記載しなければならない。
Ⅱ　当事者は、いつでも、仲立人がその媒介により当該当事者のために成立させた行為について、前項の帳簿の謄本の交付を請求することができる。

第５４８条　（当事者の氏名等を相手方に示さない場合）

当事者がその氏名又は名称を相手方に示してはならない旨を仲立人に命じたときは、仲立人は、結約書及び前条第２項の謄本にその氏名又は名称を記載することができない。

第５４９条　【仲立人の履行義務】

仲立人は、当事者の一方の氏名又は名称をその相手方に示さなかったときは、当該相手方に対して自ら履行をする責任を負う〈予書。

第５５０条　（仲立人の報酬）

Ⅰ　仲立人は、第５４６条＜結約書の交付義務等＞の手続を終了した後でなければ、報酬を請求することができない〈司書。
Ⅱ　仲立人の報酬は、当事者双方が等しい割合で負担する〈司書。

《注　釈》

一　仲立人の義務

1　一般的義務

(1)　双方的仲立契約については、委任に関する規定が準用されるから（民656）、仲立人は委託者に対して善良な管理者の注意をもって媒介を行い、取引成立に尽力すべき義務を負う（民644）。

(2) 一方的仲立契約については、このような義務を定めた規定は存しないが、委託者のために媒介を行う以上は、一定の注意を尽くすことを要すると解すべきである。

2 紛争防止のための義務

① 見本保管義務 ⇒ §545

② 結約書交付義務 ⇒ §546

③ 仲立人日記帳の作成・謄本交付義務 ⇒ §547

3 氏名黙秘・介入義務

① 氏名黙秘義務 ⇒ §548

② 介入義務 ⇒ §549

二 仲立人の権利

1 報酬請求権 ⇒ §550

宅地建物取引業者に仲介を依頼し、契約成立を条件に報酬約束をしたが、宅建業者を排除して契約を締結した場合、契約成立の停止条件の成就を妨げたものとして報酬支払義務が認められる（最判昭45.10.22・百選66事件）。

2 給付受領権限

別段の意思表示又は慣習がない限り、仲立人は、その媒介した行為について当事者のために支払その他の給付を受ける権限を有しない（544）。仲立人は、媒介という事実行為を引き受けるにすぎず、自ら媒介によって成立する法律行為の当事者となるものではなく、また当事者の代理人でもない〈書〉。

・第6章・【問屋営業】

《概　説》

◆ 意義

1 定義

自己の名をもって他人のために物品の販売又は買入れをなすことを業とする者をいう（551）。

ex. 証券会社

他人の「ために」：他人の計算で、の意味〈司〉

→メーカーから買い上げた商品を自己の名をもって小売店に販売する業者は、商法上の問屋に当たらない

2　仲立人との比較

＜仲立人・問屋・代理商の比較＞

	仲立人	問屋	代理商
営業の種類	媒介	取次	代理・媒介
特定の商人への従属性	無	無	有
権利義務の主体性	無	有	無

第５５１条　（定義）

この章において「問屋」とは、自己の名をもって〈司他人のために〈司物品の販売又は買入れをすることを業とする者をいう。

第５５２条　（問屋の権利義務）

Ⅰ　問屋は、他人のためにした販売又は買入れにより、相手方に対して、自ら権利を取得し、義務を負う〈書。

Ⅱ　問屋と委託者との間の関係については、この章に定めるもののほか、委任及び代理に関する規定を準用する〈書。

第５５３条　（問屋の担保責任）

問屋は、委託者のためにした販売又は買入れにつき相手方がその債務を履行しないときに、自らその履行をする責任を負う〈書。ただし、当事者の別段の意思表示又は別段の慣習があるときは、この限りでない。

第５５４条　（問屋が委託者の指定した金額との差額を負担する場合の販売又は買入れの効力）

問屋が委託者の指定した金額より低い価格で販売をし、又は高い価格で買入れをした場合において、自らその差額を負担するときは、その販売又は買入れは、委託者に対してその効力を生ずる。

《注　釈》

一　問屋と委託者との間の内部関係

1　問屋と委託者との関係

⑴　551条の「自己の名」とは問屋が権利義務の帰属主体となることを意味し、「他人のために」とは委託者の計算によることを意味する。

⑵　本来、問屋と代理とは異なるものである。

売買の法的効果は当然には委託者に帰属しないはずである。しかし、552条2項が問屋と委託者との関係につき代理に関する規定をも準用するとしているのは、問屋と委託者との内部関係においては代理の規定を準用する趣旨である。すなわち、問屋と委託者という内部関係においては、代理に関する民法99条が準用され、問屋が取得した権利は当然に委託者に移転する。

(3)　顧客の注文に基づかず、証券会社の従業員が顧客の信用取引口座を利用して有価証券の売買をした場合、この売買の効果は顧客に帰属せず、顧客が証券会社に有する権利に何らの影響を及ぼすものではないから、損害が生じたとはいえない（最判平4.2.28・百選68事件）。

2　問屋の再委託

問屋と委託者との関係について代理の規定が準用されるとしても、復代理に関する民法106条2項は準用されないとするのが判例（最判昭31.10.12）、通説である。すなわち、物品の販売又は買入れの委託を受けた問屋がさらに別の問屋に再委託した場合、はじめの委託者は、民法106条2項により再委託を受けた問屋に対して直接権利を主張することができない。

∵　問屋の本質は代理を伴わない単なる委任であって、問屋は委託者の名において再委託するわけではないから、法律効果が直接委託者に生じると解する理由はない

3　問屋の破産

問屋が委託の実行としてした売買により権利を取得した後、これを委託者に移転しない間に破産した場合は、委託者は上記権利につき取戻権を行使しうる（最判昭43.7.11・百選70事件）。

二　問屋の外部関係

1　問屋と第三者との関係

問屋が行う売買契約の法的効果は外部的には問屋に帰属する（552Ⅰ）。したがって、売買契約の成立及び効力に影響を及ぼす事項（意思表示の瑕疵など）は、問屋について決する。

2　委託者と第三者との関係

(1)　原則

委託者と相手方は、原則として直接の法律関係に立たない。

(2)　委託者の悪意

経済的・実質的には売買契約の効力が委託者に帰属することを重視して、問屋が委託者の指図により契約を締結したときは、民法101条3項の趣旨を類推適用して、委託者の悪意を問屋の悪意と同視する通。

(3)　債務不履行による損害賠償請求

契約の法的効果は外部的には問屋に帰属するが、553条の責任が発生しない限り、問屋には手数料以外の損害が生じない。一方、委託者は相手方と直接の法律関係を有しないため、債務不履行責任を追及できない。

損害賠償は契約の履行に代替するものであり、問屋は委託に基づき契約の履行を請求しうる地位にあることを理由に、問屋が委託者のために、自己の名をもって、委託者の被った損害の賠償を請求しうると解するのが多数説である。

三　問屋の義務

1　善管注意義務（552Ⅱ、民644）

2　通知義務（557、27）

3　指値遵守義務

委託者が販売価格又は買入価格を指定した場合には、問屋はこれに従わなければならない。その結果、問屋が指値よりも安く販売し、又は指値よりも高く購入した場合には、委託者はそのような売買の効果を自己に帰属させることを拒否できる。

もっとも、問屋が指値との差額を負担する旨の意思表示をした場合には、委託者はその売買の自己への帰属を拒否できず、委託者に対して売買契約の効力が生じる（554）。

4　履行担保責任（553）

四　問屋の権利

1　報酬請求権

問屋は商人であるから、特段の定めがない場合でも、委託者に対して相当の報酬を請求することができる（512）。報酬を請求しうる時期は、委託を実行した後である（552 Ⅱ、民 648 Ⅱ）。

2　留置権（557、31）

3　供託権・競売権（556、524）

4　介入権　⇒ §555

第５５５条　（介入権）

Ⅰ　問屋は、取引所の相場がある物品の販売又は買入れの委託を受けたときは、自ら買主又は売主となることができる 予書 。この場合において、売買の代価は、問屋が買主又は売主となったことの通知を発した時における取引所の相場によって定める。

Ⅱ　前項の場合においても、問屋は、委託者に対して報酬を請求することができる。

《注　釈》

一　定義

問屋が取引所の相場のある物品の販売又は買入れの委託を受けた場合に、自ら買主又は売主となる権利をいう（555 Ⅰ前段）。

二　趣旨

委託者は販売又は買入れの相手方が誰であるかを問題としないのが通常であるし、取引所の相場のある物品であれば、販売又は買入れが公正に行われることを担保できるから、問屋自身が買主又は売主となっても弊害はなく、かえって問屋及び委託者にとって有利である。

三　要件

①　当該物品に取引所の相場があること

②　委託者が特約で介入を禁止する旨を示していないこと

③　問屋が未だ第三者と売買契約を締結していないこと

④　法により介入が禁止されていないこと

第５５６条　（問屋が買い入れた物品の供託及び競売）

問屋が買入れの委託を受けた場合において、委託者が買い入れた物品の受領を拒み、又はこれを受領することができないときは、第５２４条＜売主による目的物の供託及び競売＞の規定を準用する。

第５５７条　（代理商に関する規定の準用）

第２７条＜代理商の通知義務＞及び第３１条＜代理商の留置権＞の規定は、問屋について準用する〈予書。

《注　釈》

◆　留置権

1　民法上の留置権と異なり、被担保債権と留置物との間の個別的牽連性は必要ない。

2　商人間の留置権との差異

(1)　留置の目的物は、委託者所有であることを要しない。

(2)　委託者との間における商行為によって問屋の占有に帰したことを要しない。

(3)　委託者が商人であることを要しない。

第５５８条　（準問屋）

この章の規定は、自己の名をもって他人のために販売又は買入れ以外の行為をすることを業とする者について準用する〈同。

《注　釈》

◆　準問屋

自己の名をもって販売又は買入れ以外の取次ぎを業とする者をいう。

ex.　出版・広告・ホテル宿泊の取次

・第７章・【運送取扱営業】

第５５９条　（定義等）

Ⅰ　この章において「運送取扱人」とは、自己の名をもって物品運送の取次ぎをすることを業とする者をいう〈同。

Ⅱ　運送取扱人については、この章に別段の定めがある場合を除き、第５５１条に規定する問屋に関する規定を準用する。

第５６０条　（運送取扱人の責任）

運送取扱人は、運送品の受取から荷受人への引渡しまでの間にその運送品が滅失し若しくは損傷し、若しくはその滅失若しくは損傷の原因が生じ、又は運送品が延着したときは、これによって生じた損害を賠償する責任を負う。ただし、運送取扱人がその運送品の受取、保管及び引渡し、運送人の選択その他の運送の取次ぎについて注意を怠らなかったことを証明したときは、この限りでない。

第５６１条　（運送取扱人の報酬）

Ⅰ　運送取扱人は、運送品を運送人に引き渡したときは、直ちにその報酬を請求することができる。

Ⅱ　運送取扱契約で運送賃の額を定めたときは、運送取扱人は、特約がなければ、別に報酬を請求することができない。

第５６２条　（運送取扱人の留置権）

運送取扱人は、運送品に関して受け取るべき報酬、付随の費用及び運送賃その他の立替金についてのみ、その弁済を受けるまで、その運送品を留置することができる。

第５６３条　（介入権）

Ⅰ　運送取扱人は、自ら運送をすることができる。この場合において、運送取扱人は、運送人と同一の権利義務を有する。

Ⅱ　運送取扱人が委託者の請求によって船荷証券又は複合運送証券を作成したときは、自ら運送をするものとみなす。

第５６４条　（物品運送に関する規定の準用）

第５７２条＜危険物に関する通知義務＞、第５７７条＜高価品の特則＞、第５７９条＜相次運送人の権利義務＞（第３項を除く。）、第５８１条＜荷受人の権利義務等＞、第５８５条＜運送人の責任の消滅＞、第５８６条＜運送人の債権の消滅時効＞、第５８７条＜運送人の不法行為責任＞（第５７７条及び第５８５条の規定の準用に係る部分に限る。）及び第５８８条＜運送人の被用者の不法行為責任＞の規定は、運送取扱営業について準用する。この場合において、第５７９条第２項中「前の運送人」とあるのは「前の運送取扱人又は運送人」と、第５８５条第１項中「運送品の引渡し」とあるのは「荷受人に対する運送品の引渡し」と読み替えるものとする。

第５６５条～第５６８条　削除

《注　釈》

一　はじめに

1　意義

(1)　運送取扱人とは、自己の名をもって物品運送の取次ぎをすることを業とする者をいう（559Ⅰ）〈回。

(2)　顧客の依頼に基づき自己の名で旅客運送契約を締結する業者は、運送取扱人に当たらない〈回。

2　問屋の規定の準用

運送取扱営業は、取次の一種であるから、運送取扱人について特別の規定がある場合を除いて、551条に規定する問屋に関する規定が準用される（559Ⅱ）。

二　運送取扱人の義務

1　善管注意義務（民644）

2　損害賠償義務

⑴　責任の内容　⇒§560

⑵　高価品の特則

運送品が高価品である場合については、運送人の責任と同様の特則がある（564、577）。

⑶　損害賠償の額

運送人の場合におけるような特則（576）が規定されていないから、民法の一般原則（民416）による。

⑷　短期消滅時効　⇒§564、§586

⑸　不法行為責任との関係

以上のような運送取扱人の責任に関する特則は、運送人の債務不履行責任についてのものであるから、運送人はその他に不法行為責任を負うのかが問題となる。この点、判例（最判昭38.11.5）は、不法行為責任は別個に成立するとする請求権競合説を採用している。

三　運送取扱人の権利

1　報酬請求権

運送取扱人は商人であるから、特約がない場合でも報酬を請求できる（512）。

2　費用償還請求権

運送取扱人は、運送人に支払った運送賃その他の費用の償還を委託者に対して請求できる（559Ⅱ・552Ⅱ、民650Ⅰ）。

3　留置権　⇒§562

4　介入権　⇒§563

取引所の相場がある物品であることや、委託者に対して通知を発することは要求されていない。

∵　問屋の介入権の場合と異なり、運送の場合には運送賃や運送方法が定型化されている

・第8章・【運送営業】

■第1節　総則

第569条　【定義】

この法律において、次の各号に掲げる用語の意義は、当該各号に定めるところによる〈同〉。

①　運送人　陸上運送、海上運送又は航空運送の引受けをすることを業とする者をいう。

② 陸上運送　陸上における物品又は旅客の運送をいう。
③ 海上運送　第６８４条に規定する船舶（第７４７条に規定する非航海船を含む。）による物品又は旅客の運送をいう。
④ 航空運送　航空法（昭和２７年法律第２３１号）第２条第１項に規定する航空機による物品又は旅客の運送をいう。

■第2節　物品運送

第５７０条（物品運送契約）

物品運送契約は、運送人が荷送人からある物品を受け取りこれを運送して荷受人に引き渡すことを約し、荷送人がその結果に対してその運送賃を支払うことを約することによって、その効力を生ずる。

第５７１条（送り状の交付義務等）予

Ⅰ 荷送人は、運送人の請求により、次に掲げる事項を記載した書面（次項において「送り状」という。）を交付しなければならない。
① 運送品の種類
② 運送品の容積若しくは重量又は包若しくは個品の数及び運送品の記号
③ 荷造りの種類
④ 荷送人及び荷受人の氏名又は名称
⑤ 発送地及び到達地

Ⅱ 前項の荷送人は、送り状の交付に代えて、法務省令で定めるところにより、運送人の承諾を得て、送り状に記載すべき事項を電磁的方法（電子情報処理組織を使用する方法その他の情報通信の技術を利用する方法であって法務省令で定めるものをいう。以下同じ。）により提供することができる。この場合において、当該荷送人は、送り状を交付したものとみなす。

第５７２条（危険物に関する通知義務）

荷送人は、運送品が引火性、爆発性その他の危険性を有するものであるときは、その引渡しの前に、運送人に対し、その旨及び当該運送品の品名、性質その他の当該運送品の安全な運送に必要な情報を通知しなければならない。

【平30改正】改正商法は、荷送人の運送人に対する危険物に関する通知義務について規定する572条を新たに設けた。本条は、危険物の多様化やその取扱いの重要性に鑑み、運送の安全性実現のため、荷送人（荷主又は運送取扱人（559Ⅰ））に対して、運送人の主観的事情にかかわらず、危険物に関する通知義務（572）を負わせることとした。そして、荷送人が、危険物があることを知りながら、不注意によりこれを知らせず事故が発生したような場合において、運送人は、本条により、運送品が危険物であること、荷送人からの通知がないこと、及び損害が発生したことを主張立証すれば足り、荷送人の主観的要素についての主張立証が不要となるため、運送人の被害の救済に資することとなる。なお、通知義務に違反した荷送人は、改正民法415条の規定に基づき損害賠償を請求されるおそれがある。

商行為

第５７３条　（運送賃）

Ⅰ　運送賃は、到達地における運送品の引渡しと同時に、支払わなければならない。
Ⅱ　運送品がその性質又は瑕疵（かし）によって滅失し、又は損傷したときは、荷送人は、運送賃の支払を拒むことができない。

第５７４条　（運送人の留置権）

運送人は、運送品に関して受け取るべき運送賃、付随の費用及び立替金（以下この節において「運送賃等」という。）についてのみ、その弁済を受けるまで、その運送品を留置することができる。

第５７５条　（運送人の責任）

運送人は、運送品の受取から引渡しまでの間にその運送品が滅失し若しくは損傷し、若しくはその滅失若しくは損傷の原因が生じ、又は運送品が延着したときは、これによって生じた損害を賠償する責任を負う。ただし、運送人がその運送品の受取、運送、保管及び引渡しについて注意を怠らなかったことを証明したときは、この限りでない〈司予〉。

第５７６条　（損害賠償の額）

Ⅰ　運送品の滅失又は損傷の場合における損害賠償の額は、その引渡しがされるべき地及び時における運送品の市場価格（取引所の相場がある物品については、その相場）によって定める。ただし、市場価格がないときは、その地及び時における同種類で同一の品質の物品の正常な価格によって定める。
Ⅱ　運送品の滅失又は損傷のために支払うことを要しなくなった運送賃その他の費用は、前項の損害賠償の額から控除する。
Ⅲ　前２項の規定は、運送人の故意又は重大な過失によって運送品の滅失又は損傷が生じたときは、適用しない。

《注　釈》

一　不法行為責任との関係

運送人の責任に関する特則は、運送人の債務不履行責任についてのものであるから、運送人はその他に不法行為責任を負うのかが問題となる。この点、判例（最判昭38.11.5）は、運送取扱人の責任についてであるが、不法行為責任は別個に成立するとする請求権競合説を採用している〈司〉。

二　特約による免責

宅配便の運送約款で運送人の荷送人に対する責任限定条項が定められた場合、責任限定条項の趣旨が運賃の軽減化を実現することにあることに鑑み、当該条項の効力は運送人の荷送人に対する債務不履行責任についてのみでなく、荷送人に対する不法行為責任についても適用される（最判平10.4.30・百選77事件）〈司〉。

三　損害賠償の額

1　576条1項によって算定される額より実損害額が少ないことを運送人が立証

しても、この基準に算定される額を賠償すべきであると解される（通説）。ただし、運送人・使用人の故意過失で運送品が滅失した場合でも、荷送人・荷受人に全く損害が生じない場合には、運送人は損害賠償責任を負わない（最判昭53.4.20・百選74事件）司。

2　運送品が運送人の悪意又は重過失によって滅失・損傷したときは、運送人は一切の損害を賠償する責任を負う。

ex.　重過失が認定された例

貨物の運送を業とする運送業者において貨物の集荷、配達の業務を担当していた使用人が、集荷した貨物を自動車に積み込んだときは積込口の扉に施錠するか、扉が完全に嵌合して走行中に開扉することのないことを確認して発車すべき義務を怠った事案（最判昭55.3.25・百選76事件）

3　運送人は、運送品が延着したときは、これによって生じた損害を賠償する責任を負う（575）。この規定は、民法の債務不履行に関する原則（民415）と同様の責任を定めたものと解されており、また、運送品の滅失・損傷の場合のように、損害賠償額に関する特則（商576）も置かれていない。したがって、運送品が延着した場合における損害賠償の額は、民法の原則（民416）に従って定められる予。

第577条（高価品の特則）予

Ⅰ　貨幣、有価証券その他の高価品については、荷送人が運送を委託するに当たりその種類及び価額を通知した場合を除き、運送人は、その滅失、損傷又は延着について損害賠償の責任を負わない。

Ⅱ　前項の規定は、次に掲げる場合には、適用しない。

①　物品運送契約の締結の当時、運送品が高価品であることを運送人が知っていたとき。

②　運送人の故意又は重大な過失によって高価品の滅失、損傷又は延着が生じたとき。

［趣旨］運送品が高価品である場合には、通常より損害が発生する危険が大きく、またいったん損害が発生すればそれが多額になり、運送人に予想外の不利益を与えることになる。運送人としては、あらかじめ高価品であることが通知されていれば、割増運送賃を請求したうえで相当の注意をして損害を避ける措置を採ることも可能であるから、運送人の保護に資するべく本条1項が規定された。

【平30改正】荷送人による通知がない場合であっても、運送品が高価品であることを運送人が知っていたときは、本条1項が定める特則は適用されないものと通常解されている。また、運送人の故意又は重大な過失によって運送品の滅失等が生じた場合には、公平の観点から、運送人を免責するのは相当でない。そこで、本条2項が新設された。

《注　釈》

一　意義

高価品とは、容積、重量に比して著しく高価な物品をいう。

商行為

高価品か否かは運送人の予見可能性の観点から決する。

高価品の運送を委託した荷送人は、当該高価品の種類及び価額を明告しなかったとしても、当該高価品が、容積重量とも相当巨大であって、高価であることが一見明瞭な品種である場合には、その滅失につき運送人に対し損害賠償を請求することができる（最判昭45.4.21・百選75事件）〈司。

二　通知を欠く場合

荷送人が高価品であることを通知しなかった場合には、577条2項各号に掲げる場合を除き、高価品としての損害賠償を請求できないことはもとより、普通品としての損害賠償も請求できない。

第578条（複合運送人の責任）

Ⅰ　陸上運送、海上運送又は航空運送のうち2以上の運送を一の契約で引き受けた場合における運送品の滅失等（運送品の滅失、損傷又は延着をいう。以下この節において同じ。）についての運送人の損害賠償の責任は、それぞれの運送においてその運送品の滅失等の原因が生じた場合に当該運送ごとに適用されることとなる我が国の法令又は我が国が締結した条約の規定に従う。

Ⅱ　前項の規定は、陸上運送であってその区間ごとに異なる2以上の法令が適用されるものを一の契約で引き受けた場合について準用する。

第579条（相次運送人の権利義務）

Ⅰ　数人の運送人が相次いで陸上運送をするときは、後の運送人は、前の運送人に代わってその権利を行使する義務を負う。

Ⅱ　前項の場合において、後の運送人が前の運送人に弁済をしたときは、後の運送人は、前の運送人の権利を取得する。

Ⅲ　ある運送人が引き受けた陸上運送についてその荷送人のために他の運送人が相次いで当該陸上運送の一部を引き受けたときは、各運送人は、運送品の滅失等につき連帯して損害賠償の責任を負う。

Ⅳ　前3項の規定は、海上運送及び航空運送について準用する。

第580条（荷送人による運送の中止等の請求）

荷送人は、運送人に対し、運送の中止、荷受人の変更その他の処分を請求することができる。この場合において、運送人は、既にした運送の割合に応じた運送賃、付随の費用、立替金及びその処分によって生じた費用の弁済を請求することができる。

第581条（荷受人の権利義務等）

Ⅰ　荷受人は、運送品が到達地に到着し〈司、又は運送品の全部が滅失したときは、物品運送契約によって生じた荷送人の権利と同一の権利を取得する〈予。

Ⅱ　前項の場合において、荷受人が運送品の引渡し又はその損害賠償の請求をしたときは、荷送人は、その権利を行使することができない。

Ⅲ　荷受人は、運送品を受け取ったときは、運送人に対し、運送賃等を支払う義務を負う。

第５８２条（運送品の供託及び競売）

Ⅰ　運送人は、荷受人を確知することができないときは、運送品を供託することができる。

Ⅱ　前項に規定する場合において、運送人が荷送人に対し相当の期間を定めて運送品の処分につき指図をすべき旨を催告したにもかかわらず、荷送人がその指図をしないときは、運送人は、その運送品を競売に付することができる。

Ⅲ　損傷その他の事由による価格の低落のおそれがある運送品は、前項の催告をしないで競売に付することができる。

Ⅳ　前２項の規定により運送品を競売に付したときは、運送人は、その代価を供託しなければならない。ただし、その代価の全部又は一部を運送賃等に充当することを妨げない。

Ⅴ　運送人は、第１項から第３項までの規定により運送品を供託し、又は競売に付したときは、遅滞なく、荷送人に対してその旨の通知を発しなければならない。

第５８３条【同前】

前条の規定は、荷受人が運送品の受取を拒み、又はこれを受け取ることができない場合について準用する。この場合において、同条第２項中「運送人が」とあるのは「運送人が、荷受人に対し相当の期間を定めて運送品の受取を催告し、かつ、その期間の経過後に」と、同条第５項中「荷送人」とあるのは「荷送人及び荷受人」と読み替えるものとする。

第５８４条（運送人の責任の消滅）

Ⅰ　運送品の損傷又は一部滅失についての運送人の責任は、荷受人が異議をとどめないで運送品を受け取ったときは、消滅する。ただし、運送品に直ちに発見することができない損傷又は一部滅失があった場合において、荷受人が引渡しの日から２週間以内に運送人に対してその旨の通知を発したときは、この限りでない予。

Ⅱ　前項の規定は、運送品の引渡しの当時、運送人がその運送品に損傷又は一部滅失があることを知っていたときは、適用しない予。

Ⅲ　運送人が更に第三者に対して運送を委託した場合において、荷受人が第１項ただし書の期間内に運送人に対して同項ただし書の通知を発したときは、運送人に対する第三者の責任に係る同項ただし書の期間は、運送人が当該通知を受けた日から２週間を経過する日まで延長されたものとみなす。

第５８５条【同前】

Ⅰ　運送品の滅失等についての運送人の責任は、運送品の引渡しがされた日（運送品の全部滅失の場合にあっては、その引渡しがされるべき日）から１年以内に裁判上の請求がされないときは、消滅する。

Ⅱ　前項の期間は、運送品の滅失等による損害が発生した後に限り、合意により、延長することができる。

Ⅲ　運送人が更に第三者に対して運送を委託した場合において、運送人が第１項の期間内に損害を賠償し又は裁判上の請求をされたときは、運送人に対する第三者の責任に係る同項の期間は、運送人が損害を賠償し又は裁判上の請求をされた日から３

箇月を経過する日まで延長されたものとみなす。

第５８６条 （運送人の債権の消滅時効）

運送人の荷送人又は荷受人に対する債権は、これを行使することができる時から１年間行使しないときは、時効によって消滅する。

第５８７条 （運送人の不法行為責任）

第５７６条<損害賠償の額>、第５７７条<高価品の特則>、第５８４条<運送人の責任の消滅>及び第５８５条<同前>の規定は、運送品の滅失等についての運送人の荷送人又は荷受人に対する不法行為による損害賠償の責任について準用する。ただし、荷受人があらかじめ荷送人の委託による運送を拒んでいたにもかかわらず荷送人から運送を引き受けた運送人の荷受人に対する責任については、この限りでない。

第５８８条 （運送人の被用者の不法行為責任）

Ⅰ　前条の規定により運送品の滅失等についての運送人の損害賠償の責任が免除され、又は軽減される場合には、その責任が免除され、又は軽減される限度において、その運送品の滅失等についての運送人の被用者の荷送人又は荷受人に対する不法行為による損害賠償の責任も、免除され、又は軽減される。

Ⅱ　前項の規定は、運送人の被用者の故意又は重大な過失によって運送品の滅失等が生じたときは、適用しない。

■第３節　旅客運送

第５８９条 （旅客運送契約）

旅客運送契約は、運送人が旅客を運送することを約し、相手方がその結果に対してその運送賃を支払うことを約することによって、その効力を生ずる。

《概　説》

一　運送人の義務

1　旅客に関する責任　⇒ §590

2　手荷物に関する責任　⇒ §592、§593

二　運送人の権利

1　運送賃請求権

旅客運送の場合にも、運送人は特約がなくても運送賃を請求できる（512）。そして、旅客運送も請負契約の一種であるから、特約がなければ後払となるのが原則である。もっとも、物品運送の場合には運送品の留置、運送品に対する先取特権により運送賃を担保できるのに対して、旅客運送の場合にはそのような制度が不十分であるから、約款また商慣習により前払とされ、又は運送終了前に運送賃を支払うべきとされる場合が多い。

2　留置権・先取特権

運送人が手荷物の引渡しを受けた場合には、運送人は手荷物の運送賃についてのみならず、旅客の運送賃についても、民法上の留置権を有すると解される（民295Ⅰ）。また、この場合、先取特権も有する（民318）。

第５９０条　（運送人の責任）

運送人は、旅客が運送のために受けた損害を賠償する責任を負う。ただし、運送人が運送に関し注意を怠らなかったことを証明したときは、この限りでない。

第５９１条　（特約禁止）

Ⅰ　旅客の生命又は身体の侵害による運送人の損害賠償の責任（運送の遅延を主たる原因とするものを除く。）を免除し、又は軽減する特約は、無効とする。

Ⅱ　前項の規定は、次に掲げる場合には、適用しない。

①　大規模な火災、震災その他の災害が発生し、又は発生するおそれがある場合において運送を行うとき。

②　運送に伴い通常生ずる振動その他の事情により生命又は身体に重大な危険が及ぶおそれがある者の運送を行うとき。

商行為

第５９２条　（引渡しを受けた手荷物に関する運送人の責任等）

Ⅰ　運送人は、旅客から引渡しを受けた手荷物については、運送賃を請求しないときであっても、物品運送契約における運送人と同一の責任を負う。

Ⅱ　運送人の被用者は、前項に規定する手荷物について、物品運送契約における運送人の被用者と同一の責任を負う。

Ⅲ　第１項に規定する手荷物が到達地に到着した日から１週間以内に旅客がその引渡しを請求しないときは、運送人は、その手荷物を供託し、又は相当の期間を定めて催告をした後に競売に付することができる。この場合において、運送人がその手荷物を供託し、又は競売に付したときは、遅滞なく、旅客に対してその旨の通知を発しなければならない。

Ⅳ　損傷その他の事由による価格の低落のおそれがある手荷物は、前項の催告をしないで競売に付することができる。

Ⅴ　前２項の規定により手荷物を競売に付したときは、運送人は、その代価を供託しなければならない。ただし、その代価の全部又は一部を運送賃に充当することを妨げない。

Ⅵ　旅客の住所又は居所が知れないときは、第3項の催告及び通知は、することを要しない。

第５９３条　（引渡しを受けていない手荷物に関する運送人の責任等）

Ⅰ　運送人は、旅客から引渡しを受けていない手荷物（身の回り品を含む。）の滅失又は損傷については、故意又は過失がある場合を除き、損害賠償の責任を負わない。

Ⅱ　第５７６条第１項＜運送人の損害賠償の額＞及び第３項＜運送人の故意・重過失＞、第５８４条第１項＜運送人の責任の消滅＞、第５８５条第１項＜運送品の滅失等についての運送人の責任＞及び第２項＜合意による延長＞、第５８７条＜運送人の不法行為責任＞（第５７６条第１項及び第３項、第５８４条第１項並びに第５８５条第１項及び第２項の規定の準用に係る部分に限る。）並びに第５８８条＜運送人の被用者の不法行為責任>の規定は、運送人が前項に規定する手荷物の滅失又は損傷に係る損害賠償の責任を負う場合について準用する。この場合において、第576条第1項中「その引渡しがされるべき」とあるのは「その運送が終了すべき」と、第584条第1項中「荷受人が異議をとどめないで運送品を受け取った」とあるのは「旅客が運送の終了の時までに異議をとどめなかった」と、「荷受人が引渡しの日」とあるのは「旅客が運送の終了の日」と、第585条第1項中「運送品の引渡しがされた日（運送品の全部滅失の場合にあっては、その引渡しがされるべき日）」とあるのは「運送の終了の日」と読み替えるものとする。

《注　釈》

◆　手荷物に関する責任

1　運送人が手荷物の引渡しを受けた場合

運送人が旅客から手荷物の引渡しを受けた場合には、この荷物につき特に運送賃を請求しなかったとしても、運送人は物品運送の運送人と同様の責任を負う（592 Ⅰ）。また、手荷物が目的地に着いてから1週間以内に旅客がその引渡しを請求しないときは、商人間の売買の場合と同様に、運送人はその手荷物を供託・競売することができる（592 Ⅲ、524）。

2　運送人が手荷物の引渡しを受けていない場合

運送人が手荷物の引渡しを受けていない場合に、旅客が手荷物の滅失・損傷による損害の賠償を運送人に対して請求するためには、運送人の故意又は過失により手荷物が滅失・損傷したことについて旅客が立証責任を負う（593 Ⅰ）。

第594条　（運送人の債権の消滅時効）

第586条<運送人の債権の消滅時効>の規定は、旅客運送について準用する。

・第9章・【寄託】

第1節　総則

第595条　（受寄者の注意義務） 司予書

商人がその営業の範囲内において寄託を受けた場合には、報酬を受けないときであっても、善良な管理者の注意をもって、寄託物を保管しなければならない。

第596条　（場屋営業者の責任）

Ⅰ　旅館、飲食店、浴場その他の客の来集を目的とする場屋における取引をすることを業とする者（以下この節において「場屋営業者」という。）は、客から寄託を受けた物品の滅失又は損傷については、不可抗力によるものであったことを証明しなければ、損害賠償の責任を免れることができない 司予書。

Ⅱ　客が寄託していない物品であっても、場屋の中に携帯した物品が、場屋営業者が注意を怠ったことによって滅失し、又は損傷したときは、場屋営業者は、損害賠償の責任を負う〈予書。
Ⅲ　客が場屋の中に携帯した物品につき責任を負わない旨を表示したときであっても、場屋営業者は、前２項の責任を免れることができない〈司予書。

《概　説》

一　意義

場屋営業とは、一般公衆が来集するのに適した人的・物的設備を設け、客にその設備を利用させることを目的とする営業をいう。

各種の場屋営業は、多数の客が出入りし、ある程度の時間そこにとどまってその設備を利用する点で共通している。よって、来集する客の携帯品について、紛失・盗難が生じる危険が大きいため、商法はこの点に関して場屋営業者の責任を強化している。

ex.　旅館・ホテル営業〈予、飲食店営業〈司、浴場営業、映画館・劇場等の興行場営業、パチンコ店・麻雀屋等の遊技場営業

二　場屋営業者の責任

1　寄託を受けた物品に関する責任（596Ⅰ）

場屋の主人（場屋営業者）は、客から寄託を受けた物品の滅失又は損傷について、それが不可抗力によって生じたことを証明しない限り、損害賠償責任を免れない。

→場屋営業者が客から寄託を受けた物品を滅失したときは、自己に過失がないことを証明しても、その責任を免れることができない〈司

2　寄託を受けていない物品に関する責任（596Ⅱ）

客が特に寄託していない場合でも、客が場屋内に携帯した物品が、場屋営業者の不注意によって滅失又は損傷したときは、場屋営業者は損害賠償責任を負う。場屋営業者に不注意があったことの立証責任は、客の側が負う。

3　特約による責任の減免（596Ⅲ）

場屋営業者の責任を定めた商法の規定は強行法規ではないから、当事者の特約により責任を減免することができるが、場屋営業者側が客の携帯品について責任を負わない旨を一方的に場屋内に告示したのみでは、この責任を免れることができない。

4　高価品に関する特則　⇒§597

5　短期消滅時効

以上の場屋営業者の責任は、場屋営業者が悪意の場合を除いて、場屋営業者が寄託物を顧客に返還し、又は客が携帯品を持ち去った時（全部滅失の場合には客が場屋を去った時）から１年で時効により消滅する（598）。

第５９７条（高価品の特則）

貨幣、有価証券その他の高価品については、客がその種類及び価額を通知してこれを場屋営業者に寄託した場合を除き、場屋営業者は、その滅失又は損傷によって生じた損害を賠償する責任を負わない〈司予書。

《注　釈》

一　意義

貨幣、有価証券その他の高価品については、客が寄託するに当たりその種類及び価額について場屋営業者に通知しなければ、場屋営業者はその滅失・損傷によって生じた損害を賠償する責任を負わない（597）。これは、運送人の責任の場合（577 Ⅰ）と同様の趣旨によるものである。

二　判例

ホテル宿泊約款における宿泊者の携行する貴重品であって、フロントに預けなかったもので種類及び価格の明告がなかったものにつき滅失毀損の賠償額を15万円を限度とする条項は、ホテル側の故意又は重大な過失がある場合には適用がない（最判平15.2.28・百選98事件）。

商行為

第５９８条（場屋営業者の責任に係る債権の消滅時効）

Ⅰ　前２条の場屋営業者の責任に係る債権は、場屋営業者が寄託を受けた物品を返還し、又は客が場屋の中に携帯した物品を持ち去った時（物品の全部滅失の場合にあっては、客が場屋を去った時〈同）から１年間行使しないときは、時効によって消滅する〈予書。

Ⅱ　前項の規定は、場屋営業者が同項に規定する物品の滅失又は損傷につき悪意であった場合には、適用しない。

第２節　倉庫営業

《概　説》

一　意義

1　意義

倉庫営業者とは、他人のために物品を倉庫に保管することを業とする者をいう（599）。

2　経済的機能

倉庫営業は、商品取引における時間的障害を克服することによって他人の営業を補助する補助商の一種である。

商人は、倉庫営業者を利用することによって、自ら保管を行うより安全かつ低廉な保管を期待することができ、また倉荷証券を利用することによって、倉庫に保管中の物品を円滑・迅速に処分し、又はこれを担保として金融を受けることが可能となる。

3　倉庫寄託契約の性質

倉庫寄託契約は、民法上の寄託契約（民657）と同様、諾成契約であると解されている。

二　倉庫営業者の義務

1　保管義務

倉庫寄託契約が無償でも、寄託物の保管につき善管注意義務を負う（595）〈書。

2　返還義務

保管期間の定めがある場合であっても、寄託者の請求があるときは、いつでも寄託物を返還すべき義務を負う（民662 Ⅰ）。

3　倉荷証券交付義務

寄託物の引渡しを受けた後は、寄託者の請求により、寄託物について倉荷証券を交付することを要する（600）。

4　点検・見本提供・保存行為に応じる義務　⇒§609

5　損害賠償義務　⇒§610

三　倉庫営業者の権利

1　寄託物引渡請求権

倉庫寄託契約は諾成契約であるとする有力説によれば、倉庫営業者は寄託者に対して寄託物の引渡しを請求する権利を有することになるから、寄託者が遅滞なくこれに応じなければ寄託者の履行遅滞となり倉庫営業者は倉庫寄託契約を解除できる他、寄託者に対して損害賠償請求をすることができる。

2　保管料・費用償還請求権　⇒§611

3　留置権・先取特権

倉庫営業者は、保管料請求権及び費用償還請求権について、寄託物の上に民法上の留置権及び動産保存の先取特権を有し（民295、321）、また寄託者が商人であれば、商人間の留置権をも有する（521）。

4　競売・供託権　⇒§615

四　倉荷証券

1　意義

倉荷証券は、それ1枚のみで倉庫営業者に対する寄託物返還請求権を表章する有価証券であり、寄託者が請求する場合に発行される（600）。

2　倉荷証券の記載事項　⇒§601

五　荷渡指図書

1　意義

荷渡指図書とは、物品の保管者に対し、その物品の全部又は一部をその書面の所持人に引き渡すべきことを指示する証券をいう。これは商法上の制度ではないが、倉荷証券が発行されていない場合に実務上利用される。

2　荷渡指図書と寄託物の即時取得（民192）

寄託者が荷渡指図書を発行し、倉庫業者が寄託者の意思を確認し、寄託者台帳上の名義を被指図人に変更する手続をとり目的物の引渡しを完了した物として処理することが広く行われていた。このような事実関係の下では、指図による占有移転を受けることで民法192条にいう占有を取得したといえる（最判昭57.9.7・百選97事件）。

商行為

第５９９条（定義）

この節において「倉庫営業者」とは、他人のために物品を倉庫に保管することを業とする者をいう。

第６００条（倉荷証券の交付義務）

倉庫営業者は、寄託者の請求により、寄託物の倉荷証券を交付しなければならない。

第６０１条（倉荷証券の記載事項）

倉荷証券には、次に掲げる事項及びその番号を記載し、倉庫営業者がこれに署名し、又は記名押印しなければならない。

① 寄託物の種類、品質及び数量並びにその荷造りの種類、個数及び記号
② 寄託者の氏名又は名称
③ 保管場所
④ 保管料
⑤ 保管期間を定めたときは、その期間
⑥ 寄託物を保険に付したときは、保険金額、保険期間及び保険者の氏名又は名称
⑦ 作成地及び作成の年月日

第６０２条（帳簿記載義務）

倉庫営業者は、倉荷証券を寄託者に交付したときは、その帳簿に次に掲げる事項を記載しなければならない。

① 前条第１号、第２号及び第４号から第６号までに掲げる事項
② 倉荷証券の番号及び作成の年月日

第６０３条（寄託物の分割請求）

Ⅰ 倉荷証券の所持人は、倉庫営業者に対し、寄託物の分割及びその各部分に対する倉荷証券の交付を請求することができる。この場合において、所持人は、その所持する倉荷証券を倉庫営業者に返還しなければならない。
Ⅱ 前項の規定による寄託物の分割及び倉荷証券の交付に関する費用は、所持人が負担する。

第６０４条（倉荷証券の不実記載）

倉庫営業者は、倉荷証券の記載が事実と異なることをもって善意の所持人に対抗することができない。

第６０５条（寄託物に関する処分）

倉荷証券が作成されたときは、寄託物に関する処分は、倉荷証券によってしなければならない。

《注　釈》

◆　判例

1　倉荷証券上の免責約款による免責の可否

荷造りの方法、受寄物の種類からみて、その内容を検査することが容易でなく、荷造りを解いて内容を検査することによりその品質又は価格に影響を及ぼすことが一般取引の通念に照らして明らかな場合に限り倉荷証券上の免責条項を援用して責任を免れうる（最判昭44.4.15・百選95事件）。

2　倉荷証券上の保管料負担特約と裏書譲渡

倉荷証券に保管料等寄託物に関する費用は証券所持人が負担するものとする趣旨の文言の記載がある場合、第三者が裏書譲渡により倉荷証券を取得したときは、特段の事情のない限り、各当事者間に、その所持人が記載の文言の趣旨に従い右費用支払の債務を引き受けるという意思の合致あるものと解する（最判昭32.2.19・百選96事件）。

第６０６条　（倉荷証券の譲渡又は質入れ）

倉荷証券は、記名式であるときであっても、裏書によって、譲渡し、又は質権の目的とすることができる。ただし、倉荷証券に裏書を禁止する旨を記載したときは、この限りでない。

第６０７条　（倉荷証券の引渡しの効力）

倉荷証券により寄託物を受け取ることができる者に倉荷証券を引き渡したときは、その引渡しは、寄託物について行使する権利の取得に関しては、寄託物の引渡しと同一の効力を有する。

第６０８条　（倉荷証券の再交付）

倉荷証券の所持人は、その倉荷証券を喪失したときは、相当の担保を供して、その再交付を請求することができる。この場合において、倉庫営業者は、その旨を帳簿に記載しなければならない。

第６０９条　（寄託物の点検等）◁書

寄託者又は倉荷証券の所持人は、倉庫営業者の営業時間内は、いつでも、寄託物の点検若しくはその見本の提供を求め、又はその保存に必要な処分をすることができる。

第６１０条　（倉庫営業者の責任）

倉庫営業者は、寄託物の保管に関し注意を怠らなかったことを証明しなければ、その滅失又は損傷につき損害賠償の責任を免れることができない。

《注　釈》

◆　損害賠償義務

1　倉庫営業者は、寄託物の保管に関し注意を怠らなかったことを証明しなければ、寄託物の滅失・損傷につき損害賠償義務を免れない（610）。

2　受寄者の責めに帰すべき事由によって履行不能となった場合、寄託者が寄託物の所有権を有しない場合でも、原則として受寄者は寄託物の価格相当額を寄託者に賠償すべきであるが、寄託者が寄託物の所有者ではなく、寄託物が真の所有者の手中に帰ったなどの事実関係の下では寄託者は寄託物の価格相当額の損害を被ったものということはできない（最判昭 42.11.17・百選 94 事件）。

第６１１条（保管料等の支払時期）

倉庫営業者は、寄託物の出庫の時以後でなければ、保管料及び立替金その他寄託物に関する費用（第６１６条第１項において「保管料等」という。）の支払を請求することができない。ただし、寄託物の一部を出庫するときは、出庫の割合に応じて、その支払を請求することができる。

《注　釈》

◆　**保管料・費用償還請求権**

倉庫営業者は商人であるから、特約がなくても寄託者に対して報酬すなわち保管料を請求できる（512）。倉庫営業者が寄託物について支出した費用は償還を請求できる（民 665・650）が、その時期は保管料と同じく出庫の時以後である（611）。

第６１２条（寄託物の返還の制限）

当事者が寄託物の保管期間を定めなかったときは、倉庫営業者は、寄託物の入庫の日から６箇月を経過した後でなければ、その返還をすることができない。ただし、やむを得ない事由があるときは、この限りでない。

第６１３条（倉荷証券が作成された場合における寄託物の返還請求）

倉荷証券が作成されたときは、これと引換えでなければ、寄託物の返還を請求することができない。

第６１４条（倉荷証券を質入れした場合における寄託物の一部の返還請求）

倉荷証券を質権の目的とした場合において、質権者の承諾があるときは、寄託者は、当該質権の被担保債権の弁済期前であっても、寄託物の一部の返還を請求することができる。この場合において、倉庫営業者は、返還した寄託物の種類、品質及び数量を倉荷証券に記載し、かつ、その旨を帳簿に記載しなければならない。

第６１５条（寄託物の供託及び競売）

第５２４条第１項＜売主による目的物の供託及び競売＞及び第２項＜売主による目的物の無催告の競売＞の規定は、寄託者又は倉荷証券の所持人が寄託物の受領を拒み、又はこれを受領することができない場合について準用する。

第６１６条　（倉庫営業者の責任の消滅）

Ⅰ　寄託物の損傷又は一部滅失についての倉庫営業者の責任は、寄託者又は倉荷証券の所持人が異議をとどめないで寄託物を受け取り、かつ、保管料等を支払ったときは、消滅する。ただし、寄託物に直ちに発見することができない損傷又は一部滅失があった場合において、寄託者又は倉荷証券の所持人が引渡しの日から２週間以内に倉庫営業者に対してその旨の通知を発したときは、この限りでない。

Ⅱ　前項の規定は、倉庫営業者が寄託物の損傷又は一部滅失につき悪意であった場合には、適用しない。

第６１７条　（倉庫営業者の責任に係る債権の消滅時効）

Ⅰ　寄託物の滅失又は損傷についての倉庫営業者の責任に係る債権は、寄託物の出庫の日から１年間行使しないときは、時効によって消滅する〈書。

Ⅱ　前項の期間は、寄託物の全部滅失の場合においては、倉庫営業者が倉荷証券の所持人（倉荷証券を作成していないとき又は倉荷証券の所持人が知れないときは、寄託者）に対してその旨の通知を発した日から起算する。

Ⅲ　前２項の規定は、倉庫営業者が寄託物の滅失又は損傷につき悪意であった場合には、適用しない〈書。

第６１８条～第６８３条　削除

— MEMO —

手形法

第1編　為替手形

《概　説》

一　総説

1　手形・小切手の特色

(1)　抽象的な金銭債権を表章

(2)　権利と証券の結合の緊密性

→権利と証券の結合が権利の発生面にも及ぶ完全有価証券

・設権性：手形の作成によって権利が発生する

・無因性：原因関係が手形上の権利に影響しない

・文言性：権利の内容は手形上の記載によって決まる

・要式性：各行為の方式は法定されている

→記載事項が法定されている（厳格な要式証券）

(3)　同一の証券上に多数の権利が併存する（手形行為独立の原則）。

→１枚の手形・小切手の上に、振出人に対する権利、裏書人に対する権利など、多数の権利が表章されており、それぞれの権利は各々独立である

2　約束手形の意義・構造・機能

(1)　約束手形とは、振出人が、受取人その他証券の正当な所持人に対して、満期に一定の金額を、支払うことを約束する手形をいう〈司〉。

(2)　約束手形の振出人は自ら満期に支払を約束し（支払約束証券）、手形を振り出した振出人が絶対的義務を負う。支払人は存在しない〈司〉。

受取人は満期に振出人に請求してもよいし、他人に譲渡してもよい。

(3)　信用の手段（信用証券）、支払の手段としての機能を有する。

3　為替手形の意義・構造・機能

(1)　為替手形とは、振出人が、受取人その他証券の正当な所持人に対して満期に一定の金額を支払うことを、支払人に委託する手形をいう〈司〉。小切手の場合（小３、59）と異なり、為替手形には支払人についての制限はない〈予〉。

(2)　為替手形の振出人は手形の振出によって当然に支払義務を負うわけではなく、支払人による支払引受を担保するにすぎない〈予〉。

支払人は、振出人に指定されただけでは手形上の責任を負わず、引受け（為替手形特有の行為）署名をしてはじめて手形債務者となる〈司〉。

受取人又はその後の譲受人は、支払人に引受けのための呈示をし、支払人が引受けをした場合には、以後引受人として第一次的支払義務を負い、引受けを拒絶した場合には、引受拒絶による遡求が開始される。

(3)　信用の手段（信用証券）、送金の手段、取立ての手段、支払の手段としての機能を有する。

* 手形法は、為替手形について詳細に規定し、為替手形についての規定を約束手形に準用している（77）。わが国では、約束手形の利用が多く、為替手形はあまり使われない状況にある。

4 小切手の意義・構造・機能

(1) 小切手とは、振出人が、受取人その他証券の正当な所持人に対して満期に一定の金額を支払うことを、支払人たる銀行などの金融機関に宛てて委託する有価証券をいう〈司予。

(2) 小切手は、為替手形と同様、支払委託証券であるが、手形と異なり、信用証券ではなく、支払証券である〈司。 ⇒ p.823

小切手は、支払の手段であって、振出人が銀行に預けている預金で自己に代わって銀行に支払ってもらうために利用することを予定したものである。

(3) 小切手は、専ら現金代用物として支払の手段としての機能を営む。

二 原因関係と手形関係

1 手形関係が原因関係に及ぼす影響

(1) 手形の授受が原因関係に及ぼす影響

(a) 原因債務の帰趨

手形の授受により原因債権が消滅する（支払に代えて）か、両債務が併存する（広義の支払のために）かは、当事者の意思を基準として決すべきであり、当事者の意思が不明の場合には、両債務は併存する（広義の支払のために）ものと推定すべきである（最判昭45.10.22）〈予。

∵ 手形金の支払は必ずしも確実でなく、担保権の消滅や消滅時効期間（手77 I ⑧・70 I、民166 I参照）などの点で、両債務は併存するとする方が債権者に有利である

(b) 併存する場合（広義の支払のために）の行使の順序

当事者の意思を基準として決すべきであるが、当事者の意思が不明の場合には、債務者が手形上唯一の債務者であり、かつ第三者方払でない場合にはいずれを先に行使してもよいと解すべきであるが（担保のために）、それ以外の場合は手形上の権利を先に行使すべきである（狭義の支払のために）。

債務者が手形上の唯一の債務者であり、かつ第三者方払でない場合（単名手形の場合）には、どちらの債権が行使されても債務者を害せず、また、債務者にとっても有利な解釈となる。

* 判例は、当事者間に特約等がなく、債務者が手形上の唯一の債務者のときは、担保のための授受といえ、債権者は両債権のいずれを先に行使してもよいとする（最判昭23.10.14・百選86事件）。

(c) 担保のために授受された場合の原因債権行使

先に原因債権の請求を受けた債務者は、手形と引換えにのみ支払うという、一種の同時履行の関係を主張することができるとされる（最判昭33.6.3・百選87事件［小切手の事案］）〈予。

＊　原因債務の履行期が徒過すれば、債務者は履行遅滞に陥る判。
∵　双務契約上の同時履行関係が認められるわけではない

<原因関係と手形関係>

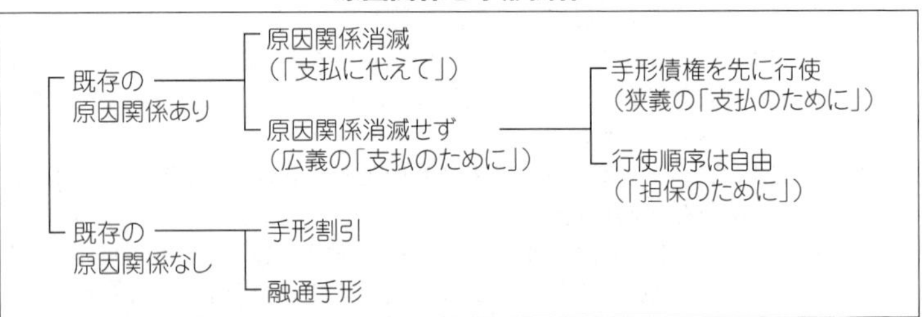

(2)　手形債権の消滅が原因関係に及ぼす影響

(a)　履行による手形債務の消滅により、原因債権は消滅する。

(b)　時効及び手続欠缺による手形債権消滅では原因債権は消滅しない。

(3)　手形金請求の訴えの提起と原因債権の時効の完成猶予　⇒ p.810

2　原因関係が手形関係に及ぼす影響

(1)　原因関係の無効・不存在・消滅は、手形関係の無効・不存在・消滅をもたらさない。

∵　手形行為の無因性

＊　手形行為の無因性を認める見解、権利移転行為のみを有因とする見解等がある。

→もっとも、原因関係上の直接の当事者間に手形がある場合、原因関係の無効・取消し等はこれを人的抗弁として主張することができる同

(2)　原因債権の消滅が手形関係に及ぼす影響

(a)　原因債務の履行は、人的抗弁事由となる。

(b)　原因債権の譲渡は、影響しない（ただし、手形返還の抗弁）。

(c)　原因債権の時効消滅は、人的抗弁事由となる（最判昭62.10.16・百選78事件）同。

三　手形の成立同

1　形式的要件　⇒ § 1、§75

2　手形の署名　⇒ p.812

3　実質的要件

(1)　手形能力

(a)　手形権利能力

民法上の権利能力と対応し、手形行為の効果帰属主体となることのできる資格をいう。自然人に認められ、法人もその目的を問わず認められる。

＊　組合の代表者がその権限に基づき、組合のために組合の代表者名義をもって振り出したものである以上、各組合員は共同振出人として合同し

て手形債務を負担する（最判昭36.7.31・百選3事件）。

(b) 手形意思能力

民法に従い、手形意思能力を欠いてなされた手形行為は無効となり、意思無能力者は手形債務を負担しない（物的抗弁）。

(c) 手形行為能力

民法に従い、未成年者、成年被後見人は取り消しうる。

被保佐人の行った手形行為についても、取り消しうる。

∵ 約束手形の振出しは「借財」（民13Ⅰ②）に該当する（大判明39.5.17）

* 民法と異なり、取消前の第三者と取消後の第三者とを区別しない。
* 取消しの相手方は、直接の相手方に対してなすべきである（大判大11.9.29・百選9事件）。

(2) 意思表示の瑕疵・欠缺

(a) 概観

原因関係について意思の欠缺や意思表示の瑕疵がある場合には、人的抗弁の問題となるが、手形行為自体に意思表示の瑕疵等がある場合、民法の適用があるか争いがある。

代表的な見解として、①民法の規定をそのまま適用すべきとする見解、②民法の規定の適用を否定する見解、③民法の規定を修正して適用すべきとする見解がある。

(b) 判例の立場

ex.1 手形に署名し、任意に交付すれば、手形の振出行為は成立し、手形を詐取された事実があっても、そのような事由は悪意の手形取得者に対する人的抗弁事由となる（最判昭25.2.10・百選7事件）

ex.2 強迫による手形取消の抗弁は、いわゆる人的抗弁として、善意の手形所持人には、対抗できない（最判昭26.10.19）予

ex.3 金額が1500万円の手形を150万円と誤信して裏書をした事案で、手形であると認識して裏書人欄に署名・記名捺印すれば有効な裏書が成立し、手形債務負担意思がなかったとしても責任を免れないが、債務負担意思のないことについて悪意で取得した者との関係では人的抗弁を主張しうる（最判昭54.9.6・百選6事件）

* 錯誤は、150万円を超える部分についてのみ存し、その余の部分については錯誤はなかったものと解す余地があり、そうだとすれば、特段の事情がない限り、錯誤を理由として償還義務の履行を拒むことはできるのは、150万円を超える部分についてだけである（最判昭54.9.6・百選6事件）

4 手形理論

(1) 概説

手形債務は、どのような行為によって、いつ成立するかについては争いが

ある。書面行為がなされた段階で成立するのか、書面行為のみならず手形の交付によってはじめて成立するのかの問題である。

代表的な学説として、契約説、発行説、創造説等がある。

①契約説：手形債務は、手形授受の当事者間で手形交付契約が締結され、手形の授受という方式により成立する（交付契約説〈通〉）

∵① 債権債務関係は契約によって生じるのが原則であり、手形法に特別の規定がない以上、手形債務についても同様に考えるべき

② 手形という書面を通じて意思表示がされ、手形の授受により、意思表示が相手方に到達する〈予〉

②発行説：手形行為は単独行為であり、手形署名者がその意思に基づいて手形の占有を移転すれば、手形署名者の手形上の債務が発生する

→これらの見解は、手形に署名した後であっても、占有を手放すまでは、署名者は自由に手形債務の内容を変更し、又は消滅させることができるから、手形を相手方に交付してはじめて債務を負担すると解することが手形行為者の通常の意思に合致すると説明する〈予〉

→これらの見解においては、手形取引の安全を図るため、権利外観理論を用いて修正をなす見解が一般的である

③創造説：手形の作成・署名によって手形債務は発生する

* 創造説の中でも、署名によって署名者自身を権利者とする手形上の権利が成立し、その権利が手形の交付によって相手方に譲渡されるとする二段階創造説が有力である〈予〉。

→この見解においては、振出人が署名したが、受取人に交付する前の手形が振出人の下で保管されていた間に盗取されたときは、当該手形を盗取した者から、善意でかつ重大な過失がなく当該手形を取得した者は、善意取得によって保護される〈予〉

←この見解に対しては、民法上も単独行為によって債権債務関係は生じ得るし、相手方の承諾を必要と考えるのは擬制的であるという批判がなされている〈予〉

(2) 権利外観理論

手形行為者が有効に手形債務を負担したかのような①外観を②有責的に作出した場合には、その③権利外観を信頼した者に対して手形債務を負担しなければならないとする理論をいう。

① 有効な手形債務発生の外観（手形作成・署名の外観）

② 外観作出についての署名者の帰責性

手形行為者が自らの意思で手形を作成し、署名したことをもって足りるという見解と、それに加えて署名者による保管の態様や占有離脱の事情等、署名者の全挙動を考慮して手形の流通に対して署名者自身が何ら

かの原因を与えたことが必要であると考える見解がある。

③ 第三者の外観への信頼（善意・無重過失）

根拠について、手形法10条とする見解と手形法16条2項とする見解がある。

(3) 判例の立場

流通に置く意思で約束手形に振出人として署名又は記名押印した者は、その意思によらずに当該手形が流通に置かれたとしても、裏書の連続する手形の所持人に対しては、当該所持人が悪意・重過失で取得したことを立証しない限り、手形債務を負担する（最判昭46.11.16・百選8事件）。

四 他人による手形行為

1 手形行為と名板貸

＊ 自己の氏名・商号等の使用を許諾しただけの者には名板貸人の責任は生じない（最判昭42.6.6・百選12事件）。

2 他人のための手形行為 ⇒§8

・第1章・【為替手形の振出及方式】

第1条 【手形要件】

為替手形には左の事項を記載すべし。

① 証券の文言中に其の証券の作成に用ふる語を以て記載する為替手形なることを示す文字

② 一定の金額を支払ふべき旨の単純なる委託

③ 支払を為すべき者（支払人）の名称

④ 満期の表示

⑤ 支払を為すべき地の表示

⑥ 支払を受け又は之を受くる者を指図する者の名称〈予〉

⑦ 手形を振出す日及地の表示

⑧ 手形を振出す者（振出人）の署名

《注 釈》

◆ 手形行為の成立要件

1 文言性

(1) 手形客観解釈の原則

手形債務の内容は、専ら手形上の記載のみから判断されなければならず、手形上の記載以外の事情によって判断してはならないという原則をいう。

(2) 手形有効解釈の原則

社会通念上合理的に解釈可能ならば、できる限り有効に解釈して手形を無効とすることを避けるべきであるとする原則をいう。

(3) 手形所持人有利解釈の原則

手形の記載からはどちらとも判断できない記載については、どちらの解釈をとるかは所持人に選択権が与えられるという原則をいう。

ex. 手形面上の記載が法人名義か肩書付き代表者個人名義か分からない場合、手形所持人はそのいずれに対しても請求することができる（最判昭47.2.10・百選4事件）〈共

(4) 手形外観解釈の原則

手形上の記載が真実に反していても、手形債務の内容は手形上の記載に従って決定されるという原則をいう。

2 厳格要式証券性

手形債務の内容は手形の記載のみにより決定される（文言性）から、手形に記載すべき事項は厳格に法定され（厳格要式性）、法定の要件（必要的記載事項）を欠くものは約束手形としての効力を認められない（76 I 本文）。

＊ 統一手形用紙によらないで振り出された約束手形も有効である〈司予。

第2条 【手形要件の記載の欠缺】

I 前条に掲ぐる事項の何れかを欠く証券は為替手形たる効力を有せず。但し次の数項に規定する場合は此の限に在らず。

II 満期の記載なき為替手形は之を一覧払のものと看做す〈予。

III 支払人の名称に附記したる地は特別の表示なき限り之を支払地にして且支払人の住所地たるものと看做す。

IV 振出地の記載なき為替手形は振出人の名称に附記したる地に於て之を振出したるものと看做す。

《注 釈》

一 手形の記載事項

1 必要的記載事項

手形要件であって、その記載を欠くと手形としての効力を生じないこととなる事項をいう。

2 有益的記載事項

その記載がなくても手形としての効力に問題はないが、それを記載すれば記載通りの効力が認められる事項をいう。

3 無益的記載事項

記載しても手形は無効とならないが、記載しても無意味な事項をいう。

(1) 法律により当然にその記載と同様の結果が認められるため、記載が無意味な事項

ex. 指図文句（77 I ①、11 I）、引換払文句（77 I ③、39 I）

(2) 法律の規定により、記載しても効力が認められない事項

ex. 確定日払手形・日付後定期払手形における利息文句（77 II・5 I 後段）

4 有害的記載事項
それを記載すると手形が無効となる事項をいう。
(1) 分割払の記載(77 Ⅰ②、33 Ⅱ)、単純な支払約束(75②)に反する記載(商品を受け取ったら手形金を支払う旨の記載等)、振出人の免責文句等、手形の本質に反する事項
(2) 支払資金を限定する旨の記載

二 手形要件の複数記載

1 振出人の複数記載
(1) 肩書を示すことなく、振出人欄に複数の署名がある場合
手形保証(31 Ⅲ)か単なる署名が振出人の署名なのか区別するため、両者の識別を要するが、一般の取引通念・手形客観解釈の原則により、原則として筆頭署名者が振出人、その他は保証人とされる。
(2) 複数記載が各々振出人と認められた場合
(a) 重畳的記載
有効であり、手形所持人は記載された振出人全員が支払拒絶してはじめて償還請求できる。
(b) 選択的記載
有効であり、手形所持人は記載された振出人のいずれか1人に支払拒絶されれば償還請求できる。
(c) いずれかが明確でない場合
複数の振出人の記載が重畳的記載なのか選択的記載なのが明らかでない場合、所持人にとって有利な選択的記載と解すべきである(手形所持人有利解釈)司。
2 受取人の複数記載
数人の受取人が重畳的、選択的に記載されている場合にも手形は有効である。
3 支払地の複数記載
(1) 支払地の重畳的記載、選択的記載はともに認められない通。
∵ 所持人の権利行使を困難にする
(2) 重畳的記載は認められないが、選択的記載は所持人が選択権を有する限り有効としてよいとする見解もある。
∵ 重畳的記載は遡求条件の一定性を害するわけではないが、所持人の利益を不当に害する
4 手形金額の重複記載 ⇒ p.772

第3条 【自己指図、自己宛て、委託手形】
Ⅰ 為替手形は振出人の自己指図にて之を振出すことを得。
Ⅱ 為替手形は振出人の自己宛にて之を振出すことを得。
Ⅲ 為替手形は第三者の計算に於て之を振出すことを得。

第4条　【第三者方払の記載】

為替手形は支払人の住所地に在ると又は其の他の地に在るとを問はず第三者の住所に於て支払ふべきものと為すことを得。

第5条　【利息の約定】

Ⅰ　一覧払又は一覧後定期払の為替手形に於ては振出人は手形金額に付利息を生ずべき旨の約定を記載することを得〈予〉。其の他の為替手形に於ては此の約定の記載は之を為さざるものと看做す。
Ⅱ　利率は之を手形に表示することを要す。其の表示なきときは利息の約定の記載は之を為さざるものと看做す。
Ⅲ　利息は別段の日附の表示なきときは手形振出の日より発生す。

《注　釈》

◆　**利息文句（5）**

確定日払、日附後定期払の手形は利息文句の記載は許されないが、一覧払、一覧後定期払の手形には利息文句の記載は許される〈共〉。

第6条　【手形金額に関する記載の差異】

Ⅰ　為替手形の金額を文字及数字を以て記載したる場合に於て其の金額に差異あるときは文字を以て記載したる金額を手形金額とす〈共〉。
Ⅱ　為替手形の金額を文字を以て又は数字を以て重複して記載したる場合に於て其の金額に差異あるときは最小金額を手形金額とす〈共〉。

《注　釈》

一　**「一定の金額」（75②）と救済規定**

手形金額は「一定の金額」を記載することを要し（75②）、複数の金額を重複して記載することは認められない。

文字と数字の重複記載は文字を優先し、文字間、数字間では最小額を標準とする（77Ⅱ、6）〈共〉。

一方が誤記と認められる場合にも、6条に従って手形金額を決する（最判昭61.7.10・百選38事件）〈司〉

二　**6条1項の「文字」の意味**

漢数字による記載をいう（最判昭61.7.10・百選38事件）。

第7条　【手形行為独立の原則】

為替手形に手形債務の負担に付き行為能力なき者の署名、偽造の署名、仮設人の署名又は其の他の事由に因り為替手形の署名者若は其の本人に義務を負はしむること能はざる署名ある場合と雖も他の署名者の債務は之が為其の効力を妨げらるることなし。

《注　釈》

一　**手形行為独立の原則の意義**

1　手形行為独立の原則とは、同一の手形上に数個の手形行為がなされた場合に、前提たる手形行為が実質的理由により無効となり、又は取り消されてもそれに続く行為による債務はこれによってその効力を妨げられないという原則（77Ⅱ、7）をいう。

2　手形行為独立の原則により、直接の裏書人や手形保証人が有効に署名していれば、先行する手形行為に実質的瑕疵があっても、裏書人や手形保証人に責任追及することができるという機能を果たし、手形の流通性を高める共。

3　この原則は「債務を負担」としている文言からも明らかなように、手形債務負担の場面で働くものであるので、先行する裏書が無効である場合であっても、原則として後行する裏書によっても権利移転が生じることはなく、例外的に、後行する裏書の被裏書人が善意取得した場合において、被裏書人は振出人に対する権利を取得する。

4　手形行為の方式に瑕疵がある場合は、手形券面上から明らかであることから、手形行為独立の原則は適用がない司。　⇒§32

二　手形行為独立の原則の根拠

1　学説の対立と悪意の第三者への関係

(1)　当然説

同原則は、手形行為の性質自体が、同一の手形上になされていても、それぞれ他と無関係に手形上の記載を内容とする債務を負担する文言的行為であることから認められる当然の原則である。

→取得者の善意悪意を問わず適用される

(2)　政策説通

1個の手形上になされる数個の手形行為の間に先後の関係があるときは、一般原則によれば先行行為の無効により後行行為は当然に無効となるはずであるが、これでは手形取引の安全が著しく害されるから、政策的に手形行為独立の原則を定めたものである。

→悪意者は政策的に保護に値しないことから同原則の適用はない

＊　政策説からでも、手形の信用を増すために本原則の適用を善意者に限らないと考えることも可能。

2　判例

判例は、取得者が悪意でも同原則の適用があるとする（最判昭33.3.20・百選46事件）司。

三　裏書と手形行為独立の原則

裏書についても、手形行為独立の原則の適用はある通。なお、ここでも裏書について悪意の者にも同原則の適用があるかが問題となる。

∵①　適用されないとすれば、7条の存在意義があまりに小さくなる

②　裏書にも担保的効力が認められ（15）、債務負担面を観念することができる

第8条 【手形行為の代理】 同

代理権を有せざる者が代理人として為替手形に署名したるときは自ら其の手形に因り義務を負ふ。其の者が支払を為したるときは本人と同一の権利を有す。権限を超えたる代理人に付亦同じ。

《注 釈》

一 他人による手形行為

1 方式

①代理方式：手形上に署名者の代理文句が記載されている方式

②機関方式：手形上に署名の代理文句が記載されていない方式

→法人の機関方式は認められない（最判昭 41.9.13・百選2事件）司予

2 区別

代理方式と機関方式との区別は、手形行為の形式によってなされる。

無権代理と偽造との区別は、代理関係の表示の有無によってなすべきである。

二 代理方式による手形行為

1 形式的要件

(1) 本人の表示、代理関係の表示、代理人の署名が必要と解されている。

(2) 代理関係の表示は、代理・代表関係を認識しうる程度の記載があれば足りる。

(3) 判例は、手形の記載のみでは、法人のためにする旨の表示であるとも、代表者個人のための表示であるとも解しうる事例につき、所持人は、法人及び代表者個人のいずれに対しても手形金の請求をすることができ、請求を受けた者は、いずれの趣旨で振り出されたかを知っていた直接の相手方に対しては、その旨の人的抗弁を主張しうるとした。

(4) 手形法には商法 504 条の適用はない。

2 実質的要件

(1) 本人のために手形行為をなす権限（代理権・代表権）を有することが必要である。

(2) 手形の振出と利益相反取引（最大判昭 46.10.13・百選 37 事件）

(a) 約束手形の振出は、会社法 356 条1項2号・3号の「取引」に当たる。

∵ 原因関係とは別個の新たな債務を負担し、しかも、一層厳格な支払債務である

(b) 同条に違反した場合、会社は、会社が振り出した手形の受取人である取締役に対しては無効主張できるが、裏書譲渡を受けた第三者に対しては、同条違反の事実及び同条違反の事実についての第三者の悪意を立証しなければ、手形上の責任を免れない。

∵ 手形取引の安全

* 隠れた手形保証については適用されないと解される。

⑶ 手形行為と自己契約・双方代理

自己契約・双方代理（民108 Ⅰ）の場合も同様の処理がなされる（最判昭47.4.4）。

⑷ 権限濫用

代理権（代表権）が濫用された場合、手形行為は、民法107条により無権代理とみなされる。

三 無権代理

1 本人の責任

⑴ 本人は手形上の責任を負わないのが原則である。

* 追認（民116）は可能であり、追認の相手方は直接の相手方たる受取人のみならず現在の所持人でもよい。

⑵ 表見代理

手形法に規定なく、民法の一般原則による。

表見代理の規定が（類推）適用されるのは、手形行為の直接の相手方に限られる（最判昭36.12.12・百選10事件）〈同。そして、直接の相手方といえるか否かは、手形上の記載により形式的に判断するのではなく、手形取引の実質上の関係に基づき判断する（最判昭39.9.15・百選14事件）。

2 無権代理人の責任

⑴ 責任の内容・法的性質

代理権を有しない者が代理人として手形上に署名したときは、本人同様にその無権代理人が手形上の責任を負う（77 Ⅱ、8）。他方、無権代理人は、本人が責任を負うとしたなら本人が主張できるはずの抗弁を援用することができる。

無権代理人の責任は、名義人本人が手形上の責任を負うかのように表示したことに対する法定の担保責任である。

⑵ 表見代理の成立と無権代理人の責任

表見代理が成立しても、無権代理人の責任も追及できる（最判昭33.6.17・百選11事件）〈同。

⑶ 越権代理の場合の責任

越権代理人は、代理権の範囲も含めて全額について無権代理人としての責任を負う。

⑷ 無権代理人が8条の責任を履行した場合

この場合には、本人と同様の権利を取得する。

* 無権代理人が第三者に手形を譲渡した際の対価を本人に返還せず、自ら取得した場合には、手形の盗取者的地位にある無権代理人は、権利を取得せず、本人が手形上の権利を取得する。

∵ 無権代理人が不当に利得する結果となることを回避

3　表見支配人（商24）・表見代表取締役（会354）・使用者責任（民715）

(1)　表見支配人

表見支配人の手形行為も直接の相手方は悪意重過失でない限り保護を受ける(商24)が、転得者は表見支配人の権限を信頼したとはいえないから「相手方」に含まれず商法24条が適用されない(最判昭59.3.29・商法百選24事件)。

(2)　表見代表取締役

表見代表取締役からの手形振出についても同様の議論があてはまる。

(3)　使用者委任

従業員の手形偽造につき、使用者責任が成立しうる（最判昭36.6.9・百選18事件)。

四　機関方式（代行方式）による手形行為 予H28

1　形式的要件

他人が直接本人名義の署名を代わって行う署名代行も認められる 判通。

2　実質的要件

本人のためにする代行権限が必要である。

五　偽造

1　本人（被偽造者）の責任 予H28

(1)　本人は原則として手形上の責任を負わない。

＊　無権代理に準じて遡及効ある追認も認められる（最判昭41.7.1・百選16事件） 司。

∵　偽造と無権代理とは方式に差異があるにすぎず、事後的に追認があれば権限の欠缺が補完されるに至ったと考えてよい

(2)　表見代理の規定が類推適用される（最判昭43.12.24・百選13事件)。

∵　偽造と無権代理はそれぞれ方式に差異があるにすぎず（機関方式か、代理方式か)、いずれも無権限者による本人名義の手形振出である点において差異はなく、第三者の信頼を保護しようとする表見代理の制度の趣旨からすれば、偽造の場合においても表見代理の規定を類推適用すべきである

2　偽造者の責任

手形法8条類推適用による責任を負う（最判昭49.6.28・百選17事件） 司。もっとも、偽造者は、偽造につき悪意の手形所持人に対しては責任を負わない（最判昭55.9.5） 司。

∵　手形法8条による無権代理人の責任は、名義人本人が手形上の責任を負うかのように表示したことに対する担保責任である

＜手形上の責任の整理＞

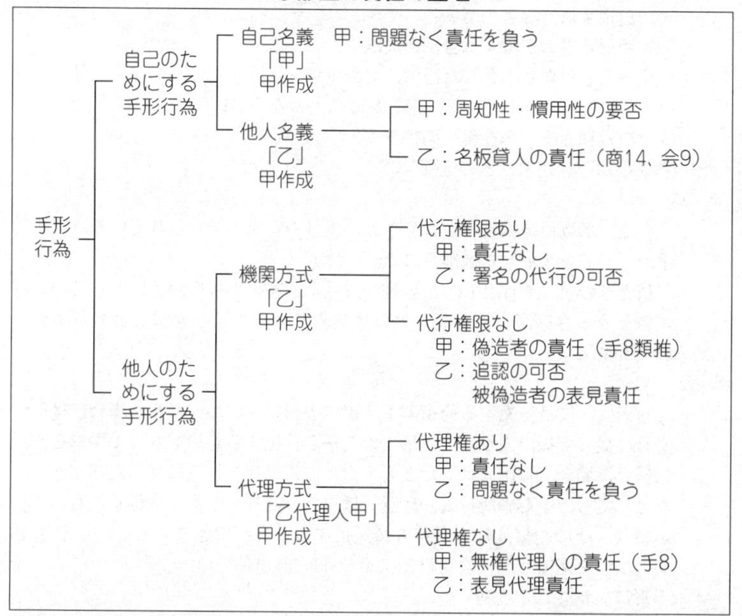

第９条　【振出しの効力】

Ⅰ　振出人は引受及支払を担保す。

Ⅱ　振出人は引受を担保せざる旨を記載することを得支払を担保せざる旨の一切の文言は之を記載せざるものと看做す。

第１０条　【白地手形】

未完成にて振出したる為替手形に予め為したる合意と異る補充を為したる場合に於ては其の違反は之を以て所持人に対抗することを得ず。但し所持人が悪意又は重大なる過失に因り為替手形を取得したるときは此の限に在らず。

《注　釈》

一　白地手形総説

1　意義

白地手形とは、手形要件の全部又は一部の記載を欠く未完成の手形をいい、主観説◀通によると、後日その取得者をして手形要件の全部又は一部を補充させる意思をもって、署名者があえて手形要件を記載しないで流通に置いた手形をいう。

2　成立要件
① 白地手形行為者の署名
② 手形要件の一部又は全部の欠缺
→手形が振り出された後に、記載事項を抹消したとしても、有効に流通していた手形が白地手形となることはない共
③ 白地補充権（補充権）の授与

3　白地手形と無効手形との区別
(1) 学説
白地手形は白地補充権が付与され、後日の完成が予定されている点で無効手形（不完全手形）と区別される。
補充権の発生要件として、裏書の外見上、将来の補充が予定されていればよいとする客観説と、署名者の白地補充させる意思を要するとする主観説通とがある。
(2) 判例
判例は、後日補充する約束の下、現に手形要件の補充された場合にはその文言に従って振出人として手形上の責任を負担する意思をもって手形を流通に置いた場合、振出人は、たとえ手形の白地要件が約束に反した補充がされたとしても、手形の所持人が悪意又は重大な過失で手形を取得したものでない限り、その約束違反を所持人に対抗することができないとし、手形法10条の法意を適用した（最判昭31.7.20・百選40事件）。

4　手形に表章される権利
白地手形には、①空白にされた手形要件を補充する権利（補充権）②補充を停止条件とする未完成の手形上の権利の２つの権利が表章されている通。

5　権利移転
裏書による譲渡が認められるのはもちろん、受取人白地の場合にはそのまま単なる交付により譲渡することもできる。また、善意取得（16Ⅱ類推）、人的抗弁の切断（17類推）も認められる。
∵ 白地手形も一種の有価証券なので、権利の流通面では完成手形と同一に取り扱われており、権利移転に関する手形法の規定が類推適用される

6　権利行使
(1) 白地手形のままの支払呈示の効力
白地手形のまま支払のために呈示しても、①付遅滞効、②遡求権保全効は認められない（最判昭33.3.7）司予。
∵ 白地手形は、補充がなされるまでは手形としての効力を認められず、未完成の手形にすぎないから、それによって手形上の権利を行使することはできない
(2) 白地手形による請求と訴訟・時効の完成猶予・更新
白地手形のまま訴えを提起しても勝訴判決は得られないが、口頭弁論終結時までに補充すれば足りる。

白地手形のまま補充せず敗訴した原告が、補充後再度出訴することは特段の事情がない限り前訴既判力に抵触し許されない（最判昭57.3.30・百選45事件）。

白地手形のままの状態での訴えの提起であっても時効の完成猶予・更新の効力は認められる（最大判昭41.11.2・百選43事件参照）。

7 白地補充権の消滅時効

(1) 判例の立場

(a) 満期の記載のある白地手形の補充権は手形上の権利と独立して時効にかからず（最大判昭45.11.11）、完成手形同様、満期から3年の消滅時効（77Ⅰ⑧、70Ⅰ）に服する。

(b) 満期白地手形の補充権は、民法166条1項が適用されることにより、権利を行使することができる時から5年の経過によって、時効により消滅する（最判昭44.2.20・百選41事件参照）〈司予。

∵ 契約に基づく一般的な債権は、権利発生時にその権利を行使できることを認識しているのが通常であるため、「権利を行使することができることを知った時」（主観的起算点・5年の消滅時効、民166Ⅰ①）と「権利を行使することができる時」（客観的起算点・10年の消滅時効、同②）は基本的に一致するところ、白地補充権は、補充権授与の合意（契約）に基づいて生じる一般的な債権に準ずる権利といえる

(c) 満期も満期以外の手形要件も白地の場合、満期が補充されれば、満期以外の手形要件の白地補充権は、手形上の権利と別個独立に時効によって消滅することはなく、その補充された満期日から3年の時効期間にかかる（最判平5.7.20・百選42事件）〈予。

(2) 補充権時効消滅後の補充

補充権の時効消滅後に補充された手形を善意・無重過失で取得した者との関係においては、補充権の消滅時効は人的抗弁であると解し、10条の類推適用により取得者を保護すべきである。

補充権の時効消滅後白地のままで手形を善意・無重過失で取得し、自ら補充した者との関係においても、10条の類推適用により手形取得者を保護すべきである。

∵ 取得者にとっては、手形がいつ振り出されたのか手形面上不明である

8 除権決定 ⇒p.819

二 白地手形の不当補充

1 補充権の内容

(1) 補充権の成立について主観説によると、補充権は、当事者の明示又は黙示の合意によって限定された、具体的な内容の権利である。

(2) 明示又は黙示の具体的な合意がなされていない場合でも、白地手形振出の原因関係や取引慣行等に照らして、補充権を付与する者の合理的意思を探求すべきである。

2　手形法10条の適用範囲

(1)　白地手形の補充前取得者

本条の保護を受ける者は、(補充の前後を問わず) 白地手形を取得した所持人が善意無過失であらかじめなされた合意と異なる補充をした者も含む (最判昭36.11.24・百選44事件 [小切手の事案]、最判昭41.11.10 [手形の事案]) 〈予〉。

(2)　不当補充と変造の区別

容易に消せる方式 (鉛筆書き等) で金額欄を記入した手形を振り出した場合、これを消除し当初予定されてない金額を書き込む場合、白地手形の不当補充か変造かが問題となりうるが、裁判例 (福岡高判昭55.12.23・百選22事件) は、不当補充の構成を採っている。ただし、不当補充変造のいずれと解しても、10条又は69条で手形所持人は悪意重過失でない限り、保護される。

3　当初の合意に基づく署名者の責任

白地手形の補充権を有するものが当初の合意に従って白地を補充すると完成手形になり、補充された記載に従って白地手形行為者が責任を負うことになる。

4　不当補充後の署名者の責任

白地手形所持人が補充権付与の合意に反する不当な補充がなされた場合、その後の手形取得者は不当補充されたことについて悪意重過失がない限り、振出人は不当補充後の記載の責任を負う。

・第2章・【裏書】

第11条　【法律上当然の指図証券性】

Ⅰ　為替手形は指図式にて振出さざるときと雖も裏書に依りて之を譲渡すことを得。

Ⅱ　振出人が為替手形に「指図禁止」の文字又は之と同一の意義を有する文言を記載したるときは其の証券は民法 (明治29年法律第89号) 第3編第1章第4節の規定に依る債権の譲渡に関する方式に従ひ且其の効力を以てのみ之を譲渡すことを得。

Ⅲ　裏書は引受を為したる又は為さざる支払人、振出人其の他の債務者に対しても之を為すことを得〈同〉。此等の者は更に手形を裏書することを得〈予〉。

[趣旨] 1項は、手形が法律上当然の指図証券であることを定め、手形の流通性を強化するものである。2項は、指図禁止手形を定め、手形所持人の債権行使の安全性を保障しつつ、人的抗弁の切断や遡求金額増大を防止して、振出人の利益を図るものである。3項は、戻裏書を定め、手形関係に混同法理が適用されないことを注意的に規定したものである。

《注　釈》

一　指図禁止手形 (裏書禁止手形)

1　指図禁止手形とは、振出人が手形上に「指図禁止」その他裏書を禁ずる旨の文言（指図禁止文言）を記載した手形（Ⅱ）をいう。

手形面上に指図文句と指図禁止文句が並存している場合にも手形は有効であり、指図禁止手形となる（最判昭53.4.24・百選47事件）。

2　指図禁止手形は、債権譲渡の方式に従い、その効力をもって譲渡しうる（Ⅱ）。

民法467条の定める対抗要件を具備する必要がある通。

二　指図禁止手形以外の手形と裏書以外の方法による権利移転

指図禁止手形以外の手形も、債権譲渡の方式によって譲渡することができる判通司。

指図禁止手形以外の手形を債権譲渡の方式によって取得した者は、その手形を裏書により譲渡することができる通。

三　戻裏書（Ⅲ）

1　意義

戻裏書とは、振出人、裏書人など、すでに手形上に署名して手形上の責任を負っている者になされる裏書をいう。①戻裏書を受けた債務者自身は中間の裏書人に対して権利行使できないが、②債務者から更に裏書を受けた者は手形に署名したすべての債務者に対して権利行使することができる。

2　戻裏書と人的抗弁

人的抗弁の対抗を受ける者が、善意の第三者に裏書した後、戻裏書により再び手形を取得した場合には、手形債務者は、その者に対して、人的抗弁を対抗できる予。

∵　手形上の権利行使について、自己の裏書譲渡前の法的地位よりも有利な地位を取得すると解しなければならない理由はない（最判昭40.4.9・百選27事件）

＊　理論的根拠として、権利復活説と権利再取得説から人的抗弁の属人性に求める見解がある。

<裏書その他権利移転原因の整理>

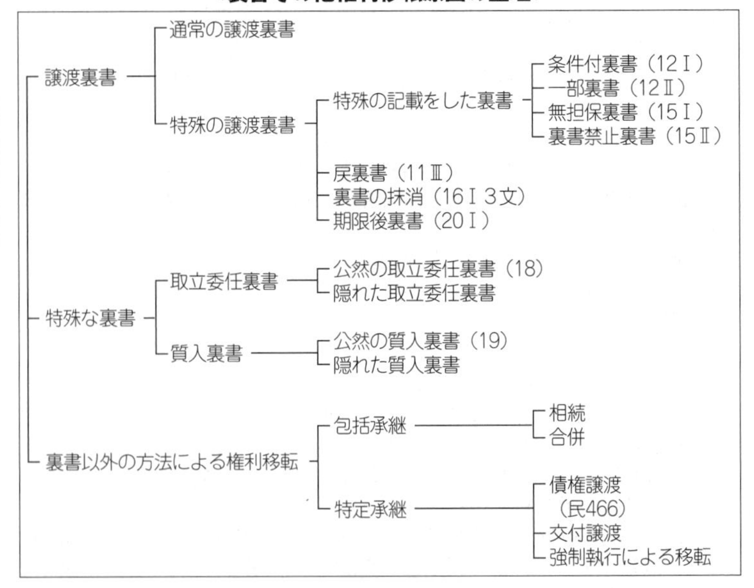

第１２条 【裏書の要件】

Ⅰ 裏書は単純なることを要す。裏書に附したる条件は之を記載せざるものと看做す予。

Ⅱ 一部の裏書は之を無効とす。

Ⅲ 持参人払の裏書は白地式裏書と同一の効力を有す。

第１３条 【裏書の方式】

Ⅰ 裏書は為替手形又は之と結合したる紙片（補箋）に之を記載し裏書人署名することを要す。

Ⅱ 裏書は被裏書人を指定せずして之を為し又は単に裏書人の署名のみを以て之を為すことを得（白地式裏書）予。此の後の場合に於ては裏書は為替手形の裏面又は補箋に之を為すに非ざれば其の効力を有せず。

《注 釈》

一 通常の譲渡裏書

裏書も手形行為であるから、手形能力、瑕疵のない意思表示など手形行為一般の成立要件をみたす必要がある。さらに、裏書は要式行為でもあり、一定事項を記載して裏書人が署名し、被裏書人にこれを交付するという方式をとって行われる（77Ⅰ①・13、77Ⅰ⑥・67Ⅲ）。

二　条件付裏書と一部裏書（12）

1　条件付裏書とは、裏書の効力を条件にかからしめる記載をした裏書をいう。裏書の効力が不確定となることから、条件のない裏書とされ、裏書自体は有効である（12 Ⅰ後段）。

2　一部裏書とは、手形金額の一部についてのみなされた裏書をいう。残部についての権利は裏書人に留保されることになるが、手形を所持していない以上権利の行使も譲渡もできないという不都合が生じるから、かかる裏書は無効となる（12 Ⅱ）予。

三　裏書の方式

1　記名式裏書

記名式裏書とは、裏書人の署名の他、裏書文句と被裏書人の名称を記載した裏書をいう（13 Ⅰ）。①裏書文句②被裏書人（裏書を受ける者）の名前を記載し③裏書人（裏書を行う者）が署名するものをいう。

被裏書人の重畳的記載、選択的記載も許される通。

2　白地式裏書

白地式裏書とは、被裏書人の記載のない裏書をいう（13 Ⅱ）。

白地式裏書の譲渡方法　⇒ §14

第１４条　【裏書の権利移転的効力】

Ⅰ　裏書は為替手形より生ずる一切の権利を移転す。

Ⅱ　裏書が白地式なるときは所持人は

①　自己の名称又は他人の名称を以て白地を補充することを得。

②　白地式に依り又は他人を表示して更に手形を裏書することを得。

③　白地を補充せず且裏書を為さずして手形を第三者に譲渡することを得。

《注　釈》

一　裏書の効力

①　権利移転的効力（14）

②　担保的効力（15）

③　資格授与的効力（16）

二　裏書の権利移転的効力

1　裏書の本質的効力として、裏書により、手形上のすべての権利が被裏書人（手形取得者）に移転する（Ⅰ）。

2　手形債権に付された民事保証債務・担保物権は、当事者の特段の合意がない限り、裏書によって移転する（最判昭45.4.21・百選49事件）。

三　白地式裏書の譲渡方法

①　被裏書欄に自分の名称を補充したうえ（Ⅱ①）又は被裏書人白地のまま（Ⅱ②）、次の裏書をする方法

②　被裏書人欄に直接他人の名称を補充したうえ（Ⅱ①）譲受人に交付する方法

③ 単なる交付による譲渡（Ⅱ③）する方法

→単なる交付は裏書ではないので、その手形の譲渡人は、手形法上の担保責任を負わない（77Ⅰ①、15Ⅰ参照）予

第１５条 【裏書の担保的効力】

Ⅰ 裏書人は反対の文言なき限り引受及支払を担保す。

Ⅱ 裏書人は新なる裏書を禁ずることを得。此の場合に於ては其の裏書人は手形の爾後の被裏書人に対し担保の責を負ふことなし。

《注 釈》

一 裏書の担保的効力

裏書人は、裏書により、その支払（手形の引受）を担保する責任を負う。

裏書による債務負担行為の効果であり、裏書人の意思表示に基づくものである（意思表示説）とする見解と、手形の流通性確保のために、法が認めた責任であるとする見解（法定責任説）通がある。

二 無担保裏書（裏書禁止裏書）

裏書人は担保責任を負わない旨の記載により担保責任を免れることができる司。

第１６条 【裏書の資格授与的効力】

Ⅰ 為替手形の占有者が裏書の連続に依り其の権利を証明するときは之を適法の所持人と看做す。最後の裏書が白地式なる場合と雖も亦同じ。抹消したる裏書は此の関係に於ては之を記載せざるものと看做す。白地式裏書に次で他の裏書あるときは其の裏書を為したる者は白地式裏書に因りて手形を取得したるものと看做す予。

Ⅱ 事由の何たるを問はず為替手形の占有を失ひたる者ある場合に於て所持人が前項の規定に依り其の権利を証明するときは手形を返還する義務を負ふことなし。但し所持人が悪意又は重大なる過失に因り之を取得したるときは此の限に在らず。

《注 釈》

一 資格授与的効力

＊ 裏書の連続する手形の所持人が手形上の権利者と推定されることを、「裏書」の資格授与的効力というとする見解がある。

＊ 裏書の連続する手形の所持人が手形上の権利者と推定されることを、「裏書の連続」の資格授与的効力といい、「裏書」の資格授与的効力とは、有効な裏書が権利移転的効力を有することを背景として、被裏書人として手形上に記載された者は、その裏書により権利を取得したものと推定されることをいうとする見解がある。この見解は、全体としての裏書の連続に認められる手形法16条1項の効力は、個々の裏書の有する資格授与的効力の集積したものと解する。

二　裏書の連続

1　意義

裏書の連続とは、手形面上の記載において、受取人が第一裏書人となり、第一裏書の被裏書人が第二裏書人となるというように、受取人から最後の被裏書人に至るまでの各裏書が間断なく続いていることをいう〈司〉。

2　効果

(1)　裏書の連続がある手形の所持人は、権利者であると推定される（法律上の権利推定）〈司〉。

法文上の「看做す」は、「推定」の意味に解されている（最判昭36.11.24）。

＊　この推定は、正確には最終裏書の被裏書人が権利者であると推定されるにとどまり、最終裏書の被裏書人と所持人との同一性についてまでは推定されない。

(2)　裏書の連続のある手形の所持人は、権利者としての形式的資格に基づいて、権利者であることの証明なしに当然に権利行使できる。

請求を受けた手形債務者は、所持人が無権利であることの証明、すなわち所持人が手形上の権利を承継取得も善意取得もしていないことを証明しなければ、支払を拒めない〈司〉。

(3)　所持人は、裏書の連続した手形を所持する事実を主張する必要がある（最判昭41.3.4）が、所持人が裏書の連続のある手形を所持して手形金の請求をしている場合には、当然に手形法16条1項の主張があるものと解される（最大判昭45.6.24・百選52事件）。

3　裏書の連続の判断基準

(1)　裏書の連続の有無は、手形の記載から形式的・外形的に判断すべきである〈通〉〈予〉。

∵　裏書の連続に与えられる資格授与的効力は、裏書の記載の連続という外形的事実に着目したものである

(2)　記載は完全に一致する必要はなく、社会通念上同一人と認められる場合には、裏書の連続が認められる〈予〉。

(3)　実在しない会社の裏書が介在していても、その裏書が形式的に連続している場合には、裏書の連続が認められる（最判昭30.9.23）〈予〉。

(4)　多義的な記載がある場合には、多義的内容のうちどちらかが一義的内容の記載に一致するかを判断すべきである（最判昭30.9.30・百選50事件参照）。

(5)　譲渡裏書に取立委任裏書が介在しても、裏書の連続の有無は、譲渡裏書についてのみ判断される〈予〉。

4　裏書の抹消と裏書の連続

(1)　抹消した記載は、裏書の連続との関係では、記載しなかったものとみなされる（Ⅰ）。抹消の理由、権限の有無を問わない〈予〉。

(2)　記名式裏書の被裏書人欄の記載のみの抹消は、白地式裏書となると解すべきである（最判昭61.7.18・百選54事件）〈予〉。

5　受取人欄の変更と裏書の連続　⇒ p.807

6　相続・合併と裏書の連続

受取人が「A」、第一裏書人が「A相続人B」とされている場合、裏書の連続は認められない。

∵　包括承継（相続）による手形上の権利の移転は手形外の事実にすぎない

7　裏書が不連続の場合の権利行使

裏書の連続を欠く場合には、形式的資格は認められないが、手形の所持人は自己の実質的権利を証明すれば、権利行使しうる（最判昭31.2.7・百選53事件）司。

立証の際、手形所持人は、裏書不連続部分について、実質的な権利移転の事実を証明すれば、それによって不連続となっている裏書が架橋され、所持人は権利行使することができる（架橋説）通。

∵　裏書の連続のある手形の所持人が形式的権利者と認められるのは、個々の裏書の資格授与的効力の集積によるものであるとする見解から

三　善意取得

1　適用範囲

(1)　伝統的通説

善意取得は、裏書の資格授与的効力の作用に基づくものと解し、所持人が無権利者（盗人、拾得者、他人から預かっている者、その他手形を他人に返還しなければならない者）から手形を取得した場合にのみ適用される見解（限定説）である。

(2)　有力説

善意取得は、およそ手形の占有を失ったすべての場合に適用があると解し、限定説の想定する場合のみならず、手形の譲渡行為に制限行為能力、無権代理、意思表示の瑕疵・欠缺などの無効・取消事由がある場合にも適用される見解（拡張説）である。

(3)　無権代理を善意取得で治癒した判例がある（最判昭35.1.12・百選23事件）。

2　要件

①　「裏書の連続」ある手形所持人から手形を譲り受けること

＊　裏書不連続手形であっても、不連続部分について実質的権利移転の証明があれば、善意取得が認められる通。

②　手形法的権利移転方法により、期限前に譲り受けること

＊　包括承継・債権譲渡、期限後裏書には適用されない（20 Ⅰただし書）予。

③　譲受人に悪意・重過失がないこと

→悪意とは、手形取得の時点（大判昭2.4.2）で無権利（権利移転の瑕疵）を知っていることをいい、重過失とは、手形取得時点で取引上必要とされる注意を著しく欠いたため、それを知らなかったことをいう予

＊　手形所持人は権利者と推定されるから、手形取得者は原則として調査

義務を負わない。例外的に、手形所持人が手形を所持することにつき疑念をいだいて然るべき事情が認められる場合には、手形譲受においては振出人・銀行に照会する等の調査すべき注意義務を負い、義務を怠った場合に重過失が認められる（最判昭52.6.20・百選24事件参照）予。

3　効果

所持人が手形上の権利を原始取得する共予。民法の規定する動産の即時取得（民192）のような盗品・遺失に関する例外規定（同193・194）はない同。

第17条　【人的抗弁の制限】

為替手形に依り請求を受けたる者は振出人其の他所持人の前者に対する人的関係に基く抗弁を以て所持人に対抗することを得ず。但し所持人が其の債務者を害することを知りて手形を取得したるときは此の限に在らず。

[趣旨] 本条は、裏書譲渡も手形債権の譲渡であるとすると、抗弁も承継されるのが原則（民468Ⅰ）だが、手形の流通促進を図る目的で、政策的に債権譲渡の一般原則を修正し、善意の取得者との関係で抗弁が切断されることを定めた規定である（切断説）通。

《注　釈》

一　手形抗弁総説

1　意義

手形抗弁とは、手形金の請求を受けた者が、手形金の支払を拒むために請求者に対して主張できる一切の事由をいう。物的抗弁と人的抗弁に大別される。

2　物的抗弁

特定又はすべての手形債務者が、すべての所持人に対抗できる抗弁をいう。

ex.　手形要件の欠缺、無権代理、偽造、手形無能力、変造、手形であると認識しうべくもなく署名した場合、手形上の記載に基づく抗弁

3　人的抗弁

(1)　分類

①　特定の債務者のみが特定の所持人に対抗できるもの（狭義の人的抗弁）

→手形外の法律関係に基づいて生じる抗弁

cx.　原因関係に解除事由が存在する場合

②　すべての債務者が特定の所持人に対抗できるもの（無権利の抗弁）

→その所持人が実質的にみて無権利である場合

ex.　手形の盗取者が請求してきた場合

(2)　特徴（人的抗弁の個別性）

原則として、各手形債務者が自己の有する人的抗弁のみを主張することができ、他の手形債務者の有する人的抗弁を利用することはできない。

二　人的抗弁（狭義の人的抗弁）

1　原則：人的抗弁の切断

手形債務者は、債務者が取得者の前者に対して有する人的関係に基づく抗弁

をもって対抗することはできない（人的抗弁の切断、77Ⅰ①・17本文）。

2　例外：人的抗弁の対抗

①　手形取得者が「債務者を害することを知りて手形を取得した」場合

②　所持人が自ら固有の経済的利益を有しない場合

③　手形法的権利移転方法によらない場合　ex.　取立委任裏書書の被裏書人 予

3 「債務者を害することを知りて」の意義（要件①について）予H24

「債務者を害することを知りて」とは、所持人が手形を取得するに当たり、手形の満期において、手形債務者が所持人の直接の前者に対して抗弁を主張し、支払を拒むことは確実であるという認識を有していた場合をいう（河本フォーミュラ、通説）。

∵①　このように解することが、17条ただし書の文言に合致する

②　満期において債務者が抗弁を主張しうる可能性があっても、債務者が抗弁を主張するとは限らない（たとえば、相殺の抗弁の場合）

4　融通手形の抗弁

融通手形とは、専ら他人に資金の融通を得させる目的で交付される手形をいう。融通手形は、満期日までの間、被融通者（受取人）が融通者（振出人）の信用を利用するのが目的であり、被融通者が融通者に手形金を請求することを予定していない。そのため、融通者が被融通者から請求を受けた場合には、それが融通手形であることを主張して、支払を拒むことができる。これを融通手形の抗弁という。

もっとも、被融通者が第三者（所持人）に手形を裏書譲渡したときは、融通者は、所持人が融通手形であることを知ってその手形を取得したときでも、そのことを理由として、所持人に対して手形金の支払を拒むことができない（最判昭34.7.14・百選26事件）予。

5　人的抗弁切断後の悪意取得者

善意者において人的抗弁が切断された後の手形取得者は、抗弁の付着しない完全な権利を前者から承継取得するから、たとえ当該取得者が人的抗弁について悪意であったとしても、人的抗弁の対抗を受けない（絶対的構成・最判昭37.5.1・百選28事件）予。

∵　法的安定性、手形の流通（処分機会）の確保

三　後者の抗弁と二重無権の抗弁

1　後者の抗弁

⑴　裏書の原因関係が消滅した場合には、被裏書人による手形所持人への手形金請求は権利濫用に該当し、認められない（最大判昭43.12.25・百選36事件）予。

⑵　手形保証と人的抗弁　⇒p.795

2　二重無権の抗弁

振出人、受取人間の原因関係も、裏書人、被裏書人の原因関係も滅した場

合、手形所持人たる被裏書人は手形金支払を求める何らの経済的利益がないから、振出人は受取人に対する原因関係欠缺の人的抗弁を被裏書人に対しても主張することができる（最判昭45.7.16・百選35事件）〈予。

四　遡求義務履行による権利取得と人的抗弁　⇒p.805

第18条　【取立委任裏書】

Ⅰ　裏書に「回収の為」、「取立の為」、「代理の為」其の他単なる委任を示す文言あるときは所持人は為替手形より生ずる一切の権利を行使することを得。但し所持人は代理の為の裏書のみを為すことを得。

Ⅱ　前項の場合に於ては債務者が所持人に対抗することを得る抗弁は裏書人に対抗することを得べかりしものに限る。

Ⅲ　代理の為の裏書に依る委任は委任者の死亡又は其の者が行為能力の制限を受けたることに因り終了せず。

《注　釈》

一　意義

取立委任裏書とは、被裏書人に手形上の権利を行使する代理権を与えることを目的とする裏書をいう。①委任を示す文言（取立委任文句）を記載する公然の取立委任裏書（18Ⅰ）と、②通常の譲渡裏書の方式で行う（委任を示す文言を付加しないで）隠れた取立委任裏書とがある。

二　公然の取立委任裏書

1　効果

(1)　権利移転的効力、担保的効力は認められない。

∵　取立委任裏書は、取立の代理権を授与するにすぎない

(2)　代理権授与に対応する限度で資格授与的効力が認められる。

(3)　人的抗弁については裏書人が権利を行使した場合と同様に処理される（Ⅱ）。

∵　取立委任裏書の被裏書人は、裏書人に代わって権利行使するにすぎない

2　取立委任文句と譲渡裏書の合意

(1)　取立委任の形式で裏書がなされているが、裏書の際又はその後、裏書人・被裏書人間で譲渡裏書の合意（譲渡合意）がなされた場合、判例は、手形客観解釈の原則から、取立委任文句が手形券面上記載されている間は当事者間で別の合意があっても取立委任裏書の効力しかなく、その後、合意に基づいて取立委任文句を抹消した時点ではじめて譲渡裏書の効力が生じるとする（最判昭60.3.26・百選56事件）。

(2)　他方、取立委任裏書・交付された手形について、裏書人・被裏書人間で手形を譲渡担保として譲渡する合意がなされ、その後、取立委任文句が抹消された事案において、手形債権は譲渡担保合意の時点で権利移転がなされたとする裁判例（福岡高判平19.2.22・百選57事件）がある。

＊　裁判例は最判昭60.3.26・百選56事件との関係について、当事者間においては合意時点で権利移転の効力を生じ、それ以外の者との間においては

為替手形

手形券面に拠ると解していると思われる。

三　隠れた取立委任裏書〈予

1　法的性質

(1)　隠れた取立委任裏書によって手形上の権利は被裏書人に移転し、取立委任の合意は裏書人と被裏書人との間の人的関係にとどまる（信託的譲渡説〈判通）。

→手形上の権利は依然として裏書人にあり、被裏書人は単に手形上の権利行使の資格と権限を授与されるにすぎないとする見解（資格授与説）もある

(2)　訴訟信託の目的でなされた場合は無効である（最判昭44.3.27・百選59事件）。

2　隠れた取立委任裏書と人的抗弁

隠れた取立委任裏書の被裏書人の請求に対して、手形債務者はいかなる抗弁をもって対抗できるか。

(1)　被裏書人に対して有する人的抗弁をもって被裏書人に対抗することができる。

∵　信託的譲渡説から

(2)　裏書人に対して有する人的抗弁をもって被裏書人に対抗することができる（最判昭54.4.6・百選55事件）。

∵　固有の経済的利益を有さず人的抗弁切断による保護を受けるべき地位にない（信託的譲渡説の立場から）

3　取立委任の解除

隠れた取立委任裏書がなされた後に、取立委任契約が解除された場合、取立委任契約は手形外の事情であるから、解除によっても所持人に返還義務が発生するにすぎず、依然所持人が権利者である。

第19条　【質入裏書】

Ⅰ　裏書に「担保の為」、「質入の為」其の他質権の設定を示す文言あるときは所持人は為替手形より生ずる一切の権利を行使することを得。但し所持人の為したる裏書は代理の為の裏書としての効力のみを有す。

Ⅱ　債務者は裏書人に対する人的関係に基く抗弁を以て所持人に対抗することを得ず。但し所持人が其の債務者を害することを知りて手形を取得したるときは此の限に在らず。

[趣旨] 本条の趣旨は、民法上の質権設定の方式によると手続が煩雑であることから、質権設定の手続を簡略化し、質権者の簡便かつ確実な権利行使を容易にする点にある。

《注　釈》

・質入裏書とは、手形上の権利に質権を設定することを目的とした裏書をいう。

・取立委任裏書（18）と同様、公然の質入裏書と隠れた質入裏書がある。

第２０条 【期限後裏書】

Ⅰ 満期後の裏書は満期前の裏書と同一の効力を有す。但し支払拒絶証書作成後の裏書又は支払拒絶証書作成期間経過後の裏書は民法第３編第１章第４節の規定に依る債権の譲渡の効力のみを有す。

Ⅱ 日附の記載なき裏書は支払拒絶証書作成期間経過前に之を為したるものと推定す。

《注 釈》

一 意義

1 期限後裏書とは、支払拒絶証書作成後、又は支払拒絶証書作成期間経過後になされた裏書（Ⅰただし書）をいう。

→期限後裏書がなされた場合の所持人に対しては、人的抗弁を対抗することができると解されている

∵ 人的抗弁の切断を規定する手形法17条は手形流通の促進のための規定であり、期限後裏書がなされた場合は手形流通の促進を確保する必要がない

＊ 満期後の裏書ではあるが、支払拒絶証書作成前で、かつ支払拒絶証書作成期間経過前の裏書は、満期前の裏書（通常の裏書）の効力を有する（Ⅰ本文）。したがって、この場合の手形債務者は、被裏書人による手形金請求に対して、人的抗弁を主張して手形金請求を拒むことができない（77Ⅰ①、17）予。

2 支払拒絶後の裏書

判例は、手形面上、支払拒絶の事実が明らかになった後、支払拒絶証書作成前又は支払拒絶証書作成期間経過前になされた裏書は、期限後裏書ではなく、通常の裏書であるとする（最判昭55.12.18・百選60事件）。

二 効力

1 資格授与的効力、権利推定、支払免責が認められる。

∵ 期限後裏書も、債権譲渡の効力を有し（Ⅰただし書）、権利移転的効力がある

2 担保的効力、人的抗弁の切断、善意取得（最判昭38.8.23・百選61事件［小切手の事案］）は認められない。

∵ 債権譲渡の効力のみを有し（Ⅰただし書）、流通保護のための規定は適用されない

・第３章・【引受】

第２１条～第２３条 （略）

第２４条　【猶予期間】

Ⅰ　支払人は第一の呈示の翌日に第二の呈示を為すべきことを請求することを得。利害関係人は此の請求が拒絶証書に記載せられたるときに限り之に応ずる呈示なかりしことを主張することを得。
Ⅱ　所持人は引受の為に呈示したる手形を支払人に交付することを要せず。

第２５条　【引受けの方式】

Ⅰ　引受は為替手形に之を記載すべし。引受は「引受」其の他之と同一の意義を有する文字を以て表示し支払人署名すべし。手形の表面に為したる支払人の単なる署名は之を引受と看做す。
Ⅱ　一覧後定期払の手形又は特別の記載に従ひ一定の期間内に引受の為の呈示を為すべき手形に於ては所持人が呈示の日の日附を記載すべきことを請求したる場合を除くの外引受には之を為したる日の日附を記載することを要す。日附の記載なきときは所持人は裏書人及振出人に対する遡求権を保全する為には適法の時期に作らしめたる拒絶証書に依り其の記載なかりしことを証することを要す。

第２６条　【不単純引受け】

Ⅰ　引受は単純なるべし。但し支払人は之を手形金額の一部に制限することを得。
Ⅱ　引受に依り為替手形の記載事項に加へたる他の変更は引受の拒絶たる効力を有す。但し引受人は其の引受の文言に従ひて責任を負ふ。

第２７条　【引受人の第三者方払の記載】

Ⅰ　振出人が支払人の住所地と異る支払地を為替手形に記載したる場合に於て第三者方にて支払を為すべき旨を定めざりしときは支払人は引受を為すに当り其の第三者を定むることを得。之を定めざりしときは引受人は支払地に於て自ら支払を為す義務を負ひたるものと看做す。
Ⅱ　手形が支払人の住所に於て支払ふべきものなるときは支払人は引受に於て支払地に於ける支払の場所を定むることを得。

第２８条　【引受けの効力】

Ⅰ　支払人は引受に因り満期に於て為替手形の支払を為す義務を負ふ。
Ⅱ　支払なき場合に於ては所持人は第４８条及第４９条の規定に依りて請求することを得べき一切の金額に付引受人に対し為替手形より生ずる直接の請求権を有す。所持人が振出人なるときと雖も亦同じ〈予〉。

第２９条　【引受けの抹消】

Ⅰ　為替手形に引受を記載したる支払人が其の手形の返還前に之を抹消したるときは引受を拒みたるものと看做す。抹消は証券の返還前に之を為したるものと推定す。
Ⅱ　前項の規定に拘らず支払人が書面を以て所持人又は手形に署名したる者に引受の通知を為したるときは此等の者に対し引受の文言に従ひて責任を負ふ。

第4章・【保証】

第30条 【要件】

Ⅰ 為替手形の支払は其の金額の全部又は一部に付保証に依り之を担保することを得。

Ⅱ 第三者は前項の保証を為すことを得。手形に署名したる者と雖も亦同じ。

第31条 【方式】

Ⅰ 保証は為替手形又は補箋に之を為すべし。

Ⅱ 保証は「保証」其の他之と同一の意義を有する文字を以て表示し保証人署名すべし。

Ⅲ 為替手形の表面に為したる単なる署名は之を保証と看做す。但し支払人又は振出人の署名は此の限に在らず。

Ⅳ 保証には何人の為に之を為すかを表示することを要す。其の表示なきときは振出人の為に之を為したるものと看做す。

《注 釈》

一 手形保証

1 手形保証とは、手形債務を保証するため、保証であることを表示して手形上に署名することをいう（30以下）。

2 ①手形又は補箋に、「保証」その他これと同一の意義を有する文字（保証文句）、被保証人の名称を記載して署名するという方式（31ⅠⅡ）と、②手形面上に保証の趣旨で、保証文句を示さず手形保証人が単なる署名のみをする方式（略式保証）がある（最判昭35.4.12・百選62事件参照）〈予。

＊ 手形の表面に複数の署名がある場合、共同振出と解すべきか手形保証と解すべきかが問題となるものの、原則として、筆頭署名者を振出人、その他は手形保証人となると解すべきである（大阪地判昭53.3.7・百選5事件）。

3 一部保証・条件付保証

(1) 一部保証も認められている（30Ⅰ）。

∵ 手形取得者の利益保護

(2) 条件付保証も認められる。

∵ 保証が条件付ではあっても所持人に有利であり、手形の流通促進に資する

二 隠れた手形保証

1 意義

(1) 隠れた手形保証とは、手形保証の目的で、手形保証以外の方式（裏書の方式によることが多い）による手形行為が行われる場合をいう。

隠れた手形保証をした者は、その者がなした手形行為の形式に従って、裏書人・引受人・振出人としての責任を負う。

(2) 手形保証目的であることは人的抗弁事由にすぎない。

2　隠れた手形保証をした者が複数存在する場合
民法465条により、負担部分の特約がない場合には、負担部分は平等であり、裏書人は自己の負担部分についてのみ遡求に応じれば足りる（最判昭57.9.7・百選66事件）。
3　隠れた手形保証と民事保証
隠れた手形保証をした裏書人は、当事者の意思が不明確である場合、原則として、民法上の保証をしたことにならない（最判昭52.11.15・百選64事件）。
＊　直接面前で裏書した事案で原因関係上の債務についても民法上の保証をする意思があったものと推認した判例（最判平2.9.27・百選65事件）もある。

第32条　【効力】
Ⅰ　保証人は保証せられたる者と同一の責任を負ふ。
Ⅱ　保証は其の担保したる債務が方式の瑕疵を除き他の如何なる事由に因りて無効なるときと雖も之を有効とす。
Ⅲ　保証人が為替手形の支払を為したるときは保証せられたる者及其の者の為替手形上の債務者に対し為替手形より生ずる権利を取得す。

《注　釈》
一　手形保証人の責任の範囲（手形保証の付従性、Ⅰ）
手形保証人は被保証人と同一の責任を負う（合同責任）。
1　手形金額の範囲、時効期間は、被保証人の債務と同一である。
2　遡求義務者のために手形保証をした者は、所持人が適法に権利保全手続を履践したときにのみ責任を負う。しかし、手形の第一次的義務者のために手形保証をした者は、所持人が遡求権保全手続を履践しなかったとしても責任を免れない予。
3　被保証人の弁済等により被保証債務が消滅した場合、保証債務も消滅する。
＊　被保証人の債務が時効消滅すれば、保証人の債務も消滅する（最判昭45.6.18）予。
4　民法455条は適用されず、手形保証人は催告の抗弁権や検索の抗弁権を有しない予。
二　従属性と独立性との関係
通説は、手形行為の独立性は方式の瑕疵を除く被保証債務の実質的な瑕疵に影響を受けない意味であって、被保証債務が形式的な瑕疵なく成立した以上それが実質的に無効であっても手形保証債務の効力に影響はないが、その存続については独立の原則は適用されないとする。
三　手形保証独立の原則（手形保証の独立性、Ⅱ）
1　手形保証は、被保証債務が方式の瑕疵によって無効である場合を除いて、その他どのような理由で無効とされる場合であっても有効である（Ⅱ）予。
＊　被保証人が制限行為能力者であったため、被保証人の債務負担行為が取り消された場合、被保証人の手形行為が無権代理人によりなされた場合、又

は偽造の場合でも、手形保証債務は有効に成立する。

2　手形保証と人的抗弁

手形保証人は、所持人に対して権利濫用の抗弁を対抗できる。

∵　被保証債務の原因債務の不発生等が確定した場合、特段の事情のない限り、被保証人のみならず、手形保証人に対しても、手形上の権利を行使すべき実質的理由を失ったとして、手形金支払請求は信義則に反し明らかに不当であり権利濫用に該当する（最判昭45.3.31・百選63事件）予

四　手形保証債務履行による手形保証人の地位

1　手形保証人が保証債務を履行したときには、被保証人及びその手形債務者に対して、手形上の権利を取得する（Ⅲ）。

2　手形保証人の権利取得の法的性質

(1)　法定の独立的・原始的取得とする見解

→①　手形の交付は不要

∵　手形の交付は権利の取得要件ではない

②　被保証人は所持人に対する人的抗弁を手形保証人に対抗することができない

∵　保証人の取得する権利は独立の権利

(2)　所持人からの手形上の権利の承継取得とする見解

→①　権利取得のため手形の交付が必要とするのが論理的

∵　遡求義務者が義務履行によって手形上の権利を取得する場合と統一的に理解できることになる

②　被保証人は、手形保証人に手形法40条3項の悪意・重過失がない限り、所持人に対する人的抗弁を手形保証人に対抗できない

∵　義務に基づく取得であるが、保証人が無条件で権利行使できるとするのは妥当でない

・第5章・【満期】

第33条　【満期の種類】

Ⅰ　為替手形は左の何れかとして之を振出すことを得共予。

①　一覧払司

②　一覧後定期払

③　日附後定期払

④　確定日払

Ⅱ　前項と異る満期又は分割払の為替手形は之を無効とす共。

第３４条　【一覧払手形の満期】

Ⅰ　一覧払の為替手形は呈示ありたるとき之を支払ふべきものとす。此の手形は其の日附より１年内に支払の為之を呈示することを要す共。振出人は此の期間を短縮し又は伸長することを得。裏書人は此等の期間を短縮することを得。

Ⅱ　振出人は一定の期日前には一覧払の為替手形を支払の為呈示することを得ざる旨を定むることを得。此の場合に於て呈示の期間は其の期日より始まる。

第３５条　【一覧後定期払手形の満期】

Ⅰ　一覧後定期払の為替手形の満期は引受の日附又は拒絶証書の日附に依りて之を定む。

Ⅱ　拒絶証書あらざる場合に於ては日附なき引受は引受人に関する限り引受の為の呈示期間の末日に之を為したるものと看做す。

第３６条　【満期の決定及び期間の計算方法】

Ⅰ　日附後又は一覧後１月又は数月払の為替手形は支払を為すべき月に於ける応当日を以て満期とす。応当日なきときは其の月の末日を以て満期とす。

Ⅱ　日附後又は一覧後１月半又は数月半払の為替手形に付ては先づ全月を計算す。

Ⅲ　月の始、月の央（１月の央、２月の央等）又は月の終を以て満期を定めたるときは其の月の１日、１５日又は末日を謂ふ。

Ⅳ　「８日」又は「１５日」とは１週又は２週に非ずして満８日又は満１５日を謂ふ。

Ⅴ　「半月」とは１５日の期間を謂ふ。

第３７条　【暦を異にする地における満期の決定方法】

Ⅰ　振出地と暦を異にする地に於て確定日に支払ふべき為替手形に付ては満期の日は支払地の暦に依りて之を定めたるものと看做す。

Ⅱ　暦を異にする２地の間に振出したる為替手形が日附後定期払なるときは振出の日を支払地の暦の応当日に換へ之に依りて満期を定む。

Ⅲ　為替手形の呈示期間は前項の規定に従ひて之を計算す。

Ⅳ　前三項の規定は為替手形の文言又は証券の単なる記載に依り別段の意思を知り得べきときは之を適用せず。

・第６章・【支払】

第３８条　【支払のための呈示】

Ⅰ　確定日払、日附後定期払又は一覧後定期払の為替手形の所持人は支払を為すべき日又は之に次ぐ２取引日内同予に支払の為手形を呈示することを要す。

Ⅱ　手形交換所に於ける為替手形の呈示は支払の為の呈示たる効力を有す。

《注　釈》

一　支払呈示の意義

支払呈示とは、支払呈示期間内に、主たる債務者又はその支払担当者に対し、手形の所持人又はその代理人が、支払をなすべき場所において、支払を求めて手形を呈示することをいう。

手形上の権利を行使するには、所持人が有効な手形を呈示して支払を求めることが必要である（呈示証券性）。

二　支払呈示の要件（適法な支払呈示）

1　呈示の場所

支払場所の記載があればその場所に、記載がなければ支払地内の振出人の営業所又は住所において呈示する（商516 Ⅱ）。

2　支払呈示をなしうる者

原則として裏書の連続した手形の所持人である。

裏書不連続手形の所持人も、不連続部分についての実質関係を証明すれば呈示できる。

3　支払呈示をなしうる時期（支払呈示期間）

(1)　一覧払手形

振出日から1年間が原則であるが、振出人はこの期間を短縮又は伸長することができ、裏書人もこの期間を短縮することができる（34 Ⅰ）。

(2)　確定日払、日付後定期払及び一覧後定期払手形

満期日及びその後の2取引日（Ⅰ）。

三　適法な支払呈示の効力

1　付遅滞効

第一次的支払義務者との関係で付遅滞効が生ずる。

支払呈示期間内に支払呈示がなされたにもかかわらず、支払を受けられなかった場合には、所持人は満期日に遡って遅延利息を請求できる（78 Ⅰ、28 Ⅱ、48、49）。

＊　裁判上の請求によるときは、手形の現実の呈示は不要である。

2　遡求権保全効

遡求義務者との関係で遡求権保全効が生ずる。

支払呈示期間内に適法な支払呈示をすることが遡求権保全の要件である（43、53 Ⅰ）。これは遡求義務者が関知しないところで生ずる支払拒絶の事実を、遡求義務者が確実に知ることができるようにするためであり、手形の流通性を高める趣旨ではない共。

遡求義務者に対する関係では、呈示期間の経過により遡求権そのものを失う。

3　時効の完成猶予の効力

手形債権の消滅時効の完成を猶予する効力を生じる（民147 Ⅰ①、150 Ⅰ）。

時効の完成猶予のための請求には手形の呈示自体は不要である（最判昭39.11.24・百選77事件）。

四　裏書不連続手形の呈示の効力

1　付遅滞効

原則として否定されるが、実質的な権利の証明をすれば付遅滞効が生じる。

2　遡求権保全効

原則として否定されるが、不連続手形の所持人も不連続部分の実質的な権利を証明すれば、形式的資格を回復し遡求権保全効が認められる。

3　時効の完成猶予の効力

裏書不連続手形による呈示であっても、時効の完成猶予の効力は生じる。

∵　権利行使の意思は明確である

五　支払呈示期間経過後の支払

1　意義

支払呈示期間経過後においても、手形上の権利が時効によって消滅しない限り、手形所持人は、主たる手形債務者及びその手形保証人に対して、手形金の支払を請求することができる〈司予〉。

もっとも、支払呈示の場合と異なり、満期日以後の遅延損害金の請求をできるわけではない（最判昭55.3.27参照）〈予〉。

2　満期における支払との差異

(1)　支払場所の記載のある手形は支払呈示期間の経過により支払場所の記載が効力を失い、支払地内における債務者の営業所又は住所において呈示することを要する（最大判昭42.11.8・百選67事件）。

(2)　一部支払を拒否できる（39 Ⅱ参照）

第39条　【受戻証券性、一部支払】

Ⅰ　為替手形の支払人は支払を為すに当り所持人に対し手形に受取を証する記載を為して之を交付すべきことを請求することを得。

Ⅱ　所持人は一部支払を拒むことを得ず〈予〉。

Ⅲ　一部支払の場合に於ては支払人は其の支払ありたる旨の手形上の記載及受取証書の交付を請求することを得。

《注　釈》

一　受戻証券性

受戻証券性とは、支払と受戻しが同時履行の関係にある性質をいう。

∵　二重払いの危険を防止

二　受戻しなき支払

1　主たる債務者による受戻しなき支払

(1)　手形を受戻さずに支払がなされた場合でも、手形上の権利は消滅し、債務者は手形金の支払を受けた所持人に対して、手形債務消滅の抗弁を主張することができる〈通〉。

(2)　支払済であることについて善意・無重過失で手形を譲り受けた所持人は、権利外観理論により保護される。なお、善意取得の対象となる権利は存在せず、善意取得（16 Ⅱ）によっては保護されない。

＊ 判例は、受取人白地で手形を共同振出した後、満期後支払により受戻し、その後共同振出人の１人がこれをそのまま第三者に譲渡した事案で、手形金支払によって共同振出人は責任を免れ、手形が無効になったという原審を支持している（最判昭33.9.11・百選69事件）。

2 遡求義務者による受戻しなき支払

(1) 遡求義務者による支払を受けた場合、支払を受けた所持人は無権利者となり、その者の請求に対しては無権利の抗弁をもって対抗することができる。

(2) 振出人に対する手形上の権利は消滅せず、当該権利は遡求義務を履行した裏書人に帰属する。

三 全部支払と一部支払

所持人は満期における手形金の一部支払を拒むことはできない（Ⅱ）。

∵ 遡求義務者の利益を保護すべきである

＊ 呈示期間経過後は一部支払を受領する義務はない。

∵ 遡求義務者の利益を考慮する必要はない

第４０条 【満期前の支払、支払人の調査義務】

Ⅰ 為替手形の所持人は満期前には其の支払を受くることを要せず〈予〉。

Ⅱ 満期前に支払を為す支払人は自己の危険に於て之を為すものとす。

Ⅲ 満期に於て支払を為す者は悪意又は重大なる過失なき限り其の責を免る〈予〉。此の者は裏書の連続の整否を調査する義務あるも裏書人の署名を調査する義務なし〈予〉。

《注 釈》

一 満期前の支払

1 意義

所持人は、満期前には手形債務者に対し手形金の支払を請求することができない。

∵ 満期前は、手形金支払義務を負わない

満期前は支払を拒むことができ支払受領を強制されない（Ⅰ）。

∵ 満期まで手形を流通させる利益を有する

手形債務者と手形所持人とが合意した場合には、満期前の支払も可能である。

2 満期前支払の支払免責

満期前の支払の支払人は、手形法40条３項の免責力を受けられず、自己の危険で支払をすることになる（Ⅱ）。

∵ 満期前は、支払義務が生じていない場合になす支払であり、支払をなす者を保護して迅速な支払を促進する必要はない

＊ 手形債務者が、手形所持人が実質的無権利者であることに善意・無重過失で満期前に支払をした場合、戻裏書との均衡から、16条２項を類推適用

為替手形

して、その範囲で支払免責を認めるべきとする見解がある。

二　支払人の免責・善意支払（Ⅲ）

1　満期における支払の意味（「満期に於て」）

満期における支払とは、支払義務が生じている場合の支払をいう。

→①　支払呈示期間経過後の支払についても適用される

②　満期前遡求の場合にも類推適用される

2　支払をなす者の意味（「支払を為す者」）

為替手形における支払人又は引受人、約束手形における振出人を意味する。

また、手形の振出人に代わって支払をする者として手形上に記載された支払担当者も、「支払を為す者」に当たる予。

∵　支払担当者は手形債務を負う者ではないが、支払義務を負担する振出人の代理人的地位にある

*　遡求義務者にも類推適用される。

3　手形法40条3項の適用範囲

裏書の連続する手形の所持人が実質的無権利者であった場合のみならず、最終裏書の被裏書人と所持人との同一性の欠缺、支払受領権限の欠缺、支払受領能力の欠缺がある場合等、形式的資格による推定が及ばない事項にも、適用される通。

4　支払免責の要件

⑴　所持人の形式的資格（手形の方式、自己の署名の真偽、裏書の連続 ⇒ p.785）

裏書の連続が欠けている場合でも、その部分の実質的権利移転が証明されれば、支払免責が認められる（多数説）。

⑵　悪意又は重過失

「悪意」とは、単に所持人の無権利を知っていることのみならず、それを立証しうる確実な証拠を有していながら故意に支払ったことをいい、「重過失」とは、通常の調査をすれば所持人の無権利を知り、かつその立証方法を入手できたのに、調査義務を怠ったため無権利者に支払ったことをいう（最判昭44.9.12・百選70事件）予。

∵　善意取得（16Ⅱ）と異なり、満期において支払人は挙証責任の負担の下、支払を強制される立場にあり、単に無権利者であると知るだけで悪意というべきではない

5　支払人の調査義務・調査権

⑴　所持人の形式的資格の有無（裏書の連続の有無（Ⅲ）、手形の方式、自己の署名の真偽）について調査義務を負い、調査権を有する。

→これらの点を欠く手形の所持人に支払っても免責されない

⑵　所持人の実質的資格の有無（所持人の実質的権利、所持人と最終被裏書人との同一性、所持人の代理権、所持人の支払受領能力の有無等）については積極的な調査義務を負わない。

→これらの点につき、支払人が悪意又は重過失であった場合には免責されない

＊　銀行による支払と免責

印鑑照合つき銀行が尽くすべき注意義務の程度について、判例は、通常肉眼による平面照合で足りるが、社会通念上一般に期待される業務上相当の注意をもってなすことを要し、かかる事務に習熟している銀行員が相当の注意をもって熟視するならば肉眼で発見しうるような相違が看過された場合には、過失を認めると判示した。当該注意義務は銀行の免責約款でも軽減されない（最判昭46.6.10・百選〔第六版〕18事件）。

第４１条　【外国通貨表示の手形の支払】

Ⅰ　支払地の通貨に非ざる通貨を以て支払ふべき旨を記載したる為替手形に付ては満期の日に於ける価格に依り其の国の通貨を以て支払を為すことを得。債務者が支払を遅滞したるときは所持人は其の選択に依り満期の日又は支払の日の相場に従ひ其の国の通貨を以て為替手形の金額を支払ふべきことを請求することを得。

Ⅱ　外国通貨の価格は支払地の慣習に依り之を定む。但し振出人は手形に定めたる換算率に依り支払金額を計算すべき旨を記載することを得。

Ⅲ　前２項の規定は振出人が特種の通貨を以て支払ふべき旨（外国通貨現実支払文句）を記載したる場合には之を適用せず。

Ⅳ　振出国と支払国とに於て同名異価を有する通貨に依り為替手形の金額を定めたるときは支払地の通貨に依りて之を定めたるものと推定す。

第４２条　【手形金額の供託】

第３８条に規定する期間内に為替手形の支払の為の呈示なきときは各債務者は所持人の費用及危険に於て手形金額を所轄官署に供託することを得。

・第７章・【引受拒絶又は支払拒絶に因る遡求】

第４３条　【遡求の実質的条件】

満期に於て支払なきときは所持人は裏書人、振出人其の他の債務者に対し其の遡求権を行ふことを得。左の場合に於ては満期前と雖も亦同じ。

①　引受の全部又は一部の拒絶ありたるとき

②　引受を為したる若は為さざる支払人が破産手続開始の決定を受けたる場合、其の支払停止の場合又は其の財産に対する強制執行が効を奏せざる場合

③　引受の為の呈示を禁じたる手形の振出人が破産手続開始の決定を受けたる場合

第４４条　【遡求の形式的条件】

Ⅰ　引受又は支払の拒絶は公正証書（引受拒絶証書又は支払拒絶証書）に依り之を証明することを要す。

Ⅱ　引受拒絶証書は引受の為の呈示期間内に之を作らしむることを要す。第２４条第１項に規定する場合に於て期間の末日に第一の呈示ありたるときは拒絶証書は其の翌日之を作らしむることを得。
Ⅲ　確定日払、日附後定期払又は一覧後定期払の為替手形の支払拒絶証書は為替手形の支払を為すべき日又は之に次ぐ２取引日内に之を作らしむることを要す。一覧払の手形の支払拒絶証書は引受拒絶証書の作成に関して前項に規定する条件に従ひ之を作らしむることを要す。
Ⅳ　引受拒絶証書あるときは支払の為の呈示及支払拒絶証書を要せず。
Ⅴ　引受を為したる若は為さざる支払人が支払を停止したる場合又は其の財産に対する強制執行が効を奏せざる場合に於ては所持人は支払人に対し手形の支払の為の呈示を為し且拒絶証書を作らしめたる後に非ざれば其の遡求権を行ふことを得ず。
Ⅵ　引受を為したる若は為さざる支払人が破産手続開始の決定を受けたる場合又は引受の為の呈示を禁じたる手形の振出人が破産手続開始の決定宣告を受けたる場合に於て所持人が其の遡求権を行ふには破産手続開始の決定の裁判書を提出するを以て足る。

《注　釈》

一　遡求制度の意義

遡求とは、満期において適法な支払呈示をしたにもかかわらず、本来支払をなすべき者が支払を拒絶した場合、その他支払の可能性が著しく減退したことを示す一定の事由が生じた場合に、所持人が遡求義務者に対して手形金、利息及び費用を請求することをいう。

遡求によって手形所持人は、満期に手形金の支払があったのと同一の経済的効果を得ることができ、手形の流通が保護される。

二　遡求の実質的要件

1　満期後における遡求

手形法43条前段の規定する、適法な支払呈示をしたにもかかわらず、支払が拒絶されたこと（いわゆる支払拒絶）である〈司〉。

2　満期前における遡求

手形法43条後段各号の事由が認められる場合である。

＊　満期前の裁判上の手形金請求の効果

約束手形の満期前遡求の際、手形所持人が遡求義務者を振出人と共同被告として訴え（将来給付の訴え、民訴135）、その口頭弁論終結前に満期が到来した場合は、手形の現実の呈示がなされなくとも、付遅滞効は生じるが、遡求権保全効に関しては、改めて支払呈示期間内の呈示を要する（最判平5.10.22・百選68事件）。

三　遡求の形式的要件

原則として支払呈示期間内に支払拒絶証書を作成すること（44Ⅰ）〈予〉

＊　支払拒絶証書作成免除　⇒§46

第４５条　【遡求の通知】

Ⅰ　所持人は拒絶証書作成の日に次ぐ又は無費用償還文句ある場合に於ては呈示の日に次ぐ４取引日内に自己の裏書人及振出人に対し引受拒絶又は支払拒絶ありたることを通知することを要す。各裏書人は通知を受けたる日に次ぐ２取引日内に前の通知者全員の名称及宛所を示して自己の受けたる通知を自己の裏書人に通知し順次振出人に及ぶものとす。此の期間は各其の通知を受けたる時より進行す。

Ⅱ　前項の規定に従ひ為替手形の署名者に通知を為すときは同一期間内に其の保証人に同一の通知を為すことを要す。

Ⅲ　裏書人が其の宛所を記載せず又は其の記載が読み難き場合に於ては其の裏書人の直接の前者に通知するを以て足る。

Ⅳ　通知を為すべき者は如何なる方法に依りても之を為すことを得。単に為替手形を返付するに依りても亦之を為すことを得。

Ⅴ　通知を為すべき者は適法の期間内に通知を為したることを証明することを要す。此の期間内に通知を為す書面を郵便に付し又は民間事業者による信書の送達に関する法律（平成１４年法律第９９号）第２条第６項に規定する一般信書便事業者若は同条第９項に規定する特定信書便事業者の提供する同条第２項に規定する信書便の役務を利用して発送したる場合に於ては其の期間を遵守したるものと看做す。

Ⅵ　前項の期間内に通知を為さざる者は其の権利を失ふことなし。但し過失に因りて生じたる損害あるときは為替手形の金額を超えざる範囲内に於て其の賠償の責に任ず。

《注　釈》

◆　**遡求の通知**

通知を要するのは、引受拒絶又は支払拒絶の場合のみである（Ⅰ）。

通知は遡求の要件ではなく、通知を怠っても、遡求権を失わない。

→通知を怠った場合には、通知を受けなかったことにより遡求義務者が被った損害を賠償しなければならない（Ⅵ）

第４６条　【拒絶証書作成の免除】

Ⅰ　振出人、裏書人又は保証人は証券に記載し且署名したる「無費用償還」、「拒絶証書不要」の文句其の他之と同一の意義を有する文言に依り所持人に対し其の遡求権を行ふ為の引受拒絶証書又は支払拒絶証書の作成を免除することを得。

Ⅱ　前項の文言は所持人に対し法定期間内に於ける為替手形の呈示及通知の義務を免除することなし。期間の不遵守は所持人に対し之を援用する者に於て其の証明を為すことを要す。

Ⅲ　振出人が第1項の文言を記載したるときは一切の署名者に対し其の効力を生ず。裏書人又は保証人が之を記載したるときは其の裏書人又は保証人に対してのみ其の効力を生ず。振出人が此の文言を記載したるに拘らず所持人が拒絶証書を作らしめたるときは其の費用は所持人之を負担す。裏書人又は保証人が此の文言を記載したる場合に於て拒絶証書の作成ありたるときは一切の署名者をして其の費用を償還せしむることを得。

第47条　【所持人に対する合同責任】

Ⅰ　為替手形の振出、引受、裏書又は保証を為したる者は所持人に対し合同して其の責に任ず。
Ⅱ　所持人は前項の債務者に対し其の債務を負ひたる順序に拘らず各別又は共同に請求を為すことを得。
Ⅲ　為替手形の署名者にして之を受戻したるものも同一の権利を有す。
Ⅳ　債務者の一人に対する請求は他の債務者に対する請求を妨げず。既に請求を受けたる者の後者に対しても亦同じ。

《注　釈》

一　合同責任の意義

各手形債務者が所持人に対して負う責任を合同責任という。合同責任を負う者であれば、所持人は誰に対してでも、同時又は順次に請求できる点や、債務者の1人から弁済を受ければ所持人の権利が消滅する点では、連帯債務に類似する。しかし、合同責任の各債務者間には負担部分がないため、他の者の債権での履行拒絶（民439 Ⅱ）はできない点や、1人に対する更改（民438）・混同（民440）が他の者には影響しない点で、連帯債務とは異なる。

二　遡求の方法

合同責任を負う者であれば、何人に対しても、手形上の債務を負担した順序にかかわらず、各別又は共同的に遡求することができ（Ⅱ）、いったんある者に請求した後で他の者に対して請求してもよい（Ⅳ）。

三　遡求の当事者

1　遡求義務者

手形所持人の前者たるすべての裏書人（77 Ⅰ・15 Ⅰ）、為替手形の振出人（9 Ⅰ）、及びそれらの者の保証人（77 Ⅲ・32 Ⅰ）

＊　無担保裏書、期限後裏書、及び取立委任裏書の裏書人は、遡求義務者ではない〈予〉。

∵　これらの者は担保責任を負わない

2　遡求権者

⑴　手形の最後の所持人（実質的権利者）
⑵　遡求義務を履行して手形の交付を受けた者も、手形上の権利を取得し、自己の前者に対して遡求権者となる（再遡求）。

四　再遡求

1　遡求義務履行による権利取得の法的性質

裏書により手形上の権利は確定的に移転するが、遡求義務の履行により手形上の権利を再取得する通。

2　遡求義務履行による権利取得と人的抗弁

(1)　手形債務者が遡求義務者に対して人的抗弁を有する場合

遡求義務の履行によって手形を受け戻した場合にも、戻裏書を受けた場合と同様、自己が対抗されていた人的抗弁の対抗を受ける通。

(2)　手形債務者が手形の最終所持人に対して人的抗弁を有する場合

手形債務者が手形の最終所持人に対して人的抗弁を有していることを知りつつ遡求義務を履行した場合でも、手形債務者は、遡求義務を履行した者に対し、当該人的抗弁を対抗できない通。

第48条　【遡求金額】

Ⅰ　所持人は遡求を受くる者に対し左の金額を請求することを得。

①　引受又は支払あらざりし為替手形の金額及利息の記載あるときは其の利息

②　法定利率（国内に於て振出し且支払ふべき為替手形以外の為替手形に在りては年６分の率。次条第２号に於て同じ。）に依る満期以後の利息司予

③　拒絶証書の費用、通知の費用及其の他の費用

Ⅱ　満期前に遡求権を行ふときは割引に依り手形金額を減ず。其の割引は所持人の住所地に於ける遡求の日の公定割引率（銀行率）に依り之を計算す。

第49条　【再遡求金額】

為替手形を受戻したる者は其の前者に対し左の金額を請求することを得。

①　其の支払ひたる総金額

②　前号の金額に対し法定利率に依り計算したる支払の日以後の利息予

③　其の支出したる費用

《注　釈》

◆　遡求の効果

所持人は、遡求義務者に対して遡求金額を請求できる（48）。

遡求を繰り返すたびに遡求金額は増大する（48、49）。

第50条　【遡求義務者の権利】

Ⅰ　遡求を受けたる又は受くべき債務者は支払と引換に拒絶証書、受取を証する記載を為したる計算書及為替手形の交付を請求することを得。

Ⅱ　為替手形を受戻したる裏書人は自己及後者の裏書を抹消することを得。

《注　釈》

・遡求権者は任意に遡求義務を果たすことができるが（50ⅠⅡ）、数人からこの申出を受けた場合は、最も多数の遡求義務者を免責させる者からの申出に応じる

べきである 予。

第５１条～第５４条　（略）

・第８章・【参加】

第５５条～第６３条　（略）

・第９章・【複本及謄本】

第６４条～第６８条　（略）

・第１０章・【変造】

第６９条　【変造の効果】

為替手形の文言の変造の場合に於ては其の変造後の署名者は変造したる文言に従ひて責任を負ひ変造前の署名者は原文言に従ひて責任を負ふ。

《注　釈》

一　権限に基づく記載の変更・抹消

手形上の記載の変更・抹消は、権利義務に影響を受ける者の同意を受けて行われる限り、手形上の権利を変更又は消滅させる。

二　変造（権限に基づかない記載の変更・抹消）

1　変造とは、手形債務の内容を決める手形の記載事項に他人が無権限で変更を加えることをいう（手形行為の主体を偽るものは、偽造となる）。

2　変造前の署名者の責任

(1)　変造前の署名者は、原文言に従って責任を負う（69）共。

∵　手形の文言が権限のない者によりほしいままに変更されてもいったん有効に成立した手形債務の内容に影響を及ぼさない法理を明らかにしたもの（最判昭 49.12.24・百選 51 事件）

(2)　署名の時期、変造前の文言についての立証責任は所持人が負う（最判昭 42.3.14・百選 21 事件）司。

＊　変造されやすい手形を作成したり、そのような手形に署名した者は、権利外観法理（禁反言）に基づき、手形法 10 条を準用して、変造の事実について善意・無重過失で取得した者に対しては、変造後の文言に従った責任を負うと解すべきである。

3　変造後の署名者の責任

変造後の署名者は、変造後の文言に従って責任を負う（69）。

∵　変造後の文言を自己の手形意思表示の内容としている

4　変造者の責任

(1)　変造者自身が変造のうえ署名した場合、変造された文言に従った責任を負う。

(2)　署名していない場合には、手形法8条類推適用により手形上の責任を負う。

∵　変造の場合にも偽造と同様の根拠が妥当する

5　必要的記載事項（受取人欄）の変更・抹消

(1)　受取人欄の記載の変更・抹消も69条の変造に当たる（変更につき最判昭49.12.24・百選51事件、抹消につき最判昭41.11.10）共。

∵　受取人の記載も、手形債務の内容を決する記載である

(2)　受取人欄の変更と裏書の連続

受取人欄の記載が変更された場合でも、裏書の連続の有無は形式的・外形的に判断され、裏書が外形的に連続していれば裏書の連続が認められる。

∵　手形法69条は、変造があってもいったん成立した手形債務の内容に影響を及ぼさない旨を明らかにしたにすぎず、手形面上、原文言が残存しているものとみなす趣旨ではない（最判昭49.12.24・百選51事件）司予

6　有益的記載事項の変更・抹消

変造の一般論が妥当。

7　無益的記載事項の変更・抹消

変造は問題とならない。

8　有害的記載事項の変更・抹消

原則として変造の一般論が妥当する。

9　裏書の変更・抹消

裏書人の署名を無権限で変更するのは偽造であるが、被裏書人欄の変更・抹消は、69条の変造に当たる。記名式裏書における被裏書人欄のみの抹消は、裏書の連続との関係では、白地式裏書と同視される。　⇒p.785

三　支払猶予の方法

1　手形の書替

(1)　手形の書替とは、旧手形債務の支払を延期するため、満期を変更した新手形を振り出すことをいう。

(2)　旧手形を回収しない場合

(a)　新旧手形債務は併存する（最判昭31.4.27）。

(b)　所持人はいずれの手形によっても手形上の権利を行使することができるが、いずれか一方に支払えばよく、双方に支払う必要はない（最判昭54.10.12・百選71事件）。

(c)　所持人が旧手形を行使する場合には、支払が新手形の満期まで猶予されている旨の人的抗弁を主張することができる。

為替手形

(d) いずれの手形に支払う場合にも、債務者は双方の手形と引換えに支払う旨を主張することができる（最判昭 42.3.28）。

(e) いずれか一方に支払った場合、他方を受け戻さなくても、他方の手形についても手形債務は消滅する。

(3) 旧手形を回収する場合

(a) 旧手形に設定されていた担保や保証は消滅しない。

(b) 旧手形について会社法 356 条の承認を得ていれば、新手形につき改めて承認を得る必要はない。

(c) 旧手形の取得の際に人的抗弁について善意であれば、人的抗弁切断の利益を受ける。

以上の帰結を導く理論構成として、①旧手形が回収されても、旧手形上の権利は消滅することなく同一性を保持しつつ新手形上の権利として存続しているとする見解と、②旧手形上の債務は代物弁済により消滅するが、新旧両手形債務には実質的同一性が認められるとする見解がある。

＊ 旧手形が回収されたが、新手形の発行がなされないまま書換えが実行されずに終わり、旧手形が破棄されてしまった場合でも、除権決定を経ることなく旧手形に基づき手形金請求できる（最判昭 41.4.22・百選 72 事件）。

2　支払猶予の特約

(1) 振出人・所持人間の契約にすぎず、人的抗弁となるにとどまる（17）。

(2) 消滅時効について、支払猶予期間中は消滅時効は進行せず、支払猶予期間が満了した時から時効が進行する（最判昭 55.5.30・百選 75 事件）〈同〉。

∵ 消滅時効は原則として権利を行使できる時から進行する（民 166 Ⅰ）

3　満期の記載の変更

(1) 当事者間の合意により手形面上の満期の記載を変更することによって、支払の猶予を受けることができる。

(2) 手形当事者全員の合意に基づいて記載が変更されれば全員との関係で有効な満期の変更となるが、一部の当事者が合意していない場合には、その当事者との関係では変造となる。

→合意していない当事者（裏書人）との関係では、変更前の満期を基準とした遡求権保全手続をとらないと、遡求権を行使することができなくなる

→裏書人が支払期日の訂正に同意していない場合には、裏書人は訂正前の満期の記載に従って遡求権保全手続がとられることを条件に遡求義務を負う（最判昭 50.8.29・百選 19 事件）

(3) 満期の抹消と白地手形

支払延期の時点で新しい期日が未定の場合、当事者の合意によって満期の記載を抹消し、白地手形に変更することも認められる（最判平 5.7.20・百選 42 事件）。

・第１１章・【時効】

第７０条 【時効期間】

Ⅰ 引受人に対する為替手形上の請求権は満期の日より３年を以て時効に罹る。
Ⅱ 所持人の裏書人及振出人に対する請求権は適法の時期に作らしめたる拒絶証書の日附より、無費用償還文句ある場合に於ては満期の日より１年を以て時効に罹る。
Ⅲ 裏書人の他の裏書人及振出人に対する請求権は其の裏書人が手形の受戻を為したる日又は其の者が訴を受けたる日より６月を以て時効に罹る。

第７１条 【時効の完成猶予及び更新】

時効の完成猶予又は更新は其の事由が生じたる者に対してのみ其の効力を生ず〈予。

[趣旨] 手形債務は、人的抗弁の切断、手形訴訟制度などにより通常より厳格な債務となっていることから、これを緩和するため、短期消滅時効を定めた。

《注 釈》

一 時効期間

1 絶対的義務者に対する権利

絶対的義務者である約束手形の振出人（為替手形の場合は引受人）、及びその保証人・参加引受人・無権代理人に対する権利は、満期の日から３年で消滅時効にかかる（77 Ⅰ⑧・70 Ⅰ）〈共。

2 遡求義務者に対する権利

(1) 遡求の場合

所持人の遡求義務者に対する権利は、拒絶証書が作成されているときにはその作成の日から、その作成が免除されているときには満期の日から１年で消滅時効にかかる（77 Ⅰ⑧・70 Ⅱ）〈同。

(2) 再遡求の場合

遡求義務を履行した者が、さらにその前者に対して遡求する場合には、その権利はその者が手形を受け戻した日、又は、後者から訴えを受けた日から６か月で消滅時効にかかる（77 Ⅰ⑧・70 Ⅲ）〈同。

二 時効の完成猶予・更新

1 完成猶予・更新事由

民法の規定に従う（民147以下）。

遡求義務者の権利については訴訟告知による時効の完成猶予が認められている（手86）。

(1) 裁判上の請求（民147 Ⅰ①）

→手形の呈示も、手形の所持も不要（最判昭39.11.24・百選77事件）⇒ p.797

(2) 裁判外の請求（催告・民150 Ⅰ）

→手形の呈示を伴わない催告にも、催告としての時効の完成猶予の効力が認められる（最大判昭38.1.30・百選76事件参照）

＊ 白地手形による訴えと請求 ⇒ p.778

白地手形による訴えの提起によって、補充後成立する手形債権に対する時効の完成猶予の効力が認められる（最大判昭 41.11.2・百選 43 事件、最大判昭 45.11.11 参照）〈司予〉。

2　時効の完成猶予・更新の相対効

時効の完成猶予・更新の効力はその事由が生じた者に対してのみその効力を生ずる（71）〈共〉。同条は、手形の主債務と保証債務についても妥当する〈予〉。

∵　手形上の権利は各々別個独立

三　主債務の時効消滅と遡求権

手形上の主債務が時効消滅した場合には、遡求義務も消滅する（最判昭 57.7.15・百選 73 事件）〈予〉。

∵　裏書人の回復すべき手形上の権利が有効に存続することは、償還義務の欠くことのできない前提要件である

四　手形金請求の訴え提起と原因債権の時効の完成猶予

1　債務支払のため手形が授受された当事者間では、債権者のなす手形金請求の訴えの提起により、原因債権の消滅時効の完成が猶予される（最判昭 62.10.16・百選 78 事件参照）〈司〉。

2　手形債権が確定判決によって確定して民法 169 条によりその時効期間が 10 年とされた場合には、原因債権の時効期間も 10 年に延長される（最判昭 53.1.23 参照）。

・第１２章・【通則】

第７２条　【休日】

Ⅰ　満期が法定の休日に当る為替手形は之に次ぐ第一の取引日に至る迄其の支払を請求することを得ず。又為替手形に関する他の行為殊に引受の為の呈示及拒絶証書の作成は取引日に於てのみ之を為すことを得。

Ⅱ　末日を法定の休日とする一定の期間内に前項の行為を為すべき場合に於ては期間は其の満了に次ぐ第一の取引日迄之を伸長す。期間中の休日は之を期間に算入す。

第７３条　【期間の初日】

法定又は約定の期間には其の初日を算入せず。

第７４条　【恩恵日】

恩恵日は法律上のものたると裁判上のものたるとを問はず之を認めず。

第2編　約束手形

第７５条　【手形要件】

約束手形には左の事項を記載すべし。

① 証券の文言中に其の証券の作成に用ふる語を以て記載する約束手形なることを示す文字

② 一定の金額を支払ふべき旨の単純なる約束〈予〉

③ 満期の表示

④ 支払を為すべき地の表示

⑤ 支払を受け又は之を受くる者を指図する者の名称

⑥ 手形を振出す日及地の表示

⑦ 手形を振出す者（振出人）の署名

《注　釈》

一　必要的記載事項

1　約束手形文句（①）

2　一定金額の単純な支払約束（②）

(1) 一定していることを要し、重畳的記載や選択的記載は許されない。

(2) 金額の重複記載　⇒ p.772

3　満期日（③）

(1) 満期日の意義

満期日とは、支払を行う期日の記載のことをいう（77 Ⅰ②・33 Ⅰ）。

満期日と「支払をなすべき日」は区別されなければならない。

∵「支払をなすべき日」とは、実際に支払を求めることができる日をいい、満期日とは必ずしも一致しない

(2) 種類

(a) 一覧払：手形が呈示された時に支払われるべきもの

(b) 一覧後定期払：手形が呈示されてから手形に記載された一定期間が経過した後に支払われるべきもの

(c) 日付後定期払：振出の日付から手形に記載された一定期間経過後に支払われるべきもの

(d) 確定日払：特定の日に支払われるべきもの

＊ (a)〜(d)と異なる態様の満期や分割払の記載は無効で（77 Ⅰ②・33 Ⅱ）、満期の記載が全くないものとされ、当然一覧払のものとみなされる（76 Ⅰ Ⅱ）。

(3) 振出日前の満期の記載

満期の日として振出日以前の日が記載されている確定日払の約束手形は無

効である（最判平9.2.27・百選20事件）〈予〉。

∵ 相互矛盾する手形要件の記載がある手形は無効である

(4) 存在しない日の満期とする記載

判例（最判昭44.3.4）は、満期の記載が昭和40年2月29日である場合につき、同年が平年であることを理由として2月末日を満期とする有効な手形となるとした〈予〉。

4 支払地（④）

(1) 意義

支払地とは、支払がなされるべき地域のことをいい、最小独立の行政区画を記載する必要がある。

→その地域内の支払場所の記載があるときはその支払場所で、支払場所の記載がないときは支払地内の振出人の営業所又は住所において支払がなされる（商516Ⅱ）

(2) 不適法な記載・記載の欠缺

不適法・不存在の支払地の記載は無効である。

支払地の記載が欠缺している場合には、振出地の記載があればそれが支払地とされる（76Ⅲ）ので、手形は無効とならないですむ。

5 受取人（⑤）

受取人とは、手形の支払を受け、又は支払を受ける者を指図する者として手形上に記載される者のことをいう。

→受取人の記載は権利者を指定するうえで要求されるにすぎないので、手形上それが誰を指す者か判断できれば足りる〈司〉

6 振出日及び振出地（⑥）

(1) 振出日とは、手形が振り出された日として手形に記載される日のことをいう。日付後定期払手形では満期を決定し、一覧払手形及び一覧後定期払手形では手形の呈示期間を決定するために必要となる。確定日払の手形において振出日の意味は乏しいが、それでも記載は必要である（最判昭41.10.13・百選39事件）。

(2) 振出地とは、振出しをなした地をいう。振出地の記載は準拠法決定の基準となる以外には、手形関係上意味はない。なお、振出地を記載しなかった場合には、救済規定がある（76Ⅳ）。

7 振出人の署名（⑦）

以上の手形要件を記載したうえで、振出人が署名（行為者本人が自己の名称を手書きする自署及び記名捺印）をしなければならない（82）。

8 手形の署名

(1) 署名の意義

署名制度の存在意義は、①手形行為者に文書内容を確認させ、厳格な手形債務に服することを認識せしめ（主観的意義）、②手形取得者のために手形行為の同一性を認識させる（客観的意義）点にある。

すべての手形行為について最低限必要な要件として手形行為者の署名が要求されており、手形行為者が署名してはじめて手形上の債務が発生する。

(2) 署名の方式

自署とは、行為者が自己を表示する名称を自ら手書きすることをいう。記名捺印でもよい(82)。

記名捺印とは、行為者の名称を何らかの方法によって記載し、行為者の意思によってその印章の押捺を加えることをいい、捺印を拇印で代用することは認められない(大判昭7.11.19)。

* 署名代行も認められる ⇒p.776

* 法人の機関方式は認められない ⇒p.774

(3) 記載されるべき行為者の名称

社会通念上行為者を識別できる名称であればよい。

→通称や雅号、芸名等でもよい

(4) 他人の名称による署名

自己(A)を表示する名称として他人(B)の氏名を振出人欄に記載して約束手形を振り出したAが、手形上の債務・責任を負うかどうかが問題となった事案において、判例(最判昭43.12.12・百選1事件)は、「Aは、自己を表示する名称としてB名義を使用したものと認めることができるから、その名義を用いた手形署名はA自身の署名とみるべきであり、したがって、Aは、本件約束手形の振出人として、その手形金支払の義務を負う」とした予。

* 手形行為と名板貸 ⇒p.703

二 有益的記載事項

1 第三者方払手形

(1) 意義

手形金の支払は、支払地内における振出人の営業所又は住所においてなされるのが原則である(商516 Ⅱ)が、振出人の便宜のため、振出人の営業所・住所以外の場所で支払う旨を手形上に記載することを認めた(77 Ⅱ・4)。このように、振出人の営業所・住所以外の場所で支払う旨の記載がある手形を第三者方払手形という予。

(2) 方法

①振出人の営業所、住所以外の場所である支払場所を記載することも、②支払人がその営業所・住所以外の場所で支払うことを第三者(支払担当者)に委託することも許される。

(3) 支払呈示期間経過後の支払地・支払場所

支払場所の記載は支払呈示期間内の支払にのみ効力を有し、その後は支払地内の主債務者の営業所又は住所で支払呈示をなすべきである(最大判昭42.11.8・百選67事件)。

(4) 支払地外の支払場所の記載

支払地内にない支払場所の記載は無効である(手形自体は有効)。

∵　支払地の記載は、所持人に支払場所探知の便宜を与えるためのものであり、支払場所は支払地内にあることを当然の前提としている

→支払場所の記載が無効である以上、支払場所の記載がない場合と同様、支払地内の振出人の営業所又は住所で支払呈示をすることになる（商516 Ⅱ）

ただし、振出人は自ら支払場所の記載をした以上、所持人が支払場所に呈示した場合には、呈示の無効を主張することはできない（東京地判昭35.9.16）。

2　指図禁止文句

(1)　意義

手形は法律上当然の指図証券であるが（77 Ⅰ①・11 Ⅰ）、振出人が特に指図禁止の文字等を記載した場合には、裏書による譲渡は禁止され、債権譲渡の方法・効力によってのみ譲渡できる（77 Ⅰ①・11 Ⅱ）共。

(2)　判例

(a)　手形用紙に印刷されている指図文句を抹消した場合でも、それのみによって指図禁止手形となるわけではない。

(b)　指図文句と指図禁止文句の併存している場合、他に特段の事情のない限り、指図禁止文句の効力が優先し、指図禁止手形となる（最判昭53.4.24・百選47事件）。

3　利息文句

一覧払、一覧後定期払の手形には、振出日から満期の前日まで利息を生じる旨の約定を記載することができる（77 Ⅱ・5 Ⅰ前段）。

利率の表示がないときは、利息の約定の記載はなされていないことになる（77 Ⅱ・5 Ⅱ）。

確定日払・日付後定期払の手形の場合には、利息文句の記載をしても、記載されていないものとみなされる（無益的記載事項、77 Ⅱ・5 Ⅰ後段）。

∵　利息を付すのであればその分を手形金額に含めれば足りる

4　支払拒絶証書作成免除文句

支払拒絶証書とは、公証人又は執行官が自ら支払拒絶の事実を実見したうえで、手形の表面又は補箋に法定事項を記載して作成する公正証書で、支払拒絶の事実を立証する唯一の証明方法をいう。

支払拒絶証書の作成手続は煩雑であることから、振出人はこの作成を免除する文句を手形上に記載し、これにより裏書人は拒絶証書作成なしに遡求されることになる。

5　その他手形法に規定されている事項

振出人の住所地（76 Ⅲ）、振出人の肩書地（76 Ⅳ）、換算率又は外国通貨現実支払文句（77 Ⅰ③・41 Ⅱ Ⅲ）、支払期間の伸張・短縮（77 Ⅰ②・34 Ⅰ、78 Ⅱ・23 Ⅱ）、拒絶証書作成免除文句（77 Ⅰ④・46）、無費用償還文句（77 Ⅰ④・46）、戻手形の禁止文句（77 Ⅰ④・52）、準拠すべき暦の指定文句（77 Ⅰ

②・37 Ⅳ）等。

6　明文にない有益的記載事項

手形法に定められている事項以外に、有益的記載事項が認められるかどうか争いがある。

①手形法に定められている事項以外の記載を認めない趣旨であるとする見解と、②認めない趣旨ではないとする見解がある。

＊　判例は、違約金の約定の記載の手形上の効力を否定する（最判昭 39.4.7）

三　無益的記載事項

1　意義

無益的記載事項とは、それを記載しても無意味な事項をいう。

2　種類

⑴　法律により当然にその記載と同様の結果が認められるため、記載が無意味な事項

ex.　指図文句（77 Ⅰ①・11 Ⅰ）、引換払文句（77 Ⅰ③・39 Ⅰ）

⑵　法律の規定により、記載しても効力が認められない事項

ex.　確定日払手形・日付後定期払手形における利息文句（77 Ⅱ・5 Ⅰ後段）

四　有害的記載事項

1　意義

有害的記載事項とは、それを記載すると手形が無効となる事項をいう。

2　具体例

分割払の記載（77 Ⅰ②・33 Ⅱ）、単純な支払約束（75②）に反する記載（商品を受け取ったら手形金を支払う旨の記載等）、振出人の免責文句等、手形の本質に反する事項。

3　支払資を限定する旨の記載

このような記載は、支払の単純性に反し、手形自体が無効となる有害的記載事項というべきである。

第７６条　【手形要件の記載の欠缺】

Ⅰ　前条に掲ぐる事項の何れかを欠く証券は約束手形たる効力を有せず。但し次の数項に規定する場合は此の限に在らず。

Ⅱ　満期の記載なき約束手形は之を一覧払のものと看做す〈共〉。

Ⅲ　振出地は特別の表示なき限り之を支払地にして且振出人の住所地たるものと看做す。

Ⅳ　振出地の記載なき約束手形は振出人の名称に附記したる地に於て之を振出したるものと看做す。

第７７条　【為替手形に関する規定の準用】

Ⅰ　左の事項に関する為替手形に付ての規定は約束手形の性質に反せざる限り之を約束手形に準用す。

① 裏書（第１１条乃至第２０条）〈予〉
② 満期（第３３条乃至第３７条）〈予〉
③ 支払（第３８条乃至第４２条）〈予〉
④ 支払拒絶に因る遡求（第４３条乃至第５０条、第５２条乃至第５４条）
⑤ 参加支払（第５５条、第５９条乃至第６３条）
⑥ 謄本（第６７条及第６８条）
⑦ 変造（第６９条）
⑧ 時効（第７０条及第７１条）〈予〉
⑨ 休日、期間の計算及恩恵日の禁止（第７２条乃至第７４条）

Ⅱ　第三者方にて又は支払人の住所地に非ざる地に於て支払を為すべき為替手形（第４条及第２７条）、利息の約定（第５条）〈共〉、支払金額に関する記載の差異（第６条）〈共予〉、第７条に規定する条件の下に為されたる署名の効果、権限なくして又は之を超えて為したる者の署名の効果（第８条）及白地為替手形（第１０条）〈予〉に関する規定も亦之を約束手形に準用す。

Ⅲ　保証に関する規定（第３０条乃至第３２条）も亦之を約束手形に準用す。第３１条末項の場合に於て何人の為に保証を為しるかを表示せざるときは約束手形の振出人の為に之を為したるものと看做す。

第７８条　【振出しの効力、一覧後定期払手形の特則】

Ⅰ　約束手形の振出人は為替手形の引受人と同一の義務を負ふ〈予〉。

Ⅱ　一覧後定期払の約束手形は第２３条に規定する期間内に振出人の一覧の為之を呈示することを要す。一覧後の期間は振出人が手形に一覧の旨を記載して署名したる日より進行す。振出人が日附ある一覧の旨の記載を拒みたるときは拒絶証書に依りて之を証することを要す（第２５条）。其の日附は一覧後の期間の初日とす。

《注　釈》

約束手形の振出人は、為替手形の引受人と同じく、手形の主たる義務者として、第一次的かつ無条件に手形金額を支払う義務を負う（78 Ⅰ、28）〈予〉。これは振出人として署名したことによる当然の責任であり、流通性を高める趣旨によるものではない〈共〉。

附則

第７９条〜第８４条　（略）

第８５条 【利得償還請求権】

為替手形又は約束手形より生じたる権利が手続の欠缺又は時効に因りて消滅したるときと雖も所持人は振出人、引受人又は裏書人に対し其の受けたる利益の限度に於て償還の請求を為すことを得。

[趣旨]本条の趣旨は、手形の短期消滅時効・厳格な遡求権保全手続により手形上の権利は失われやすいことから、債務者に生じた利得を返還させ、当事者間の公平を図る点にある。

《注 釈》

一 概説

1 意義

利得償還請求権とは、手形上の権利が手続の欠缺又は時効により消滅した場合に、所持人が振出人、引受人又は裏書人に対してその受けた利益の限度で償還の請求をなしうる権利のことをいう（85）。

2 法的性質

(1) 学説

(a) 法が公平の観念に基づいて特に認めた特別な請求権とする見解

∵ 法が衡平の観念から有価証券的法律関係とは次元の異なる実質的法律関係を創設したもの

→純粋に債権として扱われる

(b) 手形（小切手）上の権利が変形ないし残存したものとする見解

∵ 本来の有価証券特有の法律関係は消滅するが、証券上の権利義務の関係が完全に消え去るのではなく、利得償還請求権という形で残存している

→有価証券に準じて扱うべきである

(2) 判例

衡平を図るため特に認めた権利である（最判昭34.6.9・百選84事件）。

手形上の権利自体ではないが、手形上の権利の変形とみるべきであり、手形上の権利が実質的に変更されて既存の法律関係とは全く別個な権利の性質を有するに至るものというべきではない（最判昭42.3.31・百選85事件）。

二 発生要件

1 権利者

手形上の権利が消滅した当時の所持人が権利者となる〈同〉。

実質的権利者であることが必要であるが、手形を所持し、所持に代わる除権判決（当時）を得た者であることは不要である（最判昭34.6.9・百選84事件）。

2 手形上の権利が「手続の欠缺又は時効に因りて消滅」したこと

証券上の権利が消滅しただけで足りるか、民商法上も何ら請求権を有しないことを要するかにつき争いがある。

判例は、すべての手形・小切手上の債務者に対する権利を失い、かつ民商法上も何ら請求権を有しないことが必要との見解を採っているといえる（最判昭43.3.21・百選85事件）司。

3　債務者の利得の発生

(1)　総説

所持人が手形・小切手上の権利を失ったことによりその債務者が実質的に利益を得たことが必要である。

「利得」とは、実質関係において受けた利益のことをいい、単に手形・小切手上の債務を免れたことを意味するものではない。

(2)　判例

「支払のために」約束手形を振り出した場合、手形上の権利が時効消滅した後に原因債務が時効消滅しても、利得償還請求権は発生しない（最判昭38.5.21・百選83事件）。

「支払のために」約束手形を振り出した場合、手形法上の権利が時効消滅する前に原因債権の消滅時効が完成していても、受取人の振出人に対する利得償還請求権は発生しない（最判昭40.4.13）。

→判例によると、支払のために手形を交付していた場合には、原因債権の時効消滅が手形債権の時効消滅の前後かどうかを問わず、利得償還請求権は発生しない

＊　白地手形と利得償還請求権

失権当時白地手形であった場合には利得償還請求権は否定されるとする見解

∵　利得償還請求権が発生するためには、手形上有効に権利が存在しており、その権利が時効又は権利保全手続の欠缺により消滅することが必要

三　譲渡・行使と手形の所持

1　不要説 判通

∵　利得償還請求権は純粋な債権とする見解

2　必要説

∵　利得償還請求権は証券に表象されているとする見解

四　消滅時効

債権の消滅に関する民法の一般原則（民166 I）によって消滅する。

約束手形

第８６条　【消滅時効の完成猶予及び更新】

Ⅰ　裏書人の他の裏書人及振出人に対する為替手形上及約束手形上の請求権の消滅時効は其の者が訴を受けたる場合に於て前者に対し訴訟告知を為したるときは訴訟が終了する（確定判決又は確定判決と同一の効力を有するものに依りて其の訴に係る権利が確定せずして訴訟が終了したる場合に在りては其の終了の時より６月が経過する）迄の間は完成せず。

Ⅱ　前項の場合に於て確定判決又は確定判決と同一の効力を有するものに依りて其の訴に係る権利が確定したるときは時効は訴訟の終了の時より更に其の進行を始む。

第８７条～第９３条　（略）

第９４条　【手形の喪失・盗難の場合の手続】

為替手形又は約束手形の喪失又は盗難の場合に為すべき手続は支払地の属する国の法に依り之を定む。

《注　釈》

◆　手形喪失と権利行使〈司〉

一　除権決定

1　意義

手形紛失者が権利を行使し、又は損害を予防するため、手形上の権利と証券を分離させる必要がある。そこで非訟事件手続法上の除権決定が用いられる。

2　手続

⑴　申立権者による申立て

申立権者は手形の最終所持人（非訟156、157）、すなわち証券喪失時における実質的権利者である。白地式裏書をされた手形でもよい。

⑵　裁判所による公示催告

その手形につき手形上の権利を取得していると主張する者は公示催告期日までに権利を裁判所に届け出て、かつその手形を呈示すべき旨を催告し、公示催告の申立てを受けた裁判所は、その届出がないときにはその手形の無効を宣言する旨の警告をする（非訟143、148ⅠⅡⅢ）。

⑶　除権決定ないし公示催告手続の打切り

公示催告に応じて権利の届出をする者がいないときには、裁判所はその手形につき除権決定をし、その旨を官報で公告する（非訟149）。

二　除権決定の効力

1　消極的効力

除権決定においては、証書が無効であると宣言される（非訟160Ⅰ）。

→手形上の権利と手形との結合が解かれ、手形が無効となるので、現在の所持人は形式的資格を失い、除権決定後は新たに善意取得は生じない

2　積極的効力

除権決定がなされた場合、申立人は証書により義務を負担する者に対して証

書による権利を主張することができる（非訟160Ⅱ）。

→除権決定を得た者は、手形の所持を回復したのと同様の地位が与えられ、形式的資格を回復する

3　除権決定前の善意取得者の地位

(1)　善意取得者と除権決定の効力

(a)　除権決定前に善意取得した者は当該手形に表章された手形上の権利を失わない（最判平13.1.25・百選80事件）予。

(b)　除権決定がなされた場合、善意取得者は形式的資格を失うが、実質的権利は失わない（最判昭47.4.6・百選79事件）。

∵　公示催告は周知方法として十分ではなく、手形の取得者はその手形について公示催告がなされたかどうかを調査することが困難であるから、善意取得者を保護して手形取引の安全を確保すべきである

(2)　善意取得者による権利行使の方法

除権決定がなされても善意取得者は実質的権利を失わないとしても、決定により手形が無効となるから形式的資格は失うことになる。

→形式的資格を有しない善意取得者が権利行使する方法が問題となる

我が国においては、除権決定を得た地位の譲渡請求という権利が認められるかは疑問であるから、善意取得者は、自己の実質的権利を立証したうえで手形上の権利を行使できると解すべき

三　白地手形の喪失と除権決定

手形外の意思表示により白地補充をなしたり、手形の再発行を求めることはできない。

∵　白地手形に対する除権決定は、白地手形所持人同様の形式的資格を獲得するだけである（最判昭51.4.8・百選81事件）予

小切手法

小切手

《概　説》

<各種有価証券の比較>

<table>
<tr><th></th><th>約束手形</th><th>為替手形</th><th>小切手</th></tr>
<tr><td>法的性質</td><td>支払約束証券</td><td colspan="2">支払委託証券</td></tr>
<tr><td>経済的機能</td><td colspan="2">信用証券</td><td>支払証券</td></tr>
<tr><td>主債務者</td><td>振出人（手78Ⅰ）</td><td>引受した支払人（手28Ⅰ）</td><td>不存在</td></tr>
<tr><td>遡求義務者</td><td>裏書人</td><td colspan="2">振出人・裏書人</td></tr>
<tr><td rowspan="2">遡求原因</td><td colspan="3">支払拒絶</td></tr>
<tr><td></td><td>引受拒絶（手43①）</td><td></td></tr>
<tr><td rowspan="2">満期</td><td colspan="3">一覧払</td></tr>
<tr><td colspan="2">一覧後定期払、確定日払、日付後定期払
（手33Ⅰ、手77Ⅰ②）</td><td></td></tr>
<tr><td>支払呈示期間</td><td colspan="2">(1)　一覧払手形
→振出日から1年間（原則。手34Ⅰ、77Ⅰ②）
(2)　(1)以外の手形
→支払をなすべき日及びそれに続く2取引日（手38Ⅰ、手77Ⅰ③）</td><td>振出日付後10日間（小29Ⅰ）</td></tr>
<tr><td rowspan="3">消滅時効</td><td>振出人
＝満期日から3年
（手77Ⅰ⑧）</td><td>引受人
＝満期日から3年
（手70Ⅰ）</td><td>遡求義務者
＝6か月（小51Ⅰ）</td></tr>
<tr><td colspan="2">遡求義務者
＝拒絶証書作成の日（満期）から1年
（手70Ⅱ、77Ⅰ⑧）</td><td>支払保証した支払人
＝呈示期間経過後1年（小58）</td></tr>
<tr><td colspan="3">再遡求義務者
＝受戻しの日又はその後者から償還の訴えを受けた日から6か月
（手70Ⅲ、手77Ⅰ⑧、小51Ⅱ）</td></tr>
<tr><td rowspan="2">受取人の表示</td><td colspan="3">指図式、記名式</td></tr>
<tr><td colspan="2"></td><td>無記名式、持参人払式、記名持参人払式</td></tr>
<tr><td>振出人と支払人の関係（資金関係）</td><td>なし（ただし、第三者方払の場合は準資金関係あり）</td><td>準資金関係あり</td><td>資金関係あり</td></tr>
</table>

一　定義

小切手とは、振出人が、満期に一定の金額（小切手金額）を受取人その他証券の正当な所持人に支払うことを支払人に委託する支払委託証券のことをいう（1②）。

二　概説

1　小切手は、為替手形と同様支払委託証券であるが、手形と異なり、信用証券ではなく、支払証券として位置付けられている。小切手法は、小切手の支払証券性を確保し、小切手が、専ら支払の道具（現金の代用物）として機能するよう、支払の確実・迅速のための制度、信用証券化防止のための制度を設けている。

2　具体的には、支払の確実・迅速を図るため、支払人が銀行等に限定され、支払人との間に資金関係が要求される（3、59）。常に一覧払とされ（28）、支払呈示期間は振出日付後10日とされる（29 Ⅰ）。消滅時効は手形と比して短い（51 Ⅰ、58）。また、信用証券化を防止するため、支払人による引受け（4）、裏書（15 Ⅲ）、小切手保証（25 Ⅱ）は禁止される〈司。

・第1章・【小切手の振出及方式】

第1条　【小切手要件】

小切手には左の事項を記載すべし。

① 証券の文言中に其の証券の作成に用ふる語を以て記載する小切手なることを示す文字

② 一定の金額を支払ふべき旨の単純なる委託〈予

③ 支払を為すべき者（支払人）の名称

④ 支払を為すべき地の表示

⑤ 小切手を振出す日及地の表示

⑥ 小切手を振出す者（振出人）の署名

第2条　【要件の記載の欠缺】

Ⅰ　前条に掲ぐる事項の何れかを欠く証券は小切手たる効力を有せず。但し次の数項に規定する場合は此の限に在らず。

Ⅱ　支払人の名称に附記したる地は特別の表示なき限り之を支払地と看做す。支払人の名称に数箇の地の附記あるときは小切手は初頭に記載しある地に於て之を支払ふべきものとす。

Ⅲ　前項の記載其の他何等の表示なき小切手は振出地に於て之を支払ふべきものとす。

Ⅳ　振出地の記載なき小切手は振出人の名称に附記したる地に於て之を振出したるものと看做す。

《注　釈》

一　小切手要件

小切手は手形と同様、厳格な要式証券であるから、法1条の規定する要件の記載を欠く場合、無効となる。

二　振出

小切手の振出は、支払人に対し支払権限（支払人の名で、振出人の計算により、小切手金額の支払をなしうる権限）を与えるとともに、受取人に対し支払受領権限を与えるものであるとするのが多数説である。

第3条　【振出しの制限】

小切手は其の呈示の時に於て振出人の処分し得る資金ある銀行に宛て且振出人をして資金を小切手に依り処分することを得しむる明示又は黙示の契約に従ひ之を振出すべきものとす共。但し此の規定に従はざるときと雖も証券の小切手たる効力を妨げず。

《注　釈》

一　小切手契約

小切手の呈示の時に、①振出人が支払人たる銀行に処分できる資金を有し(支払資金)、かつ②振出人と支払人との間で振出人が右の資金を小切手で処分できるという内容の明示又は黙示の契約（小切手契約）が存在することが必要である（3）。

実際には、この小切手契約は銀行と取引先との間における当座勘定取引契約の中に包含され、また支払資金は当座預金として存在する。

＊　賭博の債務支払のためにした小切手交付、譲渡の末の小切手請求は、公序良俗違反（民90）により認められない（最判昭46.4.9・百選88事件）。

＊　他行小切手による当座預金への入金は、当該小切手の取立委任と、その取立完了を停止条件とする当座預金契約であるから、取立て完了前は当該小切手の金額に見合う当座支払の義務を負わない（最判昭46.7.1・百選〔第六版〕92事件）。

二　支払人資格

小切手の支払人は、銀行又は法令によりこれと同視されるものに限られる司予。

第4条　【引受の禁止】

小切手は引受を為すことを得ず共予。小切手に為したる引受の記載は之を為さざるものと看做す。

[趣旨]本条の趣旨は、小切手の信用証券化を防ぐ点にある司。

《注　釈》

◆　引受け禁止の意義と遡求

小切手の支払人は引受をすることができず、結果、為替手形の場合のような引受拒絶による遡求ということは問題とならない。

→小切手の振出人は支払のみを担保し（12前段）、支払が拒絶された場合に遡求義務を負う

第5条 【受取人の記載】

Ⅰ 小切手は左の何れかとして之を振出すことを得。

① 記名式又は指図式

② 記名式にして「指図禁止」の文字又は之と同一の意義を有する文言を記載するもの

③ 持参人払式予

Ⅱ 記名の小切手にして「又は持参人に」の文字又は之と同一の意義を有する文言を記載したるものは之を持参人払式小切手と看做す。

Ⅲ 受取人の記載なき小切手は之を持参人払式小切手と看做す司予。

第6条 【自己指図、委託、自己宛て小切手】

Ⅰ 小切手は振出人の自己指図にて之を振出すことを得。

Ⅱ 小切手は第三者の計算に於て之を振出すことを得。

Ⅲ 小切手は振出人の自己宛にて之を振出すことを得予。

第7条 【利息の約定】

小切手に記載したる利息の約定は之を為さざるものと看做す予。

第8条 【第三者方払の記載】

小切手は支払人の住所地に在ると又は其の他の地に在るとを問はず第三者の住所に於て支払ふべきものと為すことを得司。但し其の第三者は銀行たることを要す。

第9条 【小切手金額に関する記載の差異】

Ⅰ 小切手の金額を文字及数字を以て記載したる場合に於て其の金額に差異あるときは文字を以て記載したる金額を小切手金額とす。

Ⅱ 小切手の金額を文字を以て又は数字を以て重複して記載したる場合に於て其の金額に差異あるときは最小金額を小切手金額とす。

第10条 【小切手行為独立の原則】

小切手に小切手債務の負担に付き行為能力なき者の署名、偽造の署名、仮設人の署名又は其の他の事由に因り小切手の署名者若は其の本人に義務を負はしむること能はざる署名ある場合と雖も他の署名者の債務は之が為其の効力を妨げらるることなし。

第11条 【小切手行為の代理】

代理権を有せざる者が代理人として小切手に署名したるときは自ら其の小切手に因り義務を負ふ。其の者が支払を為したるときは本人と同一の権利を有す権限を超えたる代理人に付亦同じ。

第12条 【振出しの効力】

振出人は支払を担保す。振出人が之を担保せざる旨の一切の文言は之を記載せざるものと看做す共。

第１３条 【白地小切手】

未完成にて振出したる小切手に予め為したる合意と異る補充を為したる場合に於ては其の違反は之を以て所持人に対抗することを得ず〈予〉。但し所持人が悪意又は重大なる過失に因り小切手を取得したるときは此の限に在らず。

・第2章・【譲渡】

第１４条 【法律上当然の指図証券性】

Ⅰ 記名式又は指図式の小切手は裏書に依りて之を譲渡することを得。

Ⅱ 記名式小切手にして「指図禁止」の文字又は之と同一の意義を有する文言を記載したるものは民法（明治29年法律第89号）第3編第1章第4節の規定に依る債権の譲渡に関する方式に従ひ且其の効力を以てのみ之を譲渡することを得。

Ⅲ 裏書は振出人其の他の債務者に対しても之を為すことを得。此等の者は更に小切手を裏書することを得。

第１５条 【裏書の要件】

Ⅰ 裏書は単純なることを要す。裏書に附したる条件は之を記載せざるものと看做す。

Ⅱ 一部の裏書は之を無効とす。

Ⅲ 支払人の裏書も亦之を無効とす〈予〉。

Ⅳ 持参人払の裏書は白地式裏書と同一の効力を有す。

Ⅴ 支払人に対して為したる裏書は受取証書たる効力のみを有す。但し支払人が数箇の営業所を有する場合に於て小切手の振宛てられたる営業所以外の営業所に対して為したる裏書は此の限に在らず。

第１６条 【裏書の方式】

Ⅰ 裏書は小切手又は之と結合したる紙片（補箋）に之を記載し裏書人署名することを要す。

Ⅱ 裏書は被裏書人を指定せずして之を為し又は単に裏書人の署名のみを以て之を為すことを得（白地式裏書）。此の後の場合に於ては裏書は小切手の裏面又は補箋に之を為すに非ざれば其の効力を有せず。

第１７条 【裏書の権利移転的効力】

Ⅰ 裏書は小切手より生ずる一切の権利を移転す。

Ⅱ 裏書が白地式なるときは所持人は

① 自己の名称又は他人の名称を以て白地を補充することを得。

② 白地式に依り又は他人を表示して更に小切手を裏書することを得。

③ 白地を補充せず且裏書を為さずして小切手を第三者に譲渡することを得。

第１８条 【裏書の担保的効力】

Ⅰ 裏書人は反対の文言なき限り支払を担保す。

Ⅱ 裏書人は新なる裏書を禁ずることを得。此の場合に於ては其の裏書人は小切手の爾後の被裏書人に対し担保の責を負ふことなし。

第１９条 【裏書の授与的効力】

裏書し得べき小切手の占有者が裏書の連続に依り其の権利を証明するときは之を適法の所持人と看做す。最後の裏書が白地式なる場合と雖も亦同じ。抹消したる裏書は此の関係に於ては之を記載せざるものと看做す。白地式裏書に次で他の裏書あるときは其の裏書を為したる者は白地式裏書に因りて小切手を取得したるものと看做す。

第２０条 【無記名小切手の裏書】

持参人払式小切手に裏書を為したるときは裏書人は遡求に関する規定に従ひ責任を負ふ。但し之が為証券は指図式小切手に変ずることなし。

第２１条 【小切手の善意取得】

事由の何たるを問はず小切手の占有を失ひたる者ある場合に於て其の小切手を取得したる所持人は小切手が持参人払式のものなるとき又は裏書し得べきものにして其の所持人が第１９条の規定に依り権利を証明するときは之を返還する義務を負ふことなし。但し悪意又は重大なる過失に因り之を取得したるときは此の限に在らず。

第２２条 【人的抗弁の制限】

小切手に依り請求を受けたる者は振出人其の他所持人の前者に対する人的関係に基く抗弁を以て所持人に対抗することを得ず。但し所持人が其の債務者を害することを知りて小切手を取得したるときは此の限に在らず。

第２３条 【取立委任裏書】

Ⅰ 裏書に「回収の為」、「取立の為」、「代理の為」其の他単なる委任を示す文言あるときは所持人は小切手より生ずる一切の権利を行使することを得。但し所持人は代理の為の裏書のみを為すことを得。

Ⅱ 前項の場合に於ては債務者が所持人に対抗することを得る抗弁は裏書人に対抗することを得べかりしものに限る。

Ⅲ 代理の為の裏書に依る委任は委任者の死亡又は其の者が行為能力の制限を受けたることに因り終了せず。

第２４条 【期限後裏書】

Ⅰ 拒絶証書若は之と同一の効力を有する宣言の作成後の裏書又は呈示期間経過後の裏書は民法第３編第１章第４節の規定に依る債権の譲渡の効力のみを有す。

Ⅱ 日附の記載なき裏書は拒絶証書若は之と同一の効力を有する宣言の作成前又は呈示期間経過前に之を為したるものと推定す。

・第3章・【保証】

第２５条　【要件】

Ⅰ　小切手の支払は其の金額の全部又は一部に付保証に依り之を担保することを得。

Ⅱ　支払人を除くの外第三者は前項の保証を為すことを得。小切手に署名したる者と雖も亦同じ。

第２６条　【方式】

Ⅰ　保証は小切手又は補箋に之を為すべし。

Ⅱ　保証は「保証」其の他之と同一の意義を有する文字を以て表示し保証人署名すべし。

Ⅲ　小切手の表面に為したる単なる署名は之を保証と看做す。但し振出人の署名は此の限に在らず。

Ⅳ　保証には何人の為に之を為すかを表示することを要す。其の表示なきときは振出人の為に之を為したるものと看做す。

第２７条　【効力】

Ⅰ　保証人は保証せられたる者と同一の責任を負ふ。

Ⅱ　保証は其の担保したる債務が方式の瑕疵を除き他の如何なる事由に因りて無効なるときと雖も之を有効とす。

Ⅲ　保証人が小切手の支払を為したるときは保証せられたる者及其の者の小切手上の債務者に対し小切手より生ずる権利を取得す。

《注　釈》

・小切手保証の意義は手形保証と同様である。支払保証（53以下）とは別の制度であるので注意を要する。

・第4章・【呈示及支払】

第２８条　【一覧性、先日付小切手の呈示】

Ⅰ　小切手は一覧払のものとす〈共予〉。之に反する一切の記載は之を為さざるものと看做す〈予〉。

Ⅱ　振出の日附として記載したる日より前に支払の為呈示したる小切手は呈示の日に於て之を支払ふべきものとす。

[趣旨]小切手が信用証券化するのを防ぐため、当然の一覧払とした。

《注　釈》

一　一覧払

小切手は当然に一覧払であり〈同〉、一覧払性に反する記載はこれを認めず、仮に記載しても記載していないものとみなされる（Ⅰ）。

二　先日付小切手

先日付小切手とは、振出しの際に、現実に振り出した日よりも将来の日が振出日として記載された小切手のことをいい、かかる小切手も、小切手上に記載された日を振出日とする小切手として有効である。

もっとも、先日付小切手の所持人は、その振出日以前には呈示できないとすると、小切手の一覧払性に反することになる。

そこで、先日付小切手の所持人は、振出日以前にこれを呈示することができ、その小切手については実際に呈示された日に支払うべきものとされた（Ⅱ）。

三　後日付小切手

振出日として、現実に振り出した日には呈示期間が経過しているような日付を記載した小切手を後日付小切手という。

すでに呈示期間が経過していることから、善意取得の対象とならず、また支払委託を取り消せば直ちにその効力が生じることから、静的安全に資する。

第２９条　【支払呈示期間】

Ⅰ　国内に於て振出し且支払ふべき小切手は１０日内に支払の為之を呈示することを要す共。

Ⅱ　支払を為すべき国と異る国に於て振出したる小切手は振出地及支払地が同一洲に存するときは２０日内又異る洲に存するときは７０日内に之を呈示することを要す。

Ⅲ　前項に関しては欧羅巴洲の一国に於て振出し地中海沿岸の一国に於て支払ふべき小切手又は地中海沿岸の一国に於て振出し欧羅巴洲の一国に於て支払ふべき小切手は同一洲内に於て振出し且支払ふべきものと看做す。

Ⅳ　本条に掲ぐる期間の起算日は小切手に振出の日附として記載したる日とす。

第３０条　【暦を異にする地における振出日の決定】

小切手が暦を異にする二地の間に振出したるものなるときは振出の日を支払地の暦の応当日に換ふ。

第３１条　【手形交換所における呈示】

手形交換所に於ける小切手の呈示は支払の為の呈示たる効力を有す。

[趣旨]小切手の長期信用証券化を防ぐため、小切手の支払呈示期間は振出日から原則10日に限定され、これを伸長できない。

第３２条　【支払委託の取消し】

Ⅰ　小切手の支払委託の取消は呈示期間経過後に於てのみ其の効力を生ず。

Ⅱ　支払委託の取消なきときは支払人は期間経過後と雖も支払を為すことを得。

[趣旨]本来、支払権限の付与は振出人と支払人との間の人的関係にすぎず、小切手の振出人の支払人に対する支払委託の意思表示を取り消す（撤回する）ことができるが、支払委託の取消しがあった場合に、直ちにその効力が生じるとすれば、小

切手の所持人の利益を害し、支払証券としての小切手の機能が害される。

そこで、支払委託の取消しは、呈示期間経過後でなければ効力を生じないとした。

第３３条　【振出人の死亡又は無能力】

振出の後振出人が死亡し意思能力を喪失し又は行為能力の制限を受くるも小切手の効力に影響を及ぼすことなし。

第３４条　【受戻証券性】

Ⅰ　小切手の支払人は支払を為すに当り所持人に対し小切手に受取を証する記載を為して之を交付すべきことを請求することを得。

Ⅱ　所持人は一部支払を拒むことを得ず。

Ⅲ　一部支払の場合に於ては支払人は其の支払ありたる旨の小切手上の記載及受取証書の交付を請求することを得。

第３５条　【支払人の調査義務】

裏書し得べき小切手の支払を為す支払人は裏書の連続の整否を調査する義務あるも裏書人の署名を調査する義務なし。

第３６条　【外国通貨表示の小切手の支払】

Ⅰ　支払地の通貨に非ざる通貨を以て支払ふべき旨を記載したる小切手に付ては其の呈示期間内は支払の日に於ける価格に依り其の国の通貨を以て支払を為すことを得。呈示を為すも支払なかりしときは所持人は其の選択に依り呈示の日又は支払の日の相場に従ひ其の国の通貨を以て小切手の金額を支払ふべきことを請求することを得。

Ⅱ　外国通貨の価格は支払地の慣習に依り之を定む。但し振出人は小切手に定めたる換算率に依り支払金額を計算すべき旨を記載することを得。

Ⅲ　前２項の規定は振出人が特種の通貨を以て支払ふべき旨（外国通貨現実支払文句）を記載したる場合には之を適用せず。

Ⅳ　振出国と支払国とに於て同名異価を有する通貨に依り小切手の金額を定めたるときは支払地の通貨に依りて之を定めたるものと推定す。

・第5章・【線引小切手】

第37条 【線引の種類及び方式】

Ⅰ 小切手の振出人又は所持人は小切手に線引を為すことを得。線引は次条に定むる効力を有す。

Ⅱ 線引は小切手の表面に二条の平行線を引きて之を為すべし線引は一般又は特定たることを得。

Ⅲ 二条の線内に何等の指定を為さざるか又は「銀行」若は之と同一の意義を有する文字を記載したるときは線引は之を一般とす。二条の線内に銀行の名称を記載したるときは線引は之を特定とす予。

Ⅳ 一般線引は之を特定線引に変更することを得るも特定線引は之を一般線引に変更することを得ず。

Ⅴ 線引又は被指定銀行の名称の抹消は之を為さざるものと看做す。

第38条 【線引の効力】

Ⅰ 一般線引小切手は支払人に於て銀行に対し又は支払人の取引先に対してのみ之を支払ふことを得。

Ⅱ 特定線引小切手は支払人に於て被指定銀行に対してのみ又被指定銀行が支払人なるときは自己の取引先に対してのみ之を支払ふことを得。但し被指定銀行は他の銀行をして小切手の取立を為さしむることを得。

Ⅲ 銀行は自己の取引先又は他の銀行よりのみ線引小切手を取得することを得。銀行は此等の者以外の者の為に線引小切手の取立を為すことを得ず。

Ⅳ 数箇の特定線引ある小切手は支払人に於て之を支払ふことを得ず。但し二箇の線引ある場合に於て其の一が手形交換所に於ける取立の為に為されたるものなるときは此の限に在らず。

Ⅴ 前4項の規定を遵守せざる支払人又は銀行は之が為に生じたる損害に付小切手の金額に達する迄賠償の責に任ず。

[趣旨] 線引小切手の制度は、不正に取得したものが、支払を受けることをできるだけ防止し、仮に支払を受けた場合にも、不正な受領者を突き止めることができるようにする目的で設けられた。

《注 釈》

一 意義

線引小切手とは、振出人又は所持人が、小切手の表面に2本の平行線を引いたものをいい（37 Ⅰ）、一般線引と特定線引の2種類がある。

一般線引小切手とは、小切手の表面に2本の平行線を引いているにすぎないもの、又は2本の平行線内に「銀行」若しくはこれと同一の意義を有する文字を記載しているものをいう。

特定線引小切手とは、2本の平行線内に特定の銀行の名称を記載したものをいう。

二　線引の効果

1　一般線引小切手の効力

支払人は、「他の銀行」又は「自己の取引先」に対してのみ支払うことができ（38 Ⅰ）同、すべての銀行は、「他の銀行」又は「自己の取引先」だけから取得・取立委任をすることができる（38 Ⅲ）。

2　特定線引小切手の効力

支払人は、指定された銀行（平行線内に記載された銀行）に対してのみ支払うことができ（38 Ⅱ）、すべての銀行は、「他の銀行」又は「自己の取引先」だけから取得・取立委任をすることができる（38 Ⅲ）。

3　線引の抹消・変更（37 Ⅳ、Ⅴ）

4　線引違反の支払・受入れの効果（38 Ⅴ）

支払・受入れは有効であり、当然に無効となるわけではない。

・第6章・【支払拒絶に因る遡求】

第39条～第47条　（略）

《注　釈》

・小切手の遡求原因は支払拒絶しかない。反面、支払拒絶証書の作成期間は支払呈示期間経過前を原則としつつ（40 Ⅰ）、これが極めて短いので（29）、支払呈示期間末日に呈示された場合はその次の取引日に作成することを認めている（40 Ⅱ）。

・第7章・【複本】

第48条～第49条　（略）

・第8章・【変造】

第50条　【変造の効果】

小切手の文言の変造の場合に於ては其の変造後の署名者は変造したる文言に従ひて責任を負ひ変造前の署名者は原文言に従ひて責任を負ふ。

・第9章・【時効】

第51条　【時効期間】

Ⅰ　所持人の裏書人、振出人其の他の債務者に対する遡求権は呈示期間経過後6月〈司予〉を以て時効に罹る。

Ⅱ　小切手の支払を為すべき債務者の他の債務者に対する遡求権は其の債務者が小切手の受戻を為したる日又は其の者が訴を受けたる日より6月を以て時効に罹る。

第52条　【時効の完成猶予及び更新】

時効の完成猶予又は更新は其の事由が生じたる者に対してのみ其の効力を生ず。

・第10章・【支払保証】

第53条　【方式】

Ⅰ　支払人は小切手に支払保証を為すことを得。

Ⅱ　支払保証は小切手の表面に「支払保証」其の他支払を為す旨の文字を以て表示し日附を附して支払人署名すべし。

[趣旨]小切手は支払証券であるから、一覧払性（28 Ⅰ）、引受禁止（4）、支払人の裏書禁止（15 Ⅲ）等が定められている。この結果、支払人の有効性を確保する手段が求められ、支払保証が認められた。

《注　釈》

一　支払保証

1　意義

支払銀行が支払につき責任を負う旨の支払保証をすることができる（53 Ⅰ）。小切手の支払人は小切手金額を支払う者として指定された支払資格者ではあるが、支払義務を負うものではない〈予〉。そして、為替手形のように引受により手形債務を負うこともできない。そこで、支払保証を認めた。

2　効果

小切手所持人の債務を保証する。支払保証は絶対的な義務となる引受人と異なり、支払保証人は呈示期間内に支払呈示があったときに限り、振出人を含むすべての所持人に対して支払義務を負う（55 Ⅰ）。

二　自己宛小切手

実務上、支払保証は多用されておらず、自己宛小切手が用いられている。銀行の自己宛小切手は信用度が高く、債務の本旨に基づく弁済と認められる（最判昭37.9.21・百選〔第六版〕90事件）。

第５４条　【要件】

Ⅰ　支払保証は単純なることを要す。

Ⅱ　支払保証に依り小切手の記載事項に加へたる変更は之を記載せざるものと看做す。

第５５条　【効力】

Ⅰ　支払保証を為したる支払人は呈示期間の経過前に小切手の呈示ありたる場合に於てのみ其の支払を為す義務を負ふ。

Ⅱ　支払なき場合に於て前項の呈示ありたることは第３９条の規定に依り之を証明することを要す。

Ⅲ　第４４条及第４５条の規定は前項の場合に之を準用す。

第５６条　【同前】

支払保証に因り振出人其の他の小切手上の債務者は其の責を免るることなし。

第５７条　【不可抗力による期間の伸長】

第４７条の規定は支払保証を為したる支払人に対する権利の行使に付之を準用す。

第５８条　【時効】

支払保証を為したる支払人に対する小切手上の請求権は呈示期間経過後１年を以て時効に罹る。

・第１１章・【通則】

第５９条　【銀行】

本法に於て「銀行」なる文字は法令に依りて銀行と同視せらるる人又は施設を含む。

第６０条　【休日】

Ⅰ　小切手の呈示及拒絶証書の作成は取引日に於てのみ之を為すことを得。

Ⅱ　小切手に関する行為を為す為殊に呈示又は拒絶証書若は之と同一の効力を有する宣言の作成の為法令に規定したる期間の末日が法定の休日に当る場合に於ては期間は其の満了に次ぐ第一の取引日迄之を伸長す。期間中の休日は之を期間に算入す。

第６１条　【期間の初日】

本法に規定する期間には其の初日を算入せず。

第６２条　【恩恵日】

恩恵日は法律上のものたると裁判上のものたるとを問はず之を認めず。

判例索引

平成

令和

事項索引

ア行

カ行

サ行

タ行

ナ行

ハ行

マ行

ヤ行

ラ行

ワ行

司法試験＆予備試験対策シリーズ
2025年版 司法試験＆予備試験 完全整理択一六法　商法

2006年12月15日　第１版　第１刷発行
2024年11月15日　第19版　第１刷発行
編著者●株式会社　東京リーガルマインド
LEC総合研究所　司法試験部
発行所●株式会社　東京リーガルマインド
〒164-0001　東京都中野区中野4-11-10
アーバンネット中野ビル
LECコールセンター　0570-064-464
受付時間　平日9：30〜19：30/土・日・祝10：00〜18：00
※このナビダイヤルは通話料お客様ご負担となります。
書店様専用受注センター　TEL 048-999-7581 / FAX 048-999-7591
受付時間　平日9：00〜17：00/土・日・祝休み
www.lec-jp.com/

カバーデザイン●桂川 潤
本文デザイン●グレート・ローク・アソシエイツ
印刷・製本●株式会社 シナノパブリッシングプレス

ISBN978-4-8449-4477-5

OUTPUT

司法試験＆予備試験 単年度版 短答過去問題集（法律基本科目）

短答式試験（法律基本科目のみ）の問題と解説集。

	定価
令和元年	本体2,600円+税
令和２年	本体2,600円+税
令和３年	本体2,600円+税
令和４年	本体3,000円+税
令和５年	本体3,000円+税
令和６年	本体3,000円+税

司法試験＆予備試験
体系別短答過去問題集
憲法
第3版

司法試験＆予備試験 体系別短答過去問題集【第３版】

平成18年から令和５年までの司法試験および平成23年から令和５年までの予備試験の短答式試験を体系別に収録。

	定価
憲法	本体3,800円+税
民法（上）総則・物権	本体3,600円+税
民法（下）債権・親族・相続	本体4,300円+税
刑法	本体4,300円+税

司法試験＆予備試験
令和5年 論文過去問
再現答案から
出題趣旨を読み解く。

司法試験＆予備試験 論文過去問 再現答案から出題趣旨を読み解く。

※単年度版

出題趣旨を制することで論文式試験を制する！
各年度再現答案を収録。

	定価
令和元年	本体3,500円+税
令和２年	本体3,500円+税
令和３年	本体3,500円+税
令和４年	本体3,500円+税
令和５年	本体3,700円+税

司法試験＆予備試験
論文5年過去問
再現答案から
出題趣旨を読み解く。
憲法
平成27年～令和元年実施の司法＆予備論文式試験の全問題と再現答案を収録！

司法試験＆予備試験 論文５年過去問 再現答案から出題趣旨を読み解く。

※平成 27 年～令和元年

5年分の論文式試験再現答案を収録。

	定価
憲法	本体2,900円+税
民法	本体3,500円+税
刑法	本体2,900円+税
商法	本体2,900円+税
民事訴訟法	本体2,900円+税
刑事訴訟法	本体2,900円+税
行政法	本体2,900円+税
法律実務基礎科目・一般教養科目(予備試験)	本体2,900円+税

司法試験の最終合格に必要な知識を短期間で修得する

【速修】矢島の速修インプット講座

➡ Inp

講義時間数

216時間

憲法 32時間　民訴法 24時間
民法 48時間　刑訴法 24時間
刑法 40時間　行政法 24時間
会社法 24時間

通信教材発送／Web・音声DL配信開始日

2024/9/2(月)以降、順次

Web・音声DL配信終了日

2025/9/30(火)

使用教材

矢島の体系整理テキスト2025
※レジュメのPDFデータはWebup致しませんのでご注意ください。

タイムテーブル

講義 4時間　途中10分休憩あり

担当講師

矢島 純一
LEC専任講師

おためしWeb受講制度

おためしWEB受講制度をお申込みいただくと、講義の一部を無料でご受講いただけます。

詳細はこちら→

講座概要

本講座（略称：矢島の【速修】）は、既に学習経験がある受験生や、ほとんど学習経験だ
ても短期間で試験対策をしたいという受験生が、**合格するために修得が必須となる事項**
率よくインプット学習するための講座です。**合格に必要な重要論点や判例の分かりやす**
説により科目全体の**本質的な理解を深める講義**と、覚えるべき規範が過不足なく記載さ
然と法的三段論法を身に付けながら知識を修得できるテキストが**両輪**となって、**本試験**
応できる実力を養成できます。忙しい毎日の通勤通学などの隙間時間で講義を聴いたり
の際にテキストだけ繰り返し読んだり、自分のペースで無理なく合格に必要な全ての重
識を身に付けられるようになっています。また、本講座は**直近の試験の質に沿った学習**
るよう、**テキストや講義の内容**を**毎年改訂**しているので、本講座を受講することで**直近の**
考査委員が受験生に求めている知識の質と広さを理解することができ、試験対策上、誤
向に行くことなく、**常に正しい方向に進んで確実に合格する**力を修得することができま

講座の特長

1 重要事項の本質を短期間で理解するメリハリある講義

最大の特長は、**分かりやすい講義**です。全身全霊を受験指導に傾け、寝ても覚めても
ことを考えている矢島講師の講義は、思わず惹き込まれるほど面白く分かりやすいので
い方でも途中で挫折することなく受講できると好評を博しています。講義中は、日頃か
問研究をしっかりとしている矢島講師が、**試験で出題されやすい事項を、試験で出題さ**
を踏まえて解説するため、講義を聴いているだけで**確実に合格に近づく**ことができます

2 司法試験の合格レベルに導く質の高いテキスト

使用する**テキストは、全て矢島講師が責任をもって作成**しており、合格に必要な重要
体系ごとに整理されています。**受験生に定評のある基本書、判例百選、重要判例集、論証**
容がコンパクトにまとめられており、試験で出題されそうな事項を「矢島の体系整理テ
だけで学べます。矢島講師が**過去問をしっかりと分析した上で、合格に必要な知識をイ**
トできるようにテキストを作成しているので、**試験に不必要な情報は一切なく、合格に**
る知識を短時間で効率よく吸収できるテキストとなっています。すべての知識に**重要度**
ク付けをしているため一目で覚えるべき知識が分かり、受験生が講義を**復習しやすい**
れています。また、テキストの改訂を毎年行い、**法改正や最新判例に完全に対応してい**

受講料

受講形態	科目	回数	講義形態	一般価格	大学生協・書籍部価格	代理店書店価格	講座コード
				税込(10%)			
通学・通信	一括	54	Web※1	112,200円	106,590円	109,956円	通学：LA24587 通信：LB24597
			DVD	145,750円	138,462円	142,835円	
	憲法	8	Web※1	19,250円	18,287円	18,865円	
			DVD	25,300円	24,035円	24,794円	
	民法	12	Web※1	30,800円	29,260円	30,184円	
			DVD	40,150円	38,142円	39,347円	
	刑法	10	Web※1	26,950円	25,602円	26,411円	
			DVD	35,200円	33,440円	34,496円	
	会社法/民訴法/刑訴法/行政法※2	各6	Web※1	15,400円	14,630円	15,092円	
			DVD	19,800円	18,810円	19,404円	

※1音声DL+スマホ視聴付き　※2いずれか1科目あたりの受講料となります

■一般価格とは、LEC各本校・LEC提携校・LEC通信事業本部・LECオンライン本校にてお申込される場合の受付価格です。 ■大学生協・書籍部価格とは、LECと代理店契約を結んでいる大学内の生協、購買会、書店にてお申込される場合の受付価格です。■代理店書店価格とは、LECと代理店契約を結んでいる一般書店（大学内の書店は除く）にてお申込される場合の受付価格です。 ■上記大学生協・書籍部価格、代理店書店価格を利用される場合は、必ず本冊子を代理店窓口までご持参ください。

【解約・返品について】 1.弊社所定書面をご提出下さい。実施済受講料、手数料等を清算の上返金します。教材等の返送料はご負担頂きます（LEC申込規定第3条参照）。
2.詳細はLEC申込規定（http://www.lec-jp.com/kouzamoushikomi.html）をご覧下さい。

教材のお届けについて　通信教材発送日が複数回に分けて設定されている講座について、通信教材発送日を過ぎてお申込みいただいた場合、それまでの教材をまとめてお送りするのに10日程度のお時間を頂いております。また、そのお待ちいただいている間に、次回の教材発送日が到来した場合、その教材は発送日通り送られるため、学習順序と、通信教材の到着順序が前後する場合がございます。予めご了承下さい。*詳細はこちらをご確認ください。→
https://online.lec-jp.com/statics/guide_send.html

論完】矢島の論文完成講座

Input

義時間数

20時間

法 16時間　民訴法 16時間
法 20時間　刑訴法 16時間
法 20時間　行政法 16時間
法 16時間

教材発送／Web・音声DL配信開始日

25/1/14（火）以降、順次

eb・音声DL配信終了日

25/9/30（火）

用教材

島の論文メイン問題集2025
島の論文補強問題集2025
ジュメのPDFデータはWebup致しませんのでご注意ください。

イムテーブル

講義
時間

途中休憩あり ※2回
（合計15分程度）

講師

矢島純一
LEC専任講師

講座概要

本講座（略称：矢島の【論完】）は、論文試験に合格するための**事例分析能力、法的思考力、本番の試験で合格点を採る答案作成のコツを、短期間で修得**するための講座です。講義で使用する**教材は解答例を含め全て矢島講師が責任を持って作成**しており、問題文中の**事実**に対してどのように**評価**をすれば**試験考査委員に高評価**を受けられるかなど、**合格するためには是非とも修得しておきたいことを分かりやすく講義**していきます。論文試験の答案の書き方が分からないという受験生はもちろん、答案の書き方はある程度修得しているのに本試験で良い評価を受けることができないという受験生が、**確実に合格答案を作成する能力を修得**できるように**矢島講師が分かりやすい講義**をします。なお、教材及び講義の内容は、**令和７年度**試験の出題範囲とされている**法改正**や**最新の判例に全て対応**しているので、情報収集の時間を省略して、全ての時間をこの講座の受講と復習にかけて効率よく受験対策をすることができます。

講座の特長

1 論文対策はこの講座だけで完璧にできる

限られた時間で論文対策をするには**検討すべき問題を次年度の試験の合格に必要なものに限定**する必要があります。そこで、本講座は、**次年度の論文試験の合格に必要な知識や法的思考能力を効率よく修得するのに必須**の**司法試験の過去問、近年の試験の形式に合わせた司法試験の改問やオリジナル問題、知識の隙間を埋めることができる予備試験の過去問**を、試験対策上必要な数に絞り込んで取り扱っていきます。**取り扱う問題を合格に真に必要な数に絞り込んでいるので、途中で挫折せずに合格に必要な論文作成能力を確実に修得**できます。

2 矢島講師が責任をもって作成した解答例

合格者の再現答案には不正確な部分があり、こうした解答例を元に学習をすると、悪いところを良いところだと勘違いして、**誤った思考方法を身につけてしまうおそれ**があります。**本講座で使用する解答例は、出題趣旨や採点実感を踏まえて試験考査委員が要求する合格答案となるよう、矢島講師が責任をもって作成**しています。矢島講師作成の解答例は法的な正確性が高く、**解答例中の法的な規範のところは、そのまま論証例**として使うことができ、**あてはめのところは、規範に事実を当てはめる際の事実の評価の仕方を学ぶ教材**として用いることができるため、**論文試験用の最強のインプット教材**になること間違いなしです。矢島講師の解答例なら繰り返し復習して**正しい法的思考能力を修得**することができるので、余計なことを考えずに安心して受験勉強に専念できます。なお、矢島講師作成の解答例は、**前年度以前の過去問**について以前作成したものであっても、**直近の試験で試験考査委員が受験生に求める能力**を踏まえて**毎年調整**し直しています。

講料

講形態	科目	回数	講義形態	一般価格	大学生協･書籍部価格	代理店書店価格	講座コード
				税込（10%）			
学・信	一括	30	Web※1	112,200円	106,590円	109,956円	通学：LA24514 通信：LB24504
			DVD	145,750円	138,462円	142,835円	
	民法/刑法※2	各5	Web※1	28,600円	27,170円	28,028円	
			DVD	36,850円	35,007円	36,113円	
	憲法/商法/民訴法 刑訴法/行政法※2	各4	Web※1	20,350円	19,332円	19,943円	
			DVD	26,400円	25,080円	25,872円	

声DL＋スマホ視聴付き
ずれか1科目あたりの受講料となります

価格とは、LEC各本校・LEC提携校・LEC通信事業本部・LECオンライン本校にてお申込される場合の受付価格です。■大学生協・書籍部価格とは、LECと代理店契約でいる大学内の生協、購買会、書店にてお申込される場合の受付価格です。■代理店書店価格とは、LECと代理店契約を結んでいる一般書店（大学内の書店は除く）にてされる場合の受付価格です。■上記大学生協・書籍部価格、代理店書店価格を利用される場合は、必ず本冊子を代理店窓口までご持参ください。

返品について】 1.弊社所定書面をご提出下さい。実施済受講料、手数料等を清算の上返金します。教材等の返送料はご負担頂きます（LEC申込規定第3条参照）。
2.詳細はLEC申込規定（http://www.lec-jp.com/kouzamoushikomi.html）をご覧下さい。

短答プロパーを集中的に学習

矢島の短答対策シリーズ

Inp

講義時間数

18時間

民事訴訟法　6時間
刑事訴訟法　6時間
商法総則・商行為・手形法
6時間

通信教材発送／Web・音声DL配信開始日

2025/2/3(月)

Web・音声DL配信終了日

2025/7/31(木)

使用教材

○民事訴訟法/刑事訴訟法/
商法総則・商行為・手形法

【受講料込】
矢島の基本知識プラステキスト2025
※レジュメPDFデータのwebupは致しません。

担当講師

矢島 純一
LEC専任講師

講座概要

本シリーズは、短答試験でのみ出題される分野のみを集中的に学習したいという受験生の講座をラインナップしたものです。特に短答試験に特有な事項が多い、民事訴訟法・刑事法・商法総則・商行為・手形法を扱います。矢島の速修インプット講座で論文試験や短答の重要基本知識の学習が終わって、いわゆる短答プロパーといわれる短答試験でのみ出題る分野の学習を本格的にしたいという受験生にお勧めです。

※矢島の短答対策シリーズとして以前まで実施していた「憲法統治」、「家族法」、「会社法」、「行政法」についテキストの情報を整理して「矢島の速修インプット講座」のテキストに掲載しました。

講座の特長

1 民事訴訟法

管轄、移送、送達、争点整理手続、上訴、再審などの民事訴訟法の短答プロパーの他に、全法や民事執行法の重要基本部分を修得できます。

2 刑事訴訟法

告訴、保釈、公訴時効、公判前整理手続、証拠調べ手続、上訴、再審などの短答プロパり扱います。

3 商法総則・商行為・手形法

商法総則・商行為・手形法を取り扱います。手形法については、論文の事例処理がでうにどの論点をどの順番で書けばよいのかについてもしっかりと講義していきます。

受講料

受講形態	科目		回数	講義形態	一般価格	大学生協・書籍部価格	代理店書店価格
					税込（10%）		
通信	一括		3	Web※1	14,600円	13,870円	14,308円
				DVD	19,400円	18,430円	19,012円
	科目別	民事訴訟法·刑事訴訟法	各1	Web※1	5,500円	5,225円	5,390円
				DVD	7,300円	6,935円	7,154円
		商法総則商行為	各1	Web※2	6,600円	6,270円	6,468円
				DVD	8,800円	8,360円	8,624円

※1 音声DL＋スマホ視聴付き
※2 いずれか1科目あたりの受講料となります

■一般価格とは、LEC各本校・LEC提携校・LEC通信事業本部・LECオンライン本校にてお申込される場合の受付価格です。■大学生協・書籍部価格とは店契約を結んでいる大学内の生協、購買会、書店にてお申込される場合の受付価格です。■代理店書店価格とは、LECと代理店契約を結んでいる一般書店（大除く）にてお申込される場合の受付価格です。■上記大学生協・書籍部価格、代理店書店価格を利用される場合は、必ず本冊子を代理店窓口までご持参ください

〈解約・返品について〉弊社所定の書面をご提出下さい。実施済受講料、手数料等を清算の上返金いたします。教材等の返送料はご負担いただきます。詳細規定（http://www.lec-jp.com/kouzamoushikomi.html）をご参照下さい。

直前期に短時間で効率よく知識を総復習　通学　通信　Input

スピチェ】矢島のスピードチェック講座

義時間数

'2時間
法　8時間　民訴法8時間
法　16時間　刑訴法8時間
法　16時間　行政法8時間
社法 8時間

教材発送/Web・音声DL配信開始日

3法：2025/4/28(月)
4法：2025/5/12(月)

eb・音声DL配信終了日

025/9/30（火）

用教材

島の要点確認ノート2025
ジュメのPDFデータはWebup致しませんのでご注意ください。

イムテーブル

講義
時間　途中10分休憩あり

当講師

矢島純一
LEC専任講師

講座の特長

1　72時間で最重要知識が総復習できる

本講座で必修7科目の論文知識を72時間という短時間で総復習することができます。日ごろから試験考査委員が公表している出題趣旨や採点実感を分析している矢島講師が、直近の試験傾向を踏まえて本番の試験で受けがよい見解や思考方法を講義しますので、「試験直前期に最終確認しておくべき最重要知識」の総まとめには最適なものとなっています。講義時間は矢島の速修インプット講座の2分の1未満で、試験前日まで繰り返し講義を聴くことで最重要知識が修得できるため、試験が近づいてきたのに論文知識に自信がない受験生受験生にもお勧めです。

2　情報量を絞り込み、繰り返し復習することで知識を確実に

講義時間が短いことから、隙間時間を利用して**各科目の全体を試験直前期まで続けて復習**することができます。全て覚えるまで復習を繰り返せば、本番で重要論点を落とすミスを回避できます。**矢島の速修インプット講座を受講されている方でも本講座を受講することにより短時間で論文試験の合格に必要な最重要知識を総復習して確実に合格**できる力を身に付けることができます。

3　論証集としても使えるテキスト

本講座のテキストは論文知識の中でも**本試験で絶対に落とせない重要度の高い論点**の要件、効果及び判例ベースの規範と論証例が掲載されています。市販の論証集は読んでも意味が分からないものが多々あるといわれていますが矢島講師作成の本テキストは初学者から上級者まで誰が読んでも分かりやすい論証が掲載されている上に、講義の際に論証の使い方のポイントを説明します。市販の論証集を購入して独学しても身に付けられない論証力を短時間で修得できることをお約束します。

通学スケジュール

※通学講義は教室で教材を配布します（発送はございません）。

科目	回数	日程	
憲法	1	25/3/29(土)	13:00~17:00
	2		18:00~22:00
民法	1	4/1(火)	13:00~17:00
	2		18:00~22:00
	3	4/3(木)	13:00~17:00
	4		18:00~22:00
刑法	1	4/5(土)	13:00~17:00
	2		18:00~22:00
	3	4/8(火)	13:00~17:00
	4		18:00~22:00

科目	回数	日程	
会社法	1	4/10(木)	13:00~17:00
	2		18:00~22:00
民訴法	1	4/12(土)	13:00~17:00
	2		18:00~22:00
刑訴法	1	4/15(火)	13:00~17:00
	2		18:00~22:00
行政法	1	4/17(木)	13:00~17:00
	2		18:00~22:00

※休憩時間含む

生講義実施校

水道橋本校　03-3265-5001
〒101-0061
千代田区神田三崎町2-2-15
Daiwa三崎町ビル（受付1階）
JR水道橋駅東口より徒歩3分。都営三田線水道橋駅より徒歩5分。都営新宿線・東京メトロ半蔵門線神保町駅A4出口から徒歩8分。
■受付
平日11:00～21:00 土・日・祝9:00～19:00
■開館
平日9:00～22:00 土・日・祝9:00～20:00

【通学生限定、欠席WEBフォロー】
講義の翌々日～通常のWEB配信開始日まで、WEB上で講義をご覧いただけます。
講義の復習にもご利用ください。
欠席WEBフォロー配信日終了後は、通常のWEB配信またはDVDにて学習してください。

受講料

受講形態	科目	回数	講義形態	一般価格	大学生協・書籍部価格	代理店書店価格	講座コード
				税込(10%)			
通学	一括	18	Web※1	56,100円	53,295円	54,978円	LA24992
			DVD	72,600円	68,970円	71,148円	LA24991
	上3法	10	Web※1	31,900円	30,305円	31,262円	LA24992
			DVD	41,250円	39,187円	40,425円	LA24991
	下4法	8	Web※1	28,600円	27,170円	28,028円	LA24992
			DVD	37,400円	35,530円	36,652円	LA24991
通信	一括	18	Web※1	56,100円	53,295円	54,978円	LB24994
			DVD	72,600円	68,970円	71,148円	
	上3法	10	Web※1	31,900円	30,305円	31,262円	
			DVD	41,250円	39,187円	40,425円	
	下4法	8	Web※1	28,600円	27,170円	28,028円	
			DVD	37,400円	35,530円	36,652円	

※音声DL＋スマホ視聴付き

■一般価格とは、LEC各本校・LEC提携校・LEC通信事業本部・LECオンライン本校にてお申込される場合の受付価格です。■大学生協・書籍部価格とは、LECと代理店契約を結んでいる大学内の生協、購買会、書店にてお申込される場合の受付価格です。■代理店書店価格とは、LECと代理店契約を結んでいる一般書店（大学内の書店は除く）にてお申込される場合の受付価格です。■上記大学生協・書籍部価格、代理店書店価格を利用される場合は、必ず本冊子を代理店窓口までご持参ください。

【解約・返品について】　1.弊社所定書面をご提出下さい。実施済受講料、手数料等を清算の上返金します。教材等の返送料はご負担頂きます（LEC申込規定第3条参照）。
2.詳細はLEC申込規定（http://www.lec-jp.com/kouzamoushikomi.html）をご覧下さい。

LEC提携校

＊提携校はLECとは別の経営母体が運営をしております。
＊提携校は実施講座およびサービスにおいてLECと異なる部分がございます。

北海道・東北

戸中央校【提携校】 ☎0178(47)5011
031-0035　青森県八戸市寺横町13　第1朋友ビル
教育センター内

前校【提携校】 ☎0172(55)8831
036-8093　青森県弘前市城東中央1-5-2
なびの森　弘前城東予備校内

田校【提携校】 ☎018(863)9341
10-0964　秋田県秋田市八橋鯲沼町1-60
式会社アキタシステムマネジメント内

関東

戸校【提携校】 ☎029(297)6611
10-0912　茨城県水戸市見川2-3079-5

沢校【提携校】 ☎050(6865)6996
59-0037　埼玉県所沢市くすのき台3-18-4　所沢K・Sビル
会社LPエデュケーション内

本橋校【提携校】 ☎03(6661)1188
03-0025　東京都中央区日本橋茅場町2-5-6　日本橋大江戸ビル
会社大江戸コンサルタント内

北陸

潟校【提携校】 ☎025(240)7781
50-0901　新潟県新潟市中央区弁天3-2-20　弁天501ビル
会社大江戸コンサルタント内

沢校【提携校】 ☎076(237)3925
20-8217　石川県金沢市近岡町845-1
会社アイ・アイ・ピー金沢内

井南校【提携校】 ☎0776(35)8230
8-8114　福井県福井市羽水2-701
会社ヒューマン・デザイン内

中国・四国

松江殿町校【提携校】 ☎0852(31)1661
〒690-0887　島根県松江市殿町517　アルファステイツ殿町
山路イングリッシュスクール内

岩国駅前校【提携校】 ☎0827(23)7424
〒740-0018　山口県岩国市麻里布町1-3-3　岡村ビル　英光学院内

新居浜駅前校【提携校】 ☎0897(32)5356
〒792-0812　愛媛県新居浜市坂井町2-3-8
パルティフジ新居浜駅前店内

九州・沖縄

佐世保駅前校【提携校】 ☎0956(22)8623
〒857-0862　長崎県佐世保市白南風町5-15　智翔館内

日野校【提携校】 ☎0956(48)2239
〒858-0925　長崎県佐世保市椎木町336-1　智翔館日野校内

長崎駅前校【提携校】 ☎095(895)5917
〒850-0057 長崎県長崎市大黒町10-10　KoKoRoビル
minatoコワーキングスペース内

高原校【提携校】 ☎098(989)8009
〒904-2163　沖縄県沖縄市大里2-24-1
有限会社スキップヒューマンワーク内

※上記は2024年10月1日現在のものです。

書籍の訂正情報について

このたびは，弊社発行書籍をご購入いただき，誠にありがとうございます。
万が一誤りの箇所がございましたら，以下の方法にてご確認ください。

1 訂正情報の確認方法

書籍発行後に判明した訂正情報を順次掲載しております。
下記Webサイトよりご確認ください。

www.lec-jp.com/system/correct/

2 ご連絡方法

上記Webサイトに訂正情報の掲載がない場合は，下記Webサイトの
入力フォームよりご連絡ください。

lec.jp/system/soudan/web.html

フォームのご入力にあたりましては，「Web教材・サービスのご利用について」の
最下部の「ご質問内容」に下記事項をご記載ください。

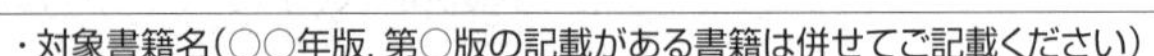

・対象書籍名（○○年版，第○版の記載がある書籍は併せてご記載ください）
・ご指摘箇所（具体的にページ数と内容の記載をお願いいたします）

ご連絡期限は，次の改訂版の発行日までとさせていただきます。
また，改訂版を発行しない書籍は，販売終了日までとさせていただきます。

※上記「2ご連絡方法」のフォームをご利用になれない場合は，①書籍名，②発行年月日，③ご指摘箇所，を記載の上，郵送にて下記送付先にご送付ください。確認した上で，内容理解の妨げとなる誤りについては，訂正情報として掲載させていただきます。なお，郵送でご連絡いただいた場合は個別に返信しておりません。

送付先：〒164-0001 東京都中野区中野4-11-10 アーバンネット中野ビル
株式会社東京リーガルマインド 出版部 訂正情報係

・誤りの箇所のご連絡以外の書籍の内容に関する質問は受け付けておりません。
また，書籍の内容に関する解説，受験指導等は一切行っておりませんので，あらかじめご了承ください。
・お電話でのお問合せは受け付けておりません。

講座・資料のお問合せ・お申込み

LECコールセンター 0570-064-464
携帯OK

受付時間：平日9:30～19:30/土・日・祝10:00～18:00

※このナビダイヤルの通話料はお客様のご負担となります。
※このナビダイヤルは講座のお申込みや資料のご請求に関するお問合せ専用ですので，書籍の正誤に関するご質問をいただいた場合，上記「2ご連絡方法」のフォームをご案内させていただきます。